Au nom du père et du fils

ÉDITION DU CLUB QUÉBEC LOISIRS INC.
© Avec l'autorisation des Éditions La Presse
Dépôt légal — Bibliothèque nationale du Québec, 1992
ISBN 2-89430-056-5
(publié précédemment sous ISBN 2-89043-136-3)

Au nom du père et du fils

roman

Francine Ouellette

A ma mère

Le roman *Au nom du père et du fils*
s'inscrit dans un contexte historique
réel, soit la colonisation des Hautes-
Laurentides. Toute ressemblance des
personnages avec des personnes existantes ou ayant existé n'est que pure
coïncidence.

Noé

Noé ! Noé !
    Qui es-tu ?
    Pour qui te prends-tu ?
    Pour le patriarche
    Sur son arche ?
    Avec les semences du futur paradis
    Et les étalons des futures races ?

Noé ! Noé !
    Face au déluge du pays conquis
    Et à l'exil de la populace
    Tu mènes ta descendance
    Avec une rare vaillance.

Noé ! Noé !
    Sais-tu la souffrance ?
    As-tu l'endurance ?
    Et la chance ?

Noé ! Noé !
    Ton arche, c'est ton traîneau.
    Ta mer, c'est la neige.
    Le déluge, c'est quoi ?
    La pauvreté ? L'exil ? L'agonie d'une race ?

Noé ! Noé !
    Sur ton traîneau
    Pourquoi vas-tu t'user ?
    Quel sol vas-tu donc reconquérir
    Au risque de mourir ?

Noé ! Noé !
    Avec tes enfants au Sud et au Nord
    Que partout le froid mord.
    Avec ta misère, en échange

D'une terre, d'une maison, d'une grange.
Avec la garantie de tes mains
Pour assurer le pain.
Avec tes muscles entêtés
Tu redonnes la fierté
A ton peuple bafoué
Durant de longues années.

Noé ! Noé !
Au cœur inquiet de père,
Au cœur puissant de bâtisseur,
Au cœur croyant de chrétien,
Soudés tous ensemble dans ta poitrine obstinée
Tu mènes courageusement vers leur destinée
Les enfants à l'allure fière
Qui reprendront nos frontières.

Noé ! Noé !
Enfants de Noé, aujourd'hui enracinés
Sur les terres essouchées
N'oubliez jamais l'ancêtre
Qui vous a menés
Jusqu'au bien-être
De vos maisons chauffées.

N'oubliez jamais ce sentier
Dans la neige creusée.
N'oubliez ni les bœufs
Ni les enfants valeureux.
Ni ce grand vent
Et ce froid malfaisant
Qui, sur la peau de Noé
Mordait à belles dents
Sans que jamais, il eût abandonné.

Les enfants de Noé

1884

Ce pays. Ces arbres. Toute cette neige, tout ce froid, toute cette solitude. Et ce vent plein de plaintes qui s'accroche aux branches des épinettes et les secoue. Ce vent, toujours présent, qui tantôt pousse la neige sur la croûte dure et tantôt rafale contre la porte...

Ce pays, encore inconquis. Terre d'espérance des pauvres... Terre d'espérance des déshérités. Des tout-nus qui n'ont que leurs mains pour richesse et leur dos à user. Et une confiance, une confiance tenace en de beaux lendemains.

Ce pays, encore sauvage, encore cruel. Loin, semble-t-il, du vrai pays. Loin des douceurs, des tiédeurs. Ce pays, sans loi, sans clôture, sans chemin. Surtout sans chemin. Sans autre chemin que celui des rivières et celui des bœufs sur les lacs gelés... Ce chemin, qu'il a été dur pour les deux enfants de Noé!

Deux garçons: seize ans, douze ans. En cette soirée de grand vent. Nouant leurs pensées secrètes et leur inquiétude à ce chemin des bœufs perdu entre neige et neige. L'un caresse la poule, l'autre la maigre génisse. Dehors, les loups hurlent et les effraient. L'un serre la poule, l'autre se soulève puis se rassied sur le sol de terre battue, en disant:

— Y sont mieux de pas venir manger nos animaux.

— Ouais, répond son frère en s'emparant de la hache près de lui, pôpa y a dit qu'y attaqueront pas. C'est vrai, y l'a dit.

Un temps. Encore des hurlements. Le vent comme un courant dans les espaces entre les rondins. Le plus jeune grelotte, s'avance vers le feu central et lui tend ses mains gelées. Quand donc aura-t-il chaud? Il n'en peut plus de claquer des dents! Depuis leur départ de la maison paternelle, il gèle. Le plus vieux fait mine d'être plus résistant, mais il gèle lui aussi. Il le voit parfois serrer les mâchoires et trembler.

— Tu te rappelles-tu de notre gros poêle?

— Ben sûr...

Et le gros poêle en fonte, comme une grosse bête vivante grandit dans leur souvenir. Il pétille, craque, pète, chauffe et réchauffe. On voit du rouge là où les ronds s'emboîtent dans la plaque et du rouge quand la mère ouvre la porte de devant pour le faire tirer. Qu'il est chaud! Qu'il sent bon! Et le pain lève devant. Et l'eau bout dessus. Et le lard pétasse dans la poêlonne. La mère s'affaire autour. Elle le bardasse, le nourrit, le polit, le nettoie, le frotte, l'huile et le fait cuire. Elle le guette à cause du feu et prend garde à bien apprivoiser la vraie bête. Celle qui gronde et tremble dans sa cage. Celle qui tire ses langues multiples et voraces au bois qu'on lui tend. Séparer le poêle de la mère, c'est impensable. Leur existence semble liée; leurs destinées soudées.

Qu'ils sont loin maintenant ce gros poêle et la mère! Un long chemin sur les lacs gelés et les forêts vierges les en sépare. Et sur ce long chemin, le père peine avec ses bœufs et son traîneau. Réussira-t-il à revenir à la maison? A réunir des fonds et ramener, avant la fonte des glaces, le reste de la famille et le gros poêle? « M'as faire vite », avait-il dit. Mais faire vite avec ses bœufs têtus et ses pas dans ce pays sauvage tourne à l'illusion. A la dérision. Ça leur a pris tant de temps à aboutir ici! Où est-il présentement? A quelle étape? A Saint-Faustin? Saint-Jovite? A la Chute-aux-Iroquois? A la Conception? A Nominingue, chez les pères jésuites? Où? Sur le chemin Chapleau? Ce chemin durci par les pistes de loups. Un sentier plus qu'un chemin!

Leurs jeunes esprits ne savent à quoi s'agripper et ils retournent à cette maison de Sainte-Agathe qu'ils ne reverront plus, à ces lits de paille, à ces frères, ces sœurs, à ce gros poêle, à la table. Et ils se remémorent les soupers, les soirées, les nuits, les matins et les saisons. Ils se rappellent l'étable et les quelques animaux qu'ils possédaient. Et le jeune se serre davantage sur sa poule. Lui donnera-t-elle un œuf demain? Y aura-t-il du lièvre encore dans leurs collets? De quoi sera fait demain? Mangeront-ils?

— T'as eu peur du sauvage, hein?

— Pantoute.

— Pourquoi t'as crié d'abord?

— Y m'a surpris.

— Y a pas l'air méchant. Me semble qu'y a souri.

— P'tête ben... C'est qu'y est gros pis y est grand. Pourquoi qu'y est rentré icitte?

— Pour voir qui qu'on était.

— Y a rien dit.

— Ça dit rien un sauvage. Ça comprend même pas quand on y parle. Y est ben mieux d'être tranquille lui, on a une hache.

— Ouais... Lui si, y en a une, constate le plus jeune en se rapprochant de son frère.

— Apporte la hache! Laisse-la pas là! lui ordonne celui-ci, inquiet à son tour.

10

Le jeune obéit, se blottit contre lui et dit tout bas: « Mô- man, j'ai peur! »

— Peur de quoi?

— Qu'y m'arrache les cheveux.

— C'était dans l'ancien temps ça. Et pis on sait se défendre, hein?

— Ouais.

— Pôpa nous fait confiance. Y a même dit qu'on était des hommes.

— C'est vrai.

— Bon, dormons. Mets la hache à côté de moé.

Ils s'étendent l'un contre l'autre. Se réchauffant, s'encou- rageant et s'enlaçant. Le sol froid gagne leurs jeunes os et le vent traverse leurs couvertures. Dehors, c'est ce pays. Ce pays inconquis, ce sol rébarbatif où leur père les a installés en atten- dant son retour. Les voilà, endormis à même ce sol d'hiver où s'échafaudent les espérances de la famille. Le plus vieux rêve. Peut-être y aura-t-il des récoltes là où sa joue repose. Peut-être le père élèvera-t-il la future maison à cet endroit. Peut-être y aura-t-il un puits, un enclos ou une étable. Pour le moment, ce n'est qu'un petit carré de terre emprunté à la forêt. A même la forêt. Entre les sentiers des lièvres et des chevreuils. Un espace réservé pour la foi en des moissons futures.

L'enfant rêve. Rêve. Sa joue repose sur un champ de foin. Une charrette s'avance, écrasée sous le poids de la récolte. La mère cherche la cruche d'eau sous un arbre ombrageux et la lui donne. L'eau coule... il l'entend couler... Et ce sont les sources profondes et souterraines de la forêt qu'il entend dans ses oreilles.

Gros-Ours

Cette bonne odeur de fumée. Ces éclatements soudains. Ces tisons qui rougeoient, grandissent, accouchent de petites flammes pointues et se rendorment dans un halo bleu. Tout ce fond de feu qui vit, respire, s'amenuise, s'assombrit, se tait puis remue quand Gros-Ours le brasse.

Et Gros-Ours jongle en regardant de ses yeux mi-clos sa petite fille s'amuser d'une branche de sapin. Il la trouve belle. Réservée. Intelligente. Près d'elle, sa femme tanne une peau de castor. Une belle peau qui deviendra un manteau pour la petite. Avec ça, elle pourra le suivre dans les bois et il lui enseignera les pièges. A elle, il lui enseignera les pièges comme à un homme. Il le faut. Puisqu'il n'y a pas et n'y aura pas d'autres enfants. Mais sa fille lui donnera des petits-fils et ils suivront leur grand-père à la trappe, à la chasse, à la pêche. Il leur parlera en leur langue et les baptisera de noms indiens. De vrais noms: des noms qui s'adaptent au caractère, à la mine et à la personnalité. Des noms comme le sien: Gros-Ours.

Gros-Ours; ça lui ressemble. Ça ressemble à sa force, sa musculature, son caractère. Un ours, c'est fort sans attaquer, c'est puissant sans régner, ça fait son affaire à sa guise, ça aime ses petits et ça aime en grognant. C'est curieux, c'est naïf aussi et sous ses griffes et ses crocs bat un cœur tendre. Oui, Gros-Ours, ça lui ressemble. Ça ressemble à ce qu'il est. Il se sent ce gros animal et il aime ce gros animal. Comme lui, il souhaiterait s'endormir béatement pendant l'hiver. Sous sa tente, avec sa fille dans ses pattes. A l'abri des Blancs et de leurs noms bizarres.

Un curé lui en a donné un à sa naissance: Étienne Sauvageau. Il ne s'en sert que pour vendre ses peaux car les marchands lui demandent toujours son nom. Avant, il répondait Gros-Ours et eux, ils répliquaient: « Donne-nous ton vrai nom! » Alors, il donnait l'autre nom; celui qui n'est pas vrai et qui ne correspond à rien. Peut-être que pour les Blancs, cela veut dire quelque chose. Peut-être qu'ils y voient des images.

Étienne Sauvageau! Qui c'est celui-là? Ce n'est sûrement pas lui, car lui, il est Gros-Ours. Mais pour se montrer docile, il donne maintenant le nom d'Étienne Sauvageau au marchand de peaux.

Un sourire moqueur et fugace passe dans ses yeux bridés. Sa fille se lève pour s'approcher du bois. Comme elle est délicate! Déjà, ses gestes sont d'une douceur remarquable.

— Biche.

Une biche sur ses fines jambes traverse l'esprit du père. La même douceur, la même élégance. Et cet air songeur. Un peu triste...

— Biche Pensive.

L'enfant le regarde avec des yeux étonnés.

— Tu t'appelles maintenant Biche Pensive.

— Pour toujours?

— Oui, pour toujours... Je l'ai trouvé! Je viens de te voir ma petite biche.

Il l'embrasse, la soulève au bout de ses bras d'Hercule et la contemple en silence. Leurs regards se fondent. S'unissent. Un ruisseau qui rencontre un fleuve et ne fait qu'un. Comme il l'aime! Et comme il est heureux d'avoir trouvé son nom.

— Tu dis des sacrilèges! interrompt sa femme d'une voix paniquée.

— Et toi, des sottises.

— Elle s'appelle Marie-Jeanne. Elle a été baptisée. Nous irons tous en enfer, si tu changes son nom.

— Vas-y, toi, si tu veux. Avant les curés, il n'y avait pas d'enfer pour les Indiens.

— Mais elle est baptisée!

— Et après? Qu'est-ce que ça veut dire Marie-Jeanne?

— Rien.

— Elle ne s'appellera pas rien. La fille de Gros-Ours aura un nom, un vrai nom. Aussi vrai que je suis Gros-Ours, elle sera Biche Pensive.

— Ça ne se fait plus. Tu vas nous perdre.

— Ce que j'ai dit, sera. Ne l'appelle jamais plus de ce nom de Blanche!

La femme se met à prier. Elle ne sait pas trop la formule et marmonne du bout des lèvres. Cette attitude exaspère Gros-Ours bien qu'il doive convenir qu'Odile s'avère une femme utile. Elle sait bien tanner les peaux et préparer la banique et les viandes. Elle sait fabriquer des vêtements et poser de bons planchers de sapinage, mais il lui manque quelque chose. Ce quelque chose que lui possède et qu'elle n'aura jamais plus. Il lui manque du courage. Et de la foi en sa propre race. Depuis qu'elle a travaillé pour des sœurs blanches, elle n'est plus serviable comme squaw. D'abord, elle n'a eu qu'une enfant. Et puis, elle porte un nom qui ne veut rien dire, avec une fierté qui ne vaut rien. Odile... Odile! Ça rime à quoi? Ensuite, elle

13

marmonne sans cesse des prières et cela l'agace. Oui, Odile l'agace. Cette petite femme nerveuse perdue entre le ciel, le purgatoire et l'enfer l'agace. Et pourtant, elle partage sa couche, sa tente, sa nourriture. Qu'importe! Il a sa fille. Et ce soir, il a trouvé qui elle était. Elle est Biche Pensive. Il l'assoit près de lui et la presse contre ses côtes.

— Ton bras est pesant, papa.

— C'est le bras d'un gros ours, ma Biche.

Un rire clair et frais pour toute réponse. Il l'accompagne de sa voix caverneuse et se couche sur le dos. Elle grimpe sur son ventre et le chatouille. Son ventre bouge: la voilà à cheval.

Odile leur lance un regard désapprobateur. Elle cherche à son cou une croix de chapelet et la baise avec dévotion. Puis, elle continue son ouvrage, ne sachant comment extirper des griffes affectueuses de son père son enfant baptisée.

— J'ai vu des petits Blancs, aujourd'hui, annonce Gros-Ours à sa fille.

— Il y a des petits Blancs, ici?

— Oui. Dans une cabane.

— Ils avaient des parents?

— Je n'en ai pas vu. Ils ont eu peur de moi.

— Ils sont de mon âge?

— Oh non! Ils sont plus vieux que toi.

— Pourquoi ne me l'as-tu pas dit? s'offusque sa femme.

— Ça t'intéresse?

— Qu'est-ce qu'ils font là? Il n'y en a jamais eu ici à part les bûcherons.

— Ils avaient deux animaux. Je pense que leurs parents viendront plus tard. Je pense qu'ils couperont des arbres et auront une ferme. Et nous, on reculera vers le Nord. Vers le Nord... Mais on ne peut pas toujours aller vers le Nord sans perdre son pays.

— Des enfants seuls?

— Des jeunes.

— J'aimerais les voir.

— Moi aussi, papa, j'aimerais les voir. Je n'ai jamais vu de Blanc.

— Je vous les montrerai. Toi, femme, tu feras une banique pour eux. Ils ont si peur. Ils sont jeunes.

— D'où viennent-ils? D'où viennent les Blancs? demande Biche Pensive.

— Oh! Au début, ils venaient de l'autre côté de la grande eau. Et ils se sont installés sur nos terres et au lieu de chasser les animaux, ils les ont enfermés pour les tuer plus facilement. Et puis, ils ont enlevé la forêt et cultivé sa terre. Et ils se sont nourris de ses produits et ils ont nourri leurs animaux. Ils se sont bâti des maisons qui ne bougent pas et même des maisons pour les animaux. Et ils ont eu des enfants. Et les enfants ont pris de plus en plus de nos terrains.

— C'est loin, l'autre côté de la grande eau?

— Oui. Très loin.

— Ils avaient un grand canot?

— Un très grand canot.

— Pourquoi ils ont traversé la grande eau pour prendre nos terrains?

— J'sais pas.

— Et pourquoi on recule?

— Parce qu'ils sont plus nombreux que nous maintenant.

— Avant, on ne reculait pas?

— Non. On se battait. On se défendait.

— Et aujourd'hui, on recule? Et si on recule trop vers le Nord, on va perdre notre pays? C'est quoi un pays?

— On a tous un pays. L'outarde a son pays; l'orignal, son pays; la truite son pays. Prends une truite mouchetée et mets-la dans le pays du brochet et elle va mourir. Elle n'est pas dans son pays... Un pays, c'est l'endroit qui nous a vu naître et grandir. C'est l'endroit qui nous a formés. C'est son air, son eau, la couleur de son ciel, la saveur de ses plantes et son genre d'animaux. C'est comme notre mère. C'est essentiel de vivre dans son pays. Parmi les choses qui nous ont nourris.

— Et si on perd notre pays, on va mourir?

— Ou changer. Comme le poisson-prisonnier.

— Quel poisson?

— Je vais te raconter son histoire. Couche-toi, ici, près de moi...

Il la couvre avec la natte de peaux de lièvres et s'étend près d'elle.

— Un jour, des saumons remontaient la rivière pour aller pondre leurs œufs. Ils débouchèrent dans un grand lac et s'attardèrent à le visiter. Puis, lorsqu'ils voulurent revenir vers la mer, ils s'aperçurent que le lac s'était refermé et qu'ils ne pouvaient plus rejoindre la rivière. Beaucoup d'entre eux sont morts... et ceux qui survécurent perdirent peu à peu leurs particularités de saumon. Ils perdirent leurs écailles roses, leur nez crochu et toutes leurs habitudes. Jamais plus ils ne firent le voyage de l'eau salée à l'eau douce. Jamais plus ils ne revirent la grande eau. Aujourd'hui, le poisson-prisonnier peuple le grand lac. Ce n'est plus un saumon. Ses écailles sont d'argent. Mais quand on le harponne ou qu'on le prend dans les filets, il se débat jusqu'à la mort. Comme ses lointains ancêtres, les saumons.

— Je ne veux pas changer comme le poisson-prisonnier.

— C'est mieux que mourir, glisse Odile.

— Et c'est encore mieux de ne pas laisser de grand lac

se refermer sur nous. Ne crains rien. Gros-Ours s'occupe de ça. Dors, ma Biche. Dors Biche Pensive.

Il la baise tendrement sur le front. Puis il se retourne vers son feu, le secoue et reprend ses pensées.

Mais elles l'accablent ses pensées! Elles se nouent à ses tripes et l'effraient. Sera-t-il obligé de reculer vers le Nord? Quand? L'arrivée de ces jeunes enfants blancs l'avertit du mouvement de colonisation qui déferlera dans la région. Il a dit: « Ne crains rien, Gros-Ours s'occupe de ça! » Si elle savait cette petite comme il craint, lui, le Gros-Ours et le père de famille. Si elle connaissait à fond le fond de son âme, elle y verrait tant d'appréhensions et de doutes qu'elle ne dormirait jamais plus et comme lui surveillerait les tisons se consumer.

Lui qui est parti d'Oka à l'âge de vingt-deux ans afin de préserver son identité, le voilà devant un second dilemme. Rester dans ce coin qu'il croyait perdu ou pérégriner encore vers des lieux plus inaccessibles. Ici, la chasse, la trappe, la pêche sont excellentes. Les bois regorgent de fruits de toutes sortes, l'outarde s'arrête dans son périple vers le Nord. Trouvera-t-il un terrain plus favorable? Mais que restera-t-il de ce terrain après que les colons l'auront défriché? Quand faudra-t-il partir? Odile traînera-t-elle de la patte comme elle l'a fait lorsqu'ils sont partis d'Oka? Lui reprochera-t-elle de s'éloigner de Dieu alors que dans sa foi à lui, il se rapproche de Chémanitou? Que lui faut-il faire pour préserver sa culture et celle de Biche Pensive? Pour préserver ce sang algonquin transmis de génération en génération avec le sang des légendes et des croyances. Il sent sa race en péril. Un ennemi sans visage la guette. Un ennemi puissant qu'il ne peut attaquer et contre lequel il ne peut se défendre. Est-ce le temps? Le Blanc? La civilisation? La colonisation? Contre qui, contre quoi lèvera-t-il ses poings? Et quand les lèvera-t-il? Ces deux enfants blancs, laissés dans la forêt, représentent l'invasion sournoise. Il ne peut rien contre eux. Comme il n'a rien pu contre les bûcherons qui abattaient des arbres et les faisaient flotter sur l'eau. Oui, lorsqu'il est arrivé ici, il a bien vu qu'on avait coupé du bois et ce bois a failli crever son canot dans sa course vers l'Ouest. Mais ceci ne l'a pas inquiété outre mesure. Ces Anglais ne prenaient que le bois et non le sol. Ils venaient par voie d'eau, rasaient les arbres et les ramenaient dans leur pays. C'était une cueillette à grande échelle et on aurait dit que même les cours d'eau s'alliaient à eux pour saigner la forêt de ses plus beaux arbres en filant vers l'Ouest. Mais ces gens-là ne s'installaient pas. Ne conquéraient pas. Ils s'emparaient des richesses, point. Mais les gens de l'Est, par contre, remplissaient son âme d'angoisse. Ces gens de l'Est s'enracinaient férocement en terre de colonisation. Ces gens plantaient d'abord une croix dans le sol à vaincre: symbole de leur courage, de leur espoir et de leur victoire. Autour de cette croix, ils peinaient vaillamment. Presque jour et nuit. Ils subissaient les hivers et les moustiques. Ils s'éreintaient à extraire les souches, à semer, à récolter. Une force, pour lui inconnue, les alimentait tous et leur permettait d'endurer des misères terribles. Était-ce dans cette croix qu'ils puisaient toute leur volonté? Étaient-ils voués, eux aussi, à l'extinction pour s'acharner ainsi à posséder un coin de terre? Car c'était de l'acharnement qui frôlait le désespoir. Il avait connu cet acharnement lorsqu'il avait fui la réserve d'Oka. Il s'y sentait tellement à l'étroit. Sa vie n'y était qu'un ramassis de réminiscences, de rancunes et de honte. On avait honte de Chémanitou et les vieux transmettaient la légende en cachette. En y mêlant souvent le Dieu des Blancs pour rendre la chose plus plausible. On y rêvait des anciens territoires de chasse, vivant dans la nostalgie de ce passé bienheureux. Adoptant la religion et les coutumes des Blancs. Les enfants se faisaient baptiser et portaient des noms sans signification. Les femmes s'accrochaient des croix au cou et craignaient d'être punies en se donnant à un homme. Alors, il a fui. Un beau matin. Avec le canot qu'il s'était construit et sa femme en désaccord. Il a remonté les rivières et trouvé ce coin... Et maintenant, eux aussi, ont trouvé ce coin et s'y installeront. Ils y fonderont leur famille, y bâtiront leurs maisons et plus tard défendront farouchement chaque pouce de terrain. Et lui? Et sa fille?

Il regarde un instant Odile. La sauvera-t-il malgré elle? Réussira-t-il à lui enlever sa peur de l'enfer? A ses yeux, elle représente son peuple. Naïf et déraciné, priant un Dieu nouveau, avec des formules incomprises et craignant par-dessus tout la damnation éternelle. Ils n'ont rien gagné à changer leur Dieu. Avant, une récompense les attendait à la fin de leur vie; maintenant, c'est une punition qui les attend. Non, ils n'ont rien gagné à changer leur Dieu.

Odile lève les yeux vers lui et le fixe longuement. Colère et peur luisent dans ses prunelles. D'un geste brusque elle met du bois sur le feu puis retourne à son ouvrage d'un air outragé. Elle sait quel combat il mène dans sa tête. Elle sait qu'il pense encore à partir vers le Nord. En temps et lieu, elle lui donnera son opinion.

Gros-Ours grogne un peu, soupire, puis son regard se porte au loin. Loin en avant, ou loin en arrière, elle ne le sait.

Prisonnier le saumon qui n'a pu retourner à la mer.
Perdu son âme, le saumon.
Perdu sa livrée,
Perdu son bec crochu,

17

Perdu ses migrations.
Quand donc se fermera le grand lac?
Et derrière quel pas se fermera-t-il?
Quand sera-t-il temps de rebrousser chemin?
Où sont les frontières mouvantes qui les cernent,
Les impalpables, les insondables frontières du temps?

Le grand lac se referme

Une épaisse buée rampe au plafond de la salle de lessive. Sœur Marie-Ange, le visage rougi et dégoulinant de sueur, pousse le linge au fond des grosses cuves bouillonnantes. Puis, elle retourne à son bac d'un pas de vieille habituée aux durs travaux. Avant de se pencher sur sa planche raboteuse, elle jette un regard doux à cette jeune enfant de dix ans qui peine avec elle. Ses petits doigts bruns frottent un drap taché de vomi et ses longues nattes suivent le mouvement de ses gestes vigoureux. Mais l'enfant regarde l'eau savonneuse et sœur Marie-Ange garde pour elle son sourire et dit simplement:

— Quelle belle journée... Ça va sécher vite.

— Oui, ma sœur, répond machinalement Biche Pensive, le regard perdu dans l'eau sale.

Oui, comme elle est sale et laide cette eau qui lui cache le fond de sa cuve. On n'y voit rien et, de toute façon, il n'y a rien à voir. Elle se remémore alors sa rivière et les brochets alanguis sur un fond de sable. Comme c'était beau tout ça! Et comme c'est loin! Elle soupire. Le mois de mai bat en elle, lui rappelant mille et un souvenirs, mille et un gestes à faire, mille et un voyages.

Mai, ce mois chaud, qui fond la glace et grossit les torrents. Elle voit danser l'air au-dessus des lacs grisâtres, elle entend les grandes plaques se promener selon les caprices du vent et s'émietter aux rivages. Et, là où l'eau renaît, se posent les voiliers d'outardes dans un concert ahurissant de cris rauques et d'éclaboussements. Mai bat en elle. Elle le reconnaît à la longueur des jours, à la couleur du ciel, à l'odeur retrouvée de la terre, au chant des oiseaux revenus. Pour chaque jour, chaque heure, elle regrette les gestes qu'elle aurait à faire en forêt... La cueillette des têtes de violons, de l'ail des bois, la chasse aux outardes, le ramassage des plumes, la pêche aux brochets, le raccommodage des filets, la pêche à la truite, le fumage. Mai lui parle d'eau et de soleil. Mai, c'est l'installation du campement près de la rivière, l'échange des fourrures et la promesse d'une belle saison.

Mais aujourd'hui, ce mois, jadis si beau, a perdu toute

signification sauf que le linge séchera vite et séchera dehors. Biche jette un coup d'œil furtif à la vieille religieuse qui frotte sans relâche et, encore une fois, essaie de comprendre pourquoi elle se trouve près d'elle à laver le linge de l'hôpital. Si loin de Gros-Ours et de la forêt.

C'est la mort de mère Odile qui a amené tout ça. Oui, un jour, en revenant de la trappe avec son père, ils trouvèrent Odile fiévreuse, marmonnant des paroles incompréhensibles en serrant sa croix de chapelet. Elle toussait, râlait et suppliait Gros-Ours pour qu'il l'emmène voir un curé. Alors, il l'a installée dans la traîne et ils sont descendus vers les Blancs. Après trois jours de marche, ils ont rejoint un village. C'était la première fois qu'elle voyait tant de maisons qui ne bougent pas et la première fois qu'elle voyait l'homme à la robe noire qui dit des incantations. Mère Odile n'a même pas vu les petites croix qu'il a dessinées sur elle... car elle est morte sans s'apercevoir qu'elle était rendue. Le curé lui a enlevé sa croix de chapelet pour la lui donner: elle a refusé. Que ferait-elle de cet homme blessé? Que représentait-il? Alors, le curé lui expliqua, dans sa langue, que cet homme était le fils de Chémanitou. Ça l'avait surprise que cet homme parle sa langue et connaisse Chémanitou, mais Gros-Ours fronçait les sourcils et elle comprit qu'il n'était pas d'accord avec cette nouvelle interprétation de leur religion.

Ils repartirent en laissant la petite croix à mère Odile. Chemin faisant, elle tomba malade. Très malade. De ces maladies qu'ont les enfants blancs. Gros-Ours dut la ramener au village. Elle y resta trois mois, titubant d'une contagion à une autre. Gros-Ours était retourné à sa trappe avec la promesse du curé qu'elle serait là, à son retour. Mais, avant son retour, on l'avait emmenée dans un canot pendant sept jours jusqu'à un monstre noir: le train. Là, une représentante de Chémanitou l'attendait. Jamais elle n'oubliera ce jour ni ce monstre qui hurlait sur ses lisses de bois. Jamais elle n'oubliera avec quelle détresse elle espérait la venue de Gros-Ours et comme elle pensait mourir en pénétrant dans le ventre du monstre. La religieuse lui parlait doucement en français; elle n'y comprenait presque rien. Visiblement, cette femme tentait de la consoler en essuyant ses larmes et en serrant ses mains dans ses gants noirs. Mais où la menait-elle avec son beau sourire et son étrange coiffure? Vers quoi la dirigeait-elle? Savait-elle, au moins, ce à quoi elle l'arrachait? Changerait-elle de pays? Changerait-elle à son tour comme le poisson-prisonnier?

— Marie-Jeanne! Va étendre! ordonne sœur René-Maria d'une voix sèche.

Oui, elle a changé puisqu'elle n'est plus Biche Pensive. Et elle n'est plus Biche Pensive puisqu'elle ne court plus dans les bois mais porte de lourds paniers de linge humide. Résignée, elle s'empare de sa charge et sort. Dehors, la ville s'éveille derrière le mur de pierres. Elle entend passer les fiacres et chanter quelques oiseaux. Elle pique son linge, pousse la corde et la poulie grince. L'enfant grelotte dans sa robe mouillée par les éclaboussures. Elle pique et pousse. Et la poulie grince comme son cœur. Et elle grelotte, résignée. Non! Il ne sert à rien de se révolter, de crier, de se sauver. Où irait-elle? Vers Gros-Ours? Mais où est Gros-Ours? Bien loin au bout du train. Et qui payerait le train? De toute façon, cet été, les religieuses l'enverront passer quelque temps avec lui. Oh! Comme elle a hâte de le retrouver! Elle achève d'épingler sa cordée en imaginant les délicieuses retrouvailles. Le premier été qu'elle lui était revenue, il l'attendait à la gare, l'œil inquiet. Il a froncé les sourcils lorsqu'il l'a vue dans sa tunique noire à collerette. Il s'est avancé, a pris sa main et l'a emmenée loin des gens curieux qui les observaient. Il s'est alors arrêté, s'est agenouillé devant elle et a dit: « Biche Pensive, ma petite, ma si belle petite. » Et elle a de nouveau senti ses bras chauds et puissants l'entourer. Et Gros-Ours la serrait contre lui en pleurant. Comme il sentait bon et comme c'était bon de le retrouver. Si bon qu'ils pleuraient tous les deux. « Il fait chaud, enlève ça. » Elle lui a obéi avec joie. Puis, gauchement, il a sorti de son sac une paire de mocassins qu'il avait faits pour elle. « Je sais, ouvrage de squaw, mais... ne ris pas. » Oh! Elle n'avait pas envie de rire et comprenait jusqu'à quel point Gros-Ours l'aimait pour s'adonner à cet ouvrage humiliant pour un chasseur, poussant la minutie jusqu'à broder des étoiles en poils de porc-épic. Ils étaient de forme légèrement innovatrice, ces mocassins, mais jamais elle n'en avait eu de si jolis.

— Marie-Jeanne! Marie-Jeanne! piaille sœur René-Maria en venant lui porter un second panier.

Biche Pensive continue de grelotter à cette heure matinale, la poitrine et les doigts gelés sur la literie propre. Soudain, des cris rauques lui arrachent le cœur. Des cris familiers. Ce sont les outardes. Elle les cherche avidement dans le ciel clair, le cœur battant. Oh! Les voilà, les belles outardes en formation, filant à coups d'aile vers leurs nids au Nord. Les voilà de retour. Elles existent encore, elles aussi.

« Emmenez-moi! » demande la petite fille aux oiseaux téméraires. « Emmenez-moi chez mon père. » Mais les oiseaux filent, pressés et sourds. Et Biche Pensive imagine que ce voilier se posera peut-être devant les yeux de Gros-Ours et qu'il les tuera sans savoir qu'elle les a vus et entendus. Elle aimerait bien accrocher un message à leurs palmes, leurs ailes ou leur bec. Envoyer un signe de vie à celui qui lui a donné vie.

— Marie-Jeanne! Veux-tu te dépêcher, p'tite sauvagesse!

Ce ne sera jamais sec à temps! tonne sœur René-Maria en fonçant sur elle.

Sa jupe noire vole autour d'elle et elle hurle comme le train. Sœur René-Maria est bête comme un train et, comme lui, n'a qu'un seul chemin, régi par les heures. Il y a une heure pour chacun de ses actes, chacune de ses pensées.

— Va frotter un peu! lui lance-t-elle par la tête.

Biche Pensive obéit, écoutant s'éloigner le mystérieux troupeau aérien.

La chaleur excessive de la salle l'étouffe. Elle retourne à son bac en face de sœur Marie-Ange. Elles ne sont que deux maintenant, une en face de l'autre. Avant, il y avait sœur Saint-Joseph, mais elle est morte la semaine dernière et il n'y a qu'elle et la vieille religieuse pour assurer la dure besogne, sœur René-Maria n'étant que temporaire et directrice des travaux.

C'est curieux, constate la jeune fille, que leur religion leur permette d'utiliser leur nom sacré. Dans sa tribu, on ne s'appelle pas de son nom sacré mais on le porte sous forme d'amulette, de tatouage ou on en fait un totem. La tortue est le nom sacré de Gros-Ours. Il lui a raconté comment ses parents l'ont fait jeûner pendant neuf jours dans une petite cabane et comment il a vu, dans ses délires, une petite tortue verte. Elle l'a vivement impressionné, la petite tortue, et elle est devenue son bon esprit. Son père a alors tatoué l'image de l'animal sur sa poitrine et, depuis, jamais Gros-Ours n'a tué de tortue de peur de profaner son bon esprit.

Un jour, elle aussi, elle aura son nom sacré. Gros-Ours la fera jeûner dans une petite cabane et son esprit gardien viendra se faire connaître. Alors, elle pourra traiter d'égal à égal avec les religieuses. Sacré pour sacré.

Elle sourit à cette pensée. Sœur Marie-Ange se croyant saluée demande:

— Ça va, mon enfant?

— Oui, ma sœur.

— C'est bon, c'est bon.

Et Biche Pensive ne peut s'empêcher de sourire réellement à cette bonne vieille personne qu'elle a baptisée, en son for intérieur, sœur Framboise. Un nom pas tellement sacré mais rendant bien l'effet produit par le visage rubicond et poilu de la vieille dame.

Sur le chariot s'empilent les draps blancs. Tous bien pliés. Bien aérés. Bien ordonnés. Avec les piles de taies et les jaquettes. Voilà tout ce qui reste de sa journée: de la literie propre dans laquelle elle ne dormira même pas. Qu'y aurait-il eu au bout d'une journée en forêt? Du poisson fumé sur des longues perches... et des touffes d'ail à sécher... et des outardes bien cuites... et des montagnes de plumes.

Elle s'imagine au campement, près de la rivière. Le feu crépite et les réchauffe. Le couchant rougeoie encore, les grenouilles coassent. Un air frais vient de l'eau. Les vagues roucoulent. Les oiseaux s'interpellent. Gros-Ours fume sa pipe près d'elle en lorgnant son canot d'écorce et elle répare les rets de ses doigts agiles.

— Alors mon enfant?

Elle sursaute et écoute glisser la jupe de sœur Marie-Ange qu'elle croyait à la chapelle.

— J'ai apporté mon petit cahier d'écriture, dit la vieille religieuse en s'asseyant au coin de la table de travail.

Biche se retourne vers elle et la considère un moment de ses yeux pensifs. Puis, ouvrant ses doigts en grimaçant, elle explique:

— Mal aux doigts.

— Montre.

La vieille s'empare de ses mains et les examine. Les jointures sont usées et rougies et la peau crevassée.

— Faudrait mettre un peu de graisse... Tu iras à la cuisine avant de te coucher. Moi aussi, mes pauvres vieilles mains en prennent un coup, surtout avec mes rhumatismes.

— Doigts à vous, croches?

— Oui. Je les offre à Notre-Seigneur qui a enduré de bien pires souffrances. J'étais venue te montrer à faire des p.

— Pas à la chapelle?

— J'ai été dispensée. Après une journée comme celle-là et à mon âge...

— Veux pas apprendre à faire des p.

— Avec un p, tu pourrais écrire papa. Tu sais déjà tes a.

A ce mot l'enfant s'agite et s'approche du cahier.

— Oui, apprendre-moi à faire p pour écrire papa à Gros-Ours.

— Gros-Ours? Ce n'est pas le nom de ton père!

— Oui.

— Pas son vrai nom.

— Oui.

— Marie-Jeanne! Voyons! Marie-Jeanne Sauvageau, voilà ton nom. Et celui de ton père est Étienne Sauvageau. C'est beaucoup plus beau.

— Mon père pas Étienne Sauvageau; lui, pas changé.

— Et toi? Tu as changé?

— Oui.

— Et c'est si grave que ça?

— Oui. Beaucoup grave.

— Et tu as changé pour le pire?

Biche hésite à peiner la brave femme mais répond:

— Oui. Pire.

— Ça aussi, ça s'écrit avec un p.

— Quoi?

— Pire.

— Montrer papa.

— Oui, mon enfant.

Sœur Marie-Ange se penche sur le petit cahier et, de ses doigts crochus et tremblants, instruit sa jeune compagne avec une tendresse quasi maternelle. Après quelque temps, l'élève aligne méticuleusement des rangées de papa.

— Voilà! C'est très beau, mon enfant. Très beau. Tu apprends vite.

— Moi aime mieux écrire que laver. Papa, content.

— Oui. Il sera content. Il ne sait pas écrire?

— Non. Lui, chasseur.

— Et j'imagine qu'il est très bon chasseur?

— Oui.

— Et il est fort?

— Oui. Fort comme ours.

— J'aimerais bien le rencontrer.

— Oui?

— Mais oui. Qu'est-ce qui te surprend?

— Vous rencontrer Gros-Ours?

— Pourquoi pas?

La porte s'ouvre. La longue silhouette de sœur René-Maria apparaît.

— Sœur Marie-Ange! Je vous croyais à votre chambre.

— Oh! Je repose aussi bien ici.

Leur directrice s'avance, lorgnant d'un œil autoritaire le cahier d'écriture.

— Mais qu'est-ce que c'est que cette manigance? Vous lui montrez à écrire, ma parole! Vous croyez-vous dans les enseignantes sœur Marie-Ange? Dois-je vous rappeler votre rang dans la hiérarchie religieuse? Ou, peut-être, aimez-vous mieux jouer à la mère? vocifère sœur René-Maria en s'emparant brusquement du cahier. Papa... papa... papa! Et c'est à peine lisible!

La vieille et l'enfant baissent le front et ne soufflent mot.

— Je confisque ce cahier. La congrégation ne peut se permettre de perdre une seule de ses précieuses minutes. Vous feriez mieux de prier pour nos malades plutôt que de perdre votre temps avec cette petite sauvagesse. Bon. Quant à vous, Marie-Jeanne, j'étais venue vous annoncer qu'étant donné la mort de notre chère sœur Saint-Joseph, vous héritez de son poste à titre permanent.

— Quoi? balbutie l'enfant.

— Vous laverez avec sœur Marie-Ange. Nulle autre sœur ne sera affectée à la salle de lessive pour le moment.

— Et papa?

— Vous le verrez plus tard, votre père, quand nous trouverons une remplaçante.

— Pas dans l'été?

— Certainement pas.

Biche Pensive se lève, troublée. Tout son bel été et les délicieuses retrouvailles s'envolent. Une grive chante dans le lilas de la cour et vient percer son cœur. Pas de gros train cet été. Et pas de Gros-Ours. Seulement des journées de lavage, de séchage, de pliage et de repassage. Des journées d'usure. Elle fixe sœur René-Maria et plisse les yeux. La haine jaillit en elle. Elle serre ses poings qui se crevassent. Fuir! Briser! Éclater! Crier! La révolte gronde en elle et la fait trembler des pieds à la tête.

— Vous avez quelque chose à dire, vous? lui demande sœur René-Maria.

D'un geste rapide, Biche Pensive lui assène un coup de pied sur le tibia. La gifle s'abat aussi rapidement sur sa figure.

— P'tite sauvagesse!

Elle retient ses larmes. Défie du regard sa supérieure.

— Mon Dieu! Mon Dieu! geint sœur Marie-Ange en étreignant la croix de son chapelet.

— Baissez vos yeux! ordonne sœur René-Maria. Baissez vos yeux!

La jeune Algonquine lui tient tête, la transperçant de son regard noir. Un long moment se passe.

— Tête forte! Nous t'aurons bien quand même! promet sœur René-Maria, dépitée. Allez vous coucher!

— Elle doit passer à la cuisine, explique la vieille et humble travailleuse.

— Pourquoi donc?

— Ses mains sont trop gercées.

— Pas trop gercées pour écrire pourtant. Elle ira directement à sa chambre; cela la fera réfléchir. Allez! Montez!

Biche Pensive suit sœur Marie-Ange en silence, emportant le cri de la grive trouvant son ver dans l'herbe.

Pour une terre à lui

Honoré dépose son baluchon sur le sol et couvre du regard la forêt dressée devant lui.

Il touche au fond de sa poche le papier de la Société de colonisation et, malgré un pincement au cœur, sourit à tout l'ouvrage qui l'attend. Il sait bien qu'il sourit aux maux de reins, aux maringouins, à l'isolement, au découragement. Mais il sait qu'il sourit également à sa terre, sa maison, son jardin. Il sourit à l'avenir qu'il lui faut bâtir. Il sourit aux enfants qui courront dans les champs. Il sourit à sa femme, avec son panier de salade sous le bras. Il sourit à tout ce qui sera beau et bon. C'est comme s'il voyait tout ça derrière l'écran du travail et de la misère. Et ce travail et cette misère ne l'effraient pas. Même qu'il les désire. Oui, il désire se dépenser pour quelque chose qui lui appartiendra. Quelque chose qui lui restera.

Un instant, il pense à sa femme et à ses enfants et retrouve son pincement au cœur. Que deviendront-ils sans lui? L'image de sa petite femme si courageuse le stimule. Oui, il réussira. Il lui offrira sa maison à elle, avec son terrain à elle et son jardin à elle. Tous les sacrifices qu'ils s'imposent conduiront au succès. Il le faut. A force de travail, il parviendra à s'établir.

Un craquement de branches le fait sursauter. Un homme se tient derrière lui. Un homme osseux, avec de larges poignets et des mains disproportionnées. Un grand chapeau descend jusqu'à ses oreilles et met son long nez en évidence.

— Bonjour.

Un sourire édenté dessine alors des rides profondes sur le visage bronzé de l'homme.

— Je m'appelle Alexis Léonard.

— Moé, c'est Honoré Villeneuve.

— C'est-i ton lot icitte?

— J'cré ben que oui.

— On est quasiment voisins. T'es tu seul?

— Ouais. Ma femme pis mes enfants sont à Québec.

— Viens souper. Ça va nous faire de la visite.

Honoré le suit. Bientôt, il aperçoit des souches. Et une clairière. Dans la clairière, une cabane de rondins et des enfants tout autour. Des enfants rongés de poux et parsemés de piqûres. Une femme apparaît et essuie ses mains à son tablier en le voyant.

— C'est notre nouveau voisin. Fais-y donc un thé.

— On a de quoi souper, renchérit la femme en invitant Honoré à pénétrer.

Une odeur poignante d'urine saisit le nouveau venu et il se penche afin d'éviter les couches suspendues à une corde qui parcourt la pièce en tous sens.

Vainement, il cherche une table, une chaise.

— Assis-toé à terre, on a pas de meubles encore. Ça va venir. Tiens, fais comme nous autres: installe-toé sur les lits.

Cela dit, Alexis s'assied sur une paillasse décousue d'où pend la paille. D'un geste machinal, il se met en frais de remettre les brindilles dans le trou. Honoré le regarde faire tandis que la femme verse le thé dans des tasses de granit.

— Voilà, dit-elle en le leur offrant d'une main nerveuse.

Honoré en boit une bonne gorgée et constate qu'il est faible mais chaud.

— Hmm... Ça fait du bien. Merci.

— Ça me fait plaisir. On voit tellement pas de monde par icitte. Votre femme est-i avec vous?

— Non. Plus tard. Chus pas habitué au métier de colon. J'étais ébéniste avant. Je connais pas la vie dure, explique Honoré, un peu mal à l'aise.

— Tu vas la connaître, crains pas!

Un silence.

— Ébéniste, hein?

— Ouais.

— Quand on aura les moyens, tu nous feras des meubles. Je pourrai t'échanger ça pour du travail: j'la connais moé la vie de colon.

— Parfait.

Un autre silence. Les enfants se sont groupés autour de leur mère et fixent le nouveau venu avec des yeux curieux.

Honoré leur sourit et les visages se cachent dans le tablier gris.

— Sont pas habitués au monde, excuse la mère.

— Je comprends ça madame. Ça fait-i longtemps que vous êtes icitte?

— On a passé l'hiver! précise fièrement Alexis.

Sa femme baisse les yeux d'un air soumis. Qu'a-t-elle enduré en cet hiver cette femme? Le froid? La faim? Les enfants enrhumés? L'inquiétude? La solitude?

Un pleur de nourrisson surprend Honoré. D'où vient-il? La femme se dirige vers un coin de la cabane. Là, entre les couches, pend un hamac de grosse toile. Elle y prend le bébé et s'installe sur les paillasses pour l'allaiter.

— Y a quel âge? demande Honoré.

— Cinq mois, répond Alexis.

— Y est né icitte? s'exclame Honoré.

— Ouais.

— C'est pas mal d'inquiétudes pour une femme. J'en ai un de c't'âge-là pis ma femme a eu de la misère cet hiver.

— Bah! Sont habituées. Hein, Léontine? Ça pas été si dur?

— Ouais, approuve-t-elle d'une voix mal assurée.

Honoré se tait, éberlué. En son for intérieur, il se félicite d'avoir laissé sa famille à Québec.

Alexis le toise drôlement. Sans rien dire. Comme s'il soupesait son courage et sa ténacité. Honoré se laisse dévisager. Se laisse analyser. Il est grand, il est fort, il est costaud. Bâti de grosses pièces et pour la grosse ouvrage. Ses bras font deux fois ceux d'Alexis, ses jambes aussi. Ses reins sont solides, son cou musclé, ses pectoraux imposants. Malgré tout il ne se sent pas de taille devant Alexis qui a la connaissance et l'endurance. Ces bras, si noueux soient-ils, ont abattu plus d'arbres que les siens.

Alexis cligne un œil et lui offre à nouveau son sourire édenté.

— Sais-tu bûcher?

— Pas trop.

— Sais-tu semer?

— Pas trop.

— Sais-tu construire en rondins?

— J'vas apprendre vite.

— Sais-tu trapper?

— Non. Pantoute. Je viens de Québec. Je travaillais dans un atelier.

— Drôle d'idée que t'as eue de venir icitte.

— J'ai envie d'avoir quèque chose à moé. Icitte, c'est pas cher.

— Non, c'est pas cher mais on paye autrement. En hiver, y a les chantiers d'ouverts. Cette année, j'ai idée d'y aller.

— Mais votre femme?

— A va se débrouiller. Y a la femme à Noé à un mille d'icitte. Est pas plus bête qu'elle.

— Ah.

— M'as te montrer comment scier un arbre. T'as-ti un godendard?

— Non. Juste une hache.

— J'en ai un maudit bon; on va abattre une couple d'arbres demain. Ho! Aïe la femme! Donne-nous donc de quoi à manger.

— Ça sera pas long là, y achève.

Elle recouche le dernier-né et se dirige vers le poêle où elle brasse une marmite.

Quelques instants après, Honoré se retrouve avec une assiette de granit où nagent des morceaux de viande brunâtre dans un liquide assez graisseux. Il hésite un moment et se décide à prendre une cuillerée qu'il avale sans goûter.

— C'est du rat musqué, lui dit alors Alexis en mangeant avec appétit.

— C'est bon.

— Si tu veux être colon, va falloir que tu t'habitues à manger du castor, du rat musqué, du lièvre, du siffleux*, de l'écureuil, du chevreuil, de la perdrix, de la corneille, du poisson; de toute, quoi. De toute ce qu'y a en forêt. C'est elle qui nous nourrit d'abord. Pis après, c'est la terre. Mais avant que ça soye la terre, y faut trimer dur.

— Compris. On est combien icitte?

— Une trentaine. D'abord, y a Noé pis sa famille. Lui, c'est le premier pour ainsi dire. Y est pas mal ben installé; ben du défrichement de fait. Après, y a Thibodeau à côté de moé, on a trois lots voisins. Lui, c'est un maréchal-ferrant. Lui si, y a sa famille. Après ça là, ben y a toé. Noé y a un bœuf, moé j'ai idée d'avoir un cheval. C'est pour ça que j'veux aller au chantier.

— Ça fait du bien de savoir qu'on est pas tu seul.

— Ouais, mais pour Noé c'était pas de même. Les premiers arrivés ça a été les deux enfants. Y ont quasiment passé un hiver tu seuls.

— Des enfants?

— Pas des jeunes; seize ans à peu près, seize pis douze ans. Y avait un sauvage dans l'boutte. On le voit rôder des fois. Y était installé à côté de Noé, mais en été y déménage proche de la rivière. Noé y a des poules pis une vache pour le lait. Des fois, y m'échange des œufs pis du lait. Ça fait changement des viandes sauvages. Y a semé aussi pis y va faire moudre son sarrasin au moulin des pères. Y a apparence que la patate pousse ben. La terre est pas pire.

— J'ai envie d'apprendre vite.

— T'as quel âge toé?

— Trente et un.

— Hmm...

— Pis vous?

— Trente-huit. Entre voisins tu peux m'dire tu, hein. A part ça, chus pas si vieux que j'en ai l'air.

— Parfait. Pour les paiements?

— Oh, ça va ben. Faut leur montrer qu'on fait notre gros possible. Ça dépend de l'agent des terres. Icitte, y est ben correct.

_____

* Siffleux: marmotte.

Cela dit, Alexis avale le bouillon de son rat musqué et passe l'assiette à sa femme.

— Tiens, c't'à ton tour.

Honoré comprend alors qu'il n'y a que deux assiettes et se dépêche de finir pour laisser la sienne aux autres.

Comme les jours allongeaient, Alexis a marché avec Honoré sur son lot et lui a conseillé où s'établir. C'était en haut d'une pente douce qui descendait jusqu'à la rivière. Le site était merveilleux et Honoré s'attarda à piétiner la mousse où s'élèverait un jour son foyer. Il s'arrêta un moment, jambes écartées et bras croisés pour embrasser du regard cette pente douce jusqu'à la rivière. Elle embaumait jusqu'à lui la rivière. Et, sans la voir, il la voyait. Il la voyait comme il la verra un jour quand les arbres seront abattus et qu'un champ d'avoine ondulera ses vagues dorées près de l'eau. Des centaines de chants inconnus le ravissaient et le parfum de sève et de mousse l'enivrait. Alexis, le voyant lunatique, le secoua de sa main démesurée et s'exclama:

— Bon! Si on se couchait. Demain à l'aube, on déblaye ça icitte.

— A demain.

— T'as-ti ce qu'y te faut?

— Oh oui! Inquiète-toé pas.

Le voisin disparaît. Honoré défait son baluchon et s'étend sur le sol avec sa couverture. Malgré la fatigue de la journée, il tarde à s'endormir tant ses projets le tiennent éveillé ainsi que les moustiques qui se mettent à bourdonner autour de lui. Il voit la lune se lever à travers les branches d'arbres et écoute vivre la forêt qu'il craint et respecte à la fois. Cette forêt qui doit le nourrir avant que la terre ne le fasse.

Il s'endort finalement, en imaginant les deux enfants. Les premiers venus.

L'illuminé

Un prêtre les a réunis à trois milles des défrichements. Ils sont une trentaine de gens. Parmi les hommes d'âge mûr, on compte Noé Touchette, Honoré Villeneuve, Ernest Thibodeau et Alexis Léonard. Le prêtre, qu'un guide a mené il y a à peine une semaine, célébrera aujourd'hui la sainte messe.

Mais le mécontentement règne en ce matin de mai et les colons discutent à voix basse dans la cabane de rondins que l'ecclésiaste a érigée hâtivement. Pourquoi ici, loin des défrichements? Est-ce que ce sera le site de la future chapelle et de la future église? Les colons n'ont-ils pas décidé de s'établir plus en aval de la rivière? Alors? Que font-ils ici, assis sur les souches qui servent de bancs? A quoi faudra-t-il encore obéir?

Le curé apparaît. Osseux et perdu dans sa soutane poussiéreuse. Un sourire de Christ parmi les misérables erre sur sa figure anémique. Il lève ses fines mains et bénit tout autour de lui en disant: « Bienheureux les pauvres car le royaume des cieux leur appartient. »

Puis il se tait et les parcourt de son regard pâle avant de prêcher.

« Chers fidèles, je suis ici parmi vous pour vous apporter la paix et le pardon et vous réconcilier avec votre Dieu. La tentation est forte et vous êtes comme des agneaux que le berger a abandonnés. Mais le berger est revenu s'occuper de vos âmes. Je suis parmi vous pour vous sauver des flammes éternelles. Avant de dire la sainte messe, j'écouterai les confessions afin que vous puissiez tous communier. »

Cela dit et cela fait, il célèbre l'office religieux parmi une assistance pieuse et émue. Au sermon, il parle de la Société de colonisation et du célèbre curé Labelle. Son visage se transfigure et il semble transporté d'allégresse en parlant du grand homme.

« C'est ici, en ce lieu même, qu'il a planté la première croix et célébré la première messe. Vous foulez le sol que ses pieds conquérants ont foulé. Ces souches, hier encore, étaient les arbres qui entendirent ces paroles: « Que la croix soit pour vous un signe de ralliement! Grâce à elle, soyez-en certains, vous vaincrez tous les obstacles! » Il est venu ici vous dire: prenez votre pays, habitez votre pays. »

Sa voix tremble. Il s'arrête, respire profondément et termine en déclarant:

« Et c'est ici que sera érigé le temple du Seigneur... tel qu'en a décidé le grand apôtre. »

Honoré bougonne entre ses dents. L'assistance murmure. Aussitôt la messe terminée, les hommes se réunissent.

— Ça se peut pas, rouspète Noé, chus installé là-bas moé. J'ai pas envie de changer. On est tous installés là-bas. Je comprends qu'on veuille l'église mais tant qu'à l'avoir autant l'avoir au village.

— Ben, c'est ce que je pense. C'est ben au village qu'on est en train de s'installer. Moé, comme maréchal-ferrant, y faut que j'soye au village. Mais si on bâtit l'église icitte, j'vas perdre toute la clientèle. Un village, ça se fait autour d'une église.

— Ça a pas d'allure. Y a sûrement moyen d'arranger ça, renchérit Alexis Léonard.

— Allons le voir, suggère Honoré.

Le groupe rejoint l'ecclésiaste agenouillé devant la croix du curé Labelle.

— Hmm! Hmm! toussote Honoré.

Le prêtre, immobile, prie alors à haute voix et en latin. Les colons haussent les épaules et attendent un bon bout de temps. Après un signe de croix exagéré, l'homme se relève, secoue sa soutane et pose sur eux son regard illuminé.

— Qu'y a-t-il?

— Ben... c'est que... commence Honoré d'une voix enrouée.

— J'attends.

— Ça a pas d'allure de bâtir l'église icitte, vu que nous autres on a commencé le village là-bas.

— C'est ici que vous auriez dû le commencer.

— Pourquoi?

— Parce que c'est ainsi qu'Il l'a voulu.

— Ouais, mais là-bas, le sol est mieux, l'emplacement aussi. On peut pas tout abandonner pour venir icitte.

— Le Christ n'a-t-il pas dit de tout abandonner pour lui? Hommes de peu de foi! Si vous aviez la foi, vous pourriez déménager des montagnes.

— Et vous, votre église, réplique Honoré exaspéré.

Le prêtre blanchit à ces dernières paroles et un éclair de colère passe dans ses yeux.

— Vous êtes restés trop longtemps sans la parole de Dieu.

— Ça, c'est pas de notre faute. Faut pas vous choquer: on veut pas vous insulter. D'abord, d'où ça vient l'idée? D'un monseigneur?

— Non. De moi. De moi uniquement.

— Ah! Ben d'abord, ça peut s'arranger. Si ça vient pas d'en haut, on peut toujours discuter.

Le prêtre a un haut-le-corps et recule d'un air indigné. Il décoche à Honoré un regard accusateur et s'exclame d'une voix étonnamment forte.

— Ça ne vient pas d'en haut! Mais ça vient de Dieu! De Dieu lui-même qui l'a inspiré au curé Labelle! Et ce n'est pas d'en haut ça, Dieu? Qu'y a-t-il de plus haut que Dieu!

— Choquez-vous encore mon père, mais nous autres on va l'installer là-bas le bon Dieu.

Honoré lui fait volte-face et les trois hommes le suivent. Noé rigole soudain.

— Ça te fait rire? demande Honoré d'un ton bourru. Vous auriez pu parler, vous autres aussi.

— T'es meilleur là-dedans. Moé, j'aurais jamais été capable d'y dire de déménager son église après l'histoire de la montagne. Y est venu blanc, mon vieux, blanc comme un drap.

— Y va finir par comprendre. Le faut. Parce que nous autres on grouille pas de là, assure Thibodeau.

— C'est une idée qui vient de lui. Ça veut rien dire. C'est pas lui qui décide, explique Alexis.

— Ouais. On s'en fait pour rien. Rentrons! Allons, en route! ordonnent les hommes.

Les femmes ramassent les enfants et reprennent courageusement le sentier au travers de la forêt.

Que votre règne arrive

Pour Alcide Plamondon, c'est toute une occasion; on vient d'accéder à sa demande pour un ministère en pays de colonisation. On vient juste. Là! Il y a à peine cinq minutes. Oui. Là! Derrière la porte capitonnée de l'évêque.

Le jeune vicaire s'en éloigne à regret et emporte avec lui sa joie fébrile. Pour tout jeune prêtre, une entrevue dans le bureau de l'évêque demeure un événement unique, intimidant et sacré. Mais pour Alcide Plamondon, cet entretien revêt une importance particulière car ce qu'il a vu et constaté confère à ses ambitions un aspect tangible. Ce qu'il a vu et constaté marque ses espoirs du sceau de la possibilité. L'impensable deviendra réalité. Les images qu'il conserve de cette entrevue se résument à la théière d'argent, aux fines tasses de porcelaine, aux petits biscuits cuisinés par les sœurs, aux tapis moelleux, aux tentures pourpres et surtout à la petite cloche au son de laquelle accourt le secrétaire. Cette petite cloche qui, de son tintement aigre-doux, dirige l'évêché. Cette petite cloche, symbole de puissance et d'autorité, qui règle, commande et conclut. La puissance des hauts ecclésiastes le fascine et aujourd'hui, on vient de lui accorder une possibilité d'avancement. On vient de lui ouvrir une porte. Une porte de cave, bien sûr, mais s'il sait bien manœuvrer, Alcide Plamondon régnera lui aussi et connaîtra les joies du pouvoir. Oh! Ce n'est pas qu'il rêve de devenir évêque. Oh non! Pas un évêque, parce qu'un évêque, derrière sa porte capitonnée, se trouve coupé du monde et sa toute-puissance ne se matérialise qu'avec son secrétaire, les sœurs et ses prêtres. Mais un curé, lui, constate à tous les jours l'ascendant qu'il exerce sur ses paroissiens. Le curé, lui, règne vraiment et dirige vraiment. Son autorité absolue se manifeste à tous les jours. Ne connaît-il pas tous les péchés? Ne connaît-il pas à fond les faiblesses de chacun? Et, connaissant leurs faiblesses, il connaît leurs limites et sait comment se les attacher. Ne le craint-on pas? Ne le respecte-t-on pas? Les enfants et les femmes lui obéissent. Les hommes recherchent ses conseils. Rien ne se fait, dans un village, sans son approbation. Tout est porté à sa connaissance. On le fête, on le vénère, on le gâte. On s'agenouille devant lui lorsqu'il accorde une visite! « On vient vers son curé avec autant de confiance que de respect », a déclaré Léon XIII. Et il aurait pu ajouter: et on lui obéit.

Le cœur d'Alcide semble s'agrandir, se renforcer et l'emplit d'une foi tenace. Oui, il régnera. Il deviendra curé d'un village et régnera. Il a bien fait de solliciter un poste pour les pays de colonisation. C'était la seule façon de quitter le vicariat qui lui pesait énormément. Rien n'est plus humiliant que d'être vicaire, pense-t-il en parcourant les parquets cirés de l'évêché. Même si on nous appelle le grand vicaire. Un bref sourire plisse sa bouche dure. Oui, on l'appelle le grand vicaire, mais il sait bien que le qualificatif s'adresse à sa taille et non à sa grandeur d'âme. Il s'attache, au passage, à sa silhouette impressionnante que lui rendent deux portes givrées. Il aime cette silhouette dominante. Il aime se pencher vers les gens. Il aime se sentir plus haut. Dieu! Qu'il souffrirait d'être un bas-cul et d'avoir à regarder les autres en levant la tête! Mais le Créateur l'a voulu grand et fort et l'a doté d'un physique de conquérant. Et il conquerra.

Bientôt, il s'exilera en pays difficile pour y édifier un village: son village. Non pas une paroisse parmi d'autres paroisses comme celle qu'il dessert présentement à Montréal. Mais un village. Un village tout entier. Pour lui tout seul. Où il pourra exercer son autorité et jouir de sa puissance.

Le jeune vicaire presse le pas et sa soutane vole derrière lui. Le voilà devant la porte de la chapelle. Il se calme un peu, pose ses grandes mains sur la poignée ouvragée et pénètre.

Paix. Silence. Une odeur d'encens, de fougères, de lampions. Il s'agenouille et remercie le divin Créateur de la faveur accordée.

— Merci mon Dieu. Vous verrez, je ferai bien ça. Je vous promets d'en faire un peuple fidèle. Je prendrai soin de vos brebis.

Il multiplie ses promesses puis, finalement, s'abandonne au sentiment exalté qui le hante depuis l'annonce de son nouveau poste. Il lui semble que son avenir s'éclaircit et qu'il jouit maintenant de chaque seconde. Il retrouve la même sensation de plénitude qu'il connaissait lorsqu'il était clerc et enseignait tout en étudiant. C'est comme si son désir le plus profond était comblé. Et, lorsqu'il enseignait, l'autorité qu'il exerçait sur les jeunes et le respect qu'on lui vouait le valorisaient et le gonflaient de fierté et d'assurance. Mais ces heures de gloire furent suivies des heures plus sombres du vicariat caractérisées par la nette impression d'être inutile, inopérant et inactif. L'impression d'être une pièce d'échiquier et non le joueur. Il n'aime pas être une pièce d'échiquier. Dans ses premières années d'étude, il a été cette pièce d'échiquier et il lui a fallu bien du courage pour traverser ses éléments latins et sa syntaxe. Seule la perspective de manipuler un jour d'autres élèves d'éléments latins et de syntaxe l'a soutenu dans cette épreuve.

La chaîne de ses sentiments se prolonge jusqu'en son enfance. Oh! Quel enfant comblé il a été! Comme il a su, très tôt, se servir des gens qui l'entouraient! Comme il a su goûter tôt à cette satisfaction qu'apporte la puissance. Étant le dernier-né et le plus doué, on l'a laissé poursuivre ses études primaires. De tous les Plamondon, il était le seul à savoir lire et écrire, et passait de longues soirées à leur lire des prières. Ses parents étaient aux anges et, très tôt, prirent en considération les opinions d'Alcide. Alcide avait dit ci, Alcide avait dit ça. Ce devait être une bonne idée puisqu'elle était d'Alcide. L'exemple de son curé dictateur eut vite fait de le pousser vers la prêtrise. Et voilà qu'aujourd'hui, il apprend qu'il sera nommé curé d'un petit village, dont le dernier prêtre, un illuminé, s'est mis les colons à dos en une seule cérémonie.

Mais lui, Alcide, sait comment manier les gens. Il l'a su dès sa plus tendre enfance. Il calquera sa ligne de conduite sur celle du curé Labelle, se mêlant à ses colons, travaillant comme eux, suant comme eux, forçant comme eux. Il sera d'abord l'un d'eux et deviendra vite leur chef.

Comme un joueur impatient devant son jeu d'échecs, Alcide élabore sa tactique. Lui-même pion de la grande hiérarchie, il envisage une stratégie pour sa partie future sur le petit échiquier qu'on lui offre. Il sait qu'on le laissera à son poste s'il fait bien l'affaire. On ne le glissera pas sur un carré noir par simple caprice. S'il réussit à prouver qu'il occupe une place désignée pour lui et une place qui fera gagner le grand joueur, monseigneur l'Évêque, on l'y laissera.

Le secrétaire s'agenouille pas très loin de lui. C'est un jeune homme délicat et Alcide observe un instant sa nuque étroite et ses doigts très fins. Il lui trouve un air femmelette et jette un coup d'œil à ses propres phalanges osseuses. Voilà des mains faites pour bâtir, voilà un corps capable de construire. Il s'aime. L'autre prie avec une dévotion gênante. Remuant de temps en temps ses lèvres à l'expression douce.

Alcide ferme les yeux et récite des *Notre Père*.

Et, toujours, son esprit s'accroche à « Que votre règne arrive. Que votre volonté soit faite. »

Et il arrivera, ce règne, dans SON village!

Et elle se fera, cette volonté, dans SON village.

Il le sait. On lui obéira.

Et il régnera pour la plus grande gloire de Dieu.

Dans le sentier de Gros-Ours

Honoré équarrit son bois. Les copeaux volent sous sa volonté féroce. Tok! Tok! Tok! La hache, sans arrêt, travaille les longs billots de pin. C'est qu'il est jeune, Honoré. Jeune, avec des manches retroussées sur ses bras vaillants. Des pieds solides. Et surtout, une tête solide.

Un nuage de moustiques le harcèle. Il prend garde de ne pas ouvrir la bouche pour ne pas les avaler. Son souffle est lent. Son cœur bat lentement. Posément. Puissamment. Son corps massif le sert à merveille. Et sert merveilleusement son but: s'établir.

Son carré de maison se dessine sur le sol. Il sait où est la cuisine, les chambres, l'escalier et imagine ceux qu'il aime dans ce décor. Il imagine sa femme ouvrir la fenêtre sur la pente douce et dire: « Et que ça sent bon, icitte. Et que c'est grand! Pis c'est à nous autres. »

C'est si facile de travailler pour eux. Si facile avec cette garantie d'un coin de terre. Beaucoup plus facile qu'à l'atelier d'ébénisterie où il n'était qu'un engagé. Ici, plus tard, il sera patron. Alexis et Noé parlent de lui faire fabriquer des meubles et il pourra prouver ses talents lors de la construction de l'église. Car il y aura une église.

— Honoré! Honoré!

Une voix forte l'interpelle. Sans lever les yeux, il reconnaît la voix autoritaire du nouveau prêtre et achève son ouvrage. L'abbé Plamondon remplace le prêtre qui parlait d'élever l'église à trois milles du village. Il est grand, d'une stature assez costaude et travaille comme eux à défricher un coin de forêt afin d'y ériger une chapelle. Sans sa soutane gommée de sapinage, on le prendrait pour un simple colon avec son visage bronzé, sa barbe et ses piqûres de mouches.

— On travaille fort ce matin, mon Honoré.

— Faut ben! réplique le colon en posant sa hache.

— Tu bâtis grand.

— C'est que j'vas avoir une grosse famille... J'en ai déjà cinq.

— Mais, tu m'as dit t'être marié à vingt ans.

— Oui.

Alcide fronce les sourcils et élabore un rapide calcul mental.

— Quèque chose qui va pas, m'sieu l'abbé?

— Tu n'as pas assez d'enfants... Après dix ans de mariage, c'est bien peu.

— Vous trouvez?

— Oui.

— C'est-i un péché?

— Ça dépend. Empêches-tu la famille?

— Ben... Je m'arrange. J'en veux pas à tous les ans.

— Tut! Tut! Tut! Honoré. Laisse donc Dieu s'occuper de ça. S'il veut bien te faire la grâce de te donner des enfants, tu ne peux contrecarrer ses volontés.

— Mais, ça fatigue ma femme, est pas ben forte.

— Tut! Tut! Tut! Les femmes sont faites pour ça.

— Ouais, mais elle...

— Oui, Honoré, c'est un péché. Un péché mortel même. Accuse-t'en et promets de ne plus recommencer.

— Ben... si vous le dites... c'est vous qui connaissez ça.

— Agenouille-toi, Honoré, je vais te confesser.

Malgré sa réticence, Honoré se retrouve à genoux dans ses copeaux, espérant qu'Alexis ne le surprenne pas dans cette position. Le prêtre pose sa main dans ses cheveux.

— Vas-y, mon fils.

— Je m'accuse... bafouille Honoré en cherchant ses mots.

Il ne sait pourquoi l'ecclésiaste le gêne à ce point et il se sent comme un enfant pris en flagrant délit.

— J'écoute.

La main s'appesantit sur sa tête. Bonyenne! pense Honoré, espérons qu'Alexis reste chez lui.

— On appelle ça un péché d'impureté, par action à deux... ou le péché de la chair.

— Je m'accuse du péché de la chair, débite Honoré rapidement.

— Et je promets de ne plus recommencer.

— Et je promets de ne plus recommencer, termine Honoré d'un ton plus ou moins sincère.

Suivent des paroles latines et le geste de l'absolution qui doivent le délivrer de ses fautes.

D'un bond, Honoré se retrouve sur ses pieds, tentant de reprendre au plus vite son attitude d'égal à égal. De colon à colon. Mais son futur curé prolonge quelques instants le malaise en gardant sur lui un regard paternel et miséricordieux. Finalement, il lui sourit et, d'un ton patient, explique:

— Dis-toi bien, Honoré, que Dieu a fait la femme afin qu'elle conçoive des enfants. C'est son rôle sur terre.

— Ben sûr.

— Ton carré de maison est bien grand quand même, poursuit Alcide d'un ton moins péremptoire.

— Ben, je trouve qu'y est juste correct. Moé, je vous l'ai dit, j'aime ça grand.

— C'est plus grand que mon carré de chapelle.

— Je sais. Mais la chapelle, c'est en attendant. Un jour ou l'autre, on va avoir une vraie église.

— Je sais. Au fait, j'ai besoin d'aide. Je venais justement te chercher.

— Ben... c'est que... j'étais assez occupé moé-même.

— Voyons Honoré, refuserais-tu ton aide au Seigneur?

— Euh... Non. Ben sûr que non!

— Après tout, on aura besoin d'un ébéniste lors de la construction de l'église. Tu dois être en mesure de bâtir un autel.

— Ben sûr! C'est mon métier! s'exclame Honoré d'un air ravi. Voulez-vous dire que j'vas pouvoir travailler dans la nouvelle église?

— Pourquoi pas?

— Bonyenne, ça ferait mon affaire.

— Et la mienne. J'ai bien hâte, Honoré, bien hâte d'être installé. Regarde. Ici, il y aura une rue. La vois-tu?

— Ben... pour dire.

— Moi, je la vois déjà. Je vois le bureau de poste, le maréchal-ferrant... et puis, là-bas, le marchand général. Ça va être un beau p'tit village. Un beau village de chrétiens. Il y aura des offices, des cérémonies, des processions, rêve tout haut Alcide en regardant le sentier entre les épinettes et les sapins.

Dans l'éclaircie qu'Honoré a pratiquée pour son habitation, le haut soleil de juillet brûle leur nuque et l'odeur forte de la gomme de pin se renforce sous les rayons. Honoré, lui, imagine une petite clôture autour de son jardin, une écurie, une remise et un atelier. C'est alors que surgit un être massif au bout du sentier.

— Ah non! Pas lui! échappe le prêtre contrarié.

— Qui ça?

— C'est Gros-Ours.

— Connais pas.

— Rien qu'un sauvage. Pas important.

L'Indien fixe le curé de ses yeux luisants tout en marchant à pas rageurs. Il s'arrête net devant lui et, dans un souffle mal contenu, demande:

— Où petite fille?

— Ah! Marie-Jeanne...

Gros-Ours hésite un moment devant ce nom qu'il ne semble pas connaître.

— Pas au train. Moé, attendre cinq lunes.

— Je n'ai pas eu le temps de t'avertir, Étienne, elle est

demeurée chez les religieuses. C'est elle-même qui l'a demandé.
Elle s'y plaît beaucoup.

— Non.

— C'est vrai.

— Où petite fille?

— L'été prochain... peut-être.

Pour toute réponse, l'Indien grogne, crache par terre et
leur tourne le dos.

— Est où sa fille? demande Honoré intrigué.

— Chez les religieuses, et, Dieu soit loué, elle y restera.
L'influence de son père sur cette enfant est néfaste. Du moins,
c'est ce qu'on m'a dit. A chaque automne, elle revenait plus
sauvage qu'avant et toute son éducation était à recommencer.

— Mais, c'est sa fille, c'est son enfant. Y doit s'inquiéter.

— Si Gros-Ours voulait se convertir au moins. Sa femme
Odile était très pieuse, mais lui, il se refuse à toutes les grâces.
C'est un païen. Dommage! Crois-moi, Honoré, c'est bien mieux
pour la petite.

— A va bien au moins?

— Oh! Oui. Les religieuses en prennent bien soin.

— Excusez-moé.

Honoré part à la course derrière l'Indien. Il le hèle et
celui-ci s'arrête. Honoré, essoufflé, se place devant lui et le
prend par les épaules. Gros-Ours pose sur lui des yeux troublés
de père.

Les deux hommes, d'une puissance égale, d'un corps également massif et vigoureux, cherchent à se comprendre.

— Je connais pas ta langue... mais je sais que tu t'inquiètes
pour ta fille. Moé si, j'ai des enfants. Je connais ça m'inquiéter.
Écoute, ta fille est bien. Fille à toé pas malade, pas morte. Le
curé me l'a garanti. Fille à toé va bien.

Gros-Ours semble comprendre et son visage perd de sa
méfiance. Il se recule pour mieux toiser ce nouveau colon.
Honoré fait de même et constate qu'une force étrange se dégage
de cet être vêtu de peaux. De cet homme loyal envers lui-même.
Il l'admire sans trop savoir pourquoi. Pour son tempérament
obstiné, sans doute, sa fierté et le maintien de ses croyances.
Cet être devant lui, aussi gros, aussi grand que lui, l'impressionne vivement.

Gros-Ours lui sourit. Un sourire plein de sagesse et d'amitié. Un sourire des yeux plus que de la bouche. Honoré comprend que cela veut dire merci. Il s'écarte pour le laisser passer
et revient, songeur, vers son curé au visage assombri.

— Qu'est-ce que tu lui as dit?

— Que sa fille allait bien.

— Il me semble, Honoré, que ceci relève de mes fonctions. Contente-toi d'être colon.

— Mais... c'est qu'y s'inquiétait. Je le comprends. Moé si, je m'inquiète. Je me suis mis à sa place.

— Voyons! Voyons! Honoré! Dieu ne prend-il pas soin des petits oiseaux? Fais confiance au Tout-Puissant.

— C'est dur.

— Oui, c'est dur parfois. C'est dur d'être un bon chrétien, approuve Alcide en posant sa main sur l'épaule d'Honoré.

Il la fait pesante, sa main, et l'avertit, par la pression de ses doigts, qu'elle peut être dure s'il le faut. Le colon le considère d'un air abasourdi et ne semble pas accepter son autorité. Il exige des discussions et des preuves comme il en a exigées avec l'illuminé. Et il a gagné avec l'illuminé. Mais il ne gagnera pas avec lui, Alcide Plamondon. Le prêtre toise durement son fidèle en donnant à son regard une expression condamnatoire et intransigeante. Profitant du silence, il maintient ce regard jusqu'à ce qu'Honoré baisse les yeux.

— C'est bien Honoré. Tu sais que c'est mal ce que tu as fait. On ne discute pas l'autorité.

— Ben... c'est que...

— Je n'aimerais pas qu'un ébéniste effronté travaille dans la maison du Seigneur.

Honoré hoche la tête, perplexe, ignorant comment il a pu contrarier le prêtre.

— Viens! ordonne l'abbé en se dirigeant vers le site de la future église.

Rendus audit emplacement, la modestie des dimensions surprend Honoré.

— Ben, c'est pas mal p'tit, en effet.

— C'est juste en attendant. Viens voir!

A deux cents pas, le prêtre dévoile un second carré dont les dimensions dépassent celles de la maison d'Honoré.

— Bonyenne. C'est-i l'église?

— Non. C'est le presbytère. Pendant que j'y travaille, occupe-toi de la maison du bon Dieu, veux-tu?

— Votre presbytère aussi y est pas mal grand, si je peux me permettre de le dire.

— C'est pour les invités. Des évêques viendront ici. On ne peut pas les recevoir dans une « chiotte ».

— Ah!

Voyant l'abbé Plamondon relever sa soutane et l'accrocher à son pantalon, Honoré s'empare de la hache et équarrit les billes de la chapelle.

Tok! Tok! Tok! résonnent les coups de hache dans la forêt d'alentour. Ils annoncent la prise de possession du sol. Gros-Ours doit écouter ces échos, pour lui lugubres. Honoré ne peut oublier cette présence, cette force et ce désespoir muet qui émanaient de l'Indien. Et chacun de ses coups lui laisse un sentiment d'imprégnante culpabilité. Comme s'il fauchait la moisson de Gros-Ours pour semer la leur.

Un an plus tard

Une lune, deux lunes, trois lunes. Trois lunes sans son retour. Une pipe, deux pipes, dix pipes encore, et la journée se prolonge. Sera-t-elle là avant la quatrième lune? Avant la onzième pipe? Gros-Ours attend, assis sous un arbre, à quelques pieds de la voie ferrée.

L'abbé du village lui a certifié l'arrivée de Biche Pensive. Mais que vaut la promesse de l'homme à la robe noire? De l'homme capable de lui ravir son enfant et de l'envoyer servir dans les hôpitaux des Blancs? Que valait la parole de celui qui, à la mort d'Odile, lui avait dit: « Va faire ta trappe, je prendrai soin de ta petite. Elle sera guérie à ton retour et tu la reprendras. » La petite était tellement affaiblie par ces maladies inconnues et il avait si peur de la perdre, elle aussi, qu'il avait accepté. Mais, à son retour, elle était partie depuis belle lurette. Avec quel grand sourire, on lui avait annoncé ça! Comme si elle venait de gagner quelque chose. Ah! Que vaut la parole de l'homme qui prétend être le représentant de Chémanitou? Jamais Chémanitou n'aurait séparé le père de la fille. Car Chémanitou aime son peuple. C'est un bon esprit, un grand esprit et l'homme à la robe noire ment lorsqu'il raconte être son représentant. La langue de cet homme est fourchue et venimeuse. Ah! Que vaut la parole de l'homme à la robe noire qu'il déteste pour tout ce mal qu'il fait à sa fille, à lui et à son peuple? Cet homme ne s'attaque-t-il pas à leurs légendes et à leurs croyances? Déjà, il érige son temple. Oui, déjà, il érige la maison de son Dieu. Oui, ce Dieu-là a besoin d'une maison. Mais pas Chémanitou. Chémanitou n'a pas besoin de maison. Il est partout. Il est un esprit: on ne bâtit pas de maison pour un esprit. Il se remémore l'homme à la robe, clouant, sciant, bûchant avec l'aide de ses ouailles. Parmi eux, il y avait ce costaud qui lui avait garanti que Biche se portait bien. Il l'aimait bien, celui-là! Avec sa grosse moustache rousse et ses yeux verts. Oui, il aimait son regard franc, sa compréhension, sa simplicité. Deux fois par la suite il l'avait rencontré et, à chaque fois, s'était vu salué: « Salut Gros-Ours. — Salut... Honoré. — Ouais, Honoré, salut. » Honoré! Quel drôle de nom qui ne disait rien.

Lui, il l'avait baptisé « Cheveux de feu », à cause de leur couleur exceptionnelle.

Oui, ils étaient déjà à ériger le temple et les nouveaux habitants avaient grossi les rangs des premiers venus. En l'espace d'un an, deux cabanes s'érigeaient à l'endroit même de son campement d'été. C'est pourquoi il avait dû déménager plus en aval. Deux autres habitations s'élevaient autour de celle d'Honoré. Ils étaient maintenant une soixantaine en comptant les enfants. Et tout ceci avait commencé par l'arrivée de deux garçons, d'une poule et d'une génisse. Odile avait cuit une banique pour eux et Biche la leur avait donnée. Et la pauvre enfant ne voulait pas changer. Ne voulait rien changer à leur vie, leurs coutumes, leur famille. Mais les dernières volontés d'Odile ont bouleversé le cours de leurs existences. Et le voilà qui attend, lune après lune, pipe après pipe, sous les regards moqueurs de quelques Blancs. Lui, l'ancien roi de ces contrées, devenu aujourd'hui le valet.

Il plisse les yeux, mord son tuyau et souffle par ses narines. La haine l'inonde et le noie. Il les hait, il hait le curé, hait le temps sans Biche Pensive. Il hait et craint. Il craint et espère. Il s'obstine à regarder les rails sous le soleil. Lui apporteront-ils sa petite fille aujourd'hui? Si oui, il les bénit. Si non, il les hait et les craint. Il craint tant d'être encore déçu qu'il n'ose plus espérer. Il attend pour certifier ses doutes, risquant, quelquefois, d'élaborer des projets au cas où elle viendrait.

Si elle venait... Si elle venait, il lui ferait connaître son esprit gardien et lui raconterait toutes les légendes qui le hantent avant qu'elles se perdent. Mais, si elle ne venait pas... Si elle ne venait pas, où irait-il crier sa douleur? Comme un loup, le soir, il hurlerait son désespoir à la lune et lui dédierait son chant de mort. Comme l'ourse qui chasse ses petits, il irait en pleurant dans la forêt. A grands coups de griffes et de rage qui n'atteignent rien que de l'air. Il hurlerait en lui. Il ragerait en lui. Il pleurerait en lui. Au-dedans de lui. Muette la douleur. Muette pour ceux du dehors et hurlante dans son âme.

Et cette muette douleur scellée sur les cris de son âme lui vient des Blancs et surtout de l'homme à la robe noire. Il sent confusément un fléau menacer la race indienne. Un fléau venant du Sud, par les rails. Un envahissement au compte-gouttes... Une désagrégation goutte à goutte... Une usure d'eau capable de creuser les pierres... Il sent sa race vouée à l'extinction, sa croyance vouée à la disparition. Ce ne sera pas une extermination cruelle et massive, une extermination dans le sang et les larmes... mais une extermination insidieuse, sujet par sujet, en commençant par les enfants. Un envahissement sournois, pouce par pouce, pied par pied, en érigeant des demeures sur les territoires de chasse. Il ne pourra y avoir de guerre, ni de défense de la part de chaque Indien seul. Chaque Indien seul devra souffrir qu'on le pousse au nord et qu'on enlève ses enfants.

Gros-Ours se renforce dans sa décision de renseigner Biche Pensive sur les croyances algonquines. Il ne doit pas laisser sombrer ses origines sans rien tenter. Laisser mourir son passé d'un œil impassible. Lui, Gros-Ours, à quarante ans, se fera vieux patriarche, gardien des coutumes ancestrales et narrateur de leur histoire.

Avant que meurent ces choses, dans le silence voulu de l'homme blanc, Gros-Ours les défendra, les criera. Malgré la défaite qui l'attend. Malgré ce mal beaucoup plus fort que lui qui lui vient du Sud.

Soudain, une lente et imprudente tortue approche. Elle s'arrête et le regarde comme s'il était de pierre. De ses pattes, elle se met à creuser dans le sable. Il la laisse faire. Elle va pondre. Il aime voir tomber les œufs roses et ronds dans le nid humide. Le train hurle. Gros-Ours se lève. Il observe l'animal qui, déjà, enterre sa progéniture avant de se diriger vers les rails. Gros-Ours se précipite alors vers elle et, la prenant par derrière l'écaille, à cause de sa bouche dangereuse, il la dirige vers un lieu plus sûr. Le train hurle encore. Biche Pensive sortira-t-elle du ventre du monstre? Sauve-toi, mère tortue! Le temps de se retourner vers l'horizon encore désert et les Blancs s'étaient emparé d'elle. Elle mordait férocement le bâton qui l'agaçait. Un autre hurlement. Biche Pensive, mon enfant, mon cœur va hurler comme ce monstre si tu n'y es pas. Mère tortue, va-t'en, sage animal. L'image même de mon esprit gardien! L'engin noir surgit entre les épinettes. Il fonce et rugit. Gros-Ours s'énerve. Son cœur palpite. Biche, es-tu là? Où est la tortue?

Des cris joyeux arrachent son regard du train qui s'approche. Les Blancs ont lancé la bête sur la voie ferrée. Il fait un geste pour la sauver mais se ravise. C'est trop dangereux pour lui. Alors, impuissant, il la regarde tenter de se remettre sur ses pattes en roulant sur sa carapace. Elle bascule et l'engin passe.

L'engin est passé et respire bruyamment. Gros-Ours cherche sous son ventre crasseux l'animal blessé et la trouve. La tortue remue ses pattes rugueuses, la tête à moitié arrachée. Il la prend. Elle tente quelques gestes de défense. Des gestes sans vie. Les Blancs rigolent toujours. Surtout de le voir si bouleversé. Gros-Ours défait sa chemise et exhibe son tatouage. Les rires s'amplifient. Alors, voyant briller une médaille dans le cou de l'un d'eux, il saute sur lui, la lui arrache, la lance par terre et crache dessus.

— En voilà des manières! rouspète une voix sèche derrière lui.

Gros-Ours se retourne et tombe face à face avec sœur René-Maria et Biche Pensive. En un instant, la petite se blottit contre lui. La religieuse tente de les séparer.

— Un peu de tenue, Marie-Jeanne.

L'enfant n'obéit plus à ce nom.

— Elle, Biche Pensive... Elle à moé.

Ce disant, il serre la jeune fille contre lui.

— Maudit sauvage! injurie le Blanc en ramassant sa médaille. Voyez ce qu'y a fait, ma sœur. Une vraie honte! Vous allez pas y laisser c't'enfant-là! Y vient juste de cracher sur la Sainte Vierge.

— En effet, c'est un blasphème. Venez Marie-Jeanne. Je crois que nous avons commis une grave erreur en vous menant ici. Venez!

L'enfant se cache derrière son père tandis qu'il se dresse devant ces gens insultants. Il ne comprend plus leur langue et se met à les haranguer en algonquin. Et les gens reculent. Ils reculent enfin et c'est lui qui avance. Oh! Oui. Ces gens craignent l'Indien seul en colère. Surtout cette femme vêtue de noir qui tremble et blanchit à vue d'œil. Il voit cette maudite croix à son cou et la lui arrache violemment. Elle a crié puis s'est enfuie.

— Maudit sauvage! S'attaquer à une sœur! J'vas te montrer moé!

Mais l'homme blanc n'a pas le temps de lever la main que Gros-Ours l'a déjà frappé. Le quai se vide.

Alors, l'Indien s'agenouille près de la tortue et lui tranche la tête. Il la prend dans ses bras, empoigne sa fille par la main et se dirige vers son canot.

Près du rivage, dans les joncs, il y dépose l'image de son esprit gardien. Une petite main vient toucher son tatouage sur sa poitrine essoufflée. Il regarde son enfant aux yeux pensifs. Sa petite Biche dans une affreuse robe noire. On dirait qu'elle le craint un peu et ne comprend pas son attitude. On dirait qu'elle cherche à le reconnaître. Lui qui jamais n'a manifesté la colère et la violence. Elle cherche le Gros-Ours patient et bonasse. Le Gros-Ours aux bras forts qui ne servent qu'à faire du bien. Mais le cœur de ce Gros-Ours a tant saigné qu'il est devenu hargneux, haineux, enragé. Le cœur de ce Gros-Ours se révolte en vain. « Je ne veux pas que tu changes », avait-elle dit un jour. Et, malgré toute sa bonne volonté, il avait changé. Elle aussi, d'ailleurs, avait changé. Voudra-t-elle encore apprendre ce qu'il rêve de lui enseigner?

Aucun mot ne lui vient aux lèvres. Il a trop à dire. Des choses trop graves.

— Papa!

Biche Pensive se réfugie contre lui. Il hume ses cheveux

tressés et les caresse. Puis il fouille dans ses sacs et lui offre une nouvelle paire de mocassins en redisant: « Ne ris pas. »

Elle les chausse avec une joie manifeste.

— Enlève cette robe, lui conseille-t-il.

Elle refuse. Il fronce les sourcils.

— Il fait chaud.

— C'est que... j'ai... je commence à... j'ai des seins...

— Il ne comprend pas. Puis il dit:

— N'aie pas honte d'aucune partie de ton corps.

Elle hausse les épaules.

— Tu te caches bien, toi aussi.

— Bon, fais comme tu veux.

Elle monte dans le canot. Aussitôt, elle retrouve cette douce sensation d'être ballottée par les eaux. Gros-Ours les pousse au large et s'agenouille dans l'embarcation. Avec volupté, elle sent ses moindres mouvements. Une joie sauvage lui monte à la gorge au premier coup d'aviron de son père qui les dépose sur le courant. Un coup puissant et décidé. Elle avironne à son tour. Qu'elle aime ce geste! Elle l'accomplit sans effort apparent, sans même y penser. Elle pagaie comme elle respire.

Un vent plein d'odeur frise l'eau et l'enivre. Un paysage grandiose se déroule devant elle. La petite rivière s'enfonce entre les arbres. Les oiseaux chantent, les araignées patinent autour des corps morts. Là, un rat musqué plonge devant eux et les grenouilles coassent. Toute cette étendue d'eau à parcourir la ravit.

Elle sait qu'il y aura des portages, des lacs, des îles, des montagnes. Son chemin est un chemin d'eau. Une rivière qui se déroule vers le Nord et communique à d'autres rivières et lacs. Gros-Ours connaît le parcours de cette rivière par cœur. Il le connaît pour l'avoir étudié tant de fois de son aviron infatigable. Mieux que quiconque, il sait ce qu'est son pays. La couleur de sa terre et la sorte d'arbres des différents endroits. Il sait où abonde le doré, la truite, le brochet. Il sait où trouver l'orignal et le cerf. Sa vaste connaissance la remplit d'admiration. Biche Pensive se retourne et sourit à cet homme lourd et songeur qui mène leur embarcation avec aisance. Il lui répond de ce très beau sourire imbu de fierté et de bonté.

Le soleil se reflète dans les milliers de vagues qui brillent devant ses yeux comme autant d'étoiles. En cette fin d'après-midi d'été, il réchauffe grandement. L'étoffe noire de sa tunique se gorge de chaleur et la brûle. Elle pose l'aviron sur ses genoux, se dégrafe et laisse tomber le vêtement sur le fond d'écorce. Aussitôt, une bienfaisante sensation s'empare d'elle. Le soleil, le vent et l'eau la caressent tendrement. L'un réchauffe, l'autre flatte et l'autre embaume. Elle leur appartient. Elle les retrouve. Son corps se retrouve, ses pores se retrouvent. Et même la couleur de sa peau recouvrera vite cette teinte cuivrée sous les rayons ardents.

Elle s'éloigne de Marie-Jeanne Sauvageau à grands coups d'aviron, laissant son fantôme sur le quai, dans la main noire de sœur René-Maria. Biche Pensive pagaie, son corps nu livré aux baisers chaleureux de l'été.

Le campement. La voûte étoilée et ses mystères. Le feu crépite près du père et de la fille enfin réunis.

— Le Manitou du ciel prend soin des étoiles. Quelquefois, il en précipite sur la terre et elles deviennent des démons malfaisants. Là-bas, vois-tu, il y a une ville céleste... et là... le Manitou les a réunies en conseil. Ici, il y a le chasseur. Chaque automne, on voit l'ourse qui saigne et rougit la forêt.

— C'est beau le ciel.

— Oui. Très beau. Très grand.

— Chémanitou nous aime?

— Oui. Chémanitou est bon. C'est le Grand-Esprit. C'est lui qui nous a créés ainsi que tous les animaux de la terre.

— Comment a-t-il fait?

— Avant, Chémanitou était seul sur une île et il façonnait divers animaux avec de la glaise. Puis, il les laissait durcir, ouvrait ensuite le côté et rentrait dans l'animal lui donner le souffle de vie. Un jour, il a créé un monstre: le Machémanitou. Il l'a laissé sécher, a ouvert le côté, puis il a changé d'idée, est ressorti et a jeté ce monstre dans sa grotte à rebus. Mais il avait eu le temps de lui donner un peu de vie et Machémanitou s'est réveillé. En voyant cela, Chémanitou boucha l'entrée de la grotte car il savait que de ce monstre viendrait le mal. Mais Machémanitou a rampé sous les arbres et crevé la croûte de la terre. Il est sorti bien vivant et bien fort. Alors Chémanitou a fait un être à son image, un être capable de combattre le mal et de choisir le bien. Il a fait l'homme.

— Les Blancs aussi viennent de Dieu mais les femmes blanches viennent du ventre d'un homme.

Gros-Ours éclate de rire.

— Depuis quand les hommes portent les femmes?

— C'est la sœur Marie-Ange qui l'a dit.

— Et tu la crois?

— Non.

— Et tu crois à Chémanitou?

— Oui... et... j'aimerais connaître mon esprit gardien, avoir mon nom sacré. Là-bas, elles portent toutes des noms sacrés.

— Ah? Et tu veux connaître ton esprit gardien?

— Oui.

— Je te ferai jeûner. Je te ferai une petite cabane. Dis-moi, veux-tu retourner là-bas?

— Non. Je veux rester avec toi.

— Alors, tu resteras...

Un silence. Le feu chante et pète. Toute la monarchie des étoiles suspendue au-dessus de leur tête. Tous ces royaumes d'esprits, toutes ces villes célestes, tous ces chasseurs figés et cette ourse blessée. Toute cette vie, enfin retrouvée. Ce même lien de sang enfin renoué.

— Est-ce que c'est grave pour toi? s'enquiert Biche Pensive.

— La tortue?

— Oui. Tu lui as coupé la tête.

— C'était pour empêcher ses souffrances. Je ne l'ai pas tuée. Ce n'est pas moi qui ai tué mon esprit gardien: ce sont les Blancs.

— Et c'est grave?

— Je ne sais pas. Ne t'inquiète pas pour ça.

Un autre grand silence. L'enfant soupire et s'étend sur les genoux de son père. Elle s'endort vite. Épuisée de cette journée chargée d'émotions et de voyages. Le train, l'arrivée à la gare, la tortue, le long voyage en canot et l'installation du campement. Il lui semble avoir fait cent journées dans une. Ses mains, écorchées aux jointures par les lessives, s'ornent maintenant d'ampoules causées par l'aviron. Elles brûlent, ces ampoules, et lui rappellent qu'elle a repris vie. Elle ouvre ses mains avant de s'endormir pour de bon. Elle sait que Gros-Ours les verra, les baisera et les bénira.

Mais Gros-Ours jongle sur sa pipe fraîchement allumée. Des images vont, viennent en lui. Fugitives comme des sauts de lièvres. Il les saisit à peine dans le trouble de son âme et tente de se rassurer que tout ira bien pour lui.

Tout ira bien, tortue, ma mère tortue, sage tortue.
Dis-moi que tout ira bien.
Dis-moi que tu veilles.
Dis-moi que tu comprends.
Tortue, sur ton écaille, tu roules.
Tu roules et tu tentes
De te retourner de ton bec têtu
Et tenaillé au sol.
L'engin passe et t'arrache la tête.
Tortue tuée...
Image de mon âme.
Image de ma race.
Image de mon peuple...

Roulant sur son écaille...
Trop lent à se redresser et à fuir...
Et l'engin passe...
Et l'engin tue...
Et l'engin souffle.

Tortue, dis-moi que tout ira bien.
Image de ma race.
Image de mon peuple,
Entre mes mains, tu agonises
Avec les gestes inutiles d'une lutte perdue d'avance,
Les gestes de vie d'une mort certaine.

Tortue, un jour, dans mes délires,
Autrement, je te vis...
Tu allais, dans ta verte écaille,
Au fond des ondes chercher tes fruits.
Douce et protégée,
Tu portais sur ton dos
Ta carapace qui devenait ton bouclier,
Puis ta maison, puis ton grenier.
Avec elle, tu atteignais les âges
Qui te rendaient sage.
Mais aujourd'hui, avec elle,
Tu as péri sur le dos...
Et tu en as fait ton tombeau.

Tortue, dis-moi que tout ira bien.
Ou alors, dis-moi jusqu'où iront les rails ?
Et jusqu'où devrais-je aller avec mon enfant ?

Une lune, pleine et lumineuse, miroite sur sa petite rivière. Le frêle esquif glisse silencieusement, en cette fin de voyage. Biche Pensive reconnaît chaque tournant, chaque plage, chaque escarpement. Le chant de l'eau la berce tandis qu'elle plonge amoureusement dans ces images qui l'ont vue grandir. A la vue du grand cèdre penché au-dessus de l'onde les battements de son cœur s'accélèrent. Elle reconnaît en lui son confident et son plongeoir favori. Elle entend le rire de ses jeux et le bruit des giclements. Elle sent la rudesse de son écorce sur ses cuisses et hume l'arôme de son feuillage. Qu'elle a hâte de voir la tente derrière sa dense ramure! Hélas, le paysage qui s'offre à elle la démoralise complètement.

Deux cabanes s'élèvent au site habituel de leur campement et beaucoup d'arbres ont été abattus. En haut de la butte, une autre maison se distingue nettement sous le clair de lune ainsi que le profil d'une chapelle.

— J'ai dû m'installer plus haut, explique Gros-Ours en continuant d'avironner.

Sa fille ne lui répond point et baisse la tête. Elle retient ses sanglots et sa rage. De quel droit ces hommes ont-ils saccagé ses souvenirs d'enfance? De quel droit se sont-ils appropriés ce lieu qui l'a vue grandir, nager et rire?

Elle serre ses doigts sur le bois de l'aviron et demande d'une voix rauque:

— Combien sont-ils maintenant?

— Une soixantaine.

— Et nous allons vers le Nord?

— Oui.

— Jusqu'où papa?

Elle se retourne vivement et son image saisit Gros-Ours. La fureur et la beauté qui s'en échappent le pétrifient. Cette jeune fille, dont les longues nattes battent les hanches, garde sur lui ses prunelles enflammées. Son port de tête altier et son menton résolu l'éblouissent. Changera-t-elle, cette belle enfant?

— Allons brûler ces demeures! lui dit-elle d'une voix grave.

— Nous sommes des Indiens seuls. Ils sont soixante.

— Mais ce lieu nous appartient.

— Je sais. Continuons. J'ai trouvé un autre endroit: il y a plein de poissons.

— Chémanitou ne nous aime pas puisqu'il permet à ces hommes de prendre nos places.

— Viens, je t'expliquerai.

— Il n'y a rien à expliquer! Leur Dieu blessé est plus fort que Chémanitou puisqu'on lui construit une maison sur nos terres. Est-ce que Chémanitou aussi recule vers le Nord? demande-t-elle au ciel étoilé.

Vers le Nord, répète l'écho. Puis, le clapotis des vagues meuble le silence bleu de la nuit. Gros-Ours constate qu'elle a changé plus que lui. Son âme, jeune et souple, a été soumise à bien des tourments et des doutes. Elle n'accroche son désespoir à aucune conviction profonde: ni à celle de la croix, ni à celle de Chémanitou.

Gros-Ours s'avance vers elle dans le canot et l'entoure de ses bras. Elle tremble. Il ne sait que dire.

A quelle croyance unira-t-elle tous les gestes de sa vie? Son Chémanitou vient de l'abandonner à ses yeux d'enfant. Et l'autre prend sa place sur ce territoire qu'elle a toujours considéré comme sien.

La petite fille, coincée entre deux civilisations, se révolte inutilement en cette nuit trop bleue.

Gros-Ours aimerait lui dire: « Oui, brûlons ces cabanes. Incendions le ciel de nos griefs. » Mais il sait très bien que c'est peine perdue, que d'autres hommes viendront les punir et qu'ils devront reculer vers le Nord, d'une façon ou d'une autre.

Il regrette d'être resté en ces lieux, regrette d'avoir présenté les petits Blancs à sa fille, regrette d'avoir respecté les dernières volontés d'Odile. Il aurait dû fuir, il y a longtemps. Fuir cette rivière avant qu'elle ne devienne à d'autres. Fuir ce territoire pour en découvrir un meilleur. Refuser en somme d'être le témoin impuissant de l'envahissement. Refuser d'être foulé aveuglément comme un peuple de fourmis dans le sable. Refuser ce nouveau Dieu, ces nouvelles coutumes et ces nouvelles vies. Fuir. Mais fuir, est-ce bien là le propre d'un homme?

— Nous sommes des Algonquins... et nous ne sommes plus assez nombreux. Il est fini, pour nous, le temps de se battre avec nos armes. Nos armes ne peuvent rien contre le monstre noir... Tu te crois en guerre contre eux... mais eux t'ignorent. Eux ne sont pas en guerre contre toi, pas plus que tu n'es en guerre contre la fourmi que tu écrases. Te révolter? Ils n'entendent pas ton cri. Les blesser? Que fais-tu de la fourmi qui te pique? Un jour viendra... un des nôtres parlera pour nous. Restons ce que nous sommes. Soyons fiers de ce que nous sommes. Notre combat, notre victoire, c'est de respecter notre sang.

— Alors, il faut que je reste toujours avec toi. Avec toi, je suis Biche Pensive.

— Tu seras toujours une Biche Pensive... même si on t'appelle Marie-Jeanne Sauvageau. Allons, je vais te montrer notre campement. Il y a du beau poisson, là aussi.

Il retrouve sa place. Elle reprend l'aviron et, après un dernier coup d'œil au sable de la grève où l'empreinte de ses pas s'est effacée, elle donne un grand coup et le canot poursuit sa route.

La petite cabane, frêle comme habitation de roseaux. Soumise au vent, aux sons, aux odeurs. Transpercée des rayons obliques de cette fin d'après-midi.

La frêle cabane au cœur de la forêt. Dans ses entrailles intimes. Posée sur sa mousse comme l'œuf fragile dans le nid chaud. Fragile cabane que couve le ciel et que gardent les vieux arbres.

La cabane où Biche Pensive s'agite sous l'effet de la fièvre. Des frissons puis des sueurs la possèdent tour à tour. Elle s'abandonne à cette expérience mystérieuse et vibre à une allure vertigineuse. Tous ses sens sont décuplés. La vue, l'ouïe, l'odorat, le toucher, le goûter. Elle perçoit le moindre froissement de feuille, le moindre saut. Où est le silence? Quel silence? Il lui

semble entendre battre le cœur des arbres et percevoir l'invisible. Qui sont ces êtres en glissade sur le rayon bleuté? Que
sont ces poussières en éternel mouvement?

Deux grands yeux jaunes grandissent alors autour de ces
poussières. Des yeux prenants, fixes et dorés. Puis, de longs cils
gris glissent sur eux pour en cacher l'éclat. Un bec se dessine
dans un plumage gris. Les yeux ressuscitent. Éclatants. Magiques. Troublants. Ces yeux la transpercent et la paralysent.
Vite, elle espère le voile épais des cils. Le voilà qui descend
lentement. La figure de la chouette s'éteint. Un très court
moment. Biche Pensive cligne des yeux, puis les ferme, mais
elle retrouve ce regard avec plus d'intensité, de précision, distinguant jusqu'aux pigments de la couleur comme autant de
poussières jaunes. La figure de la chouette s'allume instantanément en elle et l'éclaire impitoyablement. Sans broncher.
Comme une statue de pierre close sur toute vie et toute énergie.
Une statue aux yeux perforés d'où coule la lumière aveuglante.
Lumière de vie que l'animal atténue par les battements réguliers
de ses cils.

Deux soleils rigides cloués à son âme. Deux soleils froids.
Implacables. D'une volonté farouche.

Biche Pensive, prise et soumise à cette vision, retient son
souffle. Son esprit gardien la possède de ses yeux immobiles.
De son cou immobile. La peur et la joie s'unissent en elle. Elle
a enfin trouvé son esprit gardien et celui-ci l'effraie. Il est d'une
telle autorité. D'une telle rigidité. D'une telle royauté. Il lui
semble si grand et distant qu'elle tente de se le refuser. Mais
elle a beau cligner des yeux, secouer sa tête bourdonnante,
l'image la suit. Comme collée à son front. Tapissée à l'intérieur
de son crâne. L'image la suit et la possède. Fixe et présente.
Statue de pierre aux yeux de feu. D'un feu froid et pourtant
vivace... D'un feu éternel qui ne consume ni ne réchauffe. Trop
puissant et inhumain pour s'abaisser à charmer les sens.

L'enfant échappe de petits cris. Roule sa tête et sent ses
nattes mouillées sur ses épaules. Une main fraîche, de l'eau.
Gros-Ours chasse momentanément l'image.

— Qu'as-tu vu?
— Une chouette.
— Et puis?
— Elle m'a fait peur.
— Alors, ce sera ton esprit gardien. Il s'est montré à toi. Il
a visité ta cabane. Viens, la Chouette.
— Ses yeux... de grands yeux jaunes.
— Je te sculpterai une chouette. Viens.

Elle se lève. Chancelante. Parcourt une dernière fois du
regard sa petite cabane.

— Tu n'oublieras jamais cette image. La chouette est

gravée en toi pour la vie. Jamais, tu ne devras tuer de chouette. C'est l'image de ton esprit gardien. Viens!

Gros-Ours sculpte patiemment un morceau de pin. Déjà, elle reconnaît la tête de l'oiseau et ses épaules. Soudain, Gros-Ours relève la tête et tend l'oreille.

— On vient sur la rivière.

— Je n'entends pas.

— Écoute, l'eau le dit.

Un moment.

— Oui. J'entends.

— Deux, trois canots.

— Des Blancs?

— Sais pas.

Après un moment d'attente, la pointe d'un canot apparaît dans le détour de la rivière. Un homme les indique aussitôt en criant:

— C'est lui, y sont là!

Le rythme des avirons augmente la cadence.

Biche Pensive remarque un prêtre dans le troisième canot, se presse contre son père qui s'est redressé d'un air digne et regarde la flottille foncer vers eux.

Les canots grincent sur le sable. Les hommes sautent sur la berge et viennent les entourer rapidement. Un d'eux pointe un fusil sur le cœur de Gros-Ours.

— Étienne Sauvageau? demande un homme avec une grosse médaille sur la poitrine.

— Moé, Gros-Ours.

L'abbé Plamondon réplique rudement:

— C'est le même... Il ne veut pas porter ce nom.

— Étienne Sauvageau, je m'en viens t'arrêter.

— Comprends pas.

— T'arrêter. Tu t'es attaqué à une religieuse. A sœur René-Maria.

— Moé pas faire mal.

— C'est le juge qui va décider ça! Y avait ben des témoins. En attendant, t'as perdu la garde de l'enfant Marie-Jeanne Sauvageau.

Sur ce, l'homme vient pour toucher Biche Pensive. Celle-ci le mord. Après un cri de colère, il ordonne:

— Fais tes paquets! Tu dois me suivre en prison.

Un silence épouvantable plane sur le petit groupe. Gros-Ours les fixe, un à un, d'un calme redoutable. Pourquoi suivrait-il ces hommes? Il n'a rien fait contre sa conscience. Pourquoi lui arracheront-ils encore son enfant?

Un homme lève le chien de son fusil. Le bruit du déclic

fige les pensées de l'Indien seul. Son œil suit le long canon bleuté jusqu'aux mains nerveuses.

Biche Pensive sanglote et l'enlace à la hauteur de la taille.

— Oui, répond-il d'une voix blanche.

Pourquoi son Chémanitou ne vient-il pas le secourir? Quelle grande douleur lui impose-t-il encore? Celle de perdre son enfant et d'être diminué à ses yeux. Pourquoi permet-il que l'injustice triomphe? Il ne comprend plus et fouille le ciel de son regard traqué.

— Envoye! Va faire tes paquets!

Gros-Ours rentre dans sa tente pendant que les hommes retiennent sa fille, le canon tout près de sa joue.

Il s'agenouille, pose son visage contre le sol et se met à prier dans sa langue. Marie-Jeanne l'entend et son cœur se démène dans sa jeune poitrine.

« Ma mère tortue, Chémanitou mon père, je ne suis coupable d'aucun crime. Aucun sang inutile ne salit mes mains. Jamais je n'ai profané les os des castors. Pourquoi laissez-vous les Blancs m'emmener en prison? Pourquoi permettez-vous qu'ils m'arrachent ma petite Biche? Qu'ils lui montrent combien je suis impuissant devant eux. Qu'ils lui montrent ma faiblesse.

Quel souvenir emportera-t-elle de son père? Celui d'un homme fort mais sans défense? D'un homme peureux qui s'est laissé ligoter sans livrer combat?

Où puisera-t-elle sa foi en toi, Chémanitou? »

— T'as fini? Fais tes paquets! ordonne l'homme en le rejoignant. Donne ton couteau.

L'Indien obéit. Et glisse dans sa poche la chouette inachevée. Sa fille l'observe tristement. Il s'approche. Se penche. Caresse ses joues mouillées. Puis, l'embrasse passionnément. L'écrase sur son cœur déchiré. Il marmonne des phrases algonquines... des phrases entrecoupées de sanglots. Son enfant s'accroche à lui.

On les sépare brutalement. On pousse Biche Pensive dans un canot avant de ligoter le prisonnier.

Victorieusement, les trois canots accostent à l'ancien campement d'été où le cèdre recourbé sur l'eau ébranle Biche Pensive.

— Avance!

On la bouscule.

— Attendez! ordonne Alcide Plamondon en s'approchant d'elle et en l'examinant.

Ses yeux gris et secs tombent sur sa poitrine prometteuse et déjà cuivrée par les rayons du soleil.

— N'as-tu pas honte de montrer ainsi tes parties? Tu es nue, ma fille. Cache-toi.

Pour la première fois de sa vie, Biche Pensive se sent nue devant tous ces hommes qui la jugent. Un d'entre eux enlève sa chemise et la lui jette. Elle l'endosse. Se boutonne piteusement. Comme si elle fermait elle-même la porte d'une prison sur son corps.

Ils empruntent le sentier où, enfant, elle s'amusait à courir les écureuils. Ses pas tentent de rejoindre ces autres pas, joyeux et insouciants. Là, elle reconnaît les pieux pour le fumage du poisson; là, l'emplacement du feu et les pierres où elle cuisait ses premières baniques. Son enfance, timidement, lui tient un langage secret. Mais les gens vont vite et les pressent.

En haut de la colline, elle aperçoit la chapelle et une maison où apparaît une silhouette costaude.

— Honoré, crie le prêtre. Honoré, viens voir! On les a eus! On les a eus!

L'homme s'avance d'un pas lent. D'autres gens accourent. Des femmes, des enfants, des hommes. Biche reconnaît le petit Blanc à qui elle avait donné de la banique. Tous ces gens les examinent comme des bêtes curieuses.

L'homme au fusil l'avance encore plus près du cœur de Gros-Ours devenu apathique. Biche regarde venir vers eux l'homme aux cheveux roux dont les membres et le corps ressemblent étrangement à ceux de son père. Sa présence calme les gens qui finissent par se taire. Son regard vert croise les yeux défaits de Gros-Ours.

— Vous l'emmenez demain? demande-t-il à l'abbé.

— Oui.

— Y vont coucher chez nous.

— Désolé. Faut qu'y soyent sous surveillance, renchérit l'homme au fusil.

— Surveillez ma maison, d'abord.

Honoré commence à défaire les liens de Gros-Ours. Le prêtre s'interpose aussitôt.

— Es-tu fou? Il va se sauver.

— Y est pas un criminel.

— Quoi? Il s'est attaqué à une religieuse et tu dis que ce n'est pas un criminel! C'est un sacrilège, Honoré. Un sacrilège! Anciennement, on l'aurait pendu pour ça. Je t'avertis, Honoré, c'est à tes risques. En prends-tu la responsabilité devant tout le monde?

— Oui.

— Vous êtes témoins? demande Alcide en se tournant vers l'attroupement.

Un oui général lui répond.

— Bien. Très bien. Emmène-le chez toi. Nous prierons pour qu'il ne t'arrive rien.

Après avoir offert un frugal repas, Honoré s'assoit près de Biche Pensive et lui demande des explications sur l'arrestation de son père. Ce qu'elle fait le plus fidèlement possible.

— Dis à ton père que j'vas aller m'occuper de ses choses. J'vas monter son canot dans les branches pis j'vas emmener ses affaires icitte. Dis-y de pas s'inquiéter pour ça.

Elle traduit, Gros-Ours hoche la tête.

— Pis dis-y que j'approuve pas. Si y croit à ma parole, y a juste à fumer à ma pipe, termine-t-il en tendant sa pipe allumée.

Gros-Ours, ébranlé de sa dangereuse torpeur, avance sa main et saisit la pipe, symbole d'amitié, qu'il considère longuement avant de la porter à sa bouche.

Une grande partie de la nuit se passe en pipée de part et d'autre. Dans un dialogue silencieux et fraternel.

Pour un « chez-nous »

Une brume matinale rôde autour de la maison. Une brume fraîche et bénéfique. Humide, avec des senteurs d'herbe. Honoré l'apprécie grandement et vaque à ses occupations d'un cœur joyeux. Depuis quatre heures ce matin, il travaille à nettoyer sa demeure. Il lui a été impossible de dormir tant il est excité à la pensée du voyage qui l'attend. Et il n'éprouve pourtant aucune fatigue et passe allègrement son balai sous le lit, la table et dans les coins. Tantôt, il a débarrassé ses armoires des crottes de souris, les a lavées avec soin puis poivrées. Il a secoué toutes les paillasses, bien étendu sa couverture sur le lit de fer et ajusté sa pompe afin qu'elle ne grince plus. Émerise trouvera ici un vrai château. Tout propre, tout neuf. Avec ses senteurs de bois encore fortes, ses senteurs de sève s'amalgamant à la senteur de poivre des armoires ainsi qu'à cette autre senteur de terre qui vient de la cave. Une senteur douce et essentielle. La senteur maîtresse de leur maison.

Il jette dehors sa poussière et promène un regard fier autour de lui. Que reste-t-il d'autre à faire? Il s'approche de la table, place les chaises tout autour et caresse de sa paume le bois ciré. Il en éprouve encore une fois la solidité de ses mains fortes et se sourit. Oui, elle est solide et belle. Blonde et douce au toucher. Émerise y fera ses tartes et ses beignes. Et son pain.

Oui, tout est prêt. Fin prêt. Même la brume, maintenant, se laisse déplacer par le faible courant d'air.

Honoré pénètre dans sa chambre et, soudain, entend glisser ses pas sur le plancher. Ceci le frappe. Il s'assoit au pied du lit et se dit que c'est probablement la dernière fois qu'il s'entend marcher dans sa solitude. Bientôt, cette maison sera pleine de rires, de cris et de courses enfantines. Bientôt, cette cuisine connaîtra les multiples pas d'Émerise. De la pompe au poêle et du poêle à la glacière, elle fera des centaines, des milliers d'allers et retours. Bientôt, l'escalier connaîtra l'étourderie des enfants, leurs veilles et leur bas du Jour de l'An. Et sa chambre avec sa fenêtre donnant sur la pente douce, cette chambre connaîtra les pas fatigués et les pas étouffés pleins d'espoir et de tendresse. Elle connaîtra les souffles du repos et les souffles de l'amour.

Bientôt, cette maison qu'il a bâtie de ses mains prendra vie.

Il regarde la fenêtre que les rideaux orneront bientôt. Dans sa dernière lettre, sa femme lui a dit en avoir cousu ainsi qu'une courtepointe. Émerise arrivera ici avec ses petits bras énergiques et habillera la maison. Ce sera gai et vivant. Naïvement, l'homme pense à disposer un bouquet de marguerites en les voyant fleurir à travers les souches, puis se ravise: avec la durée du voyage qu'il entreprend, les fleurs auront le temps de faner.

Oui, il vient d'entendre ses semelles traîner leur solitude pour la dernière fois. Il se lève. Prend son baluchon dans le garde-robe et sort, humant avidement de ses larges narines le parfum de son chez-lui. Rendu dehors, sur sa galerie, il ferme la porte sans la barrer et regarde par le carreau, s'imaginant être Émerise. Comme cette cuisine paraît chaude et accueillante avec sa grande table de chêne doré et ses huit chaises! Comme il a bien travaillé! Oui, bien travaillé. Il pousse une balançoire accrochée à une poutre de la galerie et entend déjà le tiraillage des enfants: « C't'à ton tour! C't'à mon tour! C't'au tour de Félix. »

Petit Félix! Dire qu'il a déjà deux ans et demi. Et dire qu'il ne connaît ni son apparence, ni son caractère. Émerise le décrit comme un petit rouquin très sage. La dernière fois qu'il l'a tenu dans ses bras, il n'avait que cinq mois et pleurait pour retourner au sein de sa mère. Et les autres? Comment sont-ils? Zoé, sa grande fille de douze ans, est-elle devenue femme? A-t-elle connu ce cycle qui fait d'elle une mère en puissance? A-t-elle franchi cette frontière inévitable de l'enfance? Et Auguste? Comment va Auguste? Qu'a-t-il fait de son humeur belliqueuse? Se bagarre-t-il encore avec les petits voisins et s'ingénie-t-il à faire fâcher Zoé? Il a maintenant neuf ans. Comment était-il, lui, à neuf ans? A quoi rêvait-il? Et Victor, avec ses six ans, voisinant les cinq ans de Rose-Lilas? Donnent-ils bien du mal à tante Lucienne qui doit les garder quelquefois? Que sont devenus ses enfants? Émerise ne cesse de lui écrire qu'ils ont bien hâte de s'établir et d'entreprendre ce long voyage aventureux vers leur nouveau foyer.

La balançoire achève son mouvement de pendule. Elle aussi, se voit bercer inutilement pour la dernière fois. Des petites fesses viendront vite la polir.

Le colon descend ses deux marches et mouille ses souliers de bœuf dans la rosée. Il va inspecter son jardin. Ou du moins les patates et les oignons qu'il a eu le temps de semer. L'année prochaine, il prévoit que sa femme le prendra en charge et l'enrichira de diverses plantes. Il deviendra un beau, un bon jardin sous ses soins attentifs.

Puis, son regard s'élève vers la chapelle et le presbytère. C'est à cause de leur construction qu'il a tant retardé. Au début, l'abbé Plamondon a demandé son aide. Ensuite, il a demandé son avis. Le carré du presbytère est devenu celui de la chapelle et vice versa et, petit à petit, il s'est vu impliqué dans l'affaire. Si bien qu'à un moment donné, il a dirigé les travaux lorsque le prêtre est retourné dans son diocèse afin d'obtenir une paroisse.

A la fin de son premier été, chapelle et presbytère étaient levés et il a dû habiter lui-même au presbytère avant de loger aux chantiers avec Alexis afin de gagner quelques sous.

L'été suivant, il a achevé sa propre maison et agrandi son lot en commençant par la pente douce. Puis il a passé son second hiver à trapper avec Gros-Ours.

Et maintenant, tout est prêt. Fin prêt. Et il a même assez d'argent pour s'acheter un cheval et une voiture. Alors, hier, il a demandé à Gros-Ours de l'accompagner jusqu'au train. Celui-ci a promis de venir. Il doit même l'attendre à son ancien campement d'été. Ceci arrache Honoré à ses rêveries et il descend rapidement la côte, son baluchon lui battant les reins.

— Bonjour m'sieu Villeneuve! lance le jeune Numainville.

— Bonjour. Ousqu'y est ton père?

— Aux bécosses.

— Ah bon!

Passant devant ledit endroit, le voyageur lance joyeusement:

— Salut Hector! J'm'en vas.

— Bon voyage. Le sauvage t'attend depuis belle lurette, répond la voix préoccupée de son voisin.

Honoré descend alors au pas de course et aperçoit son ami près du cèdre recourbé. Il l'interpelle. Gros-Ours approche son canot de la grève.

— Ça fait-i longtemps que t'attends?

— Hmm!

Honoré lance son paquet dans l'embarcation et y saute d'un bond agile.

— Allons-y.

Le canot s'engage dans le courant de la petite rivière et s'éloigne de ce lieu qui rappelle de trop beaux souvenirs à Gros-Ours. Honoré soupire sachant quelles sortes de sentiments peuvent remuer l'homme qui pagaie derrière lui. Ses six mois de détention et la perte de la garde de sa fille l'ont considérablement éprouvé. Il se remémore le retour de Gros-Ours, cet hiver, lorsqu'il toquait timidement au carreau givré. Il venait chercher ses effets. Misérable, abattu et sans espoir de lendemains. Il a passé une seconde nuit avec lui, à fumer la pipe et à converser par signes. Il lui a demandé de lui enseigner à trapper et d'unir leurs efforts: ce qu'ils ont fait. Récoltant ainsi plus de fourrures et obtenant plus d'argent lors du trafic puisque Honoré s'occupait du troc.

Comme il en a appris des choses avec cet Indien! Maintenant la forêt ne l'effraie plus. Elle est son amie. N'a-t-elle pas nourri, soigné et vêtu Gros-Ours et ses semblables pendant des siècles? Sa présence est même devenue rassurante comme celle d'une grand-mère. Il ne la voit plus comme une ennemie implacable qu'il faut anéantir pour s'établir. Au contraire, il s'installe près d'elle demandant son aide de temps à autre.

Le soleil réchauffe déjà son dos. Il se retourne. Gros-Ours lui dit quelque chose en langue algonquine. Honoré rit de bon cœur en portant sa main dans ses cheveux. Gros-Ours vient de lui rappeler son nom indien: Cheveux de feu.

Cela le séduit et l'amuse à la fois. Cheveux de feu, c'est mieux que Ti-Rouge, Gros-Rouge, Carotte ou Poil de carotte. Ça a un peu plus de noblesse et, tout en pagayant, il compose le visage que fera Émerise en apprenant cet autre surnom.

A l'ombre de la maison voisine, Honoré surveille la sienne qu'il n'a pas vue depuis deux ans. La cour lamentable, bondée de cordées, l'humilie. Comment a-t-il pu y laisser sa femme et ses enfants? Parmi tout ce linge lavé qui n'est pas le leur? Cela le blesse. De son poste, en diagonale, derrière tous ces draps immobiles sous le soleil de midi, il voit aussi l'atelier d'ébénisterie où il n'était qu'un apprenti. Un apprenti par le salaire s'entend, pas par l'ouvrage. Car pour ce qui est de son habileté à manier l'équerre, les ciseaux, la varlope, les serres, l'égoïne et le marteau, il dépassait de loin son patron. Cela aussi le blesse. D'avoir été si petit dans sa ville, dans sa rue. D'avoir été ignoré. Il lui fallait donc aller si loin pour prouver qui il était. Pour se dégager de sa propre gangue. L'image de la chapelle qu'il a bâtie grandit en lui. Oui, là-bas, si loin dans ce pays, il a dirigé des travaux. Il a bâti sa maison, le presbytère, la chapelle et tout probable aussi qu'il construira l'autel et la balustrade. Oui, là-bas, il est un homme. Là-bas, il est menuisier-charpentier-ébéniste. On écoute sa parole, on prend conseil, on demande son aide. Là-bas, il sera plus qu'un patron, il sera un homme, un voisin, un frère.

Il ne se décide pas à sortir de l'ombre qui peu à peu glace sa chemise trempée de sueur. Une gêne incompréhensible fige ses gestes. Il avait imaginé son retour tout autrement. Il se voyait toujours ouvrant tranquillement la porte en disant: « Bonjour ». Émerise lui sautait dans les bras avec les enfants.

Jamais il n'avait pensé paralyser à la vue de ce lieu misérable et se cacher à l'ombre comme un coupable.

La cigale chante. Il fait chaud dans la ville de Québec. Une chaleur immobile. Un fiacre passe pour chercher sa lingerie chez une voisine. Une odeur de savon se dégage de toutes ces cours, vouées au même métier. Celui des petits. Celui des pauvresses qui usent leurs mains pour les belles robes des dames. Qui souffrent de l'onglée en hiver, des rhumatismes et des écorchures pour quelques sous venant d'une quelconque main gantée. Le cœur d'Honoré se serre. Voilà deux hivers que traversent Émerise et la nichée. Deux hivers avec tout ce linge pendu dans la maison, avec cette humidité, cette odeur, cette prison de vêtements où l'on s'accroche la tête... et qui finit par faire courber l'échine sous son propre toit. Tout ce linge de riches qui plane sur les pauvres et les fait ramper. Oh! Comme le cœur d'Honoré se serre. Deux hivers. Deux hivers de misère. Qu'a-t-il fait durant ces deux hivers? Du chantier et de la trappe. Quelle misère aussi pour lui! Maux de reins et froidures en masse.

La porte arrière s'ouvre. Une petite femme sort, un lourd panier contre sa hanche maigre. Elle tire la corde vers elle et se met à épingler. Le cœur d'Honoré s'attendrit et se désole à la fois. Il a envie de la serrer contre lui et de pleurer sur ces bras encore plus osseux, plus veineux. Sur ce front tendu, cette bouche amère et ces yeux bleus devenus gris. Il a envie de la serrer contre lui et de lui annoncer que tout est fini. Même qu'il chasse la tentation d'envoyer rouler le lourd panier. La modique somme que cette lessive rapportera s'ajoutera à ce qu'il a gagné par la vente de ses peaux de castors et cela lui permettra d'acheter un meilleur cheval pour son déménagement.

Quel accueil lui fera cette femme qu'il a semblé abandonner? L'aime-t-elle encore? Ses lettres le disent mais... cette vie si ardue qui fut la sienne a-t-elle changé la tendresse de ce cœur?

La porte s'ouvre à nouveau et laisse passer une jeune tête rousse, toute bouclée. C'est Félix. Il s'accroche au tablier d'Émerise et demande une pince à linge. Elle la lui donne en même temps qu'un sourire doux.

Honoré sort de l'ombre. S'avance.

— Émerise, dit-il d'une voix enrouée.

Elle n'a pas compris. Il s'éclaircit la voix.

— Émerise!

Elle échappe son morceau et le regarde. Figée à son tour. Puis elle cache son visage dans ses mains.

— Oh! Mon Dieu! Oh! Mon Dieu! gémit-elle comme atteinte de la lèpre.

Il la rejoint sur la galerie. Pose ses pattes massives sur

ses frêles épaules et se rend compte qu'elle pleure. Il l'attire contre sa poitrine toute chaude.

— Chus venu te chercher.

Une mèche grise dans la toque de sa femme lui fait comprendre comme elle a trimé dur en son absence.

— Pourquoi tu pleures de même?

— Je me sens laide, Honoré.

— T'es la plus belle, ma belle Émerise.

Il relève son menton pointu et la regarde longuement. Avec amour. Avec besoin. Oui, avec cet immense besoin de tendresse. Il se sent comme petit Félix qui s'agrippe à ses jupons. Il a besoin d'elle. Besoin qu'elle lui sourie, qu'elle l'aide, qu'elle le suive. Elle avance ses mains dans ses cheveux puis sur son cou. Ses doigts glacés le font frissonner. Il s'empare d'eux et les baise religieusement.

— Viens-tu?

— Ben sûr. Je t'attendais.

— Et les enfants?

— Y vont bien.

Il se penche sur elle, baise son front, ses joues, sa bouche. Elle presse contre lui son petit corps. Si petit près de cette masse musclée.

— J't'aime, lui chuchote-t-il à l'oreille.

Elle sourit, rit. De son rire de petite fille. De ce rire qu'il aime tant.

— Ris, ris ma belle Émerise. Chus revenu te mener dans ton château.

Reprenant aussitôt ses vieilles habitudes, il la soulève à bout de bras comme une plume et écoute pleuvoir sur lui ce merveilleux rire.

L'enfant pleurniche. Inquiet des manières osées de cet inconnu. Sa mère le prend et le présente.

— Comment tu le trouves?

— Des vrais cheveux de feu. Beau comme son père. Et les autres?

— Oh! Zoé travaille. Auguste aussi.

— Ah tiens! Qu'est-cé qu'y fait?

— Commissionnaire.

— Et Rose-Lilas? Et Victor?

— Y sont en train de manger. Rentre.

A sa vue, les jeunes enfants interloqués cessent de boire leur soupe. Ils le dardent d'un regard sauvage et franc. Un regard qui dit: Qui est cet homme? Mon père? Peut-être, d'après la description de maman. Pourquoi faudrait-il que je sourie? Il nous a abandonnés. Ils demeurent graves. Silencieux. Sans autre accueil que ce regard qui cherche à connaître. A comprendre.

— C'est papa! leur dit Émerise, en essayant de les faire sourire.

Honoré, déçu, s'avance vers eux et s'assoit sur la chaise libre.

— C'est vrai, vous étiez tout p'tits quand chus parti. Vous pouvez pas vous rappeler.

— Moé, j'm'en rappelle.

— Ah! Oui?

— C'est toé qui as fait mon p'tit cheval.

— Oui.

— Pis la poupée à Rose-Lilas aussi.

— Oui. La tête de la poupée à Rose-Lilas aussi.

— Môman a fait le reste. Rose-Lilas s'en rappelle pas, elle.

— Parce qu'est plus p'tite. Toé, t'es un grand garçon. J'ai besoin de toé sur notre terre. Vas-tu venir?

— Si môman y va.

— A vient.

— Moé aussi d'abord pis Rose-Lilas aussi.

— Ben sûr.

La petite fille affirme à grands coups de tête et avance timidement sa main vers celle de son père sur la table. Il fait marcher ses doigts qui courent bientôt sur le bras potelé et la font rire. Victor, imitant une couleuvre, présente à son tour son bras plein de taches de rousseur, invitant Honoré à la même taquinerie.

— Attention les enfants!

Un plat de soupe fume devant lui. Il n'ose le manger sachant très bien qu'il n'était pas attendu.

— Je sais que t'as fait une longue trotte. Envoye. Mange.

Il y goûte, savoure une cuillerée. Que de souvenirs il y trouve! Presque toute sa vie avec elle.

— Est ben bonne.

La femme rit encore.

— T'as pas changé; tu disais toujours ça.

— Toé, t'en riais toujours.

Il mange avec appétit. Rassuré de n'avoir pas changé. Ni lui, ni elle, ni les enfants. Ils ont juste vieilli un peu. Il a même l'impression bizarre de n'être jamais parti. D'avoir toujours été parmi eux.

— Ah! J'ai hâte de vous emmener. Si tu voyais la belle maison que j'ai bâtie. Tu vas l'aimer, ma femme. J'ai fait une belle cuisine à ta hauteur.

— Parle-nous-en, parle-nous-en. Attends! Veux-tu voir les rideaux?

Elle court fouiller dans la malle et revient vite avec les rideaux et la courtepointe. Elle parle. Lui aussi. Tous deux enflammés, pétris d'un même enthousiasme. Apercevant les enfants, abasourdis par ce flot soudain de paroles, ils éclatent de rire. Elle s'avance vers lui et retrouve ses genoux. Et lui sa taille. Et d'un regard complice, ils remettent à la nuit l'accomplissement de leurs désirs les plus intimes.

Le long chemin, le long du long fleuve,
Lentes journées, bercées par le grincement des essieux.
Soleil trop chaud, moustiques voraces.
Vent du large qui défait les bagages.
Nuits passées dans les granges et les relais.
Repas de pain et d'eau,
Et d'eau et de pain.

Les heures, une à une, tirées par la jument brune,
Martelées de ses gros sabots poilus.
Heure de peine dans les intempéries.
Heure de joie à l'approche d'un village.
Heure d'angoisse à la tombée de la nuit,
Quand l'abri se fait rare.

Rares les nuits où l'on dort.
Nuit de veille, de léger sommeil
Qu'un rien éveille.
Enfants qui pleurent, enfants qui rêvent.
Enfants sans maison et sans lit,
Habitant une charrette bondée.
Enfants secoués et trimbalés,
Muets et confiants.
Enfants qui rient encore,
Qui s'exclament, qui s'enflamment,
D'une voile sur le fleuve, d'un vol de goélands.

Une ville: Saint-Jérôme.
Puis cet autre chemin vers le Nord-Ouest.
Inquiétant, celui-là.
Un chemin qui s'éloigne, qui s'amenuise
Qui n'est plus qu'un tiret
Entre la forêt et la civilisation.
Un tiret qu'une simple tempête efface.

Et personne.
Personne sur le chemin où progresse la charrette
Dans son immigration solitaire et aventureuse.
Premières nuits passées à la belle étoile.

Sentiment de solitude et d'abandon.
Enfants qui craignent et se groupent.
Petit qui pleure sans savoir pourquoi.

Et personne. Toujours personne.
Doute grandissant à mesure que le chemin se détériore
Et devient des ornières cabossées,
Tantôt sur l'herbe, tantôt dans la boue.
Marche ralentie. Journée encore plus longue
Pour le court chemin parcouru.
Enfants fiévreux des piqûres de mouches.
Oreilles et cous dégouttant de sang,
Enflure des yeux, enflure du visage,
Impatience et rage sous les bourdonnements.

Jument épuisée, jument affamée
Qui se traîne et les traîne vers les marais dangereux.
Et soudain...
Soudain...
Voilà qu'elle s'enfonce.
Sautent les enfants hors de la charrette.
Honoré tire les guides et crie des ordres.
La bête roule des yeux et s'enfonce,
Paralysée par cette boue qui l'avale.
Elle hennit, peureuse et paniquée.
Son cou plein d'écume se bande et se tord.
Sa crinière se salit, ses naseaux se tendent.

Hennissements désespérés, suivis d'un silence étrange.
D'une abdication incompréhensible.
Docilement, la bête descend vers la mort,
Laissant paraître le blanc de ses prunelles effrayées.

Honoré tend des perches et se dépense en vain.
Réussit à décrocher la charrette
Et à l'attacher à un arbre.
La malle tombe dans la boue
Emportant les rideaux et la belle courtepointe.
Au bout d'un temps, bête et harnais
Sont disparus dans les marais maudits.

Restent des enfants terrifiés, une femme désemparée,
Un homme en colère contre lui,
Et le reste du chemin à faire à pied.
A pied... dans la forêt.

Mais la forêt, cette grand-mère qui veille,
Se rappelle au souvenir d'Honoré.
Ne sait-il pas pêcher ?
Ne sait-il pas construire un abri ?

Nouvelle vie, nouveau repas,
Nouveau toit de sapinage,
Nouvelle façon de poser le pied,
De retracer le chemin, de suivre à la file.

Finalement, au bout de tant de misères,
Au bout de tant d'efforts,
Au bout du voyage,
Quand le pied n'a plus la force d'avancer,
Quand le cœur n'a plus le courage d'espérer,
Au bout, tout au bout de la fatigue,
A la dernière limite de l'épuisement,
Surgit la maison tant désirée.

Palais de bois équarri, galerie invitante
Fenêtres ouvertes sur une pente douce pleine de souches.
Toit solide et protecteur.
Émerise s'est arrêtée devant sa maison.
Émerise s'est mise à pleurer
Émue... fatiguée... heureuse.
Émerise, par le carreau de la porte, a regardé à l'intérieur.
Une table de chêne et huit chaises encore l'ont fait pleurer.
Premier repas plein de solennité.
« C'est chez nous, ici. »
Premier repas plein de respect.
« C'est chez nous, ici. »

Oui, c'était comme ça. C'était de même tout ça, pense Émerise en remuant la terre de son jardin. Le bon soleil de septembre chauffe ses reins. Des oiseaux chantent. De la rivière lui parviennent les voix d'Honoré et d'Auguste qui pêchent avec le filet d'Alexis.

Elle s'arrête un instant et regarde cette maison qui l'a fait pleurer. Il lui semble que tout ceci est déjà loin et elle se demande encore où elle a su puiser son courage.

Maintenant, elle peut se permettre d'élaborer des projets et agrandit déjà son jardin en vue d'y semer des plantes nouvelles. L'année prochaine, la cave regorgera des fruits et des légumes dont ils auront besoin. La pente douce leur fournira le sarrasin et ils tenteront d'avoir quelques poules. Peut-être un cheval, si Honoré réussit à faire des sous aux chantiers. Y a tant à faire, pense-t-elle encore en poursuivant son travail. Et, petit à petit, elle retourne ses sillons de terre avant de les engraisser avec les déchets de poisson.

Sam Fitzpatrick

Septembre sur la mer. Sur la mer verte et bleue et noire. Changeante et mouvante. Pressant ses flancs écumeux sur la coque du steamer.

La mer. Le petit mot, la grande chose. Le mystère insondable. La vie des abîmes. Des univers creux que l'homme n'imagine pas.

La mer s'évapore dans l'air. On la sent, on la goûte. Sur la peau et sur la langue, la mer règne. Odeur de sel, goût de sel. Odeur profonde et propre, fraîche et saine. Odeur de vie.

La mer. Les volées de mouettes blanches aux cris furieux réclamant les restes de nourriture. La mer et le ciel. Deux mystères confondus à l'horizon courbe.

La mer et le ciel. Trop bleus. Trop grands. Peuplés d'espace. Deux gouffres de cristal.

La mer, le ciel, les mouettes et le jeune Irlandais reniflant le vent frais au bastingage du navire. Ce vent frais traverse son linge usé et le fait grelotter. Qu'importe! La mer est si belle. Avec ce temps magnifique et cet espace insondable pour lui tout seul.

Sam Fitzpatrick, âgé de dix-sept ans, est absorbé dans ses pensées en la présence de la mer. Il se partage entre hier et demain. Entre ce qu'il a quitté et ce qui l'attend. Et ce qu'il a quitté pèse en son cœur lourdement. Tristement. Cette famille qu'il a laissée à Belfast semble s'être éteinte. Oui, elle doit être éteinte, cette pauvre famille qu'un simple éclat de vague éblouirait. Ses parents, atteints tous deux de tuberculose, ont dû cracher ce qu'il leur restait de poumon. Comme ils auraient été bien, ici, à respirer l'air salin. Pourtant, il les sait encore en vie. Misérables et souffreteux avec les trois plus jeunes à nourrir et vêtir. Il les sait dans cette sombre pièce, dans cette sombre usine de textiles, écoulant leurs sombres jours. Tout est gris autour d'eux. Tout est humide et gris. Il n'y a pas de lumière pour eux... juste de faibles lueurs. Des lueurs. Comme celle qu'il y avait dans l'œil terne de sa mère. Elle le poursuit cette lueur. Oui. Le poursuit et le pousse vers les terres nouvelles avec une force insoupçonnée. Qu'était-ce donc que cet éclat farouche qui avait momentanément illuminé le visage chétif de sa mère? Que voulait-elle lui dire par cette pression exagérée sur sa main? Sauve-toi? Réussis? Vis?

Depuis lors, ses gestes les plus insignifiants sont marqués. Comme respirer, fermer les yeux sous la caresse de l'air. C'est pour elle qu'il respire. Pour elle qu'il bénéficie de chaque seconde, de chaque douceur et même de chaque douleur de la vie. Sam respire pour sa mère, il voit pour elle, il ose pour elle. Pour elle et pour le reste de sa miséreuse famille. Sam est aujourd'hui, en cette minute même, un jeune Irlandais très riche. Ni beau, ni fort, mais riche de cette audace qu'il sent se développer en lui à chaque mille que parcourt le *Circassian*. Riche de cette volonté d'être. Riche de cette connaissance marquante de la pauvreté. Riche de l'avenir qui l'attend, quelque part au Canada. Il n'a point de forme, de couleur, de goût, d'odeur. Il attend. Il attend qu'il le pétrisse. Qu'il le façonne. Qu'il le moule à ses désirs. Sera-t-il riche? S'il le veut, oui. Sera-t-il heureux? S'il le veut, oui.

L'oncle Oliver, lui, veut être riche. C'est pour cela qu'il a pris le bateau. Il se partira une industrie dans l'Ouest canadien et fera de lui son associé. Du moins, c'est ce qu'il a dit à ses parents. Oui, l'oncle Oliver sera riche puisqu'il a beaucoup d'initiative et est très entêté. Il réussira. Il le sait. Il le sent. Et pourtant, il ne se voit pas à ses côtés. Dans une usine. Enfermé dans un lieu de travail. Non. C'est ailleurs qu'il se voit. Dans les forêts du Canada. Vivant à même le cœur de ce pays qui l'envoûte. Canada! le mot bondit en lui comme une bête sauvage. C'est un mot qui sent bon, qui sent neuf et grand. Canada le fait rêver. C'est un mot indien. Un mot aux consonances magiques. Canada! Ce pays l'appelle au loin. Et plus il s'approche de lui, plus son cœur bat fort et plus se renforce la lueur d'espoir au fond des prunelles fiévreuses de sa mère. Voulait-elle lui apprendre, par ce message, qu'il était le seul oisillon libre de sa couvée? Le seul à bénéficier de ses ailes? Était-ce là son héritage? Oui. C'était là tout son héritage: l'approbation tacite et même l'encouragement muet à poursuivre sa route. Comme les yeux savent parler quand il n'y a plus de mots.

— Alors Sam?

L'adolescent sursaute et se retourne vers son oncle qui s'accoude près de lui. Sam le dévisage un instant et aimerait bien avoir sa physionomie. Car l'oncle Oliver est beau. Très beau même. Avec ses six pieds, ses yeux bleus, ses traits réguliers et cette épaisse tignasse noire. Et comme il le sait! Cette démarche qu'il a. Souple et nonchalante à la fois. Cette manière d'incliner sa casquette et de sourire aux dames. Oh oui! L'oncle Oliver est conscient du charme qu'exerce son physique. Sur la gent masculine autant que féminine. Des hommes riches l'ont cru indiscutablement issu d'une famille de lord par la noblesse de ses traits et son élégance. Et l'oncle Oliver en profite pour exploiter ses talents de comédien. Ah oui! L'oncle Oliver, c'est tout un homme et chaque fois qu'il est près de lui, Sam est intimidé et balbutie.

— A quoi pensais-tu? demande l'oncle.

— A mes parents.

— Pense à demain, Sam. Pense à ce qui nous attend. L'avenir nous appartient.

Oui, l'avenir appartient à cet homme de trente ans, frondeur et révolutionnaire. L'Amérique et Oliver sont faits pour s'entendre. Lui, intelligent, rusé, inventif. Elle, riche, stimulante, libérale. Oliver va finalement se mesurer à cette Amérique. Il le voit d'ici lui sourire de ses yeux bleus et la subjuguer par son charme. L'Amérique lui donnera facilement ses trésors.

Sam regarde sourire son oncle et s'interroge sur la manière de lui annoncer qu'il ne tient pas à devenir son associé. L'émotion le gagne. Il se tait. Et grelotte davantage dans son complet bon marché. Après tout, il ne veut pas le blesser ni le choquer. N'est-ce pas lui qui a défrayé le coût de ce voyage et garanti sa sécurité à ses parents? Comment lui annoncer qu'il ne veut plus le suivre? Qu'il empruntera un autre chemin?

— Justement Oliver, finit-il par dire après un long moment.

— Justement quoi?

L'adolescent, surpris de sa témérité d'avoir appelé son oncle par son prénom, hésite une seconde puis débite d'une voix mal assurée:

— Nous... je ne vous suivrai pas... Je ne veux plus rien savoir de l'industrie du textile.

— Ah! Tu dis ça à cause de ton passé. Mais là-bas, ce sera différent. Je sais que tu as commencé très jeune dans l'industrie, mais là-bas, tu seras mon associé, donc patron.

— Ça ne me dit rien.

— Et que feras-tu?

— Je veux m'occuper du commerce de la fourrure.

— Et comment feras-tu?

— Je me ferai engager dans les postes lointains. J'apprendrai.

Son oncle pose sur lui son regard bleu et le sonde. Il se sent fouillé jusqu'au fond de l'âme et sait qu'Oliver soupèse ses chances de réussite. Il a confiance en son jugement et le laisse faire. Finalement, les yeux de l'oncle lui sourient et ses mains se referment sur ses épaules.

— Très bien Sam. Ton avenir t'appartient. Va où tu penses réussir du moment qu'on ne se perde pas de vue. Car je suis responsable de toi, tu le sais. Tu veux tenter ta chance ailleurs?

71

Vas-y! Essaie-toi. Mais si ça va mal, viens me voir. Tu es un homme Sam. Tu as droit à tes idées et je suis heureux que tu prennes ta propre vie en main à ton âge.

— Merci, mon oncle.

— Entre hommes, on s'appelle par les prénoms.

Oliver lui offre sa main glacée par le vent. Sam la serre et ses yeux, d'une expression ordinairement triste et fatiguée, sourient à leur tour.

— Tu sais Sam, c'est la première fois que je te vois sourire. Ça ira bien, tu verras. Dis-moi, comment procéderas-tu?

— Bien voici...

Et vogue, vogue le petit navire, emportant les vertes espérances des immigrants.

Un pays de femmes fortes ?

Il pleut. Sur le toit et sur la vitre, il pleut de cette pluie interminable de mars. De cette pluie grise et froide des entre-saisons. Il pleut. Inlassablement. Il pleut comme une délivrance des chagrins de tout l'hiver. Le ciel verse finalement ce qu'il a accumulé de rancœur, de tristesse et d'ennui. Et la pluie creuse la neige, rejoint la terre, prépare un printemps qu'on croit impossible.

Émerise entend bien cette pluie sur son toit. Elle l'entend trop bien. Depuis le départ d'Honoré et des enfants, elle s'est accrochée à cette musique et ne fait que l'écouter. Pour oublier. Oublier qu'elle est seule dans sa petite maison de bois, seule dans son lit aux draps frais, seule avec cette douleur en elle. Seule avec sa crainte, sa joie et ses espoirs.

Une contraction. Elle serre les poings et regarde la poignée de laiton de son tiroir. Elle ne voit qu'elle et s'attache à cette image et à la musique monotone de la pluie. Avant, quand elle était petite fille, elle aimait entendre ce bruit d'eau qui l'endormait. C'était paisible. Calme. Frais. Surtout par les nuits d'été.

La contraction diminue, les muscles de son ventre se relâchent un peu. Elle le touche et le trouve dur. Dur et rond. On le croirait prêt à fendre. Il lui semble qu'il ne lui appartient pas ce ventre, qu'il est à quelqu'un d'autre ou à quelque chose d'autre. Cela l'effraie; il est bien trop gros pour elle.

Nouvelle contraction. Elle reporte son attention à la poignée de tiroir et étudie à fond tous ses dessins en pensant comme elle aimait s'endormir sous la pluie lorsqu'elle était petite! Comment c'était déjà? Là, sur la paillasse qui bruissait à chaque mouvement. Oui, là sous le toit, quand elle était petite et pouvait toucher du doigt sa jeune sœur près d'elle. Oh! Oui! Qu'elle aimait s'endormir ainsi.

Un moment de répit. Elle respire à fond. Étire ses jambes, ses bras, se retourne. Des pas sur le perron la rassurent. C'est Honoré qui revient après avoir placé les enfants. A-t-il ramené la sage-femme?

Une odeur d'étoffe mouillée. Une main froide sur son épaule la congèle. D'un mouvement brusque, elle la rejette.

— T'es froid.

— Pardon.

Il va se chauffer à la cuisine. Flish! Flish! Flish! font les paumes cornées de son mari qui semble laver ses mains avec la chaleur du poêle.

Nouvelle contraction. Elle analyse maintenant l'image de la Vierge au mur, avec sa robe bleue, ses yeux qui regardent en l'air et ses mains douces, lisses, propres. Émerise voit son petit poing rude et rougi dans l'oreiller. A-t-elle souffert cette bonne Sainte Vierge? Par où il est sorti son bébé? Pleuvait-il sur le toit de l'étable comme il pleut? Retournait-elle à son enfance?

De nouveau, la main sur son épaule. Chaude et pesante de toute son impuissance.

— Frotte-moé les reins!

Elle souffle. Les mains frottent et la soulagent un peu. Lorsque la douleur sera partie complètement, elle demandera où est la sage-femme.

— La sage-femme?

— A va venir. Est chez Léonard. Ça devrait pas tarder.

— Inquiète-toé pas. Laisse.

— Quoi?

— Le frottage, laisse.

— Bon.

La bonne volonté de son mari l'irrite. Elle le sent comme une grosse bête paniquée dans son dos. Elle joue à la femme forte parce que c'est un pays de femmes fortes ici. Elle doit être à la hauteur. Comme cette Mme Saint-Germain qui a dit à son mari: « Inquiète-toé pas pour les foins, j'vas t'aider après. » Et elle l'a fait. Un vrai pays de femmes fortes. Elle doit être à la hauteur.

Une contraction. Son poing de travailleuse dans l'oreiller, la Sainte Vierge avec sa robe bleue, ses yeux en l'air, ses belles mains. La pluie. Elle ne peut retrouver sa jeune sœur et cette douceur qu'elle connaissait à dormir sous les bardeaux que martelait l'averse. Honoré la dérange. Il frotte ses reins. Trop fort! Trop vite! Trop haut! Comment peut-il connaître la douleur qui l'habite? Cette douleur qui grandit dans ses reins. Cette douleur qui l'écartèle lentement. La Sainte Vierge l'énerve avec ses yeux au ciel. Elle n'avait pas de sage-femme, elle. Elle a fait ça toute seule et mieux que n'importe quelle femme puisqu'elle est bénie entre toutes les femmes. Est-ce parce qu'elle n'avait pas connu d'homme? Mais elle n'a pas fait les foins après. Mme Saint-Germain, oui.

La douleur s'atténue mais demeure présente.

— Arrête.

Honoré obéit. Soupire.

— Es-tu sûr qu'a va venir?

— Ben oui. Je l'ai vue.

Nouvelle contraction. Émerise a soudain l'impression d'appartenir à ce ventre. D'y être inévitablement attachée et de partager ses souffrances. Il est lourd et dur. Il lui est étranger et la fait serrer des poings. La sueur coule dans son cou, mouille ses cheveux et sa chemise de nuit. La Sainte Vierge regarde ailleurs. Il ne sert à rien de la prier; elle regarde ailleurs. Cette petite bonne femme, recroquevillée sur son mal, ne l'intéresse pas. D'ailleurs, que sait-elle de l'accouchement la Sainte Vierge? Elle ne l'a pas eu comme toutes les femmes son bébé. Dieu ne s'est pas souillé entre les cuisses d'une femme. Il n'a pris que le ventre. Il en a pris possession miraculeusement, sans commettre un seul péché. La Sainte Vierge n'a pas connu d'homme et n'a pas accouché normalement. Ça lui est sorti aussi miraculeusement que ça lui est rentré. Mais elle, Émerise, elle a connu l'homme. Elle a même joui. Et même plusieurs fois. S'en est-elle toujours accusé à la confession?

Honoré frotte gauchement. Elle pense au curé qui lui a dit de faire d'autres enfants. Voilà où ça mène de faire des enfants! D'un geste rapide elle le repousse.

— Va-t'en! Touche-moé pus!

Il retourne à la cuisine. Penaud. Que lui importe! Où est cette jeune sœur sous la pluie? Et ses doigts chauds sur les siens?

Les contractions s'intensifient et se rapprochent. Elle se retourne encore. Encombrée de cette masse qui pèse sur ses reins.

(La poignée du tiroir. Les belles enjolivures en laiton. Y faut être forte. C'est un pays de femmes fortes. C'est dans la tête qu'on est forte. C'est dans le cœur. Émerise, as-tu du cœur au ventre? Pense à Mme Blais, est toute petite elle aussi. A l'a ça comme des lapins. T'es forte, Émerise. Honoré va être fier de toé. Crie pas! Tu vas y faire peur.)

Elle étouffe ses gémissements dans l'oreiller. Quand donc cette douleur va-t-elle l'abandonner? (Mon Dieu, faites qu'y sorte. J'en peux pus. C'était pas si dur avec mes autres enfants. Qu'est-ce qui se passe? Où est la sage-femme? Émerise, as-tu du cœur au ventre? Non, c'est pas du cœur que j'ai au ventre, c'est du mal. Faut que je pense à quelque chose de beau... à ma p'tite sœur sous la pluie. Je la rejoins pus. Je pense à mes premières menstruations, couchée sur ma paillasse... la mère qui me cherche, la mère qui me trouve, qui me chicane. Envoye, travaille! Ça fait pas mal! Pourquoi qu'a dit ça? A l'habite pas mon corps. Ça fait pas mal. Envoye, travaille! Ça fait pas mal. Envoye, accouche! Où est la sage-femme?)

Son propre cri la surprend. La terrifie. Elle enfouit son visage couvert de sueur.

— J'peux-ti t'aider?

— Soif.

Honoré revient avec l'eau si fraîche de la pompe. Elle se désaltère puis se réfugie dans son oreiller, le pétrissant de ses poings rageurs. La douleur l'écartèle lentement. Progressivement. Un être la divise, l'élargit, la laboure. Cet être creuse en elle un tunnel vers la vie. Cet être pousse les parois, dérange les os, tasse les muscles. Il se fraie un passage au détriment de sa chair. Elle voudrait partir, laisser ce noyau de souffrance au creux de son lit. Partir, libre et légère comme une fillette qui n'a pas encore connu les cycles menstruels. Elle crie, elle hurle. Folle de rage et folle de mal.

— Où est la sage-femme?

— Bon. Bon. Ma p'tite dame, fait une voix un peu éraillée, on va d'abord vous peigner.

Alexinas Ouellette se tient près de son lit. Émerise se calme devant elle et se ressaisit. Cette femme sait quoi faire et Émerise s'abandonne aussitôt à elle.

— J'vas vous faire des tresses. Y fait chaud, hein? Vous êtes toute en nage.

La main large et grasse de la sage-femme essuie sa nuque en séparant ses cheveux désordonnés. Elle les brosse délicatement et les natte d'un geste bien maternel. Émerise s'attache à ses yeux d'un bleu vif et candide, au menton volontaire, à la mèche jaunie qui sort d'un maigre chignon. Avant même qu'elle ne pose la question, Alexinas lui apprend que Mme Léonard a donné naissance à un beau garçon.

Émerise se sent soudain moins seule. Elle partage ses souffrances avec Mme Léonard et cette nouvelle lui donne courage. Aura-t-elle un garçon ou une fille?

La sage-femme termine la deuxième natte, regarde le ventre et va donner ses ordres à Honoré.

Pour se distraire de la douleur de plus en plus intense, Émerise écoute tous ces bruits dans la cuisine. « Faites bouillir de l'eau! Donnez-moé des ciseaux, du fil, une lampe, un broc, de la vaseline, les couches. Grouillez-vous! Du savon aussi. Une bouillotte, des bas de laine. »

Émerise sent vibrer la maison sous les pas énervés d'Honoré. Tous ces préparatifs lui annoncent que la fin des douleurs approche. Elle s'efforce de penser à l'enfant. Juste à lui.

La sage-femme se lave les mains, revient près d'elle. Comme son sourire est bon! Elle a dû connaître bien des misères pour inspirer tant de confiance et de sympathie. Émerise croit que seule cette femme sait ce qui se passe en elle. Seule cette femme connaît l'ardu cheminement de l'enfant dans son corps. Alors, elle se livre à cette femme, elle se soumet à sa volonté. A sa science.

La douleur grandit. Émerise s'attache aux yeux bleus de la sage-femme. Des yeux immenses et doux. Des beaux yeux de femme. Des yeux qui la consolent, qui la calment, la rassurent. Elle est là et la regarde. Elle est là et la surveille. Elle lui a même mis des bas de laine. Voilà qu'elle se lève, qu'elle sort de la chambre. Elle redonne des ordres à Honoré. Un moment interminable s'écoule. Ils reviennent. Honoré glisse des planches sous le matelas, la sage-femme met une toile cirée et un drap. Le moment de la délivrance approche et remplit Émerise de courage. Délivrance. On va la délivrer de tout ce mal. La sage-femme accomplit le rite de la délivrance. Émerise se sent plonger, elle aussi, dans un tunnel et persévère avec courage. Bientôt, elle sera libre. Bientôt, elle sera seule encore dans son corps. Seule avec elle-même. Seule et bien. Sans cet être qui explose. Qui exige. Qui martyrise.

Bientôt, elle tiendra contre elle un poupon inoffensif et dépendant. Un poupon qui s'acharnera à téter son sein. Elle pourra lui chanter des berceuses. Voir à qui il ressemble. Bientôt. La journée lui semble bien sombre. Quelle heure peut-il être? Depuis combien de temps endure-t-elle cette torture?

— Quelle heure? souffle-t-elle péniblement.

— Quatre heures, répond Honoré de sa voix chaude et triste.

Déjà quatre heures! Il était midi, tantôt, lorsqu'il est parti avec les enfants. Déjà quatre heures! Pleut-il encore? Ah oui. Il pleut. La jeune sœur, la Sainte Vierge et la poignée du tiroir tourbillonnent dans sa tête fatiguée. Mon Dieu! Qu'elle voudrait fuir ce corps tout à coup. Fuir cette tâche. Mais non, rampe dans ton tunnel, Émerise. Persévère. Viendra la lumière, le repos. C'est un pays de femmes fortes. Que va dire la sage-femme si je crie? Tout le monde va le savoir.

Les flammes des lampes vacillent et des ombres gigantesques dansent au plafond. Ce cri rauque qui s'échappe de sa poitrine haletante. Cette serviette humide qui l'éponge et mouille ses lèvres. De l'air frais sur son ventre. On a relevé sa jaquette. La sage-femme attend patiemment.

— Poussez!

C'est facile à dire. Elle n'a plus de force. Malgré tout, Émerise s'agrippe au drap et pousse. Il lui semble qu'elle va fendre et se vider. La douleur se propage partout en elle, dans ses jambes surtout. Qu'a-t-elle fait pour mériter cette punition? « Tu enfanteras dans la douleur. » Qu'a-t-elle fait? Elle a joui. Oui, elle a joui trop souvent. Elle prend la résolution de ne plus faire l'acte conjugal avec Honoré. C'est payer trop cher les brefs instants de jouissance.

Ses cris, ses râlements ne la gênent plus. Qu'importe le pays des femmes fortes! Personne n'habite son corps.

— Poussez!

Les eaux crèvent et l'inondent. Un moment, elle a cru que c'était l'enfant. Mais l'enfant, elle le sent en elle, prisonnier de son vagin étroit. Coincé dans son corps à elle. Elle pousse vaillamment pour le délivrer.

— Poussez! répète la sage-femme.

Essoufflée, trempée, Émerise ramasse ses quelques forces pour expulser ce corps à l'intérieur du sien. C'est comme si elle avait une citrouille à chier.

Elle crie, crie. Non! La Sainte Vierge n'a pas connu ça, certain. Émerise ferme les yeux. Elle flotte. Immensément douloureuse. Avec ses jambes de plomb et cette déchirure progressive. Se déchirer, s'ouvrir, s'écarteler.

Elle hait soudain cet être en elle. Elle le déteste pour ce martyre épouvantable. Elle n'a plus envie de le voir. Elle veut s'en débarrasser. Elle entend la sage-femme parler. « Passage trop étroit... bébé trop gros... coincé. »

Des mains pèsent sur son ventre. Des mains poussent ce fruit à l'extérieur comme on pousse les pois hors de la gousse. Ces mains lui font mal. Ces mains la pétrissent durement. Ces mains poussent pour elle et sur elle avec une force incroyable. Voilà, elle n'est plus qu'une enveloppe. Une enveloppe dont on se soucie peu. On la presse pour en extraire le fruit. On l'écrabouille. Son ventre n'est plus qu'une poche à bébé. Une brûlure poignante traverse son vagin. On pousse encore pour elle et sur elle. Les yeux clos, elle roule la tête sur l'oreiller trempé de sa sueur. Qui est-elle? Où est cette fillette qui n'a pas encore connu ses premières menstruations? Comme c'était bon d'être une enfant, d'être pure, d'être libre. D'être quelqu'un d'autre qu'une poche à bébé. Quelqu'un d'autre qu'un ventre pour la progéniture. Quelqu'un d'autre qu'une coupable pour payer les joies de l'amour. Injustice! Injustice! Injustice!

— C'est une grosse fille! crie la sage-femme.

— Non... pas une fille... j'en veux pas.

Elle vient de donner naissance à un être qui subira un jour ce qu'elle vient de subir. Son cœur se remplit de compassion pour la nouvelle-née. « Délivrance! Délivrance... Chus libre. Est sortie », pense Émerise, prête à s'endormir. Mais le cri. Le cri. Elle n'entend pas ce cri de la naissance. Elle ouvre les yeux. Le curé est là, prêt à baptiser l'enfant que la sage-femme tente de faire pleurer. Émerise remarque le front bleu du bébé et ses yeux clos. Sa bouche immobile dans son visage gonflé. « Pleure bébé. Pleure », supplie-t-elle. Rien. Les tapes d'Alexinas Ouellette résonnent dans la maison. « Pleure bébé. Pleure, prie Émerise. J'ai pas enduré tout ça pour rien. »

Le cri retentit finalement. Victoire! Le curé baptise quand même. Depuis quand est-il dans la maison? se demande Émerise. L'enfant est en danger puisqu'il le baptise. Où est Honoré. Elle l'appelle. Il s'assoit sur le bord du lit et pose ses pattes sur son front.

— Repose-toé, dit-il doucement.

— L'heure?

— Sept heures.

— A va-ti vivre? Dis-moé qu'a va vivre.

— Oui. Tu sais ben, grosse comme a l'est, a va vivre.

— Mes jambes... j'ai mal aux jambes.

— Repose-toé.

On change la literie. On la lave. Elle glisse doucement dans le sommeil. Légère comme une feuille, elle rejoint sa jeune sœur sous le toit où tambourine la pluie.

Alexinas avale goulûment sa deuxième tasse de thé. Honoré lui en verse une autre et s'assoit en face d'elle au bout de la table. Alexinas, d'un geste machinal, ramène sa mèche jaunie dans son chignon puis, après une gorgée, explique:

— Ta femme est trop p'tite. La prochaine fois, tu seras mieux avec un docteur.

— J'ai failli les perdre?

— Ouais. T'as passé proche, Honoré.

— Combien je te dois?

— On verra ça plus tard, chus fatiguée. Eille! Deux accouchements! Mais ta femme, a m'a donné de la misère. Pauvre p'tite femme! J'vas venir demain. Faut la surveiller.

— Inquiète-toé pas.

Elle achève son thé. Se lève. Enfile un mackina et une tuque de laine.

— Tes enfants sont où?

— Chez Huberthe.

— J'vas les avertir.

Honoré se retrouve à sa table, dans cette maison étonnamment silencieuse. Il se sent épuisé et coupable. Pourquoi n'a-t-il pu partager les douleurs de sa femme? Il lui a fait cette grosse fille et l'a regardée souffrir toute une journée pour la mettre au monde. Et si elle en était morte...

— Émerise, dit-il tout bas.

Il se lève et se dirige vers la chambre sur la pointe des pieds. Sa femme dort paisiblement. Si paisiblement. De son index, il caresse l'arcade sourcilière, le nez, les lèvres, le menton, la gorge et les seins qui bientôt nourriront. Lui, le géant, se sent soudain tout petit devant cette femme. Elle ne pèse pas cent livres et mesure à peine cinq pieds, mais il la voit grande. Si grande à cause de cette petitesse de la taille.

— Émerise, répète-t-il en se penchant vers elle, merci.

Il baise tendrement son front.

Émerise s'éveille, roule la tête sur l'oreiller et remarque la poignée de laiton. Son accouchement reflue en elle comme une marée dévastatrice. Elle se sent faible comme un fétu de paille sur les vagues puissantes.

— Bonjour!

Elle reconnaît cette voix éraillée et sourit à Alexinas qui pénètre dans la chambre avec le bébé qu'elle dépose près d'elle en disant:

— C'est une ben belle fille! Grosse comme son père.

— A pèse combien?

— Dix livres.

— Mon Dieu! C'est pour ça que j'ai eu tant de misère.

— Tes autres étaient pas si pesants, hein?

— Oh non!

— T'es pas mal p'tite. Faudrait te guetter les prochaines fois. As-tu mal à tes jambes?

— Je les sens drôles, pesantes.

— M'as te frictionner encore: ça fait du bien. Mon idée que t'as eu des varices. Essaye donc de la nourrir. M'as te préparer du gruau.

— Vous êtes ben aimable.

— Faut ben s'aider.

— J'ai pas été ben forte. Je vous ai donné de la misère.

— Force-toé pas d'être comme nous autres. T'es p'tite, t'es faite différente. Nous autres, regarde!

Alexinas brandit son bras musclé. Ce bras qui sait bûcher, herser, semer, engranger et labourer. Ce bras qui sait ramener les marmots contre sa forte stature et élever une maison. Ce bras, presque célèbre, d'une veuve qui a travaillé sa terre et nourri sa famille des fruits de son courage. Mais Alexinas ne s'enorgueillit pas de ses exploits. Elle n'a pas ce temps et d'un sourire très doux, elle explique:

— J'ai été bâtie comme un homme. C'est pas de ma faute. Ma mère a te ressemblait. J'ai appris d'elle ben des affaires. C'est drôle, ta fille là, ben je trouve qu'a me ressemble.

— Oui? demande Émerise ravie.

— Ouais. J'étais grosse. J'étais forte, avec des mains larges en partant. C'est comme si j'avais été faite pour le pays. Comment que tu vas l'appeler?

— Florence.

— Ouais, Florence, c'est pas mal beau.

— Je voudrais vous payer.

Un rire gai emplit la pièce. Alexinas se dirige vers la cuisine. Émerise l'entend bientôt s'affairer au poêle et ramener à l'ordre Rose-Lilas et Victor. Puis, elle entend cette voix éraillée qui lui suggère:

— Tu me feras des rideaux, chus bonne à rien en couture.

— Avec plaisir, répond Émerise en serrant sur elle son bébé.

Pour la première fois, elle la regarde et son cœur de mère déborde d'amour et de remords. Comment a-t-elle pu détester ce petit être qui ne demandait qu'à vivre? «Bonjour, lui dit-elle doucement, c'est toé qui me faisais si mal? Bois. Tu vas venir grande et grosse comme Alexinas. »

Sam le trappeur

En cet automne de 1893, Sam Fitzpatrick regarde descendre la première neige sur la terre gelée. Derrière son comptoir, face aux fenêtres givrées, il s'abandonne à des rêveries de plus en plus tenaces. De plus en plus obsessionnelles. Ce rideau d'épinettes le fascine. Il lui semble entendre parler toute la forêt derrière lui comme des acteurs derrière un rideau de théâtre. Oui, derrière cette frange d'épinettes se déroulent les drames et les comédies. Là, vivent et meurent les animaux, laissant des pistes sur lesquelles se penchent les trappeurs. Là, vie et mort se côtoient, une fleur naissant dans le corps sec d'une feuille passée. Les naissances s'y accomplissent ainsi que les meurtres. Là, réside une forme d'énergie inimaginable.

— L'heure du thé, annonce James McDonald de sa voix nasillarde.

Il n'aime pas James McDonald, son supérieur. Il lui apparaît sec, méthodique et fade, accomplissant chaque jour les mêmes gestes aux mêmes heures. On dirait une horloge. Sam le regarde porter la bouilloire sur le poêle. Même ses pas sont réglés. Ni trop grands, ni trop petits. Pas de demi-pas, pas de faux pas. Mais des pas égaux. Bien mesurés. Et économiques à part ça. Ni trop haut levés: dépense d'énergie. Ni trop traînés: usure des semelles. Non. Un beau compromis de petits pas d'Écossais. Cette pensée le fait sourire.

— Thé? demande James McDonald.

— Non, merci.

Aucune expression n'anime les traits fades du commis supérieur. Et Sam constate qu'il est avare de tout, même de son sourire. Il retourne donc avec complaisance à son rideau de théâtre. Mais le sirotage de McDonald l'agace et l'empêche de s'attarder plus à fond à tout ce qu'il tente d'imaginer. Alors, il repasse dans sa tête les événements de sa jeune vie. Il y a deux ans, il prenait pied en pays canadien. Aussitôt, Oliver le présenta à la compagnie de fourrures où, grâce à sa connaissance de la langue anglaise et à la persuasion de son oncle, il décrocha un poste de commis à la baie d'Hudson. Ce fut alors l'inévitable séparation, l'épuisant voyage vers son poste, le contact violent avec le climat nordique et ce premier hiver qu'il n'oubliera jamais. Hiver pénible, tant par le froid que par les tâches qu'il devait accomplir. Il avait tout à apprendre: le nom des peaux et surtout le prix, la valeur du poil et de l'échange, quelques bribes de français, quelques bribes d'indien et surtout le langage muet des yeux, des attentes et des grognements. Mais il se flattait d'avoir vite appris. Bientôt, on se rendit compte de la sûreté de son jugement et de sa facilité pour les transactions. Le second hiver servit à le convaincre pleinement de ses capacités et la température lui parut plus douce. Sans doute son corps, qu'il sentait devenir celui d'un homme, s'était-il adapté. Il n'avait pas grandi mais ses épaules s'étaient élargies, fortifiées. Il s'en était aperçu en s'achetant un mackina et aujourd'hui, lorsqu'il regarde ses mains et les compare à celles du petit Sam de l'usine, il les trouve belles. Avec ce poil sur ses doigts cornés, avec sa paume où se cale docilement le manche de hache et surtout avec la science qu'elles possèdent: celle de tâter une peau et d'en découvrir toute qualité ou tout défaut.

Il se prend parfois à rêver que sa mère le voit tel qu'il est aujourd'hui. Plus fort, bruni et heureux. Mais elle est morte un an après son départ et son père la suivra tôt ou tard.

Il y a un mois, la compagnie l'a transféré dans ce nouveau poste, en pays de colonisation, sous les ordres de James McDonald. A part le climat, il ne trouve pas de grande différence avec le comptoir de la baie d'Hudson. Sauf qu'il y a beaucoup plus de Blancs qui viennent traiter. Cela le déçoit un peu parce qu'il aime bien les Indiens. Dans sa tête d'Européen, ils demeurent des êtres légendaires. Tantôt redoutables, tantôt enviables et jusqu'à maintenant, c'est avec pas mal de réticence qu'il s'est vu obligé de baisser les prix pour eux.

McDonald n'aime pas les Indiens et lui conseille souvent, en chuchotant entre ses longues dents jaunes: « Tu l'auras pour moins que ça vaut. » Il dit la même chose aussi des Québécois et tire grand parti du fait que ceux-ci ne parlent pas l'anglais. Dans sa tête de commis écossais, Français et Indiens ne forment qu'un tout, capable de se faire rouler. Quant aux trappeurs anglophones, ils obtiennent le juste échange de leurs fourrures. Voilà une autre raison pour laquelle il n'aime pas James McDonald. Celui-ci se lève. Sam sait qu'il ira laver sa tasse et la placer sur la tablette puis qu'il retournera à sa lecture du journal en disant:

— Sam, du bois.
— Oui, monsieur.

Même la phrase est réduite à son minimum, pense le jeune homme en décrochant son linge. Soudain, la porte s'ouvre brusquement et laisse entrer un énorme Indien avec un petit paquet de peaux. Aux yeux de Sam, cet individu semble si beau, si authentique qu'il l'admire longuement avant de réagir.

Vêtu de peaux et de mocassins, il exhibe une longue chevelure noire retenue par une courroie tressée autour de la tête. A son cou, une chouette sculptée le fixe de ses yeux fascinants. Ses pommettes hautes, ses yeux bridés et son teint cuivré ne laissent aucun doute sur la pureté de ses origines. Sa bouche sévère et impassible produit une drôle d'impression sur ce visage sans âge. D'où vient cet homme? Qu'ont vu ses yeux? Sur quelle rivière a vogué son canot? Une puissance tangible émane de sa personne entière. Ainsi qu'une forte odeur de fumée et de graisse.

Visiblement, l'Indien néglige de s'adresser à James McDonald et fixe sur lui ce regard perçant en lui tendant son paquet.

— Fusil, ordonne-t-il en indiquant l'arme suspendue au mur près des pièges.

— Ne l'écoute pas. C'est un vieux fou! lui lance McDonald, irrité par cette apparition.

Ignorant ce conseil, Sam l'interroge.

— Ton nom?

— Gros-Ours.

Jamais un nom n'a su mieux convenir au personnage. Sam s'intéresse à ses peaux et les déballe. Sa main savante plonge dans le poil. Une pointe d'amertume cependant le gagne, car il sait que l'arme vaut bien des peaux comme celles-là, même si elles sont de très bonne qualité. Il hoche la tête et laisse déblatérer James McDonald.

— Mets-le à la porte! Il te fait marcher. A chaque année, il vient pour la carabine avec très peu de peaux.

Le jeune commis décroche la carabine et la présente à Gros-Ours. Celui-ci, d'abord surpris, fronce les sourcils puis promène sa main dessus. C'est un 58 Remington. Ses doigts glissent sur le canon hexagonal, viennent toucher le chien, le pontet, la gâchette. Gros-Ours frissonne au contact du métal et éprouve du plaisir à palper l'arme. A la retourner, la peser et même mirer.

— Il est à toi, dit Sam.

— Quoi? Tu es devenu fou! crie son supérieur en s'avançant vers eux et en voulant reprendre l'arme.

L'Indien la colle sur lui et grogne en disant: « A moé. »

Devant cette attitude menaçante, McDonald recule se cacher derrière le comptoir en tempêtant.

— Tu es fou, complètement fou, Sam Fitzpatrick.

— Attends. Il te faut des balles, offre Sam.

L'Indien, ahuri, ouvre des yeux de plus en plus grands.

— Tu es congédié!

84

— Ça, je m'en doute. Vous payerez le fusil avec mon salaire ainsi que ce couteau. Je crois que c'est honnête.

— Dehors! Dehors! hurle McDonald en indiquant la porte de son bras maigre.

— Je vais aller faire mes bagages avant.

Gros-Ours s'empresse de déguerpir avec son cadeau. Quelque temps après, le jeune Fitzpatrick se trouve en face de ce rideau d'épinettes derrière lequel bat le cœur vigoureux de la forêt. Sa gorge se serre. Quel coup de tête l'a mené jusqu'ici? Qu'emporte-t-il de cette audace, sauf le visage cramoisi de McDonald et un couteau à sa ceinture?

La première neige descend toujours, couvrant difficilement le sol gelé. Où ira-t-il coucher cette nuit? Dans cette forêt? Mais, collées aux peaux, il y aura les bêtes elles-mêmes. Quelle allure présentent-elles? Comment marchent-elles? Connaître les peaux, c'est une chose, et ceux qui les portent, une autre. Il s'avance un peu, craintif. Une piste de renard coupe son chemin. Il s'arrête et l'analyse. Quelle sorte de pattes ont bien pu faire ce dessin? Et dans quel pétrin s'est-il mis? S'il n'était si orgueilleux, il retournerait faire des excuses mais il ne s'y résout pas malgré sa peur.

Une main se pose alors sur son épaule. Il la sent chaude à travers l'étoffe. Chaude et massive. Il se retourne et rencontre le visage de Gros-Ours devenu soudain bienveillant. Oui, un léger sourire erre sur ses lèvres et sa main le serre un peu. Il comprend ce geste d'adoption et sourit à cet homme.

Alors Gros-Ours s'agenouille devant la piste et mime le renard. Puis, en se relevant, il dit:

— Viens!

Est-ce du français ou de l'indien, Sam ne saurait le dire. Mais il suit, cœur battant, mettant ses pas dans ceux du vieil Indien. Dépassant finalement le rideau d'épinettes et s'enfonçant dans le cœur même de cette forêt dont il était amoureux depuis longtemps.

Sam Fitzpatrick, ouvrier d'usine, était mort en posant le pied au Canada.

Maintenant, Sam Fitzpatrick, commis à la baie d'Hudson, venait de mourir, laissant la place à cet autre Sam: le trappeur.

L'arbre dans la forêt

L'automne frais glisse sur les bras nus d'Honoré. Un bel automne. Un soleil clair. Des couleurs éblouissantes. Mille et une odeurs.

Il cherche l'arbre, le tronc, la pièce qui saura enfanter son Christ. Oui. Il sculptera un grand Christ sur sa croix et il le donnera à sa paroisse, à son curé et surtout à son Dieu pour qui il fait tous ces pas à travers la forêt merveilleuse. Et tous ces pas lui paraissent comme autant de prières sur la mousse tendre du Créateur. Il lui semble voler tant il est en paix. Cette foi simple l'apeure. Peut-être est-elle trop simple comme la foi des enfants. Cette impression qu'il a d'accomplir un geste sacré l'intimide. Comment donc un geste sacré? Cette promenade à travers bois en quête d'un bon pin pour sa sculpture, est-ce là un geste sacré? Qu'est-ce qui diffère tant ce geste de ceux du forgeron ou de ceux de sa femme? Pourquoi, lui, Honoré Villeneuve, considère cette recherche de matériau comme sacrée? Il ne le sait pas et c'est bien ce qui l'inquiète. Ce battement ému de son cœur, cette vision surnaturelle de la forêt et ce fil invisible qui le rattache aux gestes anciens de milliers d'hommes inconnus l'enivrent, le transportent au-delà des frontières dont il a l'habitude.

Et voilà qu'il le reconnaît. Il se tient devant lui, droit et fier dans son écorce grise. Dans sa large ramure le vent murmure une musique divine. Est-ce le chant des anges, des esprits et des archanges? Comme c'est doux! Comme une invitation à la rêverie. Honoré rejette la tête en arrière et contemple cet arbre. Reconnaissant ses branches, ses touffes d'aiguilles que le soleil dore et ses fruits en cocottes. Il palpe de sa main l'écorce rude qui lui cache le bois dont il connaît si bien le grain et la couleur. En coulant son regard sur l'arbre, il voit naître son Christ. Le divin Sauveur, l'Homme-Dieu, le Rédempteur. Il le voit humilié, déchiré, agonisant. Il voit la couronne d'épines, la cage thoracique, les bras étirés et les genoux écorchés.

« Mon Dieu! », dit-il en appuyant son front contre le pin. Il le sent là, dans ce tronc. Et il est là, dans ce tronc, attendant que lui, Honoré, l'en dégage. Il sait tellement où il est dans ce tronc, qu'il sait avoir la tête sur ses genoux et en est presque intimidé. Il se recule. Admire sa hache. Puis il dit à l'arbre: « Tu ne mourras jamais. »

Puis il se met à bûcher. Avec un respect qu'il ne se connaît pas. Prenant garde de ne pas abîmer les pieds de son Maître. Un long craquement précède la chute. Le géant repose sur un tapis d'aiguilles rousses, après avoir ployé deux petits pins de son entourage. Honoré le mesure et coupe un peu au-dessus de la tête. Ensuite, il taille les bras qu'il faudra ajointer. Finalement, il roule le tout loin de la souche et considère longuement ses trois pièces de bois. Elles seules vivent maintenant. L'arbre, il le sait, ne donnera plus jamais de fruits. Et ces trois pièces auront à mourir aussi pour revivre. Elles auront à sécher, se tordre, se fendre avant qu'il les creuse. Mais, dans un an ou deux, lorsque tout ce travail sera accompli, elles reprendront vie. De cette vie nouvelle et mystérieuse des sculptures. Et Honoré comprend que ce n'est ni pour sa paroisse, ni pour son curé qu'il a décidé de sculpter un Christ en croix. C'est pour lui. Pour lui seul. Pour sa foi à lui. Il sculptera un Christ à la mesure de sa foi. Comme Gros-Ours a sculpté une chouette.

Il s'agenouille et récite dans son cœur le *Notre Père*.

Puis il se relève, pur et joyeux, et dit tout haut, d'un air enfantin: « Quand même, y va en faire toute une tête, le curé, quand m'as y donner ça. »

Et c'est à grands coups de volonté qu'il repousse, sans succès, le grave péché d'orgueil. Des visions réconfortantes l'assaillent de toutes parts; l'expression du curé à la vue de ce cadeau princier, l'installation au-dessus de l'autel, les félicitations des paroissiens, l'admiration des jeunes et, quelque part, en toute modestie, ses initiales gravées au ciseau.

Il secoue la tête et part emprunter le cheval d'Alexis pour traîner ses billots.

Il fait brun lorsqu'il revient de la forêt. Émerise sort dehors, tenaillée par la curiosité.

— Veux-tu ben m'dire! demande-t-elle en essuyant ses doigts sur son tablier.

Son mari transporte les billots parfumés près du poêle et la regarde d'un air enjoué.

— C'est une surprise. Ça va rester là un an au moins.

— Ah!

Puis il éclate de rire en voyant Félix déjà à cheval sur le ventre du Christ.

— Laissez venir à moé les p'tits enfants, ajoute Honoré en clignant de l'œil à sa femme éberluée.

Vers les souffrances humaines

— C'est de la folie pure! hurle le docteur Lafresnière. De la folie pure! répète-t-il en lissant sa moustache grise.

Philippe, son fils, sourit en secouant doucement la tête. Puis il dit d'un ton calme:

— J'irai papa, j'irai pratiquer dans ces pays de colonisation.

— Tu t'es laissé monter la tête par cette bande de libéraux! Bande de castors! Oui, de castors. Je te vois dans le pays des castors, à soigner des sauvages et des... des crasseux.

— Des malades, reprend Philippe sans hausser le ton.

— Appelle-ça comme tu veux. Ne me fais pas fâcher, mon garçon!

— J'ai vingt-neuf ans, papa. Je ne suis plus un petit garçon.

— Non, mais tu restes toujours mon garçon. Dire, dire que j'ai payé tes études en vain! Comme j'étais fier, à l'époque, que tu optes pour la médecine. Et maintenant...

— Maintenant?

— Tu vas te dévouer, te dépenser au pays des castors.

— Et si je me dévouais pour les âmes comme mon frère René? A lui aussi vous avez payé ses études.

— Ce n'est pas la même chose! Dans une bonne famille, il faut un prêtre ou deux!

Le fils ne réplique rien, évitant habilement l'épineuse discussion sur les bonnes familles. Ce sage silence lui permet cependant de se remémorer la scène de son père pris en flagrant délit avec la jeune bonne. Quel regard traqué et choqué il lui avait alors décoché! Et quel désenchantement dans son âme de fils! Le simple fait de surprendre son père, torse nu, dépeigné et coupable l'avait amoindri à ses yeux. Il le savait enclin à chercher les confidences féminines, des plus intimes aux très intimes, mais de le prendre ainsi sur le fait l'avait dérouté. Sa mère, pourtant, savait ça et avait probablement surpris des scènes de ce genre. Ainsi que ses frères et sœurs. Quel effet cette vision avait-elle produite sur eux? Il ne le savait pas. C'était difficile de dire à quoi ils pensaient, ce qu'ils ressentaient. C'est comme s'ils n'existaient pas et ne vivaient pas vraiment, se soumettant tous à cette image de la bonne famille. De la bonne famille du bon docteur Lafresnière. Avec son fils curé, l'autre avocat, l'autre notaire, avec deux de ses filles chez les religieuses et les autres bien mariées avec des notaires et des médecins. La vraie bonne famille aristocrate quoi! Celle qui se rend à la messe, aux vêpres, au chapelet. Le vrai bon docteur présent à toutes les réunions, les inaugurations de bonnes œuvres et les bénédictions d'instituts. Mais ce bon docteur, ce digne père imposait à sa famille un cadre rigide qu'il ne respectait pas lui-même. N'était-il pas l'autorité? Et l'obéissance aveugle des membres de la famille ne serait-elle pas méritoire? C'est ce que devait penser sa mère, devenue dame de sa paroisse. Celle de qui on observe le chapeau et le maintien. Qui reste raide et impassible en tout. Mais, pensait Philippe, lorsqu'elle enlève son chapeau à volette, son corset et sa robe, lorsqu'elle redevient une simple femme, à quoi pense-t-elle? A-t-elle au moins de la peine? Si oui, elle ne l'avait jamais exprimée. Ni joie, ni chagrin n'ont marqué les traits de madame docteur. Et même en ce moment de discussion intense, elle demeure rigide sur sa chaise victorienne, les mains jointes à hauteur de la taille. Pas un cheveu n'ose se glisser hors de sa toque austère, ni un pli défaire la symétrie ordonnée de sa jupe.

— A mon avis, c'est un exil insensé, reprend Eugène, son frère avocat, son aîné de deux ans.

— Je ne suis pas venu vous demander conseil, mais un service. Garderiez-vous deux de mes filles, le temps que ma femme se rétablisse?

Un silence froid lui répond. Philippe pense justement à ses deux petites qu'il a l'intention de laisser chez ses parents et son cœur lui fait mal. Comme elles vont s'ennuyer ici! Où puiseront-elles l'affection qu'elles avaient coutume d'obtenir de leur mère? Il glisse vers celle-ci un regard attristé et remarque qu'elle a pâli. Quelques gouttes de sueur perlent sur ses tempes. Il sait qu'elle fait de la fièvre et qu'il n'aurait pas dû la laisser venir avec lui. Mais c'est sa dernière sortie avant son entrée au sanatorium et elle tenait à s'assurer de la bonne volonté de ses beaux-parents. Hélas, la bonne volonté n'étant guère manifeste, elle les guette anxieusement de ses yeux trop luisants.

— Et les deux autres? demande le père d'une voix autoritaire.

— Je les laisserai chez les parents d'Amanda.

— Hum! répond le père en toisant sa femme, je veux bien donner une chance à ta plus vieille. Comment l'appelles-tu déjà?

— Mathilde. Et la plus jeune?

— Le bébé?

— Oui.

— Pas question. A notre âge! Avec un nourrisson!

— Je la prendrais bien, moi, offre Eugène. Ma femme n'a eu que des garçons, insiste-t-il en glissant un regard méchant à Amanda.

Celle-ci baisse les paupières et une rougeur subite arrive à ses joues creuses. Philippe sursaute à cette remarque, mais il se contrôle et répond simplement:

— Justement, saura-t-elle s'y prendre avec une petite fille?

— Évidemment, puisque je te l'offre, réplique l'avocat d'un ton bourru.

— Très bien.

— Combien de temps comptes-tu me la laisser?

— Un an, peut-être plus, peut-être moins...

— Et tu es décidé à tenter ta chance dans les pays d'en haut?

— Toujours.

— Tu es plus libéral que je pensais et plus têtu qu'une mule. Dommage que tu ne me laisses pas ta fille plus longtemps. J'en aurais fait une conservatrice et cela t'aurait fait rager jusque dans ta tombe, déclare-t-il d'un air flegmatique.

Philippe, d'abord surpris de cette réplique, éclate finalement de rire.

— Toi, Eugène, tu es drôle quand tu veux, mais c'est la première fois que je te vois vouloir.

— Que veux-tu? Il y a les gens qui font les fous et les fous naturels...

— Et je présume qu'à vos yeux, je suis un fou naturel.

— C'est toi qui le dis.

— Parce que je n'ai pas Chapleau en adoration et que je trouve injuste la pendaison de Riel.

— Surtout pour cet exil malheureux. Penses-y mon frère. Pense à l'existence qui t'attend. Et pense aussi à tes filles: qui vont-elles trouver pour époux? C'est la misère, la misère noire, là-bas.

— Ça ne sert à rien de vous expliquer. Je suis devenu médecin pour guérir et aider les gens. Je veux soigner. Je veux être utile.

— Tu verras, ça va te passer. Tout jeune médecin connaît ça, proclame son père en ouvrant son porte-cigarettes en argent.

— Je ne veux pas faire de la médecine de salon.

— Tu es aussi buté que ton grand-père. Sais-tu qu'il n'y a même plus de chemin où tu veux aller?

— Un jour le chemin de fer s'y rendra.

— Oh! Ce chemin de fer! Ce sacré chemin de fer! C'est lui qui a été la cause de notre division!

— Tu veux dire sa vente au Canadian Pacific.

90

— Sans ce maudit chemin de fer, tonne le père, il n'y aurait jamais eu de castors et sans ces castors, les libéraux n'auraient jamais eu le pouvoir. Mercier n'a gagné qu'avec l'aide des nationaux!

— Bravo papa! approuve l'avocat.

— Le chemin de fer est indispensable, papa, réplique vivement Philippe. Rappelez-vous l'événement de 1876 lorsque le curé Labelle est venu porter soixante cordes de bois pour chauffer les gens de Montréal.

La discussion politique reprend, assommant Amanda de ses exclamations et de son ardeur. Philippe hausse le ton, défend ses théories. Son regard s'enflamme. Comme cet enthousiasme lui sied bien. Elle le regarde et admire ses prunelles dorées qui brillent sous le feu de son intelligence. Une mèche rebelle colle à son front. Il gesticule, explique et va jusqu'à mimer. Quel étrange et bel homme que son mari! Issu incroyablement de cette famille au maintien artificiel. Se peut-il qu'il ait habité le ventre de cette femme froide qui la guette de sa chaise de velours? Cette femme qui ne l'a jamais acceptée au sein de la bonne famille et qui s'est toujours gardée distante à son égard. Elle, la fille du boulanger. La fille maladive qui n'a donné que des filles à son mari. Quatre filles en quatre années. De quoi se crever. Et pourquoi se crever, pour qui se crever? Oh! Comme elle s'est surmenée! S'est épuisée. Goutte à goutte. De son sang et de son lait. Naissance après naissance pour en venir à cette maladie inquiétante: la tuberculose. Pour voir ses poumons désagrégés au fond de son mouchoir.

Une fatigue immense tombe sur elle. Elle ferme les yeux, tente d'oublier ces voix, tente d'oublier ce salon guindé et ces paroles mesquines retenues par son cerveau fiévreux: « Hmm... Je veux bien donner une chance à ta... comment s'appelle-t-elle déjà? Ma femme n'a eu que des fils. » Petits accrocs, petites blessures à son cœur. Quel milieu pour sa pauvre petite! Elle imagine mal Mathilde dans cette maison et encore moins Léonie avec les cinq diables du beau-frère. Au moins Jeanne et Marguerite auront la chance de s'épanouir dans la bonne odeur du pain. A la bonne chaleur des fours. Elles pourront manipuler un peu de pâte en croyant la pétrir et observer les clients derrière la porte. Ah! Si son père avait été plus riche, il les aurait prises toutes les quatre.

Une main se pose sur son avant-bras. Elle sursaute, lève ses paupières sur le visage inquiet de Philippe.

— Ça va?

— J'aimerais rentrer, Philippe.

La main se pose avec amour sur son front et sonde son mal. Elle aimerait fondre sous cette main et trouve la force de sourire.

— Rentrons. Je vais chercher ta cape.

Il s'empresse. L'habille. Fait ses salutations et explique qu'il amènera les petites avec leurs effets personnels dans la semaine.

Et les voilà dehors, dans la rue mal éclairée par les becs de gaz.

— Veux-tu que j'appelle un fiacre? demande-t-il gentiment en glissant son bras vigoureux sous le sien.

— Non. C'est à deux rues, on peut marcher. L'air frais me fait du bien.

Il lui semble soudain qu'elle pourrait marcher longtemps avec l'aide de ce bras solide. Qu'elle pourrait l'accompagner partout. Leurs projets de jeunes mariés font surface et l'accablent. Ne lui avait-elle pas juré de le suivre partout? De le seconder? D'aider à sa façon tous les malades qui viendraient frapper à sa porte?

Ne s'était-elle pas juré à elle-même d'être sa compagne d'aventure et d'oser avec lui? Près de lui? Pour lui?

Mais voilà tous ses projets tournés en dérision par la maladie. Demain, elle entrera au sanatorium, Philippe placera les petites et ira tenter sa chance, seul, dans les pays de colonisation. Combien de temps saura-t-elle vivre sans sa présence?

Inconsciemment, elle serre ses doigts sur son avant-bras.

— Qu'as-tu? demande-t-il de cette voix chaude et douce qu'elle lui connaît.

— Rien.

— Tu t'inquiètes pour Mathilde et Léonnie?

— Oui, c'est ça.

— Oh, ils en prendront soin, ne crains pas. Elles ne manqueront de rien.

— Sauf d'amour.

— C'est vrai. Quelle famille! Juste des belles phrases, des mots et de la politique. Je me sens presque coupable face à ces deux petites que j'abandonne. Mais il le faut. Il te faut guérir et il me faut m'installer. Tu es d'accord avec moi?

— Oui.

— Il faut que tu sois d'accord avec moi, Amanda. J'ai besoin de ton approbation. Si tu savais comme j'ai besoin de ton encouragement ce soir.

— Et toi, si tu savais comme j'ai besoin de toi.

Il s'arrête. La retourne vers lui. Elle penche son visage afin qu'il ne voie pas les dégâts causés par la maladie. Mais il lui relève le menton et la fixe intensément. Elle l'admire et tente de fixer à jamais en elle et pour elle l'image de cet homme. Malgré la pénombre, elle distingue nettement ses traits et voit briller ce regard doré. Unique et magique. Les mèches rebelles, encore en bataille sur son front large, la fascinent ainsi que son menton volontaire et la carrure de son visage. On le croirait taillé dans du roc. Les arêtes de son nez, de ses sourcils et de ses maxillaires sont précises, catégoriques. Les formes définies et viriles. Aucune courbe. Tout se soumet à son caractère audacieux et révolté. Tout porte également le sceau de la force. Est-ce bien cet homme qui a besoin d'une femme à la santé précaire? Oui, il a besoin d'elle. Ce regard ne saurait mentir. Une bouffée de chaleur lui monte aux joues devant ces yeux amoureux et dépendants.

— J'ai besoin de toi, moi aussi. J'ai besoin que tu guérisses, Amanda. Ma vie, c'est avec toi que je veux la faire.

Il se penche pour l'embrasser. Déjà, ses yeux sont clos. Elle tente de reculer mais il l'empoigne de ses bras et l'attire à lui.

— Non! C'est dangereux, tu le sais.

Sa bouche se colle à la sienne. Il l'embrasse passionnément. Elle se soumet et goûte avec ferveur ce baiser d'adieu.

— Je guérirai, souffle-t-elle lorsqu'il la libère de son étreinte.

— J'y compte bien.

— J'irai te rejoindre. Les petites seront heureuses là-bas et je te donnerai un fils.

— Quatre fils pour équilibrer.

Elle rit.

— Très bien, quatre fils.

Cette possibilité l'anéantit. Oh! Non! Pas quatre. Pas encore. Mais elle n'en dit mot.

— Tu as paniqué, tu sais, avec tous ces accouchements répétés. Et moi, je ne suis pas plus intelligent: je t'ai laissée faire. Je suis bien content de mes petites: elles sont belles et en santé.

— Mais tu aurais aimé un garçon.

— Si ce garçon te détruit, toi, ça n'en vaut vraiment pas la peine. Je sais que tu as fait ça aussi pour ma famille. Pour être enfin acceptée. Ne fais plus rien pour eux. Ne pense qu'à moi, qu'à nous. Nous serons bien lorsque nous serons loin d'eux.

— Oui.

— Et là-bas le climat sera excellent pour toi.

— Ah! Oui?

— Oui.

— Tu as hâte d'y aller, n'est-ce pas?

— Bien sûr.

Bien sûr. Cet enthousiasme délirant ne saurait mieux l'exprimer. Son rêve d'aventure le dévore. A ce mot de colonisa-

tion, ses yeux s'allument d'une flamme étrangement envoû-
tante. Presque inquiétante. Amanda lui sourit et lui répète:

— Vas-y, mais écris-moi souvent.
— C'est promis.
— Je t'aime, Philippe.
— Je t'aime, moi aussi. Ne l'oublie pas.

Naissance

Les copeaux jonchent le plancher de cuisine. A genoux, près de sa pièce, Honoré, de sa large main d'ouvrier, caresse ce visage qui se dessine progressivement dans le bois comme une lente naissance. D'un arbre, il a pris un billot et d'un billot, il a tiré des formes grossières que seuls ses yeux semblaient voir; de ces formes grossières, il a dégagé les membres, le corps et, aujourd'hui, le visage de son Christ.

Toute la famille a suivi ce cheminement merveilleux de l'arbre à la sculpture. Au début, durant l'année de séchage, Émerise l'a souvent questionné au sujet des billots près du poêle, et les enfants, encore plus intrigués, ne comprenaient pas que ce bois ne serve pas à nourrir le feu. Tour à tour, ils ont grimpé dessus, se sont cachés derrière ou couchés tout près, et ces jeux simples aux yeux d'Honoré étaient bien vus de ces pièces.

Un jour, il a affûté ses outils, vérifié son maillet et débuté son long travail. Le long travail des gouges dans le sens du bois et le long travail de germination dans son esprit. Tout au long de l'hiver, jour et nuit, ces petits coups précis recherchant inlassablement la forme.

Et aujourd'hui, ou plutôt en cette nuit de mi-mars, naîtra la divine figure qu'Honoré a portée si longtemps. Parfois, il s'arrête et considère ce corps déchiré et disloqué. Il regarde les bras étirés, les épaules tendues, les côtes de la cage thoracique et ce cœur transpercé et il se sent coupable d'avoir rendu un être si souffrant. Oui, il aurait aimé le faire autrement son héros. Debout et vainqueur, avec un front victorieux et un œil sans reproche. Mais le Christ n'a eu de victoire que sa résurrection et il ne peut lui éviter cette mort horrible.

Or, en cette nuit unique, Honoré caresse de ses rudes paumes ce visage particulier où la solitude, la souffrance, l'obéissance et le pardon doivent s'inscrire.

Il le voit en lui, ce visage. Si douloureux, empreint d'un instant de terrible solitude et d'atroce insécurité. « Mon père, pourquoi m'avez-vous abandonné? » C'est cet instant même qu'il veut figer à jamais. Cet instant précis de l'être abandonné et des hommes et de Dieu. N'étant ni homme, ni même Dieu.

Cette presque panique. Ce presque regret. « Mon père, pourquoi m'avez-vous abandonné? » Normalement, le Christ aurait relevé la tête pour questionner le ciel, mais Honoré le veut la tête penchée sur sa poitrine. Affaissé sur la croix. Les yeux clos mais les sourcils froncés, la bouche entrouverte sur ces balbutiements: « Mon père, pourquoi m'avez-vous abandonné? »

Il s'empare de sa petite gouge et se met à ciseler les paupières, les sourcils, le front soucieux, le nez parfait, les cheveux collés à la joue et la bouche où le souffle de la vie se fait de plus en plus rare.

Il s'interrompt trois fois pour ajuster la mèche de la lampe et mettre du bois dans le poêle, impatient de retourner à son ouvrage. Finalement, la nuit, de noire passe au bleu, puis au gris, puis au blanc. Émerise se lève. Elle échappe un petit cri en pénétrant dans la cuisine.

Un grand Christ en bois de pin est appuyé au mur. Victime d'une souffrance inimaginable, il ploie ses genoux écorchés et sa tête, couronnée de la bêtise des hommes, pend sur sa poitrine haletante. Son doux visage, son visage divin semble pleurer. Son front si intelligent se fronce comme si, pour la première fois de sa vie, il ne comprenait pas ce qui lui arrivait. Comme cet homme est seul! Elle sent ses yeux s'emplir d'eau et cherche Honoré.

Il est assis dans ses copeaux, ses outils rangés près de lui et la questionne des yeux.

Elle marche vers lui et chuchote, comme intimidée par la présence du personnage de bois.

— J'en crois pas mes yeux... c'est ben toé, mon mari, qui a fait ça? Y a l'air d'avoir tant de mal. On jurerait qu'y est là pour le vrai.

— C'est de même que je le voyais. Chus soulagé; j'en ferai pus jamais.

Il se lève, s'étire, l'embrasse.

— J'vas me coucher un brin.

Il se traîne presque, s'arrête devant son œuvre et pense à cet arbre dans la forêt. « Tu ne mourras jamais », dit-il à nouveau.

Est-ce pour l'arbre ou pour le Christ qu'il dit ça? Ou pour les deux à la fois? Il n'approfondit pas la question et retrouve le lit encore tiède.

Pour la première fois depuis des mois, il s'endort paisiblement.

Deux géants, un sur l'autre couchés

Le vent du sud gronde dans la tête des érables comme un torrent. La forêt entière oscille. Gros-Ours écoute ce vent et croit habiter une rivière d'air. Il est au fond de la rivière et le courant ploie les ramures des grandes algues. Il regarde s'agiter les longs bras noirs sur le ciel parcouru de nuages gris et échevelés. Un mélange de respect et de peur le gagne. Cette forêt secouée, ces géants ployés, ce grondement sinistre, cette course effrénée des nuages et ces rapides apparitions de soleil l'impressionnent. Il contemple en silence, essuyant du revers de la main son front en sueur. Il souffle un peu puis boit une grande gorgée d'eau d'érable froide et à peine sucrée. Est-ce un goût d'hiver? Un goût de printemps? Où l'arbre a-t-il puisé cette liqueur? Lui vient-elle de ses racines? De ses branches? Est-ce le soleil? Est-ce toute cette neige à ses pieds? Yeux clos, il déguste la sève de vie. Lui qui a tété le sang des bêtes, le voilà s'abreuvant du sang des arbres. Il imagine que ce liquide lui transmettra un peu de la force et de la noblesse de l'érable. Il boit avidement, religieusement, éclaboussant son visage hâlé et son manteau de peau. S'étant ainsi désaltéré, il replace son récipient et observe Sam récupérer l'eau avec le toboggan. Il sourit de contentement. Quel compagnon idéal il a su trouver chez le jeune homme! Plus qu'un compagnon: un fils. Et avec quelle ardeur celui-ci s'est mis à l'apprentissage de son métier de trappeur. Une ardeur digne des Indiens, capable d'oublier sa faim et sa fatigue. Oui, Sam est digne d'être son fils. Et, à le regarder, on le croirait de race indienne avec son visage bronzé par la vie au grand air et sa chevelure retenue par un bandeau de cuir. Comme un Indien, il sent la graisse, la sueur et la fumée. Comme un Indien, il a mangé le castor, l'ours, le lièvre, le chevreuil. Comme un Indien, il dort sous la tente et, comme un Indien, il se tait. Il apprend, observe, enregistre en silence. Les rares mots qu'ils échangent sont en algonquin: le nom des animaux, des choses courantes et des lieux.

Gros-Ours sourit encore et un peu de mélancolie monte en lui. Il a fait de ce jeune Blanc un Indien et les Blancs ont fait une Blanche de sa propre fille. Il essaie de la voir à travers les gestes de Sam et ne peut imaginer une jeune femme. C'est une petite fille qu'il voit. Une petite fille gracieuse et pensive. Avant, c'était elle qui le suivait partout et apprenait à même le grand livre de la forêt. Il la revoit endormie sur une peau à demi écorchée ou agenouillée près des cabanes de castors ou encore exhibant triomphalement son premier lièvre pris au collet. Dans les gestes de Sam, cette petite fille se perd. Où est-elle donc?

Il porte la main à son cou et y serre la chouette. C'est comme s'il étreignait son propre cœur. Qu'il aimerait lui faire boire de cette eau de vie surgie du ventre des arbres! Se rappelle-t-elle de ce temps où elle courait s'abreuver d'un récipient à l'autre? Se rappelle-t-elle des odeurs de fumée et de sucre? Se rappelle-t-elle du vent? Du chant de la neige fondante et des ruisseaux?

Il regarde Sam cambrer les reins. Peut-être lui dira-t-il un jour toute cette douleur en lui et le pourquoi de toute cette douleur. Peut-être trouvera-t-il des mots pour lui expliquer qu'il a, quelque part dans le monde des Blancs, une fille issue de son sang.

Le jeune homme a repris son ouvrage. Il se presse. A voir frémir ses narines, Gros-Ours devine que ce vent l'inquiète aussi. Surtout sur le haut de la montagne où il atteint une force dévastatrice. Elles sont très expressives les narines de Sam et lui confèrent l'allure d'un lièvre pourchassé. C'est pourquoi Gros-Ours lui a donné le surnom de Lièvre.

Soudain, un craquement terrible éclate derrière lui. Il bondit alors et court droit devant. Mais la neige le retient, le ralentit. Elle glisse, coule, s'enroule autour de ses mollets. Elle l'enlise. Il déploie une force terrible à la combattre. Puis, ce choc dans le dos, ce contact avec les grains de neige juteuse qui lui râpent la peau du visage et le bruit des branches qui s'entrechoquent au-dessus de sa tête. Et toujours ce vent derrière. Loin, de plus en plus loin. Cette respiration difficile, son visage qui chauffe et la voix de Sam, lointaine et paniquée. Un grattement affolé dans la neige laisse percer une lumière grise et maladive. Sam vient de dégager son visage enfoui et écarte doucement les mèches de cheveux. Il se penche vers lui et tente de connaître son état. Un râlement s'échappe de la poitrine de Gros-Ours. Il sent une roche dans ses côtes. Elle l'étouffe. Sam tente de relever l'arbre et force en vain. C'est un géant, cet arbre. Un géant au cœur sec. Un géant sans sève, dressé comme grande parure entre ses frères. Un géant brisé par le vent, sur le dos d'un autre géant dont le sang rougit la neige. Sam tire de toutes ses forces, à s'en crever les reins. Une chaleur torride vient battre dans ses tempes et la sueur inonde ses vêtements. Il tire. Rien ne bouge. Gros-Ours grimace. Alors le jeune homme va chercher la hache et commence à couper l'arbre. Chaque coup qu'il donne semble enfoncer le vieil Indien dans la neige, écrasant son cœur contre cette roche. Mais celui-ci ne dit mot. Seule sa main s'agrippe à un jeune arbuste et quelquefois l'étreint jusqu'à blanchir les jointures.

La tête de l'arbre se détache. Sam s'attaque alors à l'autre bout et dégage le tronc. Il ne reste qu'à le soulever maintenant. Il trouve un levier, un rocher comme point d'appui et pousse. Le tronc se soulève.

— Get out of there! crie-t-il dans ses efforts.

Gros-Ours sent ses jambes picoter et s'engourdir. Elles ne lui obéissent plus et l'obligent à se rouler et à ramper loin de la zone de danger. Le voilà épuisé, essoufflé, paniqué car il ne sent plus ses jambes. Sam se penche encore, tente de le relever. Comment lui expliquer cette insensibilité? Gros-Ours le repousse de la main. Sam disparaît. Il a compris et le laisse en paix. Mais non, il revient avec le toboggan. Où veut-il l'emmener? Vers les sorciers blancs qui ont fait mourir Odile? La traîne se range à ses côtés. Sam le retourne avec précaution. Pourquoi ne lui résiste-t-il pas? Le jeune homme détache son manteau afin de vérifier la blessure dans ses côtes puis pose la main tendrement sur son front écorché. Encore une fois, il écarte les mèches mouillées et pose sur lui un regard troublé. Un regard de fils. Oh! Comme Gros-Ours aime soudain ce jeune Blanc! Comme il aime ce geste! A voir tant d'inquiétude dans le visage du Lièvre, il sait qu'il a tout compris. Cet engourdissement mêlé de crainte et cette insensibilité soudaine qui fait espérer la douleur. Il a tout compris de lui-même, sans explications. Comprendra-t-il s'il lui montre la chouette qu'il désire voir sa fille dont il ignore l'existence. Résigné, il porte la main au fétiche et sourit tandis que Sam le ficelle adroitement.

Le blessé demande de l'eau avant de quitter la forêt. Aussitôt, la sève vient étancher sa soif. Puis le Lièvre se sert une grande rasade avant de caler la corde sur ses épaules. Il tire, décolle la traîne et entreprend la descente de la montagne. Gros-Ours regarde s'enfuir les nuages que les grands bras noirs tentent de saisir. Il entend de nouveau gronder le vent et il lui semble qu'il n'y a plus de danger puisque celui-ci a eu lieu. Soudain, la traîne glisse et vient battre les mollets de Sam. Ce sera ainsi tout le long de la descente.

Finalement, ils arrivent au campement où Gros-Ours se grise des odeurs familières et saines qui y règnent. En passant tout près de sa tente en peau d'orignal, il aimerait convaincre Sam de s'y arrêter. Ici, il veut bien mourir. Ici, dans sa tente, près de son feu, avec ses choses. Mais Sam se hâte et emprunte déjà le sentier qui mène au village.

L'Indien lui fait signe de chausser ses raquettes. Sam obéit.

Il avait oublié que ce sentier ombragé gardait longtemps son épaisse couverture de neige. Comme il va vite! On entend glisser les raquettes en cadence et quelquefois le bruit sec des bois qui s'entrechoquent. Gros-Ours attache son regard sur les arbres qui défilent comme pour la dernière fois. Il les enregistre au plus profond de son cœur et a l'impression d'accumuler des souvenirs. D'empiler des bagages pour un dernier voyage. Jamais la forêt ne lui a paru si belle! Si riche! Si bonne! De l'arbre au bourgeon, du bourgeon au nuage et du nuage à la source, son âme voyage. Tout n'est que monde au sein d'autres mondes. Tout n'est que vie et mort. Et pourriture et semence. Tout grandit et s'éteint. La forêt lui parle comme jamais encore elle ne lui a parlé. Il a l'impression d'entendre chanter sa mère. D'entendre une berceuse. Oui. Il n'est qu'un tout petit bébé contre le sein nourricier. Une femme à la peau salée se berce près d'un feu en chantant. Il aime le parfum de cette femme. Parfum de grand air et de sueur. Parfum de vie et de travail. Il aime le parfum de la forêt. C'était hier, ce petit garçon né sous la tente. C'était hier la cabane de jeûne et la visite de la tortue. C'était hier la Chouette. La Chouette! « Oui, va vite le Lièvre tout en me laissant dans ma forêt. Pourquoi dois-je quitter mes arbres pour revoir ma fille? »

Gros-Ours lutte désespérément contre la fatigue qui l'écrase. Ses paupières se ferment sur la forêt fabuleuse. Sam court, halant l'homme blessé dans le sentier. Déjà, il voit la fumée de la maison près de la rivière. A l'idée de rivière, il pense aux rats musqués que Gros-Ours se proposait de trapper après les sucres et ceci l'attriste car il sait, ou plutôt se doute que l'Indien ne marchera plus jamais. Il a vu les vertèbres émiettées et a piqué les jambes de l'homme sans que celui-ci ne réagisse. Les jambes étaient mortes.

Une petite cabane de rondins apparaît. Un homme fend le bois. Des enfants jouent dans la boue creusée de rigoles. Un rayon de soleil fait luire les étangs pendant un court instant. Sam s'arrête, tâte ses vêtements inondés de sueur et s'empare d'une poignée de neige qu'il mange voracement. Puis il la passe partout sur son visage brûlant. Sur son front et ses tempes que son cœur martèle. Il lui semble qu'il a épuisé toutes ses énergies et regarde travailler l'homme. Un arpent les sépare. Il bande ses muscles endoloris et tire son fardeau courageusement. Le voilà rendu à quelques pas. La traîne s'immobilise sur une flaque de glaise.

— Hey!

L'homme fronce les sourcils en l'apercevant. D'un geste habile, il plante sa hache dans la bûche et s'avance d'un pas décidé, les poings serrés sur ses hanches maigres. Cette attitude hostile désarme Sam et lui donne envie de rebrousser chemin.

Mais il attend et, voyant l'homme tout près, lui indique Gros-Ours dans le toboggan.

Après un regard indifférent, le colon hausse les épaules et dit:

— Le sauvage. T'es qui, toé?

— Sam Fitzpatrick.

Le jeune trappeur cherche vainement les mots français pour expliquer ses intentions en s'emparant d'un bout de la traîne en guise de civière. L'homme comprend et soulève l'autre bout avec mécontentement. Les enfants s'attroupent. Une femme avance son visage derrière la porte.

— Veux-tu traverser la rivière?

— Yes.

— Y a trop de bouillons icitte. Est pas bonne, est pas sûre nulle part.

Cependant, l'homme se dirige vers la grève et y dépose le blessé. Puis il interpelle les enfants d'Honoré qui s'amusent sur la rive opposée.

— Victor! Va chercher ton père. Dis-y que le sauvage y est blessé.

L'enfant déguerpit à toute allure, faisant voler des mottes sous ses bottines.

Sam s'agenouille près de son ami et pose sa main sur la poitrine haletante. Le vieil Indien s'éveille, lui sourit d'abord et regarde autour de lui. Oui, il connaît bien cet endroit. Sur l'autre rive il voit le cèdre recourbé d'où plongeait son enfant. Il sait aussi que la rivière est dangereuse en ce temps-ci. Il l'explique au Lièvre. Le colon Bradette revient avec une vieille chaloupe qu'il traîne sur la berge tandis qu'une voix forte retentit. Gros-Ours se soulève un peu et aperçoit Cheveux de feu qui descend la côte en faisant débouler les cailloux. Malgré sa bedaine, il se déplace rapidement, un câble enroulé à ses larges épaules. En un rien de temps le câble est lancé, attaché à la chaloupe, et Bradette y dépose la traîne avec l'aide de Sam.

— T'as rien qu'à pousser. Honoré va te haler. Moé, je reste icitte. Envoye, pousse.

Sam s'exécute. Il pousse et l'autre tire. Il voit très bien l'autre, massif comme un monument. Tête et bras nus dans le vent, agrippant ses grosses pattes au câble et tirant de toute sa force et de tout son poids. La chaloupe progresse péniblement sur la glace grise. Le jeune Irlandais s'accroche à elle et pousse férocement. Ses narines frémissent. Il sent le courant d'eau sous ses mocassins. Une chose vivante se déplace sous lui. Quand cédera la mince toiture de glace? Voilà! Elle cède. Un froid d'outre-tombe le saisit. Il s'agrippe à la chaloupe en hurlant. Il ne sait pas nager. Ce froid l'engourdit. Le courant le pousse dans le gouffre noir. Il panique dans ce vacarme de torrent et de glace emportée. Soudain, la chaloupe fait un bond et remonte sur une autre couche. Sam prend appui à ces blocs mouvants et réussit à se hisser à hauteur de taille. Une dizaine d'hommes s'affairent maintenant au câble. Sam se hisse encore un peu et se laisse tomber près de Gros-Ours. La main de l'Indien vient toucher sa tête et caresse ses cheveux.

— Mon fils, tu es comme mon fils, répète Gros-Ours dans sa langue.

Sam ne comprend pas trop ce qu'il dit mais le devine. Il se sent adopté en bonne et due forme. Un lien inexplicable s'établit entre lui et Gros-Ours. Il ferme les yeux et goûte cette main qui presse sa tête avec amour. Qui la cajole et la bénit à la fois.

Un léger choc le secoue. Ils ont accosté. Des hommes s'empressent tout autour. Puis s'arrêtent et les fixent avec curiosité. Un seul s'agenouille et parle à Gros-Ours. Le blessé lui sourit et déverse un flot de paroles soudaines. Ses yeux luisent anxieusement. Avec des gestes nerveux, il tente de détacher le fétiche à son cou. L'homme à la crinière rousse semble comprendre de quoi il s'agit et, calmement, coupe le lacet de cuir au cou de Gros-Ours. « Fille! Fille! » lui dit l'Indien. Il frappe son cœur et répète: « Fille! Fille! » Et de nouveau, la main s'abat pesamment sur son cœur. Avec un son lourd et mat. Sam tente de comprendre ce que représente la chouette sculptée pour le vieil Indien. Peut-être est-ce un dieu qu'il tente de prier devant la mort? Ou plutôt qu'il rejette de peur de blasphémer le Dieu des Blancs? Gros-Ours a déposé le fétiche dans la main amicale de Cheveux de feu et a refermé lui-même ses doigts dessus en répétant encore: « Fille à moé. Fille à moé. »

Bam! Bam! La grosse main sur son thorax épais. Honoré prend la parole. Il le rassure, promet quelque chose puis détache le manteau pour vérifier l'état des blessures. Finalement, il pose sur Sam ses yeux verts et intrigués.

— D'où que tu viens, toé?

— Sam. Sam Fitzpa...

— Viens Sam, tu vas prendre froid. Aidez-moé, vous autres, à le transporter chez nous.

Deux hommes empoignent la traîne. Gros-Ours reconnaît Noé et un de ses voisins. C'est à cause d'eux qu'il a laissé son territoire. Ces hommes éprouvent des difficultés à grimper la côte et tempêtent ouvertement. « Maudit gros sauvage! » bougonne l'un d'eux entre ses dents brunes. L'orgueil de Gros-Ours souffre d'être à la merci de ces hommes. D'être traîné par eux. Sauvé par eux. Il aurait peut-être été préférable qu'il meure sous l'érable. Ici, il n'est qu'un poids mort qui fait sacrer. Pour eux, il n'a pas d'histoire, pas d'idées, pas de Dieu. Il n'est qu'une bête. Ni bonne à manger, ni bonne à trapper. Une bête blessée qu'ils doivent trimbaler chez Honoré. Honoré! Cheveux de feu! Quel être bon et compréhensif. Différent aussi. Tellement différent qu'il peut se permettre de croire à la promesse qu'il a faite de retrouver Biche Pensive.

Le cortège arrive à destination. Émerise ouvre grande la porte et indique la table où déposer la civière improvisée. Les hommes s'exécutent et sortent en abandonnant de grosses flaques de boue sur le plancher. Sam reste hébété et mouillé sur un tapis tressé. A sa vue, Émerise s'adresse à son fils Auguste.

— Va chercher du linge sec pour le monsieur. Y va prendre froid.

Ce disant, elle s'approche de l'Indien et blanchit à la vue de son visage râpé. Elle se détourne afin de cacher son malaise et verse de l'eau bouillie dans un bol. Puis elle cherche des flanelles douces en haut du placard et revient résolument vers le blessé. Avec des gestes remplis de précaution, elle essuie le visage de Gros-Ours qui garde sur elle ses prunelles noires et suit ses moindres mouvements.

Soudain, il fronce les sourcils et son regard cherche à voir derrière elle, au-dessus de sa tête. Doucement, il l'écarte et observe un long moment le Christ de bois appuyé au mur. De le voir comme ça, sans sa croix, Gros-Ours accepte cet homme outragé par les hommes. Il l'accepte et communie à sa souffrance. Il a l'impression de lire dans l'âme d'Honoré. Lui, Gros-Ours, portait les images des dieux indiens dans son âme et Honoré portait l'image de son Dieu. L'un et l'autre les ont sculptés dans le bois, avec la même illusion de rendre l'immatériel en trois dimensions. « Quelle différence entre un Indien et un Blanc, si ce n'est la race de Dieu? » marmonne-t-il pour lui seul.

Pendant ce temps, Auguste offre à Sam ses vêtements et lui couvre les épaules d'une couverture grise. Il le guide ensuite près du poêle, à l'abri des regards indiscrets de ses sœurs et l'aide à se dévêtir. Sam grelotte tellement qu'il est bien reconnaissant à ce garçon de tenir la couverture.

— Thanks, dit-il en claquant des dents.

— Thanks? répète Auguste avec un sourire timide. Moé, Auguste.

— No. No, rectifie Sam en riant. Moé, Sam.

— Sam Thanks?

— Oh! No! Fitzpatrick.

— Hein? Pas Indien?

— No. Irish.

— Irish? Connais pas. Anglais?

— Let say.

L'adolescent rougit de sa bévue et admire la poitrine de Sam que ne peut habiller convenablement la chemise qu'il a choisie parmi ses plus grandes. Ce jeune trappeur lui apparaît très fort et très courageux et il regrette qu'il ne puisse lui raconter toutes ses aventures avec Gros-Ours.

— Trop p'tite, hein? convient-il en voyant la chemise entrouverte sur le poil de Sam.

Celui-ci lui sourit et s'enroule dans la couverture.

— Pas grave.

Honoré vient seconder sa femme et demande à son ami:

— Qu'est-cé qu'y est arrivé?

Le vieil Indien ne trouve plus la force de lui répondre et commence à respirer difficilement.

— Je t'emmène chez le docteur. Y en a un à trente milles d'icitte. Alexis me prête son cheval. On part tantôt. Émerise, trouve-nous d'autres couvertes. Victor, tu vas atteler la voiture tu suite quand Alexis va arriver avec le cheval. Viens-tu Sam?

— Yes.

— Ah! Anglais?

— Irish.

— C'est pareil pour nous autres.

Sam tire Honoré à l'écart pour lui expliquer ses inquiétudes. Il mime la cueillette de l'eau et la chute de l'arbre, puis, prenant son couteau à la ceinture de son pantalon mouillé, il pique une des jambes de Gros-Ours. Aucune réaction. Honoré procède à la même opération sur l'autre jambe. Même absence de réaction. Son visage s'attriste.

— Bon. V'là le cheval. Émerise, donne le gin à Sam.

— Prends-en, ordonne Honoré avant de partir.

Sam avale d'un trait une gorgée d'alcool sous le regard admirateur d'Auguste. Celui-ci lui tend un mackina en expliquant:

— C'est à mon père. J'espère qu'y va te faire.

— Viens toé si, Auguste! On a besoin d'hommes.

A ces mots, l'adolescent se vêt rapidement et s'empare aussitôt d'un bout de la civière.

Tant bien que mal, ils déplacent Gros-Ours de la traîne et l'installe sur des couvertures au fond de la charrette. Le blessé se laisse manipuler docilement, sans exprimer ni douleur, ni peur. Un calme étrange grandit en lui. Il fixe le ciel de ses yeux résignés et ses lèvres marmonnent des choses entre ses râlements. Est-ce des prières?

— Minute! ordonne soudain la voix autoritaire du curé. Je viens lui apporter les saints sacrements.

Il monte dans la charrette et se penche avec un air de bon samaritain sur le blessé.

En l'apercevant, la respiration de Gros-Ours s'accélère et son cœur s'emballe. Que vient faire cet intrus dont lui est venu tant de mal? Que veut racheter ce sourire aussi faux que soudain? Du noir, du noir et cette croix, toujours cette croix qui maintenant se balance au-dessus de lui. C'est avec des croix qu'on a conquis le sol de son peuple. Avec des croix qu'on a éteint sa race. Avec des croix qu'on les a souillés. C'est à cause d'une croix qu'il a perdu sa fille et fait de la prison. Des croix, toujours des croix pour y crucifier les Indiens. Pour les anéantir. Alors, malgré sa faiblesse, Gros-Ours lève sa main et frappe l'homme énergiquement. Le prêtre bascule dans la paille.

— Sale sauvage! Va donc brûler en enfer! lui réplique-t-il avec des yeux pleins de haine avant de regagner son presbytère.

Honoré soupire en regardant s'éloigner Alcide Plamondon.

— T'aurais pas dû faire ça. J'vas avoir de la misère astheure pour avoir l'adresse de Biche Pensive. Bon. En route!

En route et quelle route! Boueuse, creusée d'ornières et de crevasses. Traversée d'immenses rigoles. Inondée et presque dangereuse. Le percheron peine, enlisant ses énormes pattes dans la glaise. Bientôt, l'écume blanchit sa robe brune et Auguste demeure impressionné devant ses muscles fessiers qui se gonflent et se creusent à chaque pas.

Sam, assis près de l'Indien, le regarde somnoler. Curieusement, il pense à son oncle Oliver et se dit qu'il aurait peut-être mieux fait de le suivre dans son usine. Jamais il n'aurait eu froid, ni faim, ni peur. Jamais il n'aurait connu cette angoisse qui s'empare de tout son être. Jamais il n'aurait connu ces moments de tendresse et de chagrin. Car il aime Gros-Ours. Il l'a aimé dès le premier jour lorsqu'il a fait son apparition au poste de traite. Sa loyauté, son authenticité l'ont séduit aussitôt. Et, plus tard, lors des longues soirées sous la tente, il a compris que Gros-Ours tenait le fil qui assemblerait les morceaux décousus de sa vie. Oui, car il sait que maintenant sa vie s'écoulera dans la forêt. Il l'a conquise puis aimée. D'un amour toujours neuf, toujours grandissant. Sa vie de trappeur lui apparaît comme la vraie vie lorsqu'il la compare aux autres. La seule pour lui. Il jongle à ce que deviendrait cette vie s'il perdait Gros-Ours. Il a encore tant à apprendre, à comprendre. Et puis il s'est réellement attaché à lui.

Une pluie fine mouille ses oreilles. Il jette un coup d'œil menaçant au ciel pluvieux. La journée s'achève.

— Demain matin, on va être rendu, calcule Honoré pour se convaincre et pour calmer le jeune Irlandais qui jure en érigeant un abri rudimentaire pour protéger le blessé.

— Va pleuvoir, relance Sam.

Et la pluie grossit, appesantit la couverture qui se met à dégoutter lentement sur le visage fiévreux de Gros-Ours. Les roues grincent tandis que les sabots sucent la boue. Tout autour de la charrette, on n'entend que rigoles, pluie et vent. Un vent qui pousse l'eau à travers le tissu, à travers les pores.

De temps à autre le blessé frissonne et murmure des paroles incompréhensibles. Puis il retombe dans une hébétude difficile à distinguer par cette nuit sans lune. Sam s'est recroquevillé près de lui et claque des dents. C'est alors qu'il pense au gin.

La bouteille est tout près du blessé. Il palpe délicatement et la trouve.

— Gin?

— Yes, lui répond aussitôt Honoré qui en boit une rasade en claquant sa langue contre son palais.

— Tu peux en prendre, Auguste.

Flatté d'être considéré comme un homme, l'adolescent se hasarde à avaler quelques gouttes qui lui brûlent la bouche. Il retient inutilement ses grimaces et remet la bouteille à Sam en disant: « Ça fait du bien. » Celui-ci se sert généreusement et se recroqueville près de son ami, résolu à se soûler afin d'écourter cette nuit trop noire et trop mouillée.

Au petit matin, il est ivre, trempé, somnolent et garde à grand-peine ses yeux ouverts sur les arbres ruisselants. Un râlement inquiétant accompagne les respirations de Gros-Ours. Pas étonnant, pense-t-il. On peut tordre les couvertures. On peut tordre leurs vêtements, le cheval et même la charrette où flotte la paille. On peut tordre leur peau et leurs os.

— On arrive! annonce Honoré d'une voix lasse.

Sam se retourne vers lui et s'apitoie à la vue d'Auguste vacillant sur son banc.

— Allez! Hue! Hue! lance Honoré pour encourager la bête.

Sam soupire de soulagement en apercevant les quelques maisons de bois gris qui tiennent lieu de village.

— At last, my friend, murmure-t-il à son ami endormi.

Philippe regarde les bois trempés, le chemin de boue et les quelques îlots de neige autour des maisons renchaussées. Le paysage lui paraît bien triste. Un chien file, mouillé et sale. Trois corneilles croassent sur une branche d'orme. Des bruits de matin résonnent dans le petit village: des bruits de bois qu'on fend, des bruits de chaudières qu'on remplit, des piaillements, des aboiements, des beuglements et des prières. Car la petite chambre qu'il occupe chez les pères lui sert de cabinet de consultation. Un bien petit cabinet, pense-t-il. A Montréal, il aurait hérité de celui de son père, avec tout l'équipement nécessaire. Ici, il n'a que l'essentiel. Des bandages, sa trousse et sa science qui lui semble tout à coup inadéquate. Quelquefois, il pense qu'il n'a pas étudié la vraie médecine. Il pense qu'il n'en sait pas assez pour soulager ces gens de leur misère, de leur pauvreté et de leur ignorance. Il songe aux enfants infestés de poux, aux cas de tuberculose qu'il a décelés, aux pneumonies nombreuses, au rachitisme. Il pense à ces femmes qui se négligent après l'accouchement et s'enorgueillissent d'être aux champs le lendemain, si ce n'est quelques heures après. Il pense que ces gens n'ont ni le temps, ni le luxe d'être malades et qu'il n'a pas grand-chose à faire parmi eux, puisqu'ils ne viennent pas le voir et semblent même l'éviter. Sa pensée vole vers sa femme et ses quatre filles. Le misérable paysage de boue qui s'offre à lui le déprime. Non, il ne veut pas qu'elles connaissent ce lieu. Ce lieu au bout du monde.

Son regard s'accroche au chemin où une charrette roule péniblement. D'où viennent ces gens? Seraient-ils les colons de ce petit village encore plus isolé? Curieux, il observe l'attelage inconnu qui s'arrête devant la porte. Philippe croit distinguer un blessé étendu à l'arrière et se précipite à l'extérieur sans s'habiller.

— Qu'y a-t-il?

— On a un blessé. Ousqu'y est le docteur?

— C'est moi le docteur, répond Philippe en sautant aussitôt près de Gros-Ours. Sa main habile cherche déjà le pouls.

— Qu'est-il arrivé?

— Y a reçu un érable dans le dos, explique Honoré.

— Quand?

— Hier après-midi.

— Il est mal en point.

— Y sent plus ses jambes.

— On va le transporter. Toi, aide-moi à rouler ton père sur la traîne, ordonne-t-il à Sam.

Celui-ci lui obéit et, malgré son vertige, réussit à transporter Gros-Ours à l'intérieur et à l'étendre sur une longue table.

— Faut dévêtir cet homme. Il va prendre froid, dit Philippe en roulant ses manches.

— Moé, malade, annonce Sam en s'éclipsant.

Il se cache au fond de la cour et se met à vomir dans une flaque d'eau. Et tout en vomissant, il se met à pleurer.

— Oh! Big Bear! gémit-il, Big Bear, please... live, please.

Il s'est lavé et relavé les mains plusieurs fois. Au début, à cause de l'asepsie et ensuite à cause de cette peur éveillée en ses tripes.

Il a vêtu une chemise propre et a exigé la même préparation du père Oscar qui l'assiste.

Il a demandé qu'on fasse bouillir de l'eau, qu'on prépare les bandages et les instruments.

Il a lavé minutieusement le champ opératoire et le voici prêt. Avec cette crainte toujours présente en lui.

Avant d'inciser, il jette un coup d'œil à l'Indien conscient. Et c'est justement cette conscience qu'il craint. Ce cri qu'il n'a pas encore entendu. Cette douleur qu'il enfantera. C'est la première fois qu'il opère sans anesthésie. En vain, le père Oscar a tenté de soûler le patient mais il a recueilli plus de coups que de succès. Malgré son état critique, Gros-Ours se défend avec une force surprenante. Où trouve-t-il toute cette énergie pour lutter? Est-ce les dernières étincelles d'un volcan qui s'éteint?

Philippe hésite longuement devant cet être surprenant. Il a la curieuse impression d'avoir à soigner une bête prise au piège. Une bête qui tantôt va hurler sous sa lame et se débattre avec toute sa vie.

Il remarque que sa main tremble. Non, il ne faut pas qu'elle tremble. Il lui faut inciser pour nettoyer les fragments d'os et tenter de réparer le nerf sciatique.

Il tâte de son pouce la région désignée tout en vérifiant l'expression de Gros-Ours qu'il voit de profil. Celui-ci grimace à peine. Se peut-il que cette région soit insensible? Sa main ne tremble plus. Il incise. Aucun cri. Il nettoie. Aucun cri.

Philippe se calme. Le père Oscar s'empresse d'essuyer son front couvert de sueur avec des gestes presque féminins. Cela l'agace. Il y met trop d'empressement, trop de dévouement.

Maintenant, il faut dégager le nerf et tenter de réunir les segments. C'est presque illusoire de s'engager dans cette voie mais il s'y risque et réussit à dégager les segments. Une plainte étouffée l'arrête un instant. Gros-Ours crispe ses poings dans la toile blanche.

— Occupez-vous de lui.

Le père Oscar obéit.

— Il faut continuer. Préparez-vous à le tenir.

— Mais c'est toute une pièce d'homme.

— Je vais tenter de suturer.

La peur, qui momentanément l'avait quitté, revient envahir Philippe. Mais il ose. Le cri qu'il redoute se fait attendre. Il regarde les poings de son patient toujours crispés dans la toile.

Philippe persévère et réussit à suturer.

— Voilà, souffle-t-il, surpris de n'avoir rien entendu. Il se penche alors sur Gros-Ours et pose doucement la main sur son front.

— C'est fini. C'est fini.

L'Indien jette sur lui son regard perçant et frémit soudain, tout comme s'il venait d'apercevoir un monstre. Philippe sourit pour lui montrer ses bonnes intentions et répète:

— C'est fini. Je vais vous faire un corset de bandages. Après vous dormirez.

L'homme répond quelque chose en algonquin. Le médecin

se dépêche de terminer son ouvrage afin de laisser reposer son patient et de se reposer lui-même. Cette peur l'a épuisé.

Que penserait son père de tout cela? Il le revoit dans son luxueux cabinet, avec son chloroforme, ses fioles et tous ses beaux instruments. Il le revoit devant ses clientes huppées, au mal imaginaire guéri par la lotion électrique, débitant à peu près les mêmes conseils pour à peu près les mêmes symptômes. Que penserait-il de l'opération qu'il vient d'exécuter? Et lui, Philippe, qu'en pense-t-il? Gros-Ours survivra-t-il? Marchera-t-il? Les côtes fracturées engendreront-elles une pneumonie? Y aura-t-il infection? Suppuration? Gangrène?

Un sentiment nouveau fait place à sa peur inutile: la compassion. Il aimerait remercier ce blessé de sa collaboration silencieuse. Il le regarde somnoler sur le dos et son cœur s'attendrit. Il s'approche avec précaution et examine ce visage aux traits nouveaux qu'il rêvait de voir depuis sa tendre enfance. C'est donc ça, un Indien. Pommettes saillantes, teint cuivré, longs cheveux noirs. Comme il est beau cet homme! Une telle force s'en dégage qu'un respect profond gagne le jeune médecin.

Gros-Ours tourne la tête, ouvre les yeux et s'agite à nouveau en le regardant. Philippe tente de le calmer, de le rassurer, mais il a beau faire, il ne peut calmer la réaction de son patient qui, dans ses délires, craint les prunelles dorées du sorcier blanc. Il les craint et les vénère. Oui, Gros-Ours, brûlé de fièvre, se sent transpercé par ce regard de hibou. Depuis quand les Blancs ont-ils des yeux de cette couleur? Cet homme est un vrai sorcier. Il peut le guérir ou l'anéantir. Il va le guérir puisqu'il lui sourit, puisque sa main toute-puissante repose sur son front. Il va chasser Pougank, le manitou de la mort. Il va briser son squelette qui le cherche avec son arc et sa massue. Il va éteindre les flammes au creux de ses orbites. Les flammes au creux des orbites... Et si cette forme penchée sur lui était Pougank venu le chercher sous les traits d'un sorcier blanc? Gros-Ours ne sait que penser et s'explique dans sa langue. Le sorcier blanc éponge son front avec bonté. Le vieil Indien entend bourdonner les petites mouches à ses oreilles. C'est Weeng, la main du sommeil. Il cligne des yeux. Les petits émissaires cognent sur son front avec de petits marteaux. Si légers les petits marteaux qu'ils l'endorment. C'est Weeng, la main du sommeil. Des milliers de petits émissaires avec des milliers de petits marteaux légers comme des noyaux de cerises. A qui racontait-il cette légende? A sa petite fille? Elle riait. Sa fille Biche Pensive. Où est-elle? Les petits marteaux toquent, toquent, toquent. Les mouches bourdonnent.

Gros-Ours dort.

— Est-ce qu'y va vivre? demande Honoré en pénétrant discrètement dans la pièce.

— Oui, je crois.

— Et marcher?

Philippe s'avance vers Honoré et le dévisage un moment avec curiosité. Il répond d'une voix étouffée:

— Je l'espère. Monsieur?

— Villeneuve. Honoré Villeneuve.

— Êtes-vous parent avec lui?

— Non. C'est un sauvage. On le nomme Gros-Ours.

— Gros-Ours?

— Oui. Y a un autre nom, mais y veut pas s'en servir.

— Et quel est ce nom?

— Étienne Sauvageau.

— Gros-Ours. Après tout, pourquoi pas? Ça lui va à merveille. Et, où est son fils?

— Ah! Sam? C'est pas son fils. C'est même pas un sauvage. C'est un Anglais. Y trappait avec Gros-Ours.

— Gros-Ours n'a pas de famille?

— Oui. Y a une fille mais on y a enlevée quand a l'avait douze ans.

— Et où est-elle?

— Quèque part dans un couvent à Montréal. A propos, y m'a fait comprendre qu'y voulait la revoir mais je sais pas où a peut ben être. Peut-être que vous...

— Comment moi?

— Ben... Ici, chez les pères, y doivent connaître l'adresse. En disant qu'y est mourant pis qu'y demande sa fille...

— Hmm. Et qui irait la chercher à Montréal?

— Sam. Si y peut trouver un cheval.

— Le vôtre?

— C'est pas à moé. J'ai perdu le mien dans les marais.

— Bon. Pas mal compliqué vos histoires.

— Docteur!

Honoré saisit l'homme par l'avant-bras et le presse avec espoir.

— Écoutez docteur. On est pas riche mais on sait apprécier ce que vous venez de faire. On pourra pas vous payer.

— C'est sans importance.

— Sans vous, on aurait été pris pour le regarder souffrir pis mourir. Tout ça, c'est pour vous dire qu'aux yeux des pères, on a pas grand valeur. Si moé, je demande l'adresse de la fille, ça donnera rien. Mais si c'est vous qui la demandez, y vous la donneront, j'en suis certain.

— Très bien. Quel est le nom de la fille?

— Marie-Jeanne. Marie-Jeanne Sauvageau.

— Je l'aurai votre adresse. Mais pourquoi diable lui ont-ils enlevé sa fille?

— A cause que c'est un païen.

— C'est ridicule.

— C'est de même. Gros-Ours a ses croyances. Un jour, y a arraché la croix au cou d'une sœur. Y en ont fait un drame pis y l'ont envoyé en prison. Comment voulez-vous qu'y s'explique? Y parle presque pas notre langue. Y est comme perdu dans notre monde. Sa fille, c'est tout ce qui y reste. Y l'aime ben. Avez-vous des enfants, docteur?

— Oui. J'ai quatre filles.

— Alors, vous le comprenez quatre fois.

— Attendez-moi ici, je reviens.

« Très Révérende Sœur supérieure, je m'adresse à vous en espérant que vous m'accorderez la grâce que je vous demande. J'ai sous mes soins un patient nommé Étienne Sauvageau, dont la fille Marie-Jeanne travaille à votre établissement. Cet homme, jadis païen, offre de grands espoirs de conversion devant la mort probable qui l'attend et a fait le dernier vœu de revoir son enfant. En accordant la permission à cette jeune personne de revoir son père, vous gagnerez sûrement une âme à Dieu. Car il nous est très difficile, pour les pères et moi-même, d'instruire cet homme de notre religion puisqu'il ne parle pas notre langue. Je réponds entièrement du jeune homme porteur de cette missive, et me rends à l'évidence que, de prime abord, il semble plutôt inquiétant. Mais je vous prierais de croire en ma sincérité et en son honnêteté. Je vous sais responsable de cette jeune brebis et, en bon pasteur, vous hésitez à la confier à un jeune trappeur sous la simple lettre d'un médecin en pays de colonisation. Comme je comprends votre dévouement et votre prudence, car deux de mes sœurs sont religieuses, dont une au sein même de votre communauté. Peut-être connaissez-vous sœur Sainte-Clothilde? Présentez-lui cette lettre ou demandez-lui si vous pouvez faire confiance à la parole de son frère. Sur ce, Révérende Sœur supérieure, veuillez accepter l'expression de mes sentiments les plus purs et les plus dévoués », achève de lire le jeune médecin à son auditoire attentif. Un silence timide plane quelque temps avant qu'Honoré toussote et dise:

— Ben... c'est pas tout à fait ça. Y a pas envie de se convertir.

— Je sais, mais avec elles, il ne faut pas dire tout à fait la vérité.

— Pensez-vous?

— Je les connais. Elles ne perdront pas une employée sans au moins être gagnantes au change. Il leur faut un converti.

— On vous fait confiance. Y reste rien qu'à trouver un cheval.

— Il prendra le mien; c'est un coursier.

— C'est curieux.

— Quoi?

— Que vous fassiez ça pour un sauvage.

— C'est un patient comme un autre.

— Ben sûr. Mais des fois, y a du monde. Bof! Chus ben content parce que Gros-Ours, c'est mon ami.

Honoré renifle, puis pose un regard satisfait aux draps immaculés.

— Bon. Faut se grouiller. Envoye Auguste, on va rentrer.

Il se lève rapidement de sa chaise droite et la petite assemblée l'imite.

— Bonne chance, Sam! Le docteur va t'expliquer ça en anglais. Pis, pas de gin en montant, hein?

— Oh! No. No more. No more... fini... fini... maudite boisson. Rendu moé malade... oh! finish... fini. No more.

— Ah! J'oubliais.

Honoré cherche un objet au fond de sa poche et le présente religieusement dans le creux de sa main. La chouette aux yeux dorés apparaît.

— Qu'est-ce que c'est? demande Philippe, intéressé.

— C'est un... Ben... C'est comme la croix pour nous autres. Ça représente un esprit. Celui-là y est à sa fille. Je pense que Sam devrait y remettre. Mais pas à sœur par exemple, parce que c'est païen.

— Un esprit. Avec quoi a-t-il fait les yeux?

— J'sais pas. J'imagine qu'on trouve ça dans les roches.

— Et c'est un esprit?

— Oui.

Le praticien se rappelle les moments de frayeur qu'éprouvait son patient à chaque fois qu'il le regardait. Se peut-il que la couleur de ses yeux en soit la cause? Il n'ose en parler et chasse rapidement cette idée.

— Très bien. J'expliquerai tout ça à Sam. Bonne route monsieur Villeneuve et n'hésitez pas à me quérir si quelque chose allait mal. Avertissez aussi la population que je vous payerai une visite cet été.

— Très bien. Encore merci docteur.

Philippe caresse l'encolure de son cheval noir d'une main amicale et se mire un instant dans ses yeux attentifs. Du bout des doigts, il lui explique le dur voyage qu'il a à refaire. L'interminable chemin de boue et de neige jusqu'à la voie ferrée. Les interminables journées et les interminables heures et aussi les nuits interminables. Il hésite un peu à le laisser sous les ordres de Sam, car ce jeune homme ne connaît pas grand-chose aux chevaux. Ça se voit. Ou plutôt, ça s'est vu lorsqu'il a tenté de le seller.

Encore une fois, Philippe insiste sur les soins à donner à Robin et aide Sam à monter la bête. Une petite tape sur les fesses et le trappeur s'éloigne en caracolant sur sa fière monture.

Une vraie poche de patates! pense le médecin en voyant rebondir le malheureux sur la selle.

— Bonne chance! Bonne route! dit-il encore tout haut.

Et cette route. Cette satanée route s'éveille en lui. Il la revoit dans toute sa longueur. Toute sa solitude. Étirée dans la neige entre les épinettes, les pins, les sapins et encore les épinettes. Semblable à l'autre, semblable à celle qui suit. Toutes semblables. Si semblables qu'il a perdu deux fois son chemin dans une tempête.

Il la revoit cette route. Longeant quelquefois la Rouge ou offrant un panorama de vallées et de montagnes.

Il la sent cette route qu'il a parcourue cet hiver. Il sent le vent lui passer à travers la peau, il sent le gel engourdir ses pieds. Et il sent tous ses muscles endoloris. Il sent les ampoules à ses fesses et à l'intérieur de ses cuisses. Des ampoules de plus en plus cuisantes à chaque mouvement. Et dans le vent qui hurle ou dans le silence, il entend gémir le cuir de sa selle.

Il craignait cette route lorsque la nuit s'annonçait sans habitation en vue. Il la craignait cette nuit tapie dans la neige. Contre les flancs d'une bête épuisée. Il craignait cette solitude, il craignait sa propre décision. Il craignait le doute.

Que de souvenirs il a éparpillés le long de cette longue route! Ici, une joie à la vue d'une pauvre cabane. Là, une peur. Là, un découragement. Là, un émerveillement devant la beauté des sites. Et toujours, à chaque battement de cœur, le visage de sa femme et de ses filles. Toujours la remise en question de leur avenir. Et ce monologue inlassable pour les oreilles agitées du cheval.

Perdu.
Perdu entre l'hiver et la neige.
Entre une épinette et une autre.
Dans le cœur même du vent.
Perdu... perdu... entre ciel et terre.
Engourdi de pensée et de corps.
Douloureux dans tous ses muscles.
Perdu... perdu... l'homme sur son cheval noir.
L'homme seul qu'un pays appelle.
L'homme seul qu'une cité ennuie.
Perdu, l'homme seul.
Perdu comme un grain de neige.
Avançant vers un pays qui recule.

Qui fuit et s'absorbe au fin fond du cœur de l'hiver.
L'homme seul, si décidé hier,
Maintenant indécis
Pris au milieu de son choix.
Entre ce qui a été et ce qui sera.
Doutant de la route.
Et doutant de lui.
Perdu l'homme seul, à la barbe givrée.
Aux cheveux givrés, aux larmes givrées.
Perdu le cheval noir aux naseaux de frimas,
Au crottin fumant sur la glace.
Perdus... homme et cheval,
Sur la route.
Perdus de tout regard, de toute oreille.
Perdus... inconnus.
Sur la route.
Soudés l'un à l'autre.
Bête et homme
Progressant vers le destin.
Bête et homme soudés jour et nuit.
Flanc contre flanc sous les étoiles.
Souffles tièdes mêlés dans un même trou de neige.
Bête et homme aux regards éprouvés.
Aux regards inquiets devant l'inconnu.
La bête et l'homme.
L'homme et sa trousse.
Sa trousse et son cœur prêt à se dévouer.
Son cœur et son doute.
Son doute et la déchirure.
Et, dans la déchirure du cœur, la semence.
La semence qui croît à chaque pas.
Qui se renforce, qui s'élargit, qui empiète.
La semence qui pousse ses racines.
Et pousse l'homme vers cet autre lui-même
Qui se penche sur les blessures humaines.
La route... à jamais gravée
Dans son âme.
Et dans l'instinct de la bête.
La route plus ardue qu'un sillon
Et déjà cicatrisée en lui.
Cette route de misère... jusqu'à ce lieu de misère.
Loin des salons chauds et des grelots joyeux.
Cette route en sens inverse

File sous les sabots rapides de Robin.
Et la pensée de l'homme
Accompagne cet autre jeune homme
Qui s'achemine vers son inconnu: la ville.

« Bonne route! » souhaite Philippe en jonglant. Il imagine le jeune trappeur, inexpérimenté à la selle anglaise, se meurtrir à chaque pas. Ce soir, il sait qu'il s'endormira les membres douloureux et la tête lourde. Pour qui fera-t-il tout ce trajet? Pour cet Indien blessé qui ne partage ni son sang, ni sa race. Et, dans quelques jours, pour qui prendra-t-il le train? Et pour qui encore affrontera-t-il ce monde « civilisé », ces rues, ces gens qui se moqueront de sa tenue? Pour cet Indien blessé qui ne partage ni son sang, ni sa race. Pour qui et pourquoi Sam Fitzpatrick tournera-t-il gauchement la lettre entre ses doigts bruns devant la rigide religieuse au regard hautain? Pour cet Indien blessé qui ne partage ni son sang, ni sa race. Pour Gros-Ours... pour son cœur de père.

« Bonne route Sam! »

Piqué comme un clou sur un beau meuble, Sam observe poliment la religieuse devant lui. Elle lit la lettre du médecin d'un air impassible. Tout est impassible chez elle. Les mains, le visage, les gestes, les pas, le corps. En a-t-elle seulement un? Un vrai qui sue et souffre et mange et jouit? Cette femme est-elle autre chose qu'une image en trois dimensions? Est-elle même une femme? Sam ne sait que penser. Il observe et se demande si la chair de Gros-Ours s'est mutée à ce point. Ne serait-il pas alors préférable que ce père garde le souvenir d'une petite fille plutôt que d'affronter une si triste réalité? Car enfin, cet être contraste tellement avec lui, avec eux. Il n'a ni corps, ni émotion, ni senteur, ni couleur. A ses yeux, il est aussi mort qu'un tronc calciné. Mort et stérile. Sans suite.

La religieuse pose sur lui son regard bleu pâle et froid.
— Veuillez attendre un instant.

Elle pénètre dans un bureau avec la missive, le laissant seul sur le plancher ciré où dégoulinent ses mocassins. Dans un coin, une statue de la Vierge lève au ciel des yeux soumis. Dans l'autre coin, une fougère s'ennuie. Ou du moins, il le pense. A sa droite, un long couloir mène quelque part. Où? Vers les chambres? La cuisine? L'hôpital? Il n'en sait rien. Mais il croit que la fille de Gros-Ours lui apparaîtra par ce couloir.

La même religieuse ressort et referme la porte délicatement. Elle lui fait signe d'attendre encore et emprunte ce couloir. Quelque temps après, deux silhouettes apparaissent tout au bout. Deux silhouettes identiques. Au costume et au pas identiques. Le cœur de Sam s'afflige. Est-ce là la fille de Gros-Ours?

Elles passent toutes deux devant lui en l'ignorant. Encore une fois, la porte se referme.

Sam fait alors quelques pas vers la fougère, puis vers la Vierge. Puis, vers la fougère.

Tout en marchant, il tâte la chouette au fond de sa poche: fascinante créature aux yeux prenants. Osera-t-il la remettre à une des deux religieuses?

Un glissement de jupe le fait sursauter. Il se retourne vers un visage qui esquisse un léger sourire.

— Je suis sœur Sainte-Clothilde. Je suis la sœur du docteur Lafresnière. Est-ce qu'il va bien?

— I am Sam Fitzpatrick.

— Ah, je vois: vous êtes Anglais. Ce ne sera pas long. Sœur Sainte-Julienne est partie chercher Marie-Jeanne. Excusez-moi.

Elle s'éclipse. Glissant sa jupe noire sur les planches de chêne. Tout en la suivant du regard, Sam aperçoit, au fond du couloir, une jeune personne près d'une religieuse. Cette jeune personne porte des nattes et tente d'accorder son pas à celui de sa compagne. Son fin visage est penché très humblement et elle porte ses mains à la taille, comme les religieuses, et l'ignore tout à fait en passant devant lui. La porte se referme pour la troisième fois.

— Chère enfant, commence sœur René-Maria, je vous ai fait venir ici pour un motif très sérieux. Vous pouvez vous asseoir. (Elle désigne une chaise d'un geste de la main.) Nous avons ici une lettre qui nous vient d'un médecin qui soigne votre père et, apparemment, celui-ci désire se convertir avant de mourir.

Marie-Jeanne pâlit.

— Il vous a demandée. Allez-vous nous quitter pour sauver son âme et perdre la vôtre? Il me semble que vous aviez émis le souhait de devenir postulante, n'est-ce pas?

— Oui, ma sœur.

— C'est une grande faveur que je vous accorde, chère enfant. Une grande faveur car habituellement, nous refusons les sauvagesses. Étant donné la bonne volonté que vous avez manifestée jusqu'ici, je veux bien plaider votre cause auprès des autorités. Mais si vous entreprenez ce voyage, avec le jeune... homme qui nous a apporté cette lettre, je serai dans l'incapacité de prouver votre innocence et votre pureté.

— Qu'est-ce qui est arrivé à mon père?

— Ce n'est pas mentionné dans la lettre. Est-ce que vous voulez la lire?

116

— Non. Je vous crois.

— Alors, répondez à ce médecin que vous entrerez bientôt en vie religieuse et que cette seule pensée suffira à sauver votre pauvre père. Dites-lui que vous prierez pour le salut de son âme. Vous allez vous unir au Christ, mon enfant. Pouvez-vous vous refuser à lui?

— Je veux du temps pour penser.

— Vos hésitations dénotent une grande instabilité. Vous me décevez, Marie-Jeanne. N'a-t-Il pas dit d'abandonner père et mère pour Le suivre?

— Oui, Il l'a dit.

— Alors, pourquoi hésitez-vous?

— Je... J'écrirai, ma sœur.

— C'est bien, mon enfant. C'est très bien. Allez rédiger votre lettre et venez me la montrer.

— Oui, ma sœur. Est-ce que je peux demander des nouvelles sur la santé de mon père au messager?

— Oui. Sœur Sainte-Julienne vous accompagnera.

— Merci, ma sœur.

La jeune fille se lève, fait une révérence et suit docilement sœur Sainte-Julienne. Celle-ci la dirige vers Sam en expliquant:

— Vous ne comprendrez pas grand-chose. Il parle anglais.

Le cœur de Marie-Jeanne bondit en voyant Sam. Son teint hâlé, la bande de cuir sur son front, ses mocassins et, surtout, l'odeur de forêt attachée à ses vêtements la replongent aussitôt dans son enfance. Et elle comprend soudain la gravité de la situation. Gros-Ours, son père, est mourant. Elle se rappelle alors tout ce que veut dire Gros-Ours. Ce n'est plus un simple nom. Un simple souvenir. C'est un être entier, un être réel. Un être dont elle connaît la chaleur pour avoir dormi dans ses bras. Un être dont elle connaît la force, pour avoir voyagé sur ses épaules, un être dont elle connaît la patience pour avoir appris à ses côtés, un être dont elle connaît l'amour pour avoir chaussé les mocassins qu'il avait fabriqués. Un être solide et doux. Gros-Ours. Gros-Ours ressuscite en elle. Elle le voit clairement à travers Sam. Elle voit la vie et la liberté collées à sa peau. A ses gestes.

Comment a-t-elle pu vivre si longtemps loin des vraies choses. Son père la demande. Son père va mourir. Son père lui envoie ce jeune homme. Elle regarde Sam dans les yeux et comprend que celui-ci la reconnaît pour la fille de Gros-Ours. Il tend alors sa main vers la sienne et y dépose un petit objet de bois. Elle regarde.

La chouette. Ces yeux prenants, fixes et dorés. Ces yeux qui la transpercent, la paralysent et provoquent la même exaltation qu'elle avait connue dans la cabane de jeûne. Comment son père a-t-il pu rendre avec tant de vérité l'image qui l'avait hantée à

cette époque? A-t-il habité son cerveau? Son cœur? La connaît-il
à ce point qu'il connaît les apparitions qui l'ont marquée?

Les yeux dorés l'hypnotisent. Alors, sans pouvoir en détacher son regard, elle annonce fermement:

— Je partirai voir mon père.

— Doux Jésus!

Claquement de porte. Sœur Sainte-Julienne s'est engouf-
frée dans le bureau de la Supérieure. Sourdes exclamations
derrière le bois verni. Apparition de sœur René-Maria qui se
précipite vers Marie-Jeanne en faisant voler ses jupes funèbres.
Elle fonce sur elle comme un train aveugle.

Une très ancienne peur émerge dans les souvenirs de
l'Indienne. Une peur de petite fille esseulée qu'un vol d'outardes
bouleverse. Cependant, elle se redresse et serre son fétiche dans
ses doigts. Elle s'accroche à lui avec une force nouvelle et une
force nouvelle l'inonde en même temps que la peur. Cette femme
qui fonce sur elle ne saura venir à bout de sa décision: elle ira
retrouver son père. C'est lui qui l'a demandée et c'est la
Chouette qui l'ordonne. Et c'est également la Chouette qui
répondra à sœur René-Maria. De sacré à sacré.

— Qu'est-ce que sœur Sainte-Julienne me raconte, Marie-
Jeanne? Êtes-vous vraiment décidée à retrouver votre père?
débute-t-elle d'un ton doucereux.

— Oui.

— P'tite sauvagesse! P'tite pécheresse! Après tout ce que
vous nous devez! J'avais donc raison de douter de votre pré-
tendue ferveur. Vous n'êtes qu'une hypocrite, une menteuse,
une vaurienne.

— Je dois rien. J'ai travaillé aux lessives et je nettoie les
chambres des malades et je les veille aussi la nuit. Ça fait
longtemps, ma sœur, que j'essuie du vomi et des crachats. Je
dois rien.

— Comme c'est touchant! réplique d'un air ironique la
Supérieure, vous avez vraiment tout compté. Alors, vous n'avez
rien donné, ni à Dieu, ni aux autres.

— Vous aussi, vous comptez ce que j'ai coûté.

— Je vous ai bien jugée dès le premier jour. On ne peut rien
faire de bon avec une sauvagesse. D'ailleurs, vous avez de qui
tenir. Votre père n'est qu'une brute; il a fait de la prison. C'est
un être grossier, sale, impoli.

— Laissez mon père tranquille.

— Il n'a fait que vous donner le mauvais exemple. Il ne
vous a enseigné que la révolte et la haine.

— Non. Pas lui, mais vous. Avant les Blancs, j'étais bien,
j'étais heureuse. Et après les Blancs, j'étais malheureuse. Ils
nous ont écrasés comme des fourmis. Les Blancs m'ont montré la
haine. Les Blancs m'ont forcée à la révolte.

— Comprenez donc que c'était pour votre bien. Nous vous avons éclairés de la lumière de notre foi.

— Dans votre foi, les Indiens ne sont pas égaux aux Blancs. Mais à Ses yeux, je sais que nous sommes égales, termine Marie-Jeanne sur un ton respectueux en pointant le crucifix au cou de sœur René-Maria.

Un silence s'établit. Tenace et pénible. Marie-Jeanne entend battre son cœur en elle. Ses genoux et ses mains tremblent. Un froid soudain l'envahit et lui donne envie d'uriner. Sœur René-Maria tente de l'intimider de son regard accusateur. Bravement, la jeune fille relève le front et supporte le blâme. Sa supérieure, momentanément désarçonnée par cette attitude, glisse un regard fuyant vers son crucifix.

— Au moins, je ne l'abandonne pas pour un fétiche d'oiseau.

Silence plus pénible encore. Le cœur de la Chouette bat à tout rompre.

— Je ne l'abandonne pas.

— Si. Vous l'avez abandonné pour un oiseau de bois. Que vaut une foi si facilement ébranlable? Au fond, je suis bien contente de vous voir sous votre vrai jour. Vous êtes indigne d'entrer en vie religieuse et même, vous êtes indigne de votre baptême. Partez! Sœur Sainte-Julienne, vous la fouillerez avant le départ, afin qu'elle ne nous vole pas.

Sur ce, la Supérieure virevolte si brusquement que son voile gifle les pommettes enflammées de Marie-Jeanne.

La petite chapelle vide. Un crucifix au-dessus de l'autel. Une femme en prière sur un banc.

« Je ne vous abandonne pas, mon Seigneur. Vous qui êtes le Maître de l'air et de l'eau. Le Maître des animaux et des hommes. Vous qui connaissez le fond des mers et le fond des cœurs, vous savez que je vous aime et que je crois en vous. » Les paroles se tarissent dans le cœur de la jeune Indienne, faisant place aux images. Ses forêts ressurgissent nettement avec toute leur richesse et leur sagesse. Assis sur une grosse pierre, le Christ caresse un lièvre et tous les animaux font cercle autour de lui: le loup côtoyant le chevreuil et le renard côtoyant la perdrix. Une belle lumière les baigne tous et elle voit luire chaque cheveu du Christ et luire le poil lustré des animaux. Elle voit l'éclat des prunelles du castor, de la loutre, de la belette. Le velouté des yeux du chevreuil. La candeur de ceux du lièvre. Et, sur une branche, brille le feu des yeux de la chouette. Le Christ l'appelle et la voilà près de lui. Comme Il lui parle doucement en caressant sa tête duveteuse. Comme Sa main est calme. Des ondes de paix et d'amour irradient de ses paumes. La chouette se transforme en jeune Indienne et le Christ lui sourit. Le gros ours devient l'image de son père. Et le Christ leur ouvre les bras en disant: « Aimez-vous les uns les autres. »

Marie-Jeanne contemple ces images religieusement. Une cloche annonce l'heure du chapelet et la surprend. Vite! Elle se relève et, après une génuflexion hâtive, quitte la chapelle en espérant éviter la rencontre avec la congrégation. Mais, peine perdue, elle croise le peloton d'exécution au premier couloir. La marée humaine et réprobatrice déferle devant elle, la mitraillant de regards offusqués.

D'un pas pressé, elle se dirige à l'hôpital où agonise sœur Framboise, ou plutôt sœur Marie-Ange. Elle la trouve dans son lit inconfortable, respirant péniblement dans une chambre à peine plus grande qu'un placard. La vieille somnole, tenant sur sa poitrine son crucifix égratigné. Marie-Jeanne remarque ces pauvres mains distordues qui lui ont enseigné à tenir un crayon et son âme se remplit de reconnaissance et de pitié.

— C'est toi, mon enfant?

— Oui, ma sœur.

— On m'a dit que tu partais.

— Oui, ma sœur.

— Pour soigner ton père?

— Oui, ma sœur.

— C'est bien, ça... c'est très bien, affirme sœur Marie-Ange en esquissant un beau sourire.

Puis elle hoche la tête et répète:

— C'est bien.

— C'est pas ce qu'elles disent.

— Ne t'en fais pas pour ce qu'elles disent... Je suis vieille et je sais que je mourrai sous peu... Ce que j'ai accumulé de pensées dans ma vie, c'est à toi que je le laisserai, mon enfant. C'est comme mon héritage.

Elle tend ses mains pour accueillir celles de la jeune fille. Marie-Jeanne les trouve chaudes et aimantes. Des mains de grand-mère. Elle ferme les yeux et se met à parler de cette voix faible qu'ont les grands malades.

— J'étais une jeune fille laide... n'ai pas pu me marier... on était pauvre aussi... n'ai pas eu de dot. Je suis rentrée par la porte de la salle de lavage. Quand on entre en communauté par la porte de la salle de lavage, on reste dans la salle de lavage. Si on entre par la grande porte, avec une belle dot, on gravit des échelons de plus en plus hauts. Mais, vois-tu mon enfant, ces échelons-là ne nous mènent pas au Christ. Ce sont les travaux humiliants de la salle de lavage qui mènent à Lui. C'est l'amour qui mène à Lui. Là où l'on retire de la gloire et de l'argent, là, n'est pas le Christ. Et des fois... hi! hi! hi! j'imagine qu'Il revient parmi nous et... hi! hi! hi! Il brise nos temples de prières qu'on vend banc par banc. Il jette tout cet or et ces statues. Et Il s'occupe de nous, les petits, les pauvres, les laids.

— Les Indiens, poursuit Marie-Jeanne d'une voix émue.

— Oui, les Indiens. Ton père est malade. Va prendre soin de lui. Comme j'aimerais avoir une enfant qui prenne soin de moi. J'aurais aimé avoir des petits. Oui... je les aurais aimés, mes petits. Vite! Va vers ton père. Je peux imaginer ce que ressent son cœur.

— Oh! sœur Framboise! s'exclame Marie-Jeanne en se penchant vers elle et en l'enlaçant.

— Comment m'as-tu appelée? demande la vieille en tenant dans ses mains tremblantes les longues tresses de la jeune fille.

— Excusez-moi, ça m'a échappé.

— Tu as bien dit sœur Framboise?

— Oui.

— Comme c'est mignon! C'est à cause de mes poils?

— Oui.

— Et je parie que tu m'as surnommée ainsi depuis notre première rencontre?

— Oui, avoue l'Indienne en rougissant.

— Ne rougis pas... je ne suis pas fâchée. Sœur Framboise... hi! hi! hi! Tu aurais dû me le dire avant... j'aurais ri. Agis toujours selon ton cœur. Je sais que tu as bon cœur. Tu es belle, toi. Tu n'as pas à faire une religieuse comme moi. Tu pourras glorifier Notre-Seigneur en chacun de tes enfants. « Il n'est pas bon qu'un arbre reste stérile. » Je suis comme une terre sans fruit. Rien ne continue mon sang. Rien ne continue mes croyances. Va vite, Marie-Jeanne... et ne crois pas que je suis devenue folle avec le temps et la maladie.

— Je crois pas ça.

— Et garde-toi pure pour celui que tu aimeras.

— Oui, ma sœur.

Marie-Jeanne s'avance et baise tendrement le front plissé de la vieille. Celle-ci se met à larmoyer soudainement.

— Il y a si longtemps, balbutie-t-elle, je crois que la dernière fois qu'on m'a embrassée sur le front... c'était quand j'étais une toute petite fille. La fois que j'avais été malade... ma maman m'avait veillée. Donne encore... un dernier.

Marie-Jeanne répète son geste.

— Des fois... je me demande si le vrai sacrilège n'est pas de se fermer à la vie. Va mon enfant. Vis et prie pour moi.

Le vrai sacrilège: se fermer à la vie. Se fermer à la neige éclatante de lumière, se fermer au grondement des torrents, aux cris rauques des corneilles. Se fermer à l'air frais qu'on respire et à la chaleur des rayons sur la peau. Se fermer au bercement du cheval, se fermer aux chemins, aux sentiers, aux forêts. Se fermer à toute présence humaine. A toute odeur, toute chaleur. Toute sympathie. Se fermer à la vie! Marie-Jeanne soupire et calcule le temps qu'elle a perdu dans la salle de lessive. Quelle atmosphère insoutenable elle a dû soutenir! Elle en frissonne encore. Les bras de Sam se serrent davantage contre elle pour la réchauffer. Elle en éprouve une sensation de bien-être mêlée de remords de conscience mais ne peut se permettre de refuser cette chaleur humaine, les sœurs ne lui ayant laissé que sa tunique noire et ses souliers d'été. Que de compassion elle avait perçue dans le regard éloquent de Sam, à sa sortie de l'établissement. Il semblait vouloir lui faire comprendre quelque chose et avait aussitôt offert son mackina qu'elle avait refusé. Il avait insisté; elle aussi. Après tout, une Indienne saurait bien s'adapter aux conditions climatiques. Mais, dès la première nuit, elle se mit à grelotter si fort qu'elle accepta le vêtement. Par la suite, lorsqu'ils furent à cheval, ils se le partagèrent selon la direction du vent. Sam le lui laissait toutes les nuits, trouvant sa chaleur près de Robin.

Pour la première fois depuis sa sortie, Marie-Jeanne se sent redevenir Biche Pensive. Lentement, à chaque pas du cheval, elle se retrouve. Son âme égarée retrouve enfin ses racines et les racines plongent dans les puits profonds afin de redonner vie. En un rien de temps, sa peau a retrouvé sa teinte cuivrée; son œil, l'habitude de déceler le mouvement du gibier; ses oreilles, une sensibilité peu ordinaire. Ses narines palpitent à tous les parfums et les identifient. De temps à autre, l'image du Christ parmi les animaux la visite et elle s'impatiente de la longueur du trajet. Déjà, elle se voit convertissant son père.

Ces pensées se heurtent dans sa tête et, avec désagrément, elle revit l'algarade avec sœur René-Maria. Malgré elle, son cœur se remplit d'amertume. Elle revoit aussi sœur Framboise qu'on accuse de folie et qui lui semble la plus saine de toutes, et son cœur se gonfle de reconnaissance. Elle imagine son père et l'angoisse crispe son âme. Finalement, elle pense à Sam et des remords effleurent ses gestes fraternels. Il la couve comme un bien très précieux, elle qui a été négligée dans la salle de lessive. Il la respecte et respecte ses moindres désirs. Est-ce un péché d'apprécier toutes ces marques d'amitié? Et est-ce de l'amitié? Que sait-elle de l'homme maintenant qu'elle est une femme? Que sait-elle de cet homme blanc? Quelles sont ses intentions? Outre son père et le représentant du Christ, elle n'en a guère connu. Que sait-elle de l'amour? Que sait-elle de son propre corps? Est-ce un péché ce sentiment de sécurité qu'elle trouve contre le corps chaud du jeune trappeur? Cette proximité tourne-t-elle au vice lorsqu'elle sent battre le cœur vigoureux de son compagnon dans son dos? Aggrave-t-elle les plaies du Christ en se comportant de la sorte? Perdra-t-elle sa pureté? Est-elle déjà une pécheresse?

Elle ne peut répondre à toutes ces questions. Biche Pensive n'est encore qu'une petite fille de douze ans. La dernière image qu'elle a des hommes blancs n'engendre qu'une solide volonté de vengeance à leur égard. Il y avait ce canon posé sur le cœur de son père et l'allure injustement fière de ces hommes.

Son corps de femme habille l'esprit d'une enfant. Le domaine masculin lui a été interdit à l'âge où toutes les curiosités éclosent. Curiosités qu'elle n'a pu assouvir. Questions qu'elle a refoulées en elle et qui émergent maintenant. Questions demeurées sans réponses. Quelle autre femme pourrait la renseigner? Sa mère est morte depuis belle lurette. Et grand-mère aussi. Et sœur Framboise? Oui, peut-être. « Tu glorifieras le Christ en chacun de tes enfants », disait-elle. Des enfants? Elle? Des enfants! Devenir le temple de vie. Par quel péché devra-t-elle passer pour accéder à tant de grandeur? Comme toutes les femmes, il lui faudra devenir immorale pour être mère. Pour que sa chair féconde, il lui faudra succomber à son péché. Ah! Qu'elle aimerait, comme Marie, engendrer d'un Dieu. Se réussir pleinement comme femme sans se salir avec l'homme. Se garder pure pour celui qu'elle aimera. Et si celui-ci était Jésus?

Elle se redresse, s'éloignant quelque peu de Sam. Celui-ci n'insiste pas.

Biche se retourne et est surprise de la légère expression de tristesse chez lui. Pour effacer sa froideur subite, elle lui adresse un large sourire.

Le vrai sacrilège: se fermer à la vie, jongle-t-elle en guettant le sous-bois où les bonds d'un écureuil la ravissent.

L'esprit de Philippe vacille comme la lueur de la lampe. De gauche à droite, sa tête roule, accablée de fatigue et d'inquiétude. Des gémissements le tirent de sa somnolence. Il plonge alors une serviette dans le plat d'eau et éponge le front brûlant de Gros-Ours. Celui-ci délire et semble vivre d'affreux cauchemars. Philippe tâte le pouls du patient. Cette vie, qu'il analyse sous ses doigts sensibles, le fascine. Il a l'impression de toucher tout le cœur de Gros-Ours. De connaître sa souffrance et ses angoisses. Viendra-t-elle cette fille qu'il attend? Viendra-t-elle comprendre son langage? Viendra-t-elle se pencher sur lui et éclairer peut-être ses derniers moments? Oui, peut-être les derniers moments avec cette pneumonie aggravée par les fractures aux côtes.

Philippe soupire et pose ses doigts sur ses yeux brûlants de sommeil. Il doit veiller son patient. Il le respecte trop pour le laisser mourir tout seul. Et, s'il a à mourir, il se sent obligé de l'accompagner jusqu'au dernier souffle.

Pourtant, qu'il aimerait dormir! Juste un peu. Là, sur la table d'opération puisque Gros-Ours occupe son lit. Depuis l'arrivée de ce patient, il a gagné la confiance des gens du village et a dû passer trois nuits blanches pour des accouchements, qui relevaient habituellement de la sage-femme. Un des pères a eu une crise cardiaque et quatre enfants sont atteints de la rougeole. Il se sent soudainement divisé et indispensable car presque tous ces cas sont sérieux. Heureusement, il a compris qu'il intimidait ces gens et que ceux-ci n'osaient le déranger.

Viendra-t-elle cette fille? Et Sam? S'est-il rendu? Ou aurait-il pris la clé des champs avec une bête splendide? Après tout, il ne connaît rien de Sam. Ni même de Gros-Ours. Et encore moins de cette fille dont il exige le retour pour la guérison du père. « Non. Non. Ils sont sur le chemin du retour. Sam et une grosse courtaude dormant à la belle étoile. » Un sourire moqueur anime ses traits. « Pauvre Robin, soliloque-t-il pour se tenir éveillé. A l'aller, c'est la poche de patates et au retour, ce sont deux poches de patates que tu trimbales. »

Il ne sait pourquoi il conçoit ainsi la « squaw ». Une grosse courte avec un visage gras, des nattes grasses et un chapeau à plumes. Peut-être est-ce à cause de la solide constitution du père qu'il se crée cette image.

On frappe soudain à la porte. Il se lève d'un bond. S'empare de la lampe et va ouvrir.

— Docteur Lafresnière? demande une douce voix de femme.

Il lève la lampe et reste pétrifié devant la jeune Indienne dont la beauté singulière le ravit. Derrière ce visage attirant, il voit briller les yeux emballés de Sam.

— Je suis Marie-Jeanne Sauvageau.

Philippe recule pour les laisser entrer.

— Entrez! Entrez! Vite, ne refroidissez pas la pièce. Vous avez voyagé de nuit?

— C'est pleine lune.

Des gémissements venant de la chambre bouleversent la jeune fille. C'est avec peine que Philippe voit s'inquiéter son beau front et ses yeux extrêmement envoûtants.

Sans même attendre son consentement, Marie-Jeanne s'est précipitée au chevet du malade. De ses longues mains, elle caresse le visage trempé de son père et lui parle en algonquin. Celui-ci ouvre alors péniblement les paupières et, en l'apercevant, l'attire à lui.

— Biche Pensive. Biche Pensive, gémit-il en l'étreignant.

Elle entend le souffle difficile au creux de cette poitrine brisée. Elle retrouve la musique de sa langue maternelle. Elle retrouve, malgré maladie et blessures, la puissance de Gros-

Ours. Il parle. Il parle beaucoup. Essoufflé et heureux. Il se débat contre ses délires et tente de lui expliquer qui est Sam.

— Sam? Viens mon fils. Où es-tu?

Un sourire de gratitude anime ses traits en voyant le jeune trappeur s'installer sur la chaise du médecin. Gros-Ours se met à rire, puis à tousser, puis il s'étouffe.

Philippe accourt et le soulève pour l'aider à respirer. Voyant le danger écarté, il le recouche délicatement, éponge à nouveau son front.

— Il faut le laisser dormir, mademoiselle.

— Je veillerai.

— Non. C'est mon ouvrage.

— Je l'ai déjà fait à l'hôpital. Vous êtes fatigué, docteur. Je vous en prie, laissez-moi m'occuper de mon père. Vous avez fait beaucoup pour nous.

— Cet homme est un très grand sorcier, chuchote Gros-Ours à sa fille. Fais tout ce qu'il te dit. L'esprit de la chouette l'habite. C'est un vrai sorcier.

— Dors papa, je te veillerai.

Gros-Ours presse avec amour les doigts de sa fille dans sa paume chaude et s'endort en souriant.

— Je vous avertirai, docteur, si quelque chose allait mal.

— Comme vous voulez. Je ne serai pas loin. Je dormirai ici, sur la table d'opération.

— Et Sam?

— Il pourra dormir près du poêle... Je vais aller soigner mon cheval.

Le médecin sort. Robin hennit en le voyant et le salue par de larges mouvements de tête. Sa crinière noire frange un instant la lune d'argent.

L'homme l'approche, caresse son museau velouté, inspecte ses flancs amaigris et le dirige vers l'écurie en lui parlant comme à un enfant.

En ouvrant la porte, Philippe sent la bête presser le pas vers sa mangeoire. Il la laisse aller vers l'auge débordante.

Son ouvrage terminé, il s'attarde à regarder la lune, incapable d'analyser le sentiment bizarre qui germe en lui. Il se sent remué jusqu'au fond de son cœur sans en connaître la raison. Est-ce la scène des retrouvailles? Ou l'arrivée de Marie-Jeanne Sauvageau? En se redessinant son visage harmonieux, son sentiment s'amplifie ainsi qu'une colère inexplicable à l'égard des yeux épris de Sam. D'ailleurs, celui-ci semble avoir gagné beaucoup d'importance aux yeux de Gros-Ours et de sa fille. Tantôt, ils l'ont regardé comme un héros, et, quand Sam s'est emparé de sa chaise, il a vu ses longues heures de veille bafouées en un rien de temps. Et cette reconnaissance qu'il a lue dans leurs prunelles! Pourquoi ne l'ont-ils pas regardé, lui, avec cette sincère reconnaissance? Bien sûr, la jeune Indienne a dit qu'il avait fait beaucoup pour eux, mais ce n'était que des mots très polis. Et puis, pourquoi cherche-t-il tant leur gratitude? Il n'a fait que son devoir. Pourquoi demande-t-il autre chose que des mots ou de l'argent. Se serait-il tant attaché à son premier patient? Désire-t-il pénétrer davantage dans cette famille nouvellement réunie et être considéré comme un des leurs?

Il tente de chasser toutes ses pensées par le souvenir d'Amanda et de ses filles, se sentant coupable à leur égard. Amour et reconnaissance ne doivent-ils pas découler de sa propre famille? Perplexe, il s'achemine d'un pas lent vers son bureau.

Les ronflements de Sam près du poêle l'accueillent, ainsi que le souffle irrégulier de Gros-Ours qu'il diagnostique instinctivement comme stationnaire.

Marie-Jeanne s'est retournée vers lui. Il ne peut s'empêcher de lui sourire.

— Réveillez-moi, si ça va mal.

— Oui, docteur.

— Alors bonne nuit.

— Bonne nuit, docteur, et merci.

— Mais de rien.

Il détache son col, ses poignets. Enlève ses grandes bottes de cuir et s'étend pesamment sur la table, sans oreiller ni couverture, sombrant aussitôt dans un sommeil réparateur.

L'aube nouvelle. Nouvelle pour elle, nouvelle pour son père. L'aube des nouveaux jours à venir.

Biche Pensive brasse les tisons du poêle et ranime le feu pour chasser l'humidité et se faire un thé. Un crépitement familier se fait entendre tandis qu'une bonne odeur envahit la petite pièce.

Roulé en boule près du poêle, Sam dort à poings fermés. Le médecin marmonne et se retourne sur sa table. Il doit avoir froid, se dit Biche Pensive. Elle pense un instant à le couvrir avec le mackina de Sam mais se ravise. Est-ce décent? Cet homme pourrait s'en offusquer. Et puis elle a hâte qu'il se réveille pour le questionner davantage sur l'état de son père. C'est lui qui a écrit la lettre. Comment pouvait-il avancer que Gros-Ours désirait se convertir puisqu'il ne parle pas sa langue et que Gros-Ours lui-même ne lui en a pas touché mot? Tout cela l'intrigue et elle ne trouve aucune réponse à cette énigme.

L'eau bout. Elle cherche le thé.

— Il est dans la petite armoire, indique le médecin.

Il s'avance dans la pièce, les cheveux défaits et la chemise entrouverte sur sa poitrine de marbre.

Biche Pensive sursaute et fouille nerveusement dans

l'armoire. Lorsqu'elle revient près du poêle, elle s'affaire à préparer le thé sans oser regarder l'homme qui se réchauffe.

— Faites-en beaucoup.

— Oui, docteur.

— Votre père a-t-il bien dormi?

— Oui, docteur.

— Et sa fièvre?

— Encore élevée.

— Hmm... Je crois qu'il ira mieux quand même.

— Pourquoi?

— Parce que vous êtes là.

— C'est vrai qu'il veut se convertir?

— Non. Je l'ai inventé pour qu'elles vous laissent partir.

— Vous avez menti?

— Je devais mentir; je les connais. Ma sœur fait partie de cette congrégation, sœur Sainte-Clothilde, vous connaissez?

— Oui.

— Est-ce qu'elle va bien?

— Oui.

Après un instant d'hésitation, elle demande à nouveau:

— Il ne veut pas se convertir?

— Non.

— Votre thé est prêt, docteur, dit-elle incapable de cacher sa déception.

Elle verse le liquide brûlant dans une tasse. Philippe l'observe un moment avant d'avaler une gorgée. Elle garde les yeux baissés et n'ose plus se servir à boire: intimidée et déroutée.

— Prenez-en du thé.

— Oui, docteur.

— Vous m'en voulez?

— Non. Vous avez bien fait. Qu'est-ce qu'il a au juste? Sam ne parle pas notre langue.

— Il a reçu un érable sur le dos. Il y a eu fractures ouvertes des vertèbres lombaires avec endommagement sérieux du nerf sciatique, plus des fractures ouvertes aux côtes. Le tout s'est aggravé d'une pneumonie.

— Ah.

— Excusez-moi, je crois que vous ne comprenez pas plus mon langage que celui de Sam. Mademoiselle, l'état de votre père est critique: je doute qu'il puisse marcher à nouveau.

C'est alors qu'elle lève vers lui son regard affolé et rencontre le sien. A la vue des prunelles dorées penchées sur elle, elle échappe un petit cri et recule d'un pas.

— Mon Dieu! Avez-vous peur de moi?

Elle recule encore. Il la saisit alors par les épaules et la retient doucement.

— Pourquoi avez-vous crié?

— Pour rien, laissez-moi, supplie-t-elle sans conviction.

— Pourquoi avez-vous peur de moi? insiste Philippe en s'avançant davantage.

La jeune femme s'immobilise brusquement et le corps de l'homme vient heurter le sien dans sa poursuite. Un vertige terrible s'empare d'elle et remue ses entrailles. Son ventre frémit comme jamais encore il n'a frémi. Bravement, elle plonge à nouveau son regard dans celui de Philippe. La voilà subjuguée, hypnotisée. L'effroi grandit en elle. L'effroi, l'admiration et quelque chose d'autre encore. Quelque chose qui se lie à sa chair, qui électrise ses cuisses et son ventre, qui se ferme comme une main sur ses poumons, qui assèche sa gorge. Comment réussit-elle à se tenir debout sous ce regard de dieu? Où puise-t-elle la force pour le soutenir?

Cet homme sait-il qu'elle n'est plus qu'une jeune fille de douze ans, fascinée par le grand sorcier blanc? Une fillette guidée par l'esprit de la chouette? Une fillette dont les délires furent envahis par des yeux aussi dorés et aussi magiques. Une fillette qui se soumettrait à sa volonté. S'il lui disait: « Sers-moi un autre thé », elle lui obéirait. S'il lui disait: « Couche-toi là, ouvre tes jambes! » elle lui obéirait. « Déshabille-toi », elle lui obéirait. Les pensées tourbillonnent à vive allure dans sa tête fatiguée.

— Pourquoi avez-vous peur de moi? répète-t-il très doucement.

— Vos yeux.

— Qu'est-ce qu'ils ont?

— La couleur.

— Je la sais rare mais pas terrifiante. Est-ce si laid?

— Oh non! docteur. C'est beau! s'exclame-t-elle.

Il sourit. Elle poursuit, intimidée par sa déclaration spontanée.

— Certains dieux des Indiens ont des yeux comme ça.

— Les dieux-hiboux?

— Non. L'esprit de la chouette. C'est mon esprit gardien.

— Ah bon!

Elle baisse finalement les yeux, se sentant ridicule. Elle qui a fait un si long voyage pour convertir son père à la religion du Christ, la voilà défendant la religion algonquine devant ce médecin blanc.

Il laisse finalement tomber ses mains qui lui tenaient les épaules et dit d'une voix ferme:

— Je ne veux plus que vous ayez peur de moi.

— Je n'aurai plus peur.

Il lui soulève le menton pour l'éprouver. Un sentiment merveilleux le trouble et l'excède à la fois. Il n'ose s'abandonner à l'euphorie qui veut le gagner et écoute battre son cœur en lui. Fortement. Comme un marteau. Pourquoi est-il si bouleversé devant cette jeune femme qui croit encore au sorcier? L'idée l'effleure un instant de l'embrasser et de la serrer contre sa poitrine, mais il la chasse rapidement, honteux, en pensant à sa femme et à ses filles.

Il s'éloigne d'elle, le cœur noué de désirs et de remords et va regarder à la fenêtre pour se donner contenance.

— Qu'est-ce que vous allez faire de votre père s'il ne marche pas? demande-t-il à brûle-pourpoint.

— J'en prendrai soin.

— Où?

— Je ne sais pas. Dans les bois; c'est la place des Indiens.

— Il aura besoin d'une longue convalescence et il doit être sous mes soins immédiats jusqu'à ce que je le juge suffisamment guéri.

— Oui, docteur.

— Quel travail faisiez-vous chez les religieuses?

— La lessive.

— J'essaierai d'en parler aux pères afin qu'ils vous laissent la chambre et vous pourrez la payer en travaillant. Ça vous va?

— Oui. Merci.

— Ainsi vous pourrez être près de votre père et Sam pourra organiser quelque chose pendant ce temps-là.

— Vous avez raison. Il pourra monter le campement et vendre les fourrures. Mon père l'a adopté.

— Ah. Et vous?

— Moi?

— Vous l'avez adopté?

— Comme mon frère.

— Eh bien! Lui, il ne vous a pas adoptée comme sa sœur.

— Quoi?

— Ça se voit dans ses yeux. C'est vrai qu'au couvent on ne vous apprend pas à lire dans les yeux des hommes.

— Est-ce que les hommes savent lire dans les yeux des religieuses?

— Il n'y a pas grand-chose dans leurs yeux.

— Sœur Fram... Marie-Ange avait beaucoup de choses dans ses yeux.

— Quelle sorte de choses?

— De la bonté, de la douceur.

— Et dans les yeux de sœur Sainte-Clothilde?

— Je ne sais pas.

— Moi, je sais.

Un silence.

— C'est un chagrin d'amour qu'il y a dans les yeux de sœur Sainte-Clothilde.

Il s'arrête net, déconcerté par son attitude. A l'instar du fiancé infidèle de sa sœur, n'a-t-il pas trompé sa femme lui aussi. En pensée, du moins.

— Versez un autre thé. Sam se réveille.

L'ail des bois déjà sorti dans les couches noires et humides de la terre. Noir le plumage de la corneille couveuse. Passé les voiliers d'outardes avec leurs cris sauvages qui rappellent l'idée des cycles éternels.

De la forêt montent les chants d'amour, tantôt de l'inlassable grenouille, tantôt du rossignol. Dans les aiguilles mortes, la perdrix bat des ailes amoureusement. Les graines éclosent, les racines s'accrochent, les tiges percent. Les unes se déroulent, les autres s'épanouissent. Le vent promène les semences, les tamise sur l'eau des lacs et des étangs. Verts, les étangs. Verts de pollen et d'œufs limoneux. Porteurs de continuité.

Un miracle s'accomplit en tout ce qui est vie. Seules les pierres demeurent stériles. Pour elles point de retour, point d'enfantement, point de cycle, point de continuité. Le tronc des arbres enfle, leurs bras grandissent, leurs pieds s'enfoncent. Au bout des branches éclatent les bourgeons et les fruits. La sève coule le long des épinettes et des pins. La sève regorge de partout. Pays de sève. Pays de renaissance. Explosion de vie après la longue inertie de l'hiver. Sous sa robe blanche, mère nature couvait ses petits. La robe est partie. Les petits apparaissent. En tout et sur tout. Dans les entrailles de la terre comme au plus profond des eaux, ils germent.

Des lointains pays du Sud, ils reviennent peupler le ciel de leurs voix familières.

De son lit, Gros-Ours devine tout ce printemps qui fourmille. Un merisier en fleurs, penché à sa fenêtre, lui en raconte la grande épopée. Dans le silence de la maladie, il a entendu revenir les outardes et maintenant, il associe un oiseau à chaque chant qu'il entend. On pourrait croire que ces chants le bercent mais ils l'inquiètent. Tous ces mouvements lui rappellent qu'il n'en aura probablement plus.

Biche Pensive le soigne régulièrement entre ses heures de travail. Tous les jours, il contemple ce visage perdu et retrouvé, essayant de retracer les traits de la puberté et de l'adolescence. Quelle allure avait sa fille à quatorze ans? Quinze ans? Seize ans? Il lui manque toutes ces années pour la comprendre puisque la voilà femme, la voilà belle, la voilà réservée. Il essaie de retrouver cette petite dont les tresses battaient les flancs un peu maigres, qui se révoltait à la pointe du canot. Où est cette enfant? Quel lien entre elle et cette belle créature aux mains dévouées qui le lave, le panse, le nourrit. Cette belle créature qui le gêne un peu et avec qui il a du mal à rétablir un contact. Quel lien? Quelquefois, il a envie de lui demander où est Biche Pensive. De lui demander qu'elle lui ramène sa petite fille. Mais il se ravise. Lui sourit. Et se laisse faire. Elle retape ses oreillers, change ses draps, prend sa température et lui parle du temps qu'il fait dehors. Il le sait, le temps qu'il fait dehors. Il le sait trop. Il sait que Sam construit une petite cabane pour eux, il sait qu'il devra partir d'ici, il sait qu'il devra subir de se faire soigner comme un nourrisson. Il sait qu'il devra traverser le village, couché dans la charrette d'Honoré, lui dont les pieds ont foulé tous les recoins du pays. Il sait quel poids énorme il impose à sa fille, cette femme trop belle et trop dévouée. Cette femme qu'il a surprise à prier à son chevet. A prier le Dieu de la croix. Peut-être est-ce à cause de cela qu'il ne reconnaît plus sa fille. A cause de ses nouvelles croyances. Quelquefois, lorsqu'elle se penche au-dessus de lui, il voit pendre la chouette dont le lien de cuir s'entrelace avec la chaîne d'une croix de chapelet. Et il devine sous l'étoffe rigide de sa tunique la fermeté de ses seins. Et tout ça le travaille. Les deux religions reposant entre les seins d'une femme. Cette croix qui les a séparés et la chouette qui n'a pu vraiment les réunir, se partageant la chair douce et chaude de sa poitrine attirante. Oh! Il se pose bien des questions. Trop de questions. Comme de savoir si Biche Pensive voudra de Sam pour homme. Car il a bien perçu la flamme ardente dans les yeux de son fils adoptif, mais il n'a trouvé qu'indifférence dans les yeux de Biche Pensive à son égard. Par contre, elle rougit et devient timide lorsque le grand sorcier blanc lui parle. Gros-Ours la sent bouleversée à chacune des visites qui se font de plus en plus rares d'ailleurs, probablement à cause de sa guérison. Toutefois, elle lui en a annoncé une pour aujourd'hui.

Elle a tout remis en ordre dans la chambre et a éclairci la vitre. Elle a lavé le plancher et balayé le perron. Elle l'attend en nattant soigneusement ses cheveux. Oui. Elle l'attend. Cette impatience dans ses gestes le prouve. Son regard absent aussi. Elle l'attend. Elle l'aime.

Un pas énergique tire Gros-Ours de ses pensées et saisit Biche Pensive. Rapidement, elle termine sa tresse tandis que le médecin frappe ses longues bottes de cuir sur le perron avant de pénétrer. Il ouvre grand la porte et fait entrer avec lui les chants d'oiseaux et le parfum des floraisons multiples.

— Bonjour! dit-il en déposant sa trousse sur une chaise.

— Bonjour! répond-elle en s'avançant vers lui.

Il brandit fièrement une paire de béquilles en disant:

— Pour votre père.

— Il pourra s'en servir?

— Je ne les ai pas faites pour rien.

— C'est vous qui avez fait ça?

— Bien sûr!

Il les appuie contre le mur avant d'enlever son veston poussiéreux. D'un geste respectueux, la jeune femme en caresse le bois et s'imagine rejoindre les gestes de cet homme. Soudain, une main se pose sur la sienne et éveille ses désirs les plus intimes. Elle succombe rapidement sous la chaleur de cette paume et ferme les yeux afin d'éviter le regard du sorcier blanc.

— Regardez-moi, demande-t-il d'une voix étranglée.

Elle obéit, frémissant de peur et d'amour, et rencontre ce visage viril qui lui semble désespéré. Immanquablement, elle songe à sœur Sainte-Clothilde. Avait-elle connu de si vibrantes sensations avec son fiancé? Et comment a-t-elle pu y renoncer? Oui, comment renoncer à l'envoûtement qu'un homme exerce sur une femme? Comment renoncer à ce mal et ce bien confondus dans sa poitrine? Comment renoncer aux palpitations de son sexe? A la soif de son ventre? A l'exigence de sa nature?

Cet homme connaît-il, lui aussi, ces tourments de la passion? Pourquoi a-t-il posé sa main sur la sienne et pourquoi la presse-t-il fortement? Il semble malheureux tout à coup et n'a plus cette belle contenance qu'il avait en entrant.

— Honoré vient vous chercher demain et Sam m'a dit que tout était prêt.

— Nous partons demain?

— Oui.

— Il est guéri?

— Je ne peux rien faire de plus pour lui.

— Ah! Bon.

— Biche Pensive.. je... je suis un homme marié.

— Ah!

Elle tente de retirer sa main, épouvantée par la nouvelle, mais il s'empare de son avant-bras et l'attire contre lui. Veut-elle lui opposer une résistance? Comment se fait-il qu'elle se laisse aller vers lui? Que ses seins touchent sa chemise blanche et se dressent. Il est si près maintenant, la captivant de ses yeux d'or.

— Je... je... sais que je ne devrais pas... mais nous ne nous reverrons plus. Dites-moi que vous le voulez, vous aussi.

— Quoi?

— Que je vous embrasse. Je sais que vous le voulez et je veux vous l'entendre dire.

— Je veux... réussit-elle à prononcer.

Il s'approche. Oh! Si près. Heureusement que son père ne peut pas les voir. Le corps du médecin se presse sur le sien. Un frisson la parcourt. Ses seins se tendent. Leurs bouches s'unissent. Douces et mouillées. Quel délicieux péché! Elle sent un chapelet de baisers le long de sa joue et sur son cou. Elle fléchit sous les caresses de l'homme. Oui. Il lui dirait: « Déshabille-toi », et elle obéirait. Il lui dirait: « Couche-toi et ouvre tes jambes », et elle lui obéirait. Elle désire même qu'il le lui demande et qu'il pousse en elle sa verge durcie qu'elle sent contre son pubis. La main de l'homme s'empare de son sein gauche et le palpe. Il l'embrasse partout et souffle fort. Trop fort. De ses deux mains, elle s'empare de sa tête et l'éloigne doucement. Il lui obéit, lui, le sorcier aux yeux magnifiques. Il baisse même son front et dit tristement:

— Pardonnez-moi.

— Oui.

— Je sais que je n'ai pas le droit; j'ai une femme et quatre filles. Je me croyais un honnête homme, mais... je vous aime Biche Pensive. Je vous aime et je vous désire.

— Oui docteur.

— Et vous aussi vous me désirez?

— Oui docteur.

— Je sais maintenant ce qu'est la passion. On n'est jamais libre d'une passion: vous hantez mes jours et mes nuits. Je vous ai repoussée, je vous ai résisté, je suis venu examiner votre père le moins souvent possible et même tantôt, en entrant, je croyais m'en sortir indemne. Je croyais résister à la tentation, mais j'ai vu votre trouble. J'ai compris. D'ailleurs, depuis le premier regard, j'avais compris.

— C'est un péché. Vous êtes marié.

— Oui. Nous ne le ferons plus. Nous ne nous reverrons plus.

— C'est mieux ainsi, docteur.

— Oui. C'est mieux.

Il se détache d'elle. S'éloigne. Tente de reprendre le contrôle de lui-même. Finalement, d'une voix mal assurée, il demande:

— Comment va votre père?

— Bien.

— Espérons qu'il pourra se servir de ça, réplique-t-il en reprenant les béquilles et sa trousse sur la chaise.

De son lit, Gros-Ours, sans en comprendre le langage, a saisi ce qui s'était passé entre le médecin et sa fille, se demandant à quoi mènerait cette aventure si ce n'est aux larmes et à la déception de Biche Pensive. Malgré cela, il ne peut réprimer un sentiment de fierté à l'idée que le sorcier ait pu succomber au charme de sa fille. Car, autant Gros-Ours éprouve un sincère attachement envers Sam, autant il témoigne une vive admiration envers le grand sorcier qui s'arrête au pied de son lit. Le voilà debout, en face de lui, avec son regard exceptionnel, ses traits guerriers et ses mèches en éternel combat sur son front. Bombant un torse épais et musclé sous sa chemise blanche. Le voilà qui le soudoie du regard. Qui le fouille. Qui l'accapare. Et voilà que le vieil Indien se laisse accroire que ce sorcier pourra redonner vie à ses jambes. Que ce sorcier s'est rendu maître de son corps. Que ce sorcier en connaît tout le mécanisme interne et que, par sa magie, il remettra en mouvement les membres paralysés.

D'un geste large, Philippe enlève le drap et considère ce corps affaibli et éprouvé. Puis il s'assoit. Fouille dans sa trousse et en sort un petit marteau. Il vérifie d'abord les réflexes achiliens: à sa grande surprise, les pieds réagissent faiblement.

— Hey! Hey! ne peut-il s'empêcher d'échapper en découvrant ce filet de vie dans les membres inférieurs de Gros-Ours.

Alors, il vérifie les réflexes rotuliens. Faible réaction mais réaction tout de même. Jamais il n'aurait cru. Il peut considérer son opération comme réussie. Ce qu'il croyait une vaine tentative se résume en une petite victoire. Une petite victoire qu'il n'aurait pu remporter sans l'aide de son patient. Sans le courage de celui-ci et sans sa patience. Il se retourne pour regarder Gros-Ours qui s'est soulevé sur ses coudes et retient un instant l'envie qu'il a de le serrer par les épaules et de crier sa joie. Mais il respecte tant cet homme qu'il se contente de lui sourire et de lui montrer ses béquilles. Celui-ci comprend et après de gros efforts réussit à bouger ses orteils. Alors, il se met à parler en algonquin et s'empare des mains du médecin. Il parle tant et si vite que cette réaction amuse Philippe.

— Calmez-vous, Gros-Ours, calmez-vous. Faudra faire de l'exercice avant de courir les bois. Et même, ce n'est pas sûr que vous pourrez courir. Il vous faudra les béquilles, je crois.

Biche accourt à ces mots en demandant:

— Il marchera?

— Oui. A l'aide des béquilles. Il pourra se déplacer. C'est déjà beau. Dites-lui ça.

Elle traduit. La réponse de Gros-Ours ne se fait pas attendre.

— Il dit que c'est beau de se déplacer car ainsi, il ne sera pas un fardeau pour moi. Il dit aussi que vous êtes un grand sorcier et qu'il comprend maintenant que vous lui vouliez du bien. Il dit qu'il avait peur de vous avant, surtout lorsque vous l'avez torturé.

— Torturé?

— Il veut dire opéré.

— C'est mieux. Dites-lui qu'il a été brave sous la torture et que j'ai beaucoup de respect pour lui.

A ces mots, Gros-Ours sourit de satisfaction.

— Dites-lui aussi qu'il faudra que vous lui fassiez faire les exercices suivants tous les jours.

Alors, prenant le pied de son patient, Philippe commence

à enseigner à Biche Pensive les différents exercices à accomplir et l'ordre de ceux-ci. Tout absorbé par sa fierté et son enseignement, il oublie momentanément la scène qu'il vient de vivre avec elle.

— Je vais vous les écrire.

— C'est pas nécessaire, docteur. Je me rappellerai.

— Bon. Alors, bonne chance, souhaite-t-il en se levant brusquement.

Il tend la main et elle la serre fermement.

— Bonne chance Gros-Ours. Si quelque chose va mal, je suis toujours disponible.

— Oui docteur.

— Alors adieu.

— Adieu, docteur, réussit-elle à dire d'une voix brisée.

Il s'empare de sa trousse et disparaît à grands pas. La porte claque. Les pas énergiques s'éloignent en piétinant le cœur de la jeune fille. Comme cet adieu lui fait mal! Souffre-t-il lui aussi? A-t-il cette déchirure au beau milieu de sa poitrine? Elle retient l'envie qu'elle a d'aller le regarder s'éloigner. Ce serait trop cruel et elle n'en a plus la force.

Gros-Ours pose sa main sur son avant-bras et dit simplement:

— Il n'est pas pour toi; il te ferait pleurer.

— Ah! Papa! Papa! s'exclame-t-elle en éclatant en sanglots contre lui.

Gros-Ours retrouve alors sa petite fille. Elle se blottit contre lui et pleure, lui faisant don de son chagrin comme lorsqu'elle était toute petite. Elle se confie, se cale et pousse sa tête entre ses bras. Y trouve-t-elle du réconfort, de la consolation? Après tant d'années, elle revient finalement à lui, non pas pour lui donner mais pour lui demander. Et il a tant besoin qu'elle ait besoin de lui. Tant besoin d'être encore le père, le Gros-Ours aux bras puissants et protecteurs. Mais l'assaut avait été insidieux et le mal était fait. Il ne lui reste que la ressource de consoler et le vieil homme caresse la tête de Biche Pensive, laissant couler sur son torse les larmes chaudes de son enfant.

— Ne ris pas, je te ferai une belle paire de mocassins.

Et à travers les pleurs, il entend rire doucement.

Près de l'eau du lac, Philippe se condamne. Qu'a-t-il fait? Le baiser qu'il a pris sur les lèvres de Biche Pensive le brûle encore. Il n'a qu'à se le remémorer et son corps s'excite tandis que sa conscience le juge. N'a-t-il pas blessé deux femmes? Cette jeune Indienne et sa femme? Et par ricochet n'a-t-il pas déshonoré ses petites filles? Il rougit. Une chaleur désagréable lui monte aux tempes. Pourtant, il a tenté l'impossible afin d'éviter ces effusions jusqu'à négliger Gros-Ours. Oui. Il l'a négligé, prétextant des visites dans les villages environnants et accourant à tous les appels. Volontairement, il s'est éloigné de cette jeune fille qui exerce sur lui une attraction irrésistible. Qu'a-t-elle de si extraordinaire? Pourquoi ne peut-il pas lui résister? Car il ne peut pas, il le sait. Si elle était près de lui, à cette minute même, malgré tous les remords qui le rongent, il l'étendrait sur le sable de la grève et lui ferait l'amour. Cette seule pensée le ravit et l'incommode. Pourquoi? Pourquoi? Aime-t-il encore Amanda, sa femme? Qu'est-elle devenue pour lui, cette timide pâtissière? Ou plutôt, qu'a-t-elle été? Jamais il n'a connu près d'elle les émotions qu'il vient d'éprouver avec Biche Pensive. Que représente à ses yeux cette femme qui a trop besoin de lui? Qu'éprouve-t-il à son égard? Est-ce de l'amour? De la pitié? De la tendresse? Et quelle est la nature de ses sentiments envers Biche Pensive? Est-ce une attraction purement physique due à la singulière beauté de la jeune femme? Est-ce plus? Oui, plus, pense-t-il. Il la sent égale à lui-même. De la même race que lui. Elle est comme ce cheval noir qui s'étend sous ses jambes. Elle est de la race des pur-sang. De la race des passionnés. Près d'elle, Amanda lui semble si fade, si démunie que son cœur se serre de la voir à son désavantage. Il aimerait qu'elle ait plus d'audace, plus de vie sous ses joues pâles. Oui. De vie. De cette vie impétueuse qui bat à grands coups dans la poitrine de Biche Pensive. De cette vie saine, ardente et pure. Oh! pense-t-il, cette femme est une reine. Elle a des gestes de reine, un regard de reine. Cette femme triomphe tandis qu'Amanda est vaincue et sera toujours vaincue. Son regard est vaincu, ses gestes sont vaincus, sa voix est vaincue. Tout s'acharne à la vaincre; la maladie, sa famille, ses accouchements. Lui seul persiste à la défendre. A se dévouer. Oui. Il aime se dévouer pour Amanda. S'isoler pour elle, briser les cadres de la société pour elle. Ne l'a-t-il pas épousée, elle, la fille du pâtissier? N'a-t-il pas bouleversé la coutume des Lafresnière? Comme il se sent pur quand il se bat à ses côtés. Quand il la soigne. Mais près de Biche Pensive, il se sent en état de péché. De ce péché merveilleux. Il se sent en vie. Il se sent désiré, aimé. Et il aime follement. Si follement.

Un léger vent lui rappelle qu'il a oublié son veston. Un instant, il pense aller le chercher puis se ravise et conclut que ce serait trop difficile pour elle et lui. Il n'est pas bon de revenir cinq minutes après un adieu. La reverra-t-il un jour? Finira-t-il par l'oublier? Une mélodie de Chopin que sa sœur jouait au piano lui revient. Il la fredonne. Son âme bouillonne de mots d'amour. Il se les chante et les chante pour sa reine qu'il ne reverra plus. Pour cette reine qui a incendié son âme. Pour cette reine égale au roi qu'il croit être.

Oh ! Mon amour, mon seul amour,
Mon rêve, mon unique flamme.
Tu m'as brûlé,
Tu m'as gagné,
Et tu m'as aimé.
Non. Ne t'en va pas si loin,
Loin de moi,
Loin de ma bouche,
Et de mes mains,
Et de mon cœur et de mon âme.
Oh ! Mon amour, mon seul amour,
Mon rêve, mon unique flamme,
Je t'aimerai, me maudirai,
Je t'aimerai, me maudirai pour toi.

Oui, il se maudirait pour elle. Se maudirait pour une nuit près d'elle.

Tout à coup, il pense à Sam et le jalouse. Ne vivra-t-il pas tous ses jours près d'elle? Comment pourra-t-il résister, lui qui cache si mal ses sentiments? Biche Pensive l'aimera-t-elle? Lui donnera-t-elle son corps et son âme? Posera-t-elle sur son torse ses seins dressés? Et l'oubliera-t-elle, lui? Se souviendra-t-elle qu'il l'aime?

Il arrache violemment l'herbe nouvelle et la lance à l'eau. Cette idée de cohabitation avec Sam l'enrage.

Oui, il est maudit, pense-t-il. Il est déjà maudit puisque la jalousie ronge son cœur.

— Docteur! Vite! Ma femme va accoucher, interpelle un homme surexcité.

Philippe se relève d'un bond.

— J'arrive.

D'un pas rapide, il rejoint le colon, heureux de pouvoir se dépenser. A force de travailler et d'aider son prochain, peut-être que le ciel finira par lui pardonner cet amour interdit. Peut-être que lui-même arrivera à se déculpabiliser à ses propres yeux? Peut-être réussira-t-il à oublier cette passion et à la considérer comme une amourette.

Chemin faisant, la mélodie de Chopin trotte dans son cerveau. « Oh! Mon amour, mon seul amour, mon rêve, mon unique flamme... Je t'aimerai, me maudirai, je t'aimerai, me maudirai... »

Nuit dans la cabane

Une cabane de rondins au milieu des chants de renaissance. Oiseaux et grenouilles s'appellent et s'excitent. Et s'enflamment et s'accouplent. Des nids accrochés aux branches d'arbres, des nids bâtis dans les roseaux, des nids pendus aux algues.

Plus étourdissante que jamais, cette symphonie printanière.

Les maringouins tiennent Gros-Ours éveillé et le font réfléchir à sa vie qui a été bousculée. Comme l'arbre déraciné, il essaie d'enfoncer ses racines dans un autre sol. Il s'y entête et sent qu'il finira par assurer une victoire quelque part. Alors il bouge ses orteils jusqu'à en être fatigué. Puis il tente de lever ses jambes. Il lui semble que la fourrure qui le recouvre a bougé. Oui, il a senti un léger souffle sur ses doigts lorsqu'elle est retombée. Cela l'encourage et l'incite à poursuivre ses efforts. Un jour, il se déplacera à l'aide des béquilles. C'est ce qu'il vise. Se déplacer de lui-même, ne fût-ce qu'à l'intérieur de la cabane. Se déplacer de son lit à la petite table et de la table aux cabinets, si on peut appeler ainsi la chaudière que Sam a installée à son intention dans un coin de la pièce.

Il ne veut pas être un poids pour Biche Pensive et désire ardemment son autonomie. Car enfin, pour un chasseur tel que lui, se faire nettoyer comme un nourrisson est très humiliant. Il lui semble que toutes ses chasses, ses trappes et ses pêches ont perdu vie avec ses jambes. On n'en parle plus. Sam parle de la maison et Biche de sa guérison. Ils parlent tous deux de ce qu'il est devenu, oubliant ce qu'il a été auparavant. Du moins, c'est ce qu'il pense.

Une rigole de sueur coule sur ses tempes. Il arrête ses exercices, exténué. Demain, il reprendra ce combat ardu qu'il livre entre sa volonté et la réalité. Entre son cerveau et ses membres inférieurs. Lorsque le sorcier a découvert ce mince filet de vie, Gros-Ours s'est aussitôt accroché au secret espoir de marcher. Heure après heure, jour après jour, il a grossi ce filet jusqu'à ce qu'il devienne rigole. Et il est déterminé à retrouver ce torrent de vie qui l'habitait auparavant. Il sent que la nature l'aidera. Fils de la nature, de retour en son sein, il croit fermement qu'elle lui fera une transfusion d'énergie. Là-bas, chez les pères, il aurait douté sérieusement de sa guérison, mais ici, dans la cabane construite par Sam, il sait que ses progrès seront miraculeux.

Oui, là-bas, chez les pères, il se sentait terriblement déplacé. Il s'étiolait comme un animal en cage. Et le sorcier le gênait énormément. Il le craignait un peu avec ses yeux dorés et ses gestes précis. Il craignait sa magie, sa grandeur. Il craignait son audace à fouiller ses nerfs avec un scalpel, son défi envers la nature. Normalement, Gros-Ours aurait dû mourir, mais cet homme s'était imposé entre lui et la mort. Cet homme avait dit non à Poukang. Il avait dit non au cours normal des choses. Il s'était levé contre l'impossible et avait tenté de redonner vie aux membres inférieurs. Et Gros-Ours respecte cet homme autant qu'il le craint et se détend à l'idée de ne plus vivre dans son univers.

Il se remémore alors le dernier voyage en charrette avec Honoré, Sam et Biche Pensive. Couché sur le dos, il voyait défiler les arbres pleins de feuilles. Et derrière les feuilles, le bleu du ciel le ravissait. C'était beau, c'était gai. Il était heureux d'être vivant et saluait ces bras d'arbres chargés de fleurs et de fruits, auxquels il avait fait des adieux lors de son accident. Il saluait l'azur bleuté, le comparant aux sombres nuages déchirés par les grands vents de cette journée tragique. Et bénissait cette nouvelle paix en lui qui avait chassé la panique et la douleur.

Cheveux de feu chantait de temps en temps. Et se retournait quelquefois pour le regarder. Gros-Ours souriait à cet homme qu'il aimait. La large figure qu'ornait une grosse moustache trois couleurs le réchauffait. Son âme s'adoucissait à son contact et perdait sa rancune et sa haine envers l'homme blanc. Elle perdait de son fiel et la bonté de son ami pénétrait facilement en lui. Il aurait aimé que tous les hommes blancs soient comme lui. Il aurait alors partagé son territoire pour bénéficier de leur présence.

Cheveux de feu était calme, bon, simple, et surtout il considérait Gros-Ours comme un homme. Gros-Ours se rappelle avoir remarqué que des cheveux d'argent se glissaient dans le cuivre de l'épaisse tignasse ondulée, mais quand les yeux souriaient, il croyait voir luire l'intensité et la vivacité d'une feuille nouvelle. Oui, il aimait ce gros homme chaleureux qui conduisait son cheval en chantant.

L'arrivée au village fut humiliante comme il l'avait prévu. Il entendit tout à coup grincer les essieux et grincer chaque pas de ces Blancs dans le sable. Honoré se taisait, Sam et Biche Pensive ne savaient où regarder tandis qu'on les dévisageait effrontément. Et lui, il se sentait petit, incommodant, inutile. Sa maladie et sa longue convalescence l'avait miné. Il regardait ses bras amaigris, son torse affaibli, touchait ses joues creuses et devinait l'allure chétive qu'il devait avoir. Avant, lorsqu'il venait dans ce village, il s'en sentait encore le roi au fond de lui. Il méprisait ces gens et savait les impressionner par sa taille imposante et sa puissance. Il leur faisait peur: des enfants criaient sur son passage et rentraient dans leurs maisons. D'un pas orgueilleux, il foulait la rue principale, la tête haute sous son ballot de fourrures, sachant qu'il était, de tous ces gens, le seul à connaître ce pays. Le seul à pouvoir dire comment il était avant, où se trouvaient les plantes et les animaux. Il était le seul gardien des souvenirs. Mais lorsqu'il a traversé cette rue, étendu et immobile, il s'est senti devenir la rue et a senti tous ces pas le fouler avec satisfaction. Les enfants se sont mis à rire et à répéter: « Le sauvage! Le sauvage! » C'en était fait du peu de terreur qu'il avait su imposer. Du peu de respect qu'il avait su gagner. Quant à la femme d'Honoré, son regard plein de pitié l'avait rendu encore plus pitoyable et sa nuit passée sur la table de cuisine l'avait ancré davantage dans l'impression désagréable d'être un pauvre paquet. Dans la pénombre de l'aube, il avait longtemps regardé le grand Christ de bois. Quelque chose d'indéfinissable les unissait. Peut-être était-ce leur immobilité commune, ou leur souffrance, ou le rejet par les hommes. Il n'aurait su le dire et, en fait, ne voulait pas savoir ce qui le rapprochait de cet être battu et résigné. Il avait peur de l'aimer.

L'odeur de sapin et d'épinette l'enivre et lui fait oublier momentanément ces souvenirs déplaisants. Gros-Ours laisse tomber son bras par terre et flatte les petites branches dans le sens de l'inclinaison. Il en apprécie la douceur, la densité, l'égalité parfaite et se console à l'idée que sa fille sait encore installer de bons planchers de sapinage. Elle y a travaillé quatre heures avec acharnement et a réussi à apporter une touche appréciable de confort au plancher de terre battue. Lui non plus, il n'aime pas les planchers de terre battue. C'est humide, glacial et dur. Le reste ne l'incommode pas. Les murs de bois rond, sans écorce à l'intérieur pour la luminosité, lui conviennent parfaitement ainsi que le toit de billes, de terre et de mousse. Le gros poêle en fonte que Sam a acheté avec la vente des fourrures lui est d'abord apparu aussi gros qu'un rocher, mais il l'a accepté sachant que cela faciliterait l'ouvrage de Biche Pensive. De toute façon, cette maison n'est pas construite pour bouger. Et c'est normal puisqu'il ne bouge pas, lui non plus. En repensant au poêle, il se demande comment Sam a pu le hisser jusque-là. Car du village à leur cabane, érigée à leur ancien campement au pied de la montagne d'érable, cela prend bien deux heures, et il n'y a pas de chemin proprement dit; juste un sentier. Ce matin, avec l'aide d'Honoré, ils ont mis six heures à le transporter dans une petite chaise faite de leurs bras réunis. Sans doute qu'Honoré a aidé Sam. Sam, le Lièvre. Pauvre petit Lièvre, jongle Gros-Ours en revoyant ses yeux amoureux suivre les gestes de Biche Pensive. Pourquoi donc lui résiste-t-elle? Il est si bon, si loyal, si dévoué. Jamais elle ne pourra trouver d'homme plus aimant que Sam. Pourquoi sa fille se refuse-t-elle au Lièvre? Il serait rassurant de les voir s'unir et procréer. Et ses petits-enfants grandiraient au cœur de la forêt en apprenant les légendes algonquines. Ils connaîtraient la chasse, la trappe et la pêche. Pourquoi Biche Pensive montre-t-elle de l'agacement envers Sam?

Pour le bonheur du jeune trappeur, Gros-Ours espère que sa fille changera d'humeur avec le temps et finira par oublier le sorcier des Blancs. Il entend Sam se tourner et se retourner dans la couche au-dessus de lui. Il sait qu'il ne dort pas. Il sait qu'il a du chagrin et aimerait le consoler. Il sait que Biche Pensive ne dort pas non plus. Personne ne dort dans cette cabane. Les voilà tous trois parachutés dans une vie nouvelle. Tous trois presque inconnus. Une petite Algonquine devenue chrétienne et femme. Un trappeur adopté depuis moins d'un an et un ancien chasseur cloué au lit. Voilà qu'ils auront à partager toit, nourriture et travail. Quel défi!

Les paupières de Gros-Ours s'appesantissent tout à coup. Les messagers du sommeil viennent frapper sur son front avec leurs petits marteaux. Les chants de la forêt s'éloignent. Il glisse, enivré de la bonne odeur du plancher indien. Il coule au cœur des songes et retrouve Gros-Ours, jeune et célibataire, qui saute d'une roche à l'autre le long d'un ruisseau à truites.

Sam tourne et retourne dans sa couche de sapinage comme s'il était prisonnier de mille tourments. Il les tourne et retourne avec lui, envahi de toute part par l'impression d'être indésirable.

La lettre d'Oliver lui annonçant la mort de son père a remué la boue de son enfance. Il la revoit cette enfance comme une eau sale et morte. Il revoit un jeune garçon pâle travailler au fond d'une usine de textiles. Il y revoit ses parents maintenant disparus et, dans de sombres taudis, il revoit ses frères et sœurs adoptés par ses oncles. Que sera leur vie? Il tremble à l'idée de cet avenir. Qu'est-ce qu'une vie, maintenant, loin de la forêt? Loin des exaltations qu'il a connues avec Gros-Ours? En excluant ce sentiment d'entière liberté qu'il a éprouvé en trappant les bêtes, il se demande s'il pourrait désormais vivre heureux. Oliver insiste beaucoup pour qu'il vienne dans son usine. Mais à vrai dire, ce qui l'attire vers Oliver, ce n'est ni la réussite commerciale de celui-ci ni la promesse d'une vie rangée, mais le désir de chevaucher les plaines de l'Ouest sur un étalon noir. Il y a même pensé lorsqu'il est allé chercher Biche Pensive. Oui, il a pensé à filer vers l'aventure et, n'eût été tout l'amour et toute la reconnaissance qu'il devait à Gros-Ours, il serait déjà dans les prairies sauvages. Oui, il serait déjà dans les prairies sauvages, dormant à la belle étoile avec son cheval volé. Mais le voici tourmenté, déçu et humilié, incapable de s'endormir sous le toit de cette cabane qu'il a bâtie de ses mains. Il se sent étrangement de trop avec Gros-Ours et sa fille, et il trouve ridicule l'idée qu'il a eue de construire son lit au-dessus du vieil Indien. Il revoit encore le visage choqué de Biche Pensive lorsqu'elle a aperçu sa couchette et cette expression le blesse profondément. Il aurait mieux aimé qu'elle lui tire dessus avec la carabine plutôt que de supporter son regard indigné, qui l'a rejeté, refoulé comme une poussière. Il a bien tenté, par la suite, d'obtenir un sourire de Biche Pensive ou un peu de douceur dans l'éclat de ses yeux vifs, mais à chaque fois qu'elle le regardait, il voyait du mépris sur ses traits. Elle semblait lui dire: « Va-t'en! Laisse-nous. Nous n'avons plus besoin de toi. »

Quand il sera persuadé qu'ils n'auront vraiment plus besoin de lui, il s'en ira. Il leur laissera cette cabane dont il est fier, le gros poêle qui lui a donné tant de misère, la carabine et même la farine et le thé. Il ne peut supporter d'être indésiré. Cela lui pèse et le chagrine puisqu'il aime Biche Pensive. Jamais il n'a vu de femme plus belle. Jamais son cœur ne s'est tant crispé en lui. Lorsqu'il la voit, c'est comme s'il n'avait plus de sang, plus d'air. Comme si elle lui volait toute sa vie. Mais étant donné qu'elle le refuse si ouvertement, il ne veut pas s'imposer. Il ne veut pas tenter de se faire accepter avec le temps. C'est tout de suite ou jamais. Elle le rejette comme un restant, alors il s'en ira. Oh! Non, il ne pleurera pas pour elle. La vie est si belle, même sans une femme. Avant de la rencontrer, il était parfaitement heureux et il redeviendra parfaitement heureux.

Il pense à l'hiver passé avec Gros-Ours. Cet hiver merveilleux. Comme il en a appris des choses. Maintenant, il sait qu'il peut se débrouiller aisément et devenir un très bon trappeur. De l'Indien, il a appris les secrets de la nature et de son expérience de commis, il connaît toutes les ruses de la vente. Cette année, il a obtenu le double prix pour les fourrures. Oui, il se débrouillera très bien. Mais eux? Eux, que feront-ils? De quoi vivront l'Indien paralysé et sa fille sortie du couvent? Bien qu'elle ait repris ses anciens travaux avec un naturel surprenant, il se demande si elle saura trapper, chasser et même se servir de la carabine. On n'enseigne pas de telles choses chez les religieuses.

Il se retourne encore, se frotte les oreilles et se remémore le geste de Gros-Ours dans la chaloupe. Cette main qu'il avait posée sur sa tête. Cette adoption tacite, cette bénédiction muette. Pour l'orphelin qu'il était, ce geste prenait une importance capitale. Et pour l'immigrant aussi. Lui, l'étranger venu des usines de Belfast, n'était-il pas accueilli par l'unique vrai Canadien? La race de Gros-Ours habitait ce pays bien avant les Blancs. Les autres n'étaient que des immigrants plus ou moins anciens. Mais Gros-Ours appartenait à ce pays et Gros-Ours, en posant sa grosse main sur sa tête, l'avait accueilli parmi toutes ses choses. Et surtout l'avait accueilli dans son cœur. C'est alors que Sam a compris qu'il aimait cet homme comme son propre père. Peut-être plus que son propre père. Il aurait aimé le serrer dans ses bras mais il était trop souffrant à ce moment-là, et après, les circonstances ne s'y sont pas prêtées. Alors, pour lui exprimer tout son attachement, il s'est mis en tête de construire une cabane dans les bois. Il s'est donné un mal épouvantable et ses mains portent encore les cicatrices des crevasses causées par le manche de la hache. Et le transport du poêle lui apparaît aujourd'hui une entreprise invraisemblable. Sans Honoré, il doit cependant admettre que la lourde pièce de fonte aurait rouillé dans le sentier. Mais maintenant, Gros-Ours est établi et malgré son malheur, Sam éprouve la fierté et la satisfaction d'un devoir bien accompli.

Il lui faut maintenant envisager la vie solitaire qui l'attend. De cette solitude qu'il n'a pas encore connue. De cette solitude à l'intérieur de la solitude. De la solitude d'un homme qui se parle à lui-même. De la solitude qu'a longtemps goûté Gros-Ours.

Seul. Il sera vraiment seul lorsqu'il quittera cette cabane. Il apprendra à partager avec lui-même ses joies et ses peines. Il mangera seul. Il dormira seul. Tentant d'oublier ce qu'aurait pu être la vie à trois. Tentant d'oublier le goût exquis de la banique et l'odeur ensorcelante du plancher de sapinage. Tentant d'oublier les rêves hardis qui le tenaillaient lors de la construction, lui qui se voyait déjà tenir Biche Pensive dans ses bras et passer ses nuits près d'elle. Un jour, elle aurait eu un gros ventre. Un jour, elle aurait eu ses enfants.

Oh! Non, il ne pleurera pas pour elle. La vie est si belle. Il était parfaitement heureux avant de la rencontrer.

Tous ses rêves s'abattent comme de grands arbres et laissent son cœur dépouillé. Il pense à sa mère. Ne s'était-il pas promis de vivre pleinement sa vie en mémoire de cette femme qui allait perdre la sienne? D'en vivre les douceurs et les douleurs? Mais jamais il n'aurait cru les douleurs si envahissantes. Jamais il n'aurait cru son cœur si vulnérable. Le refus de Biche Pensive le torture. Il se sent l'âme tailladée par son regard sévère.

La jeune femme le pousse irrémédiablement vers la solitude.

Oh! Il ne pleurera pas pour elle, songe-t-il en refoulant ses sanglots. Sa gorge lui fait mal et il étouffe. L'envie de vomir l'oblige un moment à respirer à fond. Premier chagrin d'amour, pense-t-il, et sans doute le dernier. Il n'y a qu'une femme dans sa vie et cette femme le rejette. Son orgueil souffre terriblement. Peut-être encore plus que son cœur. Bientôt, Sam Fitzpatrick quittera ce foyer sans se retourner, avec son baluchon sur l'épaule.

Les larmes salées glissent sur ses tempes et brûlent les piqûres de mouches. Heureusement qu'il fait noir, pense-t-il. Il fait mine d'éternuer pour se permettre de renifler et s'endort enfin, la tête alourdie.

Cette respiration profonde et bruyante: celle de son père. Et cette autre respiration, saccadée, jeune, irrégulière: celle de Sam. Et, entre ces deux souffles d'hommes, Biche Pensive tente de prier. Bien inutilement. Elle pense au *Je vous salue Marie* tout en écoutant Sam qui remue. Elle se récite le *Je vous salue Marie* et revoit le veston poussiéreux du médecin sur la chaise. Et le baiser vient la posséder, la troubler dans ses fibres. Elle serre ses cuisses et combat ses souvenirs. Comme c'était terrible cette main sur la sienne. Terrible et irrésistible. Et cette bouche, et cette paume sur son sein. Comme c'était terrible et irrésistible, ce gouffre ouvert sur la démence de la chair. Ce gouffre où elle s'est laissée glisser en tenant une autre main. Elle écoute respirer Sam et imagine que le grand sorcier blanc dort à sa place. Alors, elle tend l'oreille pour se rappeler l'excitation du médecin. Oui, là, contre son cou, ce souffle brûlant et précipité. Ce manque de contrôle sur le corps. Le dessus de la passion sur la raison. Il soufflait fort par ses narines. Elle s'en rappelle. « Oh! Non! Seigneur Jésus, éloignez de moi la tentation. Rendez-moi pure. Pardonnez mes fautes. Je vous promets de ne plus recommencer. » Le visage du Christ d'Honoré la frappe en plein cœur. Elle le revoit nettement, penché sur sa poitrine mutilée, les sourcils froncés, le visage triste et beau, les lèvres entrouvertes. C'est elle qui l'a crucifié et le crucifie encore par ses nombreux péchés. Et encore ce soir, elle s'adonne à ses souvenirs avec un plaisir évident. Elle jouit à se rappeler ce baiser défendu. « Seigneur Jésus, pardonnez-moi », prie-t-elle en joignant les mains. Ces mains qu'elle a voulu lui offrir dans la grande humilité de son travail chez les infirmières religieuses. Ces mains qui se seraient déformées et usées pour son saint nom. Ces mains, dès aujourd'hui, se dévoueront pour son père, dans le secret de la forêt. Nul ne connaîtra son labeur, nul ne connaîtra son sacrifice. Être religieuse sans en avoir l'habit et le nom lui semble un sacrifice satisfaisant pour réparer sa faute. Sœur Sainte-Clothilde n'a-t-elle pas pris le voile pour un chagrin d'amour? Elle en fera de même, face à elle-même et au Christ.

Déjà, aujourd'hui, elle a travaillé avec ardeur. Son plancher de sapinage la satisfait, ainsi que le calfeutrage qu'elle a terminé avec Sam. Demain, elle ira pêcher et cueillir de l'ail des bois. Elle apprêtera le poisson, fera sécher les gousses et tentera de tuer des marmottes. Elle saura vite prouver à Sam qu'elle peut se débrouiller sans lui. Qu'elle peut apporter confort et nourriture au foyer. Ce ne sont ni la haine ni l'arrogance qui lui suggèrent d'éloigner Sam de cette façon, mais le respect. Le respect des chagrins qu'il pourrait connaître s'il venait à s'attacher sérieusement. Car elle ne l'aime pas d'amour. Et elle devine, par ses prunelles ardentes, que le sentiment qu'elle éprouve n'est pas réciproque. Alors, elle le repousse. Se cache derrière un masque de glace. Le décourage avant qu'il ne s'illusionne. Le fait de lui offrir un toit puis la nourriture pourrait conduire Sam à penser pouvoir la séduire. Alors, elle le repousse. Comme elle aimerait parler l'anglais et lui expliquer ses agissements. Ou encore, elle préférerait qu'il comprenne parfaitement l'algonquin. Mais le peu de mots qu'il connaît ne réussirait pas à éluder ce problème de cœur. Elle éprouve des remords à se dérober de la sorte car elle apprécie le jeune trappeur pour tout le bien qu'il fait à son père. Elle aimerait le remercier chaleureusement et s'exclamer sur la beauté de la cabane, mais trop d'approbation au sujet de ce gîte bâti pour trois pourrait engager Sam sur une mauvaise route. De même qu'une résignation facile à la proximité de ces lits à peine séparés d'un mince rideau.

Car enfin, pour vivre un tant soit peu dans la pureté, ne faut-il pas éloigner d'elle toute tentation. Et Sam est une tentation puisqu'il est un homme. Plusieurs fois, dans la journée, elle s'est surprise à admirer la solidité de ses épaules et les muscles de ses bras. Au souper, elle regardait le poil sur sa poitrine bombée et le dessin de ses cuisses puissantes à travers l'étoffe de son pantalon. Sam est une tentation puisqu'il est un homme et la promiscuité de leur couchette empirera la situation. Un jour ou l'autre, il fera trop chaud. Elle verra une partie de son corps qu'elle ne devrait pas voir. Et qui sait la réaction qu'ils auront. Ils sont jeunes et Sam ne semble pas être un fervent chrétien. Peut-être même qu'il est protestant. Qui sait? Et elle, elle est si faible devant la chair. Devant ce péché immonde. Devant cette souillure. Ah! Pourquoi faut-il que l'amour soit gâché par la faiblesse de nos corps? Et pourquoi nos corps glisseraient-ils dans la faiblesse sans amour? Est-ce possible?

Oui, c'est possible. Faire ces choses... « Mon Dieu, gardez-moi pure, éloignez de moi la tentation. »

La tentation c'est l'homme. C'est Sam. Mais la vraie tentation est à des milles de distance. La vraie tentation c'est ce sorcier blanc. Il lui aurait fait faire n'importe quoi. Elle le désirait tant. Cette chose dure contre son pubis. Il l'aurait poussée en elle, en soufflant fort et en baisant sa bouche. Comment aurait-il fait? Elle ne sait pas. L'amour physique lui est naturellement inconnu. Lui, il aurait su, puisqu'il est marié.

Elle mesure gravement la faute qu'elle a commise: un adultère. « Mon Dieu! Pardonnez-moi; aidez-moi. Est-ce Vous qui l'avez éloigné de moi? Faites que je ne le revoie plus jamais, jamais. Je ne veux pas vous déplaire. »

Jamais le revoir. Non. Jamais. Douleur infinie. Jamais. Toujours. Jamais. Toujours. Jamais. La grosse horloge de l'enfer. Toujours souffrir, jamais le revoir, la condamnation de sa propre horloge pour gagner sa place près du Christ.

Travailler, soigner, s'oublier. Devenir l'humilité même. Accepter les moqueries des gens du village et les offrir au Seigneur. Se laver, se purifier. Se grandir et s'ennoblir.

Cette résolution étant prise, elle se décide à prononcer ses vœux devant le Christ. Entre elle et lui. Pauvreté, chasteté, obéissance. Il n'y a que la chasteté qui lui paraît un dur combat. Quant à la pauvreté et à l'obéissance, elle s'y est accoutumée depuis la plus tendre enfance.

Les mains toujours jointes, les yeux clos, elle prononce alors ses vœux. Cela la soulage. Elle prend une grande respiration. Les affres de l'enfer s'éloignent d'elle.

Demain, elle se fabriquera un crucifix qu'elle installera au-dessus de son lit.

Cette autre décision étant prise, elle s'endort en tenant sa petite croix et la chouette dans sa main. L'idée qu'elle commet un geste païen ne l'effleure même pas. Un court instant, elle se remémore sa mère Odile et se souvient qu'elle n'aimait pas dormir près d'elle parce que sa croix lui éraflait la joue.

Le Lièvre

Les perches ploient sous le poids du poisson. Avec des gestes vifs, Biche Pensive s'occupe de son feu.

A l'intérieur de la cabane, Sam s'entretient avec Gros-Ours. Il ne leur faut pas beaucoup de mots pour comprendre ce qui va mal. Juste à voir Sam avec son butin dans sa couverture, Gros-Ours comprend qu'il va partir. Il lui parle en algonquin.

— Tu es comme mon fils. Ma fille te fait des misères. Reviens me voir de temps en temps. Reviens nous voir. Ce n'est pas qu'elle te déteste, c'est vivre à trois. Reviens me voir.

Sam acquiesce et un sourire très doux anime son visage de petit lièvre aux aguets. Gros-Ours lui tend les bras. Le jeune homme s'agenouille près de la couchette et laisse les mains brunes errer sur son visage et ses cheveux. Encore une fois, il se sent béni et aimé.

Finalement, il se lève. Ému plus qu'il ne voudrait l'être. Il se détache des mains paternelles de Gros-Ours.

Dehors, la vue de Biche Pensive à son travail lui pince le cœur. Il se redresse alors et d'un geste de tête vigoureux rejette les longues mèches sorties du bandeau de cuir. Il s'avance résolument.

Elle demeure interdite en le voyant sur son départ et essuie ses mains sur elle. Il lui tend la sienne. Elle la serre en silence en le regardant au fond des yeux. Veut-elle lui faire comprendre par la douceur de son regard qu'elle ne garde ni haine, ni amertume envers lui?

— Good luck, balbutie Sam, dépité de sa voix chevrotante.

Il se retourne brusquement et s'éloigne. Biche Pensive l'accompagne du regard jusqu'à ce qu'il ait disparu dans le vert de la forêt.

Dans le vert de la forêt,
Les grands arbres montent au ciel
Et les feuilles s'unissent devant les nuages
Pour former un toit.

Dans le vert de la forêt,
Sam se croit dans un temple.
Le temple vert des prières
Et le temple des vertes espérances.

L'homme sera-t-il un jour,
Aussi pur que la feuille ?
Aussi fort que le tronc ?
Aussi généreux que la sève ?
Saura-t-il être ce qu'il est ?
Et vivre ce qu'il est ?
Nulle feuille ici n'essaie d'être écorce
Et nulle écorce ne tend à devenir feuille.
Sam tremble, seul, au beau milieu
Du temple de ses vertes espérances.

De Belfast à ce temple,
Pour un adolescent taciturne,
Cela fait tout un voyage.
Qui est-il dans l'orchestration de la vie ?
Un lièvre peut-être
Comme Gros-Ours lui a dit.

Il s'avance prudemment le Lièvre
La tête levée vers ce qui le dépasse.

Deux Indiens seuls

Un chevreuil au regard traqué. Il bouge les oreilles. Ses naseaux frémissent. La peur gagne tout son être.

Un coup de feu et le voilà par terre, tournant ses prunelles veloutées. Biche Pensive, encore grisée par l'odeur de poudre, s'avance prudemment. La bête agonise et respire un peu. La jeune femme s'agenouille et la saigne.

Voilà, c'est fini. La vie se retire de ce corps. Se retire avec le sang, avec le souffle, avec le mouvement. Sans s'en rendre compte, Biche Pensive caresse le museau de la bête. La beauté et la noblesse de cet animal la séduisent et elle éprouve une certaine nostalgie à l'avoir abattu. Sans doute parce qu'elle est une femme et que les femmes sont plus sensibles. Qu'importe! Elle a su se faire violence.

Avec le couteau que Gros-Ours lui a donné, elle ouvre la bête et se surprend elle-même à accomplir tout naturellement ces gestes. Elle va chercher le cœur et le foie et se décide à rapporter ces morceaux à la cabane. Là, elle prendra le sac de son père et reviendra débiter son gibier.

Elle court, elle-même biche et légère, sautant par-dessus les obstacles avec grâce et force. Arrivée à la cabane, elle se rue à l'intérieur.

Gros-Ours contemple une très belle jeune femme qui lui tend un cœur et un foie dans ses mains rougies de sang. La fierté et l'émotion d'une première chasse se lisent sur son visage. Elle lui en offre les résultats et, à voir le mouvement saccadé de sa poitrine essoufflée, il sait qu'elle a couru vers lui.

— Tu as fait bonne chasse. Un gros chevreuil. Mangeons-en. Cela te donnera des forces pour ramener ta viande.

— Je suis venue chercher ton sac. Je mangerai après.

— Très bien, va.

Elle dépose les organes sur la petite table et accroche l'arme au-dessus de la porte. Lorsqu'elle vient pour sortir, Gros-Ours l'arrête.

— Je suis fier de toi, Biche Pensive. Viens un instant.

Elle obéit. Il caresse ses tresses ébouriffées par les branches.

— Je suis comblé; tu es une fille et un fils pour moi. Je

n'ai pas besoin de fille, je n'ai pas besoin de fils, j'ai besoin de toi, Biche Pensive. J'ai besoin de mon enfant. Les dieux prendront en considération tout le bonheur que tu m'apportes. Maintenant, va chercher ta viande.

Il lui a fallu cinq voyages afin de tout transporter. Le soir, dans sa couchette, elle avait mal partout et pensait qu'avec la solide musculature de Sam, elle n'aurait fait qu'un seul voyage.

— Il y a une façon de poser le pied, une façon d'installer la charge, expliqua alors la voix de son père dans la pénombre. Tu es fatiguée?

— Oui.

— Tous les jeunes chasseurs agissent comme toi. Ils sont trop fous. On les laisse s'épuiser, après, on leur enseigne. Demain, je t'enseignerai. Bientôt, tu pourras transporter sans te fatiguer. Je t'enseignerai.

Gros-Ours tourne la peau tannée entre ses mains. Il la soupèse, la tend, puis la laisse couler doucement le long de son avant-bras en admirant les plis moelleux et souples. Il la porte à son visage et hume l'odeur forte de fumée. Il ne dit rien mais ses yeux luisent de fierté. Jamais il n'a vu peau plus souple, plus forte et plus propre.

Biche a réuni près de son lit ce qu'il lui faut pour faire des mocassins. Avant de tailler, il contemple le travail de sa fille. Sa fille à la fois homme et femme. A la fois chasseur et squaw. Cumulant ces deux fonctions complémentaires. Formant involontairement un être complet et indépendant. Il la regarde un bref instant, envahi par sa vitalité et sa force. Se peut-il qu'il ait procréé une telle femme de son union avec Odile? Il la contemple, aussi prêt à se jeter à ses genoux qu'à la bénir. Et, sans la croix de chapelet dont la chaîne se tortille au cordon de cuir de la chouette, il croirait avoir retrouvé son enfant intacte. Avec ce sang indien plus triomphant que jamais. Avec ces gestes, ces tâches et ce langage retrouvés. Oui, sans cette nouvelle croyance de Biche Pensive, il aurait retrouvé son enfant inchangée. Il aurait retrouvé cette fille qui le suivait partout comme un garçon et qui priait Chémanitou. Qui écoutait longtemps dans la nuit étoilée les légendes algonquines et adhérait fermement à son enseignement. Mais son séjour chez les religieuses a transformé cette partie sacrée en elle. Il ne retrouve plus sa foi et la plaint d'être partagée entre deux croyances. Déjà, à la puberté, elle avait manifesté des doutes à l'égard de Chémanitou. Il se rappelle l'avoir vue s'insurger contre son recul devant le progrès de la religion catholique. Partout où l'on plantait une croix s'installaient des gens qui les poussaient vers le Nord. Et elle se révoltait, se cabrait devant la marche impitoyable de la civilisation. Et puis, un jour, de force, elle a appris cette autre religion et y a cru. C'est pour ça qu'aujourd'hui Chémanitou et Jésus-Christ se partagent son âme. Comme il la plaint d'avoir douté. Comme il la plaint de s'être penchée sur d'autres croyances. Jamais plus, pense-t-il, elle ne pourra redevenir une Algonquine de corps et d'âme. Jamais plus, elle ne pourra se souder pour devenir une en elle-même.

Il soupire parce qu'il aimerait lui transmettre sa paix. Il aimerait unifier son âme en une seule croyance. Il aimerait qu'elle ne soit qu'une, au-dedans comme au-dehors. Que les gestes du dehors ne soient qu'un prolongement des croyances du dedans.

Est-ce là le désir de Chémanitou? Était-il dans le vent et dans l'érable qui lui ont broyé les reins? Devait-il l'immobiliser, lui, Gros-Ours, pour que Biche Pensive s'évade du couvent et retrouve ses pas sur la mousse? Chémanitou est grand, pense Gros-Ours, Chémanitou est bon; il ne permet pas qu'un père soit séparé de son enfant, il ne permet pas que les croyances meurent avec le père.

Pourquoi Chémanitou les a-t-il réunis?

— J'ai vu des poules d'eau, je vais voir pour les œufs, dit Biche Pensive.

— Très bien.

— As-tu besoin de quelque chose?

— De la grandeur de ton pied.

Elle s'assoit sur le bord de sa couchette et délace son soulier noir. Gros-Ours regarde la chaussure avec dédain et, de sa large main chaude, enveloppe le pied de sa fille.

— Tu auras de beaux mocassins. Ça ira beaucoup mieux pour chasser et ce sera beaucoup plus beau.

Un sourire perlé l'enchante et le gêne à la fois.

— Odile n'était pas ce qu'il y avait de plus beau, et moi, je suis gros et j'ai les traits rudes, d'où tiens-tu ta beauté?

Elle baisse les paupières et ses longs cils noirs viennent ombrager ses pommettes cuivrées.

— Lorsque nous aurons quelques sous, j'aimerais bien que tu abandonnes ce vêtement noir, dit-il encore en caressant le pied.

— Bien sûr, lorsque nous aurons des sous.

— Ça serait joli une blouse rouge. Vois-tu, si je pouvais marcher, j'irais te chercher du tissu au village et tu te ferais quelque chose avec. Promets-moi de t'en acheter lorsque nous aurons des sous.

— Très bien, je te promets.

— Je suis tellement fier de toi. Maintenant va me chercher ces œufs et je te ferai des mocassins. Et surtout, ne ris pas.

Elle remet son soulier et disparaît en laissant cascader son rire clair.

Les rayons chauds pénètrent sa peau. Il lui semble qu'ils rejoignent la racine même de son ventre et éveillent en elle des sensations de bien-être. Comme elle est bien dans cette peau cuivrée et chaude, près de l'eau, à guetter les poules! La salle de lessive s'étiole devant le paysage qui l'entoure. Paysage vert et propre, peuplé de vies et de chants différents. Peuplé de mystère et de grandeur. Sa vie cadre parfaitement avec ce milieu. Elle a retrouvé sa place avec une aisance qui la surprend elle-même. Elle a également retrouvé son calme, son équilibre. C'était là-bas qu'elle n'était pas à sa place. Brassant les cuves d'eau bouillante et frottant les draps souillés sur les planches rugueuses. Là-bas, elle n'était vraiment pas à sa place. Jouant le rôle d'un animal domestique et se leurrant elle-même sur sa tâche infiniment humble au sein de la communauté. « Louez le Seigneur, priez le Seigneur par votre travail, votre abnégation », proclamait sœur René-Maria. Aujourd'hui, Biche Pensive comprend qu'elle peut glorifier le Seigneur à travers chaque feuille, chaque goutte et chaque rayon qui vient de lui. Elle comprend que tout est issu de l'Être et qu'elle n'est qu'une de ses créatures parmi toutes les autres.

A travers les joncs, elle aperçoit son visage dans l'eau et l'examine avec curiosité. Il y a si longtemps qu'elle ne s'est vue. Là-bas, au couvent, c'était interdit. Et si, par mégarde, elle voyait son reflet dans une fenêtre ou dans la carafe d'argent qu'on réservait à l'aumônier, elle se faisait violence pour ne pas se voir. Mais aujourd'hui, rien ne l'oblige à contrecarrer sa nature et, profitant de l'eau calme, elle se penche davantage vers elle.

Ce visage, vers moi penché.
Visage de femme.
Ces yeux, sur moi ouverts.
Noirs et luisants comme poil de loutre.
Profonds et doux et bridés à peine
Comme les yeux de la biche.

Ces yeux, sur moi ouverts
Cherchant en eux le fond de mon âme,
Sondant leur propre mystère
Et rejoignant les racines de mon être.

Cette bouche, vers moi tendue
Sensuelle et pleine.

Cette bouche comme un fruit tendu vers l'amour.
Prête à croquer, prête à mordre,
Prête à donner.

Ce visage, vers moi penché.
Ce visage, sur l'eau claire,
Me regarde à travers les joncs.

Quelle est cette fée du fond du lac qui me regarde ainsi ?
Est-ce moi, cette douceur ? Est-ce moi, cette candeur ?
Est-ce moi, cette sensualité éclatante ?
Est-ce moi, cette chair si belle et cette chair si chair ?

Mes yeux voient ce qu'ont vu d'autres yeux.
Mes yeux me voient avec le désir d'un autre.
Sur ma bouche, une autre bouche s'est posée.

Ce visage, visage de femme.
Tout à coup penché vers moi avec toute sa vérité.
Tout à coup m'effraie et me comble.
Ce visage, conçu pour l'amour.
Pour l'amour de la chair et dans la chair.
Pourquoi le cacher ? Pourquoi l'enlaidir ?
Le papillon n'enlise pas ses ailes de boue.
Pas plus que le lièvre ne retient ses bonds.
Ils glorifient l'Être en restant les êtres qu'il a créés.

Ce visage, vers moi penché
M'apprend l'être que je suis.
L'être que je suis m'effraie et me comble.
Pur et souillé à la fois.
Beau comme l'amour
Et vierge comme l'ange.

L'être que je suis, capable de se maudire
Et prêt à se sanctifier.
L'être que je suis, dans ce visage
Se penche et se cherche.

Les voilà terminés. Il les examine et se félicite à haute voix.
— C'est beau Gros-Ours; bel ouvrage. Elle sera bien là-dedans. Elle sera belle.
Il réfléchit un instant et se décide à aller les porter sur la table. Comme ça, pense-t-il, elle les verra en ouvrant la porte.
Il considère la distance entre lui et cette table. Il pourrait

s'y traîner. Ramper au sol et se hisser de ses bras vigoureux. Il pourrait aussi tenter de se servir des béquilles que le sorcier blanc lui a confectionnées.

Il étend son bras et les rejoint. Pour la centième fois, il les examine d'un air humilié et ne se résout pas à admettre qu'il a besoin de ces bouts de bois pour marcher. Il croit perdre un combat quelconque en les acceptant. Cette fois-ci, pourtant, il s'en servira.

Il se hisse à l'aide du poteau que Sam a installé à son intention et se tient debout un court moment. Un nuage noir voile son regard. Il glisse rapidement les béquilles sous ses aisselles et s'affaisse sur elles. Inquiété de cette faiblesse soudaine. Le nuage noir disparaît; les objets se redessinent devant ses yeux.

Doucement, il plie les genoux et du bout des doigts rejoint les mocassins. Voilà, il les a. Maintenant, il lui faut réussir un pas. Un seul pas, et la partie sera gagnée. Comment faisait-il, avant, pour marcher? A qui, où, comment donnait-il son commandement? Comment faire avancer ces pieds étrangers tout au bout de ses jambes? Il lui semble que ces pieds appartiennent à un autre et qu'il n'a aucun contrôle sur eux. Il se concentre. Tente de bouger ses orteils afin d'établir un contact. Les orteils obéissent. Puis, lentement, la plante de son pied droit glisse sur les sapinages. Il voit se plier les petites branches. Et se réjouit. Un pas. Voilà un pas. Un premier pas. Miracle! pense-t-il, tout premier pas est un miracle: celui de l'enfant comme celui du malade.

Hâtivement, il prend appui sur ses jambes et avance une béquille qui arrache quelques sapinages. Qu'importe! Un autre pas s'impose. Il l'accomplit. Un autre pas. Il l'accomplit et se trouve près de la table. Alors, il dépose les mocassins.

— Chémanitou, dit-il simplement en se recueillant.

Il se retourne gauchement et après trois pas, se laisse tomber sur la couchette.

Elle a trouvé ses œufs et tué une belle marmotte. Le soir tombe. Une nuée de moustiques la harcèle. Elle presse le pas et peste contre ses souliers noirs. Sans doute est-ce la dernière fois qu'elle les porte.

La faim et la hâte lui donnent des ailes. La voilà déjà rendue à sa cabane que des innombrables chants d'oiseaux bercent. Elle ouvre la porte et reste saisie à la vue d'une paire de mocassins sur la table. De beaux mocassins, confectionnés avec la peau de son premier chevreuil. Une simple décoration de poils de porc-épic, en forme d'étoile sur le devant, leur donne une touche d'élégance. Elle les saisit et les presse sur son cœur.

Puis, soudain, elle réalise que son père a dû marcher pour les déposer là. Elle tourne alors vers lui un visage rempli d'espoir et remarque les béquilles à portée de sa main. Il lui sourit victorieusement.

— Tu as marché jusque-là?

— Oui.

— Oh! C'est merveilleux papa! Merveilleux!

Elle se précipite sur lui et le couvre de baisers affectueux. Cela le fait rire. Il l'entoure de ses bras et l'écrase tendrement.

— J'étouffe, gémit-elle d'un ton moqueur.

— Tu oublies que ce sont les bras d'un gros ours.

Elle se faufile habilement hors du piège et s'assoit prestement sur le banc. D'un geste rapide, elle se débarrasse de ses souliers et chausse les mocassins.

Il la couvre d'un œil plein de bonté et admire son propre ouvrage.

— Sais-tu que je ferais une bonne squaw, et toi un bon chasseur.

Elle rit et fait quelques pas de danse indienne avant de s'arrêter, interloquée.

— Nous n'avons jamais dansé dans la famille.

— C'est parce que nous étions des Indiens seuls. Les Indiens seuls ne dansent pas, mais lorsque nous sommes réunis, nous dansons ou du moins nous avions coutume de danser.

— Il me semble qu'avec mes mocassins, je saurais danser.

Le vieil Indien se met alors à chanter et à rythmer avec ses mains.

Les pieds, chaussés de mocassins, s'animent. Gros-Ours, heureux, chante de plus belle et sa fille danse pour lui. Pour lui seul et elle seule. Pour deux Indiens seuls au cœur de la forêt.

Chagrin

Sam jongle, étendu sur sa couche de sapinage. Les mains nouées derrière la nuque, il observe courir l'araignée dans sa toile et constate que la cabane qu'il s'est construite pour lui seul est très rudimentaire. Aucune comparaison possible avec celle de Gros-Ours, qui lui apparaît comme un château avec son gros poêle en fonte, ses trois couchettes, son plafond élevé, ses murs écorcés, son plancher odorant, sa fenêtre et sa table. Pour lui, il s'est contenté d'un plancher en terre battue avec un feu central et un plafond bas et percé pour l'évacuation de la fumée. La lumière du couchant se glisse entre les fentes et traverse la sombre pièce de ses lames dorées. Bientôt, ce sera la nuit et, par le trou de son toit, Sam pourra voir la lune. Et s'il pleut demain, son plancher deviendra boueux, glissant, et l'humidité s'infiltrera dans tout son corps. Quelle vie de misère. Pourquoi semble-t-il être né pour la misère? Et depuis quand se sent-il si démuni? Si pauvre? Depuis que Biche Pensive lui a fermé son cœur et qu'il a perdu, par la même occasion, la présence de Gros-Ours. Depuis, cette solitude de bête.

Un jeune homme seul, dans une forêt. Avec toutes ses racines à même un autre pays, voilà ce qu'il est devenu. Voilà ce qu'il pense. Il voit venir l'automne d'un œil craintif, avec le froid, la faim et toujours cette solitude dans l'âme. Bien sûr, ici, il connaît la liberté, mais aussi l'esclavage. L'esclavage de sa survie. Une survie ne se compare pas à une vie et depuis qu'il est séparé de Gros-Ours, il a l'impression de survivre. De jouer un tour à la forêt chaque matin, parce qu'il s'éveille vivant. Que fera-t-il cet automne? Que fera-t-il cet hiver lorsque les grands froids mordront à belles dents sa peau mal vêtue? Où ira-t-il se réchauffer lorsqu'il reviendra trempé de ses visites au pays des castors? Il entrevoit la saison d'un œil sombre et soupire fortement. La toile d'araignée, à quelques pouces de sa tête, vibre sous son souffle. Il voit les nombreux insectes pris au piège et se sent comme l'un d'eux. Petit, naïf et facile à dérouter.

Que fait-il ici, lui, Sam Fitzpatrick? Que fait-il parmi ces gens qui ne parlent pas sa langue? Pourquoi n'irait-il pas rejoindre Oliver dans son usine? Pourquoi ne pas retrouver les siens une fois pour toutes et reprendre un poste payant? Les Indiens et les Québécois ne connaissent que la pauvreté et la misère, alors pourquoi se tenir avec eux? N'a-t-il pas quitté Belfast afin de réussir en Amérique? Où est sa réussite? Le voilà tapi dans une cache, misérable comme une bête et plus seul qu'une pierre. Il n'aurait qu'à ravaler son orgueil et rejoindre Oliver pour connaître une vie meilleure. Pourquoi pas?

Le projet se précise en lui et commence à l'enthousiasmer. Il se voit à bord du train, puis dans l'usine d'Oliver. Il se voit mener une vie régulière, bâtir une maison pour sa femme et ses enfants. Car il y aurait une femme et des enfants à qui bâtir un avenir. Un avenir plein de lumière. Pourquoi pas? Il y aurait une femme, mais de quoi aurait-elle l'air près du souvenir de Biche Pensive? Une autre femme saura-t-elle prendre son cœur si totalement? Car elle le lui a pris. Sans le vouloir, sans même désirer le blesser, elle l'a possédé au premier regard qu'elle a posé sur lui. Depuis ce premier regard, il ne s'appartient plus et espère contre toute espérance. Partir, ce serait lui dire adieu. Adieu pour toujours. Et ce serait dire adieu à Gros-Ours également et à tout ce qu'il représente. Ne l'a-t-il pas adopté comme son propre fils? Ne lui a-t-il pas même demandé de le visiter? Alors, pourquoi rester tapi tout l'été? Pourquoi rêver de fuite? Son âme est-elle si torturée qu'elle ne peut respirer le même air que Biche Pensive? Pense-t-il la chagriner en émigrant vers l'Ouest? Il sait bien que non et s'en désole. Biche Pensive ne l'aime pas et n'est pas obligée de l'aimer. Pourtant, sur le cheval, ce printemps, il a cru: elle se laissait aller si docilement entre ses bras qu'il pouvait sentir ses cheveux, sa chaleur, sa respiration. Elle regardait partout avec un regard émerveillé et buvait avidement à la coupe de la vie. Il aurait dû retourner son beau visage et le baiser tendrement. Mais il n'a pas su.

Il ne se résout pas à quitter Biche Pensive et écarte son projet de départ. Une autre solution s'offre à lui. Demain, il ira les visiter.

D'un pas alerte et décidé, il a franchi les trois milles qui le séparent de la cabane de Gros-Ours. Et le voilà accroupi derrière des framboisiers, soudainement intimidé et hésitant.

Il grelotte un peu dans ses vêtements trempés de rosée et hume avec volupté l'odeur de feu de bois qui s'échappe du tuyau de la cheminée. Il aimerait bien trouver l'audace d'ouvrir la porte et de s'approcher du poêle pour s'y sécher. De saluer Gros-Ours et de demander une tasse de thé à Biche Pensive. De s'asseoir et de parler avec eux. Mais il ne trouve pas le courage d'accomplir ces gestes et se contente d'écouter et d'épier la cabane de Gros-Ours. Des bruits qu'il a du mal à identifier le tiennent en alerte. Il guette.

La porte s'entrouvre et demeure un long moment ainsi, puis elle se referme et s'entrouvre à nouveau pour laisser passer un bout de bois. C'est une béquille. Un corps se cramponne à la béquille et apparaît dans l'embrasure. Gros-Ours peine terriblement mais réussit à sortir.

Sam est profondément touché par la vision de cet homme se traînant sur des béquilles. Il y a quelques mois à peine, il courait derrière cet homme comme un ourson écervelé, multipliant inutilement ses pas sans parvenir à suivre Gros-Ours qui progressait rapidement en ayant l'air de marcher lentement. Et voilà qu'aujourd'hui, le vieil Indien se traîne et s'appuie sur des béquilles, envisageant chacun de ses pas comme une victoire. Voilà qu'aujourd'hui, ses mouvements lui donnent l'allure d'une chose faible et désarticulée que retiennent deux bouts de bois. Une chose sortie d'un monde macabre. Une chose brisée, déplacée et sans coordination.

Il aurait été mieux mort, pense Sam. Et ç'aurait été une belle mort. Deux géants, un sur l'autre couchés. Pourquoi l'un d'eux a-t-il survécu pour devenir un nain? Pour devenir ce débris humiliant?

Gros-Ours tend l'oreille. Il renifle et ses yeux fouillent dans le feuillage. Sam retient son souffle, le cœur battant.

— Sam, dit alors Gros-Ours d'une voix chaleureuse. Viens, elle est partie pêcher, ajoute-t-il en regardant les framboisiers.

Le jeune trappeur se lève et subit le regard de Gros-Ours. Soudain, il se voit comme un nain vis-à-vis un géant. Il se voit tel qu'il est, peureux et timide, caché dans les framboisiers, tandis que le géant, malgré son handicap, affronte la vie et les humains. Quelle leçon!

Cet homme, qu'il y a un instant encore il considérait comme une chose brisée, a deviné sa présence et le pourquoi de sa présence et de sa gêne. En plus de voir à travers les arbustes, il a vu à travers son âme.

Sam ne sait que dire, que faire et se sent fautif des pensées qu'il a eues. Mais même ces pensées doivent être connues de Gros-Ours puisque celui-ci le regarde avec bienveillance.

— Viens, elle est partie pêcher, répète-t-il.

Où donc le vieil homme a-t-il appris toutes ces choses? Possédera-t-il un jour sa science et sa profondeur d'esprit? Pour se donner contenance, Sam lui demande comment il a fait pour deviner sa présence. Celui-ci renifle avec éloquence et bouge ses oreilles. Fasciné, Sam sourit et s'approche.

A cause de ses béquilles, Gros-Ours se tient courbé et relève la tête devant le jeune homme qui pose ses mains sur ses épaules.

— Je marche.

— Yes... Good, very good.

— Il n'y a pas d'âge pour un premier pas, dit encore l'Indien en hochant la tête.

Sam l'étreint de ses mains calleuses, incertain d'avoir compris réellement cette dernière phrase.

Midi déjà. Ou presque. Soleil et vent se partagent la journée. Depuis ce matin, Sam jase avec Gros-Ours. D'une façon assez comique, par gestes, signes et bribes de phrase. Il a appris que Biche Pensive a tué un chevreuil, qu'elle en a tanné la peau que Gros-Ours a employée pour lui faire des mocassins. Il a appris qu'elle se débrouille aussi bien qu'un homme et qu'elle fera la trappe cet hiver. C'est alors que Gros-Ours suggère d'unir leurs efforts pour la saison. Sam recule avec sa chaise et l'Indien se met à rire en le tranquillisant d'un geste de la main.

— Elle ira, elle ira. N'aie pas peur d'elle.

— I'm not afraid! répond brusquement Sam.

A ce même instant, la porte s'ouvre et Biche Pensive hésite un peu avant d'entrer. Elle salue Sam et lui demande de ses nouvelles.

— Good. Good, balbutie le jeune homme en rougissant jusqu'à la racine des cheveux.

— Tu feras la trappe avec lui, ordonne Gros-Ours à sa fille. A vous deux, vous aurez de bons prix.

— Très bien, papa, accepte-t-elle docilement.

Sam, interdit, la regarde s'affairer autour du poêle à bois qu'on entend bientôt pétiller.

Elle sort et revient au bout de quelques minutes avec un gros doré.

— Reste à manger, dit-elle en puisant dans la farine pour préparer la banique.

— Yes.

Il est émerveillé par la femme étrange qui travaille devant lui. Une très belle femme qui connaît aussi bien les gestes du chasseur que ceux de la ménagère.

Son regard glisse sur les formes adorables de son corps jusqu'à ses pieds chaussés de mocassins. Sam s'en veut de n'avoir pas su l'embrasser et la rendre sienne lorsqu'ils chevauchaient ensemble sur le beau cheval noir.

L'avent

Honoré attend Émerise sur le banc rude de la chapelle en roulant son casque de castor entre ses doigts. La présence des autres paroissiens l'intimide et le rend nerveux. Il aurait aimé pouvoir jaser librement avec le curé du problème qui les préoccupe, plutôt que de profiter des confessions de l'avent pour le rencontrer. Car, en fait, c'est un problème qui se discute à trois. Entre lui, sa femme et le curé.

Émerise revient vers lui, le visage défait, les yeux rougis.

— Encore?

Elle fait signe que oui en mordillant sa lèvre inférieure.

— La même raison?

Même signe.

— Y as-tu?

— Shh! Pas si fort.

Elle s'agrippe à son avant-bras, détournant son regard afin que personne ne remarque sa déconfiture. Honoré s'afflige de la voir si bouleversée et pose sa patte sur les petits doigts crispés dans l'étoffe de son manteau.

— Rentre à maison.

— Pas tu suite, réussit-elle à prononcer en essuyant les larmes qui débordent de ses yeux.

Honoré toussote, mal à son aise, et tapote amicalement la petite main.

— Va me faire un bon thé. Envoye, vas-y.

Émerise renifle discrètement, lève le menton et disparaît d'un pas fier et assuré. Mais Honoré sait qu'elle piquera une crise de larmes aussitôt qu'elle aura fermé la porte de la maison sur son châtiment. Refus d'absolution. Voilà quatre ans que cela dure.

Y a tout de même une limite, se répète-t-il en s'avançant derrière les rideaux qui tiennent lieu de confessionnaux.

Il s'y agenouille et bafouille sa prière d'entrée en matière. Il se sent soudain ridicule et cherche les mots qu'il avait préparés. Mais les mots ne viennent pas, ni même les idées. Ni même ses péchés. Il demeure muet et accablé un trop long moment.

— J'écoute Honoré.

Alcide Plamondon parle d'une voix patiente, tout comme s'il s'adressait à un jeune enfant.

— Je m'accuse.

— Oui. (Toujours ce ton de l'évidente patience qui signifie: Je prends mon temps pour toi, même si je n'en ai pas à perdre.)

Honoré s'énerve. Il a soudain peur de parler trop fort. Il se rengorge.

— C'est à propos de ma femme. Est pus capable d'en avoir.

— Parle plus fort Honoré, je n'entends rien.

Le fidèle sent la sueur glisser sous ses aisselles et cela l'incommode. Il lui semble qu'il sent mauvais et que le curé se pince le nez. Il serre ses coudes contre ses côtes pour bloquer les odeurs de sa nervosité et reprend:

— C'est à propos de ma femme. Est pus capable d'en avoir d'autres.

— Je ne comprends pas.

— C'est à propos de ma femme, hurle Honoré impatient.

— Shh! Pas si fort, mon brave, chuchote le curé en posant son doigt sur sa bouche.

— De même, m'entendez-vous?

— Oui, je t'entends. Elle n'est plus capable de quoi?

— D'avoir des p'tits. J'ai failli la perdre la dernière fois.

— Mais elle continue de faire son devoir conjugal?

— Oui.

— C'est empêcher la famille, ça.

— On peut pas faire autrement.

— Te rends-tu compte que cela va faire cinq ans qu'elle n'est pas enceinte? Cinq ans qu'elle vit dans le péché au vu et au su de tous!

Alcide Plamondon hausse le ton intentionnellement. Honoré rentre sa tête dans ses épaules comme une tortue effarouchée.

A cause de sa femme, la honte retombe sur lui et sa famille.

Après un long silence, Honoré suggère:

— Si on le faisait plus?

— Quoi?

— Ben, ça.

— QUOI ça?

— Ben... quand on fait des p'tits.

— Et tu crois que les gens du village te croiraient sur parole? C'est une chose assez difficile à vérifier.

— Ça serait juste entre nous autres. Et Notre-Seigneur ben entendu. Lui, y sait. Lui, y voit.

— Et ce qu'il voit, Honoré, entre toi et ta femme, l'afflige énormément.

— On le fera pus d'abord.

— C'est un devoir conjugal au même titre que nourrir ta famille.

— Y a pas de solution.

— Oui. Mais vous ne voulez pas la voir, la solution. Vous ne voulez pas accéder aux désirs de Dieu. Et Dieu vous punit par moi.

— Chus sûr que Notre-Seigneur y veut pas qu'a meure. Chus sûr de ça. C'est une bonne mère, m'sieu l'curé, je peux pas demander mieux, c'est une bonne mère et une bonne chrétienne. A fait dire le chapelet aux enfants à tous les soirs et on récite le bénédicité à chaque repas. Chus sûr que Notre-Seigneur y veut pas que je la perde.

— Balivernes que tout ça! La perdre. Voyons! Notre-Seigneur a justement créé la femme pour qu'elle fasse des enfants. C'est ce qu'Il veut qu'Émerise lui fasse: des enfants.

— Alexinas l'a dit: y faudrait avoir un docteur la prochaine fois.

— Il y en a un à Nominingue.

— J'sais mais c'est loin.

— J'ai entendu dire que c'était un jeune médecin avec un cheval rapide.

— Ça aussi j'le sais, mais le temps de l'avertir... c'est trop risqué.

— Tu te cherches des excuses, Honoré. Le Seigneur voit le fond de ton âme. Tu te cherches des excuses. Tu sais que je pourrais t'excommunier pour ça?

— Faites pas ça, m'sieu l'curé. Faites-nous pas ça.

— Ta femme aura l'absolution lorsqu'elle sera enceinte, pas avant.

— Ça va la tuer, soupire Honoré.

— Quoi?

— Rien, rien...

— As-tu pensé à ton œuvre?

— Oeuvre?

— Ta sculpture.

— Qu'est-cé qu'a l'a ma sculpture? Je vous la donne. C'est pour la paroisse quand on aura une église. Qu'est-cé qu'a l'a de mal? Est pas belle?

— Elle est pas pire mais... est-ce qu'on va accepter une sculpture qui a été témoin de tous vos péchés?

— Ben... Les autres, au conseil, y en ont-i parlé?

— Du péché? Que oui! C'est grave Honoré. Beaucoup plus grave que tu ne penses.

— Comme ça, vous en voulez pas de l'œuvre?

— Nous avons une réunion ce soir. J'essaierai de glisser un mot pour toi, mais l'opinion publique...

— L'opinion publique?

162

— Ce que les autres pensent.

— Je m'en sacre...

— Pardon?

— Rien, rien.

— Je n'ai pas entendu ta confession, Honoré.

— Ben, vous le connaissez mon péché.

— Dis-le.

— Je me rappelle pus comment.

— Péché d'impureté par action avec ma femme.

— Péché d'impureté par action avec ma femme.

Ayant reçu absolution et pénitence, Honoré demeure agenouillé, frappé soudainement par une injustice flagrante. Il se condamne même de n'y avoir pas pensé plus tôt.

— Pourquoi que vous me la donnez à moé, l'absolution? Ma femme pis moé, on a fait le même péché.

— Oh non! Honoré. C'est la femme et la femme seule qui est responsable du péché de la chair. Et même si elle se refuse à son mari, elle est responsable des péchés du mari qui se satisfait ailleurs. N'oublie pas Honoré, la femme est un être impur: elle ne pense qu'au mal. Elle tente les hommes. Beaucoup d'hommes vont brûler en enfer à cause des femmes.

Rendu à la maison, Honoré n'a pas le courage de tout raconter à Émerise. Il la voit blessée, humiliée; ne sachant comment aborder le sujet, il se contente de la prendre dans ses bras et de la bercer contre lui.

— C'est non?

— C'est non.

— Je veux pus en avoir, Honoré. Je veux pus. J'ai peur, j'ai peur.

— Y a un docteur astheure.

— Même à ça. Si fallait qu'y aye pas le temps.

— Y est jeune. Y a un bon cheval. Être sûrs que le docteur serait là, tu voudrais-ti?

Elle hésita longtemps.

— Ouais.

Sa voix était froide et dure et son corps tremblait des pieds à la tête. Honoré eut la désagréable sensation qu'elle venait de se condamner à mort.

Alcide Plamondon soupèse ses conseillers de son regard autoritaire. Voilà déjà huit ans qu'il les connaît et les manipule. Huit ans qu'on lui obéit sans discuter. Huit ans qu'on se plie à toutes ses exigences. Huit ans aussi de félicitations pour son œuvre apostolique. Pétri d'une satisfaction bien légitime, il n'admet pas qu'un colon comme Honoré puisse venir discuter ses décisions de confessionnal. Car qui est-il, cet Honoré, pour s'interposer entre Dieu et lui? Pour qui se prend-il? Oh! Il l'a bien jugé dès la première rencontre. A la façon osée qu'il a de regarder dans les yeux, à ses gestes ouverts, à sa bonhomie, à ses critiques et aussi aux initiatives qu'il a prises, comme rassurer Gros-Ours, l'accueillir chez lui puis sculpter une croix. Finalement, cet après-midi, il a réclamé l'absolution de sa femme. Tête forte que cet homme. Un individualiste. Mais ce soir, l'individualiste rencontrera la décision finale. SA décision. C'est ce soir qu'il écrasera sa tête forte et Alcide savoure déjà sa victoire assurée. Bien sûr qu'elle est assurée la victoire, avec les conseillers qui l'entourent.

Les connaissant à fond, il sait bien manœuvrer et réussit toujours à obtenir ce qu'il souhaite. Les sachant ignorants, il s'adressera à leur soi-disant bon goût et bon sens.

— Chers amis. (Il sourit et ce rare sourire fait sourire les conseillers entre eux. Voilà, le curé n'est pas fâché.) Chers amis, discutons, si vous le voulez bien, de la sculpture, hmm! oui, disons sculpture, enfin, je ne sais pas trop quel terme employer pour la statue de monsieur Villeneuve.

— C'est une statue, m'sieu l'curé.

— Bon. C'est une statue. Est-ce que la fabrique prend la responsabilité de l'installer dans notre future église?

— Ben... euh... est pas mal belle.

— Oui. Elle est pas mal belle, surtout dans sa cuisine, réplique-t-il d'un ton moqueur.

— Ouais! Surtout dans sa cuisine, renchérit l'interlocuteur en retenant un rire gêné.

— Si on la compare à de vraies statues, on comprend vite ce que je veux dire. Elle n'a pas de couleur.

— Ouais! C'est vrai, est toute en bois.

— Pas de sang sur le pauvre Jésus-Christ qui n'a pas trop l'air d'avoir souffert le martyre.

— Ouais! Vous avez raison, approuvent les conseillers en chœur.

— Mes chers amis, connaissant votre bon goût, j'ose croire que vous aimeriez doter votre église d'un vrai crucifix. D'un crucifix à l'image de Notre-Seigneur qui sera très fier de vous lorsqu'Il verra une belle statue au-dessus de son autel.

— Je vous contredis pas m'sieu l'curé, mais Honoré, faut dire qu'y nous la donne, la sienne.

— Arthur, si on te donnait un tison rouge, le prendrais-tu dans tes mains?

— Ben... ben non.

— Fruit donné souvent empoisonné.

Un court silence suit. La dernière sentence suffit à gagner les indécis. Un état de péché plane au-dessus de la famille Villeneuve. Ce fruit donné empoisonné attirera sans doute des malheurs. Qui sait si le diable en personne ne viendra pas leur tirer les orteils ou leur donner des tisons rouges? On vote. Contre. La sculpture restera dans la cuisine.

Ce soir-là, lorsque Alcide Plamondon s'est glissé dans son lit glacé, un sourire le défigurait. Il avait vaincu sa tête forte. Il l'avait humiliée, rabaissée, dégradée.

Le visage d'Honoré, apprenant le refus de son Christ, le comblait. Il avait l'impression d'avoir tué un dragon ou encore d'avoir écarté un danger imminent de son troupeau de brebis.

Après un tel échec, Honoré s'isolera et perdra sa belle confiance en lui et dans les autres.

Alcide s'est endormi en souriant, non pas aux anges, mais au serpent de l'arbre qu'il venait d'écraser.

La vie et la mort

De nouveau la Sainte Vierge qui regarde ailleurs, la poignée de laiton du tiroir et l'écartèlement douloureux, lent, progressif. La poussée d'un être en elle. La pression de la vie qui éclate dans son vagin étroit, qui pousse les parois en une sourde explosion. Reins, tripes, jambes, veines, estomac, tour à tour subissent l'inévitable martyre. Émerise ne sait plus à quoi s'accrocher pour oublier sa souffrance. Elle geint, elle crie, elle souffle, oubliant toute retenue, toute pudeur.

Malgré la présence de la sage-femme, elle ne réussit pas à se calmer. Parfois, elle pense qu'il lui faudrait se taire pour ne pas effrayer sa fille, Rose-Lilas, qui tourne en rond dans la cuisine. Mais le cruel labour gagne sur ses bonnes intentions, et elle s'entend hurler. Ses poings se crispent à la tête du lit et elle sent ployer les tiges de métal. Alexinas se penche sur elle, essuie les rigoles de sueur qui coulent jusque dans ses cheveux. Émerise s'accroche à ces grasses épaules qui sentent la fumée et l'étable et, malgré ses haut-le-cœur, retient près d'elle cette autre femme pour lui transmettre sa détresse.

Celle-ci caresse son front. Émerise le sent tout petit et froid au creux de la main confortable et elle entend la voix éraillée qui tente de la rassurer.

— Ton mari y est parti chercher le docteur... Ça va ben aller. Tâche de te calmer. Ça sera pus ben long.

Hue donc! Guidi Hop! hurle Honoré en claquant son fouet sur la croupe écumante de son jeune cheval.

Y est au savon. Pourvu qu'y tienne bon, pense-t-il. La bête court à fond de train et le paysage automnal défile de chaque côté de la route. Honoré n'y voit que du sang. Du sang partout sur les érables. Du sang sur le drap du lit. Du rouge... du rouge... encore du rouge comme une annonce de mort.

Il s'affole, claque le fouet et le dos du cheval frémit d'épouvante. Il s'enfuit et fuit cette charrette où un homme hurle sa peur. Et la charrette le suit, cahotante et bruyante. Et Honoré crie, transmettant sa panique et sa hâte, levant haut dans le ciel lumineux son fouet impatient.

166

Des pensées le traversent à vive allure. Des sentiments naissent et meurent en lui, vont et viennent avec des images et des paroles. Il n'a pas le temps de s'y attarder.

Émerise au fond du lit. Oui, comme au fond du lit... écrasée par son gros ventre. Des mèches grises partout dans ses tresses mouillées. Sa jaquette en sueur, collée sur le gros ventre. Le curé qui lui a refusé l'absolution pendant cinq ans. Les regards mesquins des gens à Pâques. La honte... la honte d'Émerise d'être la honte de la famille, l'arrêt de mort un soir de l'avent... Alexinas inquiète à cause du sang. Alexinas qui fronce les sourcils et le presse d'aller quérir le médecin. Les cris d'Émerise. Le curé qui refuse l'absolution. Les mauvaises langues. Le Christ de bois, resté dans la cuisine. La sentence du curé qui revient faire mal comme un abcès: « Je ne pouvais pas accepter une sculpture qui vient d'un lieu où l'on ne respecte pas les désirs de Dieu. » Les désirs de Dieu! Est-ce là les désirs de Dieu? Les souffrances d'une petite femme de quarante ans, incapable d'accoucher son enfant... les désirs de Dieu, tout ça? Les ordres de Dieu... faire l'amour dans le seul but d'avoir des enfants. Les autres fois, des péchés... des péchés... des péchés. Aujourd'hui, la punition de Dieu s'abat. Dieu: un vieil homme sévère dans un triangle. Son Fils qui pâtit sur une croix pour son bon plaisir. Une femme qui pâtit sous son gros ventre... pour son bon plaisir. Non. Il hait le curé de les avoir poussés jusqu'à la conception d'un enfant. Il hait sa faiblesse... et hait l'être dans sa femme.

Hue! Guidi Hop!

« Mon cher Philippe, je m'empresse de t'écrire pour t'annoncer les bonnes nouvelles au sujet de ta femme. Elle est venue me visiter dimanche dernier et m'a raconté que les médecins la disent complètement guérie. De fait, elle m'a paru en excellente santé et j'ai remercié le Seigneur d'avoir exaucé mes prières.

Elle s'est faite à l'idée d'aller vivre en pays de colonisation et je crois fermement qu'elle en a maintenant la force. J'en suis très heureuse pour vous deux et j'ai confiance que vous pourrez vous dévouer et aider votre prochain.

Cher Philippe, j'estime réellement qu'avec Amanda pour te seconder, tu pourras pratiquer la médecine plus librement car je sais qu'il est difficile pour un homme de tout faire seul, surtout en ce pays de misère, et c'est pourquoi je prie pour toi tous les jours. Je prie afin que tu puisses réaliser ton œuvre parmi tes malades et conserver vivant en toi ton esprit de sacrifice et de don total.

Outre la vocation sacerdotale, n'est-il pas de plus belle vocation que la médecine? Soulager les corps, demeures fragiles des âmes, n'est-ce pas là une faveur du ciel? Je remercie la volonté divine qui me permet à chaque jour de me pencher sur les souffrances d'autrui et de les soulager. Et, souvent,je pense à toi, mon grand frère qui accomplit ces gestes dans ce pays difficile. Je pense à tes pauvres colons et je prie pour eux aussi.

Naturellement, à la maison, papa n'est pas du même avis que nous. Il est très contrarié par ta décision définitive et ne se résout pas à admettre que tu n'es plus un petit garçon qu'on puisse réprimander.

C'est normal à son âge de voir d'un œil tout différent les projets de nos enfants, surtout lorsqu'ils entrent en contradiction avec les projets que l'on élaborait pour eux.

Mais que cela ne t'empêche pas de prier pour lui et de lui témoigner respect et amour. Si tu pouvais lui écrire une petite lettre, je crois qu'il en serait content.

N'oublie pas que Dieu est le Maître de toutes choses et détient toute vie entre Ses mains, et que tu en es l'instrument pour aider tes frères.

Lorsqu'Il vient chercher un de tes patients, ne t'en jette pas le blâme. Et ne tire pas de gloire quand tu vaincs une maladie. Ce n'est pas toi qui l'as vaincue, c'est Dieu par toi. Tu n'es que l'humble instrument de Sa Volonté toute-puissante. »

Un bruit de sabots et de charrette arrache Philippe à sa lecture. Il entend crier une voix inquiète:

— Docteur! Docteur!

Il s'empare aussitôt de sa trousse et court dehors.

Honoré, en voulant sauter de son banc, s'est empêtré dans les guides et est tombé par terre. Il se relève, poussiéreux et nerveux et explique d'une voix rapide:

— Docteur, vite, ma femme. Le bébé passe pas... Y a du sang.

Il suit le médecin jusque dans l'écurie et demeure figé à ses côtés, le regardant seller le coursier d'un air hébété.

— J'irai plus vite que vous, monsieur Villeneuve: ne vous inquiétez pas.

— C'est ça! Faites vite. Faites vite.

Après avoir solidement fixé la trousse, Philippe monte agilement.

— Ya! Ya!

Robin décampe en faisant voler des cailloux sous ses sabots rapides.

File, file le cheval noir dans les couleurs vives d'octobre.

Filent les taches rouges. Rouges comme le sang. Le sang d'une femme en couches.

Filent, filent le cheval tendu et son cavalier, sur lui couché. Filent dans le dernier air chaud de l'automne. File le médecin. Cœur battant et tempes battantes. Battant l'atroce chemin du martèlement des sabots.

File vers celle qui souffre, celle qui crie, celle qui craint. Ya! Ya! Ya! Ce cri exigeant dans ce désert féerique. Cette galopade éreintante vers les souffrances humaines.

Ya! Ya! Ya! File, mon cheval noir. Prends tes ailes. Fais des sauts et des miracles. Envole-toi. Va donc à ce lit. Vois ma tête près de ton cou plein d'écume. Écoute mes paroles dans ton oreille attentive. Sent mes mains tendre les guides, mes jambes presser tes flancs.

File mon cheval. File. Ya! Ya!

Ha! Ha!

Un cri s'amenuise, se termine en râlement. Émerise flotte dans l'univers sordide de la douleur. Elle n'est ni dans son lit ni dans sa maison, mais ailleurs, dans la douleur.

Une main énergique touche son front, relève sa jaquette, explore son vagin.

Elle ouvre les yeux et distingue une silhouette près d'elle. C'est un homme. Que fait-il près de son lit? Ce n'est pas Honoré. Où est Honoré?

— Honoré?

Elle tente de l'appeler afin qu'il chasse cet inconnu qui la touche en cet endroit si honteux.

— Je suis le docteur, madame. Prenez courage. Ce ne sera plus long.

— Le docteur... Ah oui, le docteur. Aidez-moé... je veux pas mourir... j'ai des enfants à prendre soin.

— Vous ne mourrez pas, madame. Allez, détendez-vous. C'est un moment à passer. Je vais prendre les fers.

Se tournant vers Alexinas, Philippe lui dit d'un ton autoritaire:

— Vous allez m'aider, madame. Vos mains sont propres?

— Ben sûr.

— Placez-vous là.

Une ombre noire surprend soudain le jeune médecin. C'est le curé, appuyé au chambranle de la porte.

Que fait-il là? pense Philippe. Que me veut-il?

— Je suis venu vous rappeler vos devoirs, explique le curé comme s'il avait lu dans les pensées de Philippe.

Celui-ci s'immobilise un instant et examine cet homme au visage sévère, venu lui rappeler ses devoirs.

Avec sa longue soutane noire, son nez crochu et sa lèvre inférieure qui remonte sur la supérieure en une moue agressive et amère, le curé incarne soudain l'image même de la mort. On dirait un grand corbeau, impassible et dur, prédisant que quelqu'un devait mourir dans cette pièce. Et que ce quelqu'un qui devait mourir c'était cette femme pécheresse. Elle devait mourir et l'enfant devait vivre.

— Allez-vous-en! lui lance Émerise en ramassant ses quelques miettes d'énergie.

— Vous feriez mieux de sortir, monsieur le curé, ce n'est pas l'endroit indiqué pour un prêtre... et ne vous en faites pas pour mes devoirs: je sais ce que j'ai à faire.

— Vraiment? Je vous croirais plutôt révolté, docteur. Oui, révolté. Je suis venu vous avertir que je vous ai à l'œil.

Sans prendre la peine de répondre, le médecin ferme la porte de la chambre et revient aussitôt au chevet de la parturiente. Il stérilise ses forceps et réussit à saisir la tête du bébé. Il lui faut faire vite: la mère et l'enfant semblent au bout de leurs forces. Il tire, tire fort. Profitant d'une contraction, il ordonne:

— Poussez!

Émerise tente d'exécuter cet ordre et n'y parvient pas. Alors Alexinas pose ses mains puissantes sur son ventre et se met à pousser à sa place.

C'est horrible: elle se déchire.

— Poussez! ordonne le médecin en tirant sur les forceps. Poussez!

Incapable d'accomplir cet acte, Émerise commence à rouler sa tête sur l'oreiller, comme si elle pouvait ainsi s'échapper d'elle-même.

— La tête est sortie! annonce le médecin pour l'encourager.

Elle sent les forceps qu'il vient de retirer et qu'il abandonne contre sa cuisse. Elle prend une grande respiration. Sa délivrance approche et son cœur s'emplit de reconnaissance pour cet homme. Elle voudrait bien le remercier, mais se contente de respirer et de se réjouir du retrait des forceps.

— Poussez encore, ordonne-t-il.

Elle veut bien lui faire plaisir et, s'accrochant à la tête du lit, tente un suprême effort d'expulsion qui aboutit à l'échec. Alexinas revient la pétrir. Émerise apprécie maintenant sa collaboration et pense à l'enfant pour se donner courage. « Pourvu qu'y soye correct », souhaite-t-elle.

Philippe fait doucement pivoter le bébé. L'épaule droite se présente, il dégage la gauche, et soudain, le reste du corps suit sans difficulté.

— C'est un garçon! annonce-t-il.

Mais le petit corps flasque et blanc du nouveau-né l'inquiète. Après avoir coupé et noué le cordon ombilical, il s'en empare et le secoue. Le bébé ne respire pas de lui-même. Il le secoue de plus en plus fort, tape dans son dos puis le lance en l'air. Alexinas étudie ses moindres gestes et tous deux échangent un sourire ému lorsqu'un cri bref mais vigoureux se fait entendre.

Philippe le couche dans ses mains grandes ouvertes et surveille la petite cage thoracique qui se soulève brusquement. Un second vagissement, fort et clair, triomphe.

— C'est ça, mon garçon, dit-il d'un ton paternel. Vous l'avez entendu madame? poursuit-il en se retournant vers la mère.

Il reste soudain pétrifié par l'énorme mare de sang au creux du lit. Il remet l'enfant à la sage-femme et revient près d'Émerise. Jamais encore il n'a vu tant de sang se perdre en si peu de temps. Avec des gestes rapides et sûrs, il fouille l'utérus et, posant sa main sur le ventre, tente de palper la matrice. Elle est en atonie complète. Aucune contraction: les gros vaisseaux se déversent dans le placenta.

Il introduit sa main droite dans le vagin, retire le placenta, réintroduit sa main et, s'aidant de la gauche, se met à masser l'utérus à travers la paroi abdominale afin de provoquer la contraction du muscle. Avec effroi, il sent dégouliner le sang le long de son avant-bras et continue à masser avec acharnement.

(Émerise... Émerise... où es-tu? Que fais-tu? C'est un garçon... vivant... Chus ben tout à coup, mais j'ai froid. Qu'est-cé qu'on me fait encore? Le curé m'a fait peur... Les fers contre ma cuisse. Chus délivrée, Sainte bénite... Alexinas est là... pas de danger. Le curé va me donner l'absolution. J'vas pouvoir communier à Pâques... Peut-être aussi qu'Honoré va pouvoir mettre sa statue dans l'église. J'vas pouvoir communier avec mon p'tit... mon p'tit. J'ai froid... chus toute mouillée... mon lit est plein d'eau... Faut qu'Alexinas me change... C'est comme quand je faisais pipi au lit quand j'étais p'tite... c'était chaud sur le coup pis froid par après. Honoré, t'as un gars, Sainte bénite, un gars...)

Affolé, Philippe masse encore, malgré le sang qui a cessé de dégouliner le long de son avant-bras. Constatant la flaque que le matelas ne parvient pas à imbiber, il se rend à l'évidence de son impuissance.

— Docteur... je pense qu'est morte, constate tristement Alexinas de sa voix rouillée.

Philippe retire son bras, pose sa tête sur la poitrine immobile. Le cœur ne bat plus. Il regarde finalement le petit visage d'Émerise, presque aussi blanc que le drap. Son cœur se recroqueville et des larmes lui montent aux yeux. Il mord sa lèvre inférieure afin de ne pas pleurer. Il se sent responsable de la mort de cette femme. S'il s'était occupé d'elle au lieu du nouveau-né, peut-être aurait-il pu provoquer la contraction des muscles. Le nouveau-né serait mort et le curé l'aurait poursuivi en justice pour n'avoir pas suivi la loi: laisser mourir la mère.

Une hémorragie de la délivrance, diagnostique-t-il, comme c'est bête: mourir en donnant la vie.

D'un geste malheureux, il reprend ses instruments souillés, les tend à Alexinas et ordonne d'une voix rauque:

— Laissez-moi le bébé et occupez-vous de laver ça et de la changer avant que son mari arrive.

Alexinas se met à l'ouvrage pendant que le médecin se penche sur le bébé. Il voit tomber une larme sur le petit ventre blanc et renifle. « Prie pour moi, petite sœur, prie pour elle et surtout, surtout pour lui. »

Alexinas brosse les cheveux d'Émerise. Philippe l'observe d'un air distrait comme s'il vivait un cauchemar. Comme si c'était un autre médecin que lui qui venait d'accoucher, un autre bras que le sien qui avait senti couler la vie, une autre chemise que la sienne qui s'était tachée.

La sage-femme a des gestes doux, des gestes maternels. Elle tente de réussir un chignon et, le voyant manqué, étale la chevelure grisonnante tout autour du visage d'Émerise.

Elle ressemble à Amanda, remarque-t-il tout à coup. Même délicatesse des traits, même fragilité des poignets, même impression d'éphémérité.

« Je m'empresse de t'écrire pour t'annoncer les bonnes nouvelles au sujet de ta femme », disait la lettre de sœur Sainte-Clothilde. Que dira-t-il, lui, à l'homme qui se hâte dans sa charrette? Comment lui dira-t-il: ta femme est morte, ton fils est vivant?

Il envie soudain Alexinas qui a su changer le lit et arranger la morte. Les draps sont roulés dans le coin de manière qu'on ne voie pas de sang.

La petite femme aux mains minuscules dort paisiblement dans ses cheveux aux reflets d'argent. Oui. Elle semble dormir. A quoi pensait-elle donc lorsqu'elle est partie? On dirait qu'elle sourit. Oui, elle sourit un peu.

Philippe constate qu'il possède la science et que cette solide laboureuse, à la charpente grossière, possède la sagesse. Et la sagesse ne s'apprend pas dans les livres. La sagesse n'a pas de diplôme et pas de titre. Jamais il n'aurait soupçonné tant de sensibilité et de délicatesse chez Alexinas Ouellette, qui caresse maintenant le front de la morte et semble lui conter une belle histoire. Toute cette aimable compassion contraste vivement avec les muscles de ses bras, son chignon malhabile et sa robe rapiécée tombant sur ses souliers de bœuf.

— Ça vous est déjà arrivé? demande-t-il d'une voix contrite.

La femme sage se retourne vers lui et hoche la tête.

— Non... jamais.

Voyant Philippe s'accabler davantage, elle ajoute:

— A l'était si p'tite. C'est pour ça que je vous ai envoyé chercher. Je me doutais de quèque chose.

— Pensez-vous qu'on aurait pu?

— Non. On n'aurait pas pu; le p'tit serait mort, conclut-elle en le regardant au fond des yeux sans broncher.

Il la regarde aussi, tentant de découvrir la pensée véritable de cette vieille femme aux yeux candides. Il se sent soudain comme un petit garçon devant sa mère. Qu'a-t-elle à le sonder et à se laisser sonder? Que veulent-ils se dire au-delà des mots? Veut-elle lui faire comprendre qu'elle trouve injuste la loi des hommes? Veut-elle lui faire comprendre l'illogisme du choix entre un mort-né et six orphelins? Elle se tait. Pourquoi? Que craint-elle? Elle se soumet au silence, elle se résigne, mais ses yeux crient sa révolte. Il la sent cette révolte qu'elle ignore elle-même. Et aimerait lui faire savoir qu'il la comprend.

— Je ne pouvais pas laisser mourir le petit.

— J'sais. Même moé, je me suis attardée au p'tit.

Philippe acquiesce de la tête et apprécie cette femme qui sait trouver les mots qui le déculpabilisent. Si elle, la femme, la mère, la sœur, s'est laissé prendre par le moment crucial du premier cri, alors lui, l'homme, le médecin, se pardonne de s'être dépensé à réchapper cette nouvelle vie au détriment de l'autre qui s'écoulait silencieusement et sournoisement de son temple.

— Il n'y a pas eu de choix finalement, ça s'est fait tout seul.

— On est accoutumée... Depuis toujours c'est de même, conclut-elle en clignant ses yeux maintenant humides.

L'attelage en furie pénètre dans la cour. Philippe s'empresse de quitter la chambre.

Honoré ouvre précipitamment la porte de sa maison muette et s'immobilise sur le tapis tressé.

Le médecin le regarde d'un air pitoyable et sa chemise blanche est rouge de sang, son avant-bras droit surtout avec la manche roulée et engluée.

Le curé pose également sur lui ses yeux froids. Seule Rose-Lilas pleure à chaudes larmes sur le bout de la table.

Honoré blanchit, son cœur flanche. Il lui semble qu'il va s'écrouler sur le tapis tressé par Émerise. Il demeure saisi et dévisage avec effroi le médecin qui s'avance. L'horreur grandit à mesure que Philippe s'approche avec son linge maculé. « Tout ce sang... tout ce sang était à Émerise... Y en reste pus... c'était tout à elle, ce sang-là... »

Voyant la terreur de l'homme, Philippe jette un coup d'œil sur ses vêtements et s'écœure lui-même de son aspect de boucher. Il s'arrête. Interdit. Navré. Il cherche les mots à dire mais il entend sa propre voix annoncer machinalement:

— Vous avez un garçon, monsieur Villeneuve.

Monsieur Villeneuve ne réagit pas et demeure cloué sur son tapis aux vives couleurs.

La chaise du curé craque lorsqu'il se lève pour annoncer:

— Je vais lui administrer l'extrême-onction sous condition.

« Extrême-onction: le sacrement des morts. Sous condition: est déjà morte. Émerise est morte », se répète Honoré en suivant des yeux la haute stature du curé qui s'achemine vers la chambre.

Vers la chambre, leur chambre, leur lit. Leur lit plein de péchés... Des péchés. La voilà morte dans son lit plein de péchés... c'était mortel... « Mais c'est pas du péché qu'est morte, c'est d'un enfant. A l'savait: a l'avait peur. » Mon Dieu! Leur lit si intime, si chaleureux, tiède de tant de gestes de tendresse, tout à coup revit avec les souvenirs. Avec le petit corps chaud de sa femme roulée en boule qui disait souvent « chauffe-moé » en se collant. C'était bon, les cheveux doux sur sa joue, l'ivresse des mains qui errent sous la jaquette de flanelle, les baisers de leurs bouches. C'était doux. C'était bon tout ça! L'amour, la tendresse au matin, le baiser qui éveille, la main légère sur son thorax lui donnant la certitude d'être fort, d'être un homme. D'être un homme avec une femme. D'être un homme aimé d'une femme. D'être un homme et d'aimer une femme.

Il voit la soutane noire devant ce lit et traverse aussitôt à grands pas la cuisine. D'un geste brutal, il tasse l'homme en criant:

— Touchez-y pas! Allez-vous-en! Allez-vous-en!

Et il se rue auprès d'Émerise, s'agenouille et la contemple. Si belle. Avec ce léger sourire des beaux rêves.

— Non! Non! hurle-t-il. Émerise! Laisse-moé pas! Laisse-moé pas, Émerise.

Il la prend dans ses bras vigoureux et l'écrase contre sa poitrine douloureuse. Il pleure, pleure en la serrant sur lui.

Philippe l'entend tout en pompant l'eau. Il se lave et enfile son veston par-dessus sa chemise. Lorsqu'il se retourne, Honoré s'avance dans la cuisine avec sa femme dans les bras. Il s'écrase dans la berceuse et lui imprime un mouvement régulier. Sa fille Rose-Lilas s'approche de lui et vient regarder sa mère. Aussitôt ses larmes redoublent et elle se met à crier à son tour. Philippe la saisit par les épaules. Elle lui crie:

— Touchez-moé pas! Vous l'avez tuée. Vous avez tué ma

174

mère! Touchez-moé pas! Allez-vous-en! Allez-vous-en vous aussi!

Elle le frappe au visage. Le médecin réussit à saisir ses poignets et la traîne près de la pompe où il fait couler l'eau froide sur ses mains. Alexinas s'approche, mouille une serviette et la passe dans le cou et la figure de l'adolescente. Elle se calme alors et se réfugie dans la robe rapiécée pour y déverser ses pleurs.

— Faut lui administrer les sacrements, mon Honoré, explique Alcide en tentant de maîtriser sa colère.

— Astheure qu'est morte, vous voulez y donner l'absolution. C'est trop tard; est morte. C'est pas le docteur qui l'a tuée, c'est vous. Une femme, c'est pas juste faite pour avoir des enfants, c'est faite pour les élever et prendre soin de son homme. A pouvait pus en avoir d'autres, surtout à son âge. Je vous l'avais dit. Mais a voulait communier comme toutes les autres, à grand-messe... pis à Pâques... pis a voulait voir ma statue dans l'église.

Sa voix s'étrangle et il embrasse le visage de sa femme.

— Donne-lui justement la chance d'aller au ciel, insiste le curé en prenant un ton doucereux.

— Je veux que personne y touche; surtout pas vous. C'est à moé c'te femme-là... c'est ma femme, pas la vôtre. Vous avez dit qu'était pleine de péchés: c'est pas vrai. J'y crois pas. Chus sûr que Notre-Seigneur l'aime.

— Tu dis des sacrilèges, Honoré. Tu t'en repentiras un jour. C'est toi maintenant qui lui refuses l'absolution. Elle, elle l'a toujours désirée. C'est à elle que tu fais de la peine. Tu n'accomplis même pas ses dernières volontés. Tu as tellement d'orgueil que tu aimes mieux la laisser brûler en enfer.

— C'était ses dernières volontés?

— C'est ce qu'elle désirait le plus au monde.

— Correct d'abord.

Honoré se lève et porte son fardeau jusqu'à la chambre. Il laisse Émerise au soin du prêtre et revient à la cuisine où il tombe pesamment à genoux devant sa sculpture. Il appuie sa tête contre les jambes de son Christ. Il ne formule aucune prière connue et il lui semble même entendre bruire le pin dans la forêt. Et ce bruissement, puisé au fond de ses souvenirs, se mêle au froufrou de la jupe d'Émerise sur le plancher de la cuisine. Tous les gestes de sa femme défilent sous l'œil sévère de Dieu, ainsi que tous leurs gestes quand leur amour se consacrait dans la chair. Il pousse son front contre le genou déchiré du Christ comme s'il pouvait joindre l'amour d'Émerise au Sien, le sacrifice d'Émerise avec le Sien. N'ont-ils pas sacrifié leur chair par amour?

Ce Christ-là est si près de lui... et si loin du Dieu sévère. Ce Christ-là qui disait: « Pourquoi m'avez-vous abandonné? »

Ce Christ-là qui pâtissait sur sa croix, comme Il devait être triste! Comme Il devait être seul. Et comme Il doit le comprendre... à cette minute même. Et comme Il doit être doux avec Émerise. Il le voit d'ici, lui ouvrir toutes grandes les portes du ciel. Alors, l'homme se met à prier sa femme. Il lui parle dans son âme. « Émerise, pourquoi tu m'as laissé tu seul? J'ai même pas eu le temps de te dire que j't'aimais. J't'aime tu sais, j't'aime beaucoup. J'aurais aimé ça vieillir avec toé, juste vieillir avec toé. Là, chus pris pour vieillir tu seul. Bonyenne que j't'aime, Émerise. »

Alexinas attise le poêle et prépare du thé. Tant qu'il y a une femme dans la maison, cette maison-là semble vivante, constate curieusement Philippe.

La vieille oblige Rose-Lilas à se secouer de sa peine et à prendre en main la situation en lui commandant de sortir des tasses, du pain, du beurre et des confitures. L'adolescente se plie à cette exigence et demande au médecin en rougissant:

— Vous voulez du thé, docteur?

— Avec plaisir, ma fille.

Rose-Lilas accomplit consciencieusement sa tâche sans se douter du fardeau qui vient d'échouer sur ses jeunes épaules. Zoé étant mariée, elle hérite des obligations de sa mère et Philippe devine que cette maison-là ne mourra pas tant que cette jeune fille prolongera l'œuvre commencée.

Succédant aux cloches joyeuses du baptême, le glas tombe. Lourd et sourd. Le glas tombe comme une grosse goutte d'eau sur la campagne ensoleillée.

Le glas,
D'un son las,
Tombe bas.
Marque les pas
Qui vont là,
Vers le trou,
Vers la boue.
A genoux,
Presque fou,
Presque fou, Honoré.

Endimanché pour la circonstance, avec son visage sens dessus dessous, ses gestes de somnambule et sa voix tremblotante.

Presque fou, Honoré, devant les entrailles ouvertes de la terre, où s'engloutira celle qu'il aime. Couché dans l'herbe, son

176

grand Christ de bois repose. Des mouches se promènent sur son front malheureux et l'homme a presque envie de les chasser. Et de chasser tous les vers et les insectes qu'il devine dans la fosse. Il a envie d'être irraisonnable et de s'enfuir encore avec elle, mais il se contente de regarder sa sculpture qu'il élèvera sur la tombe de sa femme. Cela lui fait tout drôle de la voir ainsi, hors de la cuisine. Cela faisait bien trois ans qu'elle veillait près du poêle. Sans compter l'année de séchage où elle n'était qu'un billot de pin. Trois ans... Trois ans de temps, appuyée contre son mur, à la fois motif de honte et de fierté. Trois ans de temps, dans la cuisine, avec Émerise qui trottinait devant. Avec le chapelet inlassable de ses travaux ménagers, les neuvaines de ses repas, de ses lavages, repassages, raccommodages. Avec cette prière continue des jours courageux et des humbles besognes. Trois ans de temps, avec Émerise dans la cuisine. Témoin mystérieux de sa force, de sa patience et de sa douceur.

Témoin qui, aujourd'hui, se dressera tel un monument levé à la mémoire d'un personnage illustre. Qui se dressera malgré la désapprobation du curé, du bedeau et contre la règle des couches sociales.

Oui, il restera avec elle son Christ de bois puisqu'il a vécu avec elle dans sa petite cuisine. Il connaîtra pour elle le retour des saisons qu'elle n'avait eu le temps de voir qu'à travers sa fenêtre. Il se laissera mouiller, glacer, chauffer. Il se laissera vieillir. Son bois blond deviendra gris comme ses cheveux. Et le souvenir d'Émerise demeurera vivant.

Vivant, il restera dans le cœur de ses enfants groupés autour de lui. Dans le cœur de Zoé, devenue Mme Arthur Numainville, qui joint ses doigts inquiets sur son ventre fécondé. Dans le cœur d'Auguste, au visage sévère et fermé, qui retient ses sanglots et se maîtrise à grands coups de volonté, essayant de prouver qu'il est déjà un homme et de mériter son titre d'aîné des garçons. Dans le cœur de Victor et de Félix, aux yeux terrifiés et à la mine d'enfants abandonnés. Dans le cœur de Rose-Lilas, généreuse et ronde dans ses formes, dont le visage s'est récemment empreint de gravité et de maturité. Hier encore, elle n'était qu'une pubère aux chairs trop grasses, enjouée et rieuse comme toutes les rondelettes. Reviendra-t-il encore son rire léger et insouciant? Honoré l'entendra-t-il à nouveau égayer sa maison?

Rose-Lilas, paralysée d'effroi et de douleur, glacée jusqu'à la moelle malgré le soleil dans son dos, ne peut détacher ses yeux de la tombe de bois.

Elle réentend les cris de sa mère en couches et sait qu'elle les entendra toujours. Elle revoit le sang sur le docteur et plus tard sur les draps changés et le matelas, et elle sait qu'elle le verra toujours.

Elle imagine le bébé, coincé dans le vagin. Écartelant et martyrisant malgré lui la petite femme. Elle se jure que jamais son ventre ne portera de fruit si dangereux. Dotée d'une corpulence imposante pour son âge et d'une tignasse rousse et rebelle qui lui ont valu le surnom de « Grosse Rouge », elle apprécie de n'avoir pas trop d'avances à repousser et compte bien parvenir à demeurer célibataire jusqu'à la fin de ses jours. Après tout, il faudra bien que quelqu'un s'occupe du petit Jérôme, d'une santé précaire, qui n'a attiré, jusqu'ici, l'attention de personne. Quelle naissance lamentable, pense-t-elle. Pauvre petit être que personne ne veut. Ni Honoré. Ni les autres. Son père ne le regarde même pas, ne s'alarme pas lorsqu'il s'étouffe, ne remue pas lorsqu'il geint. Ce bébé est seul. Sans maman. Est-ce sa faute à lui si la maman est morte en lui donnant vie? On dirait qu'il le sait et fait le moins de bruit possible dans son berceau. Le docteur a dit qu'il pouvait mourir lui aussi et qu'il avait les poumons très fragiles. Mais Jérôme ne pleure pas et grimace pour lui tout seul dans ses langes, se contentant du lait de vache et des soins rudimentaires de Rose-Lilas. Jamais encore quelqu'un de la famille ne l'a pris dans ses bras. Ne l'a bercé, ne l'a embrassé. Jamais encore quelqu'un ne l'a aimé, réalise tout à coup Rose-Lilas. Son cœur s'emplit soudain d'une maternelle tendresse et elle jure de remplacer sa mère auprès du dernier-né. « J'vas en prendre soin môman, inquiète-toé pas », répète-t-elle pendant que le curé prononce l'oraison funèbre.

Rester vieille fille et prendre soin de Jérôme, voilà sa vie toute tracée d'avance. Elle se sent soulagée et rassurée à la fois. Elle sera mère sans en courir les risques. Et les joies? Y a-t-il de la joie à enfanter? Personne ne lui en a parlé. Zoé a-t-elle connu une joie quelconque avant que son ventre se mette à grossir? Personne ne lui en a parlé. Tout ce qu'elle connaît de l'enfantement se résume à incommodité et à douleur. La joie de la maternité? Elle l'imagine dans les premiers pas, les premiers mots. Elle connaîtra cette joie-là avec Jérôme.

Y aura-t-il souvenir dans le cœur de Florence? se demande-t-elle alors. Que retiendront ses cinq ans de la femme menue qui la grondait et la consolait. Demeurée à la maison afin de ne pas être trop impressionnée par la cérémonie, comment s'expliquera-t-elle la disparition de sa mère et du crucifix? C'est à son prochain chagrin, à son prochain bobo qu'elle cherchera celle, celle qui était là avant, qui savait trouver les mots et savait trouver les remèdes.

Philippe écoute distraitement l'oraison funèbre et toise le coffre de bois d'un air soulagé. Bientôt il sera en terre, et alors, il pourra oublier. Peut-être. Du moins, il l'espère. Depuis la mort de cette femme, il a lu et relu la phrase de sœur Sainte-Clothilde: « Lorsqu'Il vient chercher un de tes patients, ne t'en jette pas le blâme. » Malgré tout, il se sent responsable et coupable et ses remords se multiplient à la vue d'Honoré et des orphelins.

Pourquoi Dieu serait-Il venu chercher cette femme dans son dos, alors qu'il tentait de réanimer le nouveau-né? Pourquoi aurait-Il profité de ce moment précis pour déclencher l'hémorragie et saigner la mère? Non. Ce n'est pas Dieu. C'est lui. C'est lui qui aurait dû craindre cette complication et la prévenir. Quitte à laisser mourir le bébé et à en subir les conséquences. Même Alexinas s'est attardée, se répète-t-il sans conviction.

Il prend une bonne respiration sans parvenir à se débarrasser de ce poids dans sa poitrine. Son regard glisse vers le curé qui lit ses prières en faisant des gestes de bénédiction. Comment peut-il, lui, avoir la conscience en paix? Comment peut-il, lui, pérorer devant cette tombe qu'il a exigée? Il le revoit dans la porte, tel un sinistre corbeau, lui rappeler ses devoirs. Avec quel sang-froid il récite aujourd'hui son oraison! Avec quel sang-froid il tapotera tantôt l'épaule d'Honoré! La religion étouffe-t-elle à ce point la conscience d'un homme? Ne peut-on, ici-bas, n'être maître de rien et doit-on toujours reporter là-haut la responsabilité de nos gestes? Tout semble alors si facile et si lâche à la fois. Doit-on, comme Pilate, s'en laver continuellement les mains et taxer nos erreurs et malheurs de volonté divine? Il ne se résout pas à adopter ce point de vue et se contente de prendre de bonnes respirations afin de chasser cette gêne qu'il éprouve en ce moment même.

Son regard se promène alors sur l'assistance. Des gens aux traits rudes, aux mains larges, à la peau tannée et ridée. Des gens courageux, travaillants, forts et naïfs. Des gens mal endimanchés et gauches, des gens résignés qui savent reprendre les manchons de la charrue et continuer les sillons. Des gens qui se taisent, des gens qui écoutent. Des gens obéissants et têtus, des gens soumis à tant d'épreuves qu'il leur faut cette porte de sortie qu'est la religion. Des gens dont la vie fut si difficile, si sombre et injuste qu'il leur faut cet Être qui s'occupe des oiseaux et prêche: « Bienheureux les pauvres, bienheureux les miséreux, bienheureux les malades. » Il leur faut ces paroles, il leur faut cette lueur d'espoir... car le royaume des cieux leur appartient. Outre ces terres arrachées à la forêt, le royaume des cieux leur appartient. Un royaume déjà défriché, essouché, labouré et semé. Un royaume de repos: vertes espérances du laboureur. Un doux royaume, le royaume des cieux, sans moustiques, sans hiver, sans la faim et la fatigue.

Il regarde ces gens et se prend d'affection pour eux. Derrière leurs têtes penchées, il découvre ce pays et les taches blondes de l'avoine entre les souches. Il regarde la petite chapelle, le cimetière presque vacant, la rue qui se dessine peu à peu. Derrière se dresse une haute montagne rougie du gel de ses érables. L'agréable rivière se promène, fraîche et limpide. C'est ici qu'il s'établira. C'est avec eux qu'il vivra désormais. Cette décision le stimule soudain et il pense aussitôt à sa femme et à ses filles. Elles viendront vivre ici. Il réunira finalement sa famille autour de lui. Il regroupera les siennes avec lui afin qu'elles l'aident dans sa tâche. Et qui sait? Un jour Amanda lui donnera sans doute un fils. Et peut-être ce fils... Il n'ose rêver plus loin et se contente d'imaginer une maison à lui, ici, avec un bureau de consultation, des patients... et tous ces soins à donner.

Cette vision de dévouement et de travail l'apaise. Soudain, un bruit caverneux et insolite le glace: on a jeté une poignée de terre sur le couvercle de la tombe. Bientôt, elle sera complètement ensevelie et tout sera remis en ordre. Les gens retrouveront leurs maisons, leurs habits, leurs gestes et leur travail. Le sol se refermera sur sa déchirure et s'unira.

La mort vient de perdre son impression de désordre et de choc brutal. Elle n'est plus qu'une cérémonie qui s'achève. Elle n'a pas cette grandeur intolérable, cette puissance invraisemblable qu'il lui connaît. Elle n'a pas, en ce lieu même et en cette minute même, sous le soleil brûlant de l'été indien, la présence terrifiante qu'il lui a connue alors qu'il posait son oreille sur le cœur sans vie d'Émerise. Non, ici, la mort n'est rien... à comparer à ce qu'elle est en dehors des rites et des cérémonies. La mort; se pencher sur un cœur arrêté, soigner encore quelqu'un qui vient juste de partir, constater... constater la mort. Et la vie. Le premier cri. Une petite cage thoracique qui se gonfle d'air. Le combat du nouveau-né. La vie, la mort. Il les côtoie tour à tour. Et tour à tour se laisse mystifier par l'une et par l'autre.

Les gens se dispersent lentement. Le fossoyeur se presse. Honoré se secoue soudain de sa torpeur.

— Tu vas m'aider, Auguste. On va planter la croix.

— Oui, son père.

— Y nous faut une pelle.

— Je l'ai.

— Où donc?

— Espérez-moé.

Auguste court derrière un gros chêne et revient avec la pelle.

— C'est-i toé qui l'as mise là? demande Honoré surpris.

— Oui... je savais qu'on en aurait de besoin.

— T'as ben fait, Auguste, t'as ben fait. Creuse, j'vas aller parler au docteur.

Philippe réagit en entendant cette dernière phrase et s'aperçoit qu'il est demeuré figé à sa place et qu'il ne reste que la famille Villeneuve sur les lieux. Il sourit gauchement à Honoré et lui dit d'un ton navré:

— Je suis vraiment désolé, monsieur Villeneuve.

— Je vois. Faites-vous pas trop de mauvais sang, docteur. Je sais que vous avez fait votre possible. Si c'était pas si loin d'aller vous quérir: c'est là qu'on a perdu du temps.

— Oui, c'est juste. A ce propos, je viens de décider que j'aimerais m'installer ici, au village.

— Ah! Ça serait une ben bonne idée.

— Mais je ne sais pas construire. Connaîtriez-vous quelqu'un?

— Oui, moé. Y me semble que j'ai beaucoup de temps astheure.

— Alors je vous engage.

— Mais là-bas?

— Quoi là-bas?

— Y vont vous manquer.

— Oh non. J'ai justement un confrère qui tient à venir pratiquer dans nos régions. Je lui laisserai mon poste.

Auguste s'approche, le front couvert de sueur.

— C'est prêt, pôpa.

— Bon. Trouve des roches.

— Je vais vous aider, offre Philippe en enlevant son veston.

Honoré frémit devant ce geste comme s'il allait revoir tout à coup le sang d'Émerise, mais la chemise immaculée de l'homme le rassure et il accepte son aide.

Ensemble, ils ont saisi la croix et l'ont glissée dans son trou. Assujettie par les roches et tassée par le sol glaiseux, elle s'est finalement dressée au-dessus d'Émerise.

Le fossoyeur, après avoir soigneusement tassé la terre, s'est retiré discrètement. Philippe en a fait de même en voyant qu'Honoré et les siens désiraient s'attarder.

— Astheure les enfants, on va prier môman. On va y demander de prendre soin de nous autres... de continuer à s'occuper de nous autres dans le ciel.

Biche Pensive était là, derrière. Incapable de se mêler aux gens.

Dans ses habits de peaux de chevreuil, elle a assisté à la cérémonie, de la part de Gros-Ours et de la sienne. Et elle a vu le médecin, pensif, parmi les assistants. Son cœur a bondi. Follement. Elle s'est reculée un peu pour n'être pas repérée. Et, comme il jasait avec Honoré, elle s'est tapie dans le foin haut et l'a observé. Sa chemise blanche, la carrure de ses épaules, ses cheveux châtains finalement maîtrisés par une coupe décente, son menton décidé et sa poitrine épaisse renouvelèrent l'émoi de son ventre. Le baiser qu'il lui avait donné, il y a déjà trois ans, la brûla à nouveau. C'étaient bien ses seins qui avaient frôlé cette poitrine, sa bouche qui s'était posée sur cette bouche. Et les yeux. Elle regretta de ne pas distinguer la couleur mystifiante de ses prunelles.

Où était donc sa femme et ses enfants? Il semblait encore seul et cela lui plut. Oui, elle dut se l'avouer, cela lui plut de le voir seul. Comme si elle en possédait ainsi une toute petite part.

Elle le suivit des yeux lorsqu'il s'éloigna sur son cheval puis se mit à cueillir des marguerites tout autour d'elle. Elle en fit un gros bouquet.

Honoré fermait tristement la marche en tenant la main glacée de Rose-Lilas. Il se retourna une dernière fois pour observer l'allure de son Christ à cette distance. Ce qu'il vit le toucha profondément.

Agenouillée dans la terre humide, la jeune Indienne priait avec ferveur, en tenant dans ses mains un énorme bouquet de marguerites.

Voyant son père hypnotisé par une vision quelconque, Rose-Lilas se retourna à son tour et, voyant Biche Pensive, elle échappa:

— La sauvagesse.

— C'est la fille de Gros-Ours, Biche Pensive. Appelle-la pas sauvagesse.

— Oui, pôpa.

Et Honoré la regarda longuement prier sous la croix de pin et comprit la sympathie que lui témoignait Gros-Ours. Il eut soudain envie de voir l'Indien et de sentir dans sa présence l'union fraternelle dont il avait besoin. Car il le savait maintenant: Gros-Ours était à son image. S'il avait été Algonquin, il aurait été Gros-Ours, et si celui-ci avait été un Blanc, il aurait été Honoré Villeneuve.

La similitude de leurs âmes le frappa et Honoré puisa du réconfort à contempler la silhouette de cette femme vêtue de peaux qui priait sur la tombe d'Émerise.

— Appelle-la pas sauvagesse, répéta-t-il, lunatique.

Noël

Illuminée par ses lustres et ses milliers de lampions, l'église
Notre-Dame ressemble à un gros diamant aux mille éclats.
Philippe est à l'intérieur de ce joyau, sous la voûte paradisiaque.
Une odeur d'encens, de parfum et de cire le plonge dans ses
souvenirs d'enfance et il revoit sa première messe de minuit,
alors qu'il avait six ans. Aujourd'hui, c'est Mathilde qui assiste
pour la première fois à la célébration, et ses yeux émerveillés
observent les statues dans leur niche, parcourent les colonnes
et leurs dessins compliqués, plongent dans la voûte bleue et or,
cherchent les couleurs des vitraux assombris et s'apitoient sur
les grandes fresques du chemin de croix et sur les personnages
de la crèche. L'humble crèche. Incongrue parmi les richesses et
l'apparat de l'église. En la regardant, Philippe ressent en lui
toute la misère et l'intransigeance du pays de colonisation qu'il
a quitté, il y a deux mois, et il compare cet enfant né dans une
étable à ces autres enfants, pleins de poux et sous-alimentés
qui mouraient d'une pneumonie après un long voyage sous les
vents âpres. Il compare même l'étable aux habitations de bois
rond, élevées sur des planchers de terre battue, où le vent et
l'humidité s'infiltrent. Il n'était pas si mal que ça: il faisait
chaud à Bethléem..., pense-t-il en prenant la petite main gantée
de Mathilde et en lui souriant. Veut-il, par ce geste, la rassurer
sur les conditions de l'Être qui naîtra bientôt pour sauver
l'humanité? Elle lui répond d'un sourire poli et n'ose retirer sa
main par peur de le froisser. On dirait une petite chose inerte
dans ses doigts émus et Philippe s'attriste de ce reproche inavoué
dans les yeux bleus et sérieux. Oui, il les a abandonnées: il a
été parti trois ans. Trois longues années. Il constate, avec
regret, que l'enfance de Mathilde lui a échappé et que jamais il
ne la retrouvera. Élevée dans l'atmosphère puritaine de ses
grands-parents, elle a acquis des manières trop vieilles pour
son âge et une mentalité de petite-bourgeoise. Déjà, elle fait la
distinction entre les riches et les pauvres et le cœur de Philippe
se contracte douloureusement au rappel de son arrivée.
    Mathilde regardait les images dans le *Miroir des âmes*.
Un feu crépitait dans le foyer et une douce chaleur régnait dans

la pièce ordonnée. Dans son fauteuil victorien, grand-mère lisait le journal. Il est entré avec ses bagages et sa redingote mouillée. L'enfant s'est reculée en le voyant, effrayée. « Mais c'est ton père », a dit alors la grand-mère. « Non, ça ne peut pas être mon père: c'est un pauvre. — Mais non chérie, c'est ton père. Va l'embrasser. — Je ne veux pas toucher à un pauvre. Ce monsieur est sale, grand-mère. » Et elle s'est sauvée dans sa chambre, abandonnant le livre de prières.

« Ce monsieur est sale et pauvre! » Après s'être lavé, il n'était que pauvre et elle ne voulait pas plus l'approcher et niait toute parenté avec lui. « Je ne veux pas connaître de pauvre », lui avait-elle soufflé en s'éloignant de lui au souper. « Fais-toi à l'idée parce que tu vas en connaître des centaines et des centaines! » s'était-il alors écrié en frappant la table de son poing. Grand silence à la longue table de chêne. Frémissement de la fine porcelaine de Chine à bordure dorée. Plissement de la nappe de dentelle sous les doigts nerveux de son père.

— Tu veux donc retourner là-bas? lui avait-il demandé.
— Oui. On a commencé à construire ma maison.
— Qu'est-ce qu'on a fait au bon Dieu? Qu'est-ce qu'on a fait au bon Dieu? répéta son père en hochant la tête tristement. Tu vas finir comme ton grand-père.

C'était la condamnation qu'on lui dédiait habituellement et Philippe ne put réprimer un mouvement de fierté à l'idée de ressembler un tant soit peu à son ancêtre. Charles-Eugène Lafresnière était mort en 1847, durant l'épidémie de typhus que des immigrants irlandais avaient emmenée au pays. Il avait passé son été à soigner dans les tentes et les huttes de bois dressées dans la cour de l'Hôpital Général. Il avait sauvé beaucoup de malades et beaucoup étaient morts entre ses mains. Et lui aussi était mort, à l'écart des siens, à l'âge de quarante-sept ans. Sa famille, issue de la haute société française, éduqua son fils, Charles, qui s'ingénia très vite à se monter une clientèle aisée et à gonfler son portefeuille. Et voilà que le petit-fils, après avoir embrassé à son tour la médecine, se dévouait pour des pauvres et était pauvre lui-même: image renouvelée de Charles-Eugène Lafresnière. Image irritante et encombrante à la fois.

— Pourquoi es-tu revenu?
— Je suis venu chercher ma famille et j'ai besoin d'argent.
— Ah! Tiens donc!
— Je veux équiper un cabinet.
— Et, comment gagneras-tu cet argent?
— A l'hôpital.
— Tu sais très bien qu'on n'y est pas bien payé.
— Oui, je sais. J'avais pensé...
— Tu avais pensé à quoi?

— Que peut-être vous auriez besoin de vacances et que je pourrais vous remplacer.

— Quelle audace, Philippe! Vraiment, quelle audace! Tu te servirais donc de cette clientèle que tu critiques tant: ma clientèle. Et qu'est-ce que je dirai à mes patients? Le pauvre homme qui me remplace est mon fils? C'est un très bon médecin malgré ses apparences de quêteux? Allons donc! C'est moi qu'ils veulent, pas toi. Laisse-moi faire, je penserai à quelque chose.

Il avait pensé à quelque chose et l'avait engagé comme homme à tout faire après avoir congédié l'employé écossais qui travaillait pour eux. Sa tâche consistait à fendre le bois, alimenter les feux et les lampes, nettoyer l'écurie et la calèche, prendre soin du cheval, s'occuper des ordures et du pelletage. Toutes tâches qui ne demandaient que des bras et avec lesquelles on croyait l'humilier. Philippe s'était acquitté de ses tâches consciencieusement et, hier, son père lui avait fait savoir que s'il se trouvait des habits convenables, il aurait droit à sa précieuse clientèle. Le jeu avait assez duré et le vieux avait abdiqué devant la ténacité de son fils. Et puis, c'était Noël; le temps des largesses, le temps où l'on cherche des pauvres pour les combler en se déculpabilisant pour une année. Le père avait trouvé le pauvre et l'avait gratifié de cet honneur de soigner sa clientèle.

Le voici justement qui sort du confessionnal et Philippe suit, d'un regard amusé, la démarche pompeuse et pieuse de son père, se demandant s'il s'est accusé d'avoir couché avec les bonnes. Après une génuflexion, monsieur le Docteur rejoint son banc et s'agenouille. Il ne sort pas son chapelet pour prouver qu'il n'a eu qu'une petite pénitence et qu'il n'avait donc que des péchés véniels. Il s'assoit bientôt près de sa femme au maintien rigide.

La voûte amplifie les toussotements, les raclements de pieds et le claquement des portes des confessionnaux. Chaque geste de chaque fidèle est aussitôt annoncé à la foule et ces sons d'attente ont quelque chose d'imposant, de solennel.

La voix de l'orgue se met à vibrer. Doucement. Divinement. Pieusement. Philippe frissonne et ne sait pourquoi il pense à sœur Sainte-Clothilde et à la lettre qu'elle lui a écrite. Il pense également à la mort d'Émerise dans les draps ensanglantés. Instinctivement, il s'empare de la main d'Amanda et la pose contre son bras. Il la sent frémir contre lui et tourne la tête vers elle. Elle le regarde intensément, amoureusement. Il lui sourit et presse davantage ses doigts fins dans l'étoffe usée de sa redingote.

L'officiant s'avance dans sa chasuble blanche et or. La foule se lève.

In nomine Patris, et...

Mathilde s'est levée d'un bond et a ouvert son petit missel, même si elle ne sait pas lire. Son chapelet entortillé autour des doigts, elle exécute scrupuleusement les rites de la messe. Philippe soupire et examine sa parenté dans le banc devant lui. Il ne voit que leur dos avec leur complet neuf, leur capeline, leur fourrure, leur chapeau. Panoplie de tissus coûteux et de coupes du jour. Le père, la mère, le frère avocat et sa famille, le notaire et sa famille et, derrière, comme s'il était d'un autre sang, lui, sa femme et Mathilde. Lui, avec son linge démodé, Amanda dans sa vieille capeline et Mathilde qui sera bientôt sacrifiée pour des misérables colons.

Confiteor Deo omnipotenti...

Tout le monde s'agenouille. Ayant oublié son missel, Philippe jette un coup d'œil dans celui de sa fille et le remet à la bonne page. « Repassez dans l'amertume de votre cœur les péchés que vous avez commis », y lit-il. Un souvenir troublant l'assaille; cette Indienne qu'il a embrassée et désirée, cette Indienne, Marie-Jeanne Sauvageau, qu'on appelle aussi Biche Pensive. Ce baiser, vieux de trois ans, capable encore de l'émouvoir. Il rougit jusqu'aux cheveux et sent comme un vide douloureux dans sa poitrine. Même en ce moment, malgré toute la culpabilité qui s'y rattache, il jouit de la passion qui l'a inondé alors. Il tente de se redessiner les traits de Biche Pensive. Mais l'image demeure floue et il ne subsiste d'elle que cette sensation excitante et puissante. Il avait senti ses seins dresser leurs pointes dans sa paume. Elle le désirait, elle aussi, et lui livrait sa bouche avec une telle candeur, un tel renoncement, un tel abandon. Qu'elle était belle! Qu'elle était forte et vivante! Où est-elle à présent? Des gens disaient, au village, qu'elle vivait avec Sam. Bien possible, après tout. C'est mieux ainsi. Il ne faut plus y penser... je ne l'aimais pas... c'est parce que j'étais sans femme... parce que je m'ennuyais d'Amanda. Il cherche alors le regard de celle-ci et ne trouve que sa pâle figure aux yeux clos et fervents. Il appuie sa tête sur ses mains jointes. Serait-il comme son père? Assoiffé de sexe et prêt à le faire avec n'importe qui? Pourtant non. Aucune autre femme, par la suite, n'a réussi à éveiller ses instincts sexuels malgré les nombreuses avances qu'il a dû repousser. Est-ce donc qu'il l'aimait? Qu'il l'aime encore? Recommencerait-il si elle était là, devant lui, dans une intimité quelconque? Oui. Cet aveu face à lui-même l'accable et le tourmente. Il aimerait qu'il en soit autrement et que ses sentiments n'aient pas été profonds. On se débarrasse mieux d'un arbrisseau sans racines que d'un arbre profondément ancré. Pour se déculpabiliser, il se remémore l'amusante glissade avec Amanda et les filles, au Mont-Royal.

Les petites riaient, couraient et se roulaient dans la neige. Même Mathilde avait quitté sa réserve coutumière pour se mêler à leurs jeux. Leurs joues roses contrastaient avec la blancheur du sol et Amanda avait pris aussi quelques couleurs. Avec elle il avait glissé follement et, rendus au bas de la côte, la traîne s'était renversée. Ils avaient roulé tous les deux, s'étaient retrouvés un par-dessus l'autre et il l'avait embrassée pour goûter la neige sur sa langue rose. Il avait prolongé son baiser, renouvelant plaisir et désir; et n'eût été du Mont-Royal et des enfants, il l'aurait possédée. Ce désir légitime le lave un peu de ses fautes et il s'y rattache longuement, reléguant aux oubliettes l'Indienne aux yeux de biche.

« En ce temps-là, les bergers se dirent l'un à l'autre:
passons jusqu'à Bethléem... »

L'Evangile... déjà, pense Philippe en posant ses mains sur le dossier du banc avant. Une sensation de confort et de propreté le frappe. D'un geste inconscient, il caresse le bois doux, poli, verni. Le chêne doré et chaud de ce banc sans écharde le reporte à une autre messe de minuit, dans un autre lieu.

Le prêtre lisait l'Évangile et des petits nuages de vapeur sortaient de sa bouche. Sous ses habits liturgiques, il portait des vêtements d'hiver et ses souliers de bœuf dépassaient de sa chasuble écourtée. Il avait le nez rouge, les doigts rouges et sa voix se mêlait à la furie du vent qui agitait la forêt autour. Chaque fidèle tenait une bougie à la main et les flammes vacillaient sous des fortes rafales qui se faufilaient entre les billots. Cette lueur dansante et douce à la fois les plongeait dans une atmosphère de naïve croyance. Tout était plausible à cette heure-là, sous cet éclairage-là: l'enfant réchauffé par des animaux, la paille, les bergers, la pauvreté, le froid. L'Enfant Jésus avait eu froid comme ces gens qui grelottaient malgré le poêle rougi au bout de l'allée. Tantôt assis sur les planches pleines d'échardes, tantôt à genoux sur le sol gelé, tantôt debout, ces gens-là avaient froid et offraient cette souffrance à leur divin Sauveur. Ainsi, ils communiaient davantage avec l'Enfant-Dieu et se savaient les bergers de l'histoire. Des odeurs de boucane, d'huile, de vêtements mouillés, de sueur et de fumier se mêlaient à celle du savon d'odeur que quelques personnes avaient eu la chance de se procurer. Et, entre les pétassements du feu, il diagnostiquait de véritables toux de bronchite, des reniflements morveux et des éternuements grippés. Il n'y avait pas de hum! hum! pour la pompe, l'embarras ou la solennité. Seulement des râlements rauques et sifflants arrachés à des poumons congestionnés.

Il se souvient encore de leurs maigres chants, fragiles et faux, qui avaient réussi à l'émouvoir par leur sincérité aveugle.

Et les gestes de ces gens aussi l'émouvaient. Et leur humilité l'émouvait. Il aurait aimé être comme eux et communier avec ferveur. Revenir tranquillement à sa place avec le Christ sur sa langue et l'âme en paix.

Oh! Comme il enviait leur paix! Leur conscience tranquille qui faisait d'eux des géants. N'était-ce pas par la croix et pour la croix qu'ils avaient réussi des tâches insurmontables? Et lui, Philippe Lafresnière, par quoi et pour quoi vaincra-t-il tous les obstacles? Par sa foi chancelante? Pour la médecine? Ou encore pour et par sa foi en la médecine? Comment détacher l'un de l'autre à présent? Comment détacher l'os de la chair? Oh! Oui! Comme il enviait leur paix et leur quiétude. Il imaginait leur âme aussi blanche que la neige et se demandait quels péchés pouvaient bien avoir commis ces gens qui n'appartenaient pas encore à une société quelconque. Étant éloignés par des milles les uns des autres, on ne pouvait parler décemment de village ou de paroisse et, la misère aidant, ils s'entraidaient au lieu de se nuire. De péché de la chair, point. De péché d'alcool, point. Quel mal pouvaient donc faire ces familles qui se sacrifiaient au jour le jour et travaillaient d'une étoile à l'autre?

Philippe se sentait bien petit parmi eux et bien troublé aussi. Il voyait sa propre âme comme un gros nœud gris inextricablement mêlé et ne parvenait pas à y mettre de l'ordre. A l'élévation, en voyant tous ces fronts penchés, il avait ressenti comme un élan dans son cœur. Un élan sincère et spontané vers l'hostie.

Il avait envie de pleurer et ses doigts tremblaient. De froid, s'était-il expliqué. Était-ce vraiment de froid?

A la sortie de la messe, les gens avaient retrouvé leurs animaux enneigés; des bœufs et de lourds chevaux, patients comme eux, résignés comme eux et dévoués comme eux. Et ils s'en étaient retournés, sereins et légers. Lui, il était resté un moment avec Robin qui secouait sa crinière pleine de petits glaçons. Quelle jolie musique de cristal cela faisait! Deux familles, chaussées de raquettes, s'enfonçaient dans un sentier... Et lui restait là, à écouter la musique des glaçons et du vent, appuyé sur sa monture rapide. A se demander ce qu'il faisait là. Le prêtre était sorti, entre-temps, et l'avait invité pour un petit verre de vin. Il avait accepté.

Tout en buvant par petites lampées le vin délicieusement sucré, il écoutait les projets du prêtre qui, pour la fondation de sa paroisse, sollicitait l'appui de sa famille aristocratique et honorée de Montréal. Déjà se dessinait la classe dirigeante et la classe dirigée, et Philippe se voyait invariablement remis à sa place de notable. Cela l'agaçait. Cette hiérarchie déjà présente l'attristait, car il aurait aimé devenir comme les colons et connaître leur paix. Ce monde nouveau qu'on était en train de bâtir, on le bâtissait donc dans les mêmes ornières que cet autre monde qu'il fuyait. Il aurait aimé que les efforts de ces braves gens aboutissent à un idéal différent. Utopie? Rêve insensé pour celui qui avait dormi dans la maison chaude du prêtre, et dont le cheval s'était vu nourri et abrité dans une écurie qui ressemblait à un palais à côté des cabanes des colons.

« Ils trouvèrent Marie, Joseph et l'Enfant
couché dans une crèche. »

Comment ne pas retourner en ce pays, s'interroge Philippe. Comment pourrait-il se permettre de rester à Montréal quand là-bas la maladie poursuit ses ravages. Parviendra-t-il à oublier toutes les souffrances et les misères qu'il a vues. Les femmes mortes en couches, les enfants délirant de fièvre, la tuberculose, les poux, la faim, le manque d'hygiène, les contagions, la diphtérie?

Il sourit amèrement. Autant il se sentait différent des colons, autant il se sent maintenant différent parmi les siens. A quel monde appartient-il donc? Pauvre sans l'être, riche sans l'être. Croyant et incroyant moulés en un seul homme. « Tu finiras comme ton grand-père. »

« Charles-Eugène Lafresnière, où que vous soyez, aidez-moi, aidez votre petit-fils dans la tâche qu'il s'est imposée. Soutenez-moi, je vous en prie grand-papa », se surprend-il à prier mentalement.

Drelin! Drelin! Il s'agenouille. Silence dans la grande église. Têtes ployées. L'hostie s'élève. Corps du Christ offert en sacrifice pour sauver l'homme pécheur.

« Ne te blâme pas, s'Il vient te chercher un patient. » Philippe se remémore cette phrase et revoit tout le sang dans le lit d'Émerise.

« Voici le sang du Christ, le sang de la nouvelle
alliance pour vous et vos péchés. »

Quels péchés faisait Émerise? Et Honoré? Celui de s'aimer, sans doute, de se respecter? Et Gros-Ours abattu par l'érable? Quels péchés?

« Le sang de la nouvelle alliance
versé pour vos péchés. »

Amanda glisse un regard à l'homme recueilli près d'elle. Son profil résolu se détache nettement sur le fond d'ombre douce. Une ride s'est creusée au milieu de son front intelligent et l'éternelle mèche rebelle tombe sur ses sourcils. Encore et toujours, ce visage donne l'impression d'être de pierre avec ses arêtes catégoriques et douces à la fois et sa peau ferme. Des petites rides se dessinent au coin des yeux clos et lui confèrent une certaine expression de lassitude. Quels combats se livrent derrière ce visage? Quels tourments abritent ces yeux clos? Qui est cet homme qu'elle aime tant? Cet homme, revenu après trois ans d'absence avec un bagage inconnu. Elle le sent si accablé, si préoccupé. A quoi pense-t-il? A quoi rêve-t-il la nuit lorsqu'il s'agite dans le lit? A le voir ainsi, recueilli près d'elle, on le croirait à l'approche d'une grande bataille. Comme elle l'aime! Aujourd'hui encore plus qu'avant. Avec ses petites rides, sa peau hâlée, ses vêtements usés et son corps encore plus musclé. Quel pays l'a façonné? Quel pays a su tempérer son ardeur et sa fougue et lui apprendre la patience et la compréhension? Quelle sorte de gens a-t-il côtoyés? Quelle expérience a-t-il vécue? Qu'a-t-il vu? Entendu? Senti? Et pensé?

Elle ne sait pas. Et ne le saura jamais puisque son homme a pris l'habitude de l'aimer en la ménageant. Jamais il ne viendra déposer sur sa poitrine sa tête tourmentée. Jamais il ne versera de larmes devant elle. Jamais il ne lui dira qu'il a eu peur, qu'il a eu mal, qu'il a eu froid. Jamais il ne lui racontera ses doutes et ses craintes. Il a trop d'orgueil pour se livrer ainsi à une femme. Trop d'orgueil d'ailleurs pour se livrer à qui que ce fût, même à Dieu.

Philippe se retrouve toujours face à lui-même et elle sent son amour comme un don qu'il lui fait. C'est comme s'il pratiquait une petite ouverture dans la carapace de son âme et laissait couler vers elle et ses filles toute sa tendresse et sa bonté. Mais elle, elle ne peut pas pénétrer la carapace: il ne la laisse pas faire et, si un mal quelconque le ronge, il le lui cache. Curieusement, cette attitude renforce tout l'amour qu'elle lui porte et ajoute beaucoup d'attrait à sa personnalité. Avant, Philippe était un dieu qui avait osé l'aimer. Un dieu qui avait bouleversé les cadres de la société pour l'épouser. Un fils de la haute noblesse, intelligent, beau, sain, qui s'était amouraché d'une fille du peuple, maladive et ignorante. Il l'écrasait malgré lui. Maintenant, ce dieu avait souffert et son regard, jadis plein de fougue et d'audace, avait acquis une expression plus clémente et plus humaine. Ce dieu s'était mesuré à des éléments qui le dépassaient et avait perdu des illusions quelque part. Ce que son physique avait subi était la conséquence des mutations de son âme. La ride au milieu de son front, celles du coin des yeux, l'expression adoucie de son regard ardent, sa peau brûlée par le vent et le soleil, ses épaules encore plus larges, ses jambes plus fortes, son port de tête moins fier mais plus décidé reflétaient le changement qu'avaient opéré ces trois années en pays de colonisation.

C'est comme s'il se reculait pour mieux sauter, pense Amanda. Maintenant, il connaît la grandeur de l'obstacle et mûrit ses plans. Il ne part pas en chevalier avec toute l'impétuosité de sa jeunesse mais se prépare de longue haleine. Quand partiront-ils? En mai? Juin? Quand il aura assez d'argent pour équiper un cabinet? Quand la maison sera terminée? Il décidera et elle le suivra avec les filles afin qu'elles l'aident dans sa mission. Elle s'en sent désormais la force.

Comme elle l'aime! Dieu fasse qu'elle lui donne un fils. Un fils à son image.

Elle ferme les yeux à son tour pour refouler les larmes qui y montent. Voilà déjà six semaines qu'elle n'a pas été menstruée. Elle est enceinte, elle en est convaincue mais ne lui en a pas encore parlé. Faites que j'aie un garçon, prie-t-elle désespérément, faites que j'aie un garçon.

Et, cent fois, mille fois, elle répète sa supplique en communiant.

Les anges dans nos campagnes
Ont entonné l'hymne des cieux.
Et l'écho de nos montagnes
Redit ce chant mélodieux.

Les anges dans nos campagnes, pense ironiquement Philippe, l'écho de nos montagnes... Il se souvient du sinistre hurlement des loups que répétait l'écho des montagnes une nuit de novembre. Et un frisson parcourt encore sa colonne vertébrale. Vive Montréal! Vive Notre-Dame, la somptueuse! Vive le réveillon qui l'attend! Au diable les montagnes pour une nuit. Au diable les anges des campagnes. Réjouissons-nous avant l'exil! Buvons jusqu'à satiété à la coupe des divertissements de la ville! Jouissons donc des fêtes, du boudin et des tourtières. L'eau lui monte à la bouche. Se penchant vers Amanda, il l'embrasse sur les lèvres et lui souhaite « Joyeux Noël ».

Elle retient un rire nerveux devant sa témérité et son excitation soudaine.

— Viens.

Il l'entraîne dehors avec Mathilde avant que le reste de la famille ait quitté son banc.

— Il fait beau, rentrons à pied.

— Très bien.

Il s'empare de Mathilde et la prend dans ses bras.

— Lâchez-moi, papa, je peux marcher.

— Pas cette nuit, jeune fille.

Il la sent se raidir et pousser contre lui mais il la tient fermement.

— Je ne suis pas un bébé.

— Non, mais il est grand temps que tu deviennes une petite fille et que tu te laisses porter par ton père.

— J'ai sept ans, vous savez.

— Je sais... et ça m'a manqué de pouvoir te porter. Cette

nuit, c'est mon cadeau; tu es mon cadeau, toi, tes sœurs et ta mère, avoue-t-il en entourant Amanda de son autre bras.

Et la petite, doucement, s'abandonne contre lui et vient réchauffer son cou de son haleine tiède.

Gloria! Gloria! Glo-o-o-o-o-ori-ia! chantonne Honoré en sellant Robin. Son cheval de trait tourne vers lui son long nez blanc et l'interroge de son regard calme.

— Tu penses que chus pas capable, hein Ben? questionne Honoré en donnant une tape amicale sur les fesses du mastodonte.

Pour toute réponse, Ben retourne à son foin qu'il mâche méthodiquement. Crounch! Crounch! Crounch!

— C'est ça. Bourre-toé la face. Tu vas voir que ton maître, ben, y est pas plus manchot que le docteur. J'vas aller à messe de minuit sur son cheval... foi d'Honoré. *Gloria! Glo-o-o-o-o-oria.* Bonyenne, me v'là fin prêt. Viens Robin. Envoye, back up! Back up!

— Son père?

— Hein?

— Vous allez vous faire mal.

— Voyons donc, Félix. Rends-toé à messe à pied. C'est pas ben loin. Regarde-moé ben venir.

Le jeune garçon s'éloigne, les mains dans les poches, et ne peut s'empêcher de sourire lorsqu'il entend la voix d'Honoré qui lui répète:

— Regarde-moé ben venir.

Félix n'est pas encore sorti de la cour qu'il sent passer près de lui le cheval nerveux. Il distingue nettement la silhouette massive d'Honoré qui bringuebale sur la selle en criant:

— Ayoye! Houch! Oah! Oah! Ayoye donc! Oah donc! Ayoye! Ces cris affolés attirent Rose-Lilas sur la galerie.

Robin fait un demi-tour rapide et galope vers l'écurie, les yeux fous, la bouche massacrée par le mors qu'Honoré tend de toutes ses forces. Sans prendre garde à son maladroit cavalier, la bête s'engouffre dans la porte. Bang! Le casque à trois ponts d'Honoré vole en l'air. Félix et Rose-Lilas se ruent vers la grosse boule d'étoffe qui remue en grognant.

— Pas facile, explique Honoré en se relevant. Ousqu'y est mon casque?

— Êtes-vous blessé son père?

— C'est rien... Me sus cogné la tête: c'est toute.

— Allez-y à pied avec Félix, j'vas le dételer. Envoyez son père: inquiétez-moé pus de même.

— T'as raison; on va y aller à pied. Intiquiète-toé pus, répond Honoré en remettant son casque sur sa tête endolorie.

Un sourire repentant anime son visage abruti par l'alcool et, d'un pas chancelant, il accompagne son fils à la messe.

Rose-Lilas le regarde aller, mi-amusée, mi-attristée. Voilà le premier Noël qu'ils passent sans leur mère. Après sa mort, Auguste et Victor se sont engagés dans les chantiers et passeront leurs fêtes au camp. Déjà, la famille se démantèle et s'éparpille. C'est comme si, d'un seul coup, ils avaient cessé d'être des enfants. Elle aussi ne se sent plus une enfant et condamne l'attitude de son père. C'est la première fois qu'elle le voit en état d'ivresse. Mais elle l'excuse aussi en se disant que c'est le premier Noël sans sa femme et que trois de ses enfants lui manquent, Zoé étant mariée et les deux garçons partis aux chantiers. « Y doit essayer d'oublier notre dernier Noël quand on était allé tous ensemble en chantant sous la neige », se dit-elle.

Elle secoue la tête pour chasser, elle aussi, ces souvenirs et rentre dans l'écurie afin de dételer le cheval du médecin. Malgré la répugnance que cette bête lui inspire, elle s'acquitte de sa tâche et revient bientôt dans la cuisine.

Après avoir mis une bûche dans le poêle, elle s'installe dans la berceuse et veille. Elle veille Florence, elle veille Jérôme dans son berceau. Elle veille le poêle et la maison. Elle veille et surveille. Dans le silence de la nuit de Noël. Désolée de ne pas assister à la célébration mais satisfaite du renoncement qu'elle s'impose. Elle sent vaguement que Félix, Florence et Jérôme formeront une seconde famille dont elle sera le ciment. Comme sa mère était le ciment de la grande famille.

Ce vague espoir illumine alors ses pensées et elle s'accroche à lui férocement.

Quelques personnes la toisent curieusement puis retournent à leurs dévotions. Debout, près de la porte, Biche Pensive se recueille et prie. Elle a parcouru six milles en raquettes afin d'assister à la célébration de la messe de minuit. Cela lui fait du bien de voir un prêtre, une chapelle, des accessoires liturgiques, un autel et des fidèles. Elle se sent moins seule et plus forte. Sa foi se retrempe au contact des autres qui adorent le même Dieu. N'adressent-ils pas les mêmes prières au même Être. Un sentiment merveilleux de communion la réchauffe. Il y a si longtemps qu'elle attend d'y participer. Là-bas, dans la forêt, elle est la seule à prier. Son père se refusant obstinément à abandonner ses croyances et Sam étant un protestant non-pratiquant. La pensée de Sam redouble sa ferveur et elle ajoute une prière à son intention. Lorsqu'elle l'a quitté, ce soir, il buvait du whisky, incapable de cacher son amour et son malheur. Il n'a pas dit un mot lorsqu'elle est partie, mais maintenant elle sait qu'il étreint sa couverture en pensant à elle. A elle qui ne l'aime pas d'amour et qui a dû le lui faire comprendre. Ils trappent ensemble, selon les désirs de Gros-Ours, et partagent travail et profit. C'est tout. Et pour Sam, c'est hélas tout. C'est tellement hélas tout, qu'il a pris l'habitude de noyer son chagrin dans le whisky. Plusieurs fois, elle l'a surprise ivre. L'autre fois, il marmonnait son nom en pleurant sur l'écorce grise d'un arbre. Il serrait le tronc avec tant de passion qu'elle savait quelles pulsions l'habitaient. Combien de fois, déjà, elle a dû éviter du regard les désirs trop apparents du jeune homme quand ils devaient dormir dans la même cache. Et comme elle désapprouve cette promiscuité! Le péché de la chair les menace. La menace. Saura-t-elle toujours résister à la tentation? Saura-t-elle toujours se faire violence et trouver la force de freiner les élans de Sam? Que de matins elle s'est surprise à étudier le corps de l'homme endormi, intriguée par les plis et les bosses de la couverture, chassant difficilement l'image d'un pénis dressé dans sa toison. « Seigneur Jésus, aidez-moi, aidez-moi », suppliait-elle alors en s'arrachant de la couche de sapinage.

« Gardez-moi pure, gardez-moi vierge comme la Vierge Marie. Dites à mon père d'arrêter ça. J'aime pas Sam, pas comme un homme mais comme mon frère. Faites comprendre à mon père que je veux plus travailler avec Sam. Trop dur. Pour Sam. Pauvre Sam, malheureux Sam. »

Puis elle prie pour son père et demande à Dieu de lui octroyer le don de la foi.

« Seigneur, je ne suis pas digne
que vous veniez en moi... »

Les colons s'avancent vers la sainte table. Ne s'étant pas confessée, elle n'ose les suivre et envie ces gens de pouvoir s'unir si complètement à un Dieu. Machinalement, elle serre la croix et la chouette accrochées à son cou et cherche le médecin dans l'assemblée. Ne l'y voyant pas, elle en conclut qu'il est reparti à la ville et qu'elle ne le reverra jamais. Cela la rassure et l'attriste à la fois. Elle aimait trop cet homme. Il était un danger pour sa virginité tout en étant également sa sauvegarde. Loin au fond d'elle-même, face à elle-même, elle se gardait pure pour lui. Elle refusait Sam parce que Philippe existait. Elle refusait Sam parce que c'est l'autre qu'elle désirait. Mais s'il a quitté le pays, pour qui se préservera-t-elle? Quelle objection sa loyauté de femme pourra-t-elle lever? Y parviendra-t-elle juste au nom de la foi? Juste au nom du vœu qu'elle s'est prononcé? Un doute profond s'installe en elle. « Il est parti. Sam est seul et m'aime. Faut lui dire non. Seigneur Dieu, donnez-moi la force. »

Au sortir de la messe, les gens l'ignorent. Elle chausse ses raquettes. Une main pesante sur son épaule la fait sursauter.

— Joyeux Noël, Biche Pensive, souhaite la voix sympathique d'Honoré.

— Joyeux Noël, m'sieu Villeneuve.

— Comment va Gros-Ours?

— Oh! C'est dur. L'hiver fait mal à son dos.

— Et ses jambes?

— Beaucoup de misère à marcher.

— C'est pas drôle.

— Non. Et vous?

— Oh moé, tu comprends, oui, tu comprends. J'ai pas besoin de t'expliquer. Viens, viens réveillonner. Rose-Lilas veille les p'tits. Tu peux même coucher chez nous. Tu t'en iras à l'aube demain, hein?

— Ça va déranger.

— Ça dérange pas. Y me manque assez de monde de même... ma femme, mes deux gars partis aux chantiers. Amène-toé, ma fille.

Ce disant, il entoure ses épaules de son bras et l'entraîne vers son foyer.

Quelques personnes froncent les sourcils en voyant Honoré marcher avec Biche Pensive si près de lui. Elle sent leur hostilité et les fixe durement. On parle tellement contre elle, dans ce village. On la salit, tant et si bien qu'elle se permet de les haïr à son tour et de les provoquer. Elle se colle davantage à l'homme et lui dit:

— Je partirai demain, m'sieu Villeneuve.

— Parfait ma fille... La fille de mon ami. Dis ben à ton père que j'vas aller le voir. Oui, j'vas aller le voir.

— Y sera content.

— Moé si.

Débordant soudain d'affection, Honoré dépose un baiser alcoolisé sur sa joue et presse le pas.

Le visage de Rose-Lilas s'est durci à la vue de Biche Pensive contre son père. Elle n'accepte pas qu'une femme remplace sa mère dans le creux de cette épaule et y voit un sacrilège.

Biche Pensive a compris et s'est éloignée aussitôt, respectant la blessure encore vive de l'adolescente.

Une bonne odeur de tourtières et de boudins dilate les narines de la jeune Indienne. Cela fera changement du castor et du lièvre.

Pendant le réveillon, Félix relate l'exploit d'Honoré tentant de chevaucher Robin.

— Le cheval du docteur? demande Biche Pensive.

— En plein ça.

— Y l'a vendu?

— Non, confié. Y revient au printemps. Y se construit. C'est moé qui va le construire. Son bois est déjà toute scié. Ça va faire du bien d'avoir un docteur dans l'boutte.

— Oui, je crois, répond Biche Pensive d'un air distrait.

Il reviendra pour toujours. Son cœur s'affole. Il reviendra pour toujours. Pour toujours. Sa lointaine présence sauve-gardera sa pureté. Jusqu'au jour où ils seront seuls ensemble. Alors, elle ne promet rien, ne jure de rien, espérant et craignant ce jour béni et maudit.

Napoléon Gadouas

Juillet, chaud et sec. Très chaud avec son soleil haut et les senteurs de forêt qui s'accentuent. Avec les conifères séchés et le foin craquant. Avec les marais évaporés et les ruisseaux poussiéreux. Juillet 1898. Des cris de cigales se mêlent au grincement des roues. Le bœuf sue et souffle. Sa forte odeur lève le cœur d'Azalée qui tourne la tête. Elle ferme les yeux, épuisée. De vagues douleurs au dos et au bas-ventre la surprennent. On dirait qu'elle va être menstruée. C'est impossible pourtant puisqu'elle est enceinte. Ce doit être ce long voyage qui l'a fatiguée. Oh! Quel voyage. Partis de Saint-Denis-sur-Richelieu, ils se sont rendus jusqu'à Montréal avec le bœuf et le tombereau. De la ville, ils ont pris le train du Nord qui se rendait jusqu'à Sainte-Agathe; de Sainte-Agathe à Nominingue, ils ont repris leur bœuf. Maintenant, ils quittent le chemin Chapleau et s'approchent du village qui sera désormais leur village. Contrairement à ce qu'elle imaginait, son cœur ne s'affole pas en elle et elle n'éprouve qu'une terrible lassitude, qu'un besoin urgent de s'endormir pour oublier. Oublier le voyage, le bœuf qui pue, le mari qui sacre, le bébé qui pleure. Oublier son mariage, oublier ses erreurs. Elle souhaite désespérément redevenir ce qu'elle était il y a deux ans. Elle se revoit dans la grande cuisine paternelle, fabriquant pain et fromage, nettoyant, astiquant le bien familial, tricotant bas et mitaines pour ses frères. Étant laide et célibataire, elle s'était résolue à finir ses jours au service de ses vieux parents et de son jeune frère, héritier de la terre. Et quelle belle terre c'était. Plate, glaiseuse, riche. Une terre, une vraie terre et rien que de la terre. Une terre productrice, capable et faite pour donner. Une terre vieille de deux cents ans, défrichée il y a deux cents ans par les ancêtres. Une terre vaincue, domestiquée, civilisée. C'était ça, une terre. Et c'était ça qu'elle voyait dans ses rêves quand Napoléon lui parlait de la terre qu'il avait achetée.

Une maisonnette de bois apparaît enfin, entourée d'un défrichement considérable.

— Tiens! C'est ça de la terre! grommelle Napoléon en fouettant son bœuf têtu.

Il lui lance cette phrase de sa voix caverneuse et rude comme si elle n'avait pas l'intelligence de constater par elle-même.

Elle observe la petite maison de planches et les enfants près des bâtiments qui courent nu-pieds dans les copeaux de bois. Puis elle compte les vaches et les porcs. Trois vaches, une dizaine de porcs et des poules aussi qu'elle entend caqueter quelque part. Oui, voilà une terre, voilà de la terre, mais combien d'années a-t-il fallu pour en arriver à ce résultat?

Une misérable cabane de bois rond croule dans les fardoches, derrière l'étable, et Azalée y voit la première demeure. Oui. Ils ont dû commencer par ça. Ils ont dû habiter ça. Elle ferme les yeux, presse machinalement la jeune Éloïse sur sa poitrine plate et retient ses sanglots.

— Qu'est-cé que t'as? demande bêtement son mari.

— Rien.

— T'as pas l'air contente!

— Ben oui. Chus juste fatiguée un brin, explique-t-elle terrorisée.

— T'es ben mieux.

Oui, elle est mieux, elle le sait maintenant. Elle est mieux de se taire et d'endurer. Tant pis pour elle si elle n'a pas écouté sa mère. D'ailleurs, elle ne lui dira jamais qu'elle avait raison. « C'est pas un bon parti pour toé... Y a quinze ans de plus. Y boit. C'est un dur. Y a pas de terre; rien en toute. Un employé de son propre frère. »

Mais elle l'imaginait jalouse, croyant qu'elle désirait la garder comme servante ou comme bâton de vieillesse. Une fois, elle lui avait dit: « Je veux pas que tu te maries pour t'éviter de la misère. » Et dans les yeux usés de sa mère, elle n'avait pas su lire le message de sympathie et de solidarité qu'elle lui lançait. Elle n'avait pas su lire, ni comprendre. Peut-être parce qu'elle n'était pas intelligente. Tout ce qu'elle voyait en Napoléon Gadouas, c'était la possibilité d'avoir terre et maison à elle, avec des enfants à elle et une vie à elle. Oui, une vie à elle, avec ses fruits issus de son ventre à elle. Concevoir des fils pour la terre et des filles pour la cuisine.

Mais cela avait été tout autrement. Napoléon avait amassé son argent, sou par sou, et s'était acheté une terre dans les pays de colonisation. En attendant, ils avaient vécu deux ans dans le grenier du beau-frère. C'est là, sur une vieille paillasse, qu'il l'avait déflorée le soir des noces. Brutalement, il avait enfoncé cette chose dure en elle. Cela lui avait fait mal, très mal, mais c'était la seule manière d'avoir des enfants. Son mouvement de va-et-vient l'écœurait, son souffle précipité l'écœurait, il geignait et soufflait au-dessus d'elle pendant qu'elle tentait d'éviter l'haleine de chique à tabac qu'exhalait sa bouche édentée. Toute la nuit, il s'était exercé ainsi et, quand l'aube vint les baigner de sa tendre lumière, elle pleurait, endolorie et déçue, tandis qu'il dormait, assouvi. Elle se rappelle avoir examiné longuement celui qu'elle avait pris pour époux et dont les ronflements sonores agitaient les lèvres molles et affaissées. Sa bouche n'était qu'un grand trou vers lequel glissait tout le reste de son visage. Un visage rude, tailladé de deux imposantes rides de chaque côté du nez. Un visage très brun, percé de deux petits yeux porcins qui s'étaient momentanément clos sur leur expression bestiale. Elle avait éprouvé un tel dégoût qu'elle se leva pour aller marcher dehors. La colère grondait en elle, la colère, le mépris et la certitude d'avoir commis l'erreur de sa vie.

Le neveu de Napoléon trayait les vaches. Un jeune homme costaud et rieur. Avec un brin d'impolitesse dans le regard. Il l'avait saluée curieusement, puis s'était mis à rire.

— Astheure, mon oncle va laisser mes génisses tranquilles.

Cette phrase avait balayé, dans son souffle brutal, les quelques miettes de sentiment et d'espoir qui lui restaient. Ce matin-là elle comprit qu'elle n'était, pour Napoléon, rien de plus qu'une génisse propre à donner des bébés humains.

Et c'est sur cette même vieille paillasse qu'elle avait accouché d'Éloïse avec l'aide de la belle-sœur.

Et c'est sur cette même vieille paillasse qu'il l'avait battue pour la première fois, en voyant qu'elle avait accouché d'une femelle.

Aujourd'hui, cette femelle baptisée Éloïse sommeille dans ses bras maigres et Azalée n'éprouve qu'un vague sentiment de responsabilité à son égard. L'enfant, hélas, lui ressemble: braillarde, d'affreux poils roux sur la tête, une peau laiteuse et déjà l'air chevalin et grotesque. Plus tard, elle aura les innombrables taches de rousseur, les dents trop longues, l'œil ombré de cernes et le long nez, suivi de la bouche protubérante. Elle essayera de cacher ses oreilles avec ses cheveux frisottés et aura l'air exactement de sa mère.

Et elle, Azalée, enfantera-t-elle comme sa mère? Lui faudra-t-il accoucher de huit filles avant le premier mâle? A trente-trois ans, elle ne peut se permettre une famille de quinze. S'il fallait que ce soit encore une fille! De nouvelles douleurs au bas-ventre l'inquiètent. Elle étreint Éloïse durant une crampe.

— Regarde la grosse maison! Crémaudit! C'est quequ'un d'important certain! s'exclame Napoléon en donnant un coup de coude dans les côtes d'Azalée.

La femme examine alors l'imposante charpente où s'affairent des hommes.

— Woah! Woah! crie son mari.

Le bœuf s'arrête, le grincement s'arrête, le cahotement s'arrête. Napoléon saute en bas et se dirige rapidement vers les ouvriers. D'un œil apathique, Azalée suit sa démarche curieuse. Il les rejoint bientôt et parle avec eux en gesticulant. Un gros homme à l'imposante tignasse colorée de roux et d'argent tend son bras velu dans une direction. Sans doute indique-t-il l'emplacement de leur terre. Deux adolescents se sont approchés du tombereau et l'observent un instant.

— Bonjour madame.

Elle sourit maladroitement.

— Vous allez habiter la terre à côté des Tremblay? Y a pas de chemin par là, explique le plus vieux.

— Ah. Ça fait rien. Chus habituée.

Elle grimace un instant pendant une crampe et se replie légèrement.

— Vous êtes-ti malade? se renseigne l'aîné.

— Non... ça va aller, ça va aller.

— On est à construire la maison du docteur: y est là, à côté de mon père. Si ça va pas, juste à y dire.

— C'est la fatigue.

— Votre p'tit doit avoir soif.

— C'est une p'tite.

— Quel âge qu'a l'a?

— Un an.

— On a un p'tit frère de c't'âge-là. Ben, à peu près. Jérôme qu'y s'appelle.

— Ah.

— Notre mère est morte en l'ayant.

— C'est de valeur.

— Vous voulez-ti de l'eau? Y fait chaud.

— Ça serait pas de refus.

— Espérez-nous.

Elle les reconduit d'un regard reconnaissant et sourit à voir danser leurs têtes rousses sous le soleil de midi. Comme ils sont bien élevés, constate-t-elle, polis et prévenants à son égard. Pour la première fois de sa vie, elle se sent une femme, une madame avec sa petite. Ses yeux piquent. Elle a envie de pleurer.

Napoléon revient.

— Hue donc! Hue donc!

Le bœuf tire sa charge, les essieux grincent à nouveau.

— Eille madame! appelle la voix de l'aîné.

Elle n'ose se retourner et demeure figée près de son mari.

— Qu'est-cé qu'y ont à crier? ronchonne-t-il.

— Y voulaient me donner de l'eau.

— T'es capable d'attendre. J'attends ben, moé. Ça m'a l'air d'une gang de fous. T'as vu la grosse cabane? Imagine-toé donc

200

que c'est pour le docteur. Tu l'as pas vu, toé, le docteur, avec des bottes qui y montent jusqu'aux genoux. Un gars de la ville. De Mont-ré-al, roule-t-il méchamment. L'autre, le gros, c'est un menuisier. Tiens! Je pense qu'y reste icitte. Pas fameux comme maison. Une gang de fous, j'te dis. Tiens! le presbytère. J'vas aller avertir le curé. Attends-moé.

Azalée boit la rivière des yeux. Elle s'accroche aux vaguelettes qui étincellent sous les rayons et hume l'odeur fraîche qui monte jusqu'à elle. Qu'il serait bon de s'y tremper les pieds et de s'y désaltérer! Les cigales l'étourdissent de leur chant strident. Une sauterelle bondit sur sa jupe. Elle sursaute et l'enfant se met à crier. Elle tente de la calmer en la secouant doucement. L'odeur de la poussière et du bœuf la saisit fortement. Elle pince les narines, subit une nouvelle crampe au ventre tout en tentant d'endormir Éloïse. Rien n'y fait. L'enfant crie si fort maintenant qu'elle craint que les gens ne sortent sur leur galerie. D'un œil inquiet, elle scrute la rangée de maisons le long de la rue principale et, les voyant désertes, se risque à donner le sein à sa fille. L'enfant se calme en mordillant gloutonnement la tétine. Elle la martyrise de ses petites dents neuves et Azalée se plie à cette nouvelle torture. Elle ferme les yeux, entend battre ses tempes bouillantes dans la stridulation des insectes. Elle tente de fermer la bouche, mais ses lèvres se collent à ses dents sèches, et la laissent béatement ouverte.

— Qu'est-cé que t'as encore?

— Rien.

— Me semblait que t'avais pus de lait.

— J'en ai pus; c'était pour la faire taire.

— Maudite cochonne! Devant la maison du curé avec ça!

Au bout du chemin, elle discerne un petit sentier qui longe la rivière à travers la forêt.

— C'est icitte, explique Napoléon en sautant en bas.

La voyant hésiter, il la tire par le poignet en ordonnant:

— Ben envoye! Débarque. T'as pas envie qu'on te traîne. Envoye, marche. Ça va te faire du bien. Depuis le temps que t'es t'assise. T'as juste à suivre la piste. J'vas te suivre avec les bagages pis le bœuf. Tu t'arrêteras à la deuxième ferme, chez Tremblay.

Elle le quitte, soulagée, pendant qu'il attache leur maigre bien sur le dos de la bête. Elle sait qu'il portera lui-même une charge imposante afin de tout déménager d'un seul coup. Mais aucune admiration pour cet acte ne la traverse. Napoléon, c'est comme une bête: il pense comme une bête, force comme une bête, s'use comme une bête, procrée comme une bête et pue comme une bête. Son corps s'est formé selon ces exigences et, à le voir déambuler de loin, on croirait voir un singe. Avec ses longs bras nerveux qui pendent devant, ses reins ployés et ses petites jambes croches.

Elle presse le pas afin de le perdre de vue puis s'élance vers la rivière où elle boit avidement et fait boire de l'eau au bébé. Elle asperge son visage et le front d'Éloïse et se sent revigorée. C'est alors qu'elle perçoit des bourdonnements qui montent des joncs, de la mousse, des troncs pourris. Les moustiques tournent autour de son visage. En plein soleil ils n'osaient trop s'aventurer, mais ici, à l'ombre de la forêt, dans l'humidité bienfaisante de la rivière, ils pullulent et se multiplient autour d'elle et de son enfant. Bientôt, des traînées de sang sillonnent le front et les tempes du bébé. Azalée la cache contre elle et subit les piqûres dans son cou, ses mains et son visage. Elle se met à courir et s'enfarge dans une racine. Elle s'étale brusquement dans la mousse pour y éveiller de nouveaux escadrons de mouches noires et de maringouins. Éloïse hurle. Azalée, les mains liées à son enfant, marche à grands pas, se laissant dévorer la nuque et les yeux par des milliers de sanguinaires.

Au bout d'une heure, elle aboutit à une éclaircie et s'arrête, en plein soleil. Essoufflée et irritée par la brûlure de la sueur qui coule sur les piqûres.

Soudain, elle sent un écoulement anormal entre ses jambes et s'approche de la maison des Turcotte. Au diable la ferme des Tremblay! Elle n'a plus la force d'aller plus loin.

Jacques Turcotte achève d'étendre une nouvelle couche de bran de scie sur sa réserve de glace. Deux de ses garçons en ont profité pour s'en prendre des petits bouts qu'ils sucent ardemment.

— A va être correcte pour un bout de temps, leur explique-t-il en sortant de la glacière.

Il s'arrête alors, surpris, en apercevant une femme à l'orée du bois.

Une femme à moitié folle, à moitié morte, hagarde et épuisée. Une femme aux vêtements déchirés, aux cheveux défaits et dont les yeux se gonflent déjà sous l'effet du venin des moustiques.

Il s'approche. Dieu! Que cette femme est laide avec les branchettes accrochées à ses cheveux roux et les coulisses de sang à son cou et ses oreilles. Elle tient dans ses bras décharnés un paquet de linge qui semble être un enfant. Elle le regarde s'avancer, piteuse sorcière effrayée, prête à tourner en rond comme une bête prise au piège.

Le jeune homme attend l'arrivée de sa femme, Élisabeth, qui court vers eux en levant sa jupe.

— Bonjour madame! commence-t-elle.

— Chus-ti chez les Tremblay?

202

— Non, les Turcotte. Tremblay c'est à un mille d'icitte.

— Ah, répond Azalée en fermant ses paupières blessées.

Chant des insectes... Sa tête tourne... L'enfant se fait lourd... Tomber, tomber dans le foin brûlant...

On la soulage de son fardeau: elle ouvre les yeux. Madame Turcotte s'éloigne avec Éloïse dans ses bras.

— Venez! insiste le jeune homme en posant sa main chaude sur son avant-bras. Restez pas icitte, au gros soleil, venez vous reposer un brin.

— Mon mari... avec le bœuf.

— J'vas l'avertir. Venez prendre un thé.

Elle le suit, docile. Prête à s'effondrer, prête à pleurer, prête à avouer. Elle se sent glisser vers M. Turcotte et lutte de tout son être pour marcher droit à ses côtés. En arrivant devant l'étable, un nouvel écoulement la paralyse sur place.

— Qu'est-cé que vous avez? Élisabeth, viens icitte une minute. Occupe-toé de madame.

Il prend l'enfant et se dirige vers sa maison afin de permettre aux femmes de s'expliquer. Azalée panique en sentant couler le sang le long de ses cuisses et demeure immobile comme une statue de sel.

— C'est-i vos règles? s'enquiert Élisabeth.

— Non, j'étais enceinte.

— Vite. Rentrez. On va vous coucher.

— Non! Je veux pas salir! Laissez-moé coucher dans votre grange.

— Mais non voyons! Vous serez mieux dans un bon lit.

— Votre grange, supplie Azalée, en posant ses yeux effrayés sur la jeune femme.

— Correct. Suivez-moé.

Azalée obéit en serrant ses cuisses maigres sur le fruit qui s'écoule. Elle ne sent plus la douleur sous l'effet de la honte et du choc. La porte de la grange grince et fait constater à la pauvre femme qu'il y a beaucoup de choses qui grincent en ce bas monde.

— Installez-vous icitte.

Elle s'enfonce dans le foin odorant avec une volupté d'enfant fatiguée.

— Je veux ma fille.

— J'vas vous la chercher. Craignez rien.

Quelques minutes plus tard, Éloïse se blottit contre elle.

— On a pas de lait, explique Mme Turcotte, mais... j'ai du gruau... on pourra y en donner.

— Oui, merci, merci ben. Laissez-moé.

Élisabeth s'offusque de cet ordre et se raidit un peu. Azalée s'en aperçoit et la touche de ses doigts osseux. Elle la regarde et cherche les bons mots à dire. Détresse, gêne, humiliation, peur, déception, tour à tour traversent ses yeux d'un bleu trop pâle.

— Mon mari...

— J'vas l'avertir.

— J'ai peur.

— Je peux rester.

— Faut pas... si vous plaît, laissez-moé.

— Je viendrai vous voir tantôt. Criez si ça va mal.

— Oui.

Elle la quitte. La porte regrince et se referme. Une lumière vive s'infiltre entre les planches et forme des panneaux de lumière dans la grange presque vide. Les cigales l'étourdissent de leur chant vibrant et obsédant. Elle relève sa jupe afin de ne pas trop la salir et sent alors le passage d'un œuf.

Avant de sombrer dans un sommeil lourd, elle voit danser les deux têtes rousses des jeunes garçons polis et se remémore le doux toucher de M. Turcotte sur son avant-bras.

Napoléon s'arrête à l'endroit même où sa femme s'est arrêtée une heure plus tôt. Il décide de conserver sa charge sur ses épaules, n'osant s'en débarrasser de peur de n'avoir plus la force de la reprendre. Les innombrables piqûres brûlent sous le flot de sa sueur. Il prend de bonnes respirations puis poursuit sa route, traînant son bœuf derrière lui.

— Votre femme est icitte, lui annonce alors une petite voix d'enfant.

— Quoi?

— Votre femme est dans grange.

— Vous êtes-ti les Tremblay?

— Non.

— J'y avais dit d'attendre là-bas. Maudite folle!

Il s'accroupit, se défait des courroies à ses épaules, se glisse sous ses paquets puis se relève. L'enfant constate avec étonnement que l'homme est à peine plus grand debout que ployé sous son fardeau.

— Montre-moé où, p'tit gars.

— Icitte, m'sieu.

Napoléon grimace un sourire au gamin et le suit.

— Là, indique le jeune en pointant la porte.

— Là-dedans?

— Oui.

— J'vas voir.

Azalée dort, jambes écartées sur le fœtus expulsé. Il se précipite vers elle, tombe à genoux et s'empare de la masse sanguinolente. De ses doigts durs, il la dissèque et croit discerner un pénis quelque part.

204

— C'était un gars! C'était mon gars! finit-il par hurler en le lançant dans la face d'Azalée, éveillée par les premiers cris de Napoléon.

Elle s'assoit vitement et tente de reculer, effrayée. Elle sait ce qui l'attend.

Il s'empare de ses poignets et les tord en la foudroyant de son regard dément.

— Maudite folle! C'était mon gars! T'es pas capable de faire attention! Hein? Ma charogne!

Azalée ne profère aucune plainte et sursaute lorsqu'elle entend brailler Éloïse. Napoléon l'abandonne pour gifler l'enfant. Sa mère la reprend et se recroqueville sur elle.

— Maudite charogne! Charogne! Cochonne. Toé pis ta cochonne de fille.

Il la meurtrit de ses pieds, de ses poings, puis encore de ses pieds. Les coups pleuvent sur ses reins, son dos, ses cuisses, sa tête. Il s'acharne sur elle en l'injuriant. Elle ferme les yeux et se referme sur l'enfant comme l'huître sur sa perle. N'est-ce pas là sa seule possession? Bien maigre legs à défendre, croit-elle. Pourtant, elle écrase contre elle ce petit corps chaud et tente d'étouffer ses sanglots afin de ne pas éveiller la rage de la brute.

Et la brute rage, bavant, sacrant, maudissant. Donnant des pieds et des mains dans l'être auquel il associe tous ses maux: la femme. La femme: sa mère qui l'a engendré pendant sa ménopause, sa femme qui lui a donné une fille et qui a rejeté son gars. Ces femmes! Ces maudites femmes pleines de péchés! Il découvre soudain les attelages de cuir pendus à un clou. Il les décroche et se met à fouetter Azalée, toujours repliée sur sa fille. Le sifflement des courroies l'excite tandis que le son mat dans le tissu de la robe, suivi du léger tintement des boucles de métal, achève de le griser. Il frappe et frappe, hurlant comme un fou. Se vengeant du sort qui l'a voulu lent d'esprit et laid. Se vengeant de sa propre violence sur l'être répugnant, capable d'engendrer la violence: la Femme, l'Éternelle Faible Femme qui côtoie le démon et pourrit les fruits, et qui, malheureusement, est indispensable à la procréation.

Azalée se laisse meurtrir sans esquisser aucun mouvement. Elle ne pense ni à la défense, ni à la fuite. D'ailleurs, elle n'en a pas la force et se résout à l'immobilité et au silence. Éloïse ne pleure plus, ne crie plus et elle sent, entre ses seins, son haleine chaude et humide. Des images fugitives la traversent avec insistance comme tantôt les raies de vive lumière entre les planches: les têtes rousses des garçons polis, le gros bras velu du père, le docteur de Montréal, les insectes, la rivière, les vaguelettes, la cabane des Turcotte, la queue crottée du bœuf, la main chaude sur son avant-bras, la cuisine familiale. Si grande. Si propre.

Des pensées vagues s'enroulent aux images et remplissent son âme de cendre.

Azalée, rien qu'une femme, inférieure et soumise à l'homme. Azalée, à la queue dans la hiérarchie de la création divine. Azalée, être vicieux, et pis encore, puisqu'au dernier rang des êtres vicieux par sa laideur. Laide parmi les femmes. L'inférieure parmi les inférieures. Reléguée au dernier rang, après les génisses. Un sentiment atroce la déchire: elle hait sa fille autant qu'elle se hait. Elle méprise son sexe comme elle méprise le sien. Eût-elle exhibé un pénis à sa naissance qu'elle aurait accédé à un échelon supérieur: celui d'une femme capable d'engendrer un mâle. Et Napoléon l'aurait respectée un peu plus, consacrant tout son temps et son argent à l'obtention d'une terre pour son héritier.

Une boucle de métal fend la peau sur sa tête. Elle souffre mais retient son cri, pensant au jeune couple qui pourrait accourir. Elle ne veut pas qu'on la voie dans cet état. Même si elle sait qu'ils se doutent de ce qui se passe dans la grange. Même si elle devine d'avance les regards bouleversés qu'ils lui dédieront demain.

Napoléon, lassé, écœuré, révolté, finit par lancer les attelages en l'air et se met à taper des poings contre une poutre. Le sang jaillit de ses jointures mais il poursuit. Contre quoi se bat-il? Contre son destin. Son minable destin, tout gris et tout froid. Contre lui, contre les femmes. Contre ce qu'il est avec tout le désespoir de ce qu'il aurait aimé être. Napoléon, le dernier de la famille, l'enfant raté de la ménopause, l'employé de la ferme paternelle, l'homme lié à la femme laide qui lui refuse un fils. Napoléon, dernier rejeton de malheur. Poussière infime en révolte contre l'univers.

Il s'arrête, se laisse glisser contre la poutre, puis examine d'un regard hébété cette grange silencieuse que les raies de lumière continuent à transpercer.

Dans le foin, à travers son linge déchiré, Azalée sanglote en mordillant sa lèvre. Il ne sait pourquoi il se rappelle alors une image que sa mère avait dans son missel. Il y avait une étable, un bœuf, un âne, du foin, un homme et une femme contemplant un enfant rayonnant: l'Enfant Jésus. Pourquoi cette image le visite-t-elle? A cause du foin? Des poutres? Où est la ressemblance entre la réussite de la Vierge et l'échec d'Azalée? Il n'y a même pas de ressemblance entre les deux: la Vierge était pure, la Vierge a accouché de ce que le monde entier espérait: dix sur dix sur toute la ligne. Comment la comparer à Azalée, cette cochonne qui se laisse sucer les seins sans avoir de lait et dont le ventre rejette les mâles?

206

Il se lève et va l'examiner.

— T'es mieux de fermer ta gueule, menace-t-il en la retournant brusquement.

— Y t'ont entendu quand même.

— Y ont pas à savoir les détails: je m'en vas su ma terre. Tu viendras me rejoindre demain. Je te donne une nuit pour te reposer: c'est ben assez. T'es mieux de te fermer la gueule, t'as compris?

— Oui.

— Je t'attends demain.

La terre. Sa terre. Une forêt d'aulnes, de frênes, d'ormes, de noyers et de plaines, dressée avec entêtement le long de la rivière. Elle est là, quelque part, sa terre de glaise bleue et de sol d'alluvions. Elle est là, entre les nœuds inextricables des racines. Elle est là, sous les arbres, entre les arbres. Elle sera là après que les arbres n'y seront plus. Elle sera là pour les héritiers. Si héritier il y a.

Napoléon se défait de sa charge et toise la forêt serrée. Quel défi pour un homme de quarante-huit ans! Quel défi pour un homme sans progéniture! Une flamme intérieure le brûle et le renforce.

— J'vas t'avoir ma maudite, promet-il à cette forêt qui règne magnifiquement.

Il empoigne sa hache, choisit une plaine et l'entaille vigoureusement. Quelque temps après, l'arbre s'effondre dans un craquement sinistre. Posant son pied sur la souche glissante de sève, il parcourt d'un regard décidé le géant à ses pieds et sourit.

— J'vas t'avoir, ricane-t-il.

Et le petit homme laid se gonfle d'orgueil pour les gestes qu'il posera. Et le petit homme laid s'enivre de son sentiment de puissance. Et le petit homme s'imagine être déjà le maître du monde.

De ce monde qu'il gouvernera.

Le paradis de chasse

Gros-Ours délire. Souffle court, tempes baignées de sueur, longs cheveux gris humides sur la natte de lièvre.

Bats encore,
Cœur à moi.
Main sur cœur.
Biche à moi.
Pays à moi.
Gibier à moi.
Poissons à moi.
Dieu à moi.

Des bouts de vie qui volent plus vite que canard au ras de l'eau.

Parti d'Oka... avec femme Odile... dans canot. Fuir homme blanc. Chercher forêt... retrouver forêt. Homme blanc retrouver Indien dans forêt. Planter croix, bâtir maison, chasser chevreuil, trapper castor. Étendre rails. Envoyer Gros-Monstre-Noir qui crache fumée. Gros-Monstre-Noir avancer dans forêt. Gros-Monstre-Noir manger Algonquin... comme Windigo... manger Algonquin. Gros-Monstre-Noir écraser mère tortue, esprit gardien. Faire prison. Noir, curé noir, voler Biche Pensive... Sœur noire écraser Biche Pensive... Noir... Gros-Monstre-Noir... sur rails. Fuir... Moi fuir... Jambes mortes, moi fuir quand même.

Bats encore
Cœur à moi.
Main sur cœur.
Biche à moi.
Pays à moi.
Gibier à moi.
Eau à moi.
Sam à moi.
Tortue à moi.

Main de femme sur front... Elle, inquiète. Elle, parler ma langue... Langue des pères: bon entendre, doux entendre. Retrouver quelque chose... comme vieille chanson. Racines à moi... racines d'Algonquin, le mangeur d'écorces, l'ennemi de l'Iroquois, le commerçant du grand lac Nékanba. Grand lac Nékanba... rassemblement canots... campements de familles... odeur de fumée, de poisson, de gibier. Belles eaux propres, belles squaws... Échange entre Indiens du Nord et Indiens du Sud. Peaux de phoques, ballots de fourrure blanche, dents de morse, cornes deux fois recourbées des bœufs musqués... pour tabac, plantes médicinales, coquillages, panier d'écorce. Beaucoup Indiens. Parlent ensemble. Échangent. Sourient. Beaucoup Indiens. Aujourd'hui Indien seul. Race s'éteindre. Moi emmener race et souvenance. Moi emmener légendes... moi emmener coutumes... Fils à moi, Blanc. Sam... comme fils. Moi adopter, moi enseigner, moi respecter. Mais sang indien rester dans moi... sang refroidir... Alimenter oiseaux... alimenter grands corbeaux noirs... Sang indien retourner dans animaux.

Bats encore
Cœur à moi.
Main sur cœur.
Biche à moi.
Pays à moi.
Sam à moi.

Larmes sur tortue tatouée... Fille pleurer sur moi... Moi, pleurer sur elle. Elle, petite avec grandes jambes dans neige... elle suivre père partout. Elle dormir dans mes bras... dormir sur peau d'ours... Elle, arrachée à moi... elle, perdu croyances indiennes... elle, porter chouette et croix dans cou... elle, mêlée... Moi pleurer sur elle. Moi, pas mêlé. Elle, aimer sorcier blanc aux yeux dorés... pas aimer Sam... sorcier blanc aux yeux dorés.

Moi, mourir.
Moi, partir.
Moi, lumière.
Moi léger.
Moi, tortue.
Moi dans l'eau.
Moi, esprit.

Tortue paisible, mère tortue, vieille tortue, lente tortue. Au fond des eaux vertes... passer devant gros brochet... voir rat musqué... voir palmes d'outardes, voir huard pêcher poisson, voir canot glisser. Voir filet d'Indien... Michabou enseigner Indiens à faire filets... comme araignée fait toile... Michabou sauver race après les grandes eaux. Michabou sur radeau...

envoyer rat musqué chercher grain de sable pour refaire Terre. Lui tirer flèches sur bois flottant et flèches devenir branches pleines de feuilles... Michabou faire êtres humains avec cadavres d'animaux... Moi, ancien ours. Michabou, homme-manitou.

Moi, garder.
Moi, aimer
Biche Pensive,
Sam trappeur,
Bon homme blanc.
Moi, mourir.
Moi, esprit.
Moi, lumière.
Moi léger.
Moi, tortue.

Beaux yeux noirs penchés sur moi. Yeux à Biche. Petite fille, moi aimer. Faire mocassins; ouvrage de squaw... Odile morte... Odile en enfer chez les Blancs. Moi, aller territoire de chasse... moi, retrouver esprit... moi, tenir conseil dans étoiles.

Odeur de Sam... odeur eau-de-vie et sueur... Sam, ici. A côté lit... Lui promettre... Lui, aimer moi... Moi, son père... Moi aimer Cheveux de feu, bon homme blanc... Quand moi esprit, prendre soin aussi Cheveux de feu.

Grand-Esprit
Prends-moi.
Moi, Gros-Ours.
Moi, Tortue.
Moi, Indien.
Moi, fidèle.
Moi, vrai.

Moi emporter race et légendes... Dernier Indien seul... mangeur d'écorces mourir... retrouver ancêtres... retourner grand lac Nékanba. Moi toujours respecter mère tortue. Nom sacré à moi... Mère tortue, viens prendre Gros-Ours... emmène Gros-Ours dans eaux vertes.

Pas de croix.
Pas de croix.
Juste tortue.
Juste tortue.
Pas tombeau.
Pas tombeau.
Dans les arbres.
Dans les arbres.

Sam emmener moi dans arbre... Yeux au ciel... Endroit secret dans forêt... Mettre moi dans fourrure... avec beaux habits et couteaux. Moi regarder ciel... voir villes célestes la nuit... voir conseil d'étoiles réuni par Manitou des étoiles. Voir tomber étoile sur terre. Étoile tombée sur terre devenir démon malfaisant... Moi, voir saisons. Animaux manger moi... pluie blanchir mes os... vent agiter cheveux...

Tous mes os
Dans les arbres.
Pour oiseaux,
Animaux.
Tous mes os
Dans les arbres.
Liberté.
Liberté.
Indien libre.
Indien mort.

Moi voir lumière. Vie passe comme canard près de l'eau... Eaux vertes vertes... eaux transparentes. Eaux lumineuses... Mes os...

Biche Pensive récite une prière. Sam avale un autre verre de whisky avant de risquer un regard sur Gros-Ours.

Il est bel et bien mort, l'Indien, orientant ses yeux noirs vers le paradis de chasse.

Biche tend la main pour les fermer, mais Sam retient son geste.

— No. Moé, promis.

Elle obéit et embrasse tendrement le front ridé de son père. Puis elle le vêt de ses plus beaux habits... des habits tellement vieux qu'elle craint qu'ils ne s'effritent en les enfilant. Une culotte de daim, une veste de daim ornée de poils de porc-épic que Gros-Ours avait emportée lors de son départ d'Oka, ainsi qu'une paire de mocassins brodés qu'il n'a jamais portés. Depuis longtemps, son père avait préparé sa mort car ces habits l'avaient suivi partout. Il désirait être exposé habillé en Indien.

Elle le peigne et retient ses cheveux par une courroie de cuir. Une vive et vieille image la traverse. Gros-Ours est agenouillé devant elle, le front ruisselant de sueur sous ses ballots. Des mèches noires se collent à sa tête et son bandeau de cuir est trempé. Il pose sur elle son regard de bête pacifique. Qu'il est beau! Qu'il est beau! « Je ne veux pas que tu changes, avait-elle balbutié. — Je ne changerai pas, je promets. »

Et il n'avait pas changé et il était toujours aussi beau.

Jusqu'à sa mort, il avait tenu bon et n'avait pas changé. Un sentiment d'admiration grandit en elle. Gros-Ours l'Algonquin avait été Gros-Ours l'Algonquin jusqu'à son dernier souffle. Elle envie, malgré elle, cette unité, cette constance, cette limpidité. Cette assurance et cette foi solide qu'elle cherche à trouver par le biais d'une autre religion. Mais elle se sent divisée. Elle a été quelqu'un d'autre, elle a prié un autre Dieu et vécu autrement. Il a été facile pour Gros-Ours de bannir Étienne Sauvageau, puisque Étienne Sauvageau n'était qu'un nom facilitant ses négociations avec les marchands de peaux. Mais elle, elle a vécu la vie de Marie-Jeanne Sauvageau, elle a été Marie-Jeanne Sauvageau et aujourd'hui, elle est redevenue Biche Pensive. Cette identité a été brisée et n'a pas la puissance de celle de Gros-Ours. Oh! Comme elle l'envie et l'admire.

Sam le roule dans la fourrure. La traîne attend dans la neige juteuse. La dernière neige. Quelques flaques de terre percent autour de la cabane. Il couche Gros-Ours et l'attache solidement.

Biche Pensive veut le suivre. Il l'arrête.

— Stay here. Moé, promis.

Voilà. Le soleil lance encore quelques rayons entre les branches nues. La neige forme croûte. L'érable forme goutte. Là-haut, sur la plate-forme, Gros-Ours contemple le ciel. Avant de descendre, Sam a touché les cheveux de l'Indien. Les a fait couler dans ses doigts. Il a exposé le tatouage de la tortue, conscient de la force que donnait la croyance.

— Big Bear, my father.

Il aurait aimé garder une mèche de cheveux, ou le tatouage, ou une dent. Quelque chose de Gros-Ours. Mais il n'osait profaner cet homme et s'en retourna avec tous ses souvenirs. Chemin faisant, il se rendit compte que ses souvenirs étaient ce qu'il y avait de plus beau, de plus riche, de plus grand. Il se rendit compte que jamais il ne pourrait les perdre, les briser ou les salir.

Il pensa à Gros-Ours dans son paradis de chasse et se surprit à sourire.

Le chant du rossignol

Août 1899

La jument revient au pas. Le bruissement des attelages endort Philippe, allongé sur le banc de la calèche, les guides nouées à son poignet. La nature s'éveille et les oiseaux le bercent de leurs chants multiples. Dommage qu'il ne connaisse pas encore à quel oiseau appartient tel ou tel chant. Il ne sait que reconnaître le chant d'orgue du rossignol. « Chante rossignol, chante, toi qui as le cœur gai. Tu as le cœur à rire, moi, je l'ai à pleurer. Il y a longtemps que je t'aime, jamais je ne t'oublierai. » Il sombre dans un sommeil léger, une sorte de léthargie qui le repose de sa nuit blanche. Il dort sans dormir vraiment, l'esprit en veille. Cette nuit, il a accouché Mme Gadouas: un accouchement pénible et décevant puisqu'elle a donné naissance à un enfant mongolien. Lorsqu'il vit tant d'efforts et de souffrances aboutir à un résultat de la sorte, un sentiment de révolte et d'impuissance ressuscita en lui. Pourquoi ces enfants infirmes viennent-ils au monde? Pourquoi ce fils tant désiré naît-il avec un germe de mort si puissant? Car il le sait, lui, que ce petit garçon ne vivra pas longtemps avec les troubles cardiaques qu'il a diagnostiqués, et il sait également que sa mère ne pourra plus enfanter, ses organes étant irrémédiablement endommagés par ses fausses couches négligées. Pauvre femme! Il revoit son visage ingrat sourire tendrement au nouveau-né. Tout comme s'il était parfait. « Enfin, un gars! » Ne voyait-elle pas son infirmité? D'un geste maternel, elle lui avait donné le sein. Il est certain qu'elle ne voulait pas voir son anomalie, mais le père ne s'est pas leurré et, après un bref examen à sa progéniture, il a grogné: « C'est un imbécile, ton gars, tu vois pas! » La femme a serré les mâchoires et ses yeux se sont remplis d'eau. Elle s'est repliée sur son bébé et l'a entouré de ses longs bras rousselés. « Y va être correct, hein docteur? — Il est très faible, avait-il tenté d'expliquer, à votre place... »

Qu'aurait-il fait à sa place? Comme il ne trouvait pas de réponse, il a ramassé ses instruments et est parti. Oui, qu'aurait-il fait si Amanda lui avait donné un fils mongolien au lieu de deux autres filles? Il ne le sait pas et remercie le ciel de lui avoir donné six enfants saines de corps et d'esprit. Il faudra le dire à Amanda, car elle se blâme beaucoup d'enfanter des femelles. Elle se condamne. Il y a un mois à peine que Judith est née et sa femme ne cesse de se la reprocher. On dirait même que cette dernière-née ne l'intéresse pas. Elle s'en occupe avec des gestes las, un cœur las.

Elle est si mignonne pourtant la petite Judith. Et la petite Marie aussi est bien attirante avec ses cheveux bouclés et sa bouche en forme de cœur. Déjà, elle promène ses premiers pas dans la maison. Sa maison. Il faudra qu'il réexplique à Amanda qu'il est très heureux de sa famille. Il faudrait aussi qu'il lui fasse comprendre qu'il n'y aura pas d'autre grossesse puisque sa santé ne le lui permet plus.

Il entrouvre les yeux. La lumière inonde l'anse au doré et miroite sur l'eau calme. Aucun vent n'agite les feuilles chaudes, aucun nuage en vue. La journée s'annonce torride. Quelque chose bouge sur l'eau et attire son attention. Il tire les guides. La jument s'arrête. Son cœur bondit à la vue de Biche Pensive. Elle retire ses filets sans se douter de sa présence.

Il s'assoit dans la calèche et regarde cette silhouette se déplacer avec souplesse dans la paix du matin. Elle se penche, se relève, prend un poisson qu'elle jette au fond de l'embarcation, tire et hisse les rets avec un équilibre gracieux. Ses longues nattes suivent ses mouvements rythmés et quelques gouttes d'eau éclaboussent sa blouse de calicot rouge et sa jupe de daim. Son profil d'une grande pureté se découpe sur l'étincelante surface de l'eau et la frange épaisse de ses cils bat doucement sur ses yeux en amande. Comment avait-il pu oublier qu'elle était si belle? Comment avait-il pu oublier ce visage, cette taille élancée, ces hanches, ces jambes, ces seins? Des gens disaient qu'elle vivait avec Sam, d'autres disaient qu'elle était sorcière et d'autres, putain. On racontait n'importe quoi à son sujet parce qu'elle ne faisait pas partie de leur société et ne pouvait se défendre. Lui, il avait préféré croire qu'elle vivait avec Sam afin de s'en détacher. Et il croyait s'en être détaché jusqu'à ce qu'il la voie. Jusqu'à cette minute. Voilà déjà cinq ans qu'il l'a embrassée et pourtant, c'est comme si c'était hier. Il n'ose bouger et retient son souffle de peur que l'apparition ne s'envole. Il l'observe, le cœur battant, en se répétant qu'il serait préférable de partir. Mais il ne parvient pas à se décider et demeure immobile dans les chants du matin, cherchant la voix du rossignol. « Il y a longtemps que je t'aime, jamais je ne t'oublierai. »

Tout à coup, la jument impatiente secoue sa crinière et renifle bruyamment.

Biche Pensive lève vivement la tête vers le bruit et l'aperçoit. Le filet tombe de ses mains tandis qu'elle le regarde d'un air désemparé.

214

Il est là, à la regarder, le beau docteur. Il est là, les coudes appuyés aux genoux. Il est là comme s'il l'attendait. Il l'attend. Il l'appelle. Il la désire. De son canot, elle ne voit pas ses yeux envoûtants et se résout à fuir. Oui, fuir. Laisser le filet et fuir à grands coups d'aviron. Mais le voyant descendre et s'avancer vers la berge, elle s'assoit et dirige l'embarcation vers lui. Sa gorge se serre, ses genoux tremblent, ses mains mouillent le bois de l'aviron.

Les jambes de Philippe aussi tremblent ainsi que ses mains. Il a l'impression d'être un papillon de nuit attiré par la lumière qui le mettra à mort. Il sent confusément qu'il pose les gestes qui bouleverseront sa vie et ne peut se résoudre à ne pas les poser. La pointe du canot glisse sur le sable. C'est comme si elle entrait dans son cœur, dans son ventre. La jeune femme plonge ses pieds cuivrés dans l'eau et le rejoint.

— Bonjour, commence-t-il d'un ton nerveux.

— Bonjour, répond-elle en baissant ses yeux trop doux.

— Ça fait longtemps? reprend-il gauchement.

Ça fait longtemps quoi? pense-t-il. Longtemps que c'est arrivé? L'attitude soumise de Biche Pensive l'intimide. On dirait qu'elle accepte un malheur qui vient de fondre sur elle.

— Votre père va bien?

— Il est mort.

— Ah. Quand?

— Au printemps.

— Je ne savais pas... Je... je suis désolé.

Silence.

— Vous avez pris beaucoup de poissons?

— Oui.

— Quelle sorte?

— Des dorés.

— Ça c'est bon.

— Vous en voulez?

— Vous en avez de trop?

— Je vous en donnerai.

Il se racle la gorge.

— Fait beau.

Cette phrase banale l'exaspère lui-même. Il dit vraiment n'importe quoi pour rester près d'elle. Biche lève enfin son visage. Sa beauté le frappe en plein cœur. Il avance plus près, pose les mains sur ses épaules. Il la sent trembler, les yeux rivés aux siens, le souffle précipité. Il voit sa poitrine se soulever sous sa blouse rouge. Il se penche, trouve sa bouche, ferme ses yeux. Ses bras s'enroulent à ce corps et le pressent contre le sien. Il trouve sa langue, son cou, ses seins. Le désir charnel s'empare de lui et son sexe se durcit. Elle le repousse, s'éloigne et fuit. Il la poursuit. Ses nattes battent ses reins. Il la rejoint et la saisit par les poignets. Elle pleure, se blottit contre son épaule et nie de la tête. Avec des gestes doux, il défait ses nattes puis les boutons de la blouse. Ses seins fermes se dressent; il les embrasse. Ses mains caressent maintenant les reins que l'épaisse chevelure chatouille. Il s'agenouille, descend la jupe. Et la contemple, toute nue dans cette lumière dorée. On dirait une déesse. Son cœur se débat sauvagement. Il l'attire doucement par la main. Elle obéit, s'agenouille à son tour et pose sur lui des yeux amoureux. Elle ne pleure plus, tend sa bouche vers la sienne et l'embrasse passionnément. Jamais Amanda ne l'a embrassé de la sorte. Il frémit. Un courant le parcourt des pieds à la tête. Il la pousse tendrement. Elle s'étend dans l'herbe et lui ouvre ses jambes.

Le voilà au-dessus d'elle. Essoufflé, troublé. Ses cheveux défaits sur son front têtu, ses yeux d'or perdus dans les siens.

Voilà qu'il se penche. Elle pose ses mains sur ses épaules et les palpe. Que de puissance dans ces épaules, dans ce cou, dans cette poitrine sur la sienne. Sombrera-t-elle avec lui dans le mal de la chair? Glissera-t-elle, accrochée à ces épaules, jusqu'au fond du gouffre? De quoi saura-t-il la protéger, lui qui est si fort? Que pourra-t-il pour elle, après? Mais qu'importe après? Qu'importe le mal? Une fois au moins, avec lui, goûter sa propre nature de femme. Ouvrir jambes et ventre à ce désir irraisonnable. Soumettre sa chair à cette autre chair désirée. Oui, elle le désire, désire cet acte avec lui. Avec lui seul. Au milieu des fraises et de l'herbe. Ici, en ce moment même. Avec cette même passion, cette même rage d'aimer, cette même folie de se maudire, de se lancer yeux fermés dans l'accomplissement des plaisirs charnels.

Déjà en elle le prolongement de l'homme. Dur et volontaire. Douloureux contre l'hymen fragile et enivrant à la fois.

Le mouvement de l'homme. Le mouvement de ses reins. La respiration haletante de l'homme dans son oreille, les cheveux de l'homme sur sa joue, les épaules carrées sur ses dents amoureuses, le cou tout chaud, le dos large dans l'habit noir. En elle, entre ses jambes, cette jouissance irresponsable. Comme elle aime l'amour! Que le temps s'arrête et que l'instant demeure! Qu'ils restent soudés l'un à l'autre l'éternité durant. Lui en elle. Elle refermée sur lui. Avec le sang de la virginité sur ses cuisses.

Il geint doucement comme s'il avait mal. La semence coule en elle. Elle caresse ses cheveux puis s'accroche à ces épaules toutes-puissantes, effrayée et comblée par la jouissance qui la terrasse.

La voilà femme. Avec ce peu de sang sur ses cuisses et la semence en elle.

Il s'effondre et cache son visage dans ses mains. Elle se

216

relève et se rhabille avec un goût de larmes. Elle le guette maintenant d'un œil farouche. La rancœur fait place à l'amour; elle a envie de le griffer, de le battre pour ce qu'il vient de lui faire. Elle vient de perdre sa virginité, sa pureté. Elle vient de briser son vœu de chasteté. Elle vient de sombrer totalement au fond du péché. Pourtant, elle le voulait, elle le voulait tant. Alors, pourquoi ce goût amer? Ce remords terrible qui la ronge? Cette impression d'être sale, laide, et faible?

— Mon Dieu! Qu'est-ce que j'ai fait? dit alors Philippe.

Son ton angoissé traduit tellement les propres sentiments de Biche Pensive qu'elle revient près de lui.

— Qu'est-ce que j'ai fait?

— Le mal? interroge-t-elle, après une courte hésitation.

Philippe s'assoit en face d'elle. Il tend la main vers son visage et cajole sa joue. Son regard, tantôt brillant de passion, exprime maintenant une grande tendresse et une grande tristesse. Un petit sourire fragile erre un instant sur ses lèvres avant qu'il dise:

— Ma Biche, tu étais vierge. Tu t'es donnée à moi. Pourquoi?

Elle ne répond pas.

— Comment oublier ce que nous venons de faire?

— Le mal?

— Oui, c'est mal de ma part, pas de la tienne; c'est moi qui suis marié.

— Ne faut plus recommencer, ne faut plus recommencer.

— Alors, il ne faut plus nous revoir. Si je te revois, je recommencerai, réplique-t-il en se levant et en l'aidant de sa main tendue.

La voyant debout, il l'attire à nouveau contre lui et d'un geste affectueux flatte les longs cheveux soyeux.

— Pourquoi faut-il? implore-t-il soudain d'une voix brisée. Je t'aime. Pourquoi toi? Pourquoi faut-il? balbutie-t-il en la rapprochant de lui.

Il appuie sa tête sur son épaule. Comme elle est lourde! Terriblement lourde! Biche Pensive la couvre de ses mains timides.

Couple uni, couple maudit.
Lié d'amour et de souffrance.

Couple uni, couple maudit.
Aux cœurs noués d'extase.

Homme et femme,
Qui se pressent et se moulent
Et se fondent et s'unissent

Et se boivent et se goûtent
Et se lèchent et s'embrassent
Et se sentent et se touchent
Et s'écoutent et se parlent.

Bras qui se tordent et s'enroulent
Aux souffles oppressés des séparations.
Bouches qui se frôlent,
Langues qui s'attachent.
Yeux qui se serrent sur les larmes de l'adieu.

Couple uni, couple maudit.
Lié d'amour et de souffrance.
Sur l'herbe et les fraises du matin.
Couple uni, couple maudit
Baigné de pure clarté.
Couple uni, couple maudit
Aux cœurs percés par le chant d'un rossignol.

Couple qui s'attache avant de se dénouer.
Qui s'épouse avant de s'arracher.
Qui se donne avant de se ravir.

Couple uni, couple maudit
Qui s'écartèle, se déchire,
Se divise et se brise.

Chante donc, rossignol, chante.
Tu as le cœur à rire, eux l'ont à pleurer.
Il y a longtemps qu'ils s'aiment,
Jamais ils ne s'oublieront.

Il sera beau notre enfant

Les rayons d'octobre plongent par la porte vitrée de la salle d'attente et projettent l'ombre étirée de la patère sur le parquet ciré. Une odeur de médicaments flotte dans l'air et ne semble pas incommoder la croissance d'une dense fougère qui occupe un des angles de la longue pièce. Un crucifix et un roseau bénit occupent un mur, tandis qu'un long miroir dans un cadre de laiton orne celui qui fait face aux patients. Ceux-ci ne peuvent s'y mirer qu'une fois debout et se contentent habituellement d'admirer le parquet de bois franc en attendant leur tour. Car c'est toute une habitation que la maison du docteur Lafresnière. Sa réputation attire malades et blessés qui y soulagent leurs maux tout en satisfaisant leur curiosité. Ils observent à loisir la blondeur du chêne, la beauté de la porte givrée de fleurs qui mène au salon et l'élégance des chaises rembourrées, tendant leurs oreilles attentives à tout bruit pouvant leur procurer un indice intéressant. Quelquefois, c'est le rire de Philippe qui résonne derrière la porte imposante du cabinet, d'autres fois, c'est un dialogue sérieux, un cri, des pleurs d'enfant. D'autres fois encore, c'est Amanda disputant les filles qu'on entend courir dans l'escalier, ou encore sauter dans les chambres de l'étage, ce qui prouve que les enfants du médecin se comportent comme toutes les enfants de leur âge. Le luxe évident des meubles et la qualité achevée de la construction mettent les colons en confiance. Ils prétendent même que Philippe a pris du mieux depuis qu'il s'est installé si confortablement grâce à l'héritage de son père. Il leur apparaît meilleur médecin. L'installation du cabinet ainsi que l'achat de la calèche confèrent au praticien une auréole de professionnel respectable, qu'il n'avait pas lorsqu'il parcourait les chemins sur son cheval noir.

Les habitants s'enorgueillissent de sa présence. N'ont-ils pas un bon médecin, issu d'une famille riche, d'une famille de médecins? Pour une région en voie d'expansion, c'est un gros morceau à posséder. C'est pourquoi ils parlent souvent de la maison blanche du médecin, osant la comparer au presbytère, de dimensions plus réduites et d'une austérité évidente.

Tout un chacun rêve devant la porte givrée de fleurs du

salon, s'imaginant y être reçu pour un événement quelconque. Tapis, table vernie, lustres, fauteuils de satin et tableaux attisent leur imagination et agrémentent la monotonie de leur existence.

Mais Biche Pensive ne rêve pas du salon, ni du tapis, ni du lustre. Elle tend son cœur à cette voix aimée. Elle aurait souhaité voir son veston noir accroché à la patère, ou encore les longues bottes qu'il chaussait lorsqu'il grimpait sur le cheval. Elle aurait souhaité voir quelque chose de lui et fixe farouchement la fougère, intimidée par le crucifix sévère et par le couple à ses côtés qui la dévisage avec indécence. Elle ne sait rien de ces gens, sauf que l'homme a une voix caverneuse et que la femme parle à un poupon silencieux. La porte du salon s'ouvre et le cœur de Biche Pensive se met à battre violemment. Une femme élégante s'avance vers elle. Une enfant d'un an et demi environ s'accroche à sa belle jupe. Sa femme. Son enfant.

— Vous désirez? demande-t-elle en lui adressant la parole d'une voix aimable.

— Malade.

— Bon. C'est pour le médecin. Vous êtes arrivée après monsieur Gadouas?

Biche fait signe que oui en rougissant. Il lui semble que cette femme a deviné le motif de sa présence. N'a-t-elle pas dans son ventre la semence fécondée de son mari? Elle s'attend à être accablée d'injures, voire giflée, mais la femme lui sourit et, d'un pas tranquille, retourne à ses occupations après avoir expliqué aux Gadouas:

— Ce ne sera pas long. C'est Alexis qui se fait arracher les dents.

En effet, quelques instants plus tard, un homme sort du cabinet, un mouchoir sur la bouche, le teint pâle et les yeux larmoyants.

Mme Gadouas s'est levée d'un bond et s'est précipitée dans la pièce. Biche Pensive n'a pu qu'entrevoir l'avant-bras de Philippe et l'envie de fuir l'a prise. Pourquoi s'était-elle risquée jusqu'ici? Pour lui annoncer qu'elle était enceinte? Pour voir cette autre femme qui le possédait? Voir ses enfants? Voir la vie qu'il menait? Voir sa maison? Voir cette autre version du docteur Philippe Lafresnière? Cette autre femme qu'elle imaginait plus laide et plus bête?

Un cri horrible lui fait dresser les cheveux sur la tête. « J'te l'avais ben dit qu'y était mort », hurle la voix caverneuse. La porte du cabinet s'ouvre précipitamment sur Azalée, le visage rouge de larmes et d'horreur, les yeux hagards, se laissant pousser rudement par son mari qui tente d'expliquer:

— J'y avais dit, docteur, a voulait pas me croire, a voulait pas. Excusez-nous.

Ils sortent et Biche Pensive regarde tristement trébucher cette femme sous les coups agressifs du petit homme aux jambes croches. Une goutte de sueur glisse le long de ses aisselles et la glace. Un silence de mort règne dans la longue salle d'attente. Tout se fige: temps, sang, pensée.

Madame docteur rejoint son mari et ferme la porte. A la douceur des murmures qu'elle perçoit, Biche Pensive devine que sa rivale console Philippe. Elle se sent soudain pleine de rage et d'amertume et jalouse férocement cette femme pour l'intimité qu'elle partage avec l'homme qu'elle aime. Voilà qu'elle a accouru vers lui. Voilà qu'elle a trouvé les mots et les gestes. Voilà qu'elle a su lui prouver son attachement et son affection. Après un moment qui lui semble une éternité et qu'elle imagine peuplé de baisers, Biche Pensive voit sortir Amanda, le visage baigné de paix et de tendresse.

— C'est à votre tour, mademoiselle, invite celle-ci posément.

Elle pénètre. Philippe est assis dans un fauteuil de cuir et écrit, le front posé dans sa main. Entre ses doigts, des mèches cendrées se révoltent. Bizarrement hirsutes.

— Assoyez-vous, offre-t-il d'un ton préoccupé.

Elle reste debout et le regarde écrire. Sa main court sur la feuille blanche et ce mouvement la fascine. Elle imagine qu'il devait être ainsi lorsqu'il avait écrit la lettre à sœur Sainte-Clothilde. Son regard erre de sa main savante à ses cheveux tandis qu'elle joint fortement ses doigts. Émue. Prête à s'écrouler par terre sous ses genoux tremblants.

— Qu'est-ce que je peux faire pour...

Il s'interrompt en la voyant et blêmit considérablement. Il se lève, ferme la porte, se place devant elle et lui ouvre ses bras. Ils s'embrassent et de nouveau la passion les submerge. Si rapidement. Si totalement.

— Biche, ma Biche, murmure-t-il en caressant sa tête qu'elle blottit contre son épaule.

— Ma Biche, ma Biche.

— Je vais avoir un bébé.

— Quoi?

Il se redresse et pose sur elle un regard glacé. Elle le craint soudain. La peur fait place au sentiment de fierté qu'elle avait à lui annoncer la nouvelle.

— Tu en es sûre?

— Oui.

— Tu n'as pas été menstruée depuis?

— Non... pas depuis.

Il calcule et approuve d'un hochement de tête. Les bras, qui tantôt caressaient son corps, retombent, inertes. Il baisse la tête, inquiet. Que revendique cette femme? Sa paternité? De l'argent? Une soumission quelconque?

Qu'adviendra-t-il de lui si elle le trahit? Qu'adviendra-t-il de sa réputation et de son bien-être? Qu'adviendra-t-il d'Amanda? Elle partira avec les filles ou, pis encore, elle demeurera mère d'une famille décousue. Ils devront déménager, construire ailleurs, refaire la clientèle. Il secoue la tête et suggère:

— Je peux te l'enlever si tu veux.

— Enlever?

— Le bébé. J'irai le chercher dans ton ventre. Tu n'auras pas de mal.

— Il va mourir?

— Oui, il va mourir.

Elle recule en le dardant de ses yeux indignés. Quoi? Il vient porter l'enfant dans son ventre puis veut l'arracher! Elle ne comprend pas. La voyant si bouleversée, il s'approche à nouveau en tendant les bras. Mais elle recule encore avec une expression dégoûtée.

Le cri d'Azalée constatant la mort de son enfant lui rappelle l'horreur de son offre.

— Tu veux le garder? demande-t-il d'une voix contrite.

— Oui.

— Pourquoi es-tu venue?

— Pour vous le dire. Vous êtes le père.

— Tu es heureuse de ça?

— Oui.

— Tu es sûre que j'en suis le père?

— Oui.

— Mais... que feras-tu avec l'enfant? Je ne peux pas en prendre soin. Ce que je t'ai fait, ce n'était pas bien. J'ai fait un péché avec toi. Je suis marié; je ne peux pas prendre ton enfant et l'élever. Tu comprends ça?

— Oui. Moi, je garde l'enfant.

— C'est toi qui vas le garder?

— Oui.

Il se sent tout à coup minable, méprisable et misérable.

Biche Pensive serre son mackina sur sa poitrine et se dirige vers la porte. Il ne sait que dire pour la retenir et ne sait plus s'il veut la retenir. Il a vu ses pommettes enflammées et la sait en colère. Juste colère.

Voilà. Elle est partie. Il se précipite à la fenêtre pour la regarder marcher.

Son visage se crispe, son cœur se crispe, sa main se crispe sur le lourd rideau de velours. Il admire ce corps gracieux où s'épanouit le fruit de sa passion. Comment a-t-il pu proposer d'exterminer ce fruit? Lui, le père et le médecin? N'a-t-il pas fait serment de sauver des vies? Ne s'est-il pas assez blâmé lorsqu'Il venait lui chercher un patient? Qu'est-ce qui souffrait alors le plus en lui? Sa réelle compassion ou son orgueil?

222

Son orgueil. Son monstrueux orgueil. La réponse le cons-
terne. Comme il se déçoit soudain! L'image qu'il s'était forgée de
lui-même s'enlaidit et s'amoindrit. Sa façade s'émiette et le
laisse nu, face à lui-même, face à son propre jugement.

Il se compare alors à son père. Ne vit-il pas avec ses livres,
ses instruments, ses meubles? Ces choses ont-elles une influence
sur lui? La belle maison, la belle situation, le respect et l'honneur
l'ont-ils changé à ce point? Il y a cinq ans, comment aurait-il
réagi à la grossesse de Biche Pensive? Il n'aurait certes pas
proposé de l'avorter. Il n'avait rien à perdre à l'époque. Il
était pauvre, aventurier, travaillant. Il avait tout à gagner et
rien à perdre. Mais aujourd'hui, il a tout à perdre. Toute cette
façade enviée de professionnel respectable. La même façade
derrière laquelle se sont cachés son père et sœur Sainte-Clothilde.
La façade de la respectabilité qui foule aveuglément les principes de vie, d'amour, de mort. Qui nie et renie la parenté du
sang et abandonne des êtres sans défense. Respectabilité?
Respect de quoi? Des façades? Combien de bonnes son père
avait-il engrossées et renvoyées? Combien de demi-frères ou de
demi-sœurs illégitimes maudissent aujourd'hui ce père inconnu?
Et l'enfant de sœur Sainte-Clothilde placée efficacement dans
un orphelinat? A quoi pense cette enfant abandonnée?

Philippe se sent oppressé. Biche Pensive disparaît au
tournant, près de la rivière où l'attend son canot. Il se sent
sale et petit près d'elle. Elle qui est sans façade. Elle, l'enfant
de la forêt, venue lui annoncer la bonne nouvelle. Elle, incapable de cacher sa colère et son dégoût. Elle, qu'on disait putain
et qu'il a trouvée vierge. Elle, la fille de Gros-Ours, l'Indien
fidèle à lui-même. L'Indien pur et entier dont il essaie d'imaginer la mort. Elle a dû être aussi saine que sa vie puisque l'on
meurt souvent comme on a vécu, pense-t-il.

Son père à lui, Charles Lafresnière, a été trouvé terrassé
par une crise cardiaque dans le lit de la bonne. La jeune fille,
affolée, a d'abord averti Amanda qui est venue le chercher dans
le cabinet. Sa mère n'a pas bronché en apprenant la nouvelle.
Elle a fait transférer le corps puis renvoyer la bonne. Ensuite,
elle s'est dépêchée d'acheter le silence d'Amanda avec tous les
meubles de la maison, et le sien avec l'équipement du cabinet.
Respectabilité! Même aux yeux de ses frères, son père est mort
dans le lit conjugal et la veuve éplorée ne s'est pas lassée de
débiter ses qualités.

Respectabilité! Façade! Quel monstre il doit être aux yeux
de la jeune Indienne, lui qui était prêt à tuer la chair de sa
chair afin de ne pas ternir sa belle image. Et c'est là, justement,
qu'il l'a ternie. A ses yeux comme à ceux de Biche Pensive.

Regrets et remords le persécutent. Il ferme ses poings dans
le lourd rideau de velours et voudrait l'arracher, le piétiner,

le brûler. Mais que dirait Amanda, maintenant si heureuse de faire partie de la haute société? Que penserait Amanda, dont l'attitude a singulièrement changé depuis le décès saugrenu de son père? D'avoir découvert les bassesses de sa belle-famille l'a revalorisée. Elle a conscience d'être supérieure en qualité d'âme et, sans s'en rendre compte, elle se forge, elle aussi, une façade. C'est si facile de se cacher derrière un rôle. Il suffit d'être en société. Quelle qu'elle soit! Les êtres seuls n'ont habituellement pas besoin de carapace. Des êtres comme Biche Pensive, des êtres comme Sam. Il les envie. Il envie leur paix et leur force. Il envie la droiture de leur existence et tente de se retrouver. De retrouver le Philippe Lafresnière de sa jeunesse. De retrouver l'intransigeance de son adolescence.

Ces jeunes années lui semblent très loin. Pourtant, il n'a que trente-quatre ans. Il ferme les yeux et rebâtit le monde. Il y voit une forêt, une tente, un campement. Gros-Ours fume sa pipe et Biche Pensive fait cuire du poisson dans la glaise. Lui, il regarde son petit ventre gonflé et sourit. Il est vêtu de peaux et ses cheveux sont retenus avec un bandeau de cuir. Il aura bientôt un enfant. Il se prolongera dans un nouvel être. Dans un fils. Il bénit la nature de féconder sa femme et veille sur elle. Il est impatient et heureux. Il compte les jours par coucher de soleil, les saisons par lune. Il embrasse Biche et épie les moindres mouvements de son ventre.

Alors naît en Philippe une joie hésitante. Il s'attache à elle et la nourrit de ses espérances. Peut-être aura-t-il un fils? Le désir insensé de retrouver Biche Pensive grandit avec sa joie.

Il calcule. Elle devra pagayer une heure et demie avant de s'engager dans le sentier. Il ira avec Robin et pourra suivre le sentier s'il ne la voit pas sur la rivière. Cette décision étant prise, il s'assoit et tente de continuer son rapport.

Mais les mots ne viennent pas et la courte visite de Biche Pensive l'obsède.

Il prend une feuille de papier et y écrit le nom de la jeune femme puis le sien. Il les enferme dans un cœur. Il se surprend à embrasser cet aveu compromettant et le place dans la petite poche gauche de son gilet, là, droit sur son cœur amoureux.

— Papa, venez dîner, annonce la petite voix autoritaire de Mathilde.

— J'arrive ma chérie.

L'enfant s'en retourne à la cuisine de son jeune pas énergique. Ses boudins blonds s'ouvrent et se ferment comme des ressorts et amusent Philippe. Sa main plonge dans la chevelure dorée.

— Vous me dépeignez, papa.

Il rit. Il pense à son billet amoureux et à l'enfant en formation.

— Je dois aller porter des calmants chez Mme Gadouas.

— Pauvre femme.

— Elle est partie si vite. Ça fera faire de l'exercice à Robin en même temps. Il va s'ankyloser à ne pas travailler.

— Et la sauvagesse? Qu'est-ce qu'elle avait?

Il lui sourit.

— Secret professionnel.

— Elle n'avait pas l'air bien malade.

— C'était à propos de son père: elle est venue me dire qu'il est mort.

— En quoi cela te regarde-t-il?

— Peut-être parce qu'il a été un de mes premiers patients, je ne sais pas. Ces gens-là sont difficiles à comprendre parfois.

— Oui. Elle semble assez jeune.

— Elle doit avoir entre vingt et vingt-cinq ans.

— Et elle vit avec l'Irlandais?

— Nous n'en avons pas parlé.

— C'est ce qu'on dit.

— C'est possible.

— Elle est jolie pour une sauvagesse.

— Oui, elle est jolie.

— J'espère quand même qu'elle ne prendra pas l'habitude de venir écornifler ici.

— Ils font tous ça. Souvent, ils ne sont pas bien malades mais ça les distrait de voir la maison et les meubles.

— Mais elle, c'est quand même pas pareil: c'est une sauvagesse. Ça peut avoir des drôles d'idées des fois.

— Comme?

— J'sais pas. En tout cas, je lui ferais pas confiance. Elle me fait peur.

— Voyons! C'est de l'histoire ancienne: les Indiens ne sont plus en guerre. T'as peur de te faire scalper?

Les cris affamés de la jeune Judith closent la discussion et Philippe en profite pour se remémorer la déesse cuivrée qu'il a possédée un matin du mois d'août.

Consciemment, il s'attarde à la fin du repas jusqu'à ce qu'Amanda le pousse au travail.

— Tu devrais partir Philippe. Cette pauvre femme doit être en état de choc.

— Ah oui, c'est vrai. Tu as raison.

Petit baiser avec le billet dans sa poche. Comme il ose tout à coup. Comme il acte. Il se rend compte qu'il élabore sa seconde façade avec un cran particulier.

Où a-t-il trouvé toute cette audace? Pour qui a-t-il trouvé toute cette audace? Pour cet être en gestation dans le ventre de Biche Pensive? Pour cet être issu de lui et de sa passion? Déjà, il le couve et le protège. Déjà, il l'aime comme il aime ses amours.

Napoléon avance rapidement. Il a laissé le bœuf à sa femme et emprunté le petit pont afin de se rendre à la ferme de la Compagnie où il pourra donner son nom pour les chantiers d'hiver.

Azalée sera seule à prier le fils décédé. Seule avec le petit cadavre exposé au salon. Seule et larmoyante. Il s'en fout. Il n'aimait pas plus cet enfant qu'il n'aime sa femme. A part Éloïse, elle n'a eu que fausse couche sur fausse couche, couronnant le tout par la naissance d'un idiot. Allez donc défricher une terre pour une telle famille! Mieux vaut encore travailler dans les chantiers.

Son pas rageur foule la terre jaune et il marche sans regarder les splendeurs de l'automne.

Arrivé à l'anse au doré, un canot attire son attention.

— La squaw! dit-il en apercevant Biche Pensive.

Il se cache dans le feuillage. La jeune femme tire l'embarcation et la retourne sur la plage.

Napoléon la guette. Bientôt, elle passera devant lui. Il sait ce qu'il lui fera et déjà la salive coule sur son menton. Il plisse les yeux, retient souffle et mouvement pendant qu'elle monte la côte. « Envoye la squaw, emmène-toé que j'te mette », se répète-t-il à chacun des pas de Biche Pensive.

Il se rue sur elle et la jette à terre. Elle crie, se relève et, avant qu'elle ne prenne la fuite, il s'élance et la projette de nouveau au sol avec lui. Elle se débat vigoureusement, la chienne! Des pieds, des bras, des dents, elle se défend, la chienne! Il la bat avec ses poings. Elle lui résiste. Alors, il entoure sa gorge de ses doigts et se met à serrer. Le corps de Biche Pensive s'ankylose; des nuages noirs obstruent le ciel bleu d'automne; ses oreilles bourdonnent; ses bras s'amollissent et refusent d'obéir. Ils sont inertes comme tantôt les bras de Philippe. Philippe! Quelle déception! Mourir ainsi avec son fruit renié.

La voyant inconsciente, Napoléon lui arrache sa jupe et donne libre cours à ses élans. Cet acte lui procure une jouissance inconnue. Elle remue la tête: il s'empare d'une branche et lui assène un coup sur le front sans se détacher d'elle. Il s'essouffle, grogne et se tortille à la recherche de son plaisir malsain.

Un ricanement mêlé de cris sauvages réveille Biche Pensive. Elle entrouvre les paupières... l'homme aux petites jambes croches referme sa braguette.

Un second choc à son front. Le noir, le néant.

En arrivant à l'anse au doré, Philippe se lève sur ses étriers afin de vérifier l'emplacement du canot de Biche. L'y voyant rangé et renversé, il se dirige aussitôt vers le sentier. Mais voilà qu'une forme insolite allongée dans l'herbe le saisit. Il la reconnaît immédiatement, saute du cheval et court vers elle.

— Mon Dieu! s'exclame-t-il en voyant le visage tuméfié et le sang coagulé au front.

Il s'agenouille, l'examine rapidement, recouvre le ventre dénudé puis va mouiller son mouchoir à la rivière et éponge doucement les blessures.

Son cœur se débat à grands coups explosifs. Il le sent frapper contre ses côtes avec violence. Comme s'il voulait les défoncer. Philippe accomplit de gros efforts afin de calmer sa respiration et de tempérer la brusquerie de ses gestes. Qui? Qui? se demande-t-il. Qui a pu commettre ce viol? Qui a pu souiller ma femme et mon enfant? Qui a pu profaner le réceptacle de ma semence? Qui? Qui? Qui?

L'impuissance l'inonde. Il se sent attaqué sans pouvoir se défendre. Il se sent brutalisé, violenté et violé avec les mains liées. Aucune riposte possible. Aucune réplique possible. Aucune défense possible. Les amants doivent accepter les coups en silence. Ils doivent se laisser outrager en silence, se laisser salir en silence. C'est la rançon de leur amour. La rançon que la société exige. Maudite société! Une haine féroce s'enracine en lui.

Il déteste ce noyau de société qui se forme. Il déteste ces gens qu'il était venu aimer et aider.

Révolté, impuissant et blessé, il contemple cette femme souillée. Cette chair meurtrie, nourricière de sa propre chair. Ce ventre saccagé. Ce réceptacle de vie inondé du sperme de la violence.

Elle bat des paupières. Ouvre ses yeux, les referme, puis les ouvre tout grands en l'apercevant près d'elle. Aussitôt, elle cache son visage dans ses bras et se retourne contre le sol. Elle replie instinctivement ses genoux et se met à sangloter. Honteuse. Comme si elle avait été la cause de tant d'obscénité et d'indécence. Comme si elle était coupable de l'acte qu'elle a subi.

Philippe saisit ses poignets et la retourne. Elle roule la tête afin d'éviter son regard. Il s'empare de son visage. Depuis toujours, il connaît le pouvoir de ses yeux sur elle. Maintenant, il s'en sert pour la calmer, la raisonner, la déculpabiliser.

— Ce n'est pas de ta faute, tu comprends? Ce n'est pas de ta faute. Tu n'as rien fait.

— Oui, j'ai fait le mal avec vous. J'ai été punie... j'ai été punie par où...

— Non! C'est parce qu'il y a un fou qui t'a vue. Un malade sexuel. Qui? Dis-moi qui?

— ...

— Qui t'a fait ça?

Un éclat terrible passe dans les prunelles de l'homme. Terrible et vif comme le rutilement d'une lame au soleil. Biche Pensive s'en effraie et s'en abreuve. Elle comprend qu'il n'est pas en colère contre elle et qu'il veut la venger. Et s'il veut la venger c'est parce qu'elle représente quelque chose pour ce dieu aux yeux dorés.

— Vous allez le tuer?

— J'vais lui couper les gosses, le salaud!

— Non! On va vous pendre. On va nous pendre. Je ne veux pas vous perdre.

Ce disant, elle avance sa main vers lui et la pose sur sa joue. Ses yeux se remplissent de larmes.

— Je ne veux pas vous perdre... Je vous aime.

Il la prend dans ses bras et l'embrasse. C'est la première fois qu'elle prononce ces mots.

— Biche, ma Biche, je te vengerai. Je nous vengerai. Je vengerai mon enfant.

Elle frémit à ce mot. Il s'empare de sa main et baise ses doigts, un à un. Puis, les voyant glacés, il enlève son veston et lui couvre les épaules.

Il la berce contre lui. Ma femme sans défense, pense-t-il, ma femme sans gloire et sans défense. Sans façade et sans richesse. Celle qui m'aime et m'obéit. Tu n'as ni mon nom, tu n'habites pas ma maison mais tu as mon cœur et là, dans ton ventre, tu as mon enfant que j'imagine beau. Très beau. Beau comme notre amour.

— Il sera beau, prononce-t-il tout haut.

— Oui. Je vous donnerai un fils.

— Je disais « il » pour l'enfant mais j'ai l'habitude d'engendrer des filles. J'aime bien les petites filles aussi. Elle sera à ton image. Belle comme toi, pure comme toi.

Elle se serre contre lui et se plaint faiblement.

— Tu es pure, ma Biche. Beaucoup plus pure que moi. Tu es ce que j'aimerais être.

— Je vous donnerai un fils, docteur.

— Philippe, appelle-moi Philippe.

Elle secoue la tête.

— Pourquoi? Ce n'est pas un beau nom?

— Oui.

— Alors?

Elle secoue encore la tête. Il s'empare d'elle et se lève. Elle demeure surprise de le voir si fort et se sent protégée.

— Je vais t'emmener à mon bureau.

— Non, non.

Elle ne veut pas que madame docteur la voit dans cet état et s'accroche au cou de Philippe.

— Non. Dans ma cabane.

— Comme tu veux.

Il la hisse sur le cheval et saute près d'elle. La voyant grimacer, il l'entoure de son bras droit.

— Tu as mal?

— Oui.

— Où?

— Partout. Mon bébé?

— Il n'est pas déplacé; il vivra notre bébé.

Son sourire chancelle. Elle appuie sa tête sur ce cœur baigné d'amour et de rage.

Le mouvement de la bête lui rappelle son voyage avec Sam. C'était le même cheval. Sans le savoir, elle allait vers cet homme, s'appuyant de temps à autre sur un autre homme pour se réchauffer et sentir ses bras musclés. Puis elle a vu Philippe. Elle l'a aimé, fermant la porte aux aveux de Sam. N'eût été du docteur, probablement qu'elle serait aujourd'hui l'épouse de Sam et la mère de ses enfants. Et si l'acte qu'elle vient de subir s'était passé, Sam aurait pu la venger. Mais...

Elle échappe un petit cri et se réfugie contre Philippe. Une image répugnante vient de la bouleverser. L'homme aux jambes croches refermant sa braguette, refermant sa braguette.

— Qu'est-ce que tu as?

— L'homme aux jambes croches... c'est lui... c'est lui.

— L'homme qui était dans mon bureau?

Elle se tait. Il tire sur les guides.

— Tu en as trop dit maintenant. Dis-moi qui? Qui Biche? Qui a fait ça à notre enfant?

— Oui, celui du bureau. Celui avec le bébé mort.

— Gadouas, c'est Gadouas, Gadouas, répète Philippe entre ses dents pendant qu'il remet le cheval en marche.

Et les sabots résonnent sur le sol noir et semblent le redire... Gadouas, Gadouas, Gadouas.

Le cœur bat plus fort sous la chemise blanche du médecin et la jeune femme y colle son oreille. Ces battements sonnent comme le tambour de guerre. Le tambour de peau tendue des ancêtres, appelant à la défense et à la vengeance.

Sam attend, assis sur le seuil de la porte. Pour passer le temps, il se fabrique des lanières d'écorce de bois de plomb. C'est Gros-Ours qui le lui a enseigné. Il en prépare aussi pour Biche Pensive; en les conservant dans la mousse humide, ils auront ample provision de cordes.

Il appréhende un peu le moment de son retour car il ne sait quel accueil elle lui réserve. Depuis la mort de Gros-Ours, ils ne se sont pas vus. Aujourd'hui, il est venu lui offrir de chasser le chevreuil avec elle pour préparer la provision de pemmican.

Il désire aussi connaître ses intentions face à la saison de trappe. Il se doute bien qu'elle n'envisage pas un travail commun tel que Gros-Ours l'exigeait. Mais ils peuvent au moins se délimiter un territoire et il échangera les peaux de Biche Pensive avec les siennes, puisqu'il sait négocier un prix plus avantageux.

Tout en travaillant, il se redessine le visage de sa bien-aimée et son cœur craintif languit.

Un hennissement de cheval le surprend. Il tend l'oreille au bruit inusité. D'un bond souple, il se retrouve sur ses pieds et se dirige vers le sentier. Bientôt, il aperçoit le cheval, le médecin et, comme endormie sur sa poitrine, Biche Pensive. Il le jalouse instantanément puis se condamne aussi rapidement en voyant les blessures.

— Sam! Va me faire bouillir de l'eau. Water, boil.

— Yes. Yes.

Le trappeur s'exécute.

— Attends dehors, lui ordonne Philippe en retroussant ses manches.

Le voilà de nouveau dehors, à attendre. Mais il n'est plus en état de préparer ses écorces et tourne en rond devant la porte interdite. Il sait très bien ce qui est arrivé à Biche Pensive. Il a vu la jupe et la jolie blouse rouge déchirées. Il a vu son visage tuméfié. Il a même vu l'expression de honte et de rancœur.

Et Sam, le petit lièvre, se laisse posséder à son tour par la rage et s'affole devant la cabane. La porte s'ouvre.

— Who did that? hurle Sam en accrochant l'homme par la chemise.

— Je ne sais pas.

— Who did that? You know, don't you?

Philippe n'a pas besoin de sonder l'ardeur de Sam. Elle est si évidente, si franche. Ira-t-il jusqu'à tuer? Avec prudence, il demande:

— Pourquoi?

— I'm gonna kill him... Le tuer.

— Tu seras pendu pour cela.

— So what!

— Elle aura probablement un bébé. Elle a besoin de toi, elle a besoin de ton aide. Qui veillera sur elle? Tu crois qu'ils seront gentils avec elle si tu tues un homme blanc à cause d'une squaw?

— No, I won't kill him. I'm gonna give it to him. Moé battre lui.

Sam serre les poings devant Philippe. Celui-ci les contemple comme les instruments de sa propre vengeance. Ces poings rugueux, ces avant-bras épais et trapus, ces bras rapides sauront rendre justice à sa place. D'un hochement de tête, il les approuve.

— C'est Gadouas.

— Gadouas?

— Il habite de l'autre côté de la rivière.

— The last one?

— Oui, le dernier arrivé.

— Thanks Doc, thanks, répète Sam en lui serrant la main.

Philippe n'ose le regarder dans les yeux tant il se sent minable d'abuser de ses sentiments.

— Seulement le battre.

— Le battre. That's all. Don't worry.

Il le quitte. A demi satisfait. Vengeance sera accomplie et Gadouas se taira s'il ne veut pas se trahir.

A mesure qu'il quitte la forêt, Philippe sent s'épaissir une croûte sur son âme. Une transformation s'opère. Il devient un autre. Tantôt, avec elle, il était un homme ordinaire. Maintenant, il redevient le docteur Philippe Lafresnière. Titre. Profession. Réputation. Style de vie.

La noirceur l'oblige à se presser. Il craint de s'égarer car il n'a pas l'habitude de ce sentier et se fie à Robin plus qu'à lui-même.

Voilà qu'il arrive à l'anse au doré. Un sourire de lune se lève au-dessus des montagnes. Un sourire d'étoiles lui répond sur les vagues de l'eau. Un vent léger traverse les feuillages mourants. Ils bruissent sèchement près de la vive rivière. Bientôt, un vent plus fort, plus froid, plus dur arrachera les feuilles et les dispersera sur le sol gelé. Cela lui fait penser à son billet compromettant. Il le déchire en petits morceaux et les lance vers l'endroit où il a fait l'amour à Biche Pensive cet été. Un bout de papier a rejoint l'endroit précis de leurs ébats. Et il revoit comme ils étaient tous les deux. Tremblants et beaux. Chair blanche sur chair cuivrée. Elle, toute nue et abandonnée sous lui. S'offrant avec chaleur et candeur à son désir insensé. Elle qui gémit.

Et tantôt, presque au même endroit, la souillure. Le geste animal profanant le geste amoureux. La violence effaçant la tendresse. Les cris enterrant les gémissements. Tantôt la souillure sur sa couche nuptiale, la souillure sur la vierge offerte et prise, la souillure sur la première existence de son fils.

De son fils? Pourquoi a-t-il encore pensé à un fils? Il n'engendre que des filles. Voilà six fois qu'il espère en vain. Non. Il ne faut pas rêver d'un fils. « Je vous donnerai un fils, docteur. » Il secoue la tête. Presse légèrement les flancs de sa monture.

— Ce serait injuste, s'entend-il dire soudain, il ne pourra même pas porter mon nom.

Clovis, le nom d'un roi

Les jours s'enfilent et se suivent sans se ressembler. Les plaies se referment; l'oubli atténue les souffrances.

A cet octobre explosif et révélateur, fait place le novembre gelé. Le novembre qui durcit le sol et raidit les étangs. Le novembre de la vengeance accomplie par Sam avant qu'il gagne ses hauts territoires. Novembre les entend encore, lui et Gadouas, rouler sur le sol glacé. Novembre les entend souffler à travers le vent humide. Novembre les voit frapper. Novembre les voit saigner ainsi que la muette et vindicative Azalée.

Novembre, le mois des bronchites, le mois des grippes dans les dossiers de Philippe.

Et à ce novembre, décembre succède. Blanc d'épaisse neige, avec des sons de grelots. Avec l'abattage des porcs, la fabrication du boudin et des chandelles. Avec les bonbons d'orge et les rubans du Jour de l'An. Et avec le venin des mauvaises langues répandu sur le compte de Biche Pensive et de Sam. Napoléon Gadouas en a fait un couple de pécheurs. Sam, le maudit protestant, et Biche, la sauvagesse, commettent le mal dans la forêt. Ils y font des péchés terribles sans le consentement de l'Église. L'autre fois, un démon qui ressemblait à Sam a bondi sur lui et a failli le tuer. C'est une croix qui l'a éloigné. Dans ce village d'illettrés, les élucubrations de Gadouas atteignent une marge de crédibilité incroyable. Même madame docteur y succombe et la panique s'installe lorsque le curé les dénonce du haut de sa chaire. Une vague de haine et de peur déferle dans les yeux des colons. Cela désespère Philippe. Il sait, lui, tout le fond de l'histoire. Il sait tout ce qui s'est passé à l'anse au doré. Il en sait même plus que Gadouas qui se prend pour l'instigateur du scandale.

Souvent, il s'attarde à imaginer le petit ventre de Biche Pensive en se rappelant les dernières visites avant les chutes de neige. Il lui faisait l'amour sur la peau d'ours et elle jouissait sous lui. Roulant sa tête dans ses cheveux défaits, haletante et gémissante, accrochée avidement à ses épaules. Cette femme l'aimait désespérément et il l'aimait tout autant. Cette femme l'aimait jusqu'à se damner et cette femme se damnait à chaque baiser, à chaque offrande de ce ventre déjà fécondé. Et il se damnait avec elle, à chaque baiser, à chaque secousse qui laissait tomber ses fruits vers ce ventre. Jamais encore Amanda n'avait manifesté tant de passion en sa présence et tant de goût pour l'acte défendu. En revanche, jamais il n'avait dépensé tant d'ardeur et d'énergie avec elle.

Décembre et sa messe de minuit. Voilà, venue de très loin sur ses raquettes, Biche Pensive sous le lourd manteau de Gros-Ours. Voilà les enfants qui la lapident de balles de neige. Voilà un murmure sournois dans son sillage. Voilà un homme qui crache sur ses pas: il s'appelle Gadouas. Et voilà, dans la chapelle, l'index réprobateur pointé sur elle: « Ta place n'est pas ici, femme de mauvaise vie. Ne viens pas souiller ce lieu saint. » Et voilà qu'elle se faufile vers la porte, humiliée. Le cœur de Philippe se noue à chaque seconde, tout le long des longues prières. Bientôt, ce cœur ne sera plus qu'un nœud très dur. Dur et douloureux comme une crampe. Amanda pose sa main gantée sur la sienne. Il sent ce tissu entre elle et lui, plus épais qu'un mur de pierre. Il voit Gadouas, ignoble, crasseux et vil près de son épouse décharnée. Il tremble de plus belle. A la sortie, il suit du regard les pistes de raquettes et devine sa Biche derrière les sapins. Oui, elle se tapit là et le guette. Madame docteur est à son bras et trois de ses filles suivent en jouant dans la neige. Comme il se sent prisonnier!

Janvier et le changement d'année. *1900*. Ce sera l'année de la naissance de son enfant avec Biche Pensive. *1900*, une année qui ne dit rien au reste de la famille. Rien d'autre qu'un chiffre nouveau, qu'un chiffre qui fait peur et qu'on espère plein de bonnes choses. La bénédiction paternelle. La main levée sur les fronts purs de ses filles. La question sans réponse: pourra-t-il bénir l'autre?

Février. Un froid impossible. Biche fait des prières des nuits durant afin que Dieu bénisse le fruit de ses entrailles. Depuis son bannissement, elle a rangé la croix qu'elle portait à son cou. Seul se balance le fétiche aux yeux magiques entre ses seins grossis.

Février. Un froid impossible. Le poil des bêtes très épais. Le geste satisfait de Sam sur les peaux soyeuses. Il s'achètera un fusil et du whisky. Comme ça, il n'aura plus à emprunter celui qu'il a laissé à Biche Pensive et oubliera ses amours inutiles. Février, le mois des gelures. Un homme s'est noyé en faisant de la glace.

Mars. Temps indécis, mou, humide. Les chemins défoncent. La neige glisse des toitures et menace les gens. Les rigoles se creusent dans la glace. Les corneilles reviennent. Impolies et noires. La sève monte dans les érables qu'on perce. La sève coule. Mars, neige juteuse gorgée de soleil, neige à gros grains.

Bonhomme fondu sous un chapeau de paille, monticule transformé en pâté de boue. Mars, le mois des rhumatismes.

Avril rend gris les troncs noirs de mars. Avril boit les rigoles, redonne les chemins, aspire les flaques. Avril chauffe, bronze, éveille.

En ce jour du vingt-cinq avril, Philippe chevauche vers la cabane de Biche Pensive. Il se presse et ne remarque pas les souches ressurgies sur la terre neuve. Il ne remarque pas la pâleur de l'herbe et les fleurs en forme d'étoile, piquées dans les feuilles mortes. Il se presse, répondant à un appel au fond de lui. Un appel de sève. Un appel de sang. Qu'importe la patiente qu'il a bousculée! « C'est une urgence », a-t-il expliqué en courant derrière Sam.

Ses talons inquiets labourent les flancs de Robin. Il s'impatiente. De la sueur lui coule dans le dos.

Il craint que son enfant naisse sans lui. Il craint les complications et les pouvoirs destructeurs de la main de Dieu.

Enfin, la cabane apparaît. Il pousse le cheval au galop. Celui-ci freine devant la porte. Philippe l'y attache et pénètre.

Biche Pensive pose sur lui un regard tranquille et lui sourit. Il s'approche. Voilà si longtemps qu'il ne l'a vue. Comme elle est belle! Il s'assoit sur le bord de la couche. Il l'embrasse. Elle serre les lèvres pendant une contraction. Il l'examine: l'enfant naîtra d'une minute à l'autre.

Il éponge son front, natte ses cheveux. Comme elle accouche bien! Sans un cri, sans une plainte. Comme ses yeux sont doux lorsqu'ils se posent sur lui. Il prépare ses ciseaux. Elle le suit toujours des yeux en souriant. Il se lave les mains et s'agenouille devant ce vagin qui lui livrera son enfant. Le dessus de la tête apparaît. Tout noir comme les poils du pubis de sa mère. Elle pousse. Il tend la main pour cueillir cette tête chevelue et gluante. Une autre poussée et le corps entier du petit être glisse dans les mains de son père.

Philippe échappe un cri en voyant son pénis. L'enfant se met à pleurer et à gesticuler. Il se tortille tant dans ses mains tremblantes qu'il craint de l'échapper.

— Un garçon... j'ai un fils, bredouille-t-il en le contemplant.

L'enfant s'agite vigoureusement et pousse des vagissements victorieux. Philippe voit scintiller les diamants noirs de ses yeux. Il lui semble le plus beau et le plus fort des nouveau-nés.

— Mon fils...

Des larmes abondantes coulent sur les joues de l'homme.

— Clovis... c'est le nom d'un roi.

L'homme sanglote. Incontrôlable. Il ne sait plus se retenir et craint de perdre son fils entre ses mains émues.

Depuis quand a-t-il pleuré de la sorte? A-t-il même déjà pleuré de la sorte? Pourquoi pleure-t-il? De joie? D'émotion? Sur qui pleure-t-il? Sur lui? Sur Biche Pensive? Sur ce fils qui ne portera jamais son nom?

Il renifle. La main chaude de Biche se pose dans ses cheveux.

— Sépare-le de moi, Philippe, demande-t-elle.

Et elle lui tend les ciseaux.

Au nom du péché de la chair

Beaucoup d'agitation en ce dimanche d'août. On sent comme de l'électricité dans l'air, dans les yeux et dans les gestes. Les hommes foulent l'herbe humide de rosée sans se soucier de tremper leurs souliers, les femmes échangent des regards scandalisés en se réfugiant dans une pruderie exagérée. Elles ont l'air plus soumises, plus servantes que d'habitude et, curieusement, semblent tirer gloire de cette attitude. C'est que, cette semaine, un événement a bouleversé le village: Biche Pensive est venue au magasin général avec un bébé sur le dos. Cela a provoqué un scandale. Cela a remué les âmes des corps et les corps des hommes. Son apparition a éveillé les couches profondes de chaque homme et femme du village et, ce matin, les brebis peureuses attendent de connaître le verdict du berger. Combien d'hommes sont devenus plus fringants, plus osés avec leur épouse retranchée dans sa jaquette? Combien de femmes se sont sanctifiées en freinant leur désir intime?

Cette sauvagesse, qui vit dans le vice avec un protestant, a eu l'audace de venir troubler leur paix avec son bâtard. Elle a exhibé son péché à la face de tous avec une tranquillité impardonnable.

Exhiber un tel péché, le péché de la chair, a eu la désastreuse conséquence de remuer tous les bas-ventres du village.

La cloche tinte, rappelant le paradis perdu à ceux et celles qui ont glissé dans la jouissance. La place se vide, la chapelle se remplit. Comme un troupeau bien dressé, les familles rejoignent leur place respective. Une chaleur suffocante règne déjà dans la petite pièce et on laisse les portes grandes ouvertes sur les chants d'oiseaux. Honoré, que son embonpoint fait suer à grosses gouttes, réussit à décaler un cadre de fenêtre et facilite ainsi le passage d'une faible brise aux odeurs de trèfle et d'eau.

Alcide fait son entrée. Seul maître après Dieu. Avec le temps, ses gestes ont atteint le stade maximal de l'autorité parfaite. Il connaît l'ascendant qu'il exerce sur la plupart de ses paroissiens, et ses pas, comme son regard et comme sa voix, concourent à maintenir cette confiance et cette obéissance aveugles. Déjà, il jubile de les voir si assoiffés de son jugement, et il se dépêche d'arriver au sermon qu'il a minutieusement préparé après la visite de Biche Pensive.

« Mes bien chers frères, nous voici réunis en ce lieu sacré et béni: cette humble chapelle, élevée pour Notre-Seigneur Jésus-Christ. Nous tous, ici, avons respecté ce lieu comme nous respecterons l'église que nous bâtirons sous peu. L'église est la demeure de Dieu, comme votre corps est la demeure de Dieu lorsque vous communiez. N'allez donc pas le blasphémer, le profaner, l'injurier en côtoyant les impures et les païennes! Vous avez tous vu, cette semaine, la pécheresse et l'enfant du mal sur son dos. »

Le cœur de Philippe fait un tour. Il fronce les sourcils et aimerait faire taire cet homme qui insulte son fils. L'enfant du mal: Clovis? Il le revoit gigoter dans ses mains tremblantes, revoit les diamants noirs de ses yeux et entend encore Biche qui dit: « Sépare-le de moi, Philippe. » C'était la première fois qu'elle le tutoyait en l'appelant par son prénom, comme si, face à elle-même, elle venait d'atteindre un palier d'égalité avec lui. Ce don d'un petit roi lui donnait enfin cette assurance qui lui manquait auparavant. Et depuis, leurs relations n'en étaient que plus tendres et plus profondes. Pourquoi ce petit roi aux yeux magnifiques se voyait-il baptiser « l'enfant du mal »? Alcide hausse le ton et parcourt l'assemblée de son regard froid.

« Vous savez tous dans quel état de péché vivent ces gens des bois. Priez pour eux, soit, MAIS... (La voix forte d'Alcide grandit dans ce mais plein de mise en garde.) Mais ne vous corrompez pas à leur contact! Ne succombez pas à la tentation de la chair! Cela déplaît à Notre-Seigneur Jésus-Christ. Cela le crucifie davantage. Priez pour eux, soit; et priez pour vous aussi afin que les péchés que ces gens commettent à proximité du village n'attirent pas la colère de Dieu le Père sur nous. Priez mes frères, priez afin que le Tout-Puissant chasse ces gens et les éloigne de notre communauté chrétienne. Je les vois comme des loups guettant la brebis qui s'éloignera du troupeau pour la ravir au divin berger. »

Philippe s'agite sur la rude planche et tente de se composer un visage ferme. N'associe-t-on pas Sam à Biche Pensive? Ne lui accorde-t-on pas d'emblée la paternité de Clovis? Un souvenir amer se réveille dans son âme. Il y avait Sam, tenant Clovis dans ses bras et imitant l'écureuil pour attirer son attention. Et Clovis le suivait des yeux, s'agrippant à sa barbe et la tiraillant sans merci. Le trappeur riait et cajolait l'enfant de

Biche Pensive. On aurait dit qu'il déversait sur lui tout l'amour qu'il vouait à sa mère. Cette fois-là, Clovis s'était mis à rire des bruits singuliers que Sam imitait. C'était son premier rire... et il était pour Sam. Et Sam le tenait à bout de bras et laissait couler sur lui ce rire neuf et cristallin. Et Sam s'abreuvait de ce rire avec des yeux mouillés d'émotion. Et le bébé riait, riait pour lui, de lui, avec lui. Philippe, à l'écart, rangeait ses instruments dans sa trousse. A la vue de Sam, il avait prétexté une visite médicale de routine et n'avait pu rejoindre son fils qu'à travers son stéthoscope et les gestes qu'exige sa profession. Sam bénéficiait du premier rire, comme plus tard des premiers pas, des premiers mots, des premiers chagrins. Et c'était ainsi que les choses s'étaient dessinées dès le viol. Ayant assumé la vengeance, Sam assumait maintenant la paternité.

« Small Bear, Small Bear », avait prononcé Sam. « Ne s'appelle-t-il pas Clovis? n'avait-il pu s'empêcher de demander. — No, no. He's Small Bear. I'll call him Small Bear. » Ni lui, ni Biche ne l'avait contredit. Dans l'esprit de Sam, Clovis était le fils de Gadouas et il renforçait sa position de tuteur en baptisant l'enfant lui-même.

« Priez mes frères, priez pour l'enfant du mal. Il est né d'un péché. Satan en a pris possession le jour même de sa conception. Il porte encore en lui le péché originel et ses parents le laissent grandir dans un état constant de péché. Priez pour cet enfant, mes frères, afin que Dieu, dans sa bonté, inspire ses parents à le faire baptiser. »

Né d'un péché. D'un péché, se répète Philippe avec souffrance. Oui d'un péché, un péché d'amour. Non, ce n'est pas un péché. Je l'aime, je les aime. C'est si bon avec elle; elle est si jeune, si chaude. Elle m'aime tant; ça se voit dans ses yeux, elle m'aime tant, depuis toujours. Depuis la première fois, le premier regard. J'ai vu la peur, le respect et l'adoration dans ses yeux. Elle me fuyait et je la savais éprise. J'ai donné un mot à toutes les émotions qu'elle éprouvait sans les comprendre: le mot amour. J'aurais dû employer le mot péché. Car c'est elle qui souffre de la situation. Elle et Clovis. C'est eux qu'on méprise, qu'on évite, qu'on salit. Pas moi. Moi, je suis bien à l'abri derrière ma façade. A l'abri des autres, à vrai dire, pas à l'abri de mon chagrin.

« Rien n'offense plus Notre-Seigneur que le péché d'impureté. Succomber au péché de la chair, c'est ouvrir toutes grandes les portes de l'enfer. N'est-ce pas payer trop cher la jouissance qu'on y trouve? Une éternité de souffrance. Une éternité de supplice. Une éternité à souffrir par où l'on a péché. Une éternité à soumettre cette chair coupable à d'atroces brûlures, à d'irréparables déchirures. Une éternité à se laisser transpercer par où l'on a péché. »

Quelques personnes serrent leurs cuisses et ouvrent de grands yeux horrifiés. La description de l'enfer qu'Alcide continue à leur dépeindre d'une voix menaçante leur fait dresser les cheveux sur la tête.

Mathilde, maintenant âgée de dix ans, se blottit contre Philippe et s'attache à son avant-bras. Il lui sourit pour atténuer l'horreur de la description, mais la petite fille blêmit de plus en plus à ses côtés et se met à frissonner.

— Viens dehors, lui dit-il avant qu'elle tourne de l'œil. Elle le suit. Tremblotante.

— Tiens, assieds-toi ici: il fait chaud là-dedans. Prends une bonne respiration.

Elle obéit. Des couleurs reviennent peu à peu et elle cesse de trembler.

— C'est terrible, papa. C'est comme ça, l'enfer?
— Personne n'est venu nous le dire, ma chérie.
— C'est quoi, papa, le péché de la chair?
— Ta mère t'expliquera un jour.
— Est-ce que j'en fais des péchés comme ça?
— Non, les petites filles ne peuvent pas en faire.
— Vous êtes sûr?
— Parfaitement. C'est un péché de grandes personnes.
— Et vous, en faites-vous?
— Suis-je à la confession?
— Euh... non... mais je n'aimerais pas ça que vous alliez en enfer comme la sauvagesse et le trappeur.
— Rien ne nous dit qu'ils iront en enfer, tranche Philippe d'un ton excédé.
— Le curé l'a dit. Il ne faut pas leur parler. Elle me fait peur; on ne sait jamais avec ces gens-là. Ils sont comme les loups, hein?

Ne sachant que répondre, Philippe invite Mathilde à retourner au Saint-Office. Navré et choqué de voir la peur envahir son enfant. Heureusement, le sermon se termine et l'effet qu'il a produit s'observe facilement chez les fidèles qui ont tous un air de fervent repentir et de « je ne recommencerai plus ».

Philippe ne sait pas trop s'il croit à l'enfer et il aime autant ne pas y croire puisque son propre père, lui et Biche s'y retrouveront sûrement un jour. Si l'enfer existe, croit-il, ce doit être pour des gens comme Gadouas. Il le cherche dans l'assemblée et trouve sa maigre nuque crasseuse près du chignon rêche de sa femme. « J'aimerais t'égosser, espèce de salaud », rumine-t-il. Il n'admet pas que cet homme puisse bénéficier du ciel après une simple confession alors que Biche irait tout droit en enfer.

Drelin! Drelin! L'élévation. La communion. Il s'approche de la sainte table et se surprend à prier soudain. « Mon Dieu, je prends sur moi ce péché. J'ai pris toutes les initiatives avec cette femme. J'ai abusé de son ignorance et de sa jeunesse. C'est moi, c'est moi uniquement qui ai donné un nom à ses émotions. C'est moi qui l'ai poursuivie sur la berge et elle était pure, Seigneur, elle était vierge lorsque je l'ai prise. Épargnez-la et épargnez mon fils. Ils sont innocents. Épargnez mon fils qu'on salit déjà, qu'on insulte, qu'on appelle « l'enfant du mal ». Il est innocent. Il n'a pas demandé à venir au monde. Épargnez mon fils, Seigneur. Vous qui avez un fils, Vous qui l'avez vu se faire insulter, briser et tuer, épargnez-moi cette douleur. Épargnez-lui cette souffrance et cette injustice. Épargnez mon fils. Épargnez mon fils. Vengez-vous sur moi. Je suis coupable. Je suis le seul coupable. J'irai une éternité aux enfers pourvu que Vous le laissiez en paix. Seigneur, je ne suis pas digne que Vous veniez en moi, mais dites seulement une parole et je serai guéri. Je me confesse à Vous... à Vous uniquement. »

L'hostie touche sa langue. Il ouvre les yeux. Alcide est passé.

Il retourne à sa place et s'agenouille. Peut-être devrait-il se confesser en bonne et due forme. Non. A un prêtre inconnu, oui, mais pas à celui-ci. Il éprouve trop d'antipathie à son égard et n'aimerait pas se livrer à lui. Non. Non, pas à lui. Lui qui était venu lui rappeler ses devoirs à la mort d'Émerise. Lui qui le guette en espérant connaître ses faiblesses pour le manipuler. Non! Pas à lui. Jamais!

Comme il aimerait cependant se soulager de son secret. Comme il aimerait se confier à un ami. Un ami? En a-t-il parmi ces gens? Qui, dans cette salle, accepterait ses aveux sans se scandaliser et sans les répandre? Ou sans profiter de la situation pour le rabaisser? Son regard trouve Honoré, assis à son banc. Oui, il aimerait être l'ami de cet homme et il suffirait de peu de chose pour changer leur relation en amitié. Il suffirait justement d'une confidence.

Honoré, les bras croisés sur sa bedaine, penche sa tête maintenant toute grise et fixe ses souliers de bœuf. Il semble lunatique et délaissé. Philippe sait qu'il continuera à saluer Biche Pensive comme avant.

Depuis la mort de sa femme, il s'est isolé vraisemblablement du reste du village et agit selon SA conscience.

Philippe soupire en le regardant et désire ardemment son amitié.

A la sortie de la chapelle, alors que tous les gens se promettent d'éviter la pécheresse, il le voit se diriger à pas lourds vers le cimetière.

Et il est là, Honoré. Devant ce Christ de bois qui vieillit lentement et dont le bois blond tourne au gris. Et là, sur la tombe de sa petite femme, un gros bouquet de fleurs des champs frissonne doucement. Il n'a pas à suivre la piste de mocassins imprimée dans le sol, car il sait qu'elle se rend à la cabane de Biche Pensive. Elle est venue, cette semaine; et a cueilli des fleurs en mémoire de la femme qu'elle a à peine connue. Elle a cueilli des fleurs par respect pour sa douleur et par respect pour le respect qu'il leur a toujours porté, à Gros-Ours et à elle.

Et il est là, Honoré, à se jurer de la défendre devant ces gens qui l'ont également bafoué au nom du péché de la chair. Sur la tombe de sa femme exécutée par le même péché.

— M'sieu l'curé, demande Gadouas en accrochant l'ecclésiaste par sa manche de soutane.

— Oui, monsieur Gadouas.

— Je peux-ti me confesser?

— Certainement. Venez.

Une fois agenouillé et la bave essuyée sur son menton, Napoléon se lance sans préambule dans sa confession.

— L'autre fois, ben, l'automne passé, j'ai mis la sauvagesse.

— Hmm... Vous a-t-elle provoqué?

— Hein?

— Est-ce qu'elle vous a, comment dire? Est-ce qu'elle a couru après?

— Ben oui! A se promenait, je voyais grouiller ses boules dans sa blouse. Ça m'a... ça m'a excité.

— Elle vous a tenté?

— J'ai succombé, comme on dit, pis j'ai des chances que le p'tit soye de moé. J'ai pensé que p'tête vous pourriez aller me le chercher vu que j'ai pas de garçon: c'est commode un gars sur une terre. On le fera baptiser... y a pas de doute. On l'emmènerait à messe tous les dimanches.

— Oh! C'est assez difficile, ça. Ils ne voudront pas vous le laisser. Vous savez que Sam est protestant?

— Ben oui.

— Je n'ai pas d'autorité sur ces gens-là.

— Mais elle, y parler quand a sera toute seule. Elle, en y faisant un peu peur, a pourrait vous le laisser.

— Oui, mais comment prouver que vous êtes le père?

— Ouais.

— Était-elle vierge?

— Non. C'était pas la première fois qu'a goûtait à ça.

— C'est presque pas prouvable, monsieur Gadouas.

— Ça ferait tellement mon affaire d'avoir un gars.

— Je vous comprends et je sais que l'enfant serait entre

bonnes mains. Cependant, l'affaire me paraît compliquée. Écoutez, je vais tâter le terrain et je vous en donnerai des nouvelles.

— C'est correct. Mon péché est-i pardonné?

— Bien sûr. Mais monsieur Gadouas, vous n'auriez pas dû vous salir ainsi avec une squaw. Un homme de votre classe.

— J'sais ben mais c'est un peu de sa faute.

— C'est sûr qu'elle est plus en faute que vous. La femme a mené bien des hommes en enfer. Vous savez ça, vous.

— Oh! Oui. Ayez pas peur; la mienne, je l'ai à l'œil.

— C'est bien, ça. J'aime les hommes qui ont de l'autorité et qui savent mener leur famille, même si c'est une petite famille. C'est bien, ça; laissez-vous pas faire.

Une fois l'absolution donnée, Alcide noua ses mains dans son dos et regarda déambuler l'homme aux jambes croches. Un lien de parenté l'unissait à ce colon. Le voyant bousculer sa femme en montant dans la charrette, il entendit sa propre voix résumer: « T'as un très petit échiquier, mon Gadouas, juste assez pour ta petite cervelle. Essaie pas d'avoir trop de pièces; tu ne serais plus capable de les diriger. »

L'écolière

Philippe se cale voluptueusement dans un fauteuil, en étendant ses jambes devant lui. Il ferme les yeux et s'abandonne aux jouissances encore fraîches qu'il vient de partager avec Biche. Son corps s'alanguit et frissonne tout à la fois et il se remémore chaque geste, chaque baiser, chaque regard. Il se redessine ce corps parfait qui se soude si parfaitement au sien, cette bouche brûlante de passion et ce regard épris. Ce regard soumis.

Oh! Comme Biche se soumet dès qu'il la serre contre lui, dès qu'il la regarde. Et lui aussi se soumet à cette force supérieure et impénétrable qui les régit tous deux. Est-ce l'amour? Est-ce le mal? Qu'importe? Jamais encore il ne s'est tant abandonné avec une femme et n'a tant ressenti le besoin de la posséder. Jamais il ne s'est laissé regarder, toucher, caresser comme le fait sa Biche.

Les relations qu'il a avec Amanda ne sont, en comparaison, que des devoirs mal rédigés d'homme marié. Un peu grâce à elle, il faut se l'avouer. Elle réclame toujours l'obscurité et ne s'est jamais résolue à le toucher. Encore moins à le regarder dans sa complète nudité. Elle détourne la tête d'un air effrayé comme si son sexe était une arme contre elle. Elle se laisse faire et attend placidement qu'il ait fini. Mais avec Biche, il obtient une collaboration infiniment agréable. Il se sent aimé, désiré, et lorsqu'il l'entend geindre doucement sous lui, il éprouve de fortes sensations qui le mènent toujours au paroxysme de la jouissance. Paroxysme de la jouissance. A ces mots, de légers chatouillements s'éveillent dans son bas-ventre et engourdissent ses jambes.

— Est-ce que je peux vous parler, papa?

Il sursaute et ouvre des yeux confus sur Mathilde qui s'avance résolument vers lui.

— Tu ne fais pas dodo, toi?

— Je vous attendais. J'ai à vous parler.

Une bouffée de chaleur monte aux joues de Philippe et il demeure un instant interdit devant l'enfant trop sage. Mathilde s'assoit en face de lui et place méthodiquement sa jaquette immaculée autour d'elle. La lampe allume des reflets timides sur ses boudins dorés et, dans la pénombre, elle ressemble à un ange entouré d'anneaux lumineux avec son petit visage grave et résolu. Ses mains, aux ongles nets et bien taillés, se croisent correctement sur ses cuisses et elle le regarde de ce regard trop sérieux pour ses dix ans.

Un sentiment de culpabilité gagne Philippe et il se redresse en ramenant ses jambes vers lui.

— Vous avez eu une dure journée? s'enquiert-elle.

— Euh... oui.

— Des accouchements?

— Euh... non. J'ai fait le grand tour.

— Ah. Vous n'avez pas l'air trop fatigué.

— Non, pas trop.

— Vous voulez que je vous prépare un thé?

— Non. J'allais me coucher. Je me détendais un peu. De quoi voulais-tu me parler?

— Papa, je désire étudier.

— C'est bien, ça.

— J'aimerais aller dans un pensionnat.

— Tu es sûre?

— Oui.

— Tu ne t'ennuieras pas?

— Je ne crois pas.

— Ah, réplique-t-il d'un ton déçu.

Le voyant froissé par cette réponse, elle ajoute aussitôt:

— Un peu, peut-être.

Le père sourit curieusement à cette petite fille qu'il a grand-peine à comprendre. Il freine la tentation de la prendre sur ses genoux et de lui donner une symbolique fessée. Il se contente de l'interroger d'un ton sérieux:

— Et à quoi te destines-tu?

— A l'enseignement.

— Eh bien!

— Ici, il n'y a pas de professeur. C'est grâce à grand-mère et à vous que j'ai appris à lire et à écrire. Mais mes sœurs ne le savent pas et tous les enfants du village, ici, sont ignorants. Même maman a beaucoup de peine à lire le nom de vos patients dans votre livre.

— C'est vrai.

— Alors, j'ai pensé que j'aimerais être institutrice.

— C'est une bonne idée et je suis sûr que tu feras une bonne petite institutrice.

— Il y a longtemps que j'y pense. J'aimerais bien m'instruire, papa.

— Oui. Je sais que tu aimes beaucoup apprendre. Et tu es même très douée.

Elle approuve d'un hochement de tête et seul un léger balancement de ses pieds indique la portée du compliment.

— Tu voudrais partir cet automne?

— Oui papa. Si c'est possible.

— Il est un peu tard pour faire ton inscription, mais je vais écrire à ta grand-mère afin qu'elle se renseigne, dit-il en se levant. Viens avec moi.

Elle le suit dans son bureau et réussit mal à cacher son excitation lorsqu'elle le voit sortir sa plume et son encrier. Il s'installe et se met à rédiger sa lettre d'une belle écriture régulière. Elle se penche sur son épaule.

— C'est beaucoup mieux écrit que dans vos dossiers.

— C'est parce que je prends le temps. Un dossier c'est un dossier et une lettre, c'est une lettre. Mais maintenant, ils sont bien écrits mes dossiers. Depuis que j'ai ma petite secrétaire. Tu vas me manquer.

— Je transcrirai tous vos dossiers pendant mes vacances d'été, c'est promis.

— Tu prendras tes vacances pour te reposer.

— Oh non! Papa, ça me repose d'écrire.

Elle se tait et regarde son père, retenant les mots qui lui brûlent les lèvres. « J'aime tant travailler pour vous, papa; je vous aime, papa; je vous trouve beau, papa. »

Oh! Oui! Elle le trouve beau et doux et instruit. De tous les hommes de ce village, il incarne la perfection avec ses connaissances approfondies, sa belle écriture, son bel habit et sa chemise toujours très blanche. Sa main résiste à grand-peine à se poser sur son épaule et elle envie soudain ses petites sœurs qui se livrent à toutes sortes de caresses avec lui. Qui lui sautent dessus, l'embrassent et le chatouillent. Elle, non. Elle se contente de le vénérer en silence. De le servir et d'être pour lui une raison de fierté. Elle a même essayé une fois de lui faire des galettes à la mélasse que ses sœurs cadettes, Jeanne et Marguerite, réussissaient à tous coups. N'étant pas douée pour l'art culinaire, ses galettes se sont avérées dures et amèrement brûlées. Il y a goûté, et l'expression de contentement qu'avait coutume de lui procurer la dégustation de ces galettes a fait place à une moue mal retenue.

— Je crois, ma chérie, que tu les as manquées, a-t-il avoué en toute sincérité.

Ses sœurs ont pouffé de rire et Léonnie s'est emparé des galettes pour les donner à Robin. Elle, elle s'est enfuie dans sa chambre et s'est mise à pleurer. Non pas sur l'échec mais sur la petite joie qu'elle n'avait pu lui procurer. Il l'a rejointe après un bout de temps et lui a dit:

— Tu sais, c'est bon de rire de ses erreurs. Tu réussiras la prochaine fois.

— Ce n'est pas ça... je... oh... vous ne comprenez pas... je n'ai pas de peine parce qu'elles sont dures.

— Pourquoi alors?

Il s'est penché vers elle et lui a relevé le menton avec son doigt. Ses yeux la réchauffaient. Les reflets de ces prunelles lui faisaient penser à la lueur d'une lampe à huile. Comme elle était sur le point de pleurer, il a avancé son épaule pour recevoir son chagrin et a posé ses belles mains sur sa tête. Alors elle n'a plus été capable de pleurer, et elle est restée un bon moment à sentir sa joue piquante, à respirer sa bonne odeur de médicaments et à regarder les poils gris dans ses mèches cendrées.

— Tiens, toi, je t'engage pour copier tous mes dossiers. Ça te va?

— Oui papa.

— Comme ça, j'ai une belle équipe; Jeanne et Marguerite pour les galettes, Léonnie pour les chevaux et toi pour mes dossiers.

C'était plus qu'elle n'en espérait. Avec quelle ardeur elle s'était alors mise au travail, déchiffrant avec acharnement l'écriture bâclée de son père et transcrivant le tout avec une application digne des moines. Et quelle récompense aussi que l'expression surprise et satisfaite de son père lorsqu'il examinait le travail.

Oui. Ça lui fait réellement plaisir de se dévouer pour lui.

— Voilà, ma chérie. Tu iras porter ça au bureau de poste demain. Satisfaite?

— Oui, papa.

— Maintenant au lit. Je meurs de sommeil.

Il la reconduit avec la lampe jusque dans sa chambre. Aussitôt, elle rejoint son lit et se glisse sous les draps frais, espérant qu'il vienne la border.

Après un bref regard sur Jeanne et Marguerite, endormies dans les couchettes voisines, il s'assoit près d'elle.

— Comme ça, ma petite secrétaire va s'en aller?

— Oui, papa.

— Tu reviendras ici, hein?

— Oui, papa.

— Ce village a besoin de toi comme il a besoin de moi. Je sais que tu ne m'as jamais approuvé de quitter Montréal et... tu ne t'es jamais complètement adaptée ici. Tu n'as pas d'amies.

— J'ai mes sœurs.

— Promets-moi que tu reviendras.

— Je vous promets.

Il se pénche et dépose un baiser sur son front, puis promène doucement sa main dans ses boucles.

— Bonne nuit, ma chérie.

— Bonne nuit, papa.

Comme il vient pour partir, elle l'interpelle:

— Papa?

— Oui?

— Oh rien... Bonne nuit.

Elle aurait aimé lui dire: je vous aime, ou je vous aime bien, ou vous êtes le plus beau papa du monde, mais elle n'a pas pu. Manque de courage? De spontanéité? De chaleur? Elle ne s'embête pas à trouver de réponse et s'endort sur la merveilleuse image de cet homme plein d'amour, penché vers elle pour baiser son front. Il lui semble que toutes les petites filles du village auraient désiré être à sa place, et même aussi certaines dames qui cachent mal le faible qu'elles éprouvent pour le beau docteur Lafresnière.

Voilà, pense avec regret Philippe, elle a réussi: ses influences sont aussi bonnes qu'avant la mort de papa.

D'un geste rapide, il pousse le lourd coffre au fond de la calèche. Léonnie, qui tortille le devant de sa robe en l'observant, émet un sifflement admirateur.

— Vous êtes fort!

Philippe rit de ce compliment.

— Ce n'est rien qu'un coffre d'écolière.

— Oh! Mais c'est plein de linge là-dedans. Et Mathilde, elle en a du linge.

— Tant que ça?

— Bah, oui. Madame Levers lui en a cousu un paquet. Maman a dit que ça paierait pour les visites.

— Eh bien! Tu en sais des choses, toi.

— C'est parce que j'écoute.

— Tu écornifles plutôt.

— Non! C'est de l'écoutage, pas de l'écorniflage.

— Ah bon! Va donc voir si ta sœur est prête. Il nous faut partir.

La jeune Léonnie déguerpit et sa jupe vole disgracieusement autour d'elle.

Philippe regarde le coffre. Son coffre. A chaque automne, on le bourrait de linge et, tristement, il prenait la route du collège, dans la calèche de son père qui lui rappelait ses propres souvenirs tout au long du trajet. Maintenant, c'est Mathilde qui l'utilise: sa grand-mère a réussi à l'inscrire au couvent Villa-Maria et c'est aujourd'hui le grand départ. Dieu qu'il a fallu faire vite pour tout boucler à temps! Le trousseau, la perception des comptes afin de réunir la somme nécessaire à la pension et, finalement, l'organisation du voyage. Léonnie accourt avec le panier de provisions tandis que Mathilde apparaît enfin dans sa robe du dimanche. Sa mère lui tient l'épaule en roulant des yeux pleins d'eau. L'enfant se tourne vers elle:

— Voyons maman! Je reviendrai.

— Je sais, je sais. Prends soin de toi, ma grande.

Amanda la serre contre elle et lui répète encore ses conseils d'une voix un peu plaignarde.

— Il faut partir, rappelle Philippe.

Alors Mathilde embrasse sa mère respectueusement. Trop respectueusement au goût de Philippe. « Bon Dieu! Pourquoi cette enfant est si réservée? Si sage? Si froide? » rouspète-t-il intérieurement.

D'un bond, il rejoint le banc, fait reculer le cheval.

L'adieu que la jeune fille adresse à ses sœurs est tout aussi dénué de sentiments que celui qu'elle a adressé à sa mère. Il se résume en un baiser court, mondain et brave accompagné de cette phrase machinale: « Je reviendrai. »

— Viens-tu Léonnie? demande Philippe en clignant un œil à la gamine, j'ai besoin de mon p'tit homme.

— Voyons papa! Léonnie est une fille, rectifie son aînée en ajustant ses gants blancs.

— Bah! C'est mon p'tit homme à moi, explique Philippe en bousculant amicalement la frêle Léonnie qui se juche déjà derrière ses épaules. Et puis, c'est mon p'tit charretier, hein Léonnie?

— Oui, papa. C'est moi la spécialiste des chevaux.

— Vous allez lui donner de mauvais plis. Léonnie manque déjà de manières. Je parierais qu'elle a le bec tout sale.

Philippe se retourne vers l'enfant barbouillée.

— Juste. Tiens, prends mon mouchoir Léonnie. Essuie-toi un peu voyons! Tu as l'air d'un charbonnier.

— J'ai hâte de voir le train.

— C'est un gros train, tout noir, tout noir.

— Le cheval va avoir peur?

— Peut-être, et toi?

— Oh! Pas moi, je suis brave.

— Mais c'est demain qu'on le verra le train.

— Je sais. On va coucher où?

— Oh! Dans un hôtel de la Chute-aux-Iroquois.

— Youppi!

— Il faut dire Labelle maintenant, annonce Mathilde, fière de cette connaissance.

— Tu as raison.

— Pourquoi? demande Léonnie. Je trouve que Chute-aux-Iroquois c'est bien plus joli.

— C'est en l'honneur du curé Labelle, répond patiemment Mathilde.

— Qui c'est lui?

— C'est... c'est un curé important. Dis-lui, papa, ce qu'il a fait.

— Le chemin de fer.

— Il a tout fait ça, tout seul?

— Pas avec ses mains. C'est lui qui a eu l'idée d'un chemin de fer afin de faciliter la colonisation de nos régions. C'était un très grand homme. Et très gros aussi, ajoute-t-il avec un petit sourire moqueur.

— Il était vraiment gros? s'intéresse Mathilde.

— Oh! Oui. Je l'ai vu en personne. C'était un géant. Oui, un géant.

— Un géant! s'exclame Léonnie.

— Oui, un géant. Bâti pour un pays de géants.

Le regard de Philippe caresse rêveusement la ligne douce et bleutée des montagnes. Des souvenirs nombreux l'assaillent. Léonnie se colle alors dans son dos et l'entoure de ses bras maigrichons.

— Racontez-nous, papa, lorsque vous êtes arrivé sur le dos de Robin.

— Tu veux vraiment l'entendre?

— Oh! Oui!

— Je vous l'ai raconté des centaines de fois.

— Ça fait rien, racontez.

Et, à l'instar de son père, il plonge complaisamment dans son passé et entretient ses filles attentives des lents débuts et de la misère de ce pays de géants.

Voilà. Maintenant, c'est vrai. La grosse bête noire souffle sur ses rails. Un employé s'est chargé du coffre. Un homme avec une casquette et un uniforme se promène sur le quai en criant: « En voiture! En voiture! » Une cloche tinte. Les roues grincent, reculent un peu puis s'immobilisent. Ding! Ding!

— En voiture!

— Ta grand-mère t'attendra à la gare Viger. N'oublie pas: la gare Viger. Tu te rappelles de grand-maman? Si tu la manques, l'adresse est sur l'enveloppe que je t'ai donnée. Tu dis cette adresse à un cocher. N'importe lequel. C'est compris?

— Oui, papa.

La gorge de Mathilde s'étrangle tout à coup. Le train s'ébranle. On dirait qu'il veut l'avertir qu'il faut partir. Son père se penche très près pour l'embrasser. D'un élan, elle se blottit contre lui et l'entoure de ses bras. Elle l'étreint avec une passion toute nouvelle et bouleversante et sent des larmes monter à ses yeux. Saura-t-il jamais qu'elle l'aime? Qu'elle l'aime beaucoup et qu'elle ne peut le lui dire? Il la presse contre lui. Comme il sent bon! Comme ses épaules sont sécurisantes!

— En voiture! En voiture!

Les larmes roulent maintenant sur les joues de l'enfant.

— Vous m'écrirez, papa, supplie-t-elle à son oreille d'une voix tremblotante.

— C'est promis, ma chérie. C'est promis. Je t'écrirai tous les mois. Allez, monte.

— Papa... je vous... aime tant! avoue-t-elle finalement en enfouissant son visage dans son épaule.

— En voiture! En voiture!

Philippe, pressé par le regard impatient du contrôleur, lui suggère:

— Tu peux rester si tu veux.

— Non. Il faut que je parte. Je reviendrai, assure-t-elle en le quittant et en grimpant les escaliers.

Quelques secondes après, alors que le train s'ébranle pour de bon, Philippe aperçoit le visage bouleversé de Mathilde derrière la vitre sale. Elle agite sa main et lui la sienne. Léonnie fait de grands saluts à ses côtés en hurlant:

— Salut Mathilde. Bonne chance! Bonne chance!

Le visage s'éloigne, s'estompe et laisse Philippe tout dérouté sur le quai. Jamais il n'aurait présumé si vive et profonde l'affection de Mathilde à son égard. Jamais elle ne lui a manifesté le moindre attachement. Et pourtant... Pourtant... Se pourrait-il qu'il n'ait pas su la comprendre, ou même, l'accepter?

Le train n'est plus qu'un point noir sous un panache de fumée et Philippe jongle encore, l'air abasourdi. Pourtant... A sa façon, combien de fois lui a-t-elle dit: « Je vous aime »? Par sa présence, son travail, son obéissance. Jamais il n'a eu à redire sur elle sauf qu'elle était trop parfaite. Trop logique. Trop froide. Et tout ça, c'était de l'amour silencieux, de l'amour inavoué et, quelquefois, douloureux.

— Pauvre enfant.

Il pense à l'épisode des biscuits manqués et se déçoit d'être si peu observateur de ses propres enfants. Est-ce la médecine qui l'a éloigné des siens? Est-ce Biche Pensive?

— Je n'ai pas eu peur, annonce Léonnie en glissant ses doigts moites dans les siens.

— Tu es une brave petite fille. En forme pour le retour?

— Ouais.

— Pas fatiguée?

— Non.

A pas lents, ils rejoignent la calèche.

— Je n'ai pas envie d'étudier, moi. Je ne veux jamais vous quitter.

— Ah. Tu as le temps de réfléchir à ça. Tu n'as que six ans après tout.

— Oh! C'est déjà décidé. Il n'y a pas de chevaux à la ville, hein?

— Bien sûr qu'il y a des chevaux.

— Je n'irai pas quand même. Ça doit être des chevaux différents.

— Et que feras-tu quand tu seras grande?

— Un homme.

— Quoi?

— Je ferai un homme. Vous seriez content?

— Non. C'est ma petite fille que j'aime.

— Mais vous m'appelez p'tit homme.

— C'est pour rire.

— Alors, ce sera moins compliqué que je pensais. Je ferai une femme qui s'occupe des chevaux.

— Parfait.

Elle grimpe habilement sur le banc et s'empare des guides.

— Laissez-moi faire un peu. Je suis capable.

— Très bien.

Philippe jette un dernier regard sur le quai désert et ressent un vide en lui. Autour de lui. Un vide que les babillages de Léonnie ne suffisent pas à combler.

Chemin faisant, il écrit mentalement la lettre qu'il enverra à Mathilde.

Tous les mois, une lettre d'une écriture belle et régulière parvint à la lointaine écolière et l'assura de l'amour paternel.

Appel de détresse

Peau brûlante, respiration accélérée, gémissante, sifflante, agitation, quinte de toux fatigante.

— Broncho-pneumonie, annonce Philippe d'un ton définitif.

— C'est grave, hein?

— Oui. Ça fait longtemps qu'il traîne sa grippe, n'est-ce pas?

— Ben oui.

— Vous auriez dû m'appeler avant, Honoré.

— Je pensais pas... que c'était grave de même, docteur. C'est hier, au souper, que j'ai vu qu'y allait pas pantoute. Nous autres on pensait que c'était juste un rhume.

— Avec lui, un rhume peut empirer comme c'est le cas présentement. La prochaine fois, venez me voir au premier apitchoum.

— On voulait pas déranger.

— Je suis là pour ça, Honoré.

L'enfant geint, roule sa tête pâle et fiévreuse sur l'oreiller. Philippe l'éponge doucement. Jérôme ouvre des yeux trop brillants et le fixe un moment. Le monsieur lui sourit en essuyant son front. Le visage de son père apparaît derrière l'épaule du docteur.

— Comment ça va, mon petit?

Mais le malade cherche une autre présence et appelle:

— Lose-Lilas, Lose-Lilas...

L'adolescente s'assoit sur le bord du lit. Il tend ses bras chauds vers elle, se laisse prendre et se réfugie dans sa poitrine généreuse.

— Faut prendre ton sirop, Jérôme.

— Jélôme y malade, hein?

— Oh! Oui. Jélôme y malade. Tiens avale.

— Mauvais.

— Tu vas guérir avec ça. Regarde, c'est le docteur qui te l'a apporté: faut faire plaisir au docteur.

— Lose-Lilas, Lose-Lilas... leste avec moé... leste vec moé.

— Oui, je reste. Tiens, prends ma main. Fais un beau dodo.

Elle le recouche et lui laisse sa main en otage.

— Laconte l'histoile.

— O.K. J'vas te raconter l'histoire de Ti-Jean chasseur.

252

Une fois, c'était un p'tit gars qui aimait ben gros chasser et pêcher. Y aimait tellement ça...

Jérôme cligne ses yeux rougis puis les ferme. Ses cils trop blonds semblent s'emmêler et se coller. Philippe écoute encore sa respiration haletante et prend son pouls.

— Faut le laisser dormir, je peux le veiller.

— Non, docteur. C'est moé qui le veille. Y tient ma main.

Philippe considère l'adolescente d'un œil incrédule et ne reconnaît plus la jeune fille qui l'avait giflé à la mort de sa mère. Tant de maturité et de bonté se dégagent de sa personne qu'il a peine à croire qu'elle n'a que seize ans. On dirait la version féminine d'Honoré, avec cette charpente colossale et cette bonhomie irradiante. Elle aussi le regarde calmement. Et ses yeux, aussi verts, aussi doux que ceux d'Honoré, le rassurent sur son sens des responsabilités.

— Très bien, mademoiselle. Vous le veillerez. Je dormirai ici, au cas où il y aurait complication. Ça vous va?

— Oui, docteur.

— Venez Honoré. Venez dans la cuisine. Elle fera très bien. C'est d'elle dont l'enfant a besoin.

— Je vois ça. J'vas vous faire un thé; je sais que vous aimez ça.

Félix, après s'être renseigné sur l'état de son frère, grimpe quatre à quatre l'escalier qui mène à l'étage et s'endort presque aussitôt sur sa paillasse. Demain, une rude journée l'attend encore puisqu'il travaillera comme charretier avec les hommes qui abattent le bois pour l'église. Aujourd'hui, le curé lui a dit qu'il était très bon pour ses treize ans et qu'il voulait le garder. Ce compliment l'a beaucoup stimulé et il s'est promis de travailler jusqu'au bout avec les autres. Et comme les autres.

Honoré sirote son thé d'un air pensif. Le bois ronfle dans le poêle. Après un long moment, il s'adresse à Philippe:

— Vous avez vu comme c'est d'elle qu'y a besoin?

— Elle remplace sa mère.

— Ouais. A l'a remplacée. A l'a compris, elle. A l'a compris ben plus vite que moé. Faut vous dire, docteur, je l'ai toujours négligé celui-là.

— C'est normal étant donné les circonstances de sa naissance.

— Non, c'est pas normal pantoute. C'est pas de sa faute à c't'enfant-là. C'est pas de sa faute. En seulement...

Il s'arrête et se met à rigoler doucement.

— Je dois vous ennuyer, hein docteur? Je vous ai pas fait venir pour vous conter mes malheurs, hein?

— Non, mais... je sais que ça fait du bien des fois de comprendre pourquoi on a agi de telle ou telle façon.

— Ah! P'tite misère! Vous avez déjà vu ça, vous, un père

qui néglige son p'tit comme je l'ai fait?

— J'ai l'impression que vous vous noircissez, Honoré. Pouvez-vous me dire, sans mentir, que vous ne l'aimez pas? S'il mourait, cette nuit, pouvez-vous me dire, sans mentir, que ça vous ferait rien?

— Oh! Non! Dites-moé pas qu'y peut mourir lui aussi! Ben sûr que je l'aime. Je l'aime: c'est le dernier cadeau qu'a m'a fait. A l'a fait avec tout son corps, avec tout son cœur, avec toute sa vie. En seulement, y aurait fallu que j'y montre à ce p'tit-là que je l'aimais. C'est Rose-Lilas qui y a montré: a l'a ben fait. Ça, c'est une femme, hein docteur?

— Oui. Vous pouvez en être fier.

— Chus fier de tous mes flots. Y va pas mourir toujours?

— Veillé et soigné comme il l'est, non. Je peux même rentrer chez moi. Oui, je peux même rentrer chez moi.

— Certain?

— Honoré, ce p'tit-là, vous l'aimez comme un fou. Vous ne le laisserez pas partir.

— Ça, c'est sûr. Si ça s'empire, j'irai vous chercher.

— Je suis très facile à réveiller; pas de problème. La porte n'est jamais barrée. Vous avez juste à rentrer et venir dans ma chambre. Vous savez où?

— Celle à côté de l'escalier, à gauche.

— C'est ça.

Philippe enfile sa pelisse d'hiver et se coiffe d'un chapeau de castor.

— Vous avez un ben beau casque.

— Vous trouvez?

— Ouais. C'est pas au magasin général que vous avez déniché ça.

— Non. C'est... c'est Biche Pensive qui l'a fait. Elle essaie d'en vendre et j'ai pensé que ça l'aiderait, surtout avec son enfant. Et puis, il est beau et chaud.

— Ça m'a l'air ben faite. Je peux-ti regarder?

— Oui, voilà.

— A vend-ti ça cher?

— Une piastre.

— Ouais. M'as m'en acheté un. Comment vous l'avez eu, vous?

— L'autre fois, lorsqu'elle est venue au village.

— Vous avez pas eu peur qu'a vous saute dessus? réplique Honoré d'un ton enjoué.

Philippe sourit et dit en baissant légèrement la voix:

— Pensez-vous que je vais aller en enfer pour ça?

— Hmm! Des grosses chances, continue Honoré en mimant le curé.

Le médecin rit de bon cœur en remettant son couvre-chef.

— Chus ben content de voir que vous y parlez. C'est une pauvre femme qui doit se sentir ben seule.

— Oui.

— C'est pas une mauvaise créature, vous savez. A l'a ben du cœur, ben du cœur.

— Oui.

La gorge de Philippe s'étrangle tout à coup. Pourquoi ne profiterait-il pas de l'occasion pour se confier à son tour?

Son regard rencontre celui d'Honoré et il demeure un long moment sans trouver un seul mot à dire.

— Qu'est-cé qu'y a, docteur?

— Rien, rien.

— Vous avez l'air drôle. Quèque chose qui marche pas? C'est-i le p'tit qui vous inquiète?

— Non, non. Ça va aller. Honoré... je... j'ai besoin...

Les yeux suppliants et désemparés de Philippe bouleversent Honoré et il se met à rougir de son trouble. Il ne sait comment réagir et se contente de poser sa main sur son épaule et de la secouer.

— C'est de moé que vous avez besoin? Vous savez que chus prêt à faire n'importe quoi pour vous.

— Une autre fois. Jérôme a besoin de vous. Bonne nuit.

Philippe ouvre brusquement la porte et disparaît.

Honoré le regarde marcher, le front penché sous le vent du nord, et s'interroge soudain sur cet homme qu'il croyait distant et différent.

La bourgeoisie de sa famille, son instruction, sa profession, sa belle maison, son beau vocabulaire, son bel habit l'avaient retranché du reste de la population. A l'image de Biche Pensive, il était, lui aussi, bien seul. Peut-être est-ce cela qu'il a voulu lui dire?

Honoré s'interroge. Il y avait tant de détresse dans les yeux de cet homme. Et il le dévisageait avec tant de désespoir, comme si lui, Honoré, pouvait le sauver. Comme si lui, Honoré, pouvait faire quelque chose pour lui, le médecin et l'instruit du village. De quoi avait-il besoin en lui? De son talent d'ébéniste? Non. Tout l'ouvrage était accompli. De quoi avait-il donc besoin? D'argent? Non. De lui? De lui...

Oui, de lui, comprend Honoré en suivant toujours la silhouette au bout de la rue. De lui.

Honoré entend alors les appels de détresse lancés par cet autre homme qui regagne sa demeure. Il les entend très bien et les comprend très bien. Et il sait qu'un jour, il aura à tendre la main, le cœur ou l'oreille à cet autre homme rentré dans sa demeure. Et il sait que lui et cet autre homme uniront un jour leur détresse et ne seront plus jamais comme avant.

Et il lui tarde de voir arriver ce jour.

L'inauguration

Au dire de tout le monde, c'est une belle église. Mais Honoré la critique dans son for intérieur et s'éloigne du groupe joyeux qui en fête l'inauguration. Rendu sur sa galerie, il l'analyse plus calmement en tentant d'être impartial. Mais il la trouve lourdaude et ridicule avec son petit clocher pointu. On dirait une grosse bonne femme avec une capine d'enfant, conclut-il en débouchant une bouteille de p'tit blanc.

Les cantiques le rejoignent et l'agacent. Parmi les colons en liesse, il observe le curé qu'on acclame et qu'on vénère. « Qu'est-cé qu'y a contre moé? » jongle Honoré. Une bonne rasade d'alcool lui brûle la bouche et le fouette. Il fait claquer sa langue contre son palais et remet le bouchon. Croisant le regard d'Alcide, il lui lève sa bouteille pour lui signifier) qu'il trinque à la nouvelle église et réussit à se donner un air indifférent. Mais cette feinte ne trompe pas Alcide. Il connaît trop Honoré pour savoir jusqu'à quel point souffre son orgueil. Ne l'a-t-on pas complètement exclu des travaux, lui, le charpentier et l'ébéniste? « Cela t'apprendra à faire la maison du docteur plus belle que le presbytère », mitraillent les yeux autoritaires d'Alcide.

— Vous ne fêtez pas, monsieur Villeneuve?

Honoré sursaute et observe Philippe s'asseoir près de lui, sur le bras de la galerie. Le médecin reluque la nouvelle construction.

— Qu'est-ce que vous en pensez?

— Voulez-vous mon idée là-dessus ou celle de tout le monde?

— La vôtre.

— Vous avant. Qu'est-cé que vous en pensez?

— Je pense... qu'elle aurait pu être plus belle, répond calmement Philippe en posant sur lui un regard franc.

— Moé je pense ça. Je trouve qu'a l'a l'air d'une grosse bonne femme avec une capine d'enfant.

Un éclat de rire sonore déride Honoré.

— Vous en voulez? offre-t-il alors.

— Envoyez donc, répond-il après une courte hésitation.

— J'vas aller vous quérir un verre.

— Pas question, réplique Philippe en appliquant le goulot sur ses lèvres.

— Vous avez pas peur des microbes?

— Sont brûlés, affirme-t-il en remettant le flacon à son propriétaire.

— Belle journée d'automne.

— Ouais...

Un silence. Un temps à goûter les odeurs de feuilles et de terre. A regarder le soleil chauffer encore les grosses citrouilles du jardin.

— Pourquoi vous ont-ils mis à l'écart, Honoré?

— J'sais pas.

— A mon avis, vous êtes le meilleur charpentier-ébéniste que je connaisse.

— C'est mon métier.

— Je suis content que vous ayez bâti ma maison.

— Moé aussi. Sans me vanter, votre maison, c'est ce qu'y a de plus beau pis de plus solide dans région. Dans cent ans, a va être encore belle pis solide. Une maison qui a de l'allure, docteur, ça vieillit pas. Mais pour qu'une construction aye de l'allure, y a des choses à respecter dans les lignes pis les dimensions.

— Oui, c'est exact.

— J'ai ben aimé la faire, votre maison. Vous m'avez donné vos goûts pis vous m'avez laissé faire. Quand je passe devant, ça me fait un p'tit velours. Chus content de moé. Plus tard, le monde va encore dire: Y savaient construire dans ce temps-là. Mais leur affaire, ça va se faire démolir à un moment donné pis y vont se faire venir des plans pour en faire une vraie.

— Vous faites des meubles aussi?

— Ouais. Vous avez vu ma table? Solide. Tout ce que je fais c'est solide.

— J'aimerais que vous m'en fassiez une pour mon cabinet.

— Une table d'opération?

— Dans le genre. Pour les examens et les opérations mineures.

— Pour quand?

— Quand ça vous adonnera.

— J'vas aller vous trouver du bois, docteur. Si vous êtes capable de patienter un brin, j'vas vous faire de quoi de beau. Mais je voudrais pas que vous me demandiez ça parce que je vous fais pitié... ça, non... je le voudrais pas.

Un nouvel éclat de rire gêne Honoré.

— Voyons Honoré. Vous? Faire pitié?

— Ben quoi! Des fois, j'sais pas moé. Tout le monde rit ben de moé.

— Voyons! Voyons! Mais ça va pas, Honoré.

Le gros homme hausse les épaules et dévisse son bouchon.

Il se sert généreusement.

— Êtes-vous bon pour une autre p'tite gorgée, docteur?

— Certainement.

— M'as vous dire de quoi, docteur. J'ai envie de prendre un coup; un vrai. J'ai envie de me choquer. Depuis tantôt que je les regarde fêter, pis ça me fait mal au cœur. Surtout qu'y ont abusé de mon p'tit gars. Y a servi de charretier sans jamais être payé. Y a travaillé ce p'tit-là. Le voyez-vous, là, dans gang? Hein, y est pas là mon Félix.

— Non.

— Ben sûr que non. On y a dit: « C'est pas pour les enfants. » C'est pas pour les enfants! P'tite misère! Depuis le temps qu'on le faisait travailler comme un homme. Le monde est bête... pis je m'en viens bête moé aussi. Vous, vous êtes correct; vous vous mêlez de vos affaires. Je voudrais pas être soûl devant vous pis vous faire des bêtises.

Philippe s'empare du flacon. Honoré le reluque d'un air éberlué, craignant de voir voler la bouteille contre le mur de son atelier. A son grand étonnement, le médecin dévisse posément le bouchon et boit d'une traite une pleine gorgée.

— Avec vous Honoré.

L'ébéniste comprend. Cet homme est venu le chercher, cet homme est venu s'unir à lui. Cet homme a besoin de lui comme lui a besoin de cet homme. Il avale une quantité égale.

— Suivez-moé: y me fatiguent.

Les voilà assis dans le foin, la bouteille entre eux. Un petit malaise flotte encore. Ils ont pleinement conscience tous deux que le cours de leur relation change à cette minute même. Un sentiment nouveau les intimide, un sentiment qui ressemble à de l'amour et qui n'en est pas. Aucun n'ose parler de peur de briser la fragilité du moment.

Philippe sourit à ce gros homme grisonnant, heureux d'être en sa compagnie et de partager son p'tit blanc. C'est la première fois qu'il ingurgite tant d'alcool et sa tête tourne un peu. Alors, la main d'Honoré vient dépeigner ses cheveux.

— Je vous gage que c'est la première fois, hein doc?

— Oui. Ça paraît?

— Vous avez les yeux amortis.

— Ah. Je suis désolé.

— Pourquoi? Moé si, je m'en viens amorti. Hi! Hi! Hi! La... La première fois que j'me sus soûlé... j'avais essayé de grimper su votre cheval pour aller à messe de minuit.

— Pas vrai?

— Je vous... je vous l'ai jamais dit?

— Non.

— Je voulais pas vous le dire, non plus. J'me sus cogné la caboche. Eille! Bonyenne que j'me sus fait mal. C'est le len-

258

demain que j'm'en sus rendu compte... Vous auriez dû voir ma prune. Hi! Hi! C'est pas facile de grimper su ça.

— C'est une question d'habitude. J'aurais aimé ça vous voir.

— Voyons donc vous! Avez-vous envie de me vouvoyer longtemps?

— Et vous?

— C'est pas pareil. Vous êtes médecin, moé, chus rien qu'un ébéniste.

— Voyons donc! Et vous, vous êtes plus vieux.

— Pas ben gros. Vous avez quel âge?

— Trente-cinq ans.

— Bon, y a pas grosse différence... j'en ai quarante-quatre. Bon, est-ce qu'on se dit vous ou tu? Tant qu'à prendre un coup ensemble.

— Tu.

— O.K. Voulez-vous-tu une p'tite gorgée?

— Si tu voulez bien.

Honoré se met à raconter toutes sortes de choses comiques pour faire rire Philippe et celui-ci dévoile aussi des anecdotes amusantes. Ils en viennent bientôt à se bourrer de tapes amicales et leur diction s'épaissit. Un rien provoque leur hilarité.

— Fait chaud. Tu trouves pas? demande Philippe en enlevant son veston.

Il voit soudain le visage d'Honoré se pétrifier.

— Qu'est-ce qu'il y a?

— Rien... je... j'aime pas ça quand t'enlèves ton veston.

— Pour... pourquoi? Fait chaud.

— Y avait tant de sang, Philippe, sur ta chemise. Tant de sang! Son sang à elle.

La tête d'Honoré tombe subitement sur l'épaule du médecin et il se met à sangloter. Philippe ne trouve pas de mot et lui donne de petites tapes amicales dans le dos.

— Tant de sang, Philippe.

— J'ai fait ce que j'ai pu; je te le jure, Honoré.

— Non... c'est le sang... je vois rien que ça. T'au... t'aurais pu... pu mettre ton veston pour le cacher.

— Je... j'ai pas eu le temps: t'es arrivé trop vite.

— Non... trop tard.

— Trop vi... vite. Ce que t'aurais vu a... avant, c'était pire que la chemise.

Philippe se raidit et serre les mâchoires. Il renverse la tête et ferme les yeux. Le tourment ressuscite en lui. Le souvenir atroce le visite. Le sang, goutte à goutte le long de son avant-bras, le curé dans la porte, Alexinas ratant son chignon, et le doute. Le doute. Il secoue la tête énergiquement pour chasser les images et provoque des vertiges épouvantables. Tout tourne;

la grange, Honoré sur son épaule, le curé dans la porte, l'église qui a l'air d'une bonne femme avec une capine d'enfant.

— Non! Non! proteste-t-il. Non!

Son cri détache Honoré de lui. L'homme se penche.

— Qu'est-cé que t'as Philippe?

— J'ai fait mon... mon possible.

— J'sais. Chus rien qu'un vieux fou. Occupe-toé pas de ce que je dis... Je vois que ça t'a fait de la peine. Tu... tu t'en fais trop pour... pour nous autres. Ça serait p'tête mieux... que tu... tu t'en retournes chez... chez vous. Après toute on... on est pas du même monde.

— Non! Je reste.

Le médecin s'accroche si brusquement au bras d'Honoré que celui-ci s'effraie de son attitude. Il recule un peu mais Philippe le retient fermement.

— Tu m'as dit... ce que, ce que t'avais à me dire. Tu as vidé ton... ton sac, Honoré. Ne te sauve pas maintenant que... que j'ai besoin... de toi. Ne te sauve pas, Honoré. J'ai besoin de toi... j'ai besoin d'un ami. J'aimerais brailler comme toi. Brailler sur ton... ton épaule.

— Envoye, braille mon Philippe.

Honoré l'entoure de ses bras et l'attire sur sa poitrine d'un geste paternel et chaud.

L'abandon avec lequel il s'est lui-même livré l'a soulagé et il souhaite maintenant que Philippe en fasse autant mais l'homme frissonne contre lui, raidissant ses muscles et serrant ses mâchoires.

— Envoye accouche Philippe. Qu'est-cé que t'as à me dire?

Philippe ne se résout pas. Il avale cette boule qui roule dans sa gorge et l'oppresse. Il a peur; peur de choquer, peur d'être jugé, mal jugé. Peur de se dépouiller de sa belle façade et de se montrer nu devant Honoré. Peur d'être un sujet de déception et de scandale. Peur de perdre l'amitié naissante. Peur de perdre le respect. Peur de perdre l'admiration. Peur de perdre la face. Mais Honoré attend, sans le presser ni le bousculer, et Philippe se détend peu à peu sous les frictions que lui font les mains de l'ébéniste.

— Prends une autre p'tite gorgée.

Il obéit. Et la boisson le calme, l'engourdit. Ouvre grandes les portes de son âme au risque de tout perdre. Il se délivre. Sans larme et sans sanglot.

— J'ai... j'ai un fils.

— Ah.

— C'est Clovis... le fils de Biche. Il... il est de moi, l'enfant du... du mal. Il est de moi... c'est mon... mon fils.

Cet aveu dégrise Honoré. Il le choque, le chagrine, le déçoit. Il s'attendait à tout sauf à ça.

— Pourquoi t'as fait ça à Biche? s'entend-il demander d'une voix triste.

— Par... parce que je l'aime... je l'aime.

— Sam là-dedans?

— Il n'est pas... le père. C'est moi. Quand... quand je l'ai prise... elle... était vierge, Honoré, vierge. Sam ne l'a jamais touchée, jamais! Elle... elle est à moi... et Clovis aussi... l'en... l'enfant du... du mal. Du mal.

— Et ta femme?

— Elle l'ignore. Tu es le seul.

— Ouais! On peut pas aimer deux... deux femmes à fois.

— Oui, on peut aimer... deux femmes... mais... c'est inhumain... je me sens déchiré.

— Et ton fils là-dedans?

— J'ai... essayé de l'adopter. Bi... Biche ne veut pas.

— Ta femme a veut?

— Oui... elle voudrait, ça, j'en suis sûr... par... parce qu'elle a toujours voulu... me donner un fils. Ça serait le mien... il aurait... mon... mon nom. Il... il ne serait plus un... un bâtard, ni l'enfant du mal. Il serait mon fils, pas un bâtard, Honoré, pas un bâtard... plus l'enfant du mal.

Honoré voit les poings de Philippe se serrer dans le foin.

— J'sais pas quoi te dire... c'est la première fois que j'entends parler... d'un cas comme le tien.

— T'as rien à dire, Honoré. T'as seulement qu'à m'écouter. Tu partages mon secret comme je partage ta peine. Ça me... fait du bien.

— J'en parlerai pas à personne.

— Je le sais.

— T'es pas capable de brailler?

— Non. Y a seulement les enfants qui... qui me font... pleurer.

— Ah.

— A la naissance de... Jérôme... et à celle de... Clo... Clovis, j'ai pleuré. J'ai pleuré comme un veau... quand... quand il est né. Je pouvais... plus m'arrêter.

— T'as pleuré pour... Jérôme aussi?

— Oui.

— Pourquoi?

— Je sais pas... C'était pas... pas une bien belle entrée dans le... monde pour lui.

— Je savais pas ça.

— Je suis un beau... beau salaud, hein?

— Qu'est-cé que tu veux que je ré... réponde à ça?

— Y a rien à répondre... rien à expliquer. L'as-tu vu mon fils?

— Oui. Y te ressemble pas pantoute.

— Biche... m'a dit... qu'un jour... je me... je me retrouverais en lui.

— Dans le caractère, p'tête. A le regarder, y a l'air... d'un pur... In... Indien.

— Oui... je le trouve beau.

— Oui... c'est un beau p'tit bonhomme... un ben beau p'tit bonhomme.

— Il a commencé à... à marcher... le... jour de sa fête. A un an... juste. Il est vigoureux... et fort. Jamais ma... lade. T'as vu ses yeux?

— Sont noirs.

— Jamais vu... des beaux yeux... comme ça. Noirs, vifs... et luisants... des yeux pleins d'intelligence.

— Y m'a l'air ben éveillé. Pourquoi qu'y est pas baptisé?

— C'est Biche... elle a peur du curé.

— C'est pas la seule... Tout le monde en a peur... Tu t'es-tu confessé, toé?

— Non.

— Pourquoi?

— Parce que... je l'aime pas ce curé-là. En plus, un curé ça comprend rien... Ça n'a jamais fait l'amour... ça n'a jamais eu d'enfant. Non... C'est à un homme... comme toi, que j'avais besoin de le... de le dire.

— Moé si, un temps, j'aurais eu besoin... d'un ami.

— Quand?

— Avant qu'Émerise meure... Le curé y refusait l'absolution parce... qu'y disait qu'a l'em... empêchait la famille. C'est là qu'on... qu'on a décidé... de faire Jérôme.

Un silence tombe sur eux.

— P'tite misère! soupire Honoré.

Philippe se réinstalle près de lui, épaule contre épaule.

— Une p'tite gorgée?

— On va finir notre bouteille... on va brûler tous nos microbes.

Une fois la bouteille vide, Honoré la lance dans le coin et les deux hommes rigolent sans raison apparente.

— On a l'air fin... hein doc?

— Ouais. Moi... je suis ivre... je pense. Pas envie que... ma femme... me découvre.

— Oh! Moé, c'est ma fille qui me fait peur. Tu... tu devrais y voir les yeux quand... j'ai bu.

— Méchants?

— Des vrais yeux de curé. Ha! Ha! Ha!

— En as-tu fait beaucoup, toi, des pé... péchés de la chair?

— Oh! Oui. Assez pour brûler... un bout de temps... mais je les ai confessés.

— Tous?

262

— Ben... quasiment. Tu sais, y a des affaires qu'on essaie des fois... pis on aime autant pas savoir si c'est un péché; ça fait que si... on le sait pas... paraît que c'est pas un péché, conclut Honoré en riant de bon cœur.

— La tête me tourne. Je pense que... je vais être malade.

— Va dégobiller ailleurs... que su moé, par exemple.

— Non... non... je vais juste... m'endormir... ici... à côté de toi. Tu veux bien?

— Entre amis.

— Dis-moi encore... qu'il est beau... mon fils... j'ai un beau garçon.

— T'as un beau garçon... un beau garçon Philippe.

— Personne me l'a dit... personne m'a félicité... des fois, j'ai envie de le crier sur tous les... toits... tous les toits... Tout le monde pense... que c'est Sam.

— Ça, c'est toé qui l'as voulu.

Voyant Philippe dormir contre lui, Honoré se tait et se cale à son tour dans le foin.

— Pauvre Philippe... j'aimerais pas... être à ta place... non... j'aimerais pas ça, mon vieux... P'tite misère!

Et il sombre à son tour dans un lourd sommeil.

Le vin refusé

Ernestine achève de laver la vaisselle sur la table et Alcide, tout en parcourant son bréviaire, jette un coup d'œil de temps à autre à ses coudes pointus où pendent des gouttes d'eau sale. Il lui tarde de la voir essuyer ses bras gris veinés de coulisses blanches et détacher son tablier aussi gris pour le suspendre au clou jusqu'au lendemain.

— Vous avez de la visite, m'sieu l'curé. C'est le docteur. Êtes-vous malade?

— Mais non, Ernestine. Rassurez-vous, ma brave. Vous pouvez rentrer chez vous maintenant.

— Mais j'ai pas fini, m'sieu l'curé.

— Vous finirez demain.

— Avant le déjeuner?

— C'est ça; vous arriverez plus tôt. Allez.

La ménagère se presse et disparaît pour faire place à Philippe. Alcide le toise un moment et devine sa colère. De fait, il l'attendait et connaît la raison de sa visite, mais il l'accueille courtoisement en demandant:

— Quel bon vent vous amène, docteur?

— Il n'y a pas de bon vent qui m'amène, coupe Philippe d'une voix mal contenue.

— Assoyez-vous toujours. Prendriez-vous un petit verre de vin? Oh! Excusez mon presbytère, il est bien modeste à comparer à votre... château.

La voix doucereuse tape sur les nerfs du médecin qui réplique d'un ton sec:

— Je n'irai pas par quatre chemins; pourquoi avez-vous refusé l'absolution à ma femme?

Alcide lui tend un verre.

— Du vin de cerise que j'ai fait moi-même. Goûtez. Vous m'en donnerez des nouvelles.

Philippe pose le verre sur la table sans y toucher et observe Alcide qui semble épousseter mollement des poussières imaginaires sur sa soutane.

— Pourquoi? Mais parce que, mon cher docteur, je soupçonne votre femme d'empêcher la famille.

— Ce n'est pas elle qui l'empêche, c'est moi.

— Oui, mais elle est votre complice.

— Ma femme est d'une santé très délicate; elle a fait trois ans de sanatorium et les accouchements l'épuisent. Elle n'aura plus d'autres enfants; j'en ai décidé ainsi, et je vous avertis qu'il en sera ainsi et que je n'ai nullement l'intention de me réveiller avec six orphelines sur les bras. On ne me manipule pas si facilement, monsieur le curé. Ce qui se passe entre moi et ma femme ne regarde que nous.

— Et ce qui se passe dans un confessionnal ne regarde que moi.

Un silence de glace fait suite à cette réplique.

— Nous ferons comme si elle avait eu l'absolution et elle ira communier à Pâques.

— Et si je la lui refusais devant tout le monde?

— Et si je vous dénonçais, moi, à votre évêque. Si je me servais du pouvoir de ma famille. Pouvoir que vous n'ignorez certainement pas.

Alcide mordille sa lèvre inférieure et avale une petite gorgée pour se donner contenance. Certes, il n'ignore pas la puissance de la famille Lafresnière, famille notable dont certains membres ont atteint des postes de confiance dans la hiérarchie religieuse. Il n'ignore pas également que Philippe saurait manier les ficelles pour lui ravir son petit royaume et le reléguer vicaire dans une obscure paroisse.

Il force un sourire et prend un air détendu.

— Voyons docteur, mais vous êtes fâché ma parole.

— Oui, je suis fâché. Je n'aime pas qu'on vienne me contrôler.

— Tut! Tut! Tut! Êtes-vous si orgueilleux?

— Ne vous éloignez pas du sujet.

— Bon, bon. En fait, j'ai refusé l'absolution parce que je savais que vous viendriez.

— Vous avez quelque chose à me demander?

— J'aimerais discuter avec vous; ça m'arrive peu souvent, mais parfois je trouve le temps long. Les colons, à la longue, c'est long, vous ne trouvez pas? Ils n'ont pas d'instruction, pas d'éducation, pas de vocabulaire. On ne peut pas discuter avec eux. Vous, vous avez fait vos humanités. Nous pourrions même converser en latin. Nous sommes de la même pâte, docteur, et que vous le vouliez ou non, nous nous partageons ce village.

— Que voulez-vous dire par là?

— Je m'occupe des âmes et vous des corps. Nous pouvons, dès à présent, conclure un accord afin que le domaine de l'un n'empiète pas sur celui de l'autre.

Philippe bondit sur ses jambes et darde le curé de son regard lumineux. Alcide ne peut s'empêcher de le trouver beau dans sa colère. Beau et racé. Il admire cet ennemi. C'est un bel ennemi. Un vrai. Philippe ne dit rien et garde sur lui ses prunelles magiques. Un pli de dégoût marque sa lèvre inférieure. Une couette de cheveux cendrés tombe sur son front et lui donne cette fière allure de guerrier, de vainqueur, de conquérant.

Alcide force un nouveau sourire.

— Qu'est-ce que vous avez, docteur?

— Ce que j'ai? Mais vous êtes aveugle ma parole! Comment prétendez-vous ne pas vous occuper des corps quand vous forcez des femmes à accoucher d'enfants qui les tuent?

— Elles sont faites pour avoir des enfants.

— Pas toutes et pas toujours. Avez-vous fait votre médecine pour affirmer qu'elles sont toutes faites pour avoir des enfants?

— Non, mais c'est ce qu'on m'a appris, docteur. Et on m'a appris que c'est mal de faire les gestes de la procréation sans avoir l'intention de procréer.

— Et c'est encore plus mal de pousser une femme vers la mort.

— Ce sont des points de théologie, docteur. Je ne suis pas un Père de l'Église, mais j'obéis à mes supérieurs, moi. Vous, vous n'avez pas de supérieurs, je suppose.

— Vous savez qu'il y a des lois auxquelles j'obéis comme vous. Mais ces femmes, cette façon que vous avez de les obliger... c'est révoltant.

— Je veux bien faire une exception pour la vôtre, mais...

— Mais quoi?

— Les gens vont se poser des questions. Ce qui est bon pour eux devrait l'être pour vous aussi. Ils ne comprendront pas que je lui pardonne à elle et pas aux autres. A moins que...

— A moins?

— A moins qu'elle ne soit dans sa ménopause... et que vous viviez comme frère et sœur, aux yeux du village du moins.

— Ce qui veut dire?

— Chacun sa chambre, chacun son lit.

— A cette condition-là vous lui donnez l'absolution?

— Oui. Vous voyez que je suis bon prince.

— Très bien. Mais elle est bien jeune pour une ménopause.

— Ils sont naïfs, très naïfs.

— Je sais.

— Je m'arrangerai pour que cela se sache: c'est très facile vous savez.

— Oui, je sais ça aussi.

Philippe se dirige vers la porte d'un pas rapide.

— Vous êtes sûr que vous ne voulez pas goûter mon vin de cerise?

— Non merci, je ne bois pas.

— C'est ce qu'on a vu dans la grange d'Honoré.

La porte claque. Alcide étreint son verre rageusement et le vide d'un geste brusque. Puis il s'empare de celui de Philippe, demeuré intact sur le bout de la table, et le tourne lentement dans ses doigts.

Il ne sait quel nom donner au sentiment qui l'habite. Colère? Tristesse? Rage? Enthousiasme? Admiration?

Cet homme qui lui fait soudain face le déconcerte et le stimule. Quel bel ennemi! Quel obstacle à sa grandeur! Quelque chose bat en lui et l'enivre. Une énergie nouvelle gonfle son cœur et le parcourt des pieds à la tête. « Un à zéro, dit-il pensivement, un, pour vous cher docteur. Le combat n'est pas fini, il commence. »

Alcide grimace de contentement. Enfin, un obstacle à sa grandeur. Car écraser Honoré était un jeu d'enfant. C'était si facile que c'en était décevant. Honoré s'est tout simplement retiré du combat et s'est replié sur lui-même.

Manipuler Gadouas et le reste du conseil s'avère également un jeu d'enfant. Jeu dont on finit par se lasser. Mais écraser ce Philippe Lafresnière, ça c'est quelque chose de drôlement passionnant.

Alcide pense un instant à boire le vin refusé afin de ne pas le gaspiller. Son orgueil souffre soudain atrocement. Philippe lui a refusé, à lui, ce petit vin de cerise et s'est permis une cuite en compagnie d'Honoré. Ne les a-t-on pas retrouvés le lendemain, couchés l'un près de l'autre dans le foin? Ce souvenir le révolte. Ce si bel ennemi en compagnie d'un minable. Un homme qui a fait ses humanités, partager le p'tit blanc d'un colon. C'est dégradant.

Il en veut à Philippe de s'être déshonoré et d'avoir refusé ses politesses.

Le liquide rouge tourne lentement devant les yeux plissés d'Alcide.

— Je t'aurai bien, mon beau, mon cher docteur. Un jour, je sens que je t'aurai et je ferai de toi ce que je voudrai. On ne refuse pas Alcide Plamondon! T'as compris? On ne refuse pas Alcide Plamondon!

Ce disant, il lance le verre dans le coin de la cuisine. La vitre éclate en morceaux et le liquide coule sur le bois. On dirait du sang.

Alcide ricane et reprend son bréviaire.

La verte chenille

— Firmin! ordonne le père François, montre à M. Gadouas à quelle vitesse tu peux traire une vache.

Obéissant, l'orphelin se met à la tâche. Fss! Fss! Fss! chantent les jets de lait contre le seau jusqu'à ce qu'une mousse épaisse et blanche rejoigne le bord.

Le gros père, aux manches retroussées sur ses bras velus, pose ses poings massifs sur ses hanches en disant:

— C'est notre plus vite et notre plus fort. Il sait bien travailler. Demandez-lui n'importe quoi, vous allez être surpris de sa force pour son âge et de son savoir-faire.

— Y sait-i essoucher?

— Oui.

— Bûcher?

— Oui.

— Faucher?

— Oui.

— Labourer?

— Oui.

— Parce que moé, su ma terre, j'ai pas gros d'animaux encore. Mais y a beaucoup à faire. C'est surtout de l'essouchage pis du bûchage. C'est vrai qu'y m'a l'air pas mal fort. Y a quel âge encore?

— Neuf ans.

— Vous êtes sûr? Y m'a l'air plus vieux.

— Neuf ans, c'est sûr.

— D'où c'est qu'y vient?

— Il a été trouvé à Montréal, sur un quai. C'est là que sa mère lui a donné naissance.

— Est-i morte?

— Ouais; le même jour. Elle a été punie de son péché.

— Une femme de mauvaise vie?

— Ouais. Pas grand-chose comme femme.

— Y est-i malin?

— Non. Ben obéissant, hein Firmin?

— Oui, mon père, répond le jeune garçon d'une voix rauque.

— Viens icitte! lui ordonne Napoléon Gadouas.

Firmin obéit et se laisse tâter par le petit homme à l'haleine fétide. Les mains noueuses inspectent ses épaules, son dos, ses jambes, ses cheveux, ses dents. Il se sait costaud et subit l'examen avec calme. Il en a maintenant l'habitude et ne s'interroge plus sur la décision à venir. Tant de mains l'ont ainsi étudié et analysé, tant de mains sont passées entre ses cuisses pour s'assurer que tout était en bon état, qu'il se laisse manipuler docilement.

— Déjà gros pour son âge, constate Napoléon, soucieux.

— C'est déjà un homme.

— Mon idée que ça va le travailler. Comment ça se fait qu'y a pas encore été adopté?

— Parce qu'il a pas de tête. A part les travaux manuels, il peut pas apprendre grand-chose. Il est borné; il ne sait même pas ses prières. Mais vous, d'après ce que m'a écrit le curé Plamondon, c'est d'un travailleur manuel dont vous avez besoin. Il m'a dit que vous aviez une grande terre et que votre femme ne pouvait plus. Alors, nous avons pensé à Firmin. Bien sûr, nous en avons de plus jeunes, de plus beaux et de plus intelligents. Mais lui, il est déjà en âge de travailler. Il peut commencer tout de suite en arrivant.

— Ouin...

Napoléon souffle dans ses narines poilues en analysant l'orphelin. L'idée qu'il se faisait de lui se trouve bien éloignée de la réalité. Il avait imaginé un garçon costaud et intelligent, capable de gérer la ferme à son tour, mais celui qu'on lui offre n'est bon qu'à obéir aveuglément et accomplir parfaitement les tâches qu'on lui impose. Le manque d'éclat des prunelles brunes le décourage et il secoue la tête. Le grand garçon baisse son front court surmonté de cheveux drus et une moue fataliste marque ses lèvres.

— On vous ferait un meilleur prix, offre alors le père François.

— Ouin! reprend Gadouas en s'éloignant et en croisant les mains dans le dos.

Acceptera-t-il ce nouvel imbécile au sein de sa famille? N'y a-t-il pas assez d'Azalée et d'Éloïse? Pourquoi n'est-il entouré que de faibles mentaux? Pourquoi a-t-il engendré un enfant mongolien? Et pourquoi n'engendre-t-il plus rien avec sa femme? De quoi Dieu le punit-il? Il n'y a que le curé Plamondon qui le comprenne vraiment. Sa dernière confession lui revient en mémoire.

— Une terre comme la vôtre, monsieur Gadouas, et une femme qui ne peut plus donner d'enfant, une femme pourtant si jeune.

— J'essaye d'y en faire à tous les soirs, je le jure. Mais ça marche pus.

— Je vous crois. Je sais que vous, vous faites votre devoir conjugal. Que diriez-vous d'un garçon? Fort, simple, capable de vous seconder?

— Le p'tit sauvage?

— Non. Il ne faut plus songer à lui; c'est peine perdue. Non, je pensais à l'adoption.

— Comprends pas.

— Avez-vous songé à adopter un orphelin agricole?

— Non.

— Avec un homme qui sait mener les gens comme vous, on confierait volontiers un orphelin agricole.

« Avec un homme qui sait mener les gens comme vous », se répète mentalement Napoléon. Oui, il saura bien prouver au curé qu'il sait mener les gens. Tous les gens.

Il se retourne et demeure frappé par la longue silhouette de Firmin et ses épaules carrées.

— C'est correct, je le prends.

Firmin avait longtemps rêvé qu'on l'adoptait et s'imaginait connaître une joie indéfinissable en apprenant la nouvelle. Mais l'acceptation de Gadouas n'éveille ni joie, ni peine et il demeure immobile dans ses vêtements trop courts, à regarder luire la paille dans l'étable.

— Va te laver Firmin et va faire tes bagages, lui ordonne le père François. Tu pars avec M. Gadouas. Es-tu content?

— Oui, mon père, répond le garçon d'un ton égal avant de disparaître.

Content? Il ne sait pas ce que c'est que d'être content. Ni que d'être joyeux. Il ne sait même pas sourire et s'assoit près de Gadouas d'un air taciturne. Sans un chavirement au cœur, il quitte l'orphelinat. Il ne se retourne pas pour arracher un souvenir aux bâtiments ou à la maison de pierre. Car il n'a pas de souvenir heureux à emporter avec lui. C'est là qu'il a tant grandi. C'est là qu'il a appris à manier la pelle, la hache et la scie. C'est là qu'il a appris à obéir. Mais rien de tout cela n'est heureux. Personne ne l'a jamais cajolé, ni gâté, ni remarqué. Personne ne l'a jamais félicité ni remercié. Il a été un malheureux parmi tous les autres malheureux. Un enfant de pas grand-chose parmi d'autres enfants de pas grand-chose. Il n'a rien. Même pas de tête. Il n'a rien que des mains trop larges pour son âge et des épaules fortes. Il n'a rien qu'une solide santé et la bonne habitude d'obéir.

A part cela, rien ne se passe dans sa tête. « Force-toi pas à penser, Firmin, t'as rien là-dedans », répétait souvent le père François.

Firmin regarde autour de lui. L'été verdit et chante dans

ses oiseaux. C'est le premier nouveau paysage qu'on lui offre et ses yeux se délectent; là, d'une galerie aux poteaux ouvragés, là, d'un puits à capuchon, là, d'une petite fille dans la basse-cour, là, d'un superbe étalon et là encore d'un pont de bois sur un ruisseau tourmenté. Il observe avec un vif intérêt tout ce qu'il découvre. Il se sent bizarre, léger, transporté. Il a soudain envie de courir, de sauter ou de rire. Serait-ce cela la joie?

Un rire niais s'échappe de sa gorge. Il s'entend et se trouve drôle. Ce qui redouble son ardeur. Bientôt, il rit à gorge déployée dans la calèche bringuebalante.

— Ferme ta gueule, maudit niaiseux! crie Gadouas en lui donnant un coup sur la bouche.

— Oui m'sieu, répond l'enfant en essuyant le sang sur son menton.

Voilà, c'était cela la joie.

Il se replie. Se referme. Redevient verte chenille dans l'épais cocon. Il se rendort. Et s'attache à de vieilles images qu'il s'est fabriquées. Un quai, un bateau, un bébé sur le bois, une femme de pas grand-chose près de lui. C'est ainsi que lui, il a débuté dans la vie. Engendré par une femme de pas grand-chose, comment peut-il réussir quelque chose? Réussir? Un mot qui ne lui convient pas. Quelque chose? Un autre mot qui ne lui convient pas.

Il n'éprouve ni haine, ni crainte face à l'homme qui l'emmène vers sa demeure. Il lui appartient maintenant et fera tout ce qu'il voudra. Il n'essaie même pas d'imaginer comment sera cette demeure. Il se vide le cerveau. Il se vide l'âme. C'est ainsi que l'on souffre le moins.

Il se replie, se referme. Redevient verte chenille dans l'épais cocon.

Small Bear

Trois ans.

De l'eau qui fait du bruit. Les petites truites, au fond, avancent et reculent. Une odeur de fumée, du petit bois craque: maman prépare le dîner.

Il a faim. Très faim. Il se couche à plat ventre et laisse flotter sa main dans l'eau. C'est amusant. L'eau entraîne sa main. Le soleil chauffe son dos. Des moustiques le piquent. L'eau l'amuse. Il rit.

Sa mère approche, se penche, le dévêt. Il la regarde; c'est le plus bel être du monde. Il est tout nu et elle le regarde avec des yeux qui semblent le trouver très beau aussi. Elle lui lance de l'eau. C'est froid, ça le saisit. Il échappe des cris pointus. Elle l'assoit dans l'eau. C'est merveilleux: le courant pousse sur ses reins. On dirait une chose vivante. Elle prend l'eau dans ses mains et le lave. Elle mouille son front, sa tête. Passe les doigts derrière ses oreilles. Les gestes doux l'enveloppent d'une tendresse bénéfique. Les doigts glissent sur ses fesses, ses cuisses. Les doigts passent entre chaque orteil puis viennent sur son pénis. Puis les mains entières le plongent et l'élèvent dans le chaud soleil. Puis le plongent et l'élèvent dans l'air bienfaisant. Il rit. Les mains le plongent à nouveau et l'élèvent à bout de bras dans l'été. Comme s'il était un vivant très important.

L'odeur de fumée. La faim. Les poissons grillés sur la roche plate. Les moustiques autour. Il se dépêche de manger. Une présence nouvelle avec eux. Un homme. Biche semble le trouver très beau aussi.

Du pain. C'est nouveau. On lui en donne. Beaucoup. Il en mange beaucoup. Il adore.

Biche parle une langue inconnue avec l'homme, puis elle l'appelle:

— Small Bear.

Il n'a pas envie de laisser son pain. L'homme s'accroupit près de lui. Il sent fort. Une odeur saisissante. L'homme prend ses mains et lui parle. L'odeur le dérange. Il a peur que ses mains sentent comme l'homme et qu'ensuite le pain goûte comme l'odeur. Il tente de se dégager. C'est facile. On le laisse en paix. Biche se lève. Le mouvement de sa jupe qui veut disparaître l'inquiète. Il l'attrape.

— Reste ici, Clovis. Maman revient.

Clovis, c'est rare qu'elle l'appelle comme ça. Il est plus habitué à Small Bear. Il pense aux truites dans l'eau. Qui avancent et reculent. Les ours pêchent avec leur patte. Lui aussi, il est un ours. Un petit ours. Il s'avance dans le courant. C'est amusant. Le courant entraîne ses pieds sur les cailloux pleins de mousse. Il cherche les truites pour les pêcher. Une douleur dans son épaule. On le serre si fort qu'il paralyse. Il se retourne. C'est Biche. Ses yeux sont fâchés. Elle le gifle. Il pleure. Elle l'embrasse partout et le serre si fort. Comme si elle avait beaucoup... beaucoup de peine. Il la regarde; son visage est bouleversé. Il a froid. Elle remet du petit bois sur les tisons et lui explique que l'eau est dangereuse parfois.

Quatre ans

Un cadeau pour lui. Sam marche vite devant. Un jappement. Une bête noire et blanche. Presque de sa hauteur. Elle se lève sur ses pattes arrière et le renverse. Une grosse langue molle et chaude lèche son visage. Une senteur nouvelle: celle du chien. Sam le libère. Lui montre les attelages de cuir sur la bête et le traîneau derrière. Il lui dit d'aller s'y asseoir. Sam s'installe debout juste dans son dos. Il crie un ordre. Le chien tire, le traîneau avance. C'est merveilleux. Le traîneau glisse sur la neige. Le chien les promène dans les sentiers. C'est merveilleux.

Ils reviennent à la maison. Biche les attend et sourit. Sam le roule dans la neige en l'appelant Small Bear. Puis il s'en va en laissant le chien et la traîne. C'est un cadeau.

Les nuits sans fond

Cinq ans

Le pont approche. Cela l'excite et l'effraie. Après le pont, c'est le village. Et, dans le village, il y a des gens bizarres. Des gens silencieux. Avec des visages fermés comme des pièges rouillés. Et dans le village, il y a aussi le thé, la farine et du tissu pour lui faire une chemise.

Le chien tire bien malgré le peu de neige sur le pont couvert. Par endroits, on voit les planches. Maman se tait. Quelque chose l'inquiète. Elle non plus, elle n'aime pas le village.

Un magasin bondé. Plein de choses et de gens. Avec des odeurs multiples de cannelle, de tabac, d'épices, d'oignons, de cuir neuf, de tissu, de fumée et de linge mouillé. Une truie* au beau milieu. Beaucoup de pots sur beaucoup de tablettes. Et des sacs de farine et des barils de lard salé. Et toutes sortes d'objets à vendre, en montre un peu partout. Accrochés aux clous du mur, suspendus au plafond ou exposés derrière de grandes vitres.

Une grosse et grande femme derrière un comptoir. Au-dessus de sa tête, un gros rouleau de corde qu'elle débobine lorsqu'elle enveloppe des paquets. Elle sourit à une autre dame. Cela a l'air de lui faire plaisir d'envelopper le paquet et de le lui donner.

Tout le monde se tait et les regarde. Les sourcils se froncent. Les gens se font des airs comme s'ils venaient de les déranger. Le monsieur qui remplit les sacs s'est retourné lorsque Biche Pensive s'est approchée. Des gens nouveaux arrivent et demandent des choses. La grosse femme leur donne avec un beau sourire. Mais ce sourire tombe à chaque fois qu'elle le voit.

Devant ses yeux, un pot carré plein de pastilles blanches. Comme il y en a des pastilles! Il se demande ce que ça goûte. Ça doit sûrement être bon. Elles sont si blanches et si parfaites dans leur forme. Il les touche à travers la vitre. Son doigt tente de les compter ou du moins de trouver une différence entre elles.

---

* Truie: petit poêle à bois bas et monté sur quatre pattes.

274

La grosse dame lui donne une tape sur les doigts.

— P'tit sauvage! Tu vas tout salir mes bocaux.

Il déteste cette femme. Biche le prend par les épaules et colle sa tête contre son ventre.

— Excusez-le, madame, répond-elle d'une voix modeste. Qu'est-ce qu'elle a dit? Pourquoi l'autre femme ne dit rien? Une grosse bedaine, vêtue d'étoffe grise, s'approche de lui. Maman se détend. Il lève son visage et la voit sourire à l'homme.

Ils se parlent. Dans la langue des Blancs que maman connaît et qu'elle lui enseignera lorsqu'il sera grand.

Le monsieur dévisse le bouchon du bocal et lui tend une pastille blanche. Il la refuse. Il a peur qu'on lui tape encore sur les doigts et que maman se raidisse contre lui. Le monsieur insiste et se penche pour être à sa hauteur. Son visage est tout rouge et une grosse moustache grise le décore. Il sourit en passant le bonbon devant ses yeux.

— C'est un ami de grand-papa Gros-Ours, explique sa mère pour le mettre en confiance.

Alors, il accepte. Hmm! C'est bon! C'est la première fois qu'une telle saveur excite son palais. Il en voudrait beaucoup. Tout un pot.

Comme la grosse dame est chanceuse de posséder tout ça! Ça doit être pour ça qu'elle lui a tapé sur les doigts. Elle pensait qu'il voulait les lui voler.

Il amasse beaucoup de salive dans sa bouche et y laisse fondre son bonbon à la menthe. Puis il déguste lentement, avalant de petites gorgées à la fois. Cet homme est sûrement un ami.

Enfin, on remplit un sac de farine pour eux et un sac de thé. La grosse dame tire un carton de tissu et le rabat sur la table. Biche indique la longueur qu'il lui faut. Crouch! Crouch! Crouch! fait la grosse paire de ciseaux. La femme plie rapidement le morceau. Connaître la langue des Blancs, il lui dirait que c'est pour lui faire une chemise. Paraît qu'il sera beau avec du rouge. Comme maman. Et Sam lui a dit qu'il aura l'air d'un vrai trappeur si le tissu est carrelé. Il sourit. C'est un tissu carrelé rouge et noir. La grosse femme enveloppe maintenant et le rouleau se dévide au-dessus de sa tête. Elle casse la corde avec ses doigts et lui donne rudement le paquet. Elle a même pesé dessus en le lui remettant et cela l'a fait reculer. Pourquoi n'est-elle pas contente lorsqu'elle fait des paquets pour lui? Il a soudain hâte de partir malgré le beau pot de bonbons. Il le dit à Biche. Elle l'envoie attendre dans le traîneau.

Il flatte son chien. Celui-ci le lèche. Des voix d'enfants attirent son attention. Il en aperçoit quelques-uns. Ils sont de sa grandeur. Il aimerait bien connaître leur langue et sourit.

Eux non plus ne répondent pas à ses politesses et s'approchent lentement, les mains derrière le dos.

Il les regarde tour à tour et constate qu'il y en a de plus grands que lui. Quelque chose le frappe au front. Ça pince puis la neige fond et glisse sur son visage. Tous les bras se lèvent en même temps et le bombardent de balles de neige. Il protège son visage avec son paquet. Les projectiles l'atteignent partout à la fois et arrachent le chapeau de loutre que Biche lui a fait. Un enfant s'en empare, le remplit de neige et vient le lui enfoncer jusqu'aux oreilles. Des rires fusent. Ces rires lui font mal. La neige dégouline dans son dos. Les enfants se sauvent en riant. Il vide son casque.

Biche le regarde d'un air désolé. Le monsieur qui lui a donné le bonbon porte le sac de farine sur son épaule et l'installe au fond du traîneau.

— Assois-toi dessus, lui demande Biche.

Elle lui confie le paquet de thé. Il le serre contre lui avec le tissu.

Le traîneau s'ébranle. Le chien tire lentement et tend ses reins à cause de la nouvelle charge.

Leur progression pénible l'impatiente. Il saute en bas et accompagne sa mère au pas de course. Le chien s'essouffle sur le pont où le bois retient les lisses.

Il ne sait pourquoi il a peur. Soudain, il aperçoit tous les enfants groupés à la sortie. A leurs mains derrière le dos, il sait ce qui l'attend. Mais sa mère lui donne courage.

— Avance Small Bear.

Small Bear avance. Une balle l'atteint. Puis deux. Puis trois. Elles lui font moins mal qu'il imaginait. Une balle frappe Biche Pensive en plein visage. Il se rue sur les enfants. Il en choisit un de sa taille et l'envoie rouler par terre. Son paquet tombe. Il le ramassera tantôt et se contente de frapper mais les autres se jettent sur lui et le tiraillent de tous côtés.

— Arrêtez! Arrêtez! ordonne sa mère en essayant de le secourir.

Les enfants crient et rient. Les enfants le piétinent et s'arrachent le paquet. Le tissu fend. Son cri de déchirure lui déchire le cœur. Le cri se répète: scritch! scritch! Ses yeux piquent, quelque chose fait mal à l'intérieur de lui. Il voudrait être tout seul. Sa maman l'a vu défait, incapable de la défendre. Il sent comme un bâton au travers de sa gorge. Les larmes coulent sur ses joues.

Les enfants s'éparpillent, lui laissant des lambeaux entre les doigts.

Sa mère le relève.

— Viens, ce n'est pas grave.

— Pourquoi nous ont-ils fait ça, maman?

— Je... je ne sais pas.

— Parce que nous sommes des sauvages?

— Peut-être.

— Ils faisaient ça à Gros-Ours?

— Non.

— Alors, pourquoi ils font ça à Small Bear?

— Quand tu seras grand et fort, ils ne le feront plus.

— Ils ne sont pas gentils comme Sam et le monsieur qui m'a donné un bonbon.

— Non. Ils ne sont pas gentils. Viens.

— Ma chemise?

— J'essaierai de la réparer.

Il la suit. Attristé de cette chemise qu'on doit réparer avant même de la confectionner.

— C'était bon le bonbon. Comme ça s'appelle?

— Un paperman.

— Paperman? Paperman, répète-t-il pour s'en rappeler.

Ça lui semble un mot sucré et mystérieux. Tout au long du chemin, il se le redit et redéguste la friandise.

Lorsqu'il verra Sam, il lui racontera qu'il a mangé un paperman.

Un noir silence devant ses yeux ouverts. Un loup hurle et sa plainte ressemble à quelque chose au fond de lui. Ce loup a de la peine, pense Clovis. Pourquoi pleure-t-il la nuit? Il ne dort pas. Qu'est-ce qui l'empêche de dormir; il fait noir et silence?

Et lui, qu'est-ce qui l'empêche de dormir? Il fait noir et silence et chaud sous la natte de lièvre, près du corps de sa maman. Elle, est-ce qu'elle dort?

Il n'ose bouger et écoute hurler le loup de la nuit communiant à son incompréhensible supplique.

Le souvenir du bonbon à la menthe s'est estompé plus rapidement qu'il ne l'aurait cru, le laissant avec un goût de défaite au fond de la gorge. La balle que Biche Pensive a reçue en plein visage lui fait encore mal. Beaucoup plus mal que toutes celles qu'il a reçues, lui. Il lui semble avoir failli quelque part. Il lui semble avoir déçu sa mère.

— Dors-tu? s'enquiert-il timidement.

Une main douce entoure son épaule et l'attire.

— Et toi, Small Bear, pourquoi ne dors-tu pas?

— Je ne sais pas.

— Ne pense plus à ce qui s'est passé; les enfants sont cruels entre eux.

— La grosse madame aussi.

— Elle avait peur que tu salisses son bocal.

— C'est ce qu'elle a dit?

— Oui. Je t'apprendrai leur langue.

— Non... je n'y tiens plus... vraiment plus.

— Il le faut.

— Pourquoi?

— Un jour viendra où je ne serai plus là pour traduire.

Il enlace Biche et l'étreint frénétiquement. Pourquoi parle-t-elle de cette séparation atroce? Ne sait-elle pas toute la peine que cela lui fait? Juste à y penser, son cœur s'étrangle et les larmes lui montent aux yeux. Il aimerait mieux mourir, lui, plutôt que de la laisser, elle, dans un arbre comme son grand-père. Sam lui a dit qu'il restait quelque part dans la forêt, avec ses beaux yeux noirs ouverts sur le ciel.

Pourquoi parle-t-elle de ce jour redoutable? Et inévitable? Ne sait-elle pas toute l'angoisse qu'elle éveille? Elle caresse ses cheveux.

— Voyons Small Bear, ce n'est pas pour tout de suite, han? Est-ce que j'ai l'air vieille?

— Non.

— Est-ce que j'ai l'air malade?

— Non.

— Alors, nous en avons pour longtemps ensemble.

— Je veux que tu sois toujours maman. Toujours avec moi.

— Je serai toujours avec toi. Et puis, un jour, quand tu seras un homme, tu épouseras une autre femme.

— C'est toi que j'épouserai.

— On n'épouse pas sa maman.

— Je resterai toujours avec toi, je te protégerai quand je serai grand et fort. Personne ne te lancera des balles de neige en plein visage.

Sa voix s'étouffe en un sanglot. Elle le presse davantage. Il appuie sa joue sur ses seins et y déverse son chagrin.

Biche le laisse se soulager et comprend la profondeur de sa tristesse. La sensibilité extrême de Clovis la tourmente et elle sait qu'il pleure sur l'être aimé qu'on a bafoué à ses yeux plus que sur le tissu déchiré et l'humiliation qu'il a lui-même subie. Il pleure parce qu'il était trop petit pour la défendre. Il pleure parce qu'il l'aime plus que tout au monde et ne veut pas qu'on lui fasse mal. Biche s'interroge et ne sait comment protéger son fils de cette société.

Depuis sa naissance, elle le tient isolé. En lieu sûr. Dans la forêt. Rien ici ne peut blesser son âme. Avec elle, il a appris à vivre de la nature. La forêt est son amie, sa mère, sa protectrice.

Ici, il est un jeune roi. Il va et vient où il veut dans son royaume. Là-bas, chez les Blancs, il est l'enfant du mal. Là-bas, on le méprise. Là-bas, on le blesse.

Elle se sent coupable de cette vie déjà brisée qu'elle offre à l'enfant et la compare à la chemise qu'on doit réparer avant de la confectionner. Mais comment réparer? Comment rallier

Clovis au reste de la société sans que cette société ne l'anéantisse? Par le baptême. Oui, par son baptême, elle en ferait un des leurs. Si seulement le curé consentait à la recevoir! Mais à chaque fois qu'elle a tenté de pénétrer le lieu saint, il l'a chassée. Pour elle, elle le sait, c'est peine perdue. Elle est damnée à tout jamais et ne portera plus la croix à son cou. Elle a brisé tous ses vœux et a commis le péché d'adultère tant de fois, que sa place en enfer lui est réservée. Mais pour lui...

L'enfant s'est endormi. Son haleine tiède réchauffe sa poitrine. Elle le déplace avec précaution et s'étend près de lui, veillant son souffle calme.

Un loup hurle. A son tour de communier à sa détresse.

Elle passe le bout de son doigt sur le nez et les lèvres de Clovis et, dans la noirceur, se rappelle sa beauté incontestable.

Clovis, le nom d'un jeune roi. Small Bear, un nom de jeune Indien. Jusqu'ici, il a été Small Bear plus que Clovis, puisque jusqu'ici il a grandi à l'abri des arbres. Mais le mal s'est infiltré dans son âme délicate et l'a torturé.

Ce mal le défie. Il devra affronter le village un jour ou l'autre. Il devra affronter ce qu'on appelle société, civilisation. Il n'y a plus de fuite possible vers le nord. Il est mi-Blanc, mi-Indien. Les deux races se partagent son sang et il devra grandir avec les deux races sans se diviser. Il devra unir en lui l'Algonquin et le Canadien français. Cette tâche demande des armes et Biche Pensive veut s'assurer qu'il les aura. Clovis sera baptisé ce printemps. A Pâques. Qu'importe les humiliations qu'elle aura à subir! Tout l'amour qu'elle voue à Philippe se cristallise sur leur enfant. Lui seul compte maintenant.

Elle retouche le beau visage de son fils. « Il sera beau », avait dit Philippe. Et l'acte accompli à l'anse au doré jaillit en elle avec toute sa force et sa passion.

Et longtemps, dans la nuit, elle écoute hurler le loup, mêlant ses angoisses aux siennes. Accompagnant son cri de silence à ce cri de bête. Chacun au fond de sa nuit sans fond.

Son village

— Tu peux y aller, a dit Honoré, la ménagère vient de partir. M'as garder ton p'tit.

Et la voilà sur la galerie. Tremblant de peur plus que de froid. La porte s'ouvre si brusquement qu'elle sursaute.

— Qu'est-ce que tu fais là, toi? lui demande le curé de sa voix dure.

Biche Pensive lance un regard implorant à Alcide et tombe subitement à ses genoux, ployant sa tête dans une attitude de fervent repentir.

— Confessez-moi mon père.

Il retient un léger sourire de victoire et dit, sans fléchir sa voix autoritaire:

— Pas ici sur la galerie. Entre!

Elle le suit jusqu'au salon. Il baise son étole, se la passe au cou et prend place dans sa bergère de velours. Puis, calmement, silencieusement, il la parcourt d'un long regard désapprobateur avant d'ordonner:

— A genoux, pécheresse!

Elle obéit.

— J'écoute.

— Me rappelle plus la formule.

— Ça fait longtemps, hein?

— Oui, mon père.

— Dis tes péchés.

— J'ai un enfant.

— Un bâtard.

— Un bâtard. J'ai fait le mal avec un homme.

— Un protestant en plus.

— ...

— J'ai commis le péché de la chair avec un protestant. Répète.

— J'ai commis le péché de la chair avec... il n'était pas protestant.

— Sam est protestant, réplique impatiemment Alcide.

— Pas avec Sam.

— Ah? Qui donc alors? demande le curé vivement intéressé.

— Je peux pas le dire.

— Bon! Ça règle tout.

Il se lève aussitôt et arrache son étole en disant:

— Eh bien, moi je peux pas donner l'absolution. Comprends-tu ça?

Elle s'accroche à ses mains. Il les retire comme si elle les avait brûlées ou salies.

— Ne me touche pas, impure!

— Vous garderez le secret?

— Le secret de la confession voyons.

Il la sonde du regard et, la voyant insister pour que le secret se préserve, il se convainc que le coupable doit avoir une certaine importance. Quelqu'un a faibli dans sa petite communauté. Quelqu'un s'est sali avec la sauvagesse et ne s'en est pas accusé. La curiosité le dévore. Un instant il pense à Gadouas, mais se souvient que celui-ci lui avait confirmé qu'elle était impure lorsqu'il l'avait violée. Qui donc? Qui, parmi tous ses fidèles, s'est compromis avec elle?

Il remet l'étole en menaçant:

— Tu vas me dire qui sinon je t'excommunie pour de bon. Tu sais ce que ça veut dire, excommunier?

Elle fait signe que oui. Il reprend sa place.

Biche Pensive cache son visage.

— Ne me fais pas patienter.

— C'est... le docteur, avoue-t-elle d'une voix déterminée.

Alcide pose sa main devant ses lèvres pour masquer sa satisfaction.

— Hmm! fait-il en serrant son poing droit. (Je te tiens mon beau docteur, pense-t-il. Je l'ai ton point faible. Ta maîtresse t'a vendu.)

Il n'ose croire en une telle occasion et se renseigne.

— Le docteur Lafresnière?

— Oui.

— L'enfant est de lui?

— Oui.

— Tu en es sûre?

— Oui.

— Hmm! Tu sais qu'il est marié?

— Oui, je sais.

— Péché d'adultère. L'as-tu fait juste une fois?

— Non.

— Combien de fois?

— Je sais pas.

— Compte-les. Quand on accuse ses péchés on les accuse tous et comme il faut.

Un temps. Biche Pensive tente de se rappeler les fois où Philippe venait la visiter. Et ce qu'ils faisaient ensemble lui semble maintenant si obscène que la honte et le remords l'envahissent et la paralysent. De peur d'en oublier, elle en ajoute.

— Trente fois.

— C'était quand la dernière fois?

— Deux ans.

— Il y a deux ans?

— Oui.

— Pourquoi?

— Le petit; on avait peur qu'il regarde.

— Ah! Et comment se fait-il qu'il n'y ait pas eu d'autres petits?

— Il... il... s'arrangeait pour ça.

— C'est dégoûtant! De la luxure! N'as-tu pas honte, fille de mauvaise vie, d'avoir entraîné un homme marié, un père, un notable de la place? On devrait te fouetter pour ces crimes. Putain! Tu n'es qu'une sale petite putain sauvagesse. Une impure! Une débauchée! Une traînée! Voilà ce que tu es! Une débauchée! Ah! J'ai bien fait de mettre les gens en garde contre toi. Mais ce pauvre docteur, tu l'as perdu! Tu lui as ouvert les portes de l'enfer! Tu l'y as précipité! Ne lui parle jamais de ta confession. Donne-lui au moins la chance de venir vers Dieu de lui-même, ajoute-t-il d'un ton plus modéré.

Elle tremble de plus en plus et se laisse condamner. Ses péchés grandissent à chaque parole et chaque parole la minimise à ses yeux. Elle se dégoûte. Se voit laide, puante, sale.

— Comme pénitence, tu diras deux neuvaines.

— Merci, mon père.

Elle se signe, sachant d'avance qu'elle dira quatre neuvaines pour être plus certaine d'être pardonnée.

— Mon enfant?

— Quoi ton enfant?

— Je peux le baptiser maintenant?

— Tu veux le faire baptiser?

— Oui.

— Hmm! Je ne sais pas, c'est un enfant adultérin.

— Quoi?

— Un bâtard en termes plus à ta portée. Quel nom a-t-il?

— Clovis.

— Hmm! Clovis qui?

— Je sais pas.

— Tu ne peux pas l'appeler Lafresnière.

— Clovis Sauvageau?

— Oui. Ça lui irait. As-tu trouvé un parrain, une marraine?

— Oui. Honoré et Rose-Lilas.

— Hmm! Ceux-là.

Il soupire puis hoche la tête.

— Ça pourrait aller. Quel âge a l'enfant?

282

— Cinq ans en avril.

— Il est pas mal vieux mais il n'y a pas d'âge pour se faire baptiser. Veille sur lui jusqu'à Pâques. S'il venait à mourir, ton fils irait droit en enfer. Tu as pris de grosses chances avec lui. Maintenant, va-t'en prier.

Il l'expédie d'un geste impatient. Elle disparaît et Alcide éclate d'un fou rire lorsqu'il la voit se presser vers l'église.

— Merci Seigneur, marmonne-t-il en se promenant de long en large. Je te tiens par les gosses, mon beau docteur!

— Quoi c'est m'sieu l'curé? demande Ernestine qu'il n'avait pas entendu entrer.

— Rien, rien. Je priais.

— Ah! Bon. Priez pour nous pauvres pécheurs.

— C'est ça, je prie pour vous, je prie pour vous, répète Alcide en soulevant le rideau de guipure et en contemplant son village.

Aucune de ces maisons, maintenant, ne lui cache de secret. Il sait ce qui se passe sous chaque toit. Et il connaît le talon d'Achille de chaque homme. Le dernier qui lui résistait vient d'être involontairement trahi.

Chaque être a ses rouages, chaque famille, son mécanisme. Pièce par pièce, il les a vaincus et possédés. L'ensemble lui appartient. Il connaît chacune de ces pièces et connaît l'imbrication des unes sur les autres. A lui de jouer enfin.

Un sentiment exaltant de puissance le comble tandis qu'il contemple son village.

L'enfant-roi des bois

Biche se presse sur ses raquettes. Il a de la peine à la suivre et se demande pourquoi elle se hâte tant. D'ailleurs, il a du mal à comprendre son enthousiasme.

Il y a un mois, elle lui a acheté du tissu neuf pour une chemise. Il aurait dû être content, mais la couleur ne lui plaisait pas. C'était blanc et sans carreau. Maman lui a assuré qu'il était très beau là-dedans et avait l'air d'un ange. Il lui a demandé ce que c'était qu'un ange et elle lui a expliqué que c'étaient des êtres avec des ailes sur le dos qui conseillaient de bonnes actions. Ça ne lui plaît pas de ressembler à ça et il regrette de ne pouvoir porter sa chemise de trappeur, même si elle a été déchirée avant d'être cousue.

Il ne comprend pas pourquoi ils se sont levés si tôt, pourquoi elle a prié devant la croix de bois, pourquoi ils ont emprunté le chemin du village au lieu d'aider Sam à bouillir de l'eau d'érable et pourquoi il porte la chemise blanche. Sa mère lui a dit qu'il se fera baptiser et qu'il appartiendra à la même religion qu'elle. Elle lui a expliqué que c'est un grand événement pour lui.

Il ne sait pas ce que c'est qu'une religion. Biche lui a parlé des animaux et de Celui qui les avait faits. Et de Celui qui avait fait les hommes. Elle lui a raconté que les gens se réunissaient dans la grande bâtisse pour le prier. Il ne sait pas ce que ça veut dire prier. Lorsqu'il sera baptisé, il pourra se mettre à genoux avec eux dans la grande bâtisse. Vont-ils encore déchirer sa chemise?

Il retarde volontairement. Biche s'impatiente et tire sur son bras. C'est la première fois qu'elle le bouscule. Il s'en attriste et adopte son rythme rapide.

Le gros homme au bonbon les attend sur le perron. Une femme se tient près de lui. Sa peau très blanche et ses cheveux rouges le ravissent. Il demeure un long moment, la bouche ouverte, à admirer cette couleur vibrante. D'un geste calme, cette femme a remis ses cheveux en ordre et lui a souri.

Ils entrent tous ensemble dans la grande bâtisse. Elle est presque vide. Un homme et un petit garçon en robe l'attendent en avant. Le petit garçon aussi a les cheveux rouges. Intrigué, apeuré, il pense à s'enfuir chez lui mais sa mère lui enlève sa veste de daim.

Les gens le regardent comme s'ils étaient satisfaits de son apparence. Biche le pousse doucement vers l'homme en robe. Il obéit. Le gros homme au bonbon toussote et le plafond amplifie ce son. On dirait de l'écho prisonnier.

Beaucoup de bancs et, au bout des bancs, des vitres pleines de couleur. Le petit garçon rouge le regarde venir. Il n'a pas les mains derrière le dos. Était-il de ceux qui les ont attaqués? L'homme à ses côtés a un visage méchant. Le regard de cet homme semble le rejeter au lieu de l'inviter.

Vêtu de blanc, l'enfant-roi des bois,
Avance d'un pas souple et silencieux
Dans ses mocassins brodés.

Alcide le regarde venir à lui. « Laissez venir à moi les petits enfants. » Mais cet enfant-là l'émeut soudain. Cet enfant-là, qu'il a lui-même surnommé l'enfant du mal, le charme par l'harmonie frappante qui se dégage de sa jeune personne. On dirait réellement un jeune prince, tant par sa démarche que par la noblesse de ses traits.

Plus il s'approche et plus le cœur d'Alcide réagit. Comment l'enfant d'un péché peut-il être si beau? De loin, il était l'harmonie mais de près, il incarne la beauté. Une beauté frappante et déroutante. Ses yeux étincellent dans son visage candide. Ses yeux brillent d'un feu étrange et pur. Alcide durcit davantage son visage pour cacher l'impression que produit l'enfant.

Et le voilà tout près. Examinant les bancs, les vitraux, la chasuble et finalement, voilà que se pose sur Alcide le regard noir et pénétrant. Le prêtre fronce davantage les sourcils pour impressionner le petit et son auditoire, et tend à donner à son expression toute la sévérité qu'il faut face à un païen.

Mais l'enfant ne bronche pas et garde sur lui ses yeux saisissants. Alcide se sent fouillé, remué, bouleversé. Ce regard sans haine, sans mensonge, sans gloire et sans peur se confond au regard du petit Jésus. Oui, qui dit qu'Il n'avait pas de ces yeux intensément noirs et doux? Après tout, Il était Juif. Qui dit qu'Il n'avait pas ce teint cuivré contrastant avec le blanc de sa robe? Qui dit qu'Il n'avait pas ces mèches noires sur son front racé?

Un sentiment, jusqu'alors inconnu, ébranle les convictions d'Alcide qui hausse le ton de peur de rester sans voix.

La cérémonie débute. Et voilà qu'il prend l'eau et la verse en disant: « Je te baptise, au nom du Père, du Fils et du Saint-Esprit. »

Voyant les longs cils de Clovis ombrager ses joues, les

doigts du prêtre tremblent et renversent toute l'eau. Les gouttelettes coulent sur le fin visage et Alcide, pour la première fois depuis son ordination, éprouve une communion réelle et révélatrice avec son Dieu. Avant, les cérémonies et célébrations n'étaient que des gestes. Des gestes qui ne parvenaient pas à le rapprocher de l'Être suprême. C'était comme du théâtre. Mais aujourd'hui, il n'a pas acté. Il a été. Il a baptisé comme Jean dans le désert. L'eau a coulé et lavé la tache originelle du trop bel enfant. Il a remis à Dieu cet être qui ne peut qu'appartenir à Dieu.

Alcide connaît une telle extase qu'il efface les origines de Clovis. Il efface le père, la mère et l'acte qui l'a créé. Clovis vient de naître aujourd'hui. De naître à la vraie vie. Et c'est par lui qu'il vient de naître à la vie éternelle. Par lui: Alcide Plamondon, prêtre.

Le curé achève sa cérémonie. Goûtant chaque seconde de cette minute de pureté et de vérité. Son âme se lave de toute souillure par l'amour soudain qu'il éprouve pour le jeune néophyte. Et des espoirs insensés naissent en lui. Espoirs qui se muent en certitudes: un jour, il sera prêtre; il est déjà si près de Dieu. « Je vous offre cet enfant, Seigneur. »

L'église se remplit. Le gros homme au bonbon les invite dans son banc. Tout le monde les dévisage. Une autre cérémonie débute. Clovis imite les gestes de Biche Pensive, se levant, s'assoyant, s'agenouillant et ployant le front. Il ignore que le curé parle de lui au sermon et se demande pourquoi on le regarde soudain avec plus de clémence. Puis, l'homme à la robe distribue des papermans. Tous s'avancent et s'agenouillent. Il suit sa mère; elle lui dit de rester au banc. Il retourne à sa place d'un air déconfit. Voyant d'autres enfants exclus de la distribution, il se remet vite de cette contrariété et observe Biche Pensive revenue près de lui. Ses yeux sont clos. On dirait qu'elle goûte; elle doit amasser beaucoup de salive pour laisser fondre son bonbon. Lorsqu'elle se rassoit, il lui demande:

— Il était bon ton paperman?

— Ce n'est pas un paperman.

— C'est quoi?

— C'est le corps de Notre-Seigneur Jésus-Christ.

— Qui?

— L'homme de la croix.

Clovis s'éloigne d'elle, dégoûté. Puis il examine longuement le cadavre déchiqueté de la croix. Ça l'écœure. Pourquoi sa mère a-t-elle mangé de cette viande qu'ils ont conservée il ne sait comment? Elle n'était ni boucanée, ni séchée. Et ça n'avait pas l'air de la viande mais bien d'un paperman. Heureusement qu'il n'y a pas goûté. Mais sa mère l'a tout mangé. Et tout le monde en a mangé. Le voilà parmi des mangeurs d'homme.

C'est bizarre. Ils prient le cadavre sur la croix, ils disent qu'ils l'aiment et finissent par le manger tous ensemble. Tantôt, on lui a renversé un bol d'eau sur la tête et depuis, la grosse dame du magasin général lui a souri. Sans doute parce qu'il faisait partie de leur religion. C'est ça une religion? Une cérémonie maléfique où l'on déguste de la viande humaine? Quand le forcera-t-on à en manger aussi? Il ne comprend rien et s'interroge s'il serait capable de manger le cadavre de son grand-père. Son estomac se contracte. Les galettes du matin, arrosées du sirop de Sam, remontent dans sa bouche. Il regarde le crucifix et des nausées de plus en plus fortes l'indisposent. Des gouttes de sueur perlent à son front.

— Maman!

Il a du mal à respirer. Et froid et chaud en même temps.

— Vite, tu vas vomir. Retiens-toi, supplie Biche en le poussant vers la sortie.

Les galettes se répandent sur le perron. Sa mère tient son front. Les gens sortent. Ils ont fini de manger. Son estomac se contracte en vain. Le gros homme au bonbon pose sa veste de daim sur ses épaules et frotte son dos pour le réchauffer, tandis qu'un monsieur bien habillé tâte son front.

— C'est l'émotion, annonce Honoré, c'est tout nouveau pour lui. On va l'emmener à maison. Viens-tu doc?

Philippe n'attendait que ça et, pour donner plus de poids au prétexte qu'Honoré vient de trouver pour lui, il s'empare de Clovis et le porte dans ses bras comme s'il était très malade. Mais l'enfant résiste et se tortille tellement qu'il doit le déposer et se contenter de lui tenir la main jusqu'à la maison d'Honoré.

Le monsieur qui a voulu l'emmener dans ses bras n'arrête pas de toucher son front et de prendre son poignet.

— C'est l'émotion, répète Honoré. Eille, c'est tout un événement pour lui: c'est la première fois. L'encens, le monde...

— Il a encore des spasmes. Allez chercher un plat.

A chaque fois que ces gens s'approchent de lui, Clovis sent leur haleine putride lui soulever le cœur. Même sa mère provoque cette réaction. Il aimerait se voir avec Sam, à cueillir de l'eau d'érable. Il aime bien Sam. Et Sam ne mange pas le pauvre monsieur de la croix. Il mange du bon chevreuil, du lièvre, de la perdrix, du castor, du rat musqué, enfin toutes ces bonnes viandes animales, bien boucanées, séchées ou cuites.

— As-tu mal ailleurs? demande sa mère inquiète.

— Non.

— Qu'est-ce qui te donne mal au cœur comme ça? Comment étais-tu quand tu t'es levé?

— Je veux pas... pas que tu manges... l'homme de la croix. J'en mangerai jamais, jamais.

Un nouveau spasme soulève ses boyaux mais il n'a plus rien à vomir.

— Je sais ce qu'il a, explique alors Biche Pensive.

Elle leur traduit les paroles de son enfant. Un froid tombe dans la chaude petite cuisine.

— Y a pas compris, constate Honoré.

— Comment veux-tu qu'il comprenne Honoré! défend Philippe d'un ton offusqué. C'est un enfant des bois; il ne sait rien de notre religion. Et tout à coup, on lui dit comme ça qu'on mange des bouts de viande humaine. Explique-lui, Biche. Dis-lui que c'est un symbole; il le faut, sinon il va se faire toutes sortes d'idées, pauvre petit.

Et instinctivement, Philippe s'empare de la main de Clovis et la tapote gentiment. Le regard affectueux qu'il lui dédie est si évident qu'Honoré frémit à voir le médecin se compromettre de la sorte. L'ardeur avec laquelle il a défendu Clovis et cette attitude toute paternelle à son égard éveilleraient les soupçons de la majorité des gens. Heureusement qu'il n'y a que Rose-Lilas, Félix, Florence et Jérôme comme témoins de la scène.

Biche traduit tandis que Philippe observe l'expression de l'enfant. Ils sont tous les deux tout près de lui. Un à sa gauche, l'autre à sa droite. L'image de cette famille frappe vivement Honoré. Quand ses membres ont-ils la chance d'être réunis? Philippe lui a avoué ne plus fréquenter Biche sur la demande de celle-ci. Quand a-t-il la possibilité de voir ce fils unique avec lequel il ne peut communiquer verbalement? L'émotion de cet homme est si forte qu'elle fait peine à voir et le cœur d'Honoré se serre. Oui, comme ça lui fait mal de voir cet ami dévorer son fils d'un regard avide et douloureux au point de trahir son terrible secret.

Clovis indique d'un geste de la tête qu'il a compris.

— A la bonne heure, dit Philippe. Il a compris. Je savais qu'il était intelligent. Bon. Je crois que vous n'avez plus besoin de moi, dit-il à regret.

Il se lève rapidement et ses traits s'altèrent un peu.

— Reste avec nous. On va dîner là.

— On m'attend à la maison. Merci bien quand même.

Sa voix s'étrangle et, tandis qu'il parle à Honoré, il ne peut détacher son regard des deux êtres qu'il aime.

— Si tu veux l'examiner plus, tu peux toujours te servir de ma chambre.

Philippe interroge Biche d'un regard suppliant. Elle refuse.

La voyant repousser la tentation avec tant de résolution, le médecin se résout à retourner chez lui sans l'embrasser et sans cajoler le petit. Il se penche cependant vers lui et se permet de caresser sa joue en faisant mine de constater sa température.

Il s'attarde plus longtemps que ne l'exige la profession sur cette peau soyeuse qui a repris ses teintes habituelles. Les diamants noirs de ces yeux luisent jusqu'au fond de son âme torturée. Il aimerait sourire, mais se contente de serrer les mâchoires pour ne pas pleurer. Alors, inexplicablement, les yeux de l'enfant s'illuminent davantage et lui sourient bien avant sa bouche aux dents parfaites. Et ce sourire chaud et pur glisse en lui comme un baume sur une plaie vive.

— Tu as un beau fils, dit-il à Biche en contemplant tendrement l'enfant.

Puis il se retourne et les quitte. Honoré et Biche savent qu'il a voulu dire: « J'ai un beau fils. »

L'institutrice

Mathilde traverse le vestiaire en comptant machinalement les crochets. Quarante! totalise-t-elle en arrivant devant la porte entrouverte de la classe. Le vide et le silence de la pièce qui s'offre à elle soulève à nouveau ses inquiétudes. Cette nouvelle école demeurera-t-elle inutilisée pendant une année? Les blonds pupitres aux pattes de métal conserveront-ils cette allure ennuyeuse et inutile, ainsi que le tableau trop neuf et trop noir?

Elle arpente la rangée du milieu et le glissement de sa jupe lui rappelle le passage discret de la surveillante d'étude, que seul ce léger froufroutement trahissait. Elle ramène ses mains à la taille, relève un peu son petit menton carré et se répète: « Il faut qu'ils acceptent. »

Arrivée à l'estrade, elle contourne respectueusement le bureau de l'institutrice et le convoite un long moment avant d'aller s'asseoir à un pupitre et d'y attendre la décision du conseil municipal.

Seize ans! Elle n'a que seize ans et il en faut dix-sept. Le curé le lui a répété combien de fois! Tout s'annonçait si bien jusqu'à ce qu'il calcule son âge d'après son certificat de baptême. « Je ne vous pensais pas si jeune mademoiselle Lafresnière. Vous ne paraissez pas votre âge mais je dois me conformer à la loi; nous n'avons pas le droit d'engager une personne qui n'a pas ses dix-sept ans révolus. » Quelle déception! Tout l'été, le conseil a multiplié ses demandes d'institutrice pour l'école nouvellement érigée. Heureusement, personne n'a postulé l'emploi. Et voilà qu'en cette fin d'août, le curé est venu la chercher à la maison et l'a emmenée devant l'école. « Je vous prête les clés. Allez visiter et attendez-moi ici. Je crois pouvoir arranger quelque chose pour vous à la séance spéciale du conseil. »

Quelle belle classe! Propre. Neuve. Aérée. Bien éclairée par six fenêtres. Un poêle, également neuf, épaulé d'une solide boîte à bois, attend la première attisée, les premières mitaines à sécher, les premières gelures à chauffer. Le bon sens et le bon goût d'Honoré transpirent dans cette simple et solide construction. Tout a été pensé et calculé pour offrir un maximum de confort et de lumière aux élèves et à son professeur.

Mathilde s'imagine être une pupille et observe le magnifique bureau élevé sur l'estrade. Que d'autorité s'en dégage! Une cloche, une claquette et une verge attendent la main du maître qui régira les heures du jour. La cloche pour les récréations et la rentrée, la claquette pour l'heure des prières et l'exécution des diverses positions qu'il sied de connaître durant les offices religieux, et la verge pour tirer les lignes droites, mesurer, pointer et peut-être, peut-être punir. Mathilde retrace avec désagrément les rares fois que les Dames de la Congrégation ont eu à sévir corporellement. Pour sa part, elle n'a attiré que félicitations et louanges, car un simple froncement de sourcils réussissait à renforcer son souci de perfection et d'obéissance. La mère supérieure lui a même déclaré qu'elle avait toutes les qualités requises pour prendre le voile et propager l'enseignement supérieur dans les institutions de Montréal. Pourquoi a-t-elle refusé au juste? Probablement parce qu'elle avait une grande envie de revoir sa famille, de revoir le village et de se dévouer dans un coin perdu. Elle se souvient de ce soir où son père lui avait dit: « Ce village a besoin de toi et de moi. » Et cela importe beaucoup qu'on ait besoin d'elle. Et cela importe beaucoup qu'elle puisse aider. Tient-elle cela de lui?

Combien de fois elle l'a vu revenir à l'aube, les traits tirés et la barbe naissante, après une nuit passée près d'un malade, avec une douzaine d'œufs ou un gallon de sirop pour tout honoraire? Souvent ce n'était rien du tout. Et il se déplaçait autant pour ceux qui ne payaient pas que pour ceux qui payaient, au grand désespoir de sa mère. Il avait vieilli aussi, constate-t-elle avec une pointe de tristesse. Cela l'avait frappée à la descente du train. Cet homme légèrement voûté, avec ses tempes grises et ses yeux fatigués, c'était son père. Il n'incarnait plus la force et l'impétuosité de naguère, mais une profonde et douloureuse lassitude. Pourtant, il n'avait que quarante et un ans. S'était-il trop dépensé pour les autres? Et pour elle? Comment avait-il pu trouver les fonds nécessaires à son instruction?

Maintenant, elle espère avoir la chance de le rembourser et de le seconder au village. Lui donneront-ils cette chance? Si les gens du conseil savaient jusqu'à quel point elle désire s'occuper des enfants du village, ils passeraient sous silence ses seize ans et lui laisseraient mener à bonne fin le bien qu'elle a l'intention de prodiguer. Elle enseignerait d'abord et avant tout l'hygiène, la propreté, les bonnes manières, puis le catéchisme et la lecture. Elle formerait les futures mères et les futurs pères du village, qui sera peut-être un jour une petite ville. Il y a tant à faire!

— Je vous apporte une bonne nouvelle, annonce le curé, accoté au chambranle de la porte.

Elle sursaute.

— Vous ne m'avez pas entendu venir?

— Non.

— Vous êtes acceptée mademoiselle Lafresnière, mais...

Elle se lève avec un sourire vacillant.

— Mais quoi?

Alcide s'avance lentement vers elle. Elle ne peut analyser son visage. L'éternelle expression d'autorité et de sévérité empreint ses traits et l'éclat gris de ses yeux rehausse la froideur de sa personne. Le voilà tout près, beaucoup plus grand qu'elle, imposant dans sa soutane noire, avec ce regard intransigeant posé sur elle. On dirait un aigle au-dessus d'une souris.

— Mais nous ne pourrons pas vous payer. C'est à prendre ou à laisser. Il serait illégal de vous payer puisque vous n'êtes pas légale.

— Ah.

— Vous êtes déçue?

— Non, non.

— Oui, vous l'êtes. Cela paraît dans votre visage, mademoiselle Lafresnière. Vous êtes comme votre père; vous avez beaucoup de misère à cacher vos émotions. Il faudrait apprendre à vous guérir de ça: ce n'est pas bon pour une institutrice.

Elle le regarde et une force inconnue l'envahit. Sait-il tout le courage qu'il vient de lui donner en la comparant à son père? Sait-il aussi l'effort incroyable qu'elle a déployé au cours de son adolescence pour arriver justement à traduire ses émotions, elle qui était si froide et réservée dans son enfance? C'est alors qu'elle retrouve facilement le flegme qui lui était propre.

— En quoi consiste la tâche, au juste? demande-t-elle d'une voix parfaitement maîtrisée.

Alcide fronce un sourcil, décontenancé. Cette jeune femme réagit contrairement à ses espérances. Au lieu de rougir et de balbutier, elle lève son visage rose avec une dignité et un calme égal au sien.

— Trente-deux élèves. Tous en première année. Préparation à la première communion.

— C'est une tâche que je puis assumer.

— Ensuite, vous devez arriver avant la rentrée pour chauffer le poêle et laver le plancher une fois la semaine.

— C'est tout?

— L'entretien du tableau et la discipline.

— Un peu de lecture ne ferait pas de tort également. Et le calcul aussi.

— Ce qui importe avant tout c'est la préparation pour la première communion.

— Y en a-t-il qui ont déjà fait leur première communion?

292

— Dans les plus vieux, il y en a. J'ai la liste ici. Vous leur ferez faire autre chose. Acceptez-vous?

— Oui.

— Sans salaire aucun?

— Sans salaire aucun.

— Bon. C'est parfait et l'année prochaine, si vous faites l'affaire, nous pourrons vous payer puisque vous aurez vos dix-sept ans.

— Très bien.

— Comment aimez-vous votre classe?

— Elle est très bien bâtie, mais où pourrai-je puiser l'eau pour laver?

— Il y a une source derrière.

— C'est parfait.

Alcide monte sur l'estrade et désigne le bureau de la maîtresse:

— Vous voyez, j'ai pensé à tout. J'ai déjà été enseignant lorsque j'étais jeune clerc. Rien ne manque, la cloche, les claquettes et la verge.

Cela dit, il s'en empare et la ploie afin d'éprouver sa flexibilité.

Mathilde ressent tout à coup une peur inexplicable en voyant luire curieusement le regard d'Alcide.

— Croyez-vous aux punitions corporelles, mademoiselle?

— Ça dépend.

— De quoi?

— De la faute commise.

— Dieu châtie nos corps, n'est-ce pas?

— Oui, au jugement dernier.

— Alors, pourquoi pas nous? Pourquoi ne pas éviter aux autres la damnation éternelle?

— Quelquefois, il peut y avoir d'autres moyens.

— Croyez-moi, c'est avec ça qu'ils obéissent. C'est un très bon moyen pour dompter les têtes fortes. Vous en aurez besoin. Vous en aurez besoin.

Il donne un coup imaginaire. Le sifflement de la verge glace Mathilde. Elle se rend à l'évidence que le curé lui a toujours inspiré plus de peur que de respect.

— D'ailleurs, je viendrai une fois par mois à titre d'inspecteur d'école.

— Très bien.

— J'aimerais que vous ayez un cahier de préparation.

— Vous l'aurez. Combien y a-t-il de livres pour les élèves?

— Nous avons une dizaine de catéchismes et trois livres de lecture.

— Ce n'est pas beaucoup.

— Ils se mettront trois ou quatre par livre. La fabrique est assez pauvre, vous savez.

— Oui, je sais.

— D'ailleurs tout ce pays est extrêmement pauvre.

— Je sais également. Y a-t-il des craies?

— Deux boîtes pour l'année. D'autres questions?

— Non.

— Il est évidemment inconvenable que l'institutrice fréquente un jeune homme ou parle à un jeune homme ou encore qu'elle porte des vêtements indécents.

— Je crois que ce n'est pas mon cas.

— Vous destinez-vous au célibat?

— Aussi étrange que cela puisse vous paraître, oui. D'autres questions?

— Non, mademoiselle. Vous pouvez disposer.

— Merci, monsieur le curé. A la rentrée donc.

— A la rentrée.

Après un dernier coup d'œil à sa classe, elle le quitte et s'engage sur le chemin, d'un pas posé et décidé. Le curé la regarde aller un bon moment, ne sachant quoi lui reprocher au juste. Sa jeunesse ou sa perfection, sa précoce maturité ou sa capacité insoupçonnée de cacher ses émotions.

Cette élégante silhouette au maintien parfait lui cache-t-elle une ennemie, une alliée, une servante? Comment pourra-t-il se servir d'elle et le pourra-t-il? Elle lui glisse entre les doigts comme la froide couleuvre. Où est son point faible? Tout lui appartient. La beauté et la force d'en faire le sacrifice, l'intelligence et le moyen de l'utiliser, le sentiment et l'adresse de le dévoiler, où, à qui et quand il sied de le dévoiler. Dommage qu'elle soit une femme, pense-t-il soudain. Tout ce beau caractère gaspillé.

Il secoue la tête, perplexe, avant de cadenasser la porte jusqu'à la rentrée. Là, et là seulement, il lui remettra les clés pour l'année.

Philippe, à la lueur de sa lampe, achève d'inscrire des notes dans ses dossiers. Mathilde s'approche de lui en annonçant:

— J'ai eu le poste, papa, mais...

— Mais quoi, ma chérie? demande-t-il en continuant d'écrire.

— Ils ne veulent pas me payer.

— Rien que ça?

Elle pose ses mains sur ses épaules et se penche par-dessus.

— Pauvre papa! C'est illisible. Comment faites-vous pour vous comprendre?

— J'ai un don de double vue.

La jeune fille pose ses doigts sur les tempes et les masse doucement.

— Vous travaillez trop, papa.

— Tu crois ça, toi?

— Oui. Vous devriez vous reposer.

— Et qui soignera les malades?

— Personne.

— Tu vois, je ne peux pas me reposer.

— Si au moins on vous payait.

— Je suis payé, ma chérie, je suis payé. Tu verras, lorsque tu enseigneras, tu y puiseras tes propres récompenses.

D'un geste tendre, elle presse la tête de son père contre elle, puis embrasse ses cheveux indomptables. Philippe laisse sa plume. Comme il se sent maintenant près de sa fille! Il se retourne et l'admire un moment.

— Tu sais que tu es devenue une belle jeune femme.

Elle sourit.

— Et tu m'as l'air pétante de santé.

Elle rit.

— Vous avez de ces termes maintenant: pétante de santé.

— Tu me feras de beaux petits-enfants, un jour.

— Non, papa. Je ne veux pas me marier.

— Oh! Tu te marieras bien, tu verras.

— Non. Je ne le désire réellement pas.

Elle s'éloigne de lui avec une expression qu'il ne sait blessée ou choquée. Il s'empare de ses doigts et l'attire vers lui. Mais le beau visage rose s'est refermé et lui cache le fond de son âme.

— Bonne nuit, papa.

— Bonne nuit, ma chérie.

Mathilde, immobile dans ses draps frais, regarde la grosse lune blanche trouer le ciel. Elle imagine son père, assis sur le bord du lit, et ferme les yeux pour retrouver cette image des épaules qui se penchent vers elle pour lui souhaiter bonne nuit. Comme elle l'aime! Il éclipse tous les jeunes gens du village. Qui ici pourrait l'égaler et même souffrir une comparaison avec lui? Personne.

Elle préfère de loin rester près de lui, dans sa maison, à l'aider et à le seconder, plutôt que d'endurer un mari pour lui donner des petits-enfants. Ses sœurs se chargeront de ça. Quant à elle, sa décision demeure irrévocable. Elle restera avec lui toute sa vie. Il incarne trop son idéal pour qu'elle s'attache à un autre homme.

L'image de l'homme qui se penche pour souhaiter bonne

nuit se transforme en homme qui se penche pour faire l'amour. Et c'est sa mère qu'elle voit à sa place. Il lui semble impossible que son père ait pu faire ça. Pourtant, les preuves évidentes de ces actes vivent toutes ensemble dans cette grande maison. Se plaisait-il à faire la chose? La fait-il encore? Ça ne doit pas puisque sa mère n'a plus d'enfant. Dieu soit loué, ils ne le font plus! Ils ne font plus ce péché de la chair qui conduit droit en enfer où Dieu punit les corps de leurs faiblesses. L'image de son père, torse nu, meuble ses pensées. Il se penche et frotte sa joue râpeuse sur la sienne. Ses cheveux rebelles lui chatouillent le front. Il sent le médicament. Elle pose les mains sur la peau douce des épaules.

« Je vous salue Marie », prie-t-elle avec ferveur pour chasser l'image obsédante. Mais longtemps dans la nuit, l'image de cet homme penché la harcèle et la tente.

Du sang sur le cercueil

— La belle maison blanche... au bout de la grand-rue... la belle maison blanche... au bout de la grand-rue... avec des fenêtres peinturées en bleu... en bleu... le tour des fenêtres. Une grosse maison, Clovis, toute blanche avec le tour des fenêtres bleu... bleu le tour des fenêtres, Clovis... tout bleu. C'est le monsieur avec l'habit noir, Clovis, le monsieur qui a voulu te prendre dans ses bras, tu te rappelles?

— Oui, le monsieur qui a voulu me prendre dans ses bras.

— Tu lui diras: maman, maman. Répète Clovis.

— Maman, maman.

— Tu iras voir le monsieur avec la robe en premier. Il est à côté de la grande bâtisse: fais-lui comprendre que je suis très malade. Va, dépêche-toi, Clovis. Cours, cours vite.

L'enfant répète inlassablement ce mot nouvellement appris en courant dans le sentier. Maman! Maman! Il court, court vite dans la forêt dénudée. Ses bonds nerveux soulèvent les feuilles mortes et il entend leurs bruissements sonores se mêler à son souffle. Il saute, déboule sur des roches et se relève sans regarder ses égratignures et sans se ménager. La peur le pousse, le soulève, le transporte. Ce qu'il a vu, ce matin, l'a terriblement secoué.

Biche gémissait faiblement près de lui et une chaleur intense irradiait de son corps. Il s'est penché. Elle l'a regardé avec des yeux luisants et lointains. Il a touché ses cheveux trempés de sueur et sa peau brûlante. Elle parlait difficilement et respirait plus difficilement encore. Elle le suppliait d'aller quérir l'homme à la robe et le sorcier des Blancs. Et puis elle a ajouté: « Dépêche-toi... j'ai peur de mourir. » Alors il a décampé à toute vitesse. Le voilà rendu à l'anse au doré. Il sait qu'à partir de là, il empruntera le chemin des colons. Il accélère son pas de course. D'où lui vient cette énergie nouvelle? De la peur? De l'amour? D'un sens inné des responsabilités envers Biche? Ses six ans ne lui permettent pas de sonder la question et il poursuit sa course effrénée en se répétant les conseils de sa mère et ce mot nouveau: maman, maman.

Des images, des sons, des pensées se bousculent, pêle-mêle dans son esprit en panique. Sa mère sur la glace sombre et trop mince, le crac et la disparition de Biche... Puis sa pénible progression vers une cabane de castors, ses frissons, ses claquements de dents, ses délires. Cet autre mot nouveau qu'elle prononçait souvent, Philippe, et cette crainte de la mort qu'elle lui a transmise. Il ressent une douleur dans le ventre mais la vue du pont couvert redouble ses ardeurs et il entend bientôt résonner ses pas sur le bois dur. Le voilà au village. Il se dirige droit vers le presbytère et entre sans cogner.

Alcide achève son déjeuner. A l'arrivée du jeune intrus, il fronce les sourcils, cherchant d'un œil impatient la mère sans autorité. Ne la voyant pas, il adoucit les traits de son visage et ose un sourire au si bel enfant, tout essoufflé.

— Maman! Maman!

— Qu'est-ce qu'elle a ta maman?

— Maman!

Clovis mime les gémissements de sa mère.

— Elle est malade? Elle veut que j'aille la voir? Très bien. J'ai compris. J'y vais.

Le curé se lève, avale son thé d'un trait et avertit sa ménagère occupée à faire le lit. Il attelle sa jument en vitesse et va chercher le viatique.

Lorsqu'il revient, Clovis court déjà vers la maison blanche aux fenêtres bleues.

La salle d'attente déserte le déconcerte. Apercevant une porte givrée, Clovis la pousse et se retrouve face à face avec une dame en jaquette. Elle s'avance d'un air fâché vers lui. Il ne comprend rien de ce qu'elle explique et lui dit:

— Maman! Maman!

Elle se penche, prend rudement sa main et le reconduit dans la salle d'attente, fermant à nouveau la porte. Où est l'homme qui l'avait pris dans ses bras? Peut-être derrière cette autre porte. Il la pousse gentiment et avance avec précaution dans le cabinet. Personne. Une autre porte, au fond de cette pièce, s'offre à lui. Il l'ouvre et se retrouve dans une toute petite chambre occupée d'un petit lit tout blanc et raide. Il se dirige alors vers des voix qui lui parviennent derrière cette tierce porte et le voilà parmi des filles blondes et la même dame en jaquette. Il lui lance un regard désemparé et lui redit:

— Maman! Maman!

Comme c'est bête de ne savoir que ce mot. Un autre mot nouveau surgit alors dans sa mémoire: Philippe.

— Philippe! Maman! Maman!

— Oh! Tu veux voir le docteur? Ta maman est malade, c'est ça?

— ...

— Il est parti accoucher. Je ne l'attends pas avant midi.

Va là-bas dans la salle d'attente.

Elle lui reprend la main et le reconduit jusqu'à la chaise de velours, lui intimant l'ordre, d'un geste ferme, de s'y asseoir. Il obéit. Les portes se ferment et le laissent seul. Seul avec ses doutes, ses craintes et ses espoirs. Seul à se demander si c'est la bonne maison et s'il a dit les bons mots. La dame a paru offusquée lorsqu'il a dit Philippe. Ne sachant ce que cela veut dire, il ne sait pourquoi son expression s'est si visiblement durcie.

Il écoute alors battre son cœur dans ses tempes et sent une chaleur intense dans tout son corps. Il appuie sa tête contre le mur et se rend compte de son souffle précipité et de la douleur dans son côté. Il a trop couru. Il ferme les yeux. Une fatigue immense pèse sur lui. Il aimerait s'endormir mais cherche à demeurer éveillé. Tantôt, lorsqu'il est arrivé, quelque chose l'a vivement dérouté. Quoi donc? La fougère. Non pas tant la fougère que la porte. Oui. La porte givrée à l'intérieur. Il fait bon dans cette maison, il fait chaud. Comment le givre peut-il fleurir la vitre? Il se questionne, analysant le dessin des roses en verre dépoli. Elles lui paraissent tellement réelles qu'il se lève pour aller les gratter.

Un petit rire moqueur s'égrène par la porte entrebâillée du cabinet et Clovis se retourne vivement. Une fillette lui sourit avant de s'envoler. Il revient vers le captivant mystère et retouche. Comme c'est doux! Comme c'est beau, ce givre prisonnier de la vitre!

Au bout de trois heures d'incertitude, il entend sonner l'angélus et le son des cloches le distrait momentanément; il le compare à cet autre son qui a marqué le temps dans la grande maison blanche.

Puis une longue période d'attente aiguillonne à nouveau ses peurs et ses doutes.

La grosse dame du magasin général pénètre et va s'asseoir devant lui en l'ignorant. Après avoir repris son souffle, elle cherche un objet dans sa sacoche et se poudre hâtivement le bout du nez et les joues. Clovis observe avec curiosité cette pratique étrange de l'enfarinement pour avoir l'air encore plus blanche et plus laide. A son avis, cette pâleur cadavérique rehausse la verrue ornée de poils sur le menton et donne aux yeux l'allure de petits trous.

— Bonjour madame Levers. Ce ne sera pas long, je crois; mon mari devrait rentrer sous peu.

— J'avais rendez-vous.

— Oui, je sais. Mais les accouchements, vous savez.

— C'est qui?

— Madame Caron. C'est son huitième.

— Ça devrait pas être ben compliqué, le huitième.

— Non.

— Qu'est-ce qu'y fait là, le p'tit sauvage?

— Sa mère est souffrante; il ne parle pas notre langue.

Les deux femmes portent sur lui un regard empreint de pitié et de hauteur. Clovis les dévisage un instant, puis croyant qu'on lui a adressé la parole, il répète son invocation:

— Maman! Maman! Philippe. Philippe.

De nouveau, les traits se durcissent sur le visage d'Amanda et Mme Levers échappe un oh! scandalisé.

— C'est le nom de votre mari?

— Euh... oui.

— Ça doit être elle qui y a montré ça! Pensez donc! Elle aurait pu lui montrer à dire docteur. Est pas gênée, la sauvagesse! Ah! Je vous dis moé. Ça a pas d'éducation. Appeler votre mari par son p'tit nom. Moé-même, j'oserais jamais. Pensez donc! Un monsieur! Un docteur! Non! Mais ça-ti de l'allure?

— Je crois que la calèche vient d'arriver. Oui, c'est lui madame Levers. Si vous voulez bien entrer tout de suite: ce sera moins long.

La grosse dame s'engouffre rapidement dans le cabinet.

Avant de disparaître, Amanda foudroie Clovis d'un regard froid et le laisse interdit sur sa chaise de velours. Il se tortille, incertain. Tantôt, il a entendu les piaffements d'un cheval dans la cour. Il tend ses oreilles au bruit des pas sur la galerie. Peut-être est-ce l'homme à l'habit noir qui revient. Pourquoi a-t-on fait entrer la grosse dame avant lui? Il attend depuis longtemps, le cœur tiraillé par l'angoisse et le doute. La grosse dame arrive, se poudre le nez, parle avec la femme qu'il a surprise en jaquette et celle-ci la fait entrer dans la pièce. Elle n'a pas l'air bien malade, la grosse dame. Ni bien inquiète. D'après le soleil, il sait qu'il est plus de midi et qu'une bonne partie de la journée s'est écoulée dans cette longue et cruelle attente. Il se demande si l'homme à la robe a réussi à se rendre à leur cabane. S'il s'est perdu, Biche sera toute seule à s'inquiéter pour lui et pour elle.

Il reconnaît la voix de Philippe à travers la cloison de bois. Oui, c'est bien cet homme qui avait voulu le prendre dans ses bras. C'est l'homme à l'habit noir, le sorcier des Blancs. « C'est lui qui guérit, lui a dit Biche. Va le voir et dis-lui: maman, maman. »

Il se lève d'un bond et fonce dans la porte. Elle cède brusquement sur la grosse dame en train d'enlever sa robe. Elle échappe un cri pointu et remonte le vêtement devant son énorme poitrine encastrée dans une énorme brassière.

L'homme à l'habit noir, debout devant la fenêtre, se retourne lentement. En le voyant, son visage s'éclaire d'un sourire amusé et tendre. Clovis court vers lui et s'agrippe à son bras.

Il le tenaille avec force, cherchant désespérément les mots français.

— P'tit sauvage! hurle Mme Levers.

Il ne se rappelle plus de ces mots maintenant que le sorcier attend devant lui avec son visage bienveillant.

— Qu'est-ce qu'il y a, mon garçon?

— ...

Clovis pétrit ce bras capable de sauver Biche et éclate soudain en sanglots. Le médecin comprend qu'il est arrivé quelque chose à sa mère et s'empare de sa trousse.

— Excusez-moi, madame Levers, mais je crois que c'est une urgence.

L'homme l'entraîne à sa suite. Il se précipite à l'écurie pour y seller un cheval.

— Maman! Maman! s'exclame alors l'enfant en l'observant.

— Allez! Monte.

Philippe le hisse sur Robin et grimpe derrière lui. Ensemble, ils traversent le village au galop puis le pont. La bête s'engage à vive allure sur le chemin et Clovis comprend qu'il a enfin été compris. Il s'accroche à la crinière de la bête et suit son mouvement avec souplesse. L'homme relâche alors son étreinte et le laisse trouver son équilibre.

— Ya! hurle-t-il.

Et ses jambes pressent les flancs nerveux du cheval.

Les oreilles de Philippe se refusent à écouter, à travers son stéthoscope, l'œdème de la mort qui envahit le corps de Biche.

Son cerveau se refuse à l'analyser comme tel. Et son cœur se refuse à l'accepter. Mais du corps de celle qu'il aime, lui monte ce chant lugubre et plaintif. Cette abdication des fonctions vitales, ce râle qu'on appelle le dernier râlement, ou encore la crécelle de la mort.

La mort! Absurde! On ne meurt pas à vingt-neuf ans. On ne meurt pas comme ça, d'une pneumonie. Pas sous ses doigts, sous ses yeux, sous son stéthoscope. Pas sous ses soins et sa volonté féroce. Pas sous son cœur tremblant et sa science. Non! On ne meurt pas à vingt-neuf ans. Surtout pas Biche Pensive, si vive et si forte. Non! On ne meurt pas à vingt-neuf ans, et pourtant, la plainte infinie envahit ses oreilles et paralyse son cerveau.

Il assiste à l'entrée insidieuse de la mort dans l'être qu'il aime. Il l'entend se glisser, s'emparer et posséder. Posséder ce corps qu'il a lui-même possédé un jour. Se glisser en ce corps comme il s'y est glissé lui aussi en y déposant la vie. S'emparer de ce corps, de ce cœur, de ce cerveau.

Il assiste à la prise de possession de cette rivale inébranlable. Elle a déjà le cerveau, Biche étant dans le coma. Et voilà qu'elle gagne le poumon, le cœur, le sang. Si fatalement, si sûrement, elle conquiert son terrain sous ses yeux ahuris. Elle le vole, cellule par cellule, goutte par goutte, seconde par seconde.

Le chant plaintif emplit ses oreilles et broie son cœur. Biche Pensive coule entre ses mains impuissantes. Elle coule immanquablement vers l'éternité, avec les petites croix du saint sacrement sur ses membres et un visage paisible. Le fleuve de la mort l'emporte. Rien ne peut la retenir et la garder près de lui. Pour lui.

Toc! Toc! Toc! Les battements s'espacent, s'amoindrissent, s'affaiblissent jusqu'au silence épouvantable.

L'estomac du médecin se recroqueville et sa main se crispe sur l'instrument inutile.

Le sang ne voyage plus, le cœur ne bat plus, les poumons ne respirent plus. Tout est irrémédiablement saisi dans ce jeune corps de femme qu'il a désiré, possédé et aimé. Pour lequel il s'est maudit et se maudit encore. Combien de temps demeure-t-il immobile au-dessus de sa jeune patiente?

— Je vais aller m'occuper des obsèques, entend-il prononcer par le curé. Pouvez-vous surveiller l'enfant et veiller la morte?

« Veiller la morte, surveiller l'enfant. » Où est-il? Philippe se ressaisit et enlève le stéthoscope.

— Oui, je vais rester, répond-il d'une voix brisée.

Et son regard tombe sur Clovis, agenouillé près de lui. L'enfant l'interroge de ses yeux trop noirs et trop perçants. Que sait-il de la mort? Comment lui expliquer? Il ne parle même pas sa langue. Il pose sa main sur son épaule et l'étreint affectueusement. Il aimerait le serrer sur lui et pleurer sur sa jeune tête. Laisser glisser sa peine sur les cheveux soyeux qui ressemblent tant à ceux de sa mère. Le curé les regarde d'un œil bizarre avant de partir.

Le voilà seul avec elle. Clovis ramasse du bois dehors.

Philippe caresse le visage harmonieux de la morte. Dans cet état paisible, elle lui paraît encore plus belle. Éternellement belle. Et ses doigts effleurent tristement le nez fin, les lèvres, les pommettes, le front racé, le menton. Ses doigts, comme ses yeux, comme son âme, se repaissent de cette image de femme qui a marqué sa vie. Même au-delà de la mort, la beauté de Biche le subjugue et leur première relation à l'anse au doré l'envahit d'un chagrin indéfinissable. Mon Dieu! Comme il l'aimait. Comme ils s'aimaient. Comme ils s'aimaient.

Il se penche sur elle. Encore... une dernière fois, se pencher sur elle. Que de fois il s'est penché sur elle dans un geste d'amour. Elle s'accrochait farouchement à ses épaules, elle les meurtrissait, les mordait, les embrassait. Là, elle dort. Impassible et trop belle. Il baise ses lèvres tièdes. Elles ne répondent plus, ces lèvres jadis si ardentes. Quelque chose se brise en lui. Il constate la mort. Non pas la mort scientifique que lui annonçait son stéthoscope. Mais la vraie mort; la perte d'un être aimé. Il ne retrouve plus Biche dans son corps. Il ne retrouve plus Biche dans le corps merveilleux de Biche.

Il s'éloigne d'elle, avec lenteur, avec regret. Voyant la chouette à son cou, il la détache et la cache dans la poche de son veston.

Clovis pousse la porte de son pied et pénètre avec une grosse brassée de bois qu'il laisse tomber près du poêle. Puis il ferme la porte avec empressement comme si le froid pouvait encore nuire à sa mère.

A la façon dont il le regarde, Philippe s'aperçoit qu'il n'a pas saisi la gravité du moment. Il l'appelle près de lui.

— Clovis.

Aucune réaction.

— Small Bear.

L'enfant s'avance et, désignant la morte, lui raconte quelque chose en algonquin. Son inquiétude semble s'être dissipée.

— Ta maman... est morte. Je ne peux plus rien pour elle. Je suis arrivé trop tard, tu comprends?

— ...

— Elle n'est plus, Clovis, Small Bear. Elle n'est plus... elle nous a quittés.

Il soupire devant l'incompréhension du petit métis et se lève. Il cherche la blouse rouge, la jupe de daim et un peigne. Il a l'intention de la faire belle. Encore plus belle qu'elle ne l'est présentement, et le souvenir d'Alexinas, peignant les cheveux d'Émerise, le seconde.

A son tour de brosser, d'ordonner, de tresser. Le voyant faire, Clovis vient l'aider. Puis il la vêt et croise ses mains sur sa poitrine. C'est alors que réagit l'enfant. Il décroise les mains et se blottit contre sa mère, posant les doigts inertes sur sa tête.

— Pauvre petit, elle va raidir.

Voyant le jeune s'étendre contre Biche et pousser son front sous la main sans vie, il le laisse faire et se permet d'accéder à ses désirs en caressant lui-même les cheveux de son fils.

— Elle nous a quittés, mon garçon. Elle est partie. Tu vas rester avec moi maintenant. Je vais t'adopter. Tu porteras mon nom; elle n'est pas morte pour rien. Je te le jure. Nous serons au moins réunis, toi et moi. Tu vas venir rester avec ton papa, ton vrai papa. Non, elle n'est pas morte pour rien, ma

303

Biche. Tu comprends, Clovis? Elle n'est pas morte pour rien.
L'enfant s'endort ainsi.

Dehors, il fait noir et la pluie froide de novembre commence à tambouriner sur le toit.

Philippe se prépare un thé et veille. Au bout de quelque temps, il croise délicatement les mains avant qu'elles se figent.

La pluie sur le toit. Le poêle éteint. Le froid dans son dos. Un mal partout dans ses jambes, ses bras, sa tête. Ce froid incompréhensible sous les peaux de lièvre. Le sorcier blanc endormi sur une chaise et sa mère dans son dos.

Il se retourne et examine Biche avec ses mains croisées sur la poitrine. Il la touche; elle est froide et raide. Raide comme un lièvre dans un collet. Raide comme les animaux morts. Il retouche: elle est dure et froide. Si froide. L'enfant échappe un cri terrible et bondit hors du lit. Il se sauve dans le coin de la cabane et lance des cris affolés, se poussant férocement contre le mur comme s'il voulait s'y intégrer.

Philippe s'agenouille devant lui et lui secoue les épaules. Le regard terrifié que lui lance Clovis le fait frissonner. L'enfant se débat, lui échappe et se sauve dehors. Philippe se contente de l'accompagner du regard, n'osant le poursuivre de peur de l'effrayer davantage. Il sait maintenant ce que sait l'enfant.

Sam marche à grandes enjambées, l'esprit préoccupé par un lugubre pressentiment. Hier, tandis qu'il ramassait un beau castor sous l'assommoir, il a nettement senti une présence près de lui. L'impression était si forte, si obsédante qu'il a regardé autour de lui. Un moment il a pensé à Gros-Ours, mais il ne se sentait pas comme avec Gros-Ours. Il se sentait visité et appelé à la fois. Et cette présence implorait son aide. Il se sentait, oui, il se sentait comme avec Biche Pensive.

Cette nuit, il a tenté de dormir sans succès et, à l'aube, il s'est résolu à venir la visiter. Depuis cette décision, un tourment inexplicable grandit en lui.

Mais il se raconte sans doute des peurs; voilà Small Bear qui court vers lui à toute vitesse. Pourtant, on dirait qu'il ne l'a pas vu et qu'il court sans voir où il va. Sam s'arrête et l'enfant lui tombe dans les jambes. Small Bear se relève et le fixe un long moment sans bouger.

— Sam! crie-t-il en se ruant sur lui.

Le trappeur le soulève et pose sa tête sur son épaule.

— Voyons Small Bear, qu'est-ce qu'il y a?

— Elle... est morte.

— Qui?

— Maman. Maman. Elle est raide et froide.

— Voyons! Voyons!

Sam lui frotte les cheveux. Clovis sent l'épaisse barbe de l'homme frôler sa joue. Il s'appuie sur son épaule et pleure abondamment, serrant sa veste de ses doigts anxieux. Sam marche vers la cabane. Plus il approche, plus la peur de Small Bear grandit. Il n'aime plus être dans la cabane avec cette chose qui ressemble à sa mère. Il se presse contre l'homme et l'étreint avec effroi. Sam hésite avant de passer le seuil où se tient le médecin. Son regard se porte d'abord sur cet homme fatigué, aux yeux cernés et à la barbe naissante. L'expression abattue de celui-ci confirme les dires de Clovis, et Sam demeure cloué un très long moment avant de trouver la force de s'approcher du lit et d'envisager la morte. Elle semble dormir. Plus belle que jamais. Son cœur défaille, ses jambes s'amollissent. Sam tombe à genoux, tenant toujours Small Bear dans ses bras.

— Oh! Lord! Oh! Lord!

De grosses larmes roulent sur ses joues brunes et se perdent dans sa barbe. Philippe les envie, une par une, et aurait aimé tomber à genoux devant elle et sangloter comme un enfant. Mais le curé l'observait et il est resté là, à écouter la crécelle de la mort. Sam a assumé sa vengeance, il a endossé sa paternité et voilà qu'il exprime sa douleur.

Le cœur de Philippe se déchire. Atrocement et silencieusement.

Sam appuie son front sur Small Bear et l'enlace de ses bras possessifs. Ce geste d'adoption martyrise davantage Philippe. Il devine que Sam désire garder l'enfant avec lui et qu'il s'opposera à le laisser à quelqu'un d'autre. L'attachement qu'il a manifesté à Gros-Ours, puis à sa fille, et maintenant au petit, éclipse les liens du sang. Clovis se moule si profondément à la douleur de Sam que Philippe se désole et se choque de cette scène.

Le trappeur se met à parler algonquin. Il semble expliquer des choses d'une voix très douce. Small Bear se détache de lui et se retourne vers sa mère. Sam lui prend la main, la pose sur Biche Pensive et pose la sienne par-dessus. Il parle toujours.

Philippe enfile son veston, agacé et frustré, et les quitte.

Chemin faisant, il cherche des larmes sous la pluie et ne les trouvant point, il renverse la tête pour laisser couler l'eau sur son visage. Cela lui fait du bien. Le ciel entier pleure pour lui et sur lui.

A-t-il donc un cœur de pierre pour n'avoir point de larmes en cette occasion? Il arrête sa monture. Ce qu'il ressent en lui ne se traduit pas par des larmes, mais par un cri, un grand cri sauvage. Mais le cri s'étrangle dans sa gorge et le laisse vacillant sur sa bête noire. Quelqu'un pourrait l'entendre.

— Je suis maudit, je suis maudit, balbutie-t-il.

Il ferme les yeux.

— Acceptez-la, Seigneur. Acceptez-la dans votre paradis. Je suis coupable, le seul coupable. Aujourd'hui même, tu seras avec Moi dans le paradis... Vous l'avez dit au bon larron parce qu'il croyait en Vous. Elle aussi croyait en Vous. Elle y croyait. Acceptez-la, Seigneur. Dites-moi qu'elle est avec Vous.

Aucune réponse ne lui parvient du ciel gris. Il remet son cheval en marche et rentre chez lui.

Amanda lui sert un café et du pain beurré. Puis elle s'assoit près de lui en l'examinant d'un œil discret. Il lui paraît tout à coup si vieux et si triste. Qu'y a-t-il de changé dans sa physionomie? Ses tempes ne sont pas plus grises, ni la ride à son front plus profonde. Quant à l'ombre argentée de sa barbe naissante, elle lui a toujours trouvé du charme. Qu'est-ce donc?

— Est-ce qu'elle a souffert? demande-t-elle timidement en posant ses doigts sur l'avant-bras de son mari.

— Elle était dans le coma quand je suis arrivé.

— Ah.

— Depuis quand attendait le petit?

— Il est arrivé hier matin: il m'a surprise en jaquette.

— Peux-tu m'expliquer pourquoi tu as fait passer Mme Levers avant lui? réplique-t-il d'un ton dur.

— Je ne savais pas que c'était si urgent.

— Ces gens-là ne viennent jamais ici. Tu aurais pu te douter que c'était urgent puisque le petit était tout seul.

— De toute façon, Mme Levers avait un rendez-vous et lui pas.

— Et Mme Levers souffre d'embonpoint. A quoi as-tu donc pensé? Faire passer cette grosse gourmande avant Clovis. En quel honneur as-tu agi de la sorte?

— Et en quel honnneur a-t-il demandé Philippe? réplique-t-elle, piquée au vif.

— Il m'a appelé Philippe? demande le médecin intéressé.

— Parfaitement. Devant Mme Levers en plus! J'ai eu assez honte. Ça prend bien une sauvagesse pour montrer de telles choses à son enfant. Dieu soit loué, elle n'est plus.

— Tais-toi! Ne dis pas ça! ordonne Philippe en donnant une grande claque sur la table. Ne parle jamais, tu m'entends, jamais de MES patients comme tu viens de le faire. Ce sont MES patients et à MES yeux, ils sont tous égaux. Et je fais tout pour les sauver.

— Excuse-moi, je...

— Et pour ce qui est de mon nom, sache qu'Honoré m'appelle Philippe et qu'il est le parrain du petit.

— Tu te laisses tutoyer par n'importe qui, ma parole! C'est rendu qu'Honoré t'appelle doc et Philippe. Maintenant, c'est le p'tit sauvage. Bientôt, tout le village va te tutoyer.

Philippe se lève d'un bond et blêmit de fureur.

— Pour qui te prends-tu donc, Amanda Poitras, fille du boulanger Poitras? Tu n'es supérieure en rien à tous ces gens et je ne suis supérieur en rien. Je me fous qu'ils me tutoient. Je serais peut-être moins seul s'ils me tutoyaient. Descends de tes grands chevaux, Madame docteur, et lâche de péter plus haut que ton trou!

— Philippe! Tu es devenu grossier et vulgaire.

— Oui, et je serai plus vulgaire à tes yeux. J'ai l'intention d'adopter le p'tit sauvage.

— Quoi! L'enfant du mal? Avec nous! Ici? Avec nos filles?

— Oui. Avec nous. Ici. Avec nos filles. Que tu le veuilles ou non, je l'adopte. J'ai toujours voulu un fils.

— C'est ça! Reproche-moi de t'avoir donné des filles!

Elle se sauve et claque la porte de sa chambre. Philippe claque celle de la cuisine et se dirige d'un pas décidé vers le presbytère.

Alcide le regarde monter la rue sous la pluie, de ce pas si énergique et si sûr de lui. Un sourire malveillant anime ses traits tandis qu'il extrait de sa poche un papier signé de Biche Pensive. Il le relit avec satisfaction avant de l'insérer à nouveau dans sa soutane, et il s'assoit calmement dans sa bergère.

Cela a été si facile de lui faire signer cet acte d'adoption. Il a simplement prétexté que c'étaient des papiers de baptême. Elle l'a cru et lui a confié, par le fait même, son fils Clovis en rémission de ses péchés.

Ernestine annonce le docteur Lafresnière. Il pénètre. Une odeur de vêtement mouillé provoque Alcide.

— Que d'imprudence, docteur! Que d'imprudence! Aller ainsi sous la pluie sans manteau.

Légèrement désarçonné par cette remarque, Philippe s'assoit sur le fauteuil désigné et écarte de son front ses mèches trempées.

— En effet, balbutie-t-il, ce n'est pas très prudent.

— C'est dommage, n'est-ce pas?

— Dommage?

— Cette mort.

— Ah! Oui. Justement, je venais à ce sujet.

— J'ai tout arrangé avec Honoré. Présentement, il est allé chercher la dépouille avec ses fils Auguste et Victor. La veillée du corps se fera chez lui et il s'est offert pour le cercueil. Elle sera inhumée en terre catholique. Cette femme s'est repentie de ses fautes et elle est une des nôtres, n'est-ce pas?

— Oui, bien sûr. (Maintenant qu'elle est morte, pense pour lui-même le médecin.)

Un court silence règne dans la pièce aux parquets cirés et Philippe remarque les taches qu'il a faites avec ses souliers mouillés. Il s'y attarde.

— Ce n'est pas grave, Ernestine va nettoyer. Je vous offrirais bien du vin, mais je sais que vous ne buvez pas.

Philippe accuse la remarque sans broncher.

— Êtes-vous rassuré?

— Euh... Oui, oui. En fait, je venais pour le petit.

— Ah! Le bâtard. Pauvre petit bâtard! A-t-il finalement compris ce qui était arrivé à sa mère?

— Oui, il a compris. Sam lui a expliqué.

— Ah?

— Il est arrivé ce matin.

— Il parle algonquin, je crois.

— Oui.

— Quelle réaction l'enfant a-t-il eue?

— Une réaction normale. J'ai pensé, ma femme et moi avons pensé l'adopter. Il aurait un bon foyer et pourrait pratiquer sa religion. Je n'ai que des filles et...

— Je comprends, vous aimeriez bien avoir un garçon.

— C'est ça.

— Ça ne vous dérangera pas?

— Quoi? Je ne comprends pas.

— Ses origines. Elles sont assez obscures, n'est-ce pas?

— Ça ne nous dérangera pas. Il sera bien élevé parmi nous.

— Je n'en doute pas, docteur. Je n'en doute pas. Mais voyez-vous, les desseins de Dieu sont tout autres et je crains avoir à vous refuser. Je le regrette beaucoup, soyez-en certain.

Philippe fige et c'est avec satisfaction qu'Alcide voit trembler ses doigts. « Un à un », se dit-il. Voilà donc son si bel ennemi terrassé par lui.

Avec des gestes calculés, il prend le testament et le déplie lentement.

— Voyez-vous, docteur, je suis porté à croire que Dieu a désiré cette mort pour le salut de son âme. Le petit est venu me chercher, hier matin, afin que j'aille l'administrer et Dieu m'a guidé jusqu'à la cabane. J'ai reconnu le sentier tracé dans la forêt, et Dieu m'a guidé jusqu'à cette pécheresse. Elle était consciente à mon arrivée et m'a supplié de prendre l'enfant en charge afin qu'il devienne un jour prêtre et puisse la racheter de ses fautes. Le père étant protestant, elle a préféré confier l'enfant à la sainte Église.

— ...

— J'ai ici le papier par lequel elle me le confie à moi uniquement. Ce sont ses dernières volontés.

— C'est... absurde.

— Pardon?

— Je... c'est... inconcevable. Je vois mal un enfant être élevé dans un presbytère.

— Et pourquoi donc?

— Parce... que... parce que... enfin, ça pourrait nuire à votre ministère.

— Tut! Tut! J'ai accepté Clovis et les sacrifices que cela impose. Dieu le veut, n'est-ce pas? Dieu m'a demandé. Je n'ai pas à refuser à mon Seigneur. Tenez, lisez.

Les mots dansent devant les yeux dépités de Philippe. Tout ce qu'il voit, au bas de la page, c'est la signature malhabile de Biche Pensive et cette signature achève de l'anéantir. Il ne comprend pas et secoue la tête sans s'en rendre compte. « Pourquoi? Pourquoi m'as-tu fait ça, Biche? » Il se lève, incapable de cacher son trouble. Alcide jubile de le voir si défait. Si visiblement défait. Philippe lui remet le papier.

— Ce sera pour une autre fois, docteur. Tenez, je peux vous faire venir un orphelin agricole comme celui de M. Gadouas.

— Hmm.

— Je sais que c'est humiliant pour un homme de n'avoir que des filles.

— Hmm.

— J'aimerais que vous avertissiez le père de l'enfant.

— Le père? demande Philippe, consterné.

Un sourire ironique glisse sur les lèvres du curé tandis qu'il se lève et s'approche du médecin.

— Mais oui, le père. Je parle très peu l'anglais.

Les copeaux s'enroulent sur le rabot d'Honoré, montent sur sa large main aux reflets de poils roux, se pendent à son poignet et tombent finalement sur le plancher de l'atelier. Philippe observe d'un œil lunatique les innombrables volutes de bois; de son pied, il les amasse en un tas.

— Tiens! Ça marche. Le couvercle s'emboîte.

Le médecin s'approche du cercueil et passe sa main sur le bois doux. C'est dans cette petite boîte qu'on déposera bientôt l'être de sa passion et de sa malédiction.

— Est-ce que tu sais pour mon fils?

— Oui, j'ai appris par le curé.

— Pourquoi m'a-t-elle fait ça? Pourquoi Honoré? Elle savait que j'aimais Clovis. Pourquoi?

— A pensait ben faire.

— Elle ne m'aimait plus, je crois. Oh! Honoré! Je trouve que Dieu me punit au-delà de ma faute.

— C'est p'tête parce que tu t'es pas confessé.

— Jamais. Pas à lui tu m'entends? Pas à lui.

— Ton orgueil va te perdre, Philippe.

— Je suis déjà perdu. Oh! Honoré! Arrête de me faire la leçon, veux-tu? Je ne suis pas venu ici pour entendre des bêtises. Ça va assez mal comme ça.

— Je voulais pas t'insulter, Philippe. Je compatis à ta peine, en seulement, je sais pas quoi te dire pour... pour te consoler. Ça me déroute en diable! Quoi-cé dire? Quoi-cé faire? J'ai faite de mon mieux. J'ai même essayé d'avoir Clovis, rapport que chus son parrain: y a rien à faire.

— T'as essayé?

— Oui.

— J'osais pas te le demander. Il ne veut pas?

— Pantoute! Pour le moment, le p'tit y est chez nous avec Sam mais ça durera pas. Pauvre Sam! Lui si, y souffre de ça.

— Je sais. J'ai vu ça quand je lui ai appris.

— Y est ben attaché au p'tit.

— C'est ni moi ni lui qui aura Clovis. Ha! Ha! Ha! Moi qui avais peur de lui. Ha! Ha! C'est bête! Je me disais que je serais obligé de le combattre. Je m'étais même préparé à le rencontrer. Ha! Ha! Ha! Et c'est... c'est le curé qui... C'est elle qui... le donne... à lui, au curé. Pile sur moi, le père... sur Sam, le père adoptif. Elle a écrasé deux hommes... C'est bête, c'est bête! C'est bête!

Il assène un gros coup de poing sur le couvercle du cercueil. Du sang gicle à ses jointures et coule sur le bois.

— Attention! Tu vas le tacher.

Honoré le prend par les épaules afin de l'éloigner de son travail, mais Philippe se dégage brusquement et laisse couler sciemment son sang.

— J'ai pas pleuré sur elle. Laisse-moi au moins saigner.

— Comme tu veux.

— Je te défends de sabler, Honoré. Tu m'entends? Je te défends de sabler. C'est ce qu'elle emportera de moi en terre: du sang. Mon sang.

Honoré recule, effrayé soudain par cet homme qui frise la démence et presse sa plaie afin qu'elle tache le cercueil de sa jeune maîtresse. Haine, amour, colère et tristesse se partagent son visage et ses yeux dorés lancent des éclats terribles. L'ébéniste le quitte et ferme la porte.

Un cri rauque et gutural le glace alors qu'il retourne

310

vers sa maison. On aurait dit le cri d'une bête sauvage prise au piège. Un cri désespérément affligé et seul.

L'enfant roux près de lui. Presque de la même taille. Ses habits sur lui, ses habits de petit Blanc si différents de ceux qu'il a coutume de porter. Sa main, si pâle près de la sienne. Sur la table douce et dorée. Si pâle cette main veinée de bleu: on dirait une chose très fragile. Si beaux aussi, les cheveux, beaux comme le feu et le soleil couchant. Et ce regard gris, sans malice.

Il ne le quitte pas des yeux, l'enfant roux, et se plaît à l'imiter. S'il mange, il mange. S'il se lève, il se lève. S'il va aux bécosses, il va aux bécosses. S'il rentre du bois, il rentre du bois. C'est agréable d'être avec lui. Hier, sans se dire un mot, ils ont fait un concours à savoir qui pisserait le plus loin. Il a perdu. Et ils ont ri tous les deux parce que les grandes personnes les ont cherchés. Ils n'ont pas besoin de mots pour se comprendre et le lien de l'amitié se tisse solidement entre eux.

La femme rousse passe un plateau rempli d'anneaux enfarinés. Comme elle lui sourit, il lui sourit et attend la réaction de l'enfant roux pour agir. Le voyant s'emparer d'un beigne avec gourmandise, il l'imite et avale goulûment le délice saupoudré de sucre. Hmm! Comme c'est bon! Il se lèche les babines. Le plateau repasse une fois encore puis atteint sa destination finale au milieu de la table.

Il se rend soudain compte du silence qui règne dans la cuisine et, comme l'enfant roux, observe les gens. Il y a Sam avec un air défait et renfermé, le gros homme à la moustache qui se berce distraitement, la femme qui est maintenant agenouillée devant le lit où l'on a déposé sa mère, et une adolescente costaude qui flatte énergiquement une bête noire qui bruit.

Il ne comprend pas pourquoi sa mère repose dans ce lit-là. Lui, il n'aime pas aller la voir. Il a l'impression d'être avec quelqu'un qu'il ne connaît pas. Elle ne sourit plus, ne parle plus, ne rit plus. Sam lui a déjà parlé de son grand-père qu'il a couché dans un arbre à sa mort. Pourquoi a-t-on couché sa mère ici? Chez des gens qu'ils n'ont visités que très rarement?

— Allez vous coucher les enfants! commande Honoré.

Jérôme se lève, imité aussitôt par Clovis.

— Ah! Pôpa, y me suit comme mon ombre.

— C'est comme ça qu'y va apprendre. Fais ben les choses; y va ben les faire. Dans le fond, t'haïs pas ça.

Un sourire approbateur éclaire le fin visage de Jérôme; se retournant vers Clovis, il l'invite d'un geste de tête.

— Viens! On va aller aux toilettes. Après, on se couche.

Le jeune métis obéit promptement et après la toilette et les ablutions, se retrouve sur la paillasse, tout près de son nouvel ami. Le sommeil tarde à le visiter. Tout est si nouveau et si imprévu. Avant, Biche dormait près de lui. Maintenant, c'est l'enfant roux. Biche... Biche... comme il s'ennuie!

— Maman... maman.

Il se sent abandonné, désemparé et lui en veut d'être partie sans lui. Oui, elle est partie sans lui. Avant, il la suivait partout, même à la trappe. Elle le portait sur son dos quand il était petit. Elle l'allaitait dans la forêt. Paraît qu'il dormait lorsqu'elle marchait sur ses raquettes. Depuis sa naissance qu'il la suit. Et voilà qu'elle est partie sans l'emmener, sans même lui dire bonjour. Voilà qu'elle est raide et froide et qu'on s'agenouille devant son corps en remuant les lèvres. Voilà qu'on a entortillé une corde pleine de billes de bois entre ses doigts. Et elle ne s'occupe plus de lui. Il dort dans une autre maison, sous des couvertures de laine, avec un enfant roux qui éclaire tout ce sombre tableau de sa présence aimable et désirée.

Clovis se soulève sur un coude et tente de voir le visage de Jérôme. Comme il regrette soudain de ne pas connaître sa langue! Il aimerait lui dire des choses.

— Maman? reprend-il.

— Non. Moé c'est Jérôme. Jérôme. Répète: Jérôme.

— Jé...rôme?

— Oui. Moé, Jérôme.

A tâtons, l'enfant s'empare de la main de Clovis et la pose sur sa poitrine en répétant:

— Moé, Jérôme.

Puis il touche la poitrine du jeune orphelin en enseignant:

— Toé, Clovis.

— Toé, Small Bear. Small Bear, rectifie Clovis.

— O.K. Toé, Small Bear. Moé, Jérôme.

— Moé, Jérôme. Toé, Small Bear.

— Ben non. Toé, Small Bear.

— Toé, Small Bear.

— Non, toé, c'est moé... ben, quand je dis moé, c'est moé, c'est pas toé, tu comprends-tu? Toé, tu t'appelles moé... quand c'est toé qui parles. Ouin! C'est pas mal compliqué, han? Demain m'as t'expliquer. Bonne nuit Small Bear.

— ... Jérôme.

— C'est ça... à demain.

— Main? Jérôme?

— C'est ça... à demain.

— C'est ça... demain.

Une main amicale se pose sur ses cheveux et les frotte comme le font les grandes personnes.

Clovis s'endort facilement et Jérôme guette sa respiration paisible avant de sombrer à son tour dans un sommeil profond.

Il a laissé sa main sur l'épaule de Clovis afin qu'il sente sa présence pendant la nuit. Pour la première fois de sa vie, il se sent responsable d'un être plus jeune que lui. Et pour la première fois de sa vie, il sent que quelqu'un a besoin de lui. Comme a dit son père, c'est vrai qu'il haït pas ça.

Le rapace

Le vent roule des feuilles sur le sol trempé de novembre. Des feuilles brunes et sans vie. Des feuilles finies. Il y en a partout sous ses pieds, partout qui traînent et se laissent piétiner. Il entend tomber la pluie sur chacune d'elle et se presse contre Sam parce qu'il a froid, soudain il a froid. Froid devant ce grand trou froid. Ce grand trou foncé qui attend la boîte où l'on a mis Biche.

Des petites racines pendent dedans et il voit les roches dans la terre. Et sous les roches, il imagine les insectes. Il recule d'un pas; le chariot est si près qu'il sent l'odeur des chevaux. Il se retourne et les regarde, tout mouillés et noirs comme la mort. Ils sont terriblement impressionnants. Des hommes prennent le cercueil et, à l'aide d'un câble, le descendent dans le trou. Ce grand trou terrifiant.

L'homme en robe noire récite des choses en une langue inconnue. Et les gens se recueillent. Il n'y en a pas beaucoup. Il y a les hommes qui s'occupent du tombeau, il y a le curé, il y a Sam, le sorcier des Blancs et l'homme au bonbon avec la femme rousse. Et c'est tout. Hélas tout. L'enfant roux n'a pu venir.

Il regarde les planches et sous les planches, il la sait étendue. Pourquoi la descend-on dans ce trou froid? Dans cette boîte de bois? Pourquoi dans le ventre de la terre et non pas dans les arbres comme son grand-père? Lui, il entend encore chanter les oiseaux et ses yeux sont ouverts sur le ciel. Même mort, il habite encore la forêt. Mais elle, pourquoi la cache-t-on dans un trou? Elle ne verra rien, n'entendra rien, ne sentira rien. Elle aura peur et bien du mal à se sauver; si elle y reste, son beau visage sera plein de trous et de vers, de tous ces vers avides cachés sous toutes les roches.

Un homme jette une pelletée de terre: elle résonne sur le bois. C'est sur son visage qu'il l'a jetée. Il regarde cet homme et le hait. Pourquoi jette-t-il de la terre sur le visage de sa mère? Car elle est là, derrière les planches. Juste derrière... et il le laisserait faire? Il se rue alors avec toute la passion de son enfance et laboure les tibias de l'homme de coups de pied en tirant sur la pelle.

Tout le monde se précipite sur lui, même Sam. On le retient. On le maîtrise: c'est si facile, il n'est qu'un enfant. Alors, il se lance dans le trou. Il veut partir avec elle et dit son nom. Il s'accroche au cercueil et insère ses doigts par la fente du couvercle. Ils jetteront la terre sur lui. C'est tout.

Il attend. Il entend. Les Blancs discutent. Il entend aussi la pluie qui tombe sur son dos et le fossoyeur qui bougonne:

— P'tit sauvage! P'tit sauvage!

Sam descend avec lui.

— Viens, Small Bear, ce n'est qu'une enveloppe. Elle ne souffre pas. Elle n'a pas froid. Ce n'est qu'une enveloppe comme la peau de nos castors. Viens, je suis sûr qu'elle a de la peine à te voir faire. Viens. Viens avec moi.

— Maman, c'est ma maman. Je ne veux pas la perdre, pas dans un trou. Pourquoi tu la portes pas sur l'arbre avec grand-père? Pourquoi la cacher dans la terre? Je veux que tu l'emmènes dans l'arbre.

— Elle... Elle voulait être dans la terre. C'est pour ça qu'elle a fait venir l'homme à la robe. Elle n'a pas la même religion que ton grand-père. Viens.

Sam le prend si doucement. Il se laisse hisser hors de la fosse. Il est plein de boue. Le sorcier l'accueille et le nettoie. Il sort son beau mouchoir blanc et essuie son visage. Il le fait moucher aussi et remet ses habits empruntés en ordre. Clovis cache sa tête contre les jambes de cet homme et se bouche les oreilles pour ne pas entendre les pelletées de terre.

Une main énergique saisit alors la sienne. Il ne connaît pas cette poigne brutale et suit, malgré lui. Tout est noir devant lui. Le vent colle la robe trempée du curé à son visage et l'étouffe. Il tente de se dégager mais l'homme écrase systématiquement ses doigts.

— Sam! Sam!

Il appelle désespérément le trappeur afin qu'il vienne à son secours. Mais rien ne se produit.

Il éprouve alors une sensation terrifiante: celle d'être la proie d'un rapace et d'être entraîné dans son antre sans que personne ne puisse lui venir en aide.

Il ne trouve aucun animal qui se compare à la laideur que lui inspire la ménagère. Même le visage hargneux de la tortue lui apparaît plus touchant que celui qui mastique devant lui, en faisant un petit bruit sec de mâchoires. Ernestine l'épie de ses yeux bleus, tout étirés sur son petit visage anguleux. Mais le bleu de ces yeux-là, au lieu de l'intéresser comme la plupart des yeux bleus, le répugne et le repousse et il se contente de lorgner le plat de bouilli qu'il n'ose goûter.

L'homme à la robe noire essuie son assiette avec un croûton de pain sans se préoccuper de lui. Puis il ingurgite une tasse de thé et en demande une autre.

La ménagère le sert avec empressement en lui offrant ce qu'elle croit être un sourire. Il aimerait bien avoir du thé et tend sa tasse.

— On ne boit pas de thé à ton âge!

Le ton autoritaire et mécontent de l'homme le renseigne sur ses intentions et Clovis reprend sa tasse.

— A ton âge, on boit du lait.

On lui en verse. Il n'a pas l'habitude de ce liquide et n'y touche pas. D'ailleurs, il n'a pas faim et commence à s'impatienter sur la chaise dure et froide. Quand donc cet homme se décidera-t-il à le reconduire à sa cabane? Sam doit l'attendre. Maintenant qu'on a mis sa mère dans la terre, il n'a plus rien à faire chez les Blancs. Même l'enfant roux et son amitié toute neuve ne peuvent le retenir plus longtemps. Surtout en ce lieu glacial. Ce lieu si peu habitable. Tout ici s'oppose à ce qu'il a connu comme chaleur et confort, et l'influence défavorablement. Les murs trop blancs, trop propres; la pièce dénudée, sans autre décoration qu'un roseau au-dessus de l'homme à la croix; la température basse et humide qui donne la chair de poule, les bras osseux de la ménagère et surtout, surtout ce silence mortel, cette absence de vie.

L'homme à la robe le glace de son regard d'acier.

— Bois!

Il pousse la tasse vers lui. Clovis la repousse.

— Bois!

Il pousse à nouveau la tasse et l'enfant la renverse en la repoussant. Quelque chose le frappe au visage et l'étourdit un bref instant avant que sa joue se mette à chauffer. Pourquoi cet homme l'a-t-il attaqué? Parce qu'il a renversé de ce breuvage blanc qu'il ne veut pas boire? Clovis se lève et dévisage le curé. Ses yeux noirs luisent dangereusement et Alcide ne peut s'empêcher de comparer la nature emportée de Clovis à celle de son père. Comme ils sont beaux, pense-t-il, lorsqu'ils sont fâchés.

Mais ce qui suit l'insulte profondément. L'enfant renverse volontairement le plat de bouilli sur la table avant de lui tourner le dos et de se diriger majestueusement vers la porte. La fierté et l'audace dont il fait preuve paralysent Alcide qui ne réagit que lorsque la porte se referme sur le jeune révolté.

— Doux Jésus! Doux Jésus! débite Ernestine de sa voix monotone.

— Petit orgueilleux! Reviens ici! hurle Alcide avant de se précipiter derrière lui.

L'enfant court vers le pont. Il va si vite que le curé n'aura jamais la chance de le rejoindre. Le voilà qui atteint le pont. Bientôt, il débouchera de l'autre côté et s'enfoncera dans la forêt complice. Mais il tarde à déboucher. Peut-être s'est-il enfargé? Alcide s'empresse d'accourir et se rassure en apercevant Napoléon Gadouas avec le fugitif.

— Ah! Monsieur Gadouas! Vous me l'avez attrapé.

— J'ai ben pensé qu'y se sauvait aussi. Y m'a mordu, le p'tit bâtard. Mon idée que vous allez avoir du trouble avec ça.

— Oui, je le crois aussi.

— Une bonne fessée y ferait pas de tort.

— C'est ce que je pensais.

— Prenez un bon p'tit fouet. Avec Firmin, c'est ça que je prends pis ça marche. Voulez-vous que j'le fasse pour vous? J'ai la main.

— Vous allez voir que moi aussi, j'ai la main, renchérit Alcide en cassant une branche d'aulne. (Il la fait siffler en l'air devant les yeux apeurés de Clovis.)

— Regardez-y l'air, jubile Napoléon, j'ai toutes les misères du monde à le retenir. Allez-y; fessez.

Le premier coup frappe Clovis sur la poitrine. La douleur cuisante le plie en deux. Le second coup frappe son crâne. Il s'agenouille puis se recroqueville. Les mains de Gadouas l'abandonnent tandis que les coups pleuvent sur son dos, ses fesses et ses bras. Son corps entier brûle de cette douleur envahissante. Des larmes roulent malgré lui et il appelle sa mère. Pourquoi l'a-t-elle abandonné?

On tire ses cheveux, on le pousse rudement vers le presbytère. Il se retrouve de nouveau dans la cuisine. Puis, l'homme à la robe l'entraîne dans les escaliers et le lance dans une pièce étroite. L'enfant aboutit sur un lit, tremblant de peur et de rage. La porte claque si fort qu'un cadre tombe par terre et se brise.

Alors, il se laisse aller à ses larmes, à son désarroi, à la haine qui éclôt dans son âme meurtrie et à la vengeance que revendique son corps endolori. Il serre ses poings et hoquette de fureur et de désespoir. Il finit par s'endormir, épuisé et vaincu.

Il fait noir. La douleur partout sur son dos, ses bras, ses jambes. Quel réveil troublant dans un monde inconnu! Le cœur de Clovis est étreint de douleur. Où est-il? Peut-être sous terre, avec sa mère. Dans le grand trou où il s'est jeté. Sa mémoire, secondée par son mal physique, reconstitue les faits. La ménagère, le liquide blanc, la fuite, le fouet et ce lit. Il tâtonne. Oui, c'est bien un lit. Avec des barreaux de fer. Chaque geste éveille des souvenirs douloureux. Il se lève, traverse la pièce en tendant les mains pour ne rien heurter. Il lui faut fuir cet endroit. Il lui faut retrouver Sam au plus tôt avant qu'il ne regagne ses territoires de trappe. Il inspecte les murs de ses doigts anxieux et découvre une fenêtre. Oui. C'est bien une fenêtre. Il ignore son mécanisme et pousse avec ardeur. N'obtenant aucun résultat, il tire. Elle a branlé. Alors il pense à la soulever. L'air froid amène un grand sourire sur son visage et il se faufile habilement à l'extérieur, se retrouvant sur le toit de la galerie. Comme cette nuit de novembre est noire! Il distingue à peine le clocher de la grande bâtisse. Mais il entend bruire la rivière et son cœur accélère son rythme. Il n'a qu'à sauter de ce toit et courir vers le pont. Rendu là, il se cachera dans la forêt et ira rejoindre Sam à la première lueur du jour. Il grelotte sans s'en apercevoir. Un chien jappe au village et lui rappelle la bonne bête qu'il a laissée à la cabane. Qu'il aimerait qu'elle l'accompagne dans son évasion et qu'elle le protège de tous ceux qui tenteraient de le capturer! Il saute et subit un atterrissage brusque sur la terre gelée. Il se relève vitement. Soudain, une main dure s'empare de sa nuque et l'étrangle.

— Ha! Ha! Mon p'tit sauvage! Penses-tu qu'Alcide va te laisser filer? Ha! Ha! Tu veux jouer au plus fin! T'auras pas le dernier mot avec moi. Rentre.

On le pousse encore. Il tombe partout et se heurte à des tas d'objets qu'il ne peut distinguer. Sa pénible et brutale ascension des escaliers le remplit d'effroi. La porte de la pièce étroite s'ouvre à nouveau et un souffle d'air frais lui rappelle son échec. Une poussée violente le projette contre les barreaux de fer. Sa tête résonne bizarrement; des petits points lumineux dansent dans ses yeux.

Lorsqu'il revient à lui, un grand corps, penché au-dessus de lui, travaille à lier ses poignets à la tête du lit. Le voilà immobilisé, les bras levés et attachés aux barreaux de métal.

L'enfant observe ce grand corps avec épouvante. Qui est cet homme sorti de la nuit? Il ressemble à l'homme à la robe. La même voix, le même visage austère. Mais la combine de laine entrouverte sur une toison noire et abondante sème le doute dans son esprit. L'homme le toise. A quoi pense-t-il?

Alcide tremble des pieds à la tête et se persuade que le garnement a refroidi toute la maison en laissant la fenêtre ouverte. Mais ce n'est pas ce qui le fait trembler. Non, c'est la colère qui le fait trembler. La colère et l'alarmant pressentiment qu'il a commis une grave erreur en subtilisant cet enfant qui s'avère si différent de l'enfant qu'il imaginait. Bien sûr, c'était un coup bas à ce fier et orgueilleux médecin, mais c'était aussi pour lui qu'il se l'était réservé. Pour pouvoir le contempler à son aise et se rassasier de sa jeune et exceptionnelle beauté.

Pour pouvoir modeler son âme encore vierge et l'élever jusqu'à la prêtrise.

Présentement, il en veut à ce jeune être rébarbatif de déformer l'image du jeune baptisé à la chemise blanche. Il lui en veut de défigurer ce regard sans haine, sans mensonge, sans gloire et sans peur qui se confondait au regard du petit Jésus. Que voit-il maintenant dans ces yeux courroucés? De la haine, de l'orgueil et de la peur. Cet enfant si beau n'est qu'un sale petit sauvage, inconscient de la chance qu'il a de partager sa vie. Cet enfant si beau ne lui inspire que regret et déception.

Alcide le dévisage et lui parle d'une voix rauque.

— Oui, tu es l'enfant du mal; tu es laid comme le mal qui t'a conçu. Tu es issu d'un péché. Ce qu'ils ont fait pour t'avoir est l'acte le plus abject, le plus dégradant qu'on puisse commettre. Et lui qui a fait ses humanités, lui si instruit, s'est abaissé à faire ça avec une sauvagesse. Une impie. Ah! Mon Dieu! Je les vois et tu es le résultat. Et je t'ai baptisé. Et j'ai été ému, soudainement rapproché de Dieu. Pourquoi ne ressembles-tu pas au petit Jésus? Qu'est-ce que tu as fait au petit Jésus? Sors de cet enfant, Satan! Sors de cet enfant! C'est ton regard que je vois dans ses yeux, c'est toi qui s'est inséré dans son âme. Je t'aurai, Satan! Sors de là! Tu as le regard du docteur Lafresnière quand il refuse mon vin. Il n'a pas le droit de faire ça! Pas le droit!

Clovis ouvre de grands yeux horrifiés au son de cette voix saccadée et incontrôlée.

— Qu'est-ce que tu as fait au petit Jésus? Qu'est-ce que tu as fait au petit Jésus? Je ne le retrouve plus en toi. Ouash! Tu ressembles à ta mère et à ton père: tu es la preuve du péché de la chair. La chair dans la chair. C'est terrible, Seigneur! C'est terrible. Il a déposé... avec... dans son ventre... Oh! Seigneur! Pourquoi a-t-il fait ça? Avec elle? Et à moi, il refuse du vin, du vin. Ceci est mon sang, ceci est mon corps. Quoi de plus digne que le vin? Il s'est corrompu dans le péché de la chair. Mieux vaut mourir que de vous offenser, Seigneur. Je connais son péché immonde sans qu'il me l'avoue. N'est-il pas juste qu'il expie sa faute? Elle est ici sa faute, ici, sous mon toit.

Une moue dégoûtée baigne ses traits.

— Je t'aurai, Satan, je t'aurai! rugit-il alors.

Il disparaît et revient bientôt avec un long chapelet de grains de bois.

Il se place devant le lit, jambes écartées.

— Sors de là! Sors de là! commande-t-il.

Il lève le bras et frappe. Les grains marquent la peau et l'enfant se cambre. Il lève encore le bras et l'enfant se plaint. Il lève le bras, les grains marquent, l'enfant se cambre, l'enfant se plaint. Lève le bras, l'enfant s'agite, se débat, se tortille.

Lève le bras, l'enfant pleure et supplie. Lève le bras, les yeux noirs perdent de leur vivacité, de leur fierté, de leur combativité. Lève le bras. Satan se dérobe, quitte le corps supplicié. Lève le bras. Lève le bras. Lève le bras. Transporté d'un sentiment exaltant de puissance et d'équité, Alcide tremble de tous ses membres. Ne chasse-t-il pas Satan lui-même? Son autorité ne s'étend-elle pas jusque dans les âmes? Et cette âme est tombée sous sa juridiction le jour même du baptême. Il doit veiller cette âme. Il doit défendre cette âme au risque de blesser la pauvre enveloppe charnelle.

Il s'arrête brusquement et son propre souffle remplit la pièce des dernières manifestations de sa colère. Il laisse tomber le chapelet et s'approche du lit. L'enfant inerte le saisit. Il s'agenouille et pose la tête sur sa poitrine. Le battement du cœur le rassure. « Ce n'est qu'un évanouissement, se dit-il, il a eu plus de peur que de mal. » Et pourtant ses doigts examinent délicatement les bosses déjà apparentes sur la peau sombre du jeune métis. Il s'accorde un long moment à le convoiter dans son repos, puis se met à caresser la joue, le front, les cheveux. Il retrouve l'émotion qu'il a connue lors du baptême.

— Là, tu ressembles au petit Jésus. Oui, tu ressembles au petit Jésus. Fais dodo.

Il se penche vers ce visage capable de l'émouvoir. Ses lèvres touchent le front, puis les joues, puis les lèvres chaudes et douces du petit. Il s'y attarde longuement avant de le quitter sur la pointe des pieds en traînant son long chapelet.

Le léger cliquetis de la clenche avertit Clovis du départ de l'homme. Il ouvre les yeux sur tout ce noir et échappe un long soupir. Il a bien fait de mimer un évanouissement car il n'en pouvait plus de l'entendre hurler comme un fou. Oui, cet homme est sûrement fou et sûrement dangereux. Il se parle à lui tout seul et l'attaque férocement. Quelque chose d'indécent luisait dans son regard lorsqu'il levait son grand bras. Quelque chose qu'il ne peut ni définir, ni approfondir, mais qui l'effraie plus que les coups. Oui, ce regard avide et malin qui le pénétrait remplit son âme ignorante d'une peur sans nom. Il craint cet homme. Et cet homme est l'homme à la robe. Sous la soutane aux nombreux petits boutons luisants, il y a ce grand corps velu et brutal. Ce grand corps qui s'étend en brandissant l'arme.

Oh! Comme il craint cet homme! Pourquoi lui faut-il rester en sa compagnie? Pourquoi Sam ne vient-il pas le sauver? Pourquoi Sam l'abandonne-t-il à son tour? D'abord sa mère, puis Sam, puis l'enfant roux. Pourquoi l'a-t-on dépossédé de tous ceux qu'il aimait et qui l'aimaient?

Autant de questions qui demeurent sans réponses dans son esprit confus.

320

Et lui, pourquoi lutte-t-il contre cet homme? Pourquoi continuer le combat? Pourquoi, pour qui risquer d'autres évasions? Elles ne lui apportent que douleurs et humiliations.

Il ferme les yeux et appelle la mort. Si ses mains étaient libres, il les poserait sur sa poitrine comme le sorcier a fait avec celles de sa mère. Et il deviendrait tout raide. Sam, en le voyant ainsi, tomberait à genoux et laisserait couler des grosses larmes dans sa barbe. Il dirait: « Small Bear! Small Bear! Pourquoi t'ai-je abandonné? Pardonne-moi, je suis un misérable. » Et il l'embrasserait comme l'a fait tantôt l'homme. Peut-être le croyait-il mort, cet homme. Peut-être est-il en train de mourir lui aussi. On l'exposerait dans la chambre de l'homme au bonbon et le sorcier aurait un drôle d'air. La femme ferait des beignes qu'il ne pourrait hélas plus manger... mais l'enfant roux non plus n'en mangerait pas car il aurait trop de peine de l'avoir perdu. On lui ferait une jolie boîte de bois et on le déposerait dans la terre avec Biche. Peut-être que Sam se jetterait dans la fosse pour l'arracher à la mort. Il serait bien puni de l'avoir abandonné. Ils seraient tous bien punis de l'avoir laissé à la merci de l'homme à la robe.

Il s'imagine exposé dans la chambre d'Honoré. Il y a les cierges et la femme en prière. L'enfant roux s'ennuie et promène son doigt désœuvré sur le bois doux. Le gros homme se berce distraitement et Sam, Sam, dans son coin, pleure à chaudes larmes. « Tant pis, Sam. C'était à toi de m'emmener: il est trop tard maintenant. »

Et puis, il y a l'homme à la robe qui se ronge les ongles et explique qu'il ne voulait pas frapper si fort.

Lui, il dort. Présent dans tous les esprits par son absence. Lui, il dort parce que mort.

Sa tête cogne douloureusement et ses bras s'ankylosent. Il tente de bouger ses doigts; on dirait qu'ils ne lui appartiennent plus. L'homme à la robe est assis sur le lit. Il le soulève et l'avance afin de donner plus de jeu à la corde. Il a un curieux sourire. La circulation se refait dans ses mains. Il n'est donc pas mort.

L'homme avance une cuillère remplie d'une substance grisâtre près de ses lèvres. Il tourne la tête. L'homme le tient alors solidement et pousse la cuillère sur ses dents. Il résiste. L'homme force la mâchoire et dépose cette substance dans sa bouche. Il la crache.

— P'tit sauvage! Mange ton gruau.

La substance s'agglutine sur trois petits boutons et glisse lentement sur la robe. L'homme recommence son manège et lui, le sien. Il s'attend à recevoir une gifle mais l'homme se retient à grand-peine. Ses jointures sont toutes blanches tant il étreint sa cuillère.

— Crève donc, p'tit bâtard!

L'homme se lève et disparaît avec sa nourriture et ses vêtements éclaboussés.

L'enfant sourit nerveusement.

Après maintes contorsions, il réussit à s'asseoir, puis à s'agenouiller à la tête du lit. De cette façon, il aperçoit un chêne dans la fenêtre, avec quelques feuilles sèches suspendues miraculeusement à ses branches. Au loin, la ligne distante et bleue des montagnes le fascine et l'invite. Qu'il aimerait être outarde et plonger dans l'air jusqu'à l'infini! Il regarde le paysage avec obstination, puis avec nostalgie, et ensuite avec espoir, s'imaginant être tour à tour outarde, canard, moineau. S'imaginant survoler les champs labourés, les toits des maisons, les rivières noires. S'imaginant amerrir près des joncs secs ou filer à ras d'eau en faisant un bruit d'aile. Le petit ours, dans sa cage, rêve des rêves d'oiseau. Puis rêve d'un petit ours qui se roule dans les feuilles, d'un petit ours qui court paresseusement un lièvre, d'un petit ours assis sur les branches d'un chêne. Il appelle sa mère, celui-là, de sa voix braillarde et nasillarde. Il se tourne dans l'embranchement et s'agrippe pour ne pas tomber. La maman ne vient pas. Le petit ours appelle d'un ton plaintif. Il regarde en bas et des gens lui lancent des pierres. Le petit ours se retourne et se cache en appelant toujours celle qui ne vient pas, qui ne viendra plus.

Clovis regarde maintenant le majestueux chêne avec ses feuilles rescapées. Pour lui, le petit ours est là. Traqué et désespéré. Avec tous les gens qui veulent le blesser au pied de l'arbre.

Une feuille tombe. Est-ce petit ours qui l'a fait tomber en remuant?

La porte s'ouvre et l'homme revient avec sa substance grisâtre. Il tente de sourire en étreignant rageusement sa cuillère.

Clovis ouvre grand la bouche pour éviter le métal contre ses gencives puis crache aussitôt le contenu. L'homme l'a reçu en plein visage. Il fulmine. Son regard gris se durcit davantage et il écrase ses lèvres l'une contre l'autre. Il lance la cuillère contre le mur et se lève. Clovis se rappelle le grand corps velu sous la soutane et un frisson le parcourt. Il s'attend à recevoir un coup mais l'homme le quitte brusquement.

Une journée se passe. Puis deux. Deux feuilles tombent de l'arbre du petit ours.

L'homme à la robe tente toujours de lui insérer son écœurante nourriture entre les dents. Clovis la rejette.

Trois feuilles tombent de l'arbre du petit ours. Une, deux,

trois. Petit ours se tait. Il a soif. On lui donne si peu à boire. Petit ours a envie mais on le tient prisonnier. Petit ours se soulage comme il peut. Les gens le salissent de ses propres excréments en hurlant de rage.

Petit ours casse des branches et les lance en bas.

Quatre feuilles tombent. Petit ours se roule sur lui-même et ferme ses yeux bruns. On dirait qu'il veut dormir. Il échappe une plainte légère. Si légère. Suivie d'un long soupir de lassitude.

Cinq feuilles tombent de l'arbre. Petit ours garde ses yeux tristes sur la ligne bleue des montagnes. Il n'entend plus crier les gens. Il ne sent plus les pierres. Ne s'écœure plus des matières fécales qui le salissent. Il reste là, avec un drôle de petit souffle, à regarder au loin et à attendre.

Six feuilles tombent. L'arbre nu se balance sous le vent du nord. Un fruit noir, presque mort, se détachera bientôt de son tronc. C'est petit ours. Pouf! fera-t-il sur le sol raidi... il roulera sous les pieds des gens. On le prendra avec des bâtons à cause de son odeur, on lui fera un petit trou dans la terre... à côté de celui de sa mère.

— C'est le curé qui m'envoye te chercher, explique Honoré en pénétrant timidement dans le cabinet de Philippe.

— Le curé?

— Paraît qu'y a ben de la misère avec le p'tit. Ça fait une semaine qu'y mange pas. Y m'a dit qu'on dirait qu'y se laisse mourir.

— J'arrive. Attends-moi, veux-tu?

Philippe va chercher le fétiche de Biche qu'il avait caché dans le fond d'un tiroir. Puis, avec Honoré, il rejoint le presbytère où Alcide, légèrement anxieux, l'attend en lisant son bréviaire.

— Où est-il?

— Dans sa chambre, en haut. Mais je dois vous avertir, docteur, que ce que vous verrez n'est pas très joli à voir. C'est un sauvage. Un vrai. Il a tout sali autour de lui. J'ai été obligé de l'attacher parce qu'il tente de se sauver. Deux fois, il s'est essayé.

— Il ne mange pas?

— Non. On a tout essayé. Il se laisse aller.

— Laissez-moi seul avec lui.

L'odeur poignante d'urine et de matières fécales saisit Philippe lorsqu'il pénètre dans l'étroite chambre. Un désordre épouvantable règne et l'enfant a vraisemblablement bouleversé tout ce qui lui tombait sous la main ou le pied. Maintenant, il est accroupi à la tête du lit.

Il n'a plus de larme. Il n'a plus de cri. Et reste là. Assis sur l'oreiller souillé, à regarder par la fenêtre tel un petit animal en cage. Il ne bouge pas lorsqu'il referme la porte.

Avec ses genoux ramenés sous son menton et son profil d'enfant-dieu se découpant sur la lumière, il a l'air d'une sculpture de prisonnier tourné vers une promesse de liberté.

— Small Bear, bredouille Philippe, craignant soudain de le déranger dans sa méditation.

L'enfant se retourne lentement et pose sur lui de calmes prunelles fiévreuses qui l'ébranlent. « Pourquoi me dérangez-vous, semble-t-il dire, vous ne voyez pas que j'attends quelqu'un? — Qui donc? — La mort, voyons. »

Oui. Il l'attend. C'est elle qu'il attend solennellement sur le lit défait. C'est elle qu'il attend dans cette pièce puante et désordonnée. C'est elle qu'il attend. Elle qu'il désire: la mort dans la terre se confondant à sa propre mère.

C'est elle sa solution finale. Sa parfaite évasion. Sa punition décisive envers le monde des Blancs. Après avoir été abandonné de tous, après avoir été frappé et humilié. Après avoir été parachuté dans un milieu hostile. Après tous les combats perdus, toutes les luttes inutiles. Après les pleurs, les cris, les peurs et les doutes. Après tout ça, il a trouvé la mort comme solution. Il a abdiqué et s'est résigné comme l'animal capturé.

Philippe n'a pas de mot. Pas de cri. Juste un geste d'une grande douceur pour cette jeune tête tourmentée.

— Voyons Small Bear... Qu'est-ce que tu fais là, mon garçon?

Sa voix se brise. Ses doigts s'accrochent aux excréments collés dans les cheveux et, par la chemise entrouverte, il aperçoit des ecchymoses nombreuses sur la poitrine.

Clovis le regarde si calmement et le désespoir froid de ses yeux le frappe. Jamais les yeux de Clovis ne lui ont paru si anéantis. Cet éclat de vie qui triomphait dans ces beaux yeux noirs n'est plus qu'une brillance artificielle provoquée par la fièvre. Un si jeune enfant peut-il espérer la mort? Philippe se remémore les diamants noirs de la naissance et sent couler les larmes sur ses joues.

— Voyons Small Bear... C'est pas beau faire ça.

L'enfant lève ses mains liées et vient cueillir une larme. Il la regarde trembler sur le bout de son doigt avec incrédulité. C'est sa larme. Elle a été versée pour lui. Pour lui, cet homme a pleuré. Une confiance sans borne le gagne. Il aimerait connaître les mots pour consoler le sorcier aux yeux tristes, et il secoue la tête, essuyant les larmes au fur et à mesure.

— Je t'ai apporté quelque chose. Ça va t'aider. Avec ça, tu vivras. Dis-moi que tu vivras.

Il lui présente le fétiche. A sa vue, l'enfant le saisit. Il le porte aussitôt à ses lèvres pour finalement le coller sur son cœur. Il le serre frénétiquement en murmurant des mots algonquins. Après un moment, il le contemple avec des yeux de ressuscité.

Le regard doré de l'homme l'observe tendrement. Clovis rapproche le fétiche de ce visage et compare l'éclat des yeux de la chouette à celui des yeux de cet homme. L'admiration naît en lui pour ce phénomène de la nature et amène un sourire sur ses lèvres desséchées. Devant cette réaction, Philippe sourit à son tour et commence à détacher les liens.

— Tu le porteras toujours sur toi en souvenir de ta maman.

Il l'attache à son cou puis pose sa main fraîche sur le front brûlant de l'enfant.

Cet homme maintenant très près de lui. Cet homme le soulève dans ses bras. Comme il aimerait qu'il l'emmène avec lui. Dans la maison blanche où le givre ne fond pas sur la vitre. La grande maison avec ses fougères et les petites filles qui rient. Comme il aimerait suivre cet homme. Il se serre sur lui et se détache avec peine de son cou lorsqu'il l'étend sur le lit.

— Je suis là... je suis là.

Il déboutonne sa chemise avec précaution et sort un instrument de sa trousse. C'est celui qu'il a posé sur Biche. Il le promène maintenant sur lui.

Comment lui dire qu'il aimerait rester avec lui. Clovis énumère alors les quelques mots qu'il a appris:

— Maman... Moé, toé... Jérôme... demain, c'est ça... Maman, moé, toé, Phi... lippe, Philippe.

— C'est moi Philippe, explique la voix soudainement enjouée du praticien.

Prenant la main du petit, il la pose sur son thorax et répète:

— Philippe, moi. Toi, Small Bear.

— Philippe.

— Si tu savais quel scandale tu as provoqué en m'appelant ainsi! Tu ne connais pas la grosse Levers? Tu sais la grosse madame qui enlevait sa robe dans mon bureau? Tu sais les gros...

Il mime de gros seins et de grosses fesses tentant de prendre l'air outragé de sa plantureuse patiente.

Le rire clair de Clovis jaillit alors dans la chambre, aussi frais, aussi désiré qu'un ruisseau en temps de sécheresse.

— Maintenant, on va tout remettre en ordre, je vais te laver et après, tu mangeras un peu.

De sa fenêtre, Clovis regarde s'éloigner le médecin. Il s'attache aux épaules larges et un peu voûtées, à la tête cendrée et à la démarche générale de l'homme. Quelque chose de vague le lie à cet être. Quelque chose de très vague et de très complexe qu'il ne peut définir et qui le hante. (Quel est ce fil invisible entre eux? Pourquoi lui a-t-il obéi, à lui? A lui et pas aux autres. L'image de sa mère n'est pas étrangère aux impressions qu'il ressent. Elle aussi était liée à cet homme d'une manière qu'il ne comprend pas. Tout ceci est si loin dans sa tête. Le ruisseau... l'eau froide... un homme... du pain... sa mère avec une expression de douleur et de joie extrêmes. Avait-il rêvé tout ça? Ou le rêvait-il maintenant parce qu'il voulait accrocher son existence à quelqu'un? Était-ce vrai? Il ne voyait jamais cette image avant. Elle a surgi tout à coup lorsque l'homme le lavait et qu'il a perçu son parfum particulier. Qu'est-ce qui le lie à lui? Pourquoi lui a-t-il obéi? Parce qu'il a pleuré? Pourquoi a-t-il pleuré? Cet homme l'aimerait-il? Et pourquoi avait-il, en sa possession, le fétiche de sa mère?)

Le médecin a disparu. La rue est vide. Il appuie son front sur la vitre froide et attend des réponses qui ne viennent pas.

Ce merveilleux quelqu'un
vers qui revenir

En ce matin de décembre, jour de la première neige, un peu de merveilleux se glisse dans la vie de Clovis. C'est d'abord cette première neige, enrobée aux branches des arbres, c'est d'abord cette première neige cachant la terre démunie, c'est d'abord cette première neige, lente et floconneuse qui descend sur ses épaules alors qu'il se rend à l'école pour la première fois.

Et c'est aussi la main moite et possessive de Jérôme qui enserre la sienne. C'est aussi l'enseignement de la langue française tout au long du sentier. C'est aussi le petit lièvre, déjà blanc, avec ses oreilles un peu grises et son œil farouche.

Mais c'est surtout la prise de position de l'enfant roux qui s'allie à lui dans le combat de balles de neige. C'est surtout la jeune femme qui se penche avec un sourire accueillant. C'est surtout les deux beignes de Rose-Lilas qu'il mange à l'heure du dîner.

En plus, il y a cette étrange merveille siégeant à ses côtés. De toutes les choses de la forêt, jamais il n'en a vu de si attrayante. Il ne se lasse pas de la regarder, de l'étudier et d'espérer ce regard bleu et transparent à la fois. Judith se retourne vers lui et lui dédie un sourire taquin. Deux fossettes se creusent dans ses joues toutes roses et, tandis qu'elle se penche pour écrire dans son cahier, ses nattes blondes ploient sur le pupitre. Quelles belles nattes! Si longues et si blondes. Blondes comme... comme le soleil peut-être. A part cet astre, qu'est-ce qui a autant d'éclat, de chaleur et de richesse? Clovis ne peut détacher ses yeux de sa compagne. Depuis que l'institutrice l'a installé à cette place, il se contente d'admirer la fillette. Quelquefois, la tentation lui vient de toucher aux nattes pour voir si elles sont aussi douces que celles de sa mère, mais il s'en garde bien.

Pour sa part, Judith se délecte des yeux si noirs et veloutés et des petites mains brunes posées sur la page vierge du cahier. Elles ne savent pas encore écrire, ces mains-là, mais, d'après ce qu'a dit son papa, Clovis sait faire beaucoup de choses dans la forêt. Peut-être sait-il combattre les ours et les loups. Peut-être sauraît-il la protéger de ces bêtes.

Mathilde s'avance pour vérifier l'écriture de Judith. Sa voix calme rassure Clovis alors qu'elle s'empare de sa main et y glisse un crayon. Patiemment, elle inscrit des choses entre les deux petites lignes et lui répète: a... a... a... La main chaude de la jeune femme lui rappelle celle de sa mère. Cette partie de lui-même qu'elle enveloppe tendrement dans ses doigts pâles, le séduit et l'intimide à la fois. Une bouffée de chaleur lui monte au visage et il se tortille sur le banc.

— Vas-y, Clovis, essaie.

Clovis: un nom qu'on lui attribue souvent depuis la mort de Biche. Il copie.

— C'est ça, Clovis.

Un sourire comblé grandit sur le visage aimable de la demoiselle. Comme cela a l'air de lui faire plaisir lorsqu'il aligne des a. Il en inscrit un autre puis un autre.

— C'est beau, Clovis! Fais-moi toute une page.

Elle indique ses désirs. Toute une page. Il veut bien et se met aussitôt à l'ouvrage. La première lettre de l'alphabet se multiplie tout au long des lignes. Tout au long de la page.

Mathilde revient. Examine. Sourit encore. Elle semble très heureuse. Elle lui remet le cahier. Pourquoi n'a-t-elle pas d'autres désirs? Croit-elle qu'il en soit incapable? Elle repart vers d'autres enfants et se dévoue avec le même sourire et la même patience. Quelquefois, elle prend leur main et la guide. Reviendra-t-elle couver la sienne?

Jérôme mordille sa langue en travaillant. Clovis l'observe de sa place et cherche à attirer son attention. Mais l'enfant roux se concentre tellement qu'il ne voit ni ses gestes ni ses sourires.

— Ne distrais pas tes compagnons, Clovis.

Quelque chose dans l'expression de la jeune femme indique son mécontentement. Lèvera-t-elle sur lui cette main si maternelle et chaude? Son cœur se débat à cette idée. Il baisse les yeux, contrit et malheureux de l'avoir déçue.

La voilà tout près. Elle lui parle et lui fait comprendre qu'il doit rester sagement assis à sa place. Il obéit et, pour passer le temps, remplit deux pages de a.

Les écoliers reviennent par le grand chemin. Les petites filles en occupent un côté et les garçons, l'autre. La jeune femme clôt la marche du côté des filles en tenant les cahiers dans ses bras. Le sien est parmi les autres, avec tous ses a.

— A? demande-t-il à Jérôme.

— A, c'est une lettre.

— Lettre?

— Oui, la lettre A.

— Lettre A.

— C'est ça.

— C'est ça lettre A.

— C'est ça.

Jérôme serre davantage ses doigts sur les siens. Depuis que le curé lui a confié Clovis, il craint qu'il ne s'enfuie. Il n'aime pas cette peur qui l'attache à Clovis. Ni cette obligation. Ni cette grave responsabilité.

S'il venait à s'évader sous sa tutelle, il serait sévèrement puni et blâmé. S'il venait à s'évader, il se verrait forcer de le haïr et de lui en vouloir pour le châtiment dont il écoperait. S'il venait à s'évader, il apprendrait, à ses dépens, qu'un sauvage ne fait pas un bon ami.

— Eille Jérôme! Joues-tu à mère? As-tu peur de le perdre? lui lance la voix défiante de Léonnie.

Jérôme bombe son torse et regarde la jeune fille dégingandée.

— Ben non. J'ai pas peur.

— Lâche-le donc d'abord.

Jérôme cherche mademoiselle Mathilde, hélas occupée à jaser avec une élève. Il aimerait bien qu'elle vienne à sa rescousse en imposant le silence à sa jeune sœur.

— Penses-tu qu'y court vite? demande encore Léonnie.

— Ça doit.

— Plus vite que moi?

— J'sais pas; y est ben plus p'tit.

— Lâche-le, j'le rattraperai.

Jérôme lance un regard soupçonneux à la fille aux grandes jambes. Il ne sait pourquoi il libère alors son compagnon. Peut-être parce que Léonnie exerce sur lui une autorité incompréhensible. N'étant ni jolie, ni féminine, comment réussit-elle à lui faire accomplir ses quatre volontés?

Elle se met soudain à courir. Clovis déguerpit et la dépasse facilement. Le voilà libre. Rien ni personne ne peut le rejoindre. Il n'a plus qu'à courir, courir, courir.

Jérôme le poursuit, désespéré. L'air froid pénètre ses poumons et bientôt ses bronches sifflent. Il s'arrête. Incapable de poursuivre sa route.

— Small Bear! crie-t-il avant de s'accroupir près du fossé.

Mademoiselle Mathilde le rejoint et le gronde.

— Tu sais que tu ne peux pas courir, Jérôme. Calme-toi, maintenant.

Elle pose un foulard devant sa bouche afin d'adoucir l'air.

— Y s'est sauvé, sauvé. Maudit, j'vas me faire chicané. C'est la faute à Léonnie.

Les élèves l'encerclent. Léonnie, penaude, admet:

— C'est vrai, c'est de ma faute. Je pensais être plus vite que lui.

Le jeune asthmatique souffle péniblement. La sueur perle déjà à son front et ses lèvres bleuissent.

Mademoiselle Mathilde s'inquiète et le soutient. Il faiblit. Qu'importe? Il a perdu Clovis. Il a failli, il a failli, échoué, perdu. On le battra lui aussi. On le punira. Et il s'en voudra toute sa vie d'avoir fait confiance à un sauvage.

— Jérôme?

La voix de Clovis le surprend. Il cherche d'où elle vient et aperçoit soudain l'enfant qui se fraie un passage jusqu'à lui.

— Jérôme?

Clovis s'agenouille et pose son oreille contre sa poitrine.

— Jérôme? Jérôme? poursuit-il en dardant sur lui des yeux étonnés et inquiets.

Cette oppression et la sueur sur le visage de l'enfant roux lui rappellent l'agonie de sa mère. Le perdra-t-il lui aussi? Il l'entoure de ses bras et l'aide à se relever.

Le cercle se défait.

— Je m'excuse, Jérôme, balbutie Léonnie, honteuse.

— Rentre à la maison Léonnie Lafresnière, et attends-moi. J'espère que papa sera là. Tu verras ce qu'il pense de ça, gronde mademoiselle Mathilde.

— Veux-tu voir le docteur? demande-t-elle encore en arrivant devant la grande maison blanche.

— Non. J'vas mieux astheure. J'vas rentrer chez nous. C'est pas loin.

— Prendre soin, rassure Clovis d'une voix ferme.

N'était-ce pas là les paroles que Jérôme avait dites ce matin au curé? Ses doigts bruns enserrent la main glacée de son compagnon et l'entraîne vers sa demeure.

Il ne sait ce qui grandit en lui mais trouve cela merveilleux d'avoir à tenir cette main.

D'être responsable de l'enfant roux et de sentir son poids contre lui.

Il trouve cela merveilleux d'avoir entendu son cri arrêter sa fuite. D'avoir entendu son nom lancé par un cœur désespéré. Un cœur qui a besoin de lui.

Il trouve cela merveilleux d'être revenu vers quelqu'un. Pour quelqu'un.

Il trouve cela merveilleux d'avoir un quelqu'un vers qui revenir. Ce quelqu'un qui peut lui donner et qui peut recevoir de lui.

Ce quelqu'un à qui il serre les doigts affectueusement. Jérôme pose sur lui des yeux reconnaissants et chaleureux.

— T'es revenu, constate-t-il avec une joie non dissimulée.

— Revenu.

Le sourire perlé du jeune métis le dégage de toute obligation et de toute responsabilité, et lui apprend que Clovis ne souffre pas de lui être revenu. En perdant la liberté, il avait trouvé ce trésor inestimable qui fleurit presque exclusivement dans le jardin de l'enfance: l'amitié.

Les deux enfants, cœurs battants, main dans la main, se font de silencieux serments de fidélité et reviennent au même pas, au même rythme, unis et renforcés dans leur amitié nouvelle.

Ils ont désormais des armes contre les vilenies des adultes. Ils ont désormais un refuge pour s'abriter des cruautés enfantines.

Ils ont désormais un ami.

L'écorché

Une atmosphère indéniable d'excitation et de joie règne dans la petite classe en ce dernier jour d'école précédant les vacances de Noël. Les yeux pétillent en rêvassant à ce qu'apportera cette période de repos et de fête. Les petits ont vu s'entasser les tourtières dans la remise à bois, ils ont vu les cretons, les têtes fromagées, les boudins, les beignes. Toutes ces choses délectables leur amènent déjà l'eau à la bouche après les privations de l'avent.

Croyant avoir été sages, ils espèrent trouver une orange dans leur bas de laine au matin du Jour de l'An. Le petit Jésus ira-t-il jusqu'à donner un bonbon d'orge? Mentalement, les enfants refont leur comptabilité de bons et de mauvais coups. Quelques-uns s'estiment justifiés à une telle récompense. D'autres soupirent. Léonnie, pour sa part, ne fonde pas de vains espoirs. Son père l'a sérieusement grondée d'avoir fait courir Jérôme en facilitant la fuite de Clovis. Et Mathilde la réprimande régulièrement pour ses devoirs bâclés et ses leçons mal apprises. Non, Léonnie ne fonde pas de vains espoirs sur la présumée visite du petit Jésus; mais en revanche, elle se promet de s'empiffrer de toutes ces bonnes choses que sa mère prépare à la cuisine. De plus, pour la messe de minuit, elle brossera la jument et lui tressera la queue. Ensuite, elle frottera tous les grelots et son père la laissera atteler et guider Fany: Jérôme n'en reviendra pas de la voir si bien mener la bête.

Jérôme, lui, pense à la visite de ses grands frères et de ses grandes sœurs. Ils viendront tous s'agenouiller devant Honoré au Jour de l'An et celui-ci les bénira d'une voix chevrotante. Et, chose surprenante, ils auront tous un bas et quelque chose au fond, même s'ils sont adultes, mariés et parents. Cependant, le cœur du garçon s'attriste en pensant à son ami. Avec ses tentatives d'évasion, celui-ci risque fort de se retrouver avec un bas vide. Comment lui expliquera-t-il la chose?

Quant à Clovis, il ne se fait aucune idée précise et se contente de communier à l'excitation générale sans trop en comprendre la cause. Jérôme lui a expliqué qu'il n'y aura pas d'école et cela le déçoit car il aime bien venir en classe avec son ami.

Il aime bien observer la merveilleuse créature à ses côtés, il aime bien la main chaude de l'institutrice, il aime bien écrire des lettres pour la voir sourire. Il préfère de loin les jours de classe aux jours mortellement ennuyeux qu'il passe au presbytère.

Au fond de la classe, Firmin tente de se faire petit et réussit à glisser ses longues jambes sous le pupitre. Ses voisins se tassent en lui décochant des regards vexés. Pour ne pas les déranger dans leur écriture, il colle ses bras le long de son corps et regarde déambuler mademoiselle Mathilde. Contrairement aux autres, c'est ce rare jour de classe qui amène l'excitation dans ses yeux. Ce matin, à cause de la grosse neige, M. Gadouas lui a ordonné de battre un chemin pour Éloïse et lui a permis de passer la journée à l'école. Madame Azalée lui a même donné une tranche de pain avec de la graisse pour son dîner. En comptant le jour de la rentrée, cela fait son deuxième jour d'école, les travaux de la ferme ne lui permettant pas de venir plus souvent.

Pourtant, il aimerait avoir un cahier et un crayon et surtout l'aide de la demoiselle. Il aimerait qu'elle prenne sa main rugueuse et qu'elle se penche tout près. Elle pose parfois sa main sur une épaule. Ce qu'il aimerait alors posséder cette épaule! La voilà près du petit sauvage. « Un fils de rien, lui aussi, un fils de chienne », comme a dit M. Gadouas. Comment se fait-il qu'il ait un cahier? L'institutrice sourit en lisant. Pourquoi est-elle si fière d'un fils de rien? Quel beau sourire!

Firmin baisse les yeux et tortille la laine défaite à la manche de son chandail. Pourquoi ce fils de rien bénéficie-t-il de l'aide de mademoiselle Mathilde et pas lui? Pas lui. Jamais lui.

— Firmin, va me chercher du bois, s'il te plaît.

Cette douce voix s'adresserait-elle à lui? Il lève son front soucieux et son regard tombe sur la demoiselle, debout devant lui. Elle s'est souvenue de son nom et lui sourit. Tant de bonté se dégage de sa personne que le cœur de Firmin s'emballe tout à coup. Il se lève précipitamment pour obéir à cet ordre si désirable et, dans sa maladresse, accroche la jupe qui frôlait ses souliers de bœuf. Il ne sait que faire pour s'excuser et tire tant sur la laine de son chandail qu'elle se défile subitement.

— Ce n'est pas grave; tu ne l'as pas fait exprès. Va. Tu verras le bois dans la cour. Il y de l'érable. Sais-tu reconnaître les bûches d'érable?

— Oui.

— Peux-tu m'en fendre un peu?

— Oui.

Il se lance au travail. Vlan! Vlan! Vlan! Les quartiers volent autour de lui. Cet ouvrage, loin de le fatiguer, le comble de satisfaction. A la cloche du dîner, il achève de fendre sa première cordée.

Sans prendre le temps d'avaler son pain, il range ses quartiers avec soin, tout près de la porte pour en faciliter l'accès à la demoiselle. On viendra dire après cela qu'il n'a pas de tête.

— Ah! Tu as pensé à corder près de la porte. C'est bien, ça, Firmin. Je te remercie.

Il se sent tout près à fondre dans la neige et réagit par un brusque mouvement des épaules à ce compliment. Qu'il aimerait toujours corder son bois, à elle! Qu'il aimerait la servir et la protéger! Qu'il aimerait battre ses chemins et porter ses bagages! Qu'il aimerait faire son feu, rentrer son bois, puiser son eau! Qu'il aimerait! Qu'il aimerait venir plus souvent pour la servir!

— Viens manger avec les autres, invite-t-elle avec entrain.

Il la suit et se rend soudain compte de sa grandeur. Comment se fait-il qu'il se sente tout petit près d'elle qu'il dépasse d'une bonne tête?

Honteusement, il jette un œil rapide à ses larges poignets et à son corps d'homme. Que fait-il parmi des enfants, attablé à leur petit pupitre?

— Tu es fort pour tes douze ans, dit-elle encore.

C'est vrai, il n'a que douze ans. On dirait qu'elle lit dans ses pensées. Comme elle est intelligente, elle! Et fine!

Il s'installe près d'Éloïse pour avaler son pain et demeure silencieux tout au long du repas. Les élèves se racontent des choses, rient et fredonnent des chants. Dans un coin, le petit sauvage s'entretient avec un enfant roux à l'air fragile. Malgré la similitude de leur naissance, le sauvage le supplante sur bien des plans. N'a-t-il pas un crayon? Un cahier? La main de Mathilde sur la sienne? Et maintenant un ami? Tout ça à l'âge de six ans. Qu'avait-il, lui, à cet âge? Rien, sinon les journées grises du travail et de l'apprentissage.

Après la promenade et quelques jeux d'extérieur, l'institutrice efface son tableau et fait ranger les livres. Un élève ramasse les cahiers et les lui remet. Un silence surprenant envahit rapidement la pièce. Les mitaines, suspendues autour et au-dessus du poêle, sèchent et dégagent une odeur de laine mouillée. Les élèves tendent leur visage vers mademoiselle Mathilde et se calment.

Alors elle se met à raconter une jolie histoire. « Il était une fois un homme nommé Joseph et une femme du nom de Marie. » Firmin écoute et se fait des images mentales de la femme sur l'âne, de Joseph et du petit garçon né sur la paille. Il imagine la Sainte Vierge belle comme mademoiselle Mathilde et le petit garçon un peu semblable à lui. N'est-il pas né sur un quai?

Si un Dieu, un grand roi, s'est permis de naître dans une étable, qu'y a-t-il de répréhensible à ce qu'il soit né sur un quai?

« Des rois ont suivi une étoile, poursuit mademoiselle Mathilde. Voilà des bergers et des rois au pied de cet enfant. C'est l'Enfant-Dieu, venu au monde pour sauver tous les hommes. Tous sans exception. »

Mademoiselle Mathilde leur montre une belle image. On y voit le divin poupon. Tout lumineux. Et des bergers, vêtus de peaux, prosternés à ses pieds. Derrière, il y a les Mages avec leur cadeau.

De sa place, Firmin distingue à peine ce qu'exhibe l'institutrice. Elle enseigne ce qu'est l'or, l'encens, la myrrhe en indiquant tous ces détails de son doigt délicat à l'ongle net et bien taillé.

— Maintenant, je vais faire tirer cette image. Vous avez tous travaillé bien fort.

Elle écrit quelque chose sur un petit papier. Chaque élève se lève en disant un numéro.

— Sept! lance Clovis fièrement.

Comme Firmin tente de se lever, quelques voix objectent:

— Ça fait seulement deux jours. Il a pas le droit mam'zelle.

Un froncement de sourcils fait taire les élèves en désaccord.

— Qui nous a fendu tout le bois? Qui l'a cordé? Il a travaillé aussi fort que vous et s'il ne vient pas souvent c'est qu'il n'en a pas la chance. Allez Firmin, dis un numéro.

— ...

Le pubère regarde par terre en tirant la laine de sa manche. Il ne peut croire au bonheur qui s'offre à lui et cherche des chiffres. Il s'affole. Le simple fait d'espérer avoir l'image de mademoiselle Mathilde le prive de ses maigres moyens. Le souvenir de Clovis se levant fièrement en disant le chiffre sept arrive à sa rescousse.

— Sept.

— Très bien, Firmin.

Un ah! déçu accueille le chiffre sept dévoilé par Mathilde.

— Firmin et Clovis, il ne vous reste plus qu'à détailler.

Firmin toise l'enfant et comprend qu'il demeure son seul compétiteur. L'institutrice écrit encore quelque chose sur son petit bout de papier.

— Tiens, on va commencer par Firmin. Dis un chiffre de un à cinq.

Un chiffre. Oui, il faut trouver un chiffre. Il faut trouver le bon chiffre qui lui donnera cette image. Oh! Comme il la désire cette image! Comme il aimerait l'avoir à lui! Il la garderait toujours sur son cœur entre la laine et sa peau. Tout contre lui. Le soir, il la contemplerait et se rappellerait l'histoire de ce petit garçon pauvre adoré par des rois. Il se rappellerait le petit âne et le bœuf. Il se souviendrait de mademoiselle Mathilde et de la façon qu'elle racontait. C'est comme si elle lui faisait un cadeau. Un cadeau spécial pour lui. Seulement, il faut trouver le bon numéro. La laine de son chandail se défile à la vitesse de sa pensée. De un à cinq. Qu'est-ce qu'il y a entre les deux? Est-ce qu'un quatre est entre les deux? Il hésite. S'il n'est pas entre les deux, les élèves riront de lui. Ah! Et puis disons un. Ce chiffre-là, c'est sûr qu'il peut le dire.

— Un.

— Quatre.

Un élève lit à haute voix sur le petit billet: quatre.

Jérôme applaudit tandis que Clovis s'avance vers mademoiselle Mathilde. Déjà, elle lui tend l'image avec un superbe sourire. Sa main, tendrement, englobe la petite épaule.

— Félicitations Clovis.

Le cœur de Firmin se brise. Le petit sauvage lui a pris son image, lui a pris ce sourire et ce toucher. Le petit sauvage lui a volé ce qu'il désirait le plus au monde. N'a-t-il pas déjà un cahier? Un crayon? Un ami? Et l'attention de l'institutrice? Pourquoi hérite-t-il également du présent de mademoiselle Mathilde? Pourquoi?

— Ce sera pour une autre fois, Firmin, explique la jeune femme pour le consoler.

Une autre fois, une autre fois, pense amèrement Firmin. Y aura-t-il seulement une autre fois? Quand M. Gadouas le libérera-t-il de ses travaux?

Le rire méchant d'Éloïse le fait sursauter. Elle indique le tas de laine sur le pupitre. Embarrassé, il regarde son avant-bras complètement dégagé et ramasse la laine déjà emmêlée. Il quitte la classe, s'habille en vitesse et sort dehors pour attendre Éloïse.

Là, près des cordes de bois, il se met à trembler en pensant à Clovis recevant l'image. Il hait intensément ce fils de chienne. Sans son intervention, il serait présentement en possession de la belle image. Ses yeux se troublent, le paysage se gondole. Non. Il ne va pas pleurer, lui qui a déjà le corps d'un homme. Il ne va pas pleurer pour une image. Il ne va pas pleurer, lui si fort. Lui qui n'a jamais rien eu dans sa chienne de vie. Lui qui n'a ni souvenir, ni avenir. Ni tendresse, ni attention. Il ne va pas pleurer pour ça. Pour une simple image touchée et donnée par le seul être qui a su le respecter. Le seul être qui a su lui sourire. Le seul être qui a su le traiter comme les autres. Il ne va pas pleurer pour ça, pour ce bout de papier qu'il aurait posé sur son cœur, pour cette histoire qu'il se serait racontée sans fin dans sa terrible solitude en se rappelant le beau visage de Mathilde. Il ne va pas pleurer pour ça, lui qui n'a jamais rien eu de sa chienne de vie.

Un sanglot convulsif agite sa grande carcasse. Il serre ses poings gercés et les frappe sur les bûches.

— Fils de chienne! T'as pris l'image de Firmin. C'était à Firmin, l'image. Y a ben travaillé que mam'zelle Mathilde a dit. Moé va t'avoir, fils de chienne.

Mathilde tourne la clé et verrouille la porte. Presque tous ses élèves l'entourent et l'observent de leurs yeux admiratifs. Clovis tient ses cahiers et ses yeux noirs étincellent dans son visage cuivré. Jérôme, à ses côtés, la contemple bouche bée comme si elle était une apparition. Elle couve d'un regard maternel tous ces enfants pauvrement vêtus et un sourire ému trahit sa gêne subite. La voilà intimidée par ces aveux silencieux, par ces regards affectueux et sincères.

— Voilà, j'espère que vous allez passer un Joyeux Noël et que le petit Jésus remplira vos bas.

Des sourires heureux fleurissent autour d'elle. Son père avait bien raison de dire qu'elle trouverait ses propres récompenses en enseignant.

— Joyeux Noël! osent des voix timides.

Des mains plus osées viennent toucher les siennes dans un geste maladroit de politesse.

Elle a soudain envie de les prendre tous dans ses bras et de les embrasser.

— Éloïse! appelle une voix rauque.

Le grand Firmin, sur la butte, les darde d'un regard cruel et plisse les yeux en apercevant Clovis avec les cahiers. La haine et la violence, exprimées par ces prunelles douloureuses, glacent le petit garçon et la classe entière. L'adolescent le dévisage longuement, durement en faisant abstraction du groupe d'élèves. Il n'y a plus que ce fils de chienne avec la belle image sur son cœur et les livres de mademoiselle Mathilde.

Firmin tremble de haine. Éloïse l'a rejoint et attend qu'il se mette en marche. Mais il demeure figé dans sa pose et ce qu'elle aperçoit l'épouvante. L'expression bornée et blessée alliée à ce corps puissant lui montre brutalement les risques encourus par l'entourage de Firmin. Ce cerveau faible dans ce corps trop fort comporte un réel danger. De loin, il était menaçant, de près, il est terrifiant.

Il pose alors sur elle son regard vindicatif.

— Viens-t'en!

Elle suit, abasourdie par cette facette insoupçonnée de son frère adoptif. Firmin, l'imbécile aux larges épaules; Firmin, la bête de somme; Firmin, l'hercule obéissant; Firmin, le muet travaillant. Firmin vient de se doubler d'un être soumis aux lois de l'amour, de la haine et de la vengeance. D'un être écorché et inguérissable.

Mathilde les regarde aller dans leur sentier. Jamais plus elle ne verra le grand garçon, au fond de sa classe, défiler d'un geste nerveux la laine de son chandail mité. Jamais plus elle ne reverra de près son sourire niais et incertain et le mouvement brusque de ses épaules. Jamais plus il ne fendra son bois avec ardeur et ne le cordera à portée de la main.

Lorsqu'il reconduira Éloïse, il se tiendra à bonne distance de la cour et n'offrira aux regards que sa longue et menaçante silhouette.

Et Mathilde se demandera toujours s'il aurait été récupérable s'il avait gagné l'image.

Hors de mes mains, mon fils

— Y manque juste Félix; y est aux chantiers, explique Jérôme à Clovis en accrochant son manteau au clou.

L'orphelin parcourt d'un œil intimidé la famille d'Honoré, réunie à l'occasion du Jour de l'An. Zoé, une femme maigre et souriante, fait sauter un bébé sur ses genoux.

— J'ai connu ta maman, lui dit-elle.

Sans trop comprendre son langage, il saisit le message de sympathie et s'approche d'elle.

— Je m'appelle Zoé.

— Zoé?

— C'est ça.

— C'est ça, Zoé.

— T'es venu chercher ton bas? demande-t-elle en indiquant les chaussons pendus aux marches de l'escalier.

— C'est ça... bas, répond l'enfant en écarquillant les yeux devant le gonflement inusité de ceux-ci. Le sien pend pesamment à la première marche.

— Tiens! On va commencer par toé. Va le décrocher, permet Honoré en indiquant ses volontés de sa large main cornée.

Clovis s'exécute. Le poids de son chausson le ravit et l'intrigue.

— Fouille dedans! s'exclame Jérôme.

Avec l'aide de son ami, Clovis découvre une poignée de papermans et un fruit rond et orange. Un grand sourire gagne rapidement son visage.

— Papermans! s'exclame-t-il joyeux. Papermans!

— C'est ça, des papermans et une orange, explique Honoré en couvrant le fruit avec la petite main brune.

— Orange, répète l'enfant.

— C'est ça, orange pour toé, pour Clovis.

Le sourire radieux de Clovis grandit à chaque bas décroché et fouillé. Jérôme et ses cousins sucent voracement leur friandise. Tous semblent parler en même temps. Ils se serrent, s'embrassent et rient. Clovis se voit exclu de cette joie toute familiale et n'insiste pas lorsque son ami vient lui dire:

— Là, y faut que tu rentres, on va avoir la bénédiction. Rentre au presbytère, han?

— Oui.

L'enfant court, serrant le vêtement de laine contre son cœur ébahi. Il dépasse le presbytère et se rend au cimetière. Il se dirige droit vers une petite croix de bois, à l'extrémité du terrain. Tout près de la forêt. Il s'accroupit sur la neige et vide le bas. L'orange s'enfonce. Il la reprend et la tourne devant ses yeux éblouis. Quelle couleur excitante! Quelle pelure bizarre avec tous ses petits pores et sa texture douce comme la cire. Il palpe, caresse, tourne et retourne. Il se met à parler dans sa langue.

— Regarde maman ce que j'ai eu. Je te le donne. Ça doit être un bon fruit. Au printemps, il donnera son goût à la terre.

Rapidement, il façonne un nid dans la neige et y dépose l'orange. Puis il l'entoure de papermans.

— Je vais en manger un avec toi, explique-t-il en retirant un bonbon.

Quel bon goût ça avait lorsque Honoré lui en avait payé un, au magasin général! Malheureusement, il ne retrouve plus cette saveur divine qui avait conquis ses papilles la première fois et se sent soudain très seul et très petit.

Rien ne bruit autour de lui. Rien ne bouge. Seul son cœur bat en ce lieu. Seul son souffle donne naissance à de petits nuages blancs et vaporeux. D'un endroit à l'autre, une croix émerge du linceul immaculé et amasse son monticule de poudrerie autour de ses bras de bois. Sublime et triste, la grande croix du Crucifié veille sur le jardin des morts. Le silencieux jardin des morts. Immobile désert des muets. Désert muet des immobiles. Muet carré de terre blanche avec tous ces morts pétrifiés dans le sol gelé. Avec tous ces morts, couchés dans leur boîte, les mains jointes sur un chapelet. Sous ses genoux transis, s'allonge le corps de sa mère. Pétrifié lui aussi et imbriqué aux roches et aux racines. Pourquoi?

Qui lui a ravi ce corps? Cet être? A qui s'adresser? A qui se plaindre de cette injustice? Il lève les yeux au ciel et semble le questionner et l'accuser à la fois. Ne voit-on pas que même le paperman n'a plus de saveur sans elle? Et la vie? Quelle saveur a la vie, sans elle?

— Tu verras, la terre va goûter bon au dégel, dit-il en se levant.

Il jette un dernier regard à l'orange et retourne au presbytère avec son bas vide.

Le curé l'y attend.

— Ça t'a pris du temps! Qu'avais-tu dans ton bas?

— Orange... papermans.

— Où sont-ils?

L'enfant hausse les épaules.

— T'as tout mangé. C'est pour ça que ça t'a pris tant de temps. Petit égoïste! T'aurais pu penser à m'en offrir. Allez! Habille-toi propre pour la grand-messe.

Il s'exécute sans comprendre le mécontentement de l'homme.

La grand-messe. Tant de gens venus de partout avec toute leur marmaille. Tous les bancs vendus, remplis à craquer, plus la foule compacte de miséreux entassés à l'arrière.

De sa place, Philippe les entend tousser et moucher. Il se sent mal à l'aise sur le banc familial et pense à offrir sa place à Mme Leblanc, enceinte de son quinzième, qu'il a remarquée debout sur ses jambes gonflées de varices. Quelle tête ferait sa femme s'il agissait de la sorte? Elle en serait sûrement contrariée. Depuis l'héritage des meubles et la construction de la belle maison, et surtout depuis la supériorité qu'elle s'est octroyée à la mort scandaleuse de son beau-père, elle semble s'être forgé une nouvelle personnalité. La timide pâtissière aux élans pathétiques de dévouement s'est mutée en une dame distinguée et froide, se limitant à l'inscription des rendez-vous et à l'accueil réservé des patients.

Clovis s'avance dans l'allée centrale et tente de se trouver une place dans le banc des Villeneuve, près de Jérôme, mais la présence des enfants de Zoé l'en empêche et il se voit reléguer à l'arrière.

— Psst! Viens ici, invite Philippe en se tassant sur Amanda.

— Il n'y a pas de place, chuchote-t-elle, agacée.

— Il est tout petit. Tassez-vous.

Les filles obéissent avec enthousiasme et Clovis ne peut réprimer un soupir de satisfaction en prenant place auprès de Philippe. Tout au long de la messe, il l'examine avec une attention soutenue.

Un jour, lui aussi il aura des vêtements comme les siens et un casque de castor qu'il reconnaît pour avoir été confectionné par sa mère. Il se permet même d'en caresser la fourrure. De nombreux souvenirs le submergent et ses doigts tremblent malgré lui. Il les retire vitement. L'homme se penche un peu vers lui pour lui sourire et la pression exercée alors par ses épaules l'intimide. L'enfant baisse le front, troublé. Il se sent bizarre et ne comprend pas ce qui l'attache à cet homme. Est-ce les larmes versées? Les souvenirs lointains et déformés? Est-ce son métier de sorcier? Ce qu'il ressent en sa compagnie diffère des sentiments qu'il éprouve envers Honoré. Il aime et respecte Honoré tout en se sentant à l'aise avec lui. Mais cet homme provoque chez lui des réactions incompréhensibles. Il lui suffit d'être en sa présence pour que la gêne et le malaise se confondent à sa joie et à son désir inavouable.

L'enfant ne peut détacher son regard des mains de l'homme. De belles mains propres. Avec de beaux ongles propres. Des mains douces, sans corne ni blessure. De belles mains douces.

La cérémonie achève. Tantôt, le médecin a mangé le corps du Crucifié ainsi que sa femme et mademoiselle Mathilde. Cela l'a déçu momentanément lorsqu'il les a vus fermer les yeux pour déguster. Mais il s'est souvenu que Biche Pensive aussi fermait les yeux.

Les bancs se vident. Les gens s'entassent à l'arrière de l'église. Les poils du capot de chat du marchand général chatouillent le nez de Clovis. Il éternue. Deux mains se posent sur sa tête et y demeurent un assez long moment. Elles ne pèsent ni ne s'agitent ces mains-là, elles semblent vouloir le protéger. Il se retourne et aperçoit le médecin qui les retire. L'émotion qu'il lit sur le visage de l'homme s'apparente en tous points à ce qu'il ressent lui-même. Les yeux tristes, affectueux et émus le réconfortent et le chagrinent à la fois. On dirait qu'il se retient de pleurer.

Les diamants noirs fouillent intensément le visage de Philippe. Que répondre à cette interrogation muette? A cette soif? A cette recherche? Un jour, peut-être, lui expliquera-t-il qu'il l'a béni clandestinement au sortir de l'église. Qu'il a posé sur sa tête soyeuse ses mains indignes en disant mentalement: « Je te bénis, mon fils, au nom du Père, du Fils et du Saint-Esprit. » Un jour, peut-être, lui dira-t-il que son cœur a chaviré sous le fardeau de la douleur, des tourments et de la honte. Un jour, peut-être, lui expliquera-t-il qu'il a béni ses filles avec le même remords et la même tristesse. Un jour, peut-être, lui expliquera-t-il qu'il n'est qu'un homme. Un homme maudit et puni de ses nombreux péchés. Mais comprendra-t-il, un jour, si ce jour des aveux arrive?

L'enfant le regarde encore et ses yeux trahissent son affection. Philippe a soudain l'impression d'être devant Biche Pensive. C'est elle qu'il voit dans le beau visage régulier. C'est elle qu'il voit dans le regard admiratif, elle qu'il voit sur la peau cuivrée. Son cœur s'excite comme s'il allait, tout à coup, faire l'amour à cette femme dans leur cachette de bois rond. L'amour possessif et intense l'envahit et le persécute tout à la fois. Ne pèche-t-il pas contre sa femme et ses filles en se complaisant dans les souvenirs douloureux et interdits qui l'unissent à Clovis? Ne pèche-t-il pas gravement en adorant le fils à travers la mère ou la mère à travers le fils? Ne pèche-t-il pas gravement en désirant ardemment l'être issu de ses fautes?

Un sourire tremble sur ses lèvres et tremble en lui-même. L'enfant regarde les mains croisées devant lui et avance la sienne. Le respect se lit aisément sur ses traits. Il touche délicatement les mains qui tantôt se sont posées sur ses cheveux. Se sont posées comme de beaux oiseaux farouches avec tout le poids de leur voyage et de leur vie. Se sont doucement posées et se sont envolées pour se croiser l'une sur l'autre comme de belles ailes repliées.

Il les touche avec vénération. Les ailes s'ouvrent et emprisonnent tendrement sa main.

La vive clarté de la neige l'aveugle soudain. Sans s'en apercevoir, il a suivi, à reculons, les mouvements de la foule et a déboulé les marches du perron. Il se relève vitement. Jérôme le rejoint.

— T'es-tu fait mal?

Clovis rit nerveusement en jetant un dernier regard au médecin désolé d'avoir dû abandonner la petite main devant les regards inquisiteurs et réprobateurs de la populace.

Dans mes mains, mon fils,
Ta chaude main glisse
Ses émotions et son trouble.
Petits doigts nerveux sur mes paumes
Tambourinent et redoublent
La plaie de mon cœur sans baume.

A reculons, tu marches
Pour mieux me regarder.
A reculons, tu marches
Pour mieux m'admirer.
A reculons, tu roules
Au pied des foules.

Foules aveugles et menteuses
Capables de me nuire.
Foules injustes et rageuses
Capables de te détruire.
Je t'abandonne, je te lâche
Comme le pire des lâches.

Rejette toi-même mes mains indignes.
Ne souris plus à ma détresse
Et n'espère plus des signes

De bonheur et d'allégresse.
Vois comme je suis faux
Et ne t'amène que des maux.

Hors de mes mains, mon fils
Ta chaude main s'arrache
Sans que je ne l'élève
Ni ne l'attache.
Hors de mes mains, mon fils.
Hors de mes mains, mon fils.

La première communion

Au début, il croyait que c'étaient des toilettes d'église pour les envies urgentes, avant les cérémonies. Cependant, ce qui l'intriguait le plus c'était la présence immanquable du curé. Il prenait toujours celle du milieu et y restait jusqu'à ce que les paroissiens aient fini d'utiliser les deux autres. En classe, il a appris que c'était un confessionnal et que les gens allaient y purifier leur âme. Car mademoiselle Mathilde lui avait également enseigné qu'il possédait, à l'intérieur de lui-même, une âme. A l'origine, elle était toute blanche sauf pour une petite tache de naissance que l'eau du baptême avait effacée. Mais avec le temps, d'autres taches, grosses et petites apparaissaient sur l'âme et lorsqu'il fallait la nettoyer, on devait se rendre dans le confessionnal.

Voilà qu'il attend dans le sombre et étroit placard, cherchant d'un regard curieux le bol des eaux salutaires de la confession.

Shlikc! Le profil d'Alcide lui apparaît vaguement derrière le grillage. Son index creuse sa joue et il avance sa grande oreille poilue en disant:

— Dis-moi tes péchés, mon enfant.

— Pas péché.

— Ah! C'est toi.

— Où l'eau?

— Quelle eau?

— Pour lavage.

— Quel lavage?

— De l'âme à moé.

— Je vois que t'as rien compris. Il n'y a pas d'eau ici, réplique impatiemment l'ecclésiaste.

— Ah? L'autre fois verser eau sur front à moé.

— C'était le baptême ça... pour laver ta tache originelle.

— Pas eau pour laver autres taches? Âme à l'intérieur; moé peut boire eau.

— C'est le sang du Christ qui te purifiera.

— Moé veut pas boire sang d'homme.

— Dis tes péchés Clovis et qu'on en finisse. Il n'y a pas que toi dans la classe!

— Jamais fait mal, jamais tuer pour rien, jamais laisser pourrir viande, jamais impoli avec Oeil méchant.

— Qui ça Oeil méchant?

— Oeil méchant dans plafond: lui toujours regarder moé. Lui jamais content.

— Tu veux dire Dieu le Père?

— Oui. Lui laisser fils mourir sur croix, lui méchant.

— Tu dis des sacrilèges.

— Quoi ça?

— Des gros péchés.

— Grosses taches?

— Très, très grosses taches.

— Ah. Lui chicaner parce que manger pomme.

— Lui jamais faire péchés comme toi, sale petit sauvage. Je vais te les dire moi, tes péchés et tu les répéteras après moi. Je m'accuse de superstition.

— Je m'accuse de superstition.

— D'avoir désobéi et tenté de fuir.

— D'avoir désobéi et tenté de fuir.

— De désespoir et de découragement volontaire.

— De désespoir et de découragement volontaire.

— D'avoir couché dans le même lit que ma mère et d'avoir touché son corps.

— Mal ça?

— Oui. Très mal. Répète.

— D'avoir couché avec ma mère.

— Et d'avoir touché son corps.

— Et d'avoir touché son corps.

— D'avoir mangé tout mon bas du Jour de l'An sans en offrir à personne.

— D'avoir mangé tout mon bas du Jour de l'An sans en offrir à personne.

— D'avoir été un sujet d'impatience et de colère pour le curé.

— D'avoir été un sujet d'impatience et de colère pour le curé.

— Pour ta pénitence, tu te débarrasseras de ton fétiche et tu diras un *Je vous salue Marie*.

— Quoi fétiche?

— L'oiseau à ton cou.

— Péché ça?

— C'est de la superstition... Tu insultes Dieu le Père.

— Lui choqué?

— Très. Tu ne peux pas communier avec ça.

— Moé remettre.

— Va et ne pèche plus.

Shlikc! C'est tout. Il sort, déçu, déconfit. La cérémonie de son baptême lui paraît tellement remarquable près de cette engueulade dans un petit endroit, qu'il retourne piteusement à son banc. Il s'attendait à tellement plus. Vainement, il tente de reconstituer le *Je vous salue Marie* dans sa tête et n'y parvient pas. Il ne réussit qu'à regarder intensément la statue de plâtre en répétant intérieurement: « Je salue Marie ». Mais la statue, pieds nus sur une couleuvre, lève ses yeux pâles en l'air comme si elle allait s'évanouir. Apparemment qu'elle pourrait être sa mère à lui, sa mère du ciel. Mais il ne se sent pas attiré par elle. Elle diffère tellement de Biche Pensive qui attrapait les couleuvres pour les faire cuire.

Tristement, il touche au fétiche qu'il devra remettre au sorcier et s'interroge en quoi il peut insulter Oeil méchant en le portant à son cou.

— Psst, t'as-tu fini? demande Jérôme en tirant sur sa manche.

— Rappelle pus.

— De quoi?

— Salue Marie.

— Combien?

— Un.

— M'as en dire un avec toé. Ça m'en fera un de plus: mes péchés vont être plus pardonnés.

— Péchés?

— C'est un secret. On a pas le droit de les dire aux autres: rien qu'au prêtre.

— Ah!

Après avoir chuchoté leur prière, les deux garçons s'assoient et attendent que mademoiselle Mathilde donne le signal du départ. Il reste encore beaucoup d'élèves à passer et Clovis en profite pour se souvenir de toutes les choses qu'elle leur a apprises au cours de l'année. Bien sûr, il ne les a pas toutes comprises et bien des mots lui ont échappé, mais il a quand même saisi des choses importantes comme cette histoire d'âme que tout le monde possède. Il essaie de se l'imaginer à l'intérieur de lui-même. Maintenant, toute blanche et propre. S'il venait à mourir avec une telle âme, il irait droit au ciel. Dans sa tête, le ciel ressemble à ce jardin très beau où vivaient jadis un homme et une femme, avant qu'ils ne croquent une pomme.

Mais s'il venait à mourir avec des petites taches sur son âme, il échouerait dans un autre lieu. Plus bas, plus laid et douloureux. Après avoir nettoyé ses taches par la souffrance, il pourrait alors entrer au ciel.

Mais s'il venait à mourir avec des grosses taches, on le précipiterait dans l'enfer. Lieu de damnation éternelle. Et là, toujours, toujours, il brûlerait et souffrirait. Toujours, toujours des monstres le tortureraient. Et il ne pourrait jamais, jamais sortir.

Un frisson le parcourt en pensant à ces grosses taches qui salissaient son âme. Il entend encore tonner la voix du curé lors du cours de catéchisme et il n'avait pas besoin de bien connaître la langue pour bien connaître la peur. Surtout lorsque le discours d'Alcide se voyait rehaussé d'une affreuse et terrifiante image. Pourquoi Biche Pensive ne lui avait-elle jamais parlé de ça? Connaissait-elle ces lieux? Quelles taches souillaient son âme à sa mort? Au fond de lui, il appelle son ange gardien. Ce compagnon invisible, saint et savant le rassure dans ses moments d'angoisse et de peur. Cet esprit inséparable veille sur lui et le guide vers les bonnes actions. Lui aussi, il a son ange gardien. Il a son âme et son ange gardien comme tous les petits Blancs. Sans doute que son ange à lui ne ressemble pas aux leurs. Il doit avoir des yeux noirs, des cheveux noirs et une peau foncée mais n'empêche qu'il doit posséder toutes les qualités requises pour être un ange gardien. Oh! Oui, il a appris beaucoup de choses et s'est découvert toute une parenté dans le royaume des cieux. La Vierge, qui pourrait être sa mère, Jésus, l'enfant de la crèche devenu l'homme de la croix. Dieu le Père avec son œil sévère, le dieu-oiseau et enfin l'ange gardien.

Deux coups de claquettes retentissent. Les voilà debout. Trois coups, deux belles rangées se forment. Un coup, une génuflexion. Deux coups, demi-tour à gauche et sortie de l'église.

Les voilà fin prêts pour la confirmation et la première communion. Les voilà bien rodés, bien renseignés, bien exercés, bien confessés. En principe, rien ne devrait clocher dans la grandiose cérémonie que présidera Mgr l'Évêque.

Mathilde inspecte son groupe. Lequel de ces enfants s'évanouira? Lequel pleurera? Lequel figera? Lequel fera tout de travers? Inconsciemment, son regard se porte sur Clovis. Le beau sourire de l'orphelin calme ses appréhensions et elle s'en remet vaillamment à la grâce de Dieu.

S'en remettre à la grâce de Dieu avait été facile la semaine précédant l'événement, mais voilà que la sueur inonde déjà ses gants blancs et que son cœur palpite follement. Elle ne cesse de surveiller Clovis depuis qu'il a brisé les rangs pour aller remettre quelque chose à son père. Cela avait l'air du fétiche qu'il portait à son cou. Ce geste a attiré l'attention de toute l'église et a distrait les élèves. Maintenant, il a l'air sage parmi les autres et attend dans ses beaux habits, vivement impressionné par l'assistance nombreuse.

Mathilde avale avec difficulté et étreint nerveusement sa

claquette en multipliant ses prières afin que tout se passe à la perfection. C'est elle que l'on va juger aujourd'hui. Son enseignement que l'on va évaluer à travers ses pupilles. Elle sait que les engagements ultérieurs dépendent de la réussite de cette journée. Bon! Voilà Léonnie qui fait reluire le bout de ses souliers en les frottant sur ses bas. Mathilde sent ses joues brûler et s'avance discrètement entre les rangs.

— Léonnie! Je t'en prie, gronde-t-elle entre ses dents.

Judith s'accroche soudain à sa jupe et la tire dans tous les sens.

— J'ai envie.

— De quoi?

— Pipi.

— Mais tu es allée juste avant la cérémonie.

— J'ai envie.

— C'est la nervosité; retiens-toi.

— Je peux pas, je vais m'échapper.

— Va dehors, dépêche-toi.

Au grand désespoir de Mathilde, la jeune enfant part à la course et revient au bout de quelque temps avec ses boudins de travers. Pourquoi ses propres sœurs semblent-elles se lier pour l'humilier et la désavantager?

Instinctivement, elle cherche son père dans l'assemblée. Il la regarde posément. Si posément. Ses yeux chaleureux lui transmettent un message de sympathie et d'encouragement et veulent lui rappeler que lui aussi, il a connu ce trac. Hier, il lui a raconté qu'à son premier accouchement, il était subitement devenu gêné et nerveux et qu'à la naissance du bébé, il était plus exubérant que le père.

Il sourit légèrement et cligne ses paupières comme un chat satisfait. « Ça ira, tu verras. Ce n'est rien ça: les enfants sont comme ça. » Cette attitude la calme et lui redonne confiance.

L'évêque fait son entrée dans ses habits somptueux. L'assemblée émue ouvre de grands yeux et un murmure d'admiration naïve accueille le prélat.

L'harmonium de mademoiselle Ernestine lance ses notes aigres-douces mêlées au ronflement sonore de ses soufflets.

Plus impressionnés encore que les élèves, les colons restent cloués sur place et en oublient leurs prières. C'est la première fois qu'un Monseigneur officie dans la nouvelle église. Pour eux c'est l'aboutissement de leurs efforts et la preuve éclatante de la réussite de leur petite communauté. Il n'y a pas tellement longtemps, le curé Labelle avait récité la messe en plein air entre les arbres de cette forêt qu'ils ont vaincue. Tous se souviennent également de la chapelle en rondins, du plancher de terre battue, des souches qui servaient de bancs et des offices présidés par Alcide dans ses souliers de bœuf. Tous se souviennent de son dévouement, son humilité, son travail acharné. Combien de fois l'ont-ils vu essoucher et labourer lui-même, avec sa soutane attachée à sa ceinture? Et, lors de la construction de l'église, n'a-t-il pas travaillé autant sinon plus qu'eux à ériger ce lieu du culte?

Aujourd'hui, lui aussi se voit comblé et récompensé.

La claquette retentit. Les élèves s'exécutent. Bientôt, Mathilde s'aperçoit que les paroissiens se fient aux agissements des petits et obéissent à ses indications. Tout va pour le mieux et son assurance grandit de prière en prière.

Déjà la communion. L'évêque avance, secondé par Alcide avec son assiette dorée. Son tour approche vite. Beaucoup trop vite et c'est avec effroi que Clovis observe les langues se tendre vers le corps de Jésus. Il faut faire bien attention de ne pas le croquer car le curé lui a raconté qu'un jour un homme incroyant avait coupé l'hostie avec une hache et que du sang avait coulé par terre. L'homme avait été foudroyé par la colère de Dieu. Et s'il croquait, lui, sans faire exprès et que du sang coulait dans sa bouche? Du sang d'homme. Il réprime un haut-le-cœur. Heureusement qu'il est à jeun. C'est son tour. Il ferme les yeux, relève la tête. Ouvre-t-il la bouche? Pourquoi la patène tapote-t-elle son menton? Il ouvre les yeux; l'évêque attend patiemment près d'Alcide qui presse maintenant la patène contre sa gorge. L'hostie s'approche de ses lèvres qu'il serre malgré lui. Le prélat passe alors au suivant sans manifester la moindre colère.

Clovis retourne à sa place. Mademoiselle Mathilde vient lui parler.

— Pourquoi n'as-tu pas communié?

— Pas capable... peur croquer.

— Tu n'as qu'à la laisser fondre sur ta langue.

— Pas capable.

— Va. Essaye encore.

— Pas capable.

Il s'assoit et croise les bras d'un air décidé, triturant son brassard d'une main impatiente. Rien ne le fera changer d'idée. Il en a soudain assez de toutes ces choses qu'on lui fait faire et se rappelle les bienheureuses années qu'il a passées en forêt. Qu'il se sentait bien quand il ignorait les taches de l'âme et les tourments de l'enfer! Quand il n'avait pas à manger le corps d'un homme crucifié! Quand il n'avait pas à accomplir des génuflexions et des jeûnes affaiblissants!

— Vas-y avec ton ange gardien, lui suggère Jérôme. Y va t'aider.

— Oui?

— Oui: y va t'aider.

La certitude de son ami le convainc. Il s'approche à nouveau de la sainte table et supplie son ange gardien de lui venir en aide. Il ferme les yeux, relève la tête, ouvre la bouche, avance timidement la langue et avale aussitôt. Des larmes lui montent aux yeux et il s'étouffe. Il revient à son banc en toussant. Mademoiselle Mathilde s'empresse de tapoter son dos et lui lève un bras.

Il perçoit avec chagrin la brusquerie de ces mouvements, et ces touchers, loin de le combler, éveillent en lui de vifs sentiments de culpabilité.

Il s'agenouille. Se concentre avec ardeur comme le faisaient Biche et le docteur. Mais il ne sait que penser, que prier et se sent tout à coup intégré à la société blanche. Manger le corps du Crucifié s'avérait le dernier acte auquel il se serait livré pour faire partie de leur monde. Et voilà qu'il vient d'accomplir ce geste. Il a adopté leur langue et leur croyance, leurs vêtements et leur nourriture.

Mademoiselle Mathilde ne voit-elle pas tout le chemin qu'il a parcouru vers eux? Ne sait-elle pas qu'il a arraché une partie de lui-même en se défaisant de son fétiche? Qu'il a surmonté son dégoût et son horreur pour la communion afin d'être comme eux?

Il se rassoit et cherche un visage. Un visage qui sait tout cela et qui comprend tout cela. Ce visage le regarde étrangement. Ce visage l'attend avec toute sa douceur, sa sagesse et une fierté incompréhensible. Philippe lui fait un clin d'œil.

Et l'enfant, heureux, soupire de satisfaction et d'émoi. Conscient de ce magnétisme troublant entre lui et cet homme. De ce lien, hors de sa compréhension, qui les attache l'un à l'autre.

Au passage des outardes

Ils reviennent par le chemin, délaissant leur sentier afin d'accompagner en groupe mademoiselle Mathilde. Quoiqu'elle porte dans ses bras l'immense gerbe d'ail des bois qu'il lui a offerte, Clovis se sent éliminé du reste de la classe. Tantôt, au sortir de l'école, les élèves lui ont crié des noms: « Sauvage! Méchant! Méchant sauvage! » Il a même reçu une motte de terre derrière la tête. Depuis le cours dispensé par Alcide sur les martyrs canadiens, l'opinion des enfants à son égard s'est rapidement détériorée. Loup dangereux parmi des brebis, il tend à s'isoler et à se replier sur lui-même.

Mademoiselle Mathilde s'arrête devant sa belle maison blanche. Les élèves tournent autour d'elle comme des abeilles autour d'une fleur. Jérôme aussi s'attarde pour la saluer. Seul Clovis poursuit son chemin, en poussant un caillou avec son pied. L'enfant roux le rejoint au pas de course devant le maréchal-ferrant.

— Au secours! Un sau... sauvage! Un sau... sauvage! crie Hercule Thibodeau en les bousculant pour entrer en trombe dans la forge de son père.

Celui-ci s'avance et appuie ses gros bras pleins de sueur et de suie au chambranle de la porte. Il toise Clovis avec mépris et crache par terre.

— Ôte-toé de devant ma face, p'tit bâtard!

— Moé... pas devant face.

— Ah! Tu répliques! Approche que je t'en donne une réplique. J'vas t'en faire du répliquage. Ton grand-père peut ben avoir fait de la prison... Vous êtes tous pareils les sauvages: vous êtes juste bons à prendre la place des autres. Vous êtes tous pareils.

— Ouin. Y ont a... arraché le cœur du père Bré... Brébeuf, renchérit le fils.

— Que j'te voye pas parler à ça! Pis toé, le p'tit Jérôme à Honoré, guette-toé ben: on sait jamais quand c'est qu'on va te retrouver les cheveux arrachés.

L'enfant roux hausse les épaules et presse le pas près de son ami.

— Toé, peur moé?

— Non.

— Pourquoi moé sauvage?

— Parce que t'es né de même. Ta mère c'était, c'était une sauvagesse.

— Mauvais être sauvage? Curé dire sauvage enlever ongles, enlever cœur, manger cœur, faire beaucoup mal. Moé pas faire mal. Moé, méchant?

— Je pense pas.

— Blancs méchants aussi: manger homme sur croix dans p'tite hostie.

— C'est pas pareil Clovis, je te l'ai expliqué au moins cent fois. On le mange pas pour de vrai mais les sauvages, y l'ont mangé pour de vrai l'curé.

— Grand-père à moé, jamais manger curé.

— Ça devrait pas parce que mon père était son ami. On va y demander. Mon père aurait pas été l'ami d'un méchant.

— Va y demander, han?

Clovis s'arrête alors subitement et demeure estomaqué pendant quelques secondes. Jérôme l'imite et porte son regard vers l'endroit fixé par son ami. Et là, son cœur se crispe soudainement en apercevant le trappeur devant le magasin général. Une peur mortelle le saisit car il voit dans cet homme mi-sauvage, mi-civilisé, un parfait moyen d'évasion pour Clovis.

— Sam! hurle celui-ci en s'élançant vers lui.

Sam ! Sam ! Sam !
Cri plein d'espoir,
Cri plein de vie et de joie !
Différent de cet autre cri de novembre,
Plein de panique.
Visage tout en sourire,
Différent de cet autre visage caché par la robe noire.
Sam ! Sam ! Sam !
Cet appel longtemps réentendu
Durant les nuits glaciales
Du trappeur solitaire.
Appel longtemps ressouvenu
Dans le silence des neiges
Et dans le sang des pièges.

Cri d'angoisse et d'abandon,
Capable de déchirer le cœur de l'homme.
De troubler ses songes et ses soirées.
Visage longtemps retracé

Dans le halo fixe de la chandelle,
Sous le toit de terre humide
Qui sur ses reins fatigués, dégouttait.

Sam ! Sam ! Sam !
En ce jour de mai,
Ce nom explose.
Et vers le trappeur solitaire
L'enfant vole, l'enfant ose.

Les mains se tendent de part et d'autre.
Malgré la réserve et malgré les commérages.
Les mains se tendent de part et d'autre
Et sur le ciel bleu de mai,
Sam élève Clovis au bout de ses bras massifs.
Laissant pleuvoir sur lui
Le rire si longtemps désiré.
Rire de cristal et de bête heureuse
Identique au rire du poupon
Et encore capable d'amener
Au coin des yeux
Des larmes d'émotion.

— Oh! Small Bear! I didn't want you to see me.

Et Small Bear de rouler son visage dans la barbe abondante, humant avec délice l'odeur de boucane, de musc, d'épinette et de whisky si particulière à Sam. A Sam et aux gens des forêts. Lui aussi, avant, il dégageait ce parfum plein d'histoires. Sauf pour le whisky. Il ferme les yeux et hume avec un pincement au cœur. Il revit aussitôt son passé et des images se succèdent dans sa tête: le plancher d'épinette, les peaux tendues, la viande à sécher, les longues perches de poissons, les baniques sur le poêle.

— Emmène-moi avec toi, demande-t-il en algonquin en reluquant les sacs de provisions entassés dans la rue.

Sam se raidit. Éloigne son visage. Le dépose avec précaution et se met à lier ses sacs pour les trimbaler sur son dos. Il dit des choses en anglais.

— If only that damned grocer had served me right away. I didn't want you to see me, Small Bear. I don't want you to suffer, you know that, don't you?*

Clovis s'empare d'une poche de farine.

---

* — Si ce maudit épicier m'avait servi tout de suite... Je ne voulais pas que tu me voies, Small Bear. Je ne veux pas que tu souffres. Ça tu le sais, n'est-ce pas?

— Tu vas voir, je suis fort, explique-t-il encore, jouissant de l'occasion de communiquer dans sa langue maternelle.

— Même si tu es fort.

— Et je sais tendre des collets... et écorcher des peaux quand je fais attention.

— Quand tu fais attention.

— Je ferai attention.

— Je n'ai pas besoin de toi, Small Bear; tu es trop jeune. Donne-moi la poche.

L'enfant obéit et Sam l'observe avec des yeux navrés. Il s'est bien promis d'être distant si le hasard les mettait en contact. Il connaît l'âme sensible du garçon et ne veut pas lui laisser d'illusions. Il a tant souffert lui-même de faux espoirs et de rêves insensés. Pourquoi torturer davantage ce jeune être? Pourquoi le kidnapper pour le remettre au bout de quelque temps à quelque autorité qui le punira? Ou pourquoi lui promettre des choses qu'il ne pourra jamais réaliser?

Il se fait violence et, d'une voix dure, lui ordonne:

— Retourne avec ton ami: tu vis avec les Blancs désormais.

— Ils ne veulent pas de moi: ils disent...

— Apprends à vivre comme eux. J'ai bien appris, moi, à vivre comme ton grand-père.

— J'ai appris: je connais leur langue, j'ai même communié, mais ils me rejettent.

— Et ton ami? Tu voudrais l'abandonner pour me suivre?

— Oui.

— Je ne t'emmène pas. Allez, va!

Clovis le suit silencieusement jusqu'à la rivière où attend le canot. Sam le remplit de ses provisions et, au grand désappointement de Clovis, saute dans l'embarcation, en expédiant un bref au revoir.

— C'est le canot de ma mère! rappelle alors Clovis afin d'attirer son attention.

Floush! Floush! L'aviron plonge à l'eau.

— Je n'ai rien de ma mère: j'ai été obligé de donner mon fétiche. Fais-moi faire un tour dans le canot de ma mère.

Floush! Floush! Floush! Les gouttelettes glissent le long de l'aviron.

— Je n'ai même plus mon chien. Fais-moi voir mon chien!

Floush! Floush! Floush! Floush! Sam augmente la cadence en serrant les dents sur sa chique.

— Tu ne m'aimes plus. Tu as peur des Blancs. Tu es un peureux, Sam! Tu es un peureux! Je ne t'aime plus! Je ne t'aime plus.

Floush! Floush! Floush! Floush! Floush! Sam se hâte vers le tournant. La présence de l'enfant sur la berge le martyrise plus que les paroles qu'il profère. Se retournera-t-il pour lui envoyer la main? Non. Il doit s'arracher lui-même de son existence. Il doit s'extirper totalement, sans omettre une seule racine. Il sait que Small Bear doit mourir afin de laisser survivre Clovis. Arrivé au tournant, il tire si fort sur son aviron que l'eau éclabousse son visage.

— Tu es un peureux Sam! Je ne t'aime plus, tu comprends?

Comme il comprend ces étranges paroles d'amour.

— Small Bear! Small Bear, murmure le trappeur tout bas.

Ses yeux tristes parcourent le canot fabriqué par Biche. Bien sûr, il a hérité de cela, de la cabane, du chien, du gros poêle, de la carabine et de bien des choses. Mais il échangerait volontiers toutes ces richesses pour Small Bear: le seul souvenir vivant de Biche Pensive. L'être par lequel se poursuit sa race et dans lequel sa beauté triomphe si royalement.

— Voulais-tu partir avec lui? demande Jérôme en s'approchant de Clovis.

— Oui.

— C'est lui qui voulait pas?

— Va revenir. Moé partir avec Sam.

— Quand?

— Dis pas; toé vouloir empêcher moé.

Jérôme baisse la tête tristement. Agacé par cette attitude, Clovis le quitte.

— Viens demander à mon père, propose encore l'ami blessé.

Clovis se retourne. Il plisse les yeux malicieusement et affirme d'une voix ferme:

— Moé, veux pas savoir.

L'enfant roux le regarde monter la côte jusqu'au presbytère. Mottes, pierres et branches volent sous son passage fougueux.

Vendredi, dernier jour de classe et jour de lavage du plancher. A tour de rôle, deux élèves se voient attribuer l'honneur d'aider l'institutrice.

Étant donné l'absence de Jérôme, mademoiselle Mathilde a désigné Léonnie pour seconder Clovis qui revient avec une chaudière trop pleine qu'il renverse à chaque pas sur ses mollets. Léonnie, pour sa part, achève de passer le balai autour des pattes de métal. Ses gestes brusques indiquent son mécontentement.

— C'est toujours moé qui le remplace.

— Moi.

— Moa.

— Ça ne te fera pas de tort et en plus c'est la première fois que tu remplaces Jérôme. Je crois que tu lui dois bien ça, sermonne sa sœur aînée.

Un grognement, suivi d'un coup de balai agressif sur un tas de poussière mettent fin à la conversation.

— Va chercher la vadrouille, demande l'institutrice à Clovis.

Celui-ci s'exécute et attend de nouveaux ordres en regardant la vadrouille effacer les nombreux pas des écoliers. Sa pensée vagabonde et revient toujours à Jérôme, couché dans son lit, avec son visage blanc et ses cernes bleus sous les yeux. « Y s'est ben inquiété pour toé, expliquait Honoré. Y a pas dormi de la nuit. Y dit que tu vas te sauver avec Sam. »

Comme il s'est senti soudain minable d'avoir blessé son ami! Minable et fautif. Il ne savait plus quoi dire, assis près de lui.

— Vas-tu partir pour de vrai?

— Non... moé rester... moé... rester avec toé.

— Promis?

— Oui... promis... moé savais pas faire inquiéter toute la nuit.

Maintenant, il cherche quelque chose à lui ramener pour se faire pardonner. Une grenouille, peut-être. Oui, une belle grosse grenouille comme celle de l'étang qu'ils doivent contourner sur leur sentier. Jérôme a déjà essayé de l'attraper mais sa lenteur et sa crainte de l'eau l'empêchaient de réussir cet exploit.

— Va vider l'eau et ramène une autre chaudière. Fais attention à ne pas mouiller tes bas.

Qu'importe! pense Clovis en se voyant déjà patauger dans la mare aux grenouilles.

— Qu'est-cé qu'y fait?

— Y pompe l'eau. D'habitude, ça prend trois chaudières. C'en fait deux. Comment qu'y est le feu?

— Pas... pas pire.

Olivier Levers rampe vers Hercule Thibodeau et un sourire nerveux étire ses lèvres minces. Hercule, pour sa part, fronce ses épais sourcils en se rassurant:

— Jus... juste pour y faire... peur?

— Ben oui. On va faire semblant. De même, c'est lui qui va avoir peur de nous autres... Y va comprendre que les Blancs se laissent pus faire par les sauvages.

— Ouin! Paraît qu'y... qu'y va faire un... un prêtre.

— Ma mère a dit qu'y va prendre notre place.

— Ouin. C'est pas juste. C'est rien qu'un... un sauvage. Y a pas d'affaire...

— Imagine-lé en soutane. Tiens, t'imagines-tu aller te confesser à lui?

— Ja... jamais. Moé, j'ai... j'aimerais ça faire un prêtre. Ma... ma mère a l'irait au ciel. A l'a dit qu'a... avec un prêtre dans famille, est sûre d'aller au ciel. Si... si c'est lui qui... qui... qui fait un prêtre, y va faire rentrer sa mère pis... pis... pis son grand-pépère pis Sam.

— En plus que son grand-père y a fait de la prison. Ma mère a m'a dit qu'y avait battu une sœur. Mon père était avec la police quand est allée le chercher. Vrai comme j'te dis. Y a pas eu peur du gros sauvage. Moé non plus, j'ai pas peur. Toé, t'as-tu peur?

— Non. Y est ben plus p'tit que nous... nous autres. J'ai onz... onze ans.

— Moé dix.

Un craquement de branches les fait sursauter. Ils se retournent vitement et aperçoivent le grand Firmin.

— Quoi que vous faites icitte?

— Rien, rien: on regardait.

— C'est la place à moé, icitte. Allez-vous-en!

Les yeux de l'adolescent lancent des étincelles de fureur. Il venait observer mademoiselle Mathilde à la dérobée, comme il le fait lorsqu'on l'envoie au village pour des commissions. Depuis qu'Éloïse s'est vu retirée de l'école, il doit se contenter de ces rares occasions pour entrevoir la jeune femme. Il ne sait trop ce qui le pousse à se tapir ainsi et à l'attendre. La dernière fois, c'était en mars et la neige juteuse mouillait son ventre et ses cuisses. Mademoiselle Mathilde avait barré la porte, selon son habitude, et avait porté son regard au loin, sur les collines. Elle avait pris une grande respiration et sa poitrine bombée avait éveillé d'étranges et merveilleuses sensations dans son corps entier. Malgré les élèves tourbillonnant autour d'elle, il avait l'impression que ce regard sur les collines lui était dédié et qu'elle soupirait de ne pouvoir lui parler. Cette image avait nourri sa solitude et ses fantasmes. Maintenant, il vient en chercher une autre. Mais ces deux garçons se trouvent à sa place et une douleur intolérable vient serrer le cœur de Firmin. S'abreuvent-ils, eux aussi, de la même vision que la sienne? Lui volent-ils ce droit minime qu'il s'est accordé? Il serre les poings.

— Quoi que tu regardes? demande-t-il à Hercule.

— Clo... Clovis.

— Qui?

— Le... le sauvage. On... on veut y fai... faire p.... peur.

— Ah.

— Tu sais pas ce que les sauvages ont fait au père Brébeuf? fanfaronne Olivier.

— Non.

— Y ont arraché ses ongles pis y l'ont brûlé. Après y ont arraché son cœur pour le manger.

— Je savais pas.

— Ça fait qu'Hercule pis moé, on s'est mis d'accord pour faire semblant de le torturer. Comme ça, y essayera pas de s'attaquer au curé ou à mam'zelle Mathilde. Mam'zelle Ernestine a dit qu'y a même craché su l'curé.

— Firmin avec va y faire peur.

Ce disant, Firmin s'étend sur le sol et rampe jusqu'au poste d'observation. Il arrive juste à temps pour voir Mathilde, vêtue d'une blouse blanche et d'une jupe noire. Une mèche cendrée tombe mollement de son chignon et brille sur son épaule. La gorge de Firmin se dessèche. Aura-t-elle un regard pour les collines? Non. Elle parle au petit sauvage. Elle lui sourit. Elle le salue et part avec sa jeune sœur. L'herbe neuve s'écrabouille dans les poings de Firmin et les racines cèdent avec un léger bruit de déchirure.

L'enfant grimpe la côte en pensant à sa grosse grenouille. L'odeur de fumée qu'il perçoit ne l'inquiète pas. Il y a tant de feu d'abattis et de feu de cochonneries qu'il classe l'odeur comme régulière. Soudain, un être surgit des buissons et l'empoigne par derrière. Il échappe un cri: une grosse main sale s'écrase sur sa bouche. Il se débat mais d'autres mains s'agrippent à ses jambes. Reconnaissant deux élèves de la classe, il se calme un peu et les interroge du regard.

— Écoute ben... maudit sauvage; tu vas goûter à torture. En seulement, c'est toé qu'on va attacher au poteau. C'est fini le temps des sauvages qui font mal au pauvre prêtre.

— Fi... fini.

— Tu vas payer pour ton grand-père. Y s'est pas gêné, lui, pour battre une pauvre sœur.

— Ouin... une femme à... à... part ça.

Clovis réussit à dégager son visage et se met à hurler.

— Fermes-y la gueule! ordonne la voix rauque derrière lui.

Ce ton lui rappelle vaguement quelqu'un qu'il ne peut identifier dans son affolement.

— A... avec quoi?

— N'importe quoi.

On lui enfourne bientôt un de ses bas mouillé dans la bouche. L'inconnu le retourne brutalement comme une toupie. Il aperçoit alors Firmin et un frisson le parcourt des pieds à la tête.

— Qu'est-cé qu'on fait astheure? demande Olivier en craignant l'expression malveillante de Firmin.

Celui-ci, sans explication, soulève Clovis au bout de ses bras et va le déposer dans le feu.

Le jeune métis saute d'un pied sur l'autre et essaie par tous les moyens de s'enfuir, mais la brute le tient solidement et pèse sur ses épaules. L'odeur de chair grillée lui lève le cœur tandis qu'une douleur intolérable perce ses pieds.

Olivier et Hercule se taisent, horrifiés. Ils tremblent, eux aussi, des pieds à la tête et n'osent contredire l'esprit faible de Firmin.

— C'est assez Firmin. Y a eu... assez peur. Laisse-lé, suggère Olivier timidement.

— Ta gueule!

Clovis hurle dans son bas et les larmes roulent sur ses joues. Il s'affaiblit. Bientôt, il va tomber dans le feu et brûler tout entier. Pourquoi lui fait-on si mal? Si mal. Pourquoi veut-on le faire mourir d'une façon si atroce? Jérôme n'aura pas la grenouille. La belle grenouille de l'étang. L'eau de l'étang submerge son cerveau. Il la voit, cette eau, marbrée de mousse verte. Et s'imagine pieds nus dans l'eau. L'eau fraîche. Il sent monter la terre noire entre ses orteils et ses chevilles s'agglutiner dans les œufs. Il ferme les yeux et se laisse aller. Des mains l'arrachent et l'envoient rouler par terre. On baisse son pantalon. Il ouvre alors ses yeux terrifiés et rencontre le regard d'Olivier qui frise l'épouvante.

— Firmin va couper sa dédine, fils de chienne!

— Fais pas ça, Firmin, tu vas le faire mourir.

— Non. Non, Firmin va faire pareil comme aux cochons: couper ses gosses. Ha! Ha! Ha! Y a peur, le fils de chienne! tenez-lé ben. Firmin va d'abord en brûler un boutte.

Clovis jette un regard suppliant aux deux enfants maintenant impuissants devant la démence de leur complice. Les lèvres d'Olivier bleuissent à vue d'œil et ses dents claquent. Il s'appuie sur le bras gauche de Clovis et détourne la tête pour ne rien voir. Quant à Hercule, il ne peut détacher son regard de Firmin et l'horreur grandit de minute en minute sur son visage. Il maintient la victime sans s'en rendre compte et des gouttes de sueur glissent dans son dos.

— Tu vas le tuer. Tu vas le tuer, balbutie-t-il.

Un bâton rougi touche le gland et l'enfant s'arc-boute. Hercule arrache alors le bâillon et s'enfuit. Un cri saisissant jaillit de la poitrine de Clovis et Olivier déguerpit à son tour.

— Ta gueule! Ta gueule! rugit Firmin.

Mais le cri s'amplifie et formule des appels à l'aide. Saisi de panique, l'adolescent s'empare d'une pierre et l'abat sur la tête de Clovis. Un silence subit règne alors et le crépitement du feu s'entend clairement. Il regarde le sang couler sur le front et glisser tout autour de l'arcade sourcilière. Le petit ruisseau rouge traverse la tempe et s'amasse dans l'oreille.

Firmin se lève et secoue la tête en râlant étrangement.

Son visage exprime incompréhension, culpabilité et peur. Il recule avec précaution du corps inerte et disparaît.

Le feu s'éteint. Une grosse grenouille coasse dans l'étang vert et débute l'orchestration de ses compagnes. L'angélus plane paisiblement sur le village. Des oiseaux se répondent en cousant leur nid.

Et, sous les bourgeons vert tendre, gît l'enfant-roi des bois.

Philippe fume paisiblement une pipée en compagnie de Mathilde. Un silence confortable les unit. Devant la galerie, Judith et Marie s'amusent dans le sable. Jeanne et Marguerite aident à la vaisselle tandis que Léonnie nettoie l'écurie. C'est la paix. La sainte paix d'un soir de mai. Des milliers de chants montent de la forêt. Un vol d'outardes traverse le ciel en hurlant comme des loups. Le médecin, impressionné par la forme régulière de leur V, les accompagne d'un regard rêveur. Où vont-elles donc? Vers ce Nord encore plus au nord? Sa fille le regarde suivre le vol des intrépides oiseaux et son cœur s'attendrit devant l'expression contemplative de l'homme.

— Elles vous intriguent?

— Oui. Parfois, parfois j'imagine être sur leurs ailes, admet-il en se calant dans sa berceuse d'osier.

Sa fille hoche la tête comme si elle venait de le prendre en défaut. Il sourit.

— Te rappelles-tu lorsque nous sommes arrivés?

— Oh! Oui. J'avais sept ans.

— Et tu n'aimais pas ça.

— Ça faisait changement d'avec la ville. Cette rue n'était qu'un sentier... et le chemin aussi.

— Oui. Maintenant, nous sommes à la croisée des chemins. Des chemins, pas des sentiers. Et ça deviendra encore plus grand. Quand tu auras mon âge... ce petit village sera devenu une belle petite ville.

Le regard du médecin s'étend devant lui et aperçoit soudain la silhouette impressionnante du curé. En peu de temps, Alcide les rejoint, piétinant les châteaux de sable sans s'en rendre compte. Un pli amer marque sa bouche, son front se barre de rides. Il abat alors son poing sur un poteau en annonçant:

— Il s'est sauvé!

Philippe demeure interdit et demande inutilement:

— Clovis?

— Oui. Apparemment qu'il aurait arrangé ça avec le beau Sam. Il est venu hier et ils se sont parlé. C'est Jérôme qui a raconté ça à son père. Clovis lui a dit que Sam viendrait le chercher. Vous imaginez?

— C'est pour ça qu'il avait l'air distrait, explique Mathilde.

— Justement, je voulais savoir à quelle heure vous l'avez vu pour la dernière fois?

— Oh! Il devait être quatre heures et quart.

— Et comment était-il?

— Il semblait pressé. Oui, pressé. D'habitude, il tarde toujours mais tantôt, il semblait pressé.

— Sam devait l'attendre quelque part. C'est ridicule! Ridicule! Demain, à l'aube, nous irons le reprendre. Je sais où est la cabane. Vous aussi, docteur. Est-ce que je peux compter sur vous? Comme je vous l'ai déjà dit, mon anglais laisse à désirer.

— Oui. Oui. Bien sûr, j'irai.

— Bon. Je vais réunir quelques hommes. A demain. Vers cinq heures, disons.

— Je serai au presbytère.

— Avec votre cheval de course, vous pourriez aller plus vite que nous autres, même s'il se fait vieux.

— Je peux y aller tout de suite, offre Philippe en se levant.

D'un geste de la main, Alcide freine son élan:

— Il fera noir dans deux heures. Demain matin, nous les aurons aussi facilement.

Il piétine à nouveau les fondations d'un château et s'empresse d'obtenir l'appui du maréchal-ferrant.

— Avec Sam, soupire Philippe.

— C'est son père après tout.

L'homme ne répond rien et mâchonne son tuyau de pipe. Quelle attitude doit-il prendre face à l'escapade de son fils? La première réaction qui lui est venue en était une de fierté. Clovis n'avait-il pas réussi son évasion? Maintenant, il se demande s'il ne lui chauffera pas les fesses pour l'inquiétude et le remue-ménage qu'il cause. Car il s'inquiète. Sam n'aurait pas risqué cet enlèvement pour aller s'installer à son campement habituel. Non. Probablement qu'ils voyageront un bon bout de temps avec le canot. Il y a tant de chemins, tant d'espace, tant de refuges. Et Sam connaît si bien la forêt.

— Je ferais mieux d'y aller tout de suite, décide-t-il en vidant sa pipe.

Un bruit de charrette attire son attention. Honoré arrive en trombe par le chemin de l'école, soulevant un nuage de poussière derrière lui. Il s'arrête. Et là, sur les genoux de Jérôme, Philippe aperçoit son enfant. Honoré le prend dans ses bras et grimpe les escaliers.

Philippe fige. Il ne sait plus que faire. Ne sait plus que dire. Il ne sait même plus qu'il est médecin. Tout ce qu'il comprend, c'est qu'on lui ramène le cadavre de son petit garçon. De SON petit garçon. Il lève les bras pour accueillir le corps que l'ébéniste lui tend. Le poids et l'inertie de ce corps le plonge davantage dans son hébétude. Il le regarde. Du sang dans l'oreille droite, des cheveux coagulés, pâleur sous le teint hâlé, yeux clos. Il le regarde comme un père et non comme un médecin. Mathilde s'en approche. Jamais encore elle n'a vu une telle réaction chez lui. Jamais elle ne l'a vu blêmir si soudainement à la vue d'un blessé. Une fois même, ils ont ramené un homme tombé sur la scie du moulin et il n'a pas bronché à la vue du bras coupé. Maintenant, il ressemble à une statue de cire et ses yeux implorent. Ses yeux quémandent une aide quelconque.

— Grouille-toé, Philippe, y est pas mort.

— Tu es sûr?

— Voyons doc!

Réagissant subitement, le médecin fonce vers son cabinet en hurlant des ordres.

— Faites bouillir de l'eau. Honoré vient m'aider.

Il étend Clovis sur sa table et tâte le crâne sous la blessure. Ses doigts décèlent une légère dépression dans l'os pariétal droit.

— Fracture du crâne, dit-il pour lui-même.

Sa voix neutre le surprend car son cœur se débat furieusement. Comment peut-il paraître si professionnel quand la vie de son propre enfant risque d'être gâchée à tout jamais? Fracture du crâne: il connaît tous les risques et toutes les complications d'une telle blessure. Hémorragie cérébrale, paralysie, mort. De plus, cette inconscience profonde et probablement longue peut gravement affecter le cerveau. Il examine les pupilles avec soin notant qu'elles se dilatent également. Il vérifie la souplesse des membres inférieurs et supérieurs.

— C'est-i un coup qu'y a reçu?

— Probable. Il y a moins de risques pour des lésions internes. Je vais lui faire des points de suture.

— C'est pas toute, Philippe.

— Comment?

— Ça m'a tout l'air qu'on a essayé de le torturer: ses pieds sont brûlés pis... ben... ben regarde, bonyenne. Y l'ont pas manqué.

Une immense cloche d'eau gonfle considérablement le prépuce et le médecin blêmit à nouveau. S'approchant des pieds mutilés, il s'immobilise et couve le petit d'un regard accablé.

— Pourquoi? Pourquoi lui ont-ils fait ça? demande-t-il d'une voix étranglée.

— Le monde est bête.

— Sais-tu qui?

— Non. On l'a trouvé à côté d'un p'tit feu, juste derrière l'école. C'est grâce à Jérôme; y avait comme une idée.

Avec un soin extrême, il a suturé, désinfecté et pansé les plaies. Ses gestes d'automate le stupéfient. Des gestes parfaits, précis, concis. Juste ce qu'il faut de temps, de mouvement, de pression. Tout ce qu'il y a de plus ordonné, de plus rationalisé. Et pourtant il ne ressent qu'un terrible chaos à l'intérieur de lui-même comme si un ouragan l'avait dévasté.

Honoré l'assiste gauchement et nuit plus qu'il n'aide parce que la nervosité le fait parler. Il répète l'histoire du petit feu et de la découverte.

— Moé si, je pensais qu'y était mort... je pensais qu'y était mort... quand j'ai vu qu'y grouillait pas pantoute. Y va vivre, hein?

— Faudrait le réanimer.

— J'ai tout essayé. On y a mis de l'eau froide dans face... on l'a tapoté.

— Je vais essayer les sels encore une fois.

Peine perdue. Rien ne rejoint l'enfant dans la profondeur de son coma.

Philippe l'ausculte: tout le système fonctionne au ralenti.

— Pis?

— Je ne peux rien dire. Il peut s'éveiller dans une heure, dans dix minutes, dans dix ans ou jamais. Et s'il se réveille, il risque aussi d'être fou ou paralysé.

— Y a-ti des chances d'être normal?

— Oui. Bien sûr... mais... j'ai peur Honoré. J'ai peur qu'il...

Philippe pose ses doigts sur ses yeux, incapable de poursuivre sa phrase. Honoré remarque le serrement de ses mâchoires. Il s'approche de lui.

— Je te comprends; c'est ton gars. Moé, je veux qu'y vive, qu'y soye comme avant.

— J'aimerais mieux qu'il meure plutôt que de le voir paralysé ou fou.

— Dis pas ça, Philippe, dis pas ça.

— Oh! Non. Pas lui, je ne veux pas qu'il soit infirme, pas lui, pas Small Bear, pas mon Clovis si vif, si intelligent. J'ai peur, Honoré, j'ai peur. Laisse-moi, veux-tu?

— Ben sûr.

A pas lourds, Honoré quitte le cabinet et referme doucement la porte derrière lui.

— Faut pas rentrer pour le moment, explique-t-il à Mathilde.

Philippe se retrouve seul avec son fils. Il le regarde longuement, tendrement, tristement. Il s'en approche et tient sa petite main molle et froide dans les siennes. Le voilà, le petit garçon de ses rêves. Le voilà blessé, brûlé, abusé. Le voilà à l'agonie. Avec des scènes d'atrocité et de haine enregistrées au fond de sa cervelle. S'il venait à mourir, quelle dernière image emporterait-il de ce monde de « civilisés »? Celle d'une pierre qu'on brandit sur sa tête? S'il devenait fou, quelle impression garderait-il de ce monde d'intelligents? Une impression de rejet et de violence obscène?

Le médecin se penche tout près de l'oreille du jeune blessé et murmure: « Fais plaisir à ton papa; réveille-toi, mon petit garçon. Je suis là. Ton papa est là, à côté de toi. Je ne partirai pas. Réveille-toi, je t'en prie. Je t'en supplie Clovis, réveille-toi. »

On toque à la porte. Il glisse ses doigts sur le poignet comme s'il venait de prendre le pouls.

— Entrez!

Mathilde le rejoint.

— C'est vrai ce qu'Honoré raconte?

— Oui.

— Je crois savoir ce qui a provoqué tout cela.

— La torture?

— Oui.

— Sais-tu qui?

— Non, mais ce doit être un de mes élèves ou plusieurs de mes élèves. Lundi, monsieur le curé est venu donner un cours d'Histoire du Canada et il a parlé des saints martyrs canadiens. Il a raconté, dans le détail, toutes les tortures que les sauvages infligeaient aux missionnaires. Et j'ai remarqué que depuis ce cours, l'attitude des élèves envers Clovis avait changé. On lui lançait des mottes de terre et on lui criait des noms.

— As-tu une idée qui?

— Ce doit être dans les plus vieux: il faut être assez fort pour briser un crâne.

— Oui, assez fort.

La voix puissante d'Alcide résonne dans la salle d'attente.

— Paraît que vous l'avez trouvé.

Il s'arrête dans la porte du cabinet et cherche Clovis.

Le médecin le dévisage longuement et, présentant le corps sur la table, annonce d'un ton ironique:

— Voyez comme vos cours d'histoire ont porté fruit.

Incrédule, Alcide s'avance, se donnant une mine réjouie.

— Il fait semblant de dormir, le p'tit snorro. C'est parce qu'il a peur de se faire punir.

Mais l'aspect inquiétant de Clovis le cloue à son chevet.

— Qu'est-ce qu'il a?

— Fracture du crâne et brûlures graves aux pieds et au prépuce.

— Comme ça, c'est sérieux, ils ont essayé de le torturer?

— Oui.

— Pauvre enfant! Je ne savais pas. Je suis navré, docteur.

Je ne pouvais prévoir qu'on interpréterait mon cours de cette façon. Est-ce qu'il souffre?

— Non. Pas présentement. Mais les conséquences peuvent être terribles; la folie, la perte de mémoire, la paralysie. Si jamais cet enfant reste marqué ou handicapé, je vous tiendrai responsable de tout, vous m'entendez. Je vous tiendrai responsable et je vous le ferai payer toute votre vie. Toute votre vie. Maintenant, disparaissez! Je ne veux plus vous voir près de lui. Vous n'êtes qu'un incompétent! Qu'un dictateur de dernier ordre!

— Faites attention à ce que vous dites, docteur.

— Sortez! Sortez d'ici ou je vous démolis moi-même.

Le curé obéit et quitte la pièce. Mathilde, bouleversée, observe son père. Il respire bruyamment, rapidement et une veine se gonfle sur sa tempe.

— Calmez-vous, papa.

— Tu as raison.

— Vous semblez être bien préoccupé par cet enfant.

— Je n'aime pas voir souffrir des enfants: ils ne méritent jamais qu'on les punisse outre mesure. Celui-ci souffre plus que tous les autres. Cet automne, il a perdu sa mère... et il est seul. Tu... tu ne l'as pas vu, toi, cet automne. Tu n'as jamais vu un enfant appeler la mort?

— Non.

— Moi, je l'ai vu et je l'ai adopté dans mon cœur. Dorénavant, je veux que tu le considères comme mon fils car c'est ainsi que je le considère moi-même.

— Je comprends. Est-ce que je peux faire quelque chose?

— Non. Je le veillerai. Il faut qu'il y ait quelqu'un à son réveil. Il a dû subir un choc terrible.

— J'ai des corrections à faire. Je serai dans la salle à manger si vous avez besoin de moi.

— Très bien. Merci ma fille, merci.

Il s'avance vers elle et, prenant sa tête dans ses mains grandes ouvertes, il baise son front tendrement.

— Ma sage Mathilde. Je suis heureux d'avoir une fille comme toi. Va. Je t'appellerai.

La lampe éclaire doucement le cabinet. Par la fenêtre grande ouverte, pénètrent les parfums neufs du printemps et le chant inlassable des ardents batraciens. Après avoir prié Dieu le Père, le Fils et le Saint-Esprit, après avoir imploré la Vierge et s'être accusé et blâmé, Philippe s'empare du fétiche et le tourne dans ses doigts formulant une prière spéciale à l'intention de Biche Pensive. « Ma Biche, ma Biche, laisse-le-moi. Je ne sais pas pourquoi tu l'as donné au curé mais il ne s'en est pas occupé comme il faut. C'est peut-être ce que tu voulais? Le ravoir avec toi dans la mort. Ne le prends pas tout de suite car je l'aime. Je l'aime plus que je ne t'ai aimée. Je l'aime plus que moi-même. Laisse-le-moi sauf si tu sais qu'il lui est arrivé une complication grave. Il ne serait pas heureux, notre fils, s'il se traînait en chaise roulante. Je sais que j'ai voulu l'avorter mais ce n'est pas une raison pour le faire souffrir, lui. C'est notre fils, mon amour. Fais-moi confiance, je t'en prie. J'en prendrai soin et je finirai bien par l'adopter. Un jour, il vivra sous mon toit, je te le jure. Laisse-le-moi, ma Biche. »

Une plainte légère l'arrache à sa prière. L'enfant roule la tête et geint faiblement. Philippe avance la lampe et emploie les sels à nouveau afin d'accélérer son réveil.

Une odeur piquante traverse sa tête douloureuse. Il s'entend gémir. Où est-il? Tantôt, Firmin était en train de lui couper la verge. Une douleur cuisante habite cette région et s'étend jusqu'au ventre. Il ouvre les yeux. Des ombres dansent. Couleur de feu au-dessus de sa tête. Est-il en enfer? Il glisse sa main afin de toucher son sexe et ne rencontre que des bandages. On le lui a coupé. Il se met à crier, à hurler, à pleurer. Des mains le secouent et une voix répète:

— Clovis, écoute, écoute, c'est juste brûlé, c'est juste brûlé.

Mais son propre cri enterre ces paroles. On veut lui faire croire qu'il n'a pas été amputé. C'est la voix du sorcier. Il a touché, lui, et n'a rencontré que des bandages. Dans son agitation, il s'assoit sur la table et se débat. Ses poings frappent quelqu'un. Il les entend résonner. Voilà pour toi, Firmin. Voilà pour tous ceux qui l'ont privé de son sexe. Un bras autoritaire l'entoure et l'immobilise. On arrache la couverture.

— Regarde. Ce n'est que brûlé. Ce n'est que brûlé. Ça guérira, Clovis. Ça guérira très vite.

On enlève le bandage pour lui prouver. Il regarde cette partie de lui-même avec un grand soulagement. L'homme le recouche doucement.

— Tu vois, j'avais raison. Ça guérira très vite. Tu me crois maintenant?

— Oui.

— Tu me reconnais?

— Philippe.

— C'est ça.

— Mal... ma tête... mal mes pieds, mon ventre.

— Je sais.

— Soif.

— Je vais te chercher de la bonne eau fraîche.

Mathilde attend dans la cuisine.

— Il est réveillé?

— Oui, répond son père avec un grand sourire.

— Qu'est-ce qu'il avait à crier comme un cochon qu'on égorge? demande Amanda d'un ton pincé.

Philippe lui lance un regard furieux. S'adressant à sa fille d'une voix douce, il explique:

— Il s'est cru amputé lorsqu'il a touché les pansements. Sa réaction a été bonne; il s'est défendu comme un vrai petit diable. Tiens. Tu veux aller lui porter de l'eau? Je sais qu'il t'a en admiration comme tous les petits garçons de ta classe. Fais-le boire doucement.

— Très bien.

Se voyant seul avec sa femme, le médecin laisse d'abord planer un silence lourd de reproches. Se sentant blâmée, Amanda attaque aussitôt.

— C'est qu'il va réveiller la maisonnée.

— ...

— Ça n'a aucun sens.

— ...

— S'il faut que les patients nous empêchent de dormir.

— Tu as changé, Amanda, tu as changé et pas pour le mieux. C'est toi-même qui disais vouloir m'aider dans ma tâche pour soigner les gens. Si c'est ta façon de m'aider, tu fais preuve de sottise ou d'égoïsme. Ta fille a compris beaucoup plus vite que toi.

Mademoiselle Mathilde soutient sa tête et lui fait boire de l'eau par petites gorgées. Il s'abandonne à ces mains douces et jouit des cheveux défaits couvrant les épaules. Ils lui rappellent ceux de sa mère.

Le médecin revient. Il accroche son instrument dans ses oreilles et promène la petite masse froide sur sa poitrine. C'est ce qu'il faisait à Biche avant qu'elle meure.

— Va mourir?

— Non, non. J'écoute ton cœur.

Les doigts affectueux de mademoiselle Mathilde cajolent sa joue.

— C'est un stéthoscope, Clovis. Avec ça, il entend tout ce qui se passe dans ton corps.

Clovis se sent en sécurité entre ces deux êtres et laisse descendre ses paupières sans résister. Il les entend, tout près de lui, et murmure:

— Rester avec moé... moé peur.

— De qui?

— Blancs... méchants. Faire beaucoup mal à moé. Moé peur.

— Qui t'a fait ça? ose Mathilde.

— Moé peur dire. Rester avec moé, Philippe.

Sa main cherche et rencontre celle de l'homme. Il glisse dans une léthargie paisible. Ici, personne ne pourra l'attaquer.

Attenante au cabinet de consultation, une petite pièce avait été aménagée en prévision de cas graves. Les filles du docteur l'avaient baptisée le « p'tit hôpital ». Cette chambre servait également de tampon entre la cuisine et le cabinet, de sorte que Philippe devait obligatoirement la traverser pour se rendre à son travail. Elle se composait d'un lit de métal, d'une table de chevet, d'une chaise confortable et de tout l'attirail nécessaire aux soins d'un malade: urinoir, crachoir, bol à vomir, broc à eau, serviettes, sacs d'eau chaude, compresses.

C'est dans le « p'tit hôpital » que Philippe transporte maintenant son fils. Il l'installe confortablement dans le lit tout en lui faisant la conversation afin de vérifier l'état de choc. L'enfant répond normalement mais résiste mal au sommeil. Il se plaint de maux de tête et sa température s'élève progressivement.

Le médecin s'installe sur la chaise et veille. Bientôt, toutes les lumières du village s'éteignent et dans sa propre maison, toutes s'endorment rapidement. Les chants du dehors pénètrent par la fenêtre ouverte de son cabinet. La lampe vacille. Une grande lassitude l'envahit soudain. Alors lui vient l'idée de s'étendre avec Clovis. Après avoir enlevé bas, pantalon et chemise, il se glisse sous les couvertures. L'enfant ouvre ses yeux somnolents et se colle contre lui avec confiance. Sa petite main s'accroche encore à la sienne et l'étreint.

— Rester avec moé, Philippe?

— Oui, je reste avec toi, mon garçon.

Ce poids dans le creux de son épaule, une touffe de cheveux soyeux dans son cou, un bras chaud allongé sur sa poitrine. Dans son demi-sommeil, les souvenirs se mêlent à la réalité et Philippe revit ses moments amoureux avec Biche. Il vient de passer la nuit avec elle, sous les nattes de peaux de lièvre. Elle l'entoure encore de ses bras endormis et son souffle agite les poils de son thorax. Moment de paisible tendresse après les jeux osés de l'amour. Moment de confiance, d'abandon, d'appartenance. Moment de pensées interdites, de désirs informulés. Rester avec elle. Devenir trappeur. Élever le petit. Vivre toujours avec elle. Près d'elle. En elle. Posséder son corps toutes les nuits. Toutes les nuits, s'abandonner à sa chair. Sentir vibrer son être sous lui. Toutes les nuits, faire monter la plainte d'amour et secouer ses fruits. Comme un homme. Un vrai. Un vrai homme avec une vraie femme. Pas une femme élevée dans l'aversion de son propre corps et de ses propres jouissances.

Une ombre plane sur son bonheur. Quelle est cette ombre entre lui et la lumière blanche du matin? Il ouvre les yeux et aperçoit Amanda. Il se redresse vitement dans le lit, comme s'il venait d'être pris en flagrant délit d'adultère. Dans sa brusquerie, il réveille Clovis qui s'agrippe à sa taille.

— Rester avec moé.

— Je ne vais pas loin, mon garçon. Repose-toi.

Sa femme, au maintien irréprochable, le condamne de son regard froid. Il a l'impression de voir sa mère: l'inhumaine et très digne madame docteur. Une flamme de sympathie et de compréhension s'allume à l'égard de son père, dont l'ardeur devait rencontrer à chaque nuit ce bloc de glace mondain.

— Tu dors toujours ainsi avec tes patients? questionne la voix tranchante.

— Non. C'est la première fois. J'étais si fatigué. Je me suis étendu quelques minutes et...

— Étendu! En ayant soin d'enlever tes vêtements et d'aller sous les couvertures? Raconte cela à quelqu'un d'autre. Tu t'es volontairement couché avec lui, ça se voit.

— Bon. J'ai dormi avec lui, est-ce un crime?

— Oui. Ça ne se fait pas. C'est un crime contre l'étiquette et même contre, contre la médecine.

— Contre la médecine. Fais-moi rire. Je ne dors que d'un œil. S'il s'était plaint, je l'aurais entendu aussitôt. Et même, je peux avancer qu'il fait dans les 102° de température et que son pouls est un peu trop rapide.

Il se penche vers Clovis et tâte ses joues, étonné par l'expression attristée de celui-ci.

— Tu t'es vautré dans le lit d'un sauvage! Tout le monde sait qu'il est plein de microbes, conclut Amanda avant de faire demi-tour vers la cuisine.

Philippe n'a pas le temps de répliquer et tente de sourire à l'enfant peiné.

— Quoi microbes?

— Rien. Ce n'est pas vrai ce qu'elle dit. Tu n'es pas plein de microbes.

— Pas vouloir être sauvage.

— N'aie pas honte de ta race. Ce n'est pas une maladie ni un défaut. Ton grand-père était Algonquin ainsi que ta mère, ainsi que toi. Et je les ai connus tous les deux: c'étaient de très bonnes personnes.

— Grand-père manger curé?

— Non, voyons! Ton grand-père était un homme très courageux. Je l'ai même opéré et il n'a pas crié une seule fois.

— Lui, gros?

— Oh! Oui. Gros comme Honoré. Et fort. Très fort.

— Pourquoi lui en prison?

— Ah, ça c'était parce qu'il... qu'il croyait profondément à son Dieu à lui. En fait, il a seulement arraché une croix au cou d'une religieuse. Il ne lui a pas fait mal. Bon. Il faut que je m'habille.

Tout en l'observant enfiler son pantalon, Clovis constate à haute voix:

— Toé pas heureux avec femme à toé.

— Pourquoi dis-tu ça?

— Femme à toé pas aimer toé... pas aimer moé. Moé, pas aimer femme à toé.

— C'est ton droit.

— Moé aimer toé, aimer mam'zelle Mathilde, aimer Judith, Marie, Léonnie. Léonnie comique.

— Veux-tu qu'elles viennent te voir. Je les entend justement qui se lèvent.

— Moé veux aller dehors avant.

— Pourquoi?

— Envie pipi.

— Tu es trop faible pour aller dehors. Tiens, ça, c'est un bol spécial pour faire pipi au lit.

Le médecin installe l'urinoir. Les premières gouttes le brûlent. Il tente de se retenir mais sa vessie se vide traîtreusement. La brûlure s'intensifie. Il a l'impression qu'on enfonce une lame de couteau rougie dans son pénis. Un mal incroyable gagne la région de son ventre et il s'arc-boute, enfonçant sa tête fragile dans l'oreiller. Là aussi la douleur s'éveille, martelant tout à coup ses tempes fiévreuses. Il geint. Il aimerait être brave comme son gand-père pour impressionner Philippe. Pour lui prouver sa bravoure et revaloriser sa race. Ses ongles s'enfoncent dans ses paumes. L'homme l'encourage de ses paroles et de sa présence.

— Voilà, c'est fini.

La douleur demeure. Il ferme les yeux.

— Veux pas voir filles.

— Tu vas te reposer un peu. Après, ça ira mieux. Je vais te mettre de l'onguent, ça va te soulager.

Soulager. Un terme auquel il ne croit plus. Aller mieux aussi se range dans cette catégorie.

A chaque réveil, il ressent les mêmes impressions décourageantes. Les mêmes sensations négatives. Le monde chavire autour de lui. Les détails s'estompent. L'image de Philippe se réduit à une masse indistincte et noire sur la clarté. Les gestes de l'homme ne le rejoignent plus comme auparavant. Il les sent sur son corps mais leurs tendres sollicitudes ne rejoignent plus son âme. Ne le troublent plus. Il souffre trop pour être troublé. Il souffre trop pour imiter son grand-père et ne se soucie plus d'impressionner le médecin. Tout ce qu'il recherche, c'est le soulagement et la disparition de la douleur. Ses pieds brûlent, son pénis brûle, son front brûle. Tout se consume en lui. Il sent vaguement un rafraîchissement. On lui donne à boire par le goulot d'une théière. Il n'a plus la force de soulever cette tête prête à éclater. Le sorcier échoue à le guérir. La petite masse froide se promène sur sa poitrine et le fait frissonner. Il va mourir comme sa mère. Sam tombera à genoux en le voyant. Ce sera tant pis pour lui. Il verra qu'il avait besoin de lui, après tout. Il va retrouver sa mère dans la terre. Et s'il allait en enfer? Peut-être qu'il a de grosses taches sur l'âme. La vision des flammes éternelles l'habite. Oui. Il est en enfer. Tantôt, il est mort lorsque le médecin promenait l'instrument sur lui. Maintenant, le voilà rendu aux enfers, lieu de souffrances atroces. Il brûle, brûle. L'odeur de chair grillée lui lève le cœur. Il va brûler tout entier. Toujours. Il ne connaîtra jamais de répit. Des sons douloureux se répercutent dans son cerveau et le martyrisent. Ce doit être la grosse horloge du toujours-jamais.

— Déjà midi? demande Philippe à sa fille qui pénètre discrètement dans la pièce.

— Oui. Allez dîner, papa. Je vais vous remplacer.

— Très bien.

— Ça s'aggrave?

— Oui. Sa température grimpe rapidement. 105° déjà. J'ai peur qu'il tombe en convulsions. Ça n'arrangerait rien pour sa fracture. Je lui ai fait des compresses aux mollets. Éponge-le et fais-le boire souvent. Il est déshydraté. Laisse-le à découvert aussi. La fièvre doit tomber. Appelle-moi s'il y a quelque chose.

— Soyez sans crainte.

Avant de la quitter, Philippe lui accorde un regard affectueux et reconnaissant.

— Je te remercie.

— J'ai pensé à ce que vous m'avez dit hier.

— A propos?

— A propos de lui. Il a besoin de nous. Moi aussi, je l'ai adopté.

Philippe l'entoure de ses bras et la serre avec enthousiasme.

— Voyons papa! proteste-t-elle, troublée par ce corps d'homme si près du sien.

— Ma Mathilde. Ma sage Mathilde.

Malgré la réticence de la jeune femme, il la maintient fermement contre lui.

— Je savais que toi, tu comprendrais. Et je suis heureux. Tu es comme moi. Sous tes dehors rigides, tu as le même cœur que ton père. Je me reconnais en toi, mon orgueilleuse et sage

Mathilde. (Il embrasse ses joues.) Le petit est entre bonnes mains.

Amanda lui sert une soupe froide. A la façon dont elle lance les ustensiles sur la table, il comprend qu'elle le désapprouve. Il mange sans protester. Marguerite et Jeanne lavent la vaisselle près de lui et quelques gouttes d'eau savonneuse tombent dans son plat.

— Excusez-moi, papa! s'exclame Marguerite. Je vais vous donner une autre bolée.

— T'es bien gentille, ma grande.

— Elle est chaude, celle-là, lui chuchote-t-elle.

Il lui sourit.

— Comment se fait-il que ce soit toujours vous deux qui fassiez la vaisselle?

— Bah! On aime ça, je pense. C'est mieux que soigner les chevaux ou faire des corrections, explique-t-elle avec un sourire candide.

— Ah bon!

— Allez-vous le guérir?

— Je l'espère.

— Moi aussi, je l'espère.

Amanda s'enferme dans le salon. Ses deux filles haussent les épaules.

— Pourquoi maman ne l'aime pas? questionne Jeanne en rangeant les plats dans l'armoire.

Pour toute réponse, elle entend tinter la cuillère dans le bol à soupe.

Non. Elle ne l'aime pas. Ne l'a jamais aimé. Et n'aimera jamais cet enfant du diable et du péché. Cet enfant souillé, perverti, impoli. Ce sauvage qui a osé cracher son gruau dans le visage du curé. Oh non! Jamais elle ne s'abaissera à l'aimer. Jamais elle ne s'abaissera comme le fait Philippe en couchant dans le même lit. Comment pouvait-il supporter le contact de cette peau foncée et son odeur nauséabonde? Car il pue. Il empeste le sperme et la mauvaise vie. Il empeste les mœurs décadentes. C'est un bâtard. Tout ce qu'il y a de plus bâtard. Avec des germes de vice et de corruption bien implantés dans son âme.

Il la répugne avec ses cheveux et ses yeux très noirs. Il la répugne avec son teint cuivré. Il la répugne et l'a toujours répugnée. Depuis le premier jour où il a mis les pieds dans la salle d'attente. Plusieurs autres femmes partagent son aversion, dont Mme Levers et Mme Thibodeau. Elles en parlaient justement au magasin général et s'interrogeaient sur ce qu'elle allait faire des draps qu'il souille. « Les brûler, voyons: c'est la seule solution. »

Et Philippe là-dedans? Est-il seulement conscient des gestes qu'il pose? Son désir insatisfait d'avoir un fils lui enlève-t-il donc tout bon sens en présence de cet orphelin mâle? Ne voit-il que ce sacré pénis? Oublie-t-il toutes les tares, tous les défauts qui se rattachent à ce représentant du sexe fort? Comme il la déçoit! Quel habile et subtil moyen il prend pour lui reprocher ses grossesses. Jamais elle ne l'a vu dormir avec une des filles. Même lorsqu'elles étaient malades. Et voilà que ce bâtard lui fait perdre la tête. Voilà qu'il dort avec lui. Sous les mêmes draps. Elle ne peut oublier cette tête bandée contre l'épaule de son mari. Ne peut oublier la touffe de cheveux sur le cou et le profil foncé tranchant sur la peau blanche de Philippe. Elle ne peut également oublier ce bras dans son geste possessif et affectueux. C'est comme si elle avait vu la mère de l'enfant. Comme si c'était elle qui dormait près de lui. Sur son épaule. La possibilité d'amours clandestines entre Philippe et Biche Pensive la poursuit depuis ce matin. Tout l'avant-midi, elle s'est évertuée à chasser cette idée, la jugeant insultante pour son mari, mais l'intérêt manifeste qu'il a toujours marqué pour cet enfant le condamne inévitablement. Pourquoi lui? Pourquoi ce sauvage? Les orphelinats abondent de petits garçons blancs. Pourquoi s'obstine-t-il à avoir celui-là? Et la réaction qu'il a eue, hier, en voyant arriver Honoré confirme davantage ses soupçons. Mathilde lui a raconté qu'il a blanchi et qu'il est resté un bon bout de temps à ne savoir que faire. Jamais Philippe n'a bronché devant des blessures. Encore moins devant celles des enfants pour ne pas les effrayer ou inquiéter leurs parents. Alors, pourquoi a-t-il eu cette réaction imprévisible? Pourquoi a-t-il assisté aux obsèques de la sauvagesse? Et pourquoi était-elle venue, il y a de cela sept ans, lorsque les Gadouas avaient emmené leur bébé mort? Elle n'avait pas l'air d'être malade. Que voulait-elle à Philippe? Lui annoncer une mort vieille de six mois? Ou lui apprendre qu'elle était enceinte? Alors? Que penser?

Rien. Elle regarde la rue principale par la fenêtre. Une rue paisible, ordonnée, bordée d'arbres aux feuillages vert tendre. Une rue d'histoire heureuse pour une famille heureuse, mais il manque quelque chose à son bonheur. D'ailleurs, il lui a toujours manqué quelque chose. Dans son enfance, elle a manqué de pain; à ses fiançailles, elle a manqué de classe; à ses grossesses, elle a manqué de mâle; puis elle a manqué de santé, ensuite elle a manqué d'amour et puis de sensualité, et finalement de simplicité. Elle n'a gagné une chose que pour en perdre une autre et Philippe a raison de dire qu'elle a changé. Oui, la bourgeoise a vite effacé la fille du peuple. Elle ne peut croire qu'elle a déjà été cette fille enfarinée qui vendait des gâteaux au bel étudiant en médecine. Elle ne peut croire également qu'elle s'est laissé posséder avant le mariage. Non. Cette fille-là est morte et Philippe ne pourra jamais la ressusciter même au nom de l'idéal de dévouement qu'elle partageait avec lui à cette époque. Oui, elle a changé et ne retournera jamais en arrière. Ne revivra jamais trois années de sanatorium, loin de ses filles et loin de lui, pendant que lui se débauchait peut-être.

Où en était-elle? Ah oui. Est-ce son bâtard que cet enfant qu'il adore? Ces sauvagesses-là sont renommées pour être des femmes chaudes et Philippe a hérité du sang vif de son père. Quant à elle, elle n'est pas portée sur la chose et apprécie grandement de faire chambre à part. Alors? A-t-il satisfait ses besoins avec elle?

Que représente Amanda Poitras pour lui? Sa femme ou la mère de ses filles? Ou encore l'accessoire nécessaire à son standing social? Qu'est-elle devenue dans le cœur de Philippe Lafresnière? Éprouve-t-il quelque tendresse à son égard? L'aime-t-il encore même si elle a changé?

« Femme à toé, pas aimer toé », songe Philippe en remuant son thé. « Femme à toé, pas aimer toé. »

Pourquoi a-t-il dit ça? Sait-il lire au-delà des apparences? Sur quoi se base l'enfant pour affirmer si catégoriquement que sa femme ne l'aime plus? Et lui, l'aime-t-il encore? Si demain elle venait à mourir, il en serait très affecté; mais le simple fait d'invoquer la rupture définitive pour soutenir un sentiment prouve qu'il n'est déjà pas très fort. Il en était bien autrement avec Biche et jamais l'idée de sa mort ne l'a effleuré. Au contraire, il ne pensait qu'aux prochaines rencontres avec une soif et un appétit insatiables.

C'est la timide pâtissière qu'il aimait, avec son petit nez souvent blanc de farine ou de sucre à glacer. C'est ce petit visage plein de naïves espérances qui l'émouvait derrière les fenêtres de la vieille boulangerie. Son sourire avenant et ses façons modestes lui manquent. Ainsi que sa manière gentille d'aider en silence, d'approuver, de seconder. D'elle, il est encore amoureux, il se l'avoue et aimerait bien la retrouver dans sa maison. Mais elle n'est plus. Elle est morte, il y a de cela une huitaine d'années, lorsqu'elle a pénétré dans cette maison. Lorsqu'elle a possédé tous les meubles et accédé au titre de madame docteur. La petite boulangère a été transformée en dame digne et froide comme la madame docteur qui l'a élevé lui-même. Il ne retrouvera jamais celle qui s'est donnée à lui, un soir de juin, derrière un buisson du Mont-Royal.

Un bruit de verre brisé fige ses pensées.

— Papa! appelle Mathilde d'une voix effrayée.

Il se précipite dans la chambre.

Son fils renverse la tête et ses yeux révulsés donnent à son visage un aspect terrifiant. De la mousse s'amasse aux commissures de ses lèvres violacées et de violentes secousses agitent ses bras et ses jambes. Sans perdre un instant, Philippe tortille le drap et le glisse entre les dents.

— Éther! ordonne-t-il à Mathilde.

Celle-ci ne réagit pas et demeure pétrifiée devant la scène.

— Éther! crie-t-il.

La voyant saisie de stupeur, il s'empresse de claquer la porte où sa femme épie et s'élance dans son cabinet. Il asperge son mouchoir de quelques gouttes d'anesthésique, soulève la tête de Clovis et lui en fait respirer les vapeurs. Il sent la nuque se raidir, puis les bras, le dos, les jambes. Il éprouve la détestable sensation de tenir un mort et détourne son regard de ce visage si beau devenu si laid. Convulsions, diagnostique-t-il, le cœur plein de vertige en redoutant le pire: le tétanos.

Puis, tout à coup, l'enfant s'amollit, redevient chair humaine et vivante.

D'un geste défait le médecin essuie la bave sur le menton et dégage le drap tortillé. Puis il se met en frais de refaire le bandage à la tête, arraché pendant la crise.

— Je... je vais ramasser la lampe, dit Mathilde d'une voix blanche.

Philippe remarque alors les débris de verre près de la table de chevet et demande:

— C'est lui qui l'a cassée?

— Oui.

— Encore chanceux qu'il ne se soit pas fait plus mal. Ce sont des convulsions, Mathilde, explique-t-il en tentant de maîtriser sa voix.

— C'est horrible.

— Ce n'est pas beau à voir. Dans ces cas-là, il faut empêcher qu'il se morde ou avale sa langue ou encore qu'il se blesse.

— J'ai eu si peur. C'est la première fois.

— Je sais. C'est assez dur à voir, même pour moi. (Surtout pour moi, affirme-t-il mentalement.)

Clovis ouvre les yeux, les cligne et les referme. Il se plaint un peu puis commence à délirer en algonquin. La sueur l'inonde et mouille sa jaquette. Philippe le dévêt complètement. Mathilde évite de le regarder.

— Ce n'est qu'un petit garçon, Mathilde, intervient son père.

— Je sais... mais, mais je crois que ça le gênerait s'il était conscient.

— Je ne te croyais pas si scrupuleuse. Veille-le un instant, je vais aller chercher de la glace. Après, tu pourras disposer.

— Très bien.

Il morcelle un bloc dans la glacière. Sa femme regarde dehors et ses deux filles se tiennent bouche bée au coin de la table. Pour elles, il a un sourire rassurant mais à leur expression décontenancée, il devine qu'elles ont subi un choc.

— Vous avez vu?

— Oui, répond Jeanne.

— Qu'est-ce que vous avez vu?

— Qu'il se tortillait. Il nous a fait peur.

— C'est parce qu'il fait trop de fièvre mais avec ça, je crois bien le refroidir, promet-il en brandissant sa glace d'un air de défi. Oh! J'oubliais, n'entrez plus dans cette chambre. Vous pourriez avoir de vilaines surprises. Même Mathilde va vous rejoindre.

Un nouveau soir, une nouvelle nuit en perspective. Une nuit blanche à passer dans le noir. Une nuit longue sur la chaise près du blessé. Nuit peuplée de ses cauchemars, de ses délires, de ses crises et de sa douleur. Nuit peuplée de plaintes et de pleurs. Nuit saisie de peur. De la peur du père. De la peine du père. Tremblante et ignorante malgré la science. Comme il se sent petit face à la mort! Petit et inefficace. Ne lui a-t-elle pas ravi Biche sous son stéthoscope acharné? A quelle heure viendra-t-elle prendre Clovis? Le jour se lèvera-t-il sur un cadavre? Sera-t-il témoin de ses derniers battements, de ses derniers souffles? Atroce torture que d'assister à l'agonie de sa propre chair. Qui d'autre pourrait le remplacer? Personne. Il est le seul médecin et lui seul se doit d'accompagner ses patients à la dernière frontière.

En cette minute même, il souhaite ardemment une présence quelconque. Un être à qui dire: mon fils est en train de mourir, j'ai peur et je ne veux pas le perdre... aide-moi à passer la nuit. J'ai peur de demain, parce que demain, peut-être qu'il ne sera plus. Il imagine Amanda venir masser ses épaules et lui préparer un bon thé comme elle le faisait pour les autres patients. Elle prendrait une toute petite place au pied du lit et lui ferait un peu de conversation pour tromper sa solitude. Alors il se confesserait à elle et implorerait son pardon. Oh! Oui. Si elle faisait ce pas vers lui, à la minute même où son être recherche avidement une présence, il lui avouerait tous ses crimes pour la simple grâce d'exprimer son tourment. Mais elle ne se lèvera pas cette nuit. Elle ne se lèvera pas pour

Clovis. Elle ne viendra pas. Personne ne viendra. Ni Honoré, ni Alcide. Ni Mathilde. Son brave ami s'est renseigné trois fois au cours de la journée. Il a sans doute transmis les nouvelles au curé puisque celui-ci ne s'est pas présenté. Peut-être a-t-il honte de son cours sur les saints martyrs canadiens.

Quel silence inhumain il entend derrière le chant des grenouilles et le halètement sonore d'une vie en danger! Silence implacable. Plus dur qu'une pierre tombale. « Biche, dit-il tout haut, pourquoi n'es-tu pas avec moi pour le veiller? »

Ce serait bon de l'avoir près de lui et de presser sa main dans la sienne. De plonger dans son regard aussi bouleversé que le sien et d'unir ses prières aux siennes. Chémanitou ou le bon Dieu, qu'importe? Le Maître veillerait sur l'enfant. Leur enfant. Leurs deux chairs unies en une seule par le miracle de l'amour.

Il va chercher le fétiche dans son bureau et se l'attache au cou. Ce geste lui donne un peu de courage et il se rend jusqu'à l'aube.

Les cris rauques des outardes succèdent aux appels amoureux des étangs. Dans les baies des lacs, leurs voiliers s'organisent. Ont-elles perdu le nord? Laquelle dit à laquelle: « C'est par ici, par là. Par là, par ici. »

Voyager sur leurs ailes. Si un de ces beaux oiseaux venait arracher l'âme de son fils. Mourra-t-il au passage de l'outarde? Non. La chouette veille... de ses yeux dorés et fixes... la chouette veille et sa tête somnole. De gauche à droite. De droite à gauche. Mourra-t-il au passage de l'outarde? Réveille-toi, Philippe! Écoute ces cris rauques.

Le médecin secoue la tête et se penche sur le blessé. A son grand étonnement, le pouls s'est stabilisé, la fièvre est tombée et la respiration a adopté un rythme normal. Il tire la couverture sous le menton de Clovis et baise son front.

— C'est fini, mon petit.

Il passe son index sur le nez droit, l'arcade sourcilière et les lèvres. Heureux de retrouver ces traits dans leur adorable et paisible expression. De toucher une peau souple et normale, sans tension, sans contraction, sans menace.

Les longs cils noirs et recourbés battent légèrement et s'ouvrent sur des yeux confiants. La petite main se tend, cherche celle de Philippe et se referme dessus tendrement, tandis qu'un sourire angélique réussit à égayer les lèvres gercées.

— C'est fini, mon garçon, répète Philippe, ignorant qu'avec la fin de cette nuit débutent les plus beaux et les plus merveilleux jours de leur existence.

L'aurore rose monte doucement sur leurs cœurs malmenés. Elle s'étend et drape dans ses flancs chauds le père et le fils, vainqueurs fatigués d'une nuit de luttes obscures.

Pour ces deux êtres liés par le sang, elle offre sa cantate, sa saveur, sa couleur et son parfum.

Pour ces deux êtres liés par le sang, elle constitue la première page d'un livre merveilleux écrit par eux et pour eux.

L'un et l'autre graveront de leurs rires et de leurs gestes les images immortelles de leurs mortelles vies. L'un et l'autre y puiseront force, courage, respect et amour. L'un et l'autre le reliront mille fois, deux mille fois, autant de fois qu'ils seront tristes et seuls. Ils revivront les scènes, se rappelleront les images, réentendront les paroles et retrouveront odeur et toucher.

Trésor inestimable enfoui soigneusement au plus profond de leur être. Secret bien gardé de cette richesse incalculable de tendresse et de bonheur.

L'aurore devient jour. Ce jour, éclatant de lumière. Les outardes ont retrouvé le nord. La première page s'écrit avec la descente bruyante des filles.

Un bond avertit le saut des trois dernières marches que se permet habituellement Léonnie, et la voix grave de Mathilde la semonce avec patience.

Arrivée en trombe dans la cuisine, urgence vers les bécosses, brassement des clés du poêle, bruits exagérés des assiettes et des voix.

— Penses-tu que papa est réveillé?

Un calme anxieux succède à son apparition. Toutes ses filles attendent son verdict. Mathilde le demande:

— Comment va-t-il?

— Il est sauvé, il ira bien.

— Hourrah!

Cris et sauts de joie. Ronde inattendue de ses enfants autour de lui.

— C'est parce qu'on a toutes prié, explique Léonnie.

— On peut le voir? On peut le voir?

— Pas tout de suite, il dort.

— Avant la messe, han papa?

— Très bien. Avant la messe. Mais baissez le ton d'ici là.

D'ici là, elles se font belles. Dans leur conversation, boudins, rubans et dentelles voisinent aisément la prière et le rétablissement de Clovis.

Malgré sa fatigue, Philippe ne se lasse pas de les regarder et de les écouter. Elles vont, viennent, se peignent, se lavent, se rassurent maintes fois de l'état de santé de leur petit frère. Oui, tout comme si elles savaient qu'il était vraiment leur petit frère. Que leur a raconté la sage Mathilde en les réunissant pour prier?

Elles pénètrent dans le « p'tit hôpital » avec des rires gênés et paralysent devant le lit où dort leur protégé.

— Il a l'air ben mieux, constate Léonnie.

Clovis remue la tête, soupire et ouvre les yeux. Sept visages pleins d'amour sourient. Mademoiselle Mathilde s'assoit sur le bord du lit et lui prend la main. Il a l'impression de glisser sur elle et rougit. Judith et Marie s'accoudent de l'autre côté et fixent son bandeau à la tête avec des yeux admiratifs.

— Ça fait mal? demande Judith en avançant son index sur le pansement.

— Pas trop.

Elle retire son doigt avec un frisson. Un boudin effleure la main de Clovis. Il le prend. Le regarde luire dans un rayon plein de poussière.

— Beau.

Elle rit. Perles blanches dans son visage rose.

— Bon. Il est temps d'aller à la messe. Votre mère vous attend. Il faut le laisser dormir.

Elles obéissent.

Le sorcier touche ses joues du bout des doigts. Des poils d'argent brillent dans les siennes et des mèches de cheveux lui tombent sur le front.

— Moi aussi, je vais aller dormir maintenant.

Plus tard dans la journée, Jérôme, Honoré et Rose-Lilas le visitent. On le regarde comme un objet perdu et retrouvé. Rose-Lilas dépose un panier de beignes cuisinés à son intention. Jérôme cherche à connaître le nom des assaillants en serrant ses poings maigres.

— Y vont le payer cher! Dis-moé qui, qui?

Clovis se tait et calcule se venger lui-même, préférant raconter à Jérôme la surprise qu'il voulait lui faire avec la grenouille.

Puis le docteur le prend dans ses bras pour le mener aux toilettes, dehors. Il se tient à son cou et rit d'être aussi grand que lui. Plus grand même. Le soleil baigne sa peau. C'est bon. Des pissenlits éclosent dans l'herbe. L'homme le transporte aisément. Une pensée fugitive les visite tous deux: marcher toujours ainsi, ensemble.

— Toé, fort.

L'homme sourit.

Il sourit encore le soir, en venant lui porter une tasse de thé bien sucré. Il s'assoit sur la chaise et cherche, lui aussi, à connaître le nom de ses bourreaux. Clovis a l'impression que son silence lui confère une certaine notoriété et craint vaguement qu'on ne s'occupe plus de lui lorsqu'il aura dévoilé les noms. Et il aime qu'on s'occupe de lui. Il aime voir cet homme à son chevet. Il a besoin de sa présence, de son attention, de son affection. Et cet homme lui procure tout cela. Ses visites se multiplient le jour, entre les consultations. Clovis guette la porte du cabinet et sourit en entendant des pas s'en approcher. Il sent son cœur tourner en même temps que la poignée, sous la main ferme et douce de son bienfaiteur. La poignée tourne. La tête grisonnante se glisse dans l'entrebâillement.

— Tu ne dors pas?

— Non.

Philippe s'assoit près de lui et parle. Il raconte des choses sur les patients, sur le temps, sur la médecine. Quelquefois, il va faire du thé et lui en offre toujours en disant: « Prenons le thé! » Il lui explique que dans les grandes cités, les gens se réunissent dans l'après-midi pour prendre le thé. Des gens très bien, dans de très beaux salons, sur de très belles chaises, avec des tasses de porcelaine minces comme des feuilles de papier, bordées d'or. « Oh! Ma chère! » Cela fait rire Clovis qui imagine les grandes cités, les châteaux, les rois, les valets. Les grandes dames et les beaux messieurs. Il croit que Philippe était un de ces princes de salon et se demande pourquoi il a tout abandonné. Se demande s'il s'ennuie des salles de bal et des fêtes. Quel être extraordinaire!

Et cet être extraordinaire vient le chercher, le soir, et l'emmène veiller sur la galerie. Il le berce en comptant les voiliers d'outardes. Léonnie fait de la boucane pour éloigner les moustiques. Mademoiselle Mathilde corrige les cahiers. Philippe trouve le sien dans la pile et l'examine attentivement.

— Quelle lettre ça?

— A.

— Et ça?

— N.

— Et ça?

— M.

— Bien. C'est très bien, mon garçon. Tu aimes ça l'école?

— Oui.

— C'est bien, c'est très bien.

Il le félicite et sa belle main pétrit affectueusement son épaule. Clovis appuie la tête contre sa poitrine et écoute battre le cœur. L'autre main est posée sur son genou, dans un geste de possession. Malgré l'odeur de la fumée, il discerne celle des médicaments qui, peu à peu, se fait désirable à son esprit. Il se rappelle que cette odeur lui soulevait le cœur auparavant et il la hume maintenant avec délices. Les battements et le bercement le calment et l'endorment. Il s'abandonne en toute confiance. Ferme les yeux et se cale voluptueusement dans le creux de l'épaule. Un grattement contre sa joue. C'est le menton rugueux du médecin. Il s'est penché pour l'embrasser et l'a enveloppé de ses bras chauds. Le menton rugueux. Oui, le soir, le sorcier a des petits poils argentés sur son menton et ses joues. Comme c'est beau! Clovis sombre dans un merveilleux songe et va prendre le thé avec les grands de ce monde. Il porte un bel habit noir et des poils d'argent brillent sur son menton. Il sait lever le petit doigt et s'exclame: « Oh! Ma chère! » Le roi l'observe en souriant sous sa couronne de diamants. Il connaît le roi: c'est Philippe. Et le roi se soucie de lui.

Le lendemain, ce roi le convie à sa table. Il le transporte dans ses bras à cause de ses pieds brûlés, et l'installe entre Judith et Marie. Ils rient tous les trois sans savoir pourquoi, et devant l'air sévère de madame docteur, ils semblent incapables de s'arrêter. Leur émotion et leur gêne se traduisent par ce fou rire incontrôlable. Madame docteur pose brusquement un plat devant lui.

— J'espère que tu ne nous le cracheras pas au visage celui-là.

Un silence glacial plane sur la longue table et coupe l'appétit du convalescent.

— Non, voyons, ton gruau est bien meilleur que celui d'Ernestine, réplique Philippe d'un ton moqueur.

Éclat de rire général. Le médecin contemple ses enfants. Tous ses enfants. Il entend leur rire. Tous leurs rires. Et son cœur se réjouit.

Au cours de cette journée, Léonnie veut jouer au médecin et se met en frais de trimbaler Clovis. Elle le soulève et, le voyant plus lourd que prévu, elle l'écrase littéralement contre son corps afin d'éviter qu'il tombe sur ses pieds. Elle avance péniblement vers la galerie, sans répondre aux questions de Judith et Marie.

— Papa veux-tu? Es-tu capable?

— Moé atchoum, menace Clovis dont les narines sensibles s'irritent aux émanations du morceau de camphre, attaché à la camisole de la jeune fille.

— Oh! Non. Fais pas ça, Clovis. J'vas m'écraser.

— Ah! Ah! Tchoum!

La secousse déséquilibre Léonnie, déjà dangereusement arquée par derrière. Elle se retrouve par terre, avec le blessé sur elle et ses deux petites sœurs affolées.

— Chut! Taisez-vous. Y s'est pas fait mal, han Clovis?

— Toé comique.

— Tu trouves ça comique?

— Oui.

— Comme ça, tu t'es pas fait mal?

— Non.

— Fiou! Tant mieux.

— Toé pus capable prendre moé. Moé marcher sur genoux jusqu'à chaise.

— C'est une bonne idée.

Elle s'assoit dans la berceuse et hisse Clovis sur ses genoux pour le bercer férocement.

— C'est comme ça qu'y fait, han?

— Pas fort: donne mal à tête. Lui fume pipe.

— Moé si. Va chercher la pipe à papa, Marie.

— Où?

— A doit être sur la p'tite table du salon. C'est là qu'y la laisse d'habitude. Apporte des allumettes aussi.

— J'ai peur de me faire chicaner.

— Va avec Judith. Tu diras que c'est elle, si y vous voit. Y la chicane jamais, elle, parce que c'est la plus p'tite.

Les deux fillettes s'exécutent, la main dans la main.

La jeune pubère sonde le visage rieur du petit métis.

— Tu penses que chus pas capable, han?

— Toé pas capable fumer comme Philippe. Des fois faire des ronds.

— J'sais. Je te garantis pas des ronds mais j'vas fumer.

— Moé si.

— Pas toé: t'es malade. Tiens, v'là Jérôme là-bas. Regardes-y ben la face. On fera comme si de rien n'était.

Elle allume en vitesse la pipe chapardée et en tire quelques maigres bouffées. La fumée irrite sa gorge et ses yeux et elle fait de gros efforts pour retenir ses toussotements. Clovis la surveille. Amusé et intrigué à la fois par sa pâleur subite.

— C'est mauvais, ouach! Ça me donne mal au cœur.

Elle appuie sa tête au dossier, ferme les yeux.

— Léonnie! Qu'est-cé que t'as?

— Rien.

— T'as une drôle de face. Mais, mais tu fumes! s'exclame Jérôme. (Il lui enlève la pipe des doigts.) C'est vraiment pas pour les femmes tu sais, condamne-t-il.

— Hmm! (Léonnie hausse les épaules.)

— Regarde Clovis ce que j'ai apporté.

Jérôme offre son paquet. Clovis glisse un regard curieux, entrouvrant avec mille précautions un sac de papier. Couac! Couac! salue la grosse grenouille de l'étang.

— La belle garnouille! s'exclame Léonnie, étalant son courage fictif face à la gluante et grouillante créature.

— Ça te fait pas peur? réplique Jérôme d'un ton déçu.

— Moé? Peur des garnouilles? Hmm! Y a pas grand-chose qui m'énerve.

— Prends-la donc d'abord.

— Ben sûr.

Le cœur battant, Léonnie plonge ses mains dans le sac. Bientôt, ses doigts touchent la peau lisse et un bond nerveux de madame grenouille réussit presque à lui arracher un cri. Mais la jeune fille se contrôle et exhibe, de son air le plus naturel et le plus calme, le batracien étouffé par ses mains nerveuses.

— Tu l'écrases! chicane Jérôme.

— Je veux pas qu'a se sauve.

— Donne-la à Clovis; c'est à lui. Je l'ai pognée pour lui.

— Comme tu veux. Ça te débine, han, que j'aye pas peur?

— T'as p'tête pas peur mais moé, chus capable de fumer sans m'étouffer.

— Envoye donc, voir.

Aussitôt dit, aussitôt fait. Voilà Jérôme, tirant, soufflant, aspirant, pompant avec ardeur le restant de vieux tabac.

— Y reste rien dedans, conclut-il.

— Mets des vieilles feuilles.

— O.K.

Il la remplit et presse consciencieusement le contenu peu orthodoxe. Une petite flamme grandit dans le foyer et bientôt Jérôme expire fièrement un gros nuage.

— Eh bien! Eh bien! gronde soudain le médecin en arpentant à grandes enjambées l'allée sablonneuse menant à la galerie. Qu'est-ce que vous faites là? Qui t'a permis d'emmener Clovis ici?

— Je... je... excusez-moi, papa, bredouille Léonnie.

— Et depuis quand fumes-tu, toi, mon Jérôme? Hein? Va ramener la pipe à ton père. Et vite avant que je me fâche.

— C'est pas celle de mon père, confesse le garçon en la lui montrant. C'est la vôtre.

— Eh bien. C'est du joli. Est-ce qu'on peut savoir ce qui se passe ici?

— On... on... jouait au médecin, avoue Léonnie. Je faisais semblant d'être vous.

— C'est pour ça que tu berces Clovis?

— Oui.

Amusé, Philippe éclate d'un grand rire sain et aperçoit alors la grenouille confortablement installée dans les bras de Clovis. Voyant celui-ci heureux et détendu, il tapote amicalement le nez de l'animal.

— Nettoyez-moi la pipe et on en parle plus. Quand tu seras fatiguée, Léonnie, tu enverras Judith me prévenir. Je transporterai Clovis, ça va?

— Oh! Oui, papa. Merci papa.

L'homme pénètre dans sa maison, sachant que l'enfant blessé guérira plus vite en compagnie d'autres enfants.

— Fiou! Y est gentil ton père. J'aimerais ça avoir un père de même. Le mien y m'aurait chicané ben plus fort.

— Ouin! Y est pas pire, approuve Léonnie en reprenant ses bercements.

Pour la première fois de sa vie, Clovis se demande s'il a

un père et l'image qu'il se fait de celui-ci se cristallise sur celle de Philippe. Cet homme incarne à ses yeux l'image même du père. Et son jeune cœur languit déjà de ne pas en avoir. Il se sent différent des autres. Très différent et très démuni aussi. Il cache son visage pour pleurer.

— Qu'est-cé que t'as? Pourquoi tu pleures? demande Jérôme bouleversé.

— Laisse-lé, Jérôme. Y a de la peine, explique Léonnie en attirant Clovis contre elle d'un geste maternel et doux, dont on la croirait incapable.

Une sensibilité toute féminine fait place à ses manières de garçon manqué et elle devine le chagrin de Clovis.

— C'est parce que t'as pas de père, han? (Clovis affirme d'un hochement de tête.) Et parce que ta mère est morte?

Nouvelle affirmation, suivie d'un hoquètement douloureux.

— Pleure un bon coup: ça va te faire du bien.

Elle tapote son épaule. Clovis s'abandonne avec confiance. Un sentiment nouveau grandit en lui et le ravit. Comme il se sent bien avec Léonnie! Son âme trouve en elle affinité et compassion. Son âme se consume d'une fraternelle adoration envers cette âme belle, sensible et toute féminine, camouflée par les brusqueries et les clowneries.

— Oublie pas que t'as des bons amis... Jérôme, moé, papa, Honoré... Judith, Marie, Mathilde, Jeanne, Marguerite, Rose-Lilas.

L'énumération de tous ces noms le console. Il se calme, essuie ses yeux.

— Et la garnouille, ajoute Jérôme en la lui remettant dans les bras.

Clovis serre la reine de l'étang contre lui, remarquant alors les bas de Jérôme couronnés de mousse verte et ses souliers pleins d'eau.

Les trois enfants s'unissent en silence. Leur amitié se scelle sans une parole et sans un geste superflu. Parmi les chants d'oiseaux craque le bois de la grande galerie sous le roulis des berceaux et, de temps à autre, monte un couac de grenouille.

— On va voir si tu tiens de ton grand-père, dit Philippe en l'étendant sur sa table d'opération afin de changer ses pansements.

— Lui pas crier?

— Pas un mot: c'était un brave Indien. Il regardait ailleurs et pensait à autre chose. Fais comme lui. Je suis sûr que t'es capable. Tiens, pense à ta grenouille.

Tout en jasant, le médecin s'exécute rapidement. Clovis

sent bien un pincement par-ci, un tiraillement par-là, mais il s'efforce de répondre aux questions et dans les courts intervalles de silence il se concentre sur sa grenouille. Il demeure tout surpris lorsque Philippe lui annonce:

— T'as été aussi brave que Gros-Ours.

— Fini?

— Oui.

L'homme le ramène dans son lit et avant de le quitter, lui déclare:

— Je suis fier de toi, mon garçon.

Alors, il se sent un brave petit garçon, un brave petit Indien. Son cœur se gonfle de bonheur et il se répète maintes fois la phrase: « Je suis fier de toi, mon garçon. » Cela le rend fou de satisfaction de constater que le médecin éprouve un sentiment de fierté à son égard. C'est comme s'il lui appartenait un peu. De tout l'avant-midi, il ne peut fermer l'œil et écoute les bruits assourdis qui proviennent du cabinet. Les pas et la voix de Philippe le transportent d'allégresse et le dépriment à la fois. Dans sa joie immense, il sent poindre l'épine de la douleur et ne peut évoquer la fin de ce bonheur sans un terrible serrement de cœur. Quand viendra-t-on le sevrer de cette présence masculine et paternelle? Quand viendra-t-on l'arracher à sa contemplation muette et profonde? Quand il sera guéri? Tout à fait guéri? Alors il ne veut pas guérir et se désole devant l'acharnement du médecin. Ne fait-il pas tout en son pouvoir pour qu'il guérisse vite et bien? Veut-il qu'il parte? Qu'il retourne bientôt dans le glacial presbytère? La poignée de la porte tourne doucement. L'homme apparaît. L'horloge du salon égrène ses douze coups. L'homme le regarde et tant d'amour baigne son visage que l'enfant comprend que la même fleur ornée de la même épine les possède tous les deux. Il tend les bras vers lui. Un magnétisme les attire l'un à l'autre. Clovis éprouve la mystérieuse sensation qu'un même courant de sang et de vie parcourt leurs bras, leurs veines, leurs corps. Il se retrouve blotti dans l'étoffe de l'habit noir et se délecte de la bonne odeur de médicament.

Et un soir, un soir de douce chaleur, Philippe se transforme en cheval et le fait grimper sur son dos. Au petit trot, ils s'engagent sur le chemin poussiéreux bordé de pissenlits. Dans les feuillages ombragés, les chants d'oiseaux rivalisent d'ardeur et de beauté. Léonnie bat la course, droit devant et ses membres trop longs battent sauvagement l'air. Judith et Marie les précèdent en chantonnant. Les tresses blondes de la benjamine sautillent sur sa veste bleue. Philippe caracole et hennit. Sa voix vibre dans sa poitrine et son dos et Clovis sent cette vibration entre ses jambes. Il presse sa tête dans le cou chaud et perçoit le pouls dans la carotide avec vénération. Il

386

s'accroche alors à son magnifique cheval et s'imagine partir pour toujours avec lui. Il refoule ses larmes et étrangle littéralement l'homme de ses jeunes bras passionnés. Répondant à son message d'amour déraisonnable, la monture s'emporte, prend de la vitesse et dépasse bientôt Léonnie.

— Papa! Papa! Papa! crient les petites filles en tentant de le rejoindre.

Mais l'homme court, l'homme vole comme tout à coup libéré des lois de la gravité. Le sol rocailleux se détache aisément de ses pieds et il file à vive allure. La chaleur l'inonde et son cœur pompe rapidement des pintes et des pintes de sang pour alimenter sa course folle et inutile. Son fils se soude à lui. Pourquoi ne pas toucher le bout du monde avec lui? Pourquoi ne pas fuir? Abandonner la grosse maison et la femme distante? Pourquoi ne pas recommencer ailleurs? Plus loin? Au bout du monde? Dans un autre village où il ne serait pas l'enfant du mal? Et où lui-même n'aurait pas de façade?

— Papa! Papa! Papa! supplient des voix lointaines.

Philippe s'arrête net et écoute l'appel inquiet de ses filles en reprenant haleine. Des maringouins se posent sur son front et le ramènent à la réalité.

— C'est impossible, dit-il tout haut. (Clovis le dégage de son étreinte.) Tu as compris, toi? continue l'homme en tournant la tête vers lui.

Et ses yeux rencontrent alors les diamants noirs penchés vers lui. L'enfant fait signe que oui.

— Ton cheval est fatigué, continue Philippe en installant l'enfant sur une clôture de perches. Très fatigué.

— Reposer, suggère le fils.

— Oui, reposer. Flatte ton cheval, propose le père en appuyant sa tête sur la petite épaule.

Les mains brunes viennent caresser son cou et ses cheveux.

— Beau cheval toé... moé aimer.

— Moi aussi aimer... aimer beaucoup.

— Enfin! Vous êtes là! rouspète Léonnie en les rejoignant. Vous courez ben vite, papa!

— Encore rapide, hein, pour un vieux cheval.

— Judith pleure.

— Bon voyons. Je vais les chercher. Restez ici.

Au bout de quelques minutes, il revient avec ses deux fillettes en croupe sur ses épaules, riant et chantant à nouveau. Léonnie les envie en silence.

— Tu veux faire un tour de cheval, toi aussi? demande son père.

— J'suis trop pesante pour vous.

— Voyons.

— J'ai douze ans; c'est passé d'âge.

— Ah! Tu crois ça.

— Oui. J'suis, j'suis une grande fille. J'aimerais essayer Robin à la place.

— C'est une idée.

Philippe siffle. Le cheval noir accourt de son galop maintenant fatigué et s'approche de la clôture.

— Viens, mon vieux. Viens.

Le long museau frôle affectueusement l'épaule de son maître. La bête, maintenant âgée de dix-huit ans, se repose dans le pacage et Philippe a décidé de lui laisser passer l'été à brouter l'herbe tendre. Ses doigts grattent le toupet emmêlé.

— Comment t'as fait ton compte pour avoir des chardons dans le toupet, hein, mon Robin?

Quatre mains d'enfants viennent se poser sur les narines veloutées et comblent l'animal de leurs caresses.

— C'est sur son dos que ta mère et Sam sont revenus de la ville, explique le médecin à Clovis.

Celui-ci ouvre de grands yeux et admire les reins maintenant creusés qui ramenèrent Biche Pensive à son père. Ses doigts tremblent un peu comme les babines pendantes de Robin.

— Vas-y, Léonnie. Grimpe dessus. Tu te tiendras à sa crinière.

En un bond, la jupe vole sans grâce, dévoilant de longs caleçons de dentelle qui surprennent Clovis. Jamais il n'aurait imaginé de telles fioritures autour des grandes jambes osseuses de Léonnie. Mais la jeune fille n'en a cure et pousse sa monture au petit galop avec une adresse surprenante.

— Eh bien! Pour une surprise c'est une surprise! s'exclame Philippe ébahi par l'aisance de sa fille.

— Ça fait longtemps que je me pratique en cachette, avoue-t-elle en passant devant son petit groupe d'admirateurs.

— La prochaine fois, tu prendras la selle et la bride.

— C'est mon rêve, papa. Mon rêve. Youppi!

Grand galop et gambade dans le pré. Retour triomphal sous les yeux ravis du père. Applaudissements des petites sœurs.

— Je suis fier de toi, Léonnie: tu feras une bonne cavalière, promet Philippe en la secouant énergiquement.

— Et de moi? Et de moi? s'enquièrent les deux plus jeunes en sautillant.

— Je suis fier de tous mes enfants, dit alors Philippe en ouvrant ses bras.

Et sa main englobe la tête blessée de Clovis et l'intègre aux autres, renforçant le sentiment d'appartenance dans l'âme sensible du petit garçon.

Un dimanche matin, Philippe lui enfile son costume de première communion. Chemise blanche, veston noir, culotte de lainage bien serrée sur ses bas à la hauteur des genoux.

— On ne mettra pas tes bottines: t'as les pieds trop sensibles, explique-t-il en maîtrisant la couette noire qui bondit hors du pansement.

Clovis accepte cet avis avec joie, sachant que le médecin le promènera dans ses bras pendant la messe au vu et au su de tous.

— Voilà, mon garçon. Nous sommes prêts.

Philippe s'empare de lui et le tient contre son flanc droit. Les bras de Clovis enlacent automatiquement les épaules solides.

— Oh! s'exclament les filles sur la galerie en les voyant arriver.

Mademoiselle Mathilde pince ses joues en disant:

— Ce qu'il est beau ce matin notre Clovis.

Madame docteur attend dans la calèche et examine des images dans son livre de messe.

— Nous allons être en retard, annonce-t-elle en portant un regard ennuyé sur le derrière du cheval.

Elle porte un costume gris. Si gris et si bien avec un petit chapeau à voilette qui dessine un grillage sur sa figure. Clovis constate que son visage semble emprisonné sous le délicat filet.

— Tout le monde en voiture! annonce Léonnie en sautant sur le banc du conducteur.

De ses gestes alertes, elle secoue la torpeur de la jument et la mène au grand trot jusqu'à l'église.

A l'église, les gens se retournent avec des yeux étonnés et gardent leur médisance pour le perron, tandis que de son poste d'observation Clovis défie d'un air arrogant le grand Firmin, Hercule Thibodeau et Olivier Levers.

A la sortie, Honoré se dirige, selon son habitude, vers le cimetière.

— Où va Néré? demande-t-il.

— Au cimetière.

— Moé veux aller.

Les voilà tous deux devant la croix envahie déjà par les herbes folles. Un fruit pourri, un fruit moisi, trône à travers une poignée de papermans. Philippe sent les petits poings se crisper dans l'étoffe de son veston et il serre tendrement son fils contre sa poitrine.

Ils n'ont ni mot, ni prière pour rejoindre cette femme qui leur manque terriblement. Ils n'ont ni mot, ni prière pour traduire le vide de leur vie. Ils restent là, silencieux et distraits, à observer les herbes folles trembler sous la faible brise. Des fourmis se promènent sur le bois de la croix et trois fraisiers poussent miraculeusement entre les mottes.

— Rentrons maintenant, suggère Philippe en secouant son garçon.

Celui-ci le regarde avec insistance comme s'il cherchait dans son visage une réponse à tous ses tourments, à toutes ses questions. Et Philippe sait qu'il possède cette réponse-clé, capable d'ouvrir toutes les portes de ses espérances et de fermer toutes les geôles de ses origines. « Oui, je suis ton père, lui répond-il mentalement, et parce que je suis ton père, j'ai des larmes aux yeux devant la tombe de ta mère, parce que je suis ton père, je te serre et t'embrasse, parce que je suis ton père, j'ai appris à prier, parce que je suis ton père, je suis fier de toi, parce que je suis ton père... »

— Rentrons maintenant, répète-t-il en revenant vers sa famille.

Il se hâte de revenir chez lui, poussé par une crainte inexplicable. L'attelage pénètre dans la cour. Un nuage de fumée noire monte en flèche vers le ciel pluvieux. Qu'est-ce donc? Il s'approche et s'immobilise devant des draps en feu.

Derrière les moustiquaires de la cuisine, sa femme l'épie en croisant les bras. Il se contente de hausser les épaules et la rejoint.

— C'était moi ou lui, avance-t-elle d'un ton cassant.
— C'est le curé qui est venu le prendre?
— Oui.
— Lui as-tu donné l'onguent pour ses brûlures?
— Non.
— Bon. J'irai le porter tantôt. Est-ce qu'il y a des patients?
— Oui.
— Bon. J'y vais.

Il la laisse d'un pas léger. Trop léger. Comme si le départ de Clovis ne l'affectait en aucune manière.

Tu me mens, pense Amanda en le regardant aller. Il ferme la porte du « p'tit hôpital » et son cœur se retourne en lui en voyant le matelas dénudé. Les beaux yeux de Clovis ne l'espèrent ni ne le guettent. Il soupire et tente d'imaginer le désarroi de l'enfant dans le glacial presbytère.

Un jour, il vivra sous mon toit, se jure-t-il en serrant les dents.

Février 1909

Clovis gratte le givre à la fenêtre. Un chêne lui tend ses bras nus et gris. N'est-ce pas là le chêne de Small Bear? Le garçon ne s'attarde pas à ce souvenir et porte son regard dans la cour d'Honoré où Jérôme transporte des brassées de bois. Par la porte grande ouverte de la remise, il aperçoit l'ébéniste, un genou dans les écorces, cordant patiemment ses quartiers d'érable.

Clovis calcule qu'ils auront bientôt terminé et que Jérôme pourra venir avec le toboggan au rendez-vous de l'après-midi sur la côte dangereuse. Rendez-vous clandestin, illicite, défendu. Péché véniel ou mortel? « Véniel, seulement véniel », se rassure l'enfant. Il soupire, appuie une paume mal cicatrisée sur la vitre pour fondre la glace. Des pensées lugubres l'accablent et il tente vainement de les chasser en observant les allées et venues de son ami. Peine perdue, les pensées reviennent, morbides, douloureuses, obsédantes. La petite croix sur les restes de sa mère et les ossements blanchis de son grand-père dans un arbre le tourmentent jusqu'à la moelle de l'âme. L'enfer et les limbes se tiraillent dans son esprit. Quand donc cessera-t-il de penser au gouffre immortel? Quand donc pourra-t-il oublier ce qui vient après la mort et vivre comme les autres enfants? Le pourra-t-il un jour, lui, l'enfant du mal, dont la mère se consume aux enfers et dont le grand-père est retourné aux limbes? Bienheureux grand-père dont le front n'a pas été oint du sauf-conduit pour l'enfer. Bienheureux mortel, issu du néant et retourné au néant. Bienheureux païen à la tache originelle qui n'a pas échoué sous le fardeau de son salut éternel et n'a pas eu à subir l'horrible châtiment.

Clovis secoue la tête, ferme les yeux, avale avec difficulté. Comme il se sent seul en cette minute même. Seul et désemparé comme un grain de sable dans les remous d'une rivière. Il colle son front sur les fleurs de neige et la belle porte givrée dans la maison du médecin change le cours de ses pensées. Il retourne au lit du « p'tit hôpital » et réentend la voix et les pas de Philippe. Il revoit la poignée de porte qui tourne et l'homme qui s'approche. Le matelas se creusait alors qu'il s'asseyait et le faisait glisser vers lui. Il se laissait aller contre la cuisse et sentait la main fraîche se poser sur son front. Son cœur battait fort. Cet homme l'aimait-il? Que de fois, depuis, il a revécu cette scène dans ses nuits d'insomnie, allant jusqu'à poser sa propre main sur son front pour tenter de retrouver les émotions d'alors. Que de fois aussi il s'est revu dans ses bras, devant la tombe de sa mère, et a senti son chagrin partagé? C'étaient bien des larmes qui brillaient dans les yeux dorés de Philippe. Et les bras qui le pressaient si doucement, si tristement, communiaient à la même douleur et au même abandon. Ah! Comme il aimerait! Oh! Comme il s'ennuie et se tourmente! S'il était là, lui. S'il savait ça. S'il savait. Clovis rougit en se relatant tout ce qu'il a fait depuis pour imiter cet homme. La trousse médicale qu'il s'est confectionnée et qu'il a cachée dans son lieu secret, son langage qu'il a modifié, les expressions qu'il a étudiées lors des examens annuels, sa façon de marcher, de se tenir à l'église et de lire l'heure à sa montre de poche. Rien ne lui a échappé et il copie le médecin à la perfection. L'autre jour, Jérôme lui a même dit: « T'es rendu que tu parles comme le docteur! » Il ne savait pas, Jérôme, jusqu'à quel point cette remarque l'avait flatté. Le docteur. Mon Dieu qu'il aimerait être comme lui un jour! Avoir une vraie trousse, des connaissances, des beaux habits et surtout, cette puissance de concurrencer la maladie et la mort. Les gens du village racontent encore qu'il a sauvé bien des enfants lors d'une épidémie, et ce pouvoir qu'il possède d'arracher à la mort les êtres qu'elle se destine le fascine au plus haut point et consacre le médecin dans son titre de grand sorcier. Oui, cet homme se différencie des autres. Ne l'appelle-t-on pas docteur au lieu de monsieur? Ne se distingue-t-il pas par son langage, sa tenue et sa maison? N'accomplit-il pas des miracles, ramenant à la vie des gens ayant reçu les derniers sacrements? Et quel impact cette guérison inespérée peut-elle avoir sur leur avenir éternel? Oui, cet homme, devenu son idole et son héros, mérite bien toute son admiration et sa vénération. Un sourire effleure soudain ses lèvres tandis qu'il se rappelle les jeux de l'été. Judith et Marie l'avaient rejoint à sa place secrète et il leur avait montré sa trousse et le stéthoscope fait d'un couvert de pot retenu par des lanières. Les filles l'avaient trouvé particulièrement réussi et il leur avait demandé de faire les malades pendant qu'il ferait le docteur. Marie avait refusé mais Judith s'était pliée à ses désirs. Aujourd'hui encore, il ne peut analyser le plaisir qu'il éprouva en ce jour d'été où il dégrafa la robe de Judith pour y poser son stéthoscope jouet et le promener sur sa peau chaude, en imitant scrupuleusement le médecin, posant les questions d'usage et accomplissant les gestes avec sérieux. Jouissait-il de se sentir si intimement lié à son personnage? Ou jouissait-il de la peau très blanche et douce que ses doigts frôlaient? Marie faisait le guet au cas où un adulte les surprendrait et elle avait promis de ne rien dire à personne.

Il se souvient du chant strident des criquets et du rire nerveux de la petite fille lorsqu'il lui a demandé de défaire ses nattes. « Pourquoi? — Pour examiner tes cheveux: on ne sait jamais, tu pourrais avoir des poux. » Les gerbes dorées avaient glissé sur la soie des épaules et il est demeuré trop saisi pour les examiner. « T'as pas de poux », avait-il affirmé, réprimant la folle tentation de plonger mains et visage dans la toison lumineuse. « Oreillons, avait-il diagnostiqué en tâtant le cou. Ça guérira, tu verras ma petite. » Et elle avait guéri, évidemment. Tout finit par se guérir, songe-t-il en examinant les cicatrices aux paumes de ses mains. Avant, il y avait de grosses cloches d'eau, puis des lambeaux de chair et du pus. Aujourd'hui, une peau luisante et trop rouge se plisse au moindre mouvement. Le curé affirme que ça ne paraîtra plus bientôt. Soudain, la voix sonore de cet homme retentit dans son cerveau et l'éclabousse de ses pensées d'outre-tombe. « Cherche pas ta mère au ciel, elle est en enfer! »

Elle est en enfer. En enfer. Sa mère. A quoi bon prier, maintenant? Personne ne peut sauver personne de l'enfer. Même pas Dieu. Même pas Jésus. Encore moins lui, un jeune garçon de neuf ans. L'âme des pécheurs appartient au diable, à Lucifer. L'archange déchu possède l'âme de sa mère. Il la torture et la fait pleurer. Elle hurle dans les flammes éternelles, incapable de fuir les monstres accrochés à ses flancs. Des serpents venimeux s'enroulent à ses chevilles et des corbeaux dévorent son cœur dans sa poitrine. Ses longues tresses s'enflamment et incendient son si beau visage. Elle souffre et se tord. Quelle horrible douleur que celle du feu! Douleur incessante, pénétrante, reliée directement au cœur. Il la connaît cette douleur. Ou du moins, il l'a connue. Et reconnue. Ses mains en portent encore la preuve ainsi que son pénis. Pauvre maman! Cela fait si mal. Si mal. Te voilà pour toujours atteinte de cette douleur. Pourquoi t'es-tu fait baptiser aussi? Pourquoi m'as-tu laissé baptiser? Tu sais bien qu'il n'y a pas de place pour nous au ciel. Le ciel est aux Blancs et aux riches. Le curé a dit qu'il faut payer pour allumer des lampions et payer le dimanche et encore donner de l'argent aux statues si l'on veut être accepté au ciel. Moi, je n'ai rien à donner. Oh! Maman! Pourquoi m'as-tu fait baptiser? J'aurais préféré ne rien connaître et rejoindre grand-papa aux limbes.

Clovis examine ses mains attentivement. Une fois de plus, les flammes ont rongé sa chair. Une fois de plus, une fois de trop. Mais avec ce dernier épisode, une phrase malheureuse s'est vrillée à son âme avec toute la certitude de la condamnation.

« Cherche pas ta mère au ciel, elle est en enfer. » Son âme ne guérira jamais de cette phrase. Jamais!

L'enfant revit le drame. Depuis toujours, les lampions l'avaient enchanté. Il passait des heures à regarder danser les flammes dans les petits bocaux de différentes couleurs, ne se posant pas de question à savoir si la cire fond ou si les bocaux se remplacent ou encore qui les allume. Un dimanche, après la messe des morts, il a surpris Honoré en train d'en allumer un. « C'est pour mon Émerise, celui-là », avait-il expliqué en indiquant un lampion rouge. C'est alors qu'un projet fabuleux germa en lui, le tenant éveillé durant la nuit et distrait en classe. Trois jours plus tard, il le mit à exécution. A la faveur de la nuit, il se glissa dans l'église déserte et ressuscita tous les lampions. « Celui-là, c'est pour maman. Celui-là, c'est pour maman. » Avec chacun d'eux fleurissait une étoile de couleur dans l'éternité insondable de Biche. Tout en propageant la flamme d'une mèche à l'autre, il lui expliquait le beau chemin lumineux qu'il traçait pour elle dans son gouffre ténébreux et mystérieux. Bientôt, les lueurs dorées, rouges, bleues et vertes emplirent l'église et lui donnèrent un air de fête. Comme c'était prenant d'être au cœur des halos dansants et de voir en chacun d'eux un guide sûr vers le paradis! Il sentait sa mère tout près et s'était persuadé de l'avoir rapatriée vers le bonheur céleste. Voilà qu'elle marchait vers la rouge, puis vers la bleue, puis vers la verte, puis la dorée. S'approchant de plus en plus de la récompense éternelle et réchauffant son cœur au souvenir de son petit garçon. Oui. Elle était tout près et il lui parlait. Ébahi. Comblé. Surexcité par son propre geste.

Soudain, une ombre se mit à grandir. Une ombre menaçante. Était-ce le diable? Il se retourna: pire, c'était le curé. Les lueurs, pourtant douces, donnaient à ses traits une expression cruelle. « T'aimes ça allumer des lampions sans payer! — Je savais pas qu'il fallait payer. — P'tit sauvage! P'tit menteur! Tu vas souffrir par où tu as péché », avait hurlé l'ecclésiaste en lui étendant les mains sur les flammes. Une douleur cuisante les lui transperçait et lui pinçait le cœur. Il avait serré dents et lèvres, préférant retenir le cri qui lui déchirait la poitrine plutôt que de laisser voir au curé tout le mal qu'il réussissait à lui faire. Lorsqu'il le libéra, chancelant et humilié, il courut dehors pour offrir ses mains à la pluie de novembre en invoquant le nom de sa mère. « Cherche pas ta mère au ciel, elle est en enfer », avait alors déclaré le curé. Depuis, cette phrase le hante nuit et jour. Nuit surtout. Surtout les nuits noires et sans étoiles. Les nuits de pluie lorsque les damnés pleurent sur la terre et la noient de leur impuissance. De tous ces filets d'eau, sortis de l'abîme, quelques larmes appartiennent à sa mère. Sa mère qu'il aime tant, dont il a tant besoin et dont les souvenirs lui crèvent le cœur. N'est-elle pas le seul lien entre lui et les limbes? Comment ne pas s'attacher férocement à elle? A elle maintenant aux enfers. Aux enfers pour l'éternité. Effarante éternité. Sans fin ni commencement. Inconcevable. Incommensurable. Mer noire du temps sans horloge. Espace illimité des secondes et des heures où la seconde devient l'heure et l'heure, la seconde. Où tout n'est que souffrance. Éternelle souffrance. Cri sans fin dans ce vide absolu de saison et de frontière. Dans ce vide absolu où seule existe la douleur. Non! Son âme ne guérira jamais de cette phrase. Jamais.

Ding! Ding! Ding! La cloche se balance dans sa robe d'airain et sonne l'angélus. Il est temps d'aller dîner. Il se détache de la fenêtre, emportant l'image d'Honoré se signant dans sa remise.

Près de la table, le curé l'attend pour la prière du midi. L'osseuse ménagère, déjà recueillie près des casseroles, montre des signes d'impatience. Le curé sourit en le voyant arriver. De ce sourire doucereux et faux. On dirait l'incarnation d'un mensonge dans son visage. Clovis baisse la tête devant l'homme qu'il craint, qu'il redoute, qu'il déteste. Il s'aperçoit que ses mains tremblent et qu'il a envie d'uriner, comme à chaque fois qu'il se trouve en présence d'Alcide. Ses doigts froids éveillent des frissons le long de son échine pendant qu'il répond machinalement aux prières.

L'homme devant lui jette l'épouvante dans son âme. Tel un monstre, il l'envahit de ses tentacules et s'insère jusqu'au tréfonds de son être, semant le doute, la peur et le mal, rongeant les racines mêmes de son existence, les câbles vitaux de son entité. Sectionnant de ses pinces aveugles le seul lien entre lui et les limbes et le laissant dériver sur la mer de l'incertitude et de l'inconnu.

Depuis trois ans, il se sent la proie de cet homme. Depuis le jour inoubliable de l'enterrement alors que la serre du grand corbeau s'était incrustée en lui. Les meurtrissures, d'abord infligées à son corps d'enfant, progressèrent rapidement vers l'intérieur et s'attaquèrent à l'âme, cette partie ultra-personnelle et invisible, capable de nous damner si elle venait à quitter notre corps avec des péchés mortels. Cette partie qui souffre plus que le corps. Plus que la chair. Et pourtant punie par la chair et le feu.

Cet homme devant lui, dans sa robe noire, possède également un pouvoir indéniable: celui d'absoudre les péchés ou de les retenir. Et Clovis a de plus en plus l'impression que cet homme possède son âme et la pétrit à sa guise. Qu'il la manipule aussi facilement qu'il manipule son sexe en le soignant des suites de sa torture.

— Défais tes six derniers points, Léonnie, tu vois bien qu'ils sont trop serrés. Tu as tout plissé ton tissu.

— Ah! Mathilde! Ça paraîtra pas.

— Défais. La nappe va pocher où toi tu as travaillé.

Soupir d'impatience. Léonnie défait ses derniers points de croix, constatant avec dépit la justesse des affirmations de son aînée.

Après avoir examiné le travail de Judith et Marie, celle-ci retourne à ses corrections sur la grande table de chêne qui transforme cette partie du salon en salle à manger le dimanche et les jours de fête.

— Cette idée qu'elle a eue de se marier aussi! maugrée Léonnie en pressant le tissu sur ses genoux.

Ses deux plus jeunes sœurs lui lancent un regard amusé. Léonnie, après un deuxième soupir de contestation, enfile son aiguille en expliquant.

— J'haïs assez ça broder! C'est donc des ouvrages plates.

— Léonnie, je t'en prie, sermonne Mathilde en continuant ses corrections.

— Bon! Ça va! Je sais que ça va lui faire un beau cadeau de noces. Mais quand même! On aurait pu faire des mouchoirs: ç'aurait été moins long. Ça, pour faire un mouchoir, j'aurais pas rouspéter mais une nappe, toute une nappe au point de croix, c'est un peu exagéré. A part ça que Marguerite nous aide jamais.

— Elle chaperonne, ajoute aussitôt Mathilde en essayant de clore le sempiternel débat des mouchoirs et de la nappe.

Mais Léonnie, emportée par son plaidoyer et sa haine des travaux d'aiguille, poursuit sans relâche.

— Moi aussi, je pourrais chaperonner. C'est pas dur. On a juste à les suivre partout et à dire à maman s'ils s'embrassent. Je pourrais faire ça aussi bien que Marguerite, peut-être même mieux.

Judith rougit considérablement et se penche davantage sur son ouvrage pour cacher sa confusion. Marie, l'ayant deviné, lui presse le pied sous la nappe de lin étendue entre les trois sœurs. Un trouble inexplicable grandit en elle en se remémorant l'examen que Clovis lui avait fait avec son stéthoscope jouet. Il y avait ce soleil, cette chaleur, cette rencontre secrète à l'ombre d'un merisier, le refus catégorique de Marie et son offre de faire le guet et de ne rien dire à personne, tout comme si l'acte qu'ils s'apprêtaient à commettre se rangeait dans les actes que les adultes désapprouvent avec malaise et colère. La légère pression des doigts de son compagnon contre le premier bouton, le glissement du tissu sur ses épaules, la proximité de ce visage qu'elle avait toujours trouvé beau, lui avaient procuré une joie trouble qu'elle croyait perverse. « Les garçons sont des petits cochons », répétait sa mère à cœur de jour. Clovis était-il un petit cochon? Que faisait-il de mal en imitant si parfaitement son père? A son père, elle avait droit de montrer sa poitrine et de se laisser toucher par lui, pourquoi pas à Clovis? C'était un jeu. Ils s'amusaient bien. Lui était devenu médecin et elle, malade. Et puis ils ne s'étaient pas embrassés. Alors? Où était le mal? Car il y avait bien un mal qu'elle sentait confusément dans les gestes qu'ils avaient posés. Étaient-ce là les touchers impurs dont le curé avait parlé au cours de religion? Qu'était l'impureté? Pouvait-elle s'en accuser sans risquer de paraître ridicule comme le jour où elle s'était accusée du péché d'adultère? Tout le monde dans la maison semblait être au courant de ce péché, même Marie qui lui avait déclaré un soir être devenue une femme. Toute la nuit, elle avait étouffé ses sanglots dans l'oreiller et, le lendemain, elle avait fui tous leurs jeux usuels portant la tête basse comme si elle venait d'être punie. « Compte-toi chanceuse d'être encore une petite fille », lui avait-elle dit encore d'un air désenchanté.

L'entrée dans le monde des femmes comportait-elle donc tant de désillusions?

La fillette observe Léonnie en face d'elle. Léonnie qu'elle a toujours aimée et admirée. Léonnie l'intrépide dompteuse de chevaux. Elle aussi fait partie du monde des femmes. Elle en fait inévitablement partie malgré toute la révolte qui l'habite, malgré son refus de s'intégrer et malgré son obstination à se réaliser.

Quand elle regarde ainsi Léonnie, le cœur de Judith palpite d'admiration. Sa sœur ne rejette-t-elle pas ce carcan que le destin lui impose? Ne combat-elle pas? Ne s'oppose-t-elle pas? Ne risque-t-elle pas? Léonnie, c'est l'opposé de Mathilde: c'est celle qui est de travers dans les rangs de la bienséance féminine. Celle qui se refuse d'être belle, élégante et bien élevée. Celle qui défie les garçons et les bat à la course. Celle qui lève sa jupe pour enfourcher un cheval ou salit ses bottines en nettoyant l'écurie. C'est aussi celle qui s'est toujours occupé des deux dernières et qui a rempli leur enfance de joies, de jeux et de rires. Et depuis que Marie est femme, Léonnie s'est tournée vers elle avec une passion et une tendresse évidentes, comblant la p'tite dernière de frivolités et de gâteries inimaginables; la préservant du monde adulte et lui laissant savourer à pleines dents ses dix ans, marqués du sceau de l'insouciance. Elle aurait aimé que Léonnie remplace Marie lors de l'examen de Clovis, car elle sait qu'elle aurait apprécié ce jeu sans en ressentir de remords.

— Vas-tu te marier, toi, un jour? lui demande-t-elle.

— Jamais de la vie! rétorque l'adolescente en piquant énergiquement son aiguille dans le tissu.

— Pourquoi?

— J'ai pas envie de vous faire broder des nappes. Je trouve ça pas mal exagéré de la part de Jeanne: se marier à dix-huit ans. Quelle idée! Toi tu t'es pas mariée, Mathilde? T'as même pas de cavalier et t'es plus vieille que Jeanne.

— Moi c'est pas pareil.

— C'est jamais pareil quand ça te regarde. J'aime autant que tu restes vieille fille parce que j'aime pas ça broder des nappes.

— Moi non plus, je me marierai pas, affirme Judith.

— Ni moi, renchérit Marie en coupant adroitement son fil.

Rassurée, Léonnie conclut:

— Il va nous rester juste une nappe à faire: celle de Marguerite, parce qu'elle, je pense qu'a va se marier avec Auguste Villeneuve.

— Auguste! s'exclame les deux plus jeunes avec une moue désappointée.

— Ça suffit! ordonne Mathilde en s'approchant pour surveiller les efforts de Léonnie et ramener un peu d'ordre dans la conversation. Ton tissu est tout sali.

— J'ai les mains trempes.

— Pourquoi t'as les mains trempes?

— Parce que ça m'énerve: j'haïs ça broder!

— On la lavera avant de la donner. Tâche de ne pas trop tirer sur le fil, conseille-t-elle en retournant à sa table.

De ne pas trop tirer sur le fil, songe Léonnie en poursuivant sa besogne. L'aiguille glisse entre ses doigts moites, son poing se crispe sur le minuscule objet et lui donne des crampes. « J'ai les mains trempes, mais pas parce que j'haïs broder. Moi, j'le sais pourquoi j'ai les mains trempes. »

Elle jette un regard à l'horloge grand-père. Une heure quarante-cinq déjà! Plus l'heure avance, plus son estomac se creuse. A deux heures, sur la côte dangereuse, les garçons se sont donné rendez-vous. Clovis a défié personnellement Olivier Levers à glisser devant les bouillons. Le fils du marchand général aura-t-il le courage du jeune métis? Elle en doute et désire ardemment assister au triomphe de Clovis et aux déclarations qu'il compte faire si Levers ne relève pas le défi. Une excitation fébrile la gagne tandis qu'elle songe à un moyen de s'évader de son ouvrage.

Clignant un œil à Judith qu'elle a vaguement mise au courant du rendez-vous, elle s'exclame:

— Comme c'est bête! J'ai plus de fil rouge.

— Faudrait en acheter, han? demande Judith.

— Viens-tu avec moi au magasin général?

— O.K. Viens-tu, toi, Marie?

— Oh non! Il fait trop froid dehors.

— Ça te ferait du bien de prendre un peu d'air.

— J'aime pas ça quand y fait froid. J'aime autant broder.

— Comme tu veux, conclut Léonnie en se levant. Faut qu'on aille chercher du fil rouge, explique-t-elle à Mathilde qui la sonde longuement.

— Très bien. Allez-y mais ne laissez pas Marie broder toute seule trop longtemps.

— Promis. Viens Judith.

A sa grande satisfaction, Léonnie tombe face à face avec Mme Levers dans la salle d'attente. Arborant son plus grand sourire, elle la salue poliment.

— Pourquoi tu lui as souri comme ça? demande Judith en refermant la porte de la grande maison blanche.

— Grâce à elle on pourra rester plus longtemps sur la côte dangereuse.

— Comment ça?

— Parce que M. Levers est pas capable de trouver du fil à broder. Envoye, dépêche. Je veux pas manquer ça.

— C'est quoi au juste qu'il y aura sur la côte dangereuse?

— Marche, je vais t'expliquer.

Squich! Squich! Squich! font leurs pas sur le sol gelé de février. Squich! Squich! Squich! à travers les rares paroles de Léonnie.

— Clovis est capable de faire la côte dangereuse... le seul capable... l'autre jour, à récréation, y est allé barber Levers, le ver de terre, hi! hi! hi! C'est aujourd'hui le grand jour... à deux heures. Je l'ai su par Jérôme. Marche plus vite. On va être les seules filles présentes.

Judith multiplie ses pas afin de suivre son aînée à l'ample foulée. Les voilà rendues audit lieu. Et voilà, sur le sommet de la côte, le p'tit sauvage, jambes écartées au-dessus de son toboggan, l'allure fière et audacieuse, une couette noire lui barrant le front, la tuque rejetée derrière la tête comme si le froid ne l'atteignait pas.

Une sensation bizarre et belle visite le cœur de Judith. Elle ouvre la bouche en contemplant l'image du jeune garçon qu'elle brode d'histoires merveilleuses. N'est-il pas né au cœur des forêts? N'a-t-il pas dormi dans des fourrures d'ours et piégé les animaux sauvages? N'a-t-il pas avironné avec sa mère et guidé son traîneau à chien? N'a-t-il pas également subi une torture atroce sans jamais dévoiler le nom de ses bourreaux?

Le regard noir et luisant de Clovis se pose sur elles. Il fronce les sourcils et se tourne aussitôt vers Jérôme.

— Pourquoi tu leur as dit?

— Elles vont pas parler.

— Ça regarde pas les filles, rouspète Clovis.

— On y peut rien, sont rendues astheure, réplique Jérôme d'un ton lamentable.

— Qu'elles restent d'abord, conclut le métis en bombant le torse, stimulé, malgré lui, par l'admiration silencieuse des filles. Regarde bien, Levers, t'auras à faire pareil!

— Ouais! J'te cré pas, moé, que t'es capable de le faire, riposte le garçon en haussant le ton pour couvrir le tumulte des remous qu'il guette d'un air horrifié.

Tous les regards se portent alors vers les vagues noires, qui se cambrent, tourbillonnent et sautent avant d'être happées sous la glace par le courant de la rivière. Une grosse roche hérisse son dos glacé à travers les bulles blanches et accumule d'énormes glaçons devant la gueule noire et vaporeuse du monstre imaginaire. Le silence rivalise tout à coup avec le vacarme de la rivière et permet d'entendre les petits cris pointus des mésanges sur les vinaigriers. Jamais encore, aux yeux des six enfants réunis sur la côte dangereuse, la neige n'a paru si blanche, le trou dans la glace si noir, les branches des vinaigriers si douces et la vapeur d'eau si dense et infernale.

Clovis qui jusqu'ici n'a vu dans cet exploit qu'un moyen détourné de se venger de Levers en le précipitant dans les rapides, constate soudain tous les risques que comporte la descente. S'il ne parvenait pas à tourner à temps, c'est lui qui se retrouverait à l'eau. Et puis non! Cet après-midi-là, ce n'est pas son rendez-vous avec la mort, mais celui de Levers. C'est lui qu'il imagine lancer des cris désespérés avant de disparaître sous la lourde carapace d'hiver. C'est sa minable gueule aux lèvres serrées qu'il imagine se tordre de peur avant d'avaler l'eau glaciale. Ce sont ses doigts secs et nerveux qu'il imagine se crisper aux glaçons dans un dernier effort de survie. Ces mêmes doigts qui le clouaient au sol, pendant que Firmin le martyrisait. Vengeance! Vengeance! se répète-t-il. Son sang bouillonne en lui. Il se lance sur son toboggan et file dans la piste glacée, poussé tout à coup par un désir inexplicable de régler une fois pour toutes le sort d'Olivier Levers et animé d'une force tout aussi inexplicable. Les remous grondent, s'agitent et dansent sans réussir à l'effrayer.

Il sait qu'il réussira et calcule sa vitesse et sa distance. C'est le temps. Il se penche, tourne, freine à trois pieds du danger. Des cris pointus précèdent les applaudissements des filles. Léonnie lance des bravos enthousiastes et Judith lui sourit à travers ses larmes naissantes. Jérôme échappe son rituel soupir de soulagement en secouant la tête d'un air désapprobateur. Pourquoi donc lui faut-il être témoin de tant d'audace? Seul Olivier Levers blanchit et recule à mesure que Clovis grimpe la côte. Ses dents, tout à coup, se mettent à claquer dans sa bouche.

— Eille! Reste ici! ordonne Léonnie en l'empoignant par le bras.

— Lâche-moé, maudite folle.

— T'es ben peureux, maudit ver de terre! réplique la fille en ramenant son prisonnier devant Clovis.

— C't'à ton tour, Levers, offre celui-ci d'un ton ironique.

— J'sais pas nager.

— J'ai pas eu à nager. Viens pas me dire que t'as peur.

— Si je passe tout droit, vas-tu venir me chercher?

— Penses-tu?

— C'est pas juste.

— T'as fait des choses injustes, toi aussi. Des choses que je vais dire à tout le monde.

— Ma mère sait même pas que chus icitte. M'as me faire chicaner.

— Elle le saura pas, voyons. Aucun de nous autres a le droit d'être ici.

— Parle donc comme nous autres, espèce de frappé!

— Je suis peut-être frappé mais je sais diriger une traîne. Toi, t'es juste un épais et une femmelette. Une femmelette. Si tu le fais pas, je suis sûr que même Judith aurait pas peur de le faire.

Phrase malencontreuse: Judith en otage afin de forcer Levers. Défi inconscient lancé au monde inférieur des femmes. Orgueil blessé de petite fille. Judith s'élance sur le toboggan d'Olivier, déjà aligné sur la piste. Clovis bondit aussitôt sur la sienne et la poursuit.

Un grand cri déchire les cœurs. La capeline bleu pâle et le foulard rouge s'engloutissent devant les yeux paniqués de Léonnie. Elle court, s'enlise dans la neige et déboule, le cœur battant, les jambes mortes, les mains tremblantes. Floush! Le toboggan de Clovis plonge à son tour. Petite tuque de laine grise tournoie dans la mousse blanche. Jérôme tombe à genoux dans la neige. Olivier s'enfuit avec Hercule. Plus rien à la surface du gouffre. Léonnie rampe sur la glace en criant et pleurant. Jérôme, les genoux cloués, le cœur figé, hurle des sons inaudibles.

Sous l'eau. Ce froid autour de sa tête... ces tourbillons glaciaux qui le paralysent. La tache rouge dans les ténèbres: le foulard de Judith. S'emparer de la tache rouge. Le courant l'emporte. Tendre les bras, le corps. Suivre la tache rouge vers l'abîme. Saisir la tache rouge. La serrer avec difficulté puis retourner vers la lumière, à contre-courant. Hisser un autre corps que le sien, à contre-courant. Impossible. « Gros-Ours! Au secours! — Toi, petit ours, toi, capable. Toi, sauvage. Toi, capable. Fille de Philippe à l'eau par ta faute. Toi, ramener fille à Philippe. » Une branche: s'accrocher, tâtonner pour un autre jalon. Une roche: s'agripper, tenir le souffle, se hisser. Un glaçon. Des glaçons. La grosse roche. Faire surface. Des cris. Des mains tendues: remettre le foulard rouge. Le foulard rouge. Cerveau engourdi.

Léonnie tire sur le foulard; la cape émerge, cheveux blonds flottant sur l'eau. S'accrocher à la glace. Reprendre souffle. Remarquer les petites bottines remplies d'eau traînant sur la glace. Corps ankylosé. Bras sans force. Retomber dans le gouffre. Non. Jérôme! Une poigne solide sous ses aisselles. C'est Thibodeau, le maréchal-ferrant. Thibodeau qui ne l'a pourtant jamais aimé.

— Marche! Ça va t'empêcher de geler. Cours! Envoye! Grimpe!

Les petites bottines de Judith creusent des sillons dans la neige. Deux hommes la traînent rapidement. Clovis titube dans les sillons, étourdi, affaibli et effrayé. Un attelage arrive. Tintement de grelots. On le recouvre d'une peau de bison près de Judith inconsciente. Petit visage blanc aux lèvres bleuies roule contre le sien sous la fourrure, couvrant son cou de sa magnifique chevelure gelée. Où est la chaleur de l'été? Où sont les rutilances excitantes de la blonde tignasse? Judith, ne meurs pas. Chaudes les larmes sur les joues. Chaudes contre elle si froide et immobile. Elle qui avait, tantôt, un sourire à travers ses larmes.

La grande maison blanche. On arrache la couverture; on s'empare d'eux.

Marcher encore. Lenteur des gestes. Images floues. Frissons incontrôlables. Visage désemparé de Philippe. Branle-bas dans la maison. Arrivée du curé. Disparition de Judith dans les bras forts de son père. Porte du cabinet close sur un drame. Le curé le transporte près du poêle et lui enlève son linge. Non. Il ne veut pas être tout nu devant mademoiselle Mathilde. Surtout pas avec la maladie qu'il a au pénis. Ne sait même plus s'ils sont seuls. Le curé l'essuie, le frotte, l'enveloppe dans des couvertures de laine et le serre contre lui. Il ne résiste pas. Se laisse aller contre son cou brûlant, appuie la tête dans le creux de son épaule, cherche les aisselles pour y réchauffer ses mains transies. La tache rouge dans les ténèbres flotte dans son esprit. Attraper la tache rouge. On frotte ses cheveux, on lui enfile des bas de laine. Il se cale contre le corps chaud et brutal. Ferme les yeux.

— Réveille-toi, Clovis! Ouvre les yeux! Parle-moi! Comment c'est arrivé? Comment c'est arrivé?

La voix du médecin le force au réveil. Il lui donne des petites tapes sur les joues et approche une tasse de ses lèvres.

— Bois. C'est du bon thé chaud, bien sucré. Bois, Clovis. Bois.

Ordre et supplication tout à la fois l'obligent à ingurgiter le liquide et l'arrachent au refuge du sommeil.

— Faites-le boire! Parlez-lui. Il ne faut pas qu'il s'endorme.

Le curé adopte une voix douce, inconnue. Il pose des questions entre chaque gorgée de liquide et caresse sa tête comme s'il n'était pas fâché. Pourtant, il a fait tant de péchés cet après-midi.

— J'ai péché.

— C'est pardonné, c'est pardonné.

— Pardonné?

— Oui. Bois.

— La tache rouge, la tache rouge dans l'eau.

— Quelle tache rouge?

— La tache rouge... foulard? Le foulard?

— Le foulard de Judith? C'est ça. C'est le foulard de Judith. Elle va bien. Son papa s'en occupe et moi, je m'occupe de toi, mon p'tit sauvage.

Que d'affection dans cette déclaration, suivie d'un baiser sur le front.

— Je m'occupe de toi, mon p'tit sauvage. Bois.

Il boit. Ses frissons s'espacent. Encore une fois, il s'appuie contre l'épaule et glisse rapidement dans ses songes.

Alcide caresse d'un doigt ému le visage de l'enfant assoupi contre lui et résiste difficilement à la tentation de le couvrir de baisers. Des sentiments puissants et inquiétants bouleversent son âme tandis qu'il contemple ainsi le jeune garçon. « Seigneur Jésus, pardonnez-moi d'aimer cet enfant, car je l'aime mal et je l'aime trop. Je le voudrais à moi. Tout à moi et rien qu'à moi. Je le voudrais... je le veux... dans mes bras... comme ça. Qu'il est beau! Qu'il est attirant! Harmonieux et attirant. Endormi, il n'a pas de vice. »

— Réveillez-le, bon sens! somme le médecin en revenant dans la cuisine et en secouant Clovis.

Péniblement, celui-ci ouvre les paupières.

— Le foulard rouge... dans l'eau.

— Quoi le foulard rouge? A qui?

— A Judith. Chercher le foulard rouge... docteur Philippe.

— Tu es allé chercher le foulard rouge?

— Oui.

— Pourquoi?

— Judith à l'eau. C'est de ma faute. De ma faute.

— Tu l'as poussée à l'eau? C'est toi qui l'as poussée à l'eau!

— C'est Levers, Levers que je voulais à l'eau.

— Levers?

— Olivier Levers! Je voulais qu'il tombe à l'eau... je voulais qu'il meure.

— Ne dis pas ça, Seigneur Jésus! ordonne le curé en se signant et en repoussant légèrement l'enfant.

— Pourquoi Clovis? Pourquoi? insiste le médecin en tournant vers lui le visage honteux de son fils.

Regards noir et or se croisent et se comprennent.

— C'était un de ceux qui t'ont fait mal?

— C'est lui qui me tenait.

— Qui d'autre te tenait?

— Hercule Thibodeau... Hercule Thibodeau.

Ces noms qu'il délivre de sa conscience repoussent l'évasion facile et dangereuse du sommeil. Le médecin empoigne ses bras avec autorité et le garde sous son emprise.

— Qui d'autre, Clovis? Qui a brûlé?

— Firmin.

— C'est tout?

— Oui, c'est tout.

— Tu as voulu te venger d'eux?

— Oui.

— Et tu voulais qu'Olivier tombe à l'eau?

— Oui.

— Tu voulais vraiment qu'il meure?

— Oui, confesse l'enfant malgré le brusque rejet d'Alcide.

— Seigneur Jésus! Pardonnez-lui. Il ne sait pas ce qu'il dit.

— Je crois au contraire qu'il sait ce qu'il dit, monsieur le curé. C'est Judith qui est tombée à l'eau à la place d'Olivier.

— Oui. Est-ce qu'elle est...?

— Non. Elle va bien maintenant.

— C'est sûr? Elle vivra?

— Oui. Elle ne s'en souviendra plus le jour de ses noces.

Clovis imagine Judith dans une belle robe blanche. Elle s'accroche à son bras au sortir de l'église et sourit sous une pluie de confettis.

— Je crois que nous avons l'un et l'autre beaucoup de punitions à donner, docteur. Pensez-vous qu'il puisse rentrer au presbytère?

— Pas aujourd'hui. Je comptais le garder en observation: il pourrait y avoir des complications fâcheuses.

— Comme vous voulez, accepte Alcide en poussant Clovis de ses genoux pour se lever. Mais s'il va bien demain, vous me l'enverrez pour la grand-messe... quoique je me demande s'il pourra servir la sainte messe avec une âme si noire. Tout compte fait, je demanderai à Hercule Thibodeau, déclare Alcide en enfilant son capot de poil.

Après un regard frigorifié pour Clovis, il déguerpit à

grands pas, à peine satisfait d'avoir blessé si facilement cet enfant qui sait si bien détruire l'image du petit Jésus. Choqué, outré, humilié d'être tenu par ce visage. Révolté d'avoir succombé au charme du jeune être abandonné dans ses bras.

Clovis ose un regard piteux vers son idole et devine aussitôt sa déception et sa colère. Quoi donc? Cet homme qu'il aime tant s'afflige des gestes stupides qu'il a posés? Le front de cet homme se ride à cause de lui et son regard s'assombrit. Ces yeux tristes qui le pénètrent lui disent: « Pourquoi tu m'as fait ça, Clovis? Pourquoi as-tu risqué la vie de ma fille? »

L'enfant sent son cœur battre à vive allure et cherche les mots pour expliquer ce qu'il ressent. Mais ce qu'il ressent n'est qu'effondrement total de son univers intérieur. Jamais plus Philippe n'aura de clin d'œil chaleureux à son égard, ni d'attentions particulières lors des examens annuels. Ah! Qu'il aimerait tout à coup que cet homme le batte et cesse de le condamner en silence. Qu'il aimerait que cette main se lève sur lui et le délivre de l'intransigeante autopunition. Que pleuvent les coups venus de cette main bénie. La main du bienfaiteur, du grand sorcier. La belle main. Que cesse le tourment de ce regard! De ce jugement!

— Punissez-moi, docteur. Je l'ai mérité, supplie l'enfant.

— Qu'est-ce que tu veux que je te fasse?

— Me... battre. Je l'ai bien mérité.

— Je ne bats pas les enfants.

— Jamais?

— Jamais. Je crois que tu es assez puni comme ça.

— Je veux tout vous dire.

— Ah? J'écoute.

Cette voix patiente.

Clovis se tortille dans ses couvertures de laine sans pouvoir détacher son regard de celui du médecin.

— Vous ne m'aimez plus? questionne-t-il en rougissant.

Il détourne le regard, scandalisé lui-même par cette question spontanée qui lui a échappé. Ne vient-il pas d'admettre toute l'importance qu'il accorde au sentiment inavoué qui le lie à cet homme? Ne vient-il pas, justement, d'avouer l'inavouable?

Philippe remplace le curé sur la berçante et l'attire contre lui, sans un mot.

— Là, maintenant, raconte-moi tout, mon garçon.

L'enfant retrouve avec délices le parfum des médicaments et les bras sécurisants de Philippe. Il pose sa tête sur l'épaule et regarde luire les poils argentés sur le menton volontaire. Il dévoile alors toutes ses faiblesses de l'après-midi, confiant en la validité des sentiments de l'homme. Il avoue même avoir fabriqué un stéthoscope et examiné Judith.

— Tu aimes ça jouer au médecin?

— Oui. J'aimerais ça être comme vous.

— Pourquoi?

— Pour être plus fort que la mort.

Une expression douloureuse et fugitive sur le visage de l'homme.

— Alors, il te faudra oublier tout sentiment de vengeance. Tu ne pourras jamais être médecin si tu désires la mort de quelqu'un. Les médecins doivent préserver la santé et non espérer la mort. Si tu étais médecin de ce village et qu'Olivier Levers soit malade, que ferais-tu?

— Je... je le soignerais... peut-être.

— Tu le soignerais sûrement, sinon tu ne pourras jamais prétendre être médecin. Tu comprends?

— Oui, je comprends.

— Tu as commis de graves erreurs aujourd'hui, mais tu as également posé un très beau geste. Léonnie m'a tout raconté et sans toi, ma Judith serait morte. De ça, je veux te remercier, mon garçon. Tu as risqué ta vie pour sauver celle d'une autre et, à mes yeux, ça suffit amplement à te pardonner de tes fautes.

L'homme le presse contre lui et poursuit d'une voix rêveuse.

— Demain, tu dîneras ici. Nous te fêterons. Je demanderai à madame docteur de faire un gâteau spécial pour toi. Tu aimes le gâteau?

— Oui.

— Elle fait de très bons gâteaux, madame docteur.

— Mais elle ne m'aime pas, moi.

— Oh! Oui. Elle t'aime. A sa façon. Surtout lorsqu'elle verra que tu as sauvé la vie de Judith.

— Elle n'est pas ici?

— Elle est partie chez sa couturière. Elle sera bientôt ici. Sais-tu que tu parles bien. Tu as appris vite et bien à ce que je vois.

— Est-ce que je parle comme vous?

— Presque. Ah! Clovis, demande-moi tout ce que tu veux et je te l'accorde.

— Tout?

— Oui. N'importe quoi. Ce que tu désires le plus au monde.

L'enfant se tait et ferme même les yeux pour goûter davantage le moment présent. Je le vis ce que je désire le plus au monde, pense-t-il.

— Tu ne désires rien?

Il secoue la tête faiblement de peur de rompre le charme. Mais il se rompt inévitablement par les cris affolés de madame docteur, dans la salle d'attente.

— Philippe! Où est-elle? Où est Judith? Où est ma Judith?

Le médecin rejoint sa femme dans le « p'tit hôpital » où

406

sa fille repose sous les soins de Mathilde. Entourée de briques chaudes, elle sourit courageusement à sa mère désemparée.

— Ma p'tite chouchoune! s'exclame madame docteur en se jetant sur elle. Qu'est-ce qui t'est arrivé?

— Je suis tombée à l'eau. C'est Clovis qui m'a sauvée.

— Clovis? Mais que faisais-tu avec les garçons? Tu sais que je ne veux pas que tu joues avec les garçons.

— J'étais allée les voir glisser sur la côte dangereuse.

— Mon Dieu! La côte dangereuse! Avec qui es-tu allée là?

— Léonnie.

— Je m'en doutais. Ah! La Léonnie! Où est-elle? questionne rudement la mère.

Philippe pose sa main sur son épaule et tente de la calmer en disant:

— Elle pleure dans sa chambre. Tu peux aller la voir si tu veux mais je l'ai déjà punie.

— Ah oui? Tu l'as déjà punie? Cette enfant obéit à rien!

— Elle est désolée. Va, va voir.

— Tout ce qu'elle mérite, c'est une bonne claque derrière les oreilles. Tu sais ce qu'elle est en train de devenir TA fille, hein? Une... une vraie traînée qui passe son temps avec les garçons. C'est beau ça encore? C'est normal? Qu'est-ce que les gens vont dire? Elle a quinze ans, Philippe, quinze ans! Et ça joue avec des p'tits gars! Un beau matin, elle va t'arriver avec un paquet, ta Léonnie!

— Parle de cela ailleurs qu'ici, suggère Philippe en se penchant sur Judith.

Il lui tâte le front et prend le pouls de ses gestes doux.

— Comment va ma jolie princesse?

— Mieux. Faites le prince charmant, papa.

L'homme se penche et dépose un baiser sur le front blême. Judith pose sur lui des prunelles amoureuses et le retient par le cou. Philippe ne résiste pas et apprécie toute la naïveté et la pureté de ce désir. N'est-elle pas la dernière de ses filles à lui prodiguer encore des marques d'affection avec toute la candeur due à son âge? Les autres se retiennent et le regardent comme une sorte de monstre dès qu'elles atteignent leur cycle menstruel. Elles se refroidissent et évitent ces contacts corporels comme s'il représentait un danger imminent. De quelle façon leur mère leur représente-t-elle les secrets de la vie pour les freiner à ce point? En fera-t-elle des femmes frigides comme elle? Des femmes bien aux yeux du monde mais pas bien avec leur mari? Il envisage une autre perspective pour la princesse aux yeux d'azur qui rit en grattant le dos de sa main sur le menton rêche.

— Vous êtes le plus beau papa du monde.

— Et toi, la plus belle petite princesse.

Mathilde se retire, enviant l'innocence de sa petite sœur et son droit aux marques d'affection. Que se permettait-elle à son âge? Une seule fois, elle s'était serrée contre lui en déclarant son amour. C'était devant un gros train impatient qui devait l'emmener à la ville. Depuis, elle a toujours su garder sa place, se remémorant avec regret toute son enfance massacrée par les principes rigides de sa grand-mère dans la grande maison bourgeoise de Montréal.

Elle trouve Clovis, seul, dans la cuisine. Il se berce distraitement et sursaute en la voyant près de lui.

— Mademoiselle Mathilde?

— Oui.

— Est-ce que je pourrais voir Judith?

— Bien sûr.

— Même si je suis un p'tit garçon.

— Vous n'êtes que des enfants. Viens.

Il la suit à petits pas, prenant bien garde de ne pas poser le pied sur ses couvertures de peur de se retrouver nu devant tout le monde. Un grand sourire éclaire vite le visage de la rescapée.

— Clovis! échappe-t-elle dans un soupir admiratif.

— Ça va? demande-t-il, intimidé par la présence de madame docteur.

— Oui. Et toi?

— Oui.

Ils se taisent tout à coup, étrangers à ce monde adulte qui les observe avec intransigeance, envie ou bonté. Philippe cède sa place à Clovis en disant:

— Bon. Si on allait préparer une bonne soupe pour ces enfants-là.

Mathilde le suit. Madame docteur monte à l'étage où Léonnie sanglote frénétiquement.

Clovis avance alors sa main et touche respectueusement, du bout des doigts, les cheveux épars sur l'oreiller. Un sourire maladroit effleure ses lèvres.

— C'est de ma faute, admet-il.

— Non. C'est de la mienne. J'avais pas d'affaire à sauter sur la traîne de Levers.

— Moi, j'avais pas d'affaire à dire que tu le ferais. Ton foulard rouge.

— Quoi?

— Je voyais ton foulard rouge dans l'eau. C'est tout ce que voyais.

— Qu'est-ce que t'aurais fait si t'avais pas été capable de l'attraper?

— Je l'aurais suivi.

— Brr! On serait mort tous les deux?

.— Oui.

— Moi, j'ai peur de mourir.

— Moi aussi. J'ai peur de l'enfer.

— Moi aussi, j'ai peur de l'enfer. Est-ce que t'aurais été en enfer?

— Ça doit. Le curé dit que je suis l'enfant du mal. Je pense qu'y a pas de place pour les sauvages au ciel. Ma mère est déjà en enfer.

— Qui t'a dit ça?

— Le curé.

— Ah! Si ça vient de lui.

Un court silence grave.

— Tes cheveux étaient tout gelés, tantôt. Ils sont beaux tes cheveux. Ils sont secs maintenant.

— Oui. J'avais assez froid.

— Moi aussi. Mes dents se cognaient ensemble. Est-ce que je peux mettre mon visage dans tes cheveux?

— Si tu veux.

Clovis plonge enfin son visage dans la soie des cheveux et hume avec complaisance. De ses mains, il les étale devant ses yeux et demeure ébahi du filtre doré sur les objets de la chambre.

— C'est bien plus beau à travers tes cheveux.

— Tu trouves?

— Oh oui! Je trouve que t'es...

Il se redresse.

— Quoi? Que je suis quoi?

— Que t'es aussi belle que mademoiselle Mathilde.

— Aussi belle?

— Même que tes cheveux sont plus beaux.

Elle sourit. Ils se regardent, émus, heureux d'appartenir au monde des enfants préservé du péché des adultes. Il s'approche une seconde fois et la regarde de plus près.

— T'as de beaux yeux bleus.

— Moi, je trouve que t'es le plus brave de la classe.

— C'est vrai?

— Oui.

— Est-ce que je peux t'embrasser?

— Sur la joue.

Il s'exécute rapidement et rougit jusqu'à la racine des cheveux. Elle fronce un peu les sourcils.

— Tu crois que c'est mal?

— Non. J'ai demandé à mademoiselle Mathilde et elle a dit qu'on était que des enfants.

— J'aimerais pas être à la place de Léonnie.

— Elle va se faire chicaner?

— Par ma mère surtout.

— Est-ce qu'elle va la battre?

— Je pense pas. Elle doit lui crier toutes sortes de noms.

Léonnie pleure sous l'avalanche d'injures.

— Traînée! Mal élevée! Sans cervelle! Tête de linotte! Garçon manqué! Menteuse! Impolie! Paresseuse! Désobéissante!

Toute cette panoplie de noms ne l'atteint pas. Elle pleure et tremble de tous ses membres en revoyant la capeline bleue s'engouffrer et la petite tuque grise tourner dans la mousse blanche. Rien d'autre ne la rejoint.

— M'écoutes-tu Léonnie?

— ...

— Léonnie! Aie au moins la politesse de répondre.

— Je suis tout ça, maman. Avez-vous d'autre chose à me dire?

— Non... Non, c'est tout, répond Amanda, décontenancée.

— Laissez-moi seule, maintenant. Je dois réfléchir sur ma punition.

— Comment réfléchir sur ta punition? Quelle punition?

— Celle que je dois me trouver. C'est papa qui me l'a demandé.

— Et c'est ce qu'il appelle te punir? s'indigne madame docteur avant de la quitter.

L'adolescente se résout à la peine maximale, se condamnant à broder tous les samedis et dimanches jusqu'aux noces de sa sœur en juin. Que de jeux et d'aventures elle sacrifie afin de réchapper cette imprudence qui a failli coûter la vie de sa sœur et de Clovis!

Sa mère croise son père dans l'escalier. Ils discutent vertement puis des pas s'approchent. Des pas qu'elle connaît et espère malgré tout.

— Tu as trouvé?

— Oui, papa.

— C'est quoi?

— Je vais broder jusqu'aux noces de Jeanne. Tous les samedis et les dimanches.

— Bon. C'est une punition qui me semble juste. Maintenant, viens dans la cuisine avec nous.

— Avec mes yeux tout rouges?

— Comme tu es. Judith et Clovis vont bien: tu n'as plus à t'en faire. Viens.

Il tend la main. Elle se lève, s'approche de lui et s'agrippe à ses doigts.

— C'est fini maintenant, ils sont bien, répète-t-il en la voyant trembler.

— J'ai eu si peur, papa. Vous pouvez pas savoir. Quand j'ai

410

vu la capeline... disparaître... puis la tuque sur l'eau. C'est terrible! Je pourrai jamais l'oublier. Tout ça c'est de ma faute.

— Il y aurait eu un drame de toute façon sur la côte dangereuse.

— Comment ça?

— Olivier Levers se serait noyé. Clovis n'aurait rien fait pour le sauver, celui-là.

— Pourquoi?

— Parce qu'il était un de ses bourreaux.

— Ah?

— Il avait décidé de se venger. Je te dis ça pour que tu comprennes comment la violence engendre la violence.

— La violence engendre la violence?

— Oui. C'est la même loi envers les animaux. Qu'est-ce qui arriverait si on passait notre temps à battre les chevaux?

— Ils deviendraient malins.

— Oui. C'est ce qui est arrivé avec Clovis. Il est trop battu.

— Le curé le bat souvent aussi.

— Je sais.

— Même que l'autre fois, il lui a brûlé les mains sur les lampions.

— Quand ça?

— Ah! Ça fait longtemps. C'est Jérôme qui me l'a dit. Clovis a été une bonne semaine à avoir des mauvais points d'écriture.

— Mathilde n'était pas au courant?

— Non. Juste Jérôme. Et moi par après. Mais c'est un secret... j'avais même pas le droit de vous le dire.

— Je n'en parlerai à personne, ne crains pas. Tu me sembles en bons termes avec Jérôme, hmm?

— ...

— Il veut justement te parler. Il est venu porter du linge à Clovis et t'attend dans la salle.

— J'y vais.

— Même avec tes yeux rouges?

Pour toute réponse, elle rit et devance son père dans les escaliers.

Jérôme demeure interdit en voyant Léonnie pénétrer dans la salle d'attente. Il tourne sa casquette dans ses mains rousselées et se dandine d'une jambe à l'autre. Depuis toujours, cette grande fille aux manières brusques le charme et le subjugue tout à la fois.

— Je voulais savoir comment tu prenais ça? réussit-il à expliquer.

— T'as juste à regarder ma face.

— Moé, j'ai une boule dans gorge. J'ai eu peur.

— Moé si.

— Mais toé, t'as couru, t'as rampé sur la glace. C'est toé qui as pogné le foulard.

— Ça s'est passé si vite, Jérôme.

— Moé, j'ai figé. J'ai figé. Si t'avais pas été là, y seraient morts tous les deux.

— J'aime autant plus en parler. Papa m'a dit qu'y vont très bien.

— O.K. Bon, ben... bonjour.

— Bonjour. Essaie d'oublier ça toé si.

— Oui. M'as essayer, mais chus pas fier de moé, Léonnie. J'ai figé. Penses-tu que chus un peureux?

— ...

— Moé, j'le pense. Bonjour, termine Jérôme en remettant sa casquette d'un geste dépité.

Après un repas simple et nourrissant, Léonnie s'est attelée à ses durs travaux d'aiguille tandis que Judith a gagné son lit douillet et chaud. Mathilde s'est plongée dans la lecture d'un livre, Jeanne et Marguerite se sont occupé de la vaisselle comme d'habitude. Madame docteur a récité son chapelet dans le coin le plus sombre du salon en guettant Clovis d'un œil sévère. Celui-ci, en compagnie de Marie, a contemplé longtemps les flammes du foyer, possédé par ses visions d'enfer.

Quelques patients sont venus, plus par curiosité que par besoin, et Philippe a subi patiemment l'expression longue et détournée de leur compassion.

Neuf heures sonnent à l'horloge grand-père. Ne restent que Mathilde près de la lampe et madame docteur, endormie sur sa bergère. Clovis jette quelques quartiers sur les tisons avant de se diriger vers la salle d'attente. La trouvant déserte, il sourit et s'avance, malgré sa gêne, vers la porte entrouverte du cabinet. Et là, il l'aperçoit, penché sur son livre, en train d'écrire. Sur le bureau trône la trousse mal bouclée sur le stéthoscope enchanteur. Il voit un petit bout de l'instrument et constate la pauvre ressemblance de son jouet. De gros livres aux reliures de cuir occupent tout un rayon de bibliothèque. De l'endroit où il se trouve, il aperçoit le placard vitré où s'alignent des petits flacons de médicaments, des instruments, des compresses, des lotions, des pilules et des seringues. L'odeur de pharmacie le grise tandis qu'il contemple l'homme. Celui-ci se retourne soudain et, le voyant, l'invite.

— Ah. C'est toi Clovis. Entre, mon garçon.

Il obéit.

— Ferme la porte.

Cœur battant, il scelle cette dernière issue sur le monde extérieur et se cloître dans l'univers magique du cabinet. Dans ce bureau où la vie et la mort se rencontrent, où la douleur et la délivrance se côtoient de près. Son regard se promène tout autour de lui, enregistrant les moindres détails comme le sceau rouge, les lettres latines et les signatures compliquées du diplôme. Il s'avance vers le placard et examine attentivement chaque instrument, tentant de connaître leur fonction. Son regard émerveillé traduit si bien les espoirs qu'il chérit que Philippe abandonne aussitôt son dossier.

— Ça t'intéresse vraiment? lui demande-t-il, intrigué.

— Oui, docteur.

— Viens ici.

Le voilà tout près. Le médecin écarte ses genoux pour lui permettre de s'approcher davantage, comme il fait lors des examens annuels.

— Déboutonne ta chemise. Je vais te faire entendre quelque chose.

La belle main tâtonne sur la fermeture de la trousse et hop! le stéthoscope apparaît. Clovis attend impatiemment le geste admirable du médecin posant les écouteurs à ses oreilles, geste qu'il a étudié et répété maintes fois à l'ombre tacite de son merisier. Mais à son grand ravissement, l'homme accroche l'instrument à son propre cou.

— Tu vas entendre ton cœur.

La petite masse froide se pose sur sa poitrine et lui communique des battements réguliers. Petoum! Petoum! Petoum! Magie? Sorcellerie? Mystère? Sa propre vie toque à ses oreilles.

— Tes poumons maintenant.

Le médecin déplace l'instrument et lui permet d'écouter ces souffles dans sa poitrine.

— Écoute encore, dit Philippe en glissant l'instrument sous sa chemise.

Clovis ouvre des yeux de plus en plus ébahis. Un nouveau rythme à ses oreilles. L'impression vague d'être indiscret et d'écouter à la porte de ce corps. D'épier cet autre cœur, cet autre souffle. Celui de ce magicien indispensable. De ce grand sorcier. Ne le profane-t-il pas? Ne lui enlève-t-il pas son mystère envoûtant?

— Pourquoi ça bat?

— Pour vivre.

— Quand on est mort, ça s'arrête?

— Oui.

— Celui de maman?

— Il s'est arrêté.

— Pourquoi?

— Elle était malade.

— Vous aviez mis le stéthoscope sur elle... vous l'avez entendu s'arrêter?

— Oui.

— Pourquoi vous l'avez laissé faire?

— Il était trop tard, Clovis.

— Il n'y avait rien à faire?

— Non. rien. Elle était dans le coma, répond Philippe à cet interrogatoire éprouvant.

— Qu'est-ce qu'elle avait?

— Une pneumonie double.

— Pneumonie double? Qu'est-ce que c'est?

— C'est l'inflammation des poumons. Des deux poumons.

— C'est parce qu'elle est tombée à l'eau?

— Elle est tombée à l'eau?

— Oui. En visitant les pièges de castors. La glace a craqué et elle est tombée. Nous étions loin de notre cabane.

— Je ne savais pas ça.

— Elle avait très chaud, la nuit. C'est la fièvre, han?

— Oui.

— Elle disait toujours votre nom dans ses rêves.

L'homme baisse les yeux devant l'enfant, renouant avec les sentiments d'impuissance, de culpabilité et d'abandon qui l'assaillirent au chevet de Biche. Une chaleur désagréable monte à ses tempes et à son front. L'enfant aurait-il deviné ce qui le liait à sa mère?

— C'est quoi le coma?

— C'est comme un sommeil profond, très profond.

— Est-ce qu'on peut se confesser quand on est dans le coma?

— Non. On n'a plus conscience de rien.

— Elle savait pas que vous étiez là?

— Non. Elle ne savait pas. Pourquoi me poses-tu toutes ces questions?

— Parce que vous êtes très instruit.

— Ah.

— L'êtes-vous plus que le curé?

— Nous ne travaillons pas dans le même domaine. Il s'occupe des âmes et moi des corps.

— Est-ce qu'on peut savoir si quelqu'un est en enfer?

— Non. Personne ne peut le savoir.

— Pas même le curé?

— Pas même le curé. Pourquoi?

— Parce qu'il m'a dit que ma mère était en enfer. Je veux pas qu'elle soit en enfer, docteur. Je l'aime; c'est ma mère. Même si elle était de mauvaise vie. Je veux pas qu'elle soit en enfer.

— Je ne crois pas qu'elle y soit, assure Philippe à l'enfant angoissé. Le curé a dû te dire ça quand il était fâché contre toi.

— Oui, il était fâché.

— Beaucoup?

— Oui. J'avais allumé tous les lampions. Je savais pas qu'il fallait payer.

— Ah. Il était fâché et t'a dit ça. Des fois, les adultes s'emportent et disent n'importe quoi, même s'ils sont curés.

— Pas vous.

— Moi aussi.

— Non, pas vous, je le sais. Ni Honoré.

— Ça dépend des caractères. Le curé est plus, plus emporté mais je crois que dans le fin fond, il t'aime bien.

— Peut-être, conclut l'enfant en se concentrant à nouveau sur les battements de cœur.

— Le vôtre et le mien sont différents.

— Oui. Tu es un enfant et je suis un homme.

— Tous les cœurs sont différents?

— Oui. Mais il y a les cœurs normaux et les cœurs malades. Et puis chaque maladie présente des symptômes particuliers.

— Comment ça marche un cœur?

— Je vais te montrer ça! s'exclame Philippe en s'emparant d'un livre.

Il hésite un court instant avant d'ouvrir. L'ennuiera-t-il avec tout l'enseignement qu'il désire lui prodiguer? Les yeux de Clovis pétillent d'excitation et l'expression vivement intéressée de son visage s'accentue à la vue des schémas. Rangeant lui-même l'instrument dans la trousse, il s'accoude sur le bureau pour étudier le parcours des veines et des artères.

— Le cœur c'est une espèce de pompe, débute Philippe.

L'enfant assimile facilement son premier cours d'anatomie au grand contentement du médecin. Mathilde lui avait bien dit que Clovis était supérieurement intelligent mais il n'osait le croire. Avec fierté, il se rend à l'évidence et répond aux questions pertinentes de son fils, ravi de le voir retenir tous les mots nouveaux et surtout de le voir comprendre.

Dix coups sonnent à l'horloge grand-père. Dix coups sérieux terminent leur entretien.

— Mon Dieu! Il est grand temps d'aller te coucher.

— J'aimerais apprendre encore.

— Demain, je te questionnerai pour voir si tu as bonne mémoire.

— Très bien. J'aime ça apprendre avec vous, docteur.

— Et moi, j'aime bien t'enseigner.

— Est-ce qu'un jour, je... je pourrai être médecin comme vous?

— Si tu le désires réellement, tu le seras.

— Même si je suis un bâtard et un sauvage?

Le mot bâtard, que l'enfant ne comprend sûrement pas, afflige Philippe. N'est-il pas la cause de cette situation? Il porte un regard désolé à l'enfant suspendu à ses lèvres. Quelle chance de réussite lui a-t-il accordée? Jusqu'où la société le laissera-t-elle progresser avec l'épithète de bâtard? Jusqu'où? Malgré son intelligence supérieure et sa vocation déjà apparente, parviendra-t-il à se hisser dans cette classe bourgeoise et bien-née des professionnels? Quel accueil feront ces gens « bien » à l'enfant des bois? Connaissant ce milieu inhumain et vorace, Philippe se prépare déjà au combat qui les attend. Il pose sa main sur les cheveux soyeux. Une phrase de Biche Pensive lui revient soudain en mémoire: « Un jour, tu te retrouveras en lui. »

Ce jour vient d'arriver.

— Si tu le désires réellement, tu deviendras médecin.

— Je le désire réellement, docteur.

— Si les gens te font trop de misères, je t'aiderai.

— Vous?

— Oui, moi.

La main s'appesantit sur la tête du garçon, concluant solennellement le pacte entre l'homme et son fils.

— Donne-moi la main.

Clovis obéit.

— Je te le promets, Clovis. Toi, promets-moi d'être courageux et travaillant.

— Je vous le promets, docteur.

Philippe étreint fermement la main de Clovis, réprimant un frisson au contact des mauvaises cicatrices de la paume.

— Bonne nuit, Clovis.

— Bonne nuit, docteur Philippe.

Avant d'ouvrir la porte du p'tit hôpital, l'enfant se retourne et ajoute:

— Je suis heureux, très heureux pour ma mère et pour tout ce que j'ai appris. Je vous remercie beaucoup, docteur.

A tâtons, il rejoint le lit de métal, se déshabille et s'étend sous les couvertures. Mais le sommeil tarde à venir. Il a l'impression d'avoir vécu plusieurs vies, d'avoir été un tas d'êtres différents. La tache rouge dans les ténèbres lui semble très lointaine, ainsi que le filtre doré des cheveux de Judith et même le baiser sur sa joue.

L'étau de la vengeance se desserre et le libère de ses obligations. Comme il se sent léger! Le regard froid de madame docteur danse dans les flammes du foyer tandis que l'arbre merveilleux des vaisseaux sanguins pousse ses racines de vie dans son corps. Jusqu'au bout de ses doigts et de ses orteils. Des pas dans le cabinet le rassurent et le rattachent à l'homme et aux promesses échangées. Un lien tangible existe maintenant entre eux.

Pour sa part, Philippe marche de long en large, nouant ses poings dans son dos. La honte et les remords l'assaillent de toute part. Que fera-t-il de cet enfant si plein de promesses? Cet enfant dans lequel il se retrouve et retrouve une soif de connaissance et une intelligence remarquables. Il n'en revient pas! Hélas, tout beau et tout doué qu'il soit, Clovis n'en demeure pas moins un bâtard. « Rien qu'un bâtard », se répète-t-il à regret en se mordant les lèvres. Pourquoi Biche Pensive l'a-t-elle confié au curé? Qu'est-ce qui l'a poussée à cet acte incompréhensible?

Il s'arrête devant le bureau, y appuie ses poings et demeure un long moment la tête baissée entre les épaules. Ses bras se mettent alors à trembler. Il revoit son si beau fils avaler avec enthousiasme ses moindres paroles. Jamais jusque-là il n'a éprouvé tant de fierté et de bonheur en captant un reflet de lui-même dans une de ses enfants. Jamais sa progéniture légitime n'a su le combler comme l'a comblé aujourd'hui son bâtard.

— Clovis, dit-il, Clovis Lafresnière, Clovis Lafresnière, Clovis Lafresnière.

Il répète ce nom avec conviction, acharnement, volonté. Il le répète comme une prière et comme une menace. Il le répète comme un présage et comme une requête. Comme un mot d'ordre, un commandement, un cri de ralliement. Il se le répète pour le renforcer en lui.

Déjà, il se prépare. Déjà, il serre les poings. Déjà, il trouve les répliques et cherche les armes qui ne peuvent exister que dans les faiblesses de cette société qui les condamne.

— Si tu le désires réellement, tu le seras! jure-t-il en frappant le chêne de son poing.

Une mèche de cheveux tombe sur son front, rappelant singulièrement la combativité d'un jeune métis chevauchant son toboggan près des flots mortels.

La dent

Une petite neige folle erre de-ci de-là. On dirait qu'elle retarde l'atterrissage sur l'ancienne croûte durcie par les vents et le gel. De toute façon, rien ne semble l'unir à cette neige ancienne, et aussitôt posée, elle glisse sous le souffle léger du vent et s'amasse dans les creux, tachetant d'un blanc immaculé la carapace assombrie de tout cet hiver-là. Jérôme remarque ces taches trop blanches et les flocons indécis, le nuage de vapeur sortant de la bouche de Clovis, la rangée de filles fermée par mademoiselle Mathilde à droite du chemin et la rangée de garçons à gauche, plus rapide et désordonnée. Il remarque également le manteau trop court de Léonnie, sa façon masculine de porter son sac, les tresses blondes de Judith sur la capeline bleue et les belles petites bottes de l'institutrice. Toutes les images de ce retour d'école s'impriment avec force comme le cri pointu des mésanges sur la côte dangereuse. C'est qu'encore une fois, il a peur. Oui, peur. Ne marche-t-il pas, de cette allure si décidée, vers une douleur terrible et quasi légendaire? De ce pas qu'il veut n'avoir l'air de rien, il s'avance résolument vers le cabinet du médecin afin qu'il lui arrache une dent. Et lui arrachant la dent, il arrachera du même coup la honte qui le recouvre depuis le tragique événement.

— As-tu peur? demande Clovis.

— Non.

— Moi, j'aurais peur.

— C'est vrai?

— Si Sam a eu peur. Judith m'a dit qu'elle l'a entendu crier jusque dans sa chambre.

— Ouin! Ça doit faire ben mal, échappe Jérôme avant d'aller poser le bout de sa langue dans la cavité de sa dent.

La glace, formée par la condensation de la vapeur dans son foulard de laine, lui gratte les lèvres et le menton. Mais il accepte ce léger inconfort afin de démontrer clairement qu'il a un mal de dent terrible. L'a-t-il vraiment? Non. Dupera-t-il le médecin? Il l'espère. Malgré sa peur, il l'espère tout en rêvant de se faire renvoyer chez lui. Mais il le faut pourtant. Il faut qu'il la lui arrache même si elle ne fait pas encore mal. Il faut

418

qu'il prouve à Léonnie qu'il n'est pas un peureux. Il faut qu'il se rachète car depuis sa réaction humiliante lors de l'accident, il traîne sa honte avec lui. Depuis cette désespérante réaction, il n'ose plus regarder personne dans les yeux et il lui semble que tout le monde le dénigre. Il a figé. Il a figé comme une statue inutile. A genoux dans la neige à crier des sons inaudibles. Un muet pétrifié devant la scène douloureuse. Voilà ce qu'il était à ses yeux et à ceux de Léonnie. Et voilà ce qu'il est encore à ses yeux et à ceux de Léonnie. Mais tantôt, dans une heure, il sera lavé, racheté, purifié. Il donnera à Léonnie sa dent en rançon de sa réputation perdue.

— Présentement, est-ce que tu as mal? se renseigne Clovis.

Présentement! jongle Jérôme. Comme il parle en grands termes! Surtout depuis que le médecin lui a expliqué le fonctionnement du cœur. A tout bout de champ, Clovis en profite pour lui sortir des mots à coucher dehors. Des choses comme cardio-vasculaire, artère, veine, carotide, stéthoscope. L'utilisation de ce vocabulaire semble lui procurer une jouissance fébrile car ses yeux brillent d'excitation.

— Parle donc comme du monde, le rabroue Jérôme en portant sa main sur sa joue.

— Je parle comme du monde.

— Tu parles comme le docteur. Parle comme moé.

— T'es pas de bonne humeur parce que t'as mal à ta dent?

— P'tête. Fais-moé pas parler, veux-tu? Ça fait mal.

— Sam aussi avait un foulard sur la bouche. Tu l'as vu, toi?

— Oui.

— Pas moi. J'aurais aimé ça. Est-ce qu'il a changé?

— Non. Y me semblait qu'y était pour venir te chercher.

— C'était pas vrai. Tu le sais.

Un silence. Quelques pas de plus vers la maison blanche. L'image de Sam dans le cerveau des deux garçons. L'un le voit avec un foulard sur la bouche et l'autre dans un canot, à pagayer férocement sans se retourner pour le saluer.

— Y a hurlé, échappe Jérôme d'une voix méditative.

— Qui? Quoi?

— Ben, Sam.

Sam, il y a une semaine, a abandonné sa ligne de trappe. Poussé par une terrible rage de dents, il s'est aventuré jusque dans le cabinet du médecin afin de soulager ce mal qu'il n'avait pas réussi à noyer dans le whisky. Son apparition soudaine dans la salle d'attente a bientôt fait le tour de la maison, puis de la rue, puis du village. Et le grognement perçu par les filles en train de faire leurs devoirs est devenu un hurlement de douleur atroce. Le lendemain, à la récréation, l'extraction de la dent de Sam atteignait des proportions gigantesques et bientôt se rangeait dans la légende des hauts faits. Sam, fouettant ses chiens, debout sur son traîneau rapide, descendait de la forêt avec un foulard sur la bouche. Ayant peine à se tenir debout tant il avait bu, il avait ouvert la porte de la salle d'attente et laissé de grosses flaques d'eau sur le beau plancher. Les gens qui attendaient s'étaient pincé le nez à cause de son odeur forte, mais le médecin l'avait traité comme il traitait tous les gens, sans grimacer ou faire de remarque. Bravement, Sam avait ouvert la bouche sur sa douleur et s'était laissé arracher les dents. Un cri formidable avait fait sursauter madame docteur, ses filles et les autres patients. Même le maréchal-ferrant prétend avoir entendu ce cri venant de la maison voisine. Alors Sam est sorti du bureau, la bouche en sang, et il est reparti avec son attelage de chiens-loups.

— Vas-tu crier, toi?

— Non.

La belle maison blanche apparaît. Jérôme la voit comme jamais il ne l'a vue encore. Elle se détache nettement du ciel rosé et froid. Immense, solide et charmante. Oui, charmante avec sa grande galerie aux poteaux tournés, son petit balcon sur le toit et ses deux grandes fenêtres qui s'avancent sur la façade. Cela lui fait un petit velours en pensant que c'est son père qui l'a construite. Un jour, il aimerait suivre ses traces et élever de jolies maisons comme celle-là. Il observe Léonnie, au début de la filée. Elle presse le pas comme il le lui a recommandé. « Je veux que t'arrives avant moé: comme ça tu vas ben voir que j'vas me racheter. » Léonnie: pourquoi se racheter à ses yeux à elle? A elle surtout. Quelle importance au fond que cette grande déguingandée le prenne pour un lâche? Quelquefois, il lui en veut d'avoir tant d'emprise sur sa personne; d'autres fois, il apprécie cette autorité qu'elle exerce d'instinct. Comme ce jour où elle i'a libéré de sa vocation sacerdotale. Vocation que le curé lui avait implantée dans le cerveau, confession après confession, et que Léonnie a réussi à exciser en quatre mots. « J'te vois pas prêtre. » Cela suffisait. Elle ne le voyait pas prêtre, alors il ne sera pas prêtre mais ébéniste. Son regard se porte à nouveau sur la maison du médecin.

— T'es certain qu'y chargera rien? s'enquiert-il.

— Oui. Il m'a dit: si t'as besoin de moi, viens. Alors t'es mon ami, non? C'est la même chose.

— Parce que j'ai pas d'argent, moé.

— Pas de problème: il chargera rien.

Voilà. Le dernier obstacle vient de céder. Il n'y a plus qu'à foncer.

— Paraît qu'y puait, ajoute-t-il à l'intention de Clovis.

— Qui?

— Sam voyons! Tous les gens des bois puent.

— Moi je puais?

— Oui. J'me rappelle que tu puais.

— Ma mère aussi?

— Me rappelle pas d'elle.

— Maintenant, est-ce que je pue?

— Tu pues beaucoup moins.

Le visage déconfit de Clovis satisfait Jérôme.

— Ça te rabat le caquet, han?

Nulle réponse. L'enfant jongle en regardant ses souliers de bœuf avancer sur la neige. Depuis son geste héroïque, depuis la petite fête organisée en son honneur par le médecin, depuis les louanges de mademoiselle Mathilde, son ami Jérôme s'est détaché de lui et se plaît à le blesser par toutes sortes de remarques. On dirait qu'il souffre et lui en veut à la fois.

Jérôme, voyant Clovis plongé dans ses pensées, ajoute:

— Tu pues presque pas... à peu près comme un Blanc tiens.

— ...

— Tu pues pas.

— ...

— N'empêche que t'avais des poux l'année passée.

— C'est pas moi qui les a emmenés à l'école!

— Oui, c'est toé.

— Non! Toi aussi t'avais des poux.

— C'est toé qui me les as données.

— C'est toi qui les a pris. Levers aussi avait des poux. Tout le monde en avait. Même des filles. Une chance que Judith en a pas eu: on aurait été obligé de couper ses cheveux.

— Ouin.

— Sont beaux ses cheveux. Elle m'a laissé regarder à travers.

— Ouin. J'sais que tu l'as embrassée aussi, condamne-t-il.

— C'est pas un péché, réplique aussitôt Clovis, mademoiselle Mathilde elle-même a dit qu'on était juste des enfants.

— Des bébés, tu veux dire. Des bébés la la.

— Tu ferais mieux de pas parler, c'est supposé faire mal à ta dent.

— Supposé! Penses-tu que je fais semblant? hurle Jérôme en saisissant Clovis par le bras et en le retournant rudement.

Son ami le darde de ses yeux trop noirs et semble lire à travers lui. Jérôme l'abandonne honteusement et dit:

— Excuse-moé, Clovis... on dirait qu'on est pus d'âge à être ensemble.

— Tu veux plus être mon ami?

— C'est pas ça... c'est toé: t'as pas de besoin de moé.

— Pourquoi tu dis ça?

— Pour rien. Laisse faire. Ça serait trop long à expliquer.

En effet, comment expliquer ce qu'il ne comprend pas lui-même. Comment expliquer sa contrariété, sa jalousie, son envie.

Ce sentiment d'échec qui le tenaille depuis l'accident. Au début, Clovis avait besoin de lui, tellement besoin de lui qu'il se sentait des forces insoupçonnées en sa présence. Il le défendait du mieux qu'il le pouvait et lui enseignait la langue française. Mais son rôle de protecteur s'est vite avéré inefficace puisqu'on avait réussi à torturer Clovis, et son rôle d'enseignant, inopérant puisque son élève l'avait surpassé. Pour aggraver le tout, Clovis avait sauvé Judith pendant qu'il avait paralysé au sommet de la côte dangereuse. Comment ne pas être jaloux? Comment supporter avec une calme indifférence les louanges adressées à son compagnon? Comment sourire aux fêtes données en son honneur sans ressentir une pointe d'amertume s'enfoncer dans son âme? Comment ne pas être petit maintenant? Inutilement petit et lâche près du jeune héros.

Dieu qu'il est lâche! Le voilà rendu au pied de la galerie et ses jambes tremblent. Il s'arrête et redemande:

— Ça va être gratuit, han?

— Ben oui. Vas-y.

Léonnie, assise confortablement dans un fauteuil de la salle d'attente, lui adresse un regard plein de défi. Il soutient ce regard fermement, se dévêt et va cogner à la porte du cabinet. Aucune réponse. Malgré lui, il échappe un soupir de soulagement et toque une seconde fois un peu plus fort pour s'assurer que le médecin n'y est pas. La porte du salon s'ouvre alors et le surprend.

— Qu'est-ce que vous faites là les enfants? demande Philippe d'un air sévère.

— J'ai mal à ma dent, répond Jérôme en lui faisant face.

— Ah?

— Faut l'arracher, je pense.

— Ouvre la bouche. Montre-moi laquelle.

Humiliante situation. Le voilà, bouche grande ouverte comme un oisillon en quête de nourriture.

— En... as, en a... ièr, tente-t-il de préciser.

Le médecin pose son doigt sur la dent.

— Celle-là?

— Oui.

— Elle te fait mal?

Il pèse dessus.

— Ouch! Ouch!

Philippe fronce les sourcils et d'un geste lui indique son cabinet.

— J'ai pas d'argent, objecte faiblement Jérôme.

— Mais c'est mon ami, riposte Clovis.

— Bon. Comme ça, tu lui payes la traite à ton ami. Entre Jérôme; c'est gratuit. Et vous deux, restez ici, ordonne-t-il avant de fermer la porte.

Clovis et Léonnie s'échangent un regard de muette inquiétude.

— Elle te fait vraiment mal? redemande le médecin.

— Oui, docteur.

Le praticien vérifie à nouveau, hoche la tête sans comprendre que cette carie puisse déjà être douloureuse. Les dents de Sam étaient en bien plus mauvais état. Sam! Le foulard sur la bouche, la présence de Léonnie. Tout se lie alors dans l'esprit de Philippe et il ne peut réprimer un sourire devant la démarche de Jérôme.

— Je ne crois pas qu'elle te fasse si mal.

— Oh! Docteur. Ça fait très mal. Très mal. Je dors pas la nuit.

— Vraiment?

— Vraiment.

— Le froid, le chaud, ça te fait mal?

— Toute me fait mal. Toute. Faut l'arracher.

— Je peux te donner des cachets: ça va t'enlever le mal.

— Oh non! Faut l'arracher, docteur. Il faut! supplie l'adolescent.

Philippe saisit l'importance que revêt cette épreuve et observe le garçon fragile. Quoi donc? Veut-il déjà être un homme. S'initier à leur monde par un geste de bravoure quelconque?

— Quel âge as-tu?

— Douze ans, docteur.

— Déjà. Tu as grandi vite.

— Je trouve pas. Clovis est à veille de me rejoindre.

— Tu as grandi vite... à mes yeux.

Le souvenir d'un bébé suffoquant dans ses mains fait surface. Comment oublier cette naissance difficile qui provoqua la mort de sa mère? Et voilà que le poupon maladif revendiquait aujourd'hui son titre d'homme. Voilà qu'il réclamait une initiation douloureuse, concluante et finale.

— Assieds-toi sur ma chaise. C'est ça. Appuie ta tête. Installe-toi confortablement.

Il pose la ouate et la cuvette sur son bureau, se plaisant à donner beaucoup de cérémonie à ces gestes si simples. Jérôme épie ces moindres mouvements, ces moindres expressions. L'homme lui apparaît tout à coup très grand et très impressionnant. Il ne peut réprimer ses tremblements en le voyant se pencher vers lui. L'instrument luit dans sa main droite. Il est si près qu'il voit les pores de sa peau.

— Ouvre la bouche.

Bon Dieu! Ce regard doré devenu tout à coup intransigeant.

— Ouvre grand.

C'est bien ce qu'il pensait; il est en train de paralyser de la bouche. Le médecin, faisant abstraction de sa frousse apparente, lui tire sur le menton et réussit à introduire son davier. Il saisit la dent et la tourne afin de faire céder les racines. Jérôme pâlit à vue d'œil et la sueur perle déjà à son front.

Ah! Ce bruit. Ce bruit de crich-crouch qui se répercute dans son crâne. Et cette douleur. Bon Dieu! Les mains du médecin tremblent sous l'effort. Jérôme s'accroche à ces mains et se tend sur la chaise. Dans un geste incontrôlable, son pied frappe la cuvette qui dégringole par terre.

— Elle est solide, hein? explique Philippe en s'arrêtant un moment. (Jérôme le libère de sa prise et lance vers lui un regard craintif et décidé.) Essaie de laisser mes mains tranquilles, veux-tu?

Crich-crouch! Ah! La racine s'extirpe du cœur. Un goût fétide envahit sa bouche. Le médecin lui relève la tête et se penche pour aller chercher sa cuvette.

— Crache!

Puis il enfonce une ouate dans la cavité.

— Serre fort. La voilà ta dent.

Philippe a juste le temps de saisir le regard victorieux de Jérôme avant qu'il s'évanouisse au fond de la chaise de cuir.

— Voilà! Voilà! C'est fini mon garçon. T'es un homme à présent.

Il éponge le front blême, le menton rougi. Le patient revient vite à lui et s'empare de sa dent avec fierté.

— J'ai pfa...ié.

— Pas un son. T'as fait ça comme un homme, renchérit Philippe en ouvrant la porte pour que Léonnie et Clovis le comprennent bien.

Chancelant et plus pâle que la neige, Jérôme apparaît et laisse couler un peu de sang à la commissure de ses lèvres à l'intention de Léonnie. Elle n'ose rien dire et d'un air hébété le regarde s'habiller.

— Mets ton foulard et rince ta plaie avec de l'eau salée, conseille Philippe avant de retourner dans son cabinet.

— La veux-tu? demande Jérôme en exhibant sa dent.

Léonnie la reluque longuement avant d'accepter. D'un geste généreux, Jérôme la laisse tomber au creux de sa main et lui tourne le dos, la tête haute.

Fermant la porte derrière lui, il s'appuie sur l'épaule de Clovis.

— L'ai coué bvec.

— Quoi?

— L'ai coué bvec à Léonnie.

— Tu lui as cloué le bec?

— Oui.

— On dirait que toi aussi t'as le bec cloué, rigole soudain Clovis.

Jérôme tourne vers lui ses yeux rieurs et le presse affectueusement. Clovis sourit et demande:

— Encore mon ami?

— Toujours ton a...i.

Oui, toujours son ami. Maintenant qu'il a vaincu sa peur et franchi la frontière de l'enfance, la situation lui paraît claire et nette. Clovis aura toujours besoin de lui. Pas de sa force physique, ni de son intelligence, ni même de sa bravoure. Mais de lui: Jérôme. De sa présence. Ça, il l'a compris tout à coup quand Clovis lui a demandé: « Encore mon ami? »

Malgré sa beauté, malgré son intelligence, malgré sa bravoure et malgré son physique supérieur, Clovis aura toujours besoin de lui car il est son ami, toujours son ami.

Le sang du péché

(Pénétré de douleur à la vue de mes fautes, je me prosterne devant vous, ô mon divin Sauveur. Daignez écouter ma prière, ô Seigneur, car j'ai péché, j'ai péché, j'ai péché, confesse Alcide en frappant sa poitrine de son poing.) Un essaim de mouches vole autour de la lampe à pétrole. Prosterné au pied de son lit, face au grand crucifix de plâtre, Alcide fait sa prière du soir. Des rigoles de sueur coulent sur ses tempes. Il incline la tête de telle façon que son col romain l'indispose.

(J'ai péché. Satan est venu me visiter. Satan est venu me tenter par cet enfant. Je reconnais les œuvres de Satan. Ô mon Dieu! Je lui ai obéi. J'ai cédé à ses instances. Et pourtant, je le voulais pour Vous cet enfant. Je voulais qu'il devienne un prêtre, peut-être même un saint. Il était si beau lors de son baptême. Si beau que, dans ma folle admiration de cette beauté toute charnelle, j'ai cru qu'il ressemblait à l'Enfant Jésus. Ô Seigneur, rappelez-vous comme mes mains ont tremblé en lui conférant le saint sacrement du baptême. Mes mains ont tremblé, Seigneur, car par mes gestes sacrés, je faisais naître cette âme à la vie éternelle. Je vous offrais cette âme. Ô Seigneur, je me suis senti en votre divine présence alors et je me sentais pur comme un ange. Mais comment savoir que Satan projetait de me damner par cet enfant? Oui, Satan. C'est lui. C'est lui qui m'a inspiré la falsification du document de la sauvagesse. Je Vous jure ô mon Dieu, je Vous jure n'avoir jamais pensé à une telle malhonnêteté, une telle fraude avant d'avoir été en présence de la moribonde. Je lui ai donné les derniers sacrements comme il se doit, et là, j'ai pensé au petit. J'ai pensé qu'il était désormais seul et qu'il valait mieux qu'il soit en ma compagnie puisque ainsi il serait plus près de Vous. N'est-ce pas qu'il serait plus près de Vous avec moi qu'avec ce docteur Lafresnière qui a commis le péché de la chair avec une sauvagesse? Oui. Oui. Le péché de la chair avec une femme. C'est terrible! Et avec une sauvagesse en plus: c'est pire, Seigneur! Pire. Quand j'y pense, il me vient un dégoût à la bouche. Et il ne s'est pas confessé, Seigneur, il ne s'est jamais confessé de son péché honteux. Jamais! A chaque confession, il s'accuse des mêmes petits péchés sans jamais avouer celui-là. Et moi, je rage. N'a-t-il pas procréé l'enfant du mal? Cet enfant qui, aujourd'hui... aujourd'hui....)

Alcide lève son regard vers le Christ agonisant et baisse aussitôt son front coupable.

(Était-ce donc là, ô mon Dieu, ce que vous deviez attendre de ma reconnaissance après m'avoir aimé jusqu'à répandre Votre sang pour moi? Pardonnez-moi, Seigneur, car j'ai péché. J'ai péché. J'ai péché.)

Encore une fois, son poing frappe sa poitrine.

(Au moins, j'ai puni ce pécheur. J'ai puni ce docteur mais à quel prix, Seigneur? Au prix de ma propre perte. Mes mains sont impures, Seigneur. Elles sont tachées du sang du péché. Car j'ai péché, mes mains ont péché, mes yeux ont péché. J'ai commis...)

Il s'arrête. Incapable de préciser davantage.

(Vous m'avez vu. Vous m'avez vu faire, simple mortel que je suis. Vous avez vu jusqu'à quel point je suis indigne et impur. Ô Seigneur! Regardez-moi, présentement. Regardez mon tourment, ma honte, mon repentir. J'ai porté mon silice aujourd'hui. Je l'ai porté toute la journée afin de me châtier de mes fautes. Ma peau est au sang. Elle s'infecte aussi mais j'accepte avec joie ces blessures si elles peuvent effacer de mon âme tous mes péchés. Si elles peuvent implorer Votre pardon et Votre miséricorde. Agneau de Dieu, qui effacez les péchés du monde, ayez pitié de moi; Agneau de Dieu, qui effacez les péchés du monde, ayez pitié de moi; Agneau de Dieu, qui effacez les péchés du monde, ayez pitié de moi. Protégez-moi, Seigneur. Protégez-moi de Satan et de la tentation. Car Satan habite cet enfant. Je l'ai vu dès le premier soir. Satan habite cet enfant et me tente par son corps. Comment oublier la façon dont il a été conçu? Clovis est le mal, il est le mal incarné. Et il vit avec moi. Près de moi. Dans la chambre voisine. Il dort. Et quand il dort, il est si beau. Si beau. Ah! Seigneur! Combattez ces démons qui veulent m'arracher à Vous, car je n'ai plus la force. Je suis perdu, Seigneur, perdu sans Vous. Aidez-moi. Protégez-moi. Cela fait six ans, Seigneur. Six ans que je lutte ce mal. Six ans que je résiste. Depuis le soir où le médecin m'a recommandé de le soigner, je n'ai pu résister à la tentation. J'ai inventé toutes sortes d'onguents, toutes sortes de maladies. Oh! Comme je suis vil! Comme je suis impur. Pardonnez-moi, Seigneur. Je ne suis qu'un homme après tout. Pardonnez que je touche la sainte hostie, Votre Corps vénérable, avec les mêmes mains qui... Oh! Je n'ose le dire. Lavez-moi, Seigneur. Purifiez-moi. Pardonnez-moi, car je vous ai offensé à nouveau. Laissez-vous toucher, ô mon Dieu, par les regrets d'un cœur véritablement contrit, d'un cœur plus touché de ses fautes pour le déplaisir que vous en avez reçu, pour la peine qu'elles ont méritée. Laissez-vous toucher par les regrets d'un cœur sincèrement affligé de vous avoir déplu, Vous qui êtes infiniment bon et si digne d'être infiniment aimé.

Mais je l'ai puni, Seigneur. Que de fois j'ai battu Satan dans ce corps! Que de fois j'ai battu ce corps, source de péché. J'ai battu son corps et le mien. J'ai puni nos misérables enveloppes charnelles. Je reconnais, Seigneur, avoir senti votre clémence lorsque je sévissais ainsi. Rappelez-vous comme je l'attachais à la charpente de l'écurie. N'est-ce pas ainsi que les hommes vous ont attaché, ô divin Sauveur? N'ayant pas de vrai fouet, j'ai pris des courroies de cuir et j'ai flagellé Satan. J'ai flagellé Satan dans cet enfant. J'ai vu les marques sombres sur son dos. Voilà Satan! Voilà ce que tu as fait à Jésus. Goûte un peu de ta médecine. Et Satan s'est évanoui. Le fils de Satan. Car il est le fils de Satan. Oui. Le docteur est possédé. Il a les yeux du Malin. Des yeux jaunes. Oui. Jaunes. Ce n'est pas normal. Seuls les démons ont les yeux jaunes. Les démons et les chats. Les chats sont des créatures maléfiques. Oui, il a les yeux du Malin et il soigne la chair. Il s'occupe de cette misérable enveloppe corporelle. Il touche les parties honteuses de ses patients et aide les femmes à accoucher. Il touche les femmes qui accouchent, Seigneur Dieu. Il les touche là. Lui, un homme. Avec ses mains. C'est dégoûtant. Seul un possédé du Mal peut accomplir ces actes bas. Et il ose refuser mon vin, MON vin. Mais je le tiens: j'ai SON fils.)

Alcide s'aperçoit qu'il tremble des mains et que la colère s'empare de lui. « Je suis en train de devenir fou! » dit-il tout haut. Sa voix le surprend. Il s'accroupit sur ses talons, se frotte les yeux. Des douleurs lancinantes transpercent sa taille. Son silice de chardons le torture. Une sueur abondante trempe sa soutane. Il pense au jardin des Oliviers, puis au corps de Clovis attaché à la charpente de l'écurie. La jouissance qu'il a éprouvée en baissant sa chemise s'apparente tellement à celle éprouvée lors des soins particuliers que, depuis, il s'interroge. La présence de cet enfant ne serait-elle qu'une éternelle cause de jouissance malsaine?

Il serre les dents devant la possibilité d'être à son tour possédé par l'enfant. Sous l'emprise indéniable de son charme.

Mai 1912. Voilà six ans, mois pour mois. Six ans de martyre, de honte, de confessions et de pénitences. Les images de son péché le visitent et lui creusent l'estomac.

— Va-t'en, Satan! crie-t-il.

Mais les images reviennent. Toutes aussi obsédantes les unes que les autres. Les images s'accompagnent bientôt de vagues sensations physiques qui appellent à se définir. Il manque d'air et ses jambes s'amollissent.

— Quelle chaleur! dit-il encore en cherchant son mouchoir dans la poche de sa soutane.

Il s'essuie le front, incapable de calmer le tremblement de ses mains.

(Il doit avoir rejeté son drap par cette chaleur. Ce serait une affaire de rien... peut-être même que je pourrais provoquer la réaction totale. Oh! Non! Seigneur, éloignez de moi la tentation.)

Pour s'empêcher de trembler, il joint les mains très fort et les appuie sur son front, comme pour effacer les images. Mais au contraire, elles se renforcent et le tentent davantage. Malgré lui, il se remémore cette impression de puissance parfaite qu'il éprouvait lorsque Clovis se soumettait à ses désirs. Ne régnait-il pas sur ce corps, y provoquant des réactions indésirées et gênantes? Et ce malaise évident qu'exprimait le garçon lorsqu'il apparaissait pour le soigner, accentuait cette impression de puissance intégrale. Il régnait, ordonnait, dictait jusque dans le corps d'un autre. Et s'il parvenait à provoquer la jouissance totale, signe d'abandon total, il effacerait les soupçons de Clovis en lui montrant tout le « méchant » dans ses parties et atteindrait, par le fait même, le paroxysme de la puissance totale: l'éjaculation.

Il suffoque à ce mot. Oui, il veut la première éjaculation. Il la veut pour lui. Preuve irréfutable de son emprise sur le corps de Clovis. Il tremble des pieds à la tête.

(Seigneur, je me tuerai après, je me punirai sévèrement, je me confesserai au curé du village voisin. Juste une fois. Une fois encore. La dernière. C'est promis, la dernière. Ne me regardez pas, Seigneur. Voyez ce que le Diable fait de ma personne. Le Diable est ici, Seigneur. Dans la chambre d'à côté. Non. Je ne veux pas vous déplaire. J'aimerais mieux mourir que vous déplaire.)

Alcide serre son silice davantage contre sa peau. Puis il s'empare d'une lanière de cuir et se flagelle le dos. Mais de fortes sensations physiques le tyrannisent. Il se lève lamentablement, sans regarder le crucifix, s'empare d'un pot d'onguent dans le tiroir de sa commode. Sa main se calme. Rien ni personne ne pourra l'empêcher de commettre ce péché. Satan, encore une fois, a gagné.

Et il constate amèrement jusqu'à quel point, lui, le dictateur d'un village, est devenu le vassal de ses désirs.

Couché dans son jardin, nu, Alcide se laisse dévorer par les insectes. Seule une poche de jute protège sa tête afin de cacher son châtiment aux yeux de ses paroissiens. Il frissonne sous les multiples morsures des maringouins et des mouches noires. Des coulisses de sang zèbrent son grand corps velu.

(Seigneur Dieu, protégez-moi. Satan habite réellement cet enfant. Il est possédé, Seigneur, possédé. Ah! Pardonnez-moi. J'ai tenté le Diable... et le Diable s'est manifesté. Il s'est manifesté à moi. Vous l'avez vu, Seigneur. Vous l'avez vu se tortiller, crier et baver. Jamais plus, jamais plus je ne le toucherai. Ah! Seigneur! Je voudrais effacer ce péché de mon sang. Par mon sang. Avec mon sang. Regardez le châtiment que je m'impose. Rien n'est plus atroce, Seigneur, que cette lente torture. Pas une partie de mon corps n'est épargnée, sauf ma tête. Je devrais plutôt mourir que de Vous offenser mais j'ai eu ce malheur et le passé n'est plus à moi. Le passé n'est plus à moi, plus à moi.)

Alcide tremble. Et de peur et de froid en se remémorant ce passé. Ses doigts s'enfoncent dans la terre noire et il secoue vivement la tête pour chasser les images atroces. Mais les images demeurent, ancrées à jamais dans son cerveau fatigué. Les images le clouent à ce jardin de torture. Les images le maintiennent sous l'attaque des bestioles. Les images, les images, les images! Comment les oublier? Comment oublier cette monstrueuse manifestation du démon? Au moment même où il obtenait cette jouissance totale, Satan s'est introduit dans le corps de Clovis. Oui. Satan. Il a déformé le beau visage et l'a rendu horrible. Si horrible. Avec ses yeux révulsés, ses dents serrées et la bave qui coulait sur le menton et dans le cou. Puis il s'est mis à échapper des cris pointus et inhumains. Des cris d'enfer. Et alors, tout le corps de Clovis a été violemment secoué. C'était Satan qui s'infiltrait en lui.

(Seigneur, protégez-moi, pardonnez-moi, je suis la plus indigne et la plus ingrate des créatures. La plus indigne et la plus ingrate des créatures.)

Il suffoque et ses paupières brûlent. Qu'est-ce donc que cette sensation bizarre qui l'étouffe? Va-t-il pleurer, lui qui n'a jamais eu cette faiblesse? Lui! Les larmes jaillissent et roulent sur ses joues. Roulent, roulent jusque dans sa bouche. Il les avalent. Leur goût salé le ramène à un souvenir très ancien et lui rappelle qu'il a probablement déjà pleuré puisqu'il reconnaît ce goût. Il devait être un tout petit garçon à l'époque et on a dû lui dire qu'un homme ne pleurait pas. Et voilà qu'il pleure. N'est-il plus un homme? Jésus pourtant pleurait au jardin des Oliviers. (Jésus, aime-moi, misérable pécheur.)

Il presse le jute sur son visage pour essuyer larmes et sueur. Sainte Véronique, essuyant le visage du Christ, apparaît dans son esprit. Qu'il aimerait laisser des traces de sa torture comme son divin Sauveur! Qu'il aimerait imprimer dans le tissu rugueux sa tristesse, son tourment et son châtiment! (Chassez ce démon, Seigneur Dieu. Chassez ce démon.)

La fièvre, provoquée par le venin des insectes, martèle ses tempes et l'étourdit. Sa tête bourdonne. Il pleure, consolé par ce bourdonnement infernal des myriades et des myriades de tortionnaires qui punissent sa faible chair. Il sent leurs dards le percer, le sucer, le mordre. Il sent même leurs pattes se poser sur sa peau endolorie. Il les sent marcher sur sa poitrine, son ventre, ses hanches, ses bras, ses jambes, la plante de ses pieds, ses aisselles, ses cuisses et son entrecuisse. Bras en croix, il subit ce supplice en récitant ses prières. N'est-il pas crucifié lui aussi? Crucifié par des millions de clous. Oui. Car chaque dard lui semble maintenant comme un clou douloureux. (Ah! Seigneur! Je veux mourir.)

Mourir? Comme ça? Tout nu dans le jardin? Ce serait un suicide ridicule. Il ne serait même pas inhumé en terre sainte. Non. Il ne faut pas qu'il se punisse jusqu'à la mort car il subira éternellement le châtiment de Satan. Que penseraient les paroissiens en le découvrant mort dans le jardin? Que penserait l'évêque auquel il n'ose se confesser de peur de perdre son poste? Non. Il ne faut pas mourir dans le jardin. Ni même perdre connaissance de peur d'être surpris à l'aube par les colons matinaux. Il s'assoit péniblement et libère sa tête. Une bouffée de fraîcheur le réveille. Il ouvre des yeux surpris et tend l'oreille au coassement des grenouilles. Quelques insectes se posent sur ses joues humides. Il les chasse. (Pas dans mon visage, ordonne-t-il de sa voix sonore.) Cette voix le surprend. Qu'elle est forte et autoritaire! Et pourtant incapable de chasser le Diable dans le corps de Clovis. Il se rappelle avoir crié: « Va-t'en, Satan! Va-t'en. » Il se rappelle avoir fait de nombreux signes de croix sans résultat apparent. Il se rappelle s'être sauvé, s'être dévêtu et étendu dans le jardin. Il observe la fenêtre de la chambre de Clovis. On dirait un œil crevé ou une bouche édentée de vieux. Elle présente un aspect morbide et inquiétant. Qu'est-il arrivé après sa fuite? L'enfant serait-il mort? Possible après tout. Cet enfant lui aura toujours filé entre les doigts et cela juste au moment où il venait de le posséder. La mort n'est-elle pas la plus parfaite des évasions? Et Clovis n'avait-il pas conçu ce projet à l'âge de six ans, alors qu'il refusait toute nourriture? Qui donc était venu le raisonner avec un fétiche de païen? C'était son père, le Malin. Oui. Le Malin aux yeux jaunes.

Il se lève, passe sa main sur sa poitrine. Une substance gluante et chaude le saisit. Il rentre vite au presbytère, allume une lampe et constate avec frayeur sa main rougie et les gouttes sombres qui tachent déjà le plancher. « Le sang du péché », échappe-t-il. Il lève haut la lampe et examine ce corps qui lui apparaît comme une masse indistincte de poils, de sang et de sueur. Des bosses et des enflures distordent déjà le contour de ses muscles. Il grelotte tout en suant à grosses gouttes.

« La fièvre... faut chasser le venin. » Il s'empare alors d'une cruche de vinaigre, sort sur la galerie et la verse sur ses plaies. Comment peut-il retenir son cri de souffrance? Il l'ignore et tombe à genoux sous la douleur.

(Seigneur Dieu! Je brûle. Je suis aux enfers. Je suis aux enfers, Seigneur. Faites que ce mal me purifie. Jésus, sauvez-moi, aimez-moi, misérable pécheur. Libérez-moi de Satan.)

Il brûle. Tout son corps se consume. Il entend sonner des cloches et s'étend doucement. Le sifflement d'un insecte l'épouvante. Il n'a plus la force de se redresser et balbutie: « Va-t'en. Va-t'en. J'en ai assez. Assez. » L'insecte se pose sur son épaule. Comme il est pesant tout à coup! Six pattes se promènent sur ses plaies et le meurtrissent davantage. Un dard tâtonne et le glace de frayeur. Un dard s'enfonce. S'enfonce. Transperce son cœur et se plante dans le bois de la galerie. Le voilà cloué par un insecte. Un insecte? Si petit insecte? Non, géant insecte! Comment s'arracher à son agression? Comment se sauver? Il le faut. L'aube pâlit déjà le ciel et les oiseaux amplifient leurs chants.

Rassemblant ses forces, Alcide rampe vers la porte, l'ouvre et se glisse à l'intérieur. Le voilà en sécurité. Il se repose un peu. « Vieux fou! marmonne-t-il, je suis un vieux fou. »

Cinquante-huit ans, vingt-cinq ans de colonisation et combien d'années de solitude l'ont rendu ainsi? L'homme gît, victime expiatoire de sa propre faute. L'homme gît, terrorisé, repentant et souffrant. Lui qui s'était pris pour le monarque de son village. Lui qui s'était pris pour le plus grand, le plus fort, le plus sage, le voilà si petit, si faible et si fou. Des larmes inondent à nouveau ses yeux et coulent sur le plancher d'épinette. Ces larmes maintenant le soulagent.

(Faut se lever avant qu'Ernestine arrive. Aidez-moi, Seigneur. Aidez-moi à me lever et à gagner mon lit.)

Il s'agrippe à la table, se lève et fait quelques pas. (Faut gagner mon lit. Je suis tout nu.) Il monte les escaliers avec difficulté, en s'accrochant à la rampe, débouche enfin devant la porte demeurée ouverte de la chambre de Clovis. Il risque un regard. L'adolescent dort paisiblement. Aurait-il imaginé tout cela? Tant de quiétude sur le visage endormi le rend perplexe. Il referme la porte doucement et rejoint sa couche. Il sombre vite dans un sommeil de plomb. De ce même sommeil pesant qui a suivi, tantôt, la première crise d'épilepsie de Clovis.

— M'sieu l'curé! M'sieu l'curé! appelle Ernestine en toquant énergiquement.

Clovis se réveille au son de cette voix aigre qui insiste devant la porte de la chambre voisine. Il se frotte les yeux, s'assoit dans son lit. Que lui est-il arrivé hier? Qu'est-il arrivé après la libération de tout ce méchant? Son esprit glisse dans le vide. Il se rappelle avoir éprouvé de curieuses sensations, des bourdonnements d'oreilles suivis d'une douleur vive qui lui venait de la main et montait jusqu'à sa tête. Puis, plus rien. Rien. Qu'est-il arrivé? Combien de temps s'est écoulé avant qu'il se réveille en pleine noirceur avec un mal de tête terrible et une extrême lassitude? Il l'ignore et s'inquiète. Pourquoi aussi le curé l'a-t-il abandonné sans donner d'explication?

— M'sieu l'curé! Y est sept heures.

Clovis saute du lit à l'annonce de l'heure tardive. Il s'habille en vitesse, se peigne, ouvre la porte de sa chambre et tombe face à face avec la ménagère aux yeux affolés. Elle plante sur lui son regard d'un bleu fade et chuchote, les dents serrées:

— M'sieu l'curé est malade. Y aura pas de messe à matin.

— Qu'est-ce qu'il a?

— Une grosse fièvre.

— Ah. J'ai à lui parler. Est-ce qu'il dort?

— Non. Mais pas longtemps. Faut qu'y prenne des forces, le pauvre homme.

Clovis pénètre dans la chambre du curé. L'homme somnole, le visage tourné vers sa fenêtre. Les grains de chapelet glissent entre ses doigts. Il ne somnole pas: il prie. Le garçon s'avance silencieusement vers lui. L'aspect maladif de celui-ci le surprend. Jamais encore il n'a vu Alcide affaibli par une maladie quelconque. Jamais même il n'a manifesté la moindre fatigue, le moindre malaise. De le voir là, étendu, fiévreux avec un début de barbe et le chapelet entre les doigts, l'intimide énormément tout comme s'il était en présence d'un étranger.

— Qu'y a-t-il encore, Ernestine?

— C'est moi.

L'homme se retourne subitement et son visage exprime à la fois l'horreur et le dégoût.

— Va-t'en, Satan! Va-t'en! hurle-t-il en faisant de grands signes de croix.

— C'est pas Satan, c'est moi, Clovis.

— C'est la même chose, Satan ou Clovis. Vous ne faites qu'un. Je m'en suis aperçu hier.

— Qu'est-ce qui est arrivé hier?

— Le Diable t'a possédé, petit misérable. Va-t'en! Tu es l'enfant du Mal, le fils du Malin. Ah! Je t'ai bien reconnu hier, lorsque tu es tombé.

— Tombé?

— Oui. Tu as été foudroyé par l'infiltration de Satan. Et tu criais, tu bavais, tu gesticulais. Ah! Que c'était laid! Ton visage ressemblait à celui du démon. Ah! Ne me regarde pas:

tu as les yeux noirs comme la suie de l'enfer. Baisse ton front. (Clovis obéit.) Je ne sais pas ce que je vais faire de toi mais je ne veux plus te garder.

Un silence glacial plane. Alcide détourne la tête, conscient jusqu'à quel point le physique de Clovis le charme et l'excite. Surtout lorsqu'il baisse son front et que l'épaisse frange de ses cils ombrage ses joues. Ne ressemble-t-il pas à l'enfant du baptême? Si bel enfant. Pourquoi Satan a-t-il pris des traits si adorables pour le soumettre à la tentation?

— Je t'enverrai à Longue-Pointe, décide-t-il en rivant son regard aux feuilles nouvellement écloses à sa fenêtre.

— C'est une école? demande Clovis.

— Non. C'est un asile.

— Un asile? Un hôpital de fous?

— Oui.

— Mais je ne suis pas fou.

— D'ici un an ou deux, mon pauvre enfant, tu seras complètement fou. (Un rire dément accable Clovis.) Tu vois, Satan, je t'ai bien eu, ricane encore Alcide.

— Je ne suis pas Satan!

— Je t'ai reconnu. Va-t'en maintenant. Déguerpis!

— Mais mes études? demande Clovis en reculant vers la porte.

— Tes études? Ha! Ha! Ha! Il n'y a pas d'étude à Longue-Pointe. Crois-tu, Satan, que je vais te laisser toucher la sainte hostie, le corps vénérable de mon Maître? Va-t'en, je te dis.

— Mais...

— Ha! Ha! Ha! Ses études.

— Je vais aller chercher le docteur.

— Jamais. Je n'ai pas besoin de lui.

Il s'arrête. Puis il se met à rire pour lui tout seul en murmurant: « Ses études, hi! hi! hi! Ses études. »

Clovis le quitte, la tête basse, et s'enferme dans sa chambre. Il s'empare de son sac d'école et sort un à un ses livres et ses cahiers. Il les étale devant lui et les contemple tristement. Se peut-il qu'il soit possédé? Qu'il ne poursuive plus ses études et ne devienne jamais médecin? Pourquoi le malheur s'abat-il si férocement sur lui? Qu'a-t-il fait de mal? Ira-t-il à Longue-Pointe? Parmi les fous? Quelle différence, au fond? Il n'y sera pas plus seul qu'ici, avec les intelligents. Personne ne le traitera de bâtard et de sauvage. Personne ne le battra.... peut-être. Il doute de ce point. Il y a tant de raisons pour battre un fou, un enfant ou une femme. Il se souvient d'une punition corporelle que le curé lui avait infligée, cet hiver, parce qu'il avait piégé des lièvres pour le médecin sans lui en avoir demandé l'autorisation. Le curé l'avait attaché à la charpente de l'écurie et l'avait fouetté avec une courroie.

Clovis se lève et s'approche de sa fenêtre. Le chêne de Small Bear reverdit comme tous les autres arbres. Pourtant, aux yeux du garçon, il est nu et désolé. Il revoit toujours ce petit ours abandonné se lamenter sur sa branche. Il le revoit toujours tomber et rouler au pied des foules hargneuses. Il retrouve dans sa gorge cet étau terrible de la solitude et cet appel désespéré à la mort. Cela fait déjà un an que Jérôme travaille sur la ferme d'Auguste. Un an sans le voir, sans lui parler, sans l'accompagner sur le chemin de l'école. Un an à trouver sa cour déserte, à rencontrer Honoré vieilli et distrait et Rose-Lilas trop attentive. Lorsque Honoré s'était aperçu des blessures à son dos, il avait demandé à les voir de plus près. Il avait soulevé la chemise, puis il avait dit, d'un ton enjoué: « Une chance du maudit que tu y avais pas abattu un orignal au docteur: t'aurais pus de dos. »

Mais ses yeux verts roulaient dans l'eau et Rose-Lilas lui avait promis des beignes. Pourtant, il ne se sent pas la force d'aller se confier au père de son ami. Il ne saurait par où commencer ni comment dire ce qui le tourmente. A part Jérôme, qui pourrait recevoir ses confidences? Qui pourrait calmer sa peur? Qui pourrait crier avec lui: A l'injustice! A l'aide! Au secours! Le médecin? Non, pas le médecin. Il sera tellement désappointé d'apprendre qu'il ne pourra poursuivre ses études. Et il ne veut pas désappointer cet homme pour qui il ressent tant d'admiration et de respect. Il ne veut pas voir pleurer ses yeux dorés. Il se souvient de ces larmes. C'était dans la même chambre. Sur le même lit. Il était venu lui porter le fétiche de sa mère et, le voyant si décidé à mourir, il avait pleuré. Depuis ce jour, il s'est promis de vivre pour éviter ce chagrin à l'homme. Et il se rend compte aujourd'hui qu'il a vécu pour cet homme et qu'aujourd'hui encore, malgré le peu de liens qui le rattache à la vie, il conserve sa misérable existence pour ne pas le peiner. Mais dans un an ou deux, il n'aura même plus conscience de cette existence. Et sans doute plus conscience de son malheur. Ah! S'il parvenait à diminuer cette tristesse infinie! S'il parvenait à combler le vide laissé par le départ de Jérôme!

Il ramasse ses livres avec nostalgie. Combien de matins lui reste-t-il avant la fin de l'année? Combien de matins encore à marcher vers l'école du village avec son sac sur le dos? Une vingtaine tout au plus.

Il se rend compte, en empruntant son sentier, que ces matins qui lui restent diffèrent des autres matins puisqu'il n'a plus d'espoir. N'ayant plus d'espoir, il n'a plus de satisfaction à être premier de sa classe.

Hier encore, il s'imaginait soigner Honoré de ses rhumatismes. Et Honoré, soulagé de ses douleurs, lui demandait:

« Combien je te dois? — Rien. Vous avez été assez bon pour moi: je vous le dois. » Mais maintenant qu'il n'a plus d'avenir, le présent ne l'intéresse plus. Il va d'un pas lent, regardant la nature autour de lui. La nature devenue maintenant son amie. Elle seule sait atténuer sa souffrance. Il s'arrête sous un gros merisier et le contemple. Que de force! Que de majesté dans ce tronc, ces branches, ce feuillage prometteur! Il appuie son front sur la rude écorce argentée. Son regard tombe sur une grosse roche plate. Il n'a qu'à soulever cette roche pour voir sa trousse médicale. N'a qu'à soulever cette roche pour y voir tous ses rêves entassés. Mais il ne le fait pas et ferme les yeux sur ses souvenirs. Judith, le soleil, la robe dégrafée, le stéthoscope et ces pierres à formes vaguement humaines qu'il a examinées. Que fera-t-il de tous ces beaux souvenirs à Longue-Pointe? Il se détache de l'arbre et poursuit sa route, contournant bientôt l'étang à grenouilles où Jérôme avait réussi à lui attraper la plus grosse de toutes. Puis il presse le pas devant l'emplacement du feu où Firmin l'avait maintenu. La petite vengeance qu'il se permet avec Hercule Thibodeau lui paraît futile et il se promet de ne plus humilier le bègue en répondant avant lui et à sa place pendant les offices religieux.

Des cris joyeux d'enfants montent jusqu'à lui. Bientôt, il aperçoit la cour et les balançoires qui volent allègrement. Comme elle a changé en six ans, cette clientèle scolaire! Au début, ils étaient tous en première année quel que soit leur âge. Maintenant, mademoiselle Mathilde dispense tous les degrés jusqu'à sixième. Avant, il y avait Jérôme, Léonnie, Firmin, Éloïse et bien d'autres encore qui ont abandonné parce qu'ils étaient trop vieux ou devaient travailler. Léonnie, par exemple, les a quittés après sa quatrième année, à l'âge de seize ans, ce qui était un record de vieillesse; Jérôme après sa cinquième, à l'âge de quatorze ans, de sorte que la classe de sixième est composée de Judith, Marie, Olivier Levers, Hercule Thibodeau et lui-même.

Il dégringole la colline, remarquant les regards admiratifs des classes inférieures qui le considèrent comme le plus intelligent de l'école. S'ils savaient, pense-t-il, s'ils savaient que je suis possédé. Que je vais devenir fou.

Judith lui sourit en le voyant passer près d'elle.

— Le curé est malade? questionne-t-elle.

— Oui. Qui te l'a dit?

— Tout le monde le sait parce qu'il n'a pas célébré la messe ce matin. C'est dommage que papa soit en tournée.

— Ah. Il est en tournée?

— Oui. Il ne reviendra que samedi.

— De toute façon le curé ne voulait pas avoir de médecin.

Légère déception sur le visage de Judith.

Clovis pose sur elle un regard ardent et désemparé. Pourrait-il lui dire à elle? A elle qui l'admire de ses prunelles cristallines. A elle qui lui sourit si candidement et attend des gentillesses de sa part. Pourrait-il lui dire qu'il n'est pas ce qu'elle pense? Qu'il ne sera jamais ce qu'elle imagine? Il secoue la tête et pénètre dans la classe.

— Bonjour mademoiselle, formule-t-il selon son habitude. (Et selon son habitude, mademoiselle Mathilde lui répond avec un sourire bienveillant, sans détacher son regard des cahiers qu'elle corrige.) Est-ce que je peux faire quelque chose pour vous aider?

— Oui. Passe les cahiers de troisième: à gauche sur mon bureau.

— Bien, mademoiselle.

— Après tu passeras ceux de cinquième: ceux de droite.

— Oui, mademoiselle.

Il s'exécute avec empressement.

— Le curé n'est pas trop mal, j'espère? s'enquiert-elle en refermant le dernier cahier.

— Il fait de la fièvre.

— A-t-il été malade toute la nuit?

— Je ne sais pas, mademoiselle.

— J'ai cru que tu l'avais veillé. Tu es tout pâle. Ça ne va pas, Clovis?

— Je vais bien, mademoiselle, balbutie-t-il dans sa détresse.

L'institutrice doute, se lève et s'approche de lui. Il la regarde s'avancer, le cœur palpitant, réprimant son besoin de se jeter dans sa jupe et de pleurer longuement. Elle pose sa main douce sur son front. Cette même main qui lui a enseigné à écrire.

— Tu ne fais pas de fièvre. Tu es sûr que tu te sens bien?

Il hésite. Il n'a qu'à dire qu'il se sent drôle... qu'il s'est senti mal dans la nuit et qu'il a eu un gros mal de tête après que le méchant... Non! Il ne peut pas dire ça! Pas à une femme, toute instruite qu'elle soit. Il confirme d'un mouvement de tête.

— Alors, sonne la cloche, veux-tu? offre-t-elle d'un ton chaleureux comme à un enfant malade.

Cet insigne honneur de sonner la cloche revenait aujourd'hui à un garçon de troisième.

— Mais ce n'est pas à moi, mademoiselle.

— Joseph a la rougeole.

— Ah bon.

Clovis s'empare de la cloche, l'appuie sur sa poitrine et paralyse le grelot d'une main. Quelle chance! C'est la dernière fois de ma vie, songe-t-il, après je serai avec les fous. Il sent une vapeur chaude l'engourdir, ses oreilles bourdonnent. Entendra-t-il la cloche? Comme il lève le bras, une douleur vive part de sa main et descend jusqu'à sa tête... cette même douleur.

Mathilde entend un bruit de chute, un roulement de cloche par terre et des cris aigus, inhumains. Elle bondit et court vers la sortie. Elle frémit à la vue de ce visage aux yeux révulsés et rentre à nouveau dans la classe pour s'emparer de sa baguette. Revenant de toute urgence près de Clovis, elle force la baguette entre ses mâchoires serrées. Malgré la frayeur morbide que lui inspire la rigidité de ce corps, elle détache le col de chemise et le premier bouton du pantalon. Une écume abondante apparaît aux commissures des lèvres. Les membres se contractent puis éprouvent des secousses incontrôlables et violentes.

Elle se lève et se place devant lui afin de le soustraire à la vue des élèves. Mais les cris terrifiés des petits lui apprennent l'inutilité de son geste.

— C'est un démon! hurle la voix d'Olivier Levers.

La panique générale s'empare des enfants et ils se mettent tous à courir vers le fond de la cour, en pleurant et criant.

Ces cris de terreur, ce mal dans sa tête, cette chose dure dans sa bouche. Il geint.

— Clovis? Clovis? appelle doucement la voix de mademoiselle Mathilde.

Où est-elle donc? Elle lui semble au bout du monde. Au bout de ce monde qui vient de chavirer dans l'éternité. Il ouvre les yeux. Un éclat de soleil illumine la cloche. La cloche? Que fait la cloche par terre? Tantôt, elle était dans sa main. Qui a jeté la cloche par terre? Il referme les yeux, épuisé.

— Clovis?

La voix se rapproche. Il ouvre à nouveau les yeux et aperçoit les belles petites bottines de mademoiselle Mathilde. Des petites bottines noires, lacées méthodiquement sur les fines chevilles. Un bruit de tissu; elle s'accroupit près de lui. Que fait-il par terre? Serait-il tombé? Tombé? Oui, comme cette nuit lorsque Satan... il s'assoit subitement.

— C'est fini. C'est fini, dit la voix calme.

La douleur à sa tête s'amplifie. Mademoiselle Mathilde arrache la baguette dans sa bouche. Il regarde ses dents imprimées dans le bois. Mon Dieu! Comment a-t-il pu faire ça?

— Possédé, articule-t-il avec difficulté.

Mademoiselle Mathilde lui essuie le menton avec son mouchoir.

— Ça va aller, ça va aller, dit-elle encore. Repose-toi un peu... après tu te lèveras.

Elle le recouche. Ding! Deling! Ding! Deling! Ding! Deling! tinte la cloche. Clovis observe les rangs se former avec crainte. Les tout-petits pleurent dans les jupes de leur sœur aînée et quelques grands garçons laissent tomber des pierres en se plaçant en bouclier devant eux pour les protéger. Les protéger de quoi? De lui? Lui, le démon. C'est de lui qu'ils ont peur tout comme le curé ce matin. Mademoiselle Mathilde n'a pas peur. Du moins, il l'espère. Il jette un regard à l'institutrice qui rappelle ses élèves à l'ordre:

— Allez! La cloche a sonné les enfants.

Sa main blanche tremble sur le grelot. Clovis roule sur le côté et se recroqueville au passage des élèves. Comme il aimerait disparaître! Comme il aimerait ne plus entendre ces pas qui résonnent dans le silence anormal! Ce silence d'effroi. Comme il aimerait n'avoir pas vu trembler cette main adorable!

— Peux-tu te lever? demande mademoiselle Mathilde.

Il acquiesce de la tête.

— Tu ferais mieux de rentrer chez toi. En es-tu capable?

Il acquiesce à nouveau, incapable de rencontrer son regard.

— Hercule peut aller te reconduire.

— Non! interdit-il d'une voix rauque.

— Lorsque le docteur reviendra, je prendrai un rendez-vous pour toi. Tu veux bien?

Hochement de tête affirmatif.

— Maintenant, va-t'en chez toi, va te reposer.

Il obéit et traverse la cour sur ses jambes affaiblies. Il grimpe la colline avec difficulté, les yeux entrouverts et la tête douloureuse. Hébété, humilié, angoissé, il se traîne tel un somnambule jusqu'à son merisier. Puis il s'étend à son pied, appuie sa tête sur la grosse roche plate et s'endort. Des voix visitent son esprit. Des voix qui ressemblent à des chants, tantôt tristes, tantôt accueillants. L'âme écorchée, il sombre au cœur de la symphonie.

Va-t'en chez toi.
Où ça chez moi ?
Va te reposer.
Va te guérir.
Te cacher.
Va dormir.
Et va oublier.

Où ça ? Où ça chez moi ?
Je ne connais pas de tel lieu.
Chez moi, chez moi, chez moi,
C'est la pierre des rêves douloureux.

Viens mon enfant.
C'est moi qui t'appelle.
C'est moi ta mère.
C'est moi la forêt,

La clémence
Et le respect
De ta douleur.
Oui, viens mon enfant.
Je t'appelle.

Je te donnerai mes ruisseaux
Et tous les chants de mes oiseaux.
Je te donnerai mes parfums
Et les baisers de mes embruns.

Viens mon enfant.
C'est moi qui t'appelle.
C'est la plus belle
Source de vie,
Et d'espérances,
Et d'amour,
Et de joies.
Oui, viens mon enfant.
Je t'appelle.

Je te donnerai ma nature
Des bouquets de fleurs odorantes.
Je te donnerai nourriture
De poissons et viandes fumées.

Viens mon enfant.
C'est moi qui t'appelle.
Je suis l'origine, la consolation,
L'acceptation de tes souffrances et de tes peines.
L'absolution de tes péchés,
De ta folie, de ta solitude
Et de ton sang si différent.

Fuis mon enfant,
Fuis les hommes.
Ils t'enfermeront,
Te blesseront,
Te maltraiteront
Et t'oublieront.
Te réduiront jusqu'à néant.

Allez viens parmi les tiens.
Reviens-moi, tu m'appartiens.
Je te donnerai liberté,
Hommage à ta jeune virilité.

Fuis ces hommes.
Fuis ce village.
Fuis cette cage
Où l'on t'assomme,
Où l'on crie,
Où l'on injurie,
Où l'on médit,
Où l'on calomnie.

Fuis le mensonge.
Fuis ce mauvais songe,
Ces épaisses ténèbres,
Ces espoirs funèbres.
Fuis, oui, fuis mon enfant.
Fuis vers les bois.
Obéis aux lois
Des anciens temps.

Oui, fuis, fuis mon enfant.
Viens à moi dans ton élan.
J'attends depuis longtemps
De toi, ce merveilleux présent.

J'ai pour toi, pour toi mon enfant
Les premiers pas du faon,
Le bourdonnement des taons
Et la gaieté du petit raton.

J'ai pour toi, pour toi mon enfant
L'hébétude de l'ours endormi,
L'appel amoureux des perdrix,
Le lièvre et ses bonds gentils.

J'ai pour toi, pour toi mon enfant,
Du lynx, l'impressionnant feulement.
Du glouton, son acharnement,
De l'orignal, le grand tourment.

Viens mon enfant.
C'est moi qui t'appelle.
C'est moi ta mère.
C'est moi la forêt
La clémence
Et le respect
De ta douleur.

Oui, viens, viens à moi.
Prends le chemin d'eau des rivières.
Les vieux sentiers de ton grand-père
Avec un cœur plein d'émoi.

Chez toi, chez toi, chez toi,
C'est ici au find fond des bois.
Viens donc dresser ton toit
Près du nid des grandes oies.

Un rayon tenace pénètre sa peau et force ses paupières. Tant de lumière l'étourdit. Il rampe cacher sa tête à l'ombre, laissant le soleil de mai réchauffer ses jambes. Il se frotte les yeux, étonné d'entendre chanter les oiseaux. Ceci lui rappelle une phrase de sa mère: « Le rossignol chante pour ceux qui ont le cœur à pleurer. » Donc il chante pour lui puisqu'il a le cœur à mourir.

Tout à coup, un écureuil roux s'aventure près de lui. Peut-être le regardait-il dormir en s'interrogeant sur la présence de l'humain dans son habitat. Avec des gestes lents, Clovis sort une tranche de pain de son sac d'école, la brise en miettes et, à l'aide de celles-ci, dessine un petit chemin aboutissant à son épaule. La bête, prudente et nerveuse, se risque à grignoter la première croûte, puis la deuxième. Intriguée, gourmande, elle se rapproche de plus en plus jusqu'à être tout près du visage de Clovis. Ils se regardent. L'adolescent rejeté et la bête apprivoisée. Quel merveilleux petit ambassadeur dans sa robe rousse parsemée de grains de pain! Qui donc l'envoie porter l'invitation? La forêt, cette mère secrète aux racines insoupçonnées, qui hantait son sommeil? Clovis regarde autour de lui. Il lui semble que les arbres lui ouvrent leurs bras d'écorce et l'invitent à pénétrer ce royaume de solitude où la douleur se résorbe. Il pense. Là-bas, il ne sera pas un fou. Personne ne le battra ni ne l'insultera. Personne ne l'enfermera. Bref, il sera libre. Libre. Seul mais libre. Il vibre à ce mot et s'assoit d'un bond, laissant tomber la miette de son épaule. Il sort un cahier de français, l'ouvre à une page vierge et, d'un trait décidé, la divise en deux. A l'en-tête d'une colonne il écrit été, et à l'en-tête de la suivante, hiver. Puis il se met à noter la liste des objets et denrées dont il aura besoin pour chacune des saisons, calculant se faire une cache pour les choses d'hiver qu'il reviendra chercher. Ainsi, sa fuite ne sera pas retardée par un encombrant bagage. Il construira cette cache pendant la semaine, à un mille environ du village, profitant de sa chute en classe pour faire croire à mademoiselle Mathilde qu'il est malade. Quant au curé, il se contentera de le leurrer en écrivant dans ses cahiers le soir, et en partant avec son sac sur le dos le matin. Il ne se doutera jamais du contenu du sac.

Fébrilement, Clovis établit son plan de fuite.

Trépanation, saignée; combien sont morts d'une saignée mal exécutée? Et la trépanation? Que vaut la trépanation? (Non! Seigneur! Non! Épargnez mon fils de cette maladie, prie Philippe en examinant, de son banc, la démarche penaude de Clovis.)

Hier, à son retour, Mathilde l'attendait dans son bureau devant un de ses livres de médecine. Elle lui a raconté en détail la crise de Clovis et son absence prolongée. Au début, il a cru à des convulsions dues à la fièvre. Mais elle lui a expliqué qu'il ne faisait pas de fièvre puisqu'elle avait tâté son front quelques minutes auparavant. Alors, depuis hier, il se répète les seuls traitements connus et son cœur frissonne: trépanation, saignée. (Non. Je ne veux pas que mon fils soit atteint de cette maladie... pas de celle-là. Nous ne connaissons pas de traitement valable. Non. C'est impossible. Il ne peut pas être épileptique puisqu'il n'y a ni alcoolisme ni syphilis dans notre famille. Mathilde a dû exagérer. Elle se trompe. Qu'est-ce qu'elle connaît à ça? se dit-il sans conviction en remarquant les yeux cernés de Clovis.)

Deling! Deling! L'élévation. « Mon Seigneur et mon Dieu! répète Philippe en baissant la tête. Mon Seigneur et mon Dieu. » Il lit distraitement dans son missel et cette phrase bat dans sa tête comme un cœur douloureux. « Mon Seigneur et mon Dieu. »

« Oui, grand Dieu, nous osons vous le dire, il y a plus ici que les sacrifices d'Abel, d'Abraham et de Melchisédech: la seule Victime digne de votre autel, Notre-Seigneur Jésus-Christ, votre Fils, l'unique objet de vos éternelles complaisances. »

(L'unique objet de vos éternelles complaisances. Dieu le Père, comment avez-vous pu sacrifier ainsi votre Fils? Je n'ai pas cette force, mon Seigneur et mon Dieu, je ne veux pas sacrifier mon fils. Je ne suis pas Abraham: je n'ai ni sa foi, ni sa force.)

A la communion, Philippe demeure à sa place afin de mieux observer l'adolescent qui suit le curé avec la patène. Soudain, il le voit pâlir terriblement. Philippe se lève aussitôt et accourt vers la sainte table. C'est alors qu'un bruit de chute résonne dans l'église, bientôt suivi de sons inarticulés et aigus. Alcide se sauve près de l'autel et tend son hostie en exorcisant l'être qui s'agite près de la balustrade.

— Va-t'en, Satan! Sors de cet enfant, au nom de Jésus-Christ Notre-Seigneur!

Les communiants s'entassent près des lampions et Mme

Gadouas se met à crier, énervant ainsi les enfants et les jeunes filles.

Philippe tente de cacher les contorsions grotesques de son fils et n'y parvient pas. Il le regarde faire, désemparé, impuissant, et voit l'écume envahir ce visage devenu horrible. Dans sa chute, Clovis s'est fendu le menton et du sang tache son aube.

L'exorcisme d'Alcide, les cris hystériques de Mme Gadouas, les secousses violentes des membres, l'écume à la commissure et le sang sur l'aube assaillent Philippe de toutes parts. Une chaleur désagréable lui monte à la tête. L'enfer s'ouvre sous ses genoux. Il ferme les yeux, incapable de supporter davantage cette vision d'apocalypse.

Il sent l'œil de Dieu peser sur lui avec toute sa puissante condamnation. Cet œil sévère enfermé dans son triangle et éternellement ouvert sur les fautes humaines. Sur ses fautes à lui qu'il expie par le truchement de son enfant. (Pourquoi t'attaques-tu à moi à travers mon fils? Ne peux-tu pardonner ce que les hommes ont fait à ton propre fils? accuse-t-il dans son for intérieur.) Un silence glacial l'arrache à cette pensée. Clovis roule la tête près de la patène. Ses membres se détentent, ses mâchoires se desserrent. Puis il ouvre des yeux surpris qui deviennent aussitôt honteux.

Le médecin essuie son visage. Le soutenant par les aisselles, il lui dit doucement:

— Viens.

Les gens s'écartent sur leur passage. Quelque part un enfant pleure encore. Clovis se laisse guider par l'homme.

— Attends-moi ici: je vais chercher la calèche, dit celui-ci en l'abandonnant sur le perron.

Que de tristesse et de déception dans sa voix! Clovis s'assoit sur les marches et pose sa tête douloureuse entre ses mains. Les roues de la calèche grincent dans le sable.

— Viens. Étends-toi derrière.

Une secousse. Grincement d'essieux et de sable jusqu'au fond de sa tête fatiguée. Pas lents, presque lamentables du cheval. Clovis regarde le dos du médecin, tout de noir vêtu, et se sent très loin de lui. Très loin de tout. De ces chants, surtout, qui montent de l'église tandis qu'ils traversent le village désert. Clovis les écoute en regardant la tête des arbres pleins de bourgeons et le toit des maisons. Il entend aussi le cheval enfoncer ses sabots nonchalants. Il doit se demander pourquoi il revient si tôt de la messe? pense-t-il. Peut-être le médecin l'a-t-il arraché à une agréable conversation de chevaux. Comme il est seul le cheval dans ses attelages! Comme il est seul aussi le médecin dans son habit noir! Et seule, la calèche sur le chemin muet! Quel équipage de solitaires s'éloigne ainsi des chants sincères de la communauté!

Un père ramenant son fils déchu sous le toit paternel qui ne l'a jamais abrité. Un père bouleversé, préférant cacher son visage défait à l'enfant perturbé. Comme ils sont seuls, le père, le cheval et l'enfant. Le chant plaintif de leur douleur s'étouffe dans leur poitrine oppressée tandis que montent au ciel les chants du dimanche. Quelle retraite déplorable, pénible et humiliante.

— Viens.

Il se laisse guider à nouveau, sous la main abattue, le jeune roi des bois.

— Assieds-toi, enlève ta robe: il faut te faire des points de suture.

Clovis s'exécute aussitôt en ravalant ses sanglots. Il n'ose regarder le médecin occupé à fouiller dans ses armoires, et n'ose briser ce silence d'amères désillusions. L'homme s'approche, pose ses instruments tout près.

— Ça va piquer un peu, explique-t-il de cette voix triste et nouvelle.

De son doigt, il relève le menton blessé et leurs regards se rencontrent. Se perdent l'un dans l'autre et se boivent avidement. Clovis retrouve cette chaude couleur et cette expression de compassion véritable. Ce regard, il l'a déjà vu penché sur lui avec la même expression, et Philippe aussi a déjà vu ce regard de désespoir inimaginable. Il l'a déjà vu dans les diamants noirs de Small Bear prêt à mourir. Une larme glisse entre les longs cils noirs et se perd dans les cheveux. C'est Philippe, aujourd'hui, qui la recueille au bout de son doigt.

— Voyons mon garçon.

Clovis se blottit aussitôt contre l'homme et le serre frénétiquement. Il pousse son visage ruisselant de larmes dans le bel habit. Une odeur de médicaments le saisit et redouble son ardente étreinte. Ses mains se cramponnent et plissent le veston. Philippe sent son enfant s'accrocher à lui, se nouer à lui avec un tel désespoir et une telle confiance qu'il s'empresse de saisir cette tête tourmentée et de la caresser doucement, tendrement, paternellement. Les cheveux de soie glissent entre ses doigts, lui rappelant les cheveux de Biche Pensive. Philippe se penche alors et les embrasse affectueusement au risque de se compromettre. Lui aussi retrouve un parfum, un toucher qu'il croyait perdu à jamais. Six ans après sa mort, il a encore l'impression de tenir Biche Pensive dans ses bras pour la protéger de l'aveugle et cruelle société.

— Je... suis... suis... possédé... possédé, balbutie Clovis entre ses sanglots.

— Mais non, mais non mon garçon. Tu n'es pas possédé: tu es malade.

— Malade?

— Oui. As-tu confiance en moi Clovis?

— Oui.

— Alors, je te guérirai, je te guérirai, affirme le médecin en retenant contre son cœur torturé la tête de son fils.

Il le sent alors s'abandonner contre lui avec une croyance aveugle. Mais qui est cet aveugle qui s'offre à guider l'autre aveugle? Que peut la médecine contre le terrible mal de l'épilepsie. Trépanation et saignée dansent dans son cerveau et instinctivement, Philippe réunit ses mains sur le crâne de Clovis comme pour le protéger de cette trouée qu'on y pratiquerait pour soi-disant en retirer le mal. Son regard erre dans la pièce. Comme il se sent impuissant face à cette maladie. Impuissant et responsable. Une peur morbide grandit en lui. S'il ne lui fallait conserver cette fausse assurance nécessaire à l'équilibre fragile de Clovis, il briserait tout autour de lui ou partirait au grand galop à cheval ou se mettrait à hurler comme un loup. Mais il se retient et répète patiemment:

— Je te guérirai.

Son regard tombe alors sur le petit crucifix suspendu au-dessus de la porte. Un passage de l'Évangile lui revient en mémoire. Un père était venu voir Jésus avec son fils épileptique et Jésus lui avait dit: « Tout devient possible pour celui qui croit. » Et le père s'était écrié: « Je crois, venez en aide à mon manque de foi. »

(Je crois en Toi... Viens en aide à mon fils. Guéris-le, je t'en prie, Toi le Fils. Guéris-le au nom de toutes ces plaies que j'ai pansées, de toutes ces maladies que j'ai soignées, de tous ces agonisants que j'ai accompagnés jusqu'au dernier soupir, et de toutes ces femmes que j'ai accouchées. Guéris-le... au nom de tout ce bien que j'ai voulu faire auprès de mes malades. Guéris-le, je t'en prie, car tu sais que pour lui, je ne peux rien. Pour mon fils, moi, le médecin, tu sais que je ne peux rien. Prends pitié de mon fils. Je le laisse entre tes mains.)

— Je... veux pas aller à Longue-Pointe... pas à Longue-Pointe.

— Non, non. Calme-toi, tu n'iras pas à l'asile. Pas toi. Tu es beaucoup trop intelligent pour cela. Aie confiance.

Et, sans s'en rendre compte, Philippe retient farouchement contre sa poitrine l'adolescent blessé, humilié et angoissé. Sans s'en rendre compte, il enferme dans ses bras protecteurs l'être déchu et banni. Sans s'en rendre compte, il embrasse à nouveau la tête troublée de cette brebis galeuse, sans troupeau ni berger.

C'est à grands coups de volonté que le médecin doit retenir la foulée rageuse de son pas et saluer poliment au passage les gens du village qui flânent sur la rue principale en ce beau dimanche soir. « Il me l'a détraqué, se répète-t-il, il me l'a détraqué. Vieux pédéraste! Vieux maniaque! Tu m'as détraqué mon fils. Attends que je te mette la main sur la gorge. »

Philippe serre tant les poings que ses ongles s'enfoncent dans ses paumes et lui rappellent son manque de maîtrise de soi. « Il faut que je sois froid. Il faut que je l'écrase froidement. Comme un insecte. Splitch! Comme une petite mouche! Splitch! Avec tout ce que Clovis m'a appris, je peux le faire transférer facilement. Vieux pédéraste! Comment as-tu pu abuser d'un innocent? En abuser jusqu'à la frontière de la folie? »

La frontière de la folie. Voilà où en est rendu Clovis. A la frontière de la folie. En équilibre au-dessus du gouffre épouvantable de l'aliénation mentale. Un rien peut l'y précipiter et, lors de la conversation qu'il a eue avec lui cet après-midi, il a fallu beaucoup de doigté pour éviter une seconde crise. En effet, comment annoncer à ce garçon instable qu'il a été abusé sexuellement et ce, depuis l'âge de six ans? Comment annoncer, sans le perturber, que ces pratiques anormales risquent de le dévier à tout jamais? C'était impossible. Dans l'état critique où se débattait son fils, c'était tout à fait impossible de lui dévoiler la vérité. Alors, il l'a masquée et s'est même vu contraint de déculpabiliser le curé en expliquant qu'il croyait bien faire.

Voilà le presbytère. Philippe se presse. Il entend résonner son pas sur le trottoir de bois et ne peut plus ralentir sa course ni retenir le flot d'injures qui se pressent sur ses lèvres. En ouvrant la porte de la petite cuisine, il aperçoit Alcide lisant son bréviaire dans sa berceuse.

— Pédéraste! Vieux pédéraste!

— Pardon?

Le médecin claque la porte. Il fonce sur Alcide et, le regardant droit dans les yeux, lui ordonne:

— Va faire tes bagages, vieux cochon! Tu n'abuseras plus des enfants! Je te ferai transférer ailleurs.

— De quoi parlez-vous donc?

— Ne fais pas l'innocent, rugit Philippe en se jetant sur le curé et en l'empoignant rudement par le col.

Alcide pose sur lui ses yeux froids et parle d'une voix aussi froide.

— Laissez-moi, docteur. Je crois que vous commettez une grave erreur.

Le souffle précipité de Philippe emplit la pièce et c'est avec des yeux étonnés qu'il constate ses deux mains autour du cou d'Alcide. Il le relâche alors avec dédain et se contente de le regarder longuement, haineusement.

— Assoyez-vous donc, docteur. Ne sommes-nous pas entre gens civilisés? commence le curé d'un ton ironique.

— Je sais tout, tranche Philippe en restant debout.

— Que savez-vous?

— Tout! Tout ce que vous avez fait à cet enfant.

— Vous avez cru tout ce qu'il vous a raconté?

— Oui.

— J'aimerais bien savoir ce que ce petit fou a pu vous apprendre.

— Il n'est pas fou!

— C'est un possédé. Satan l'habite. Je n'ai jamais connu d'enfant si détestable.

— Il n'est pas possédé et vous le savez! Il souffre d'épilepsie.

— Une maladie mentale.

— Non. Nerveuse. Une maladie nerveuse.

— Il finira à Longue-Pointe avec les gens de son espèce. Vous me surprenez, docteur. Pourquoi faire tant d'histoires à cause d'un petit bâtard?

— Parce qu'il a été abusé: vous en avez abusé sexuellement et vous l'avez rendu malade. Je vous tiens responsable de son état de santé. Je vous tiens responsable de ce qui est arrivé aujourd'hui. Cet enfant, on vous l'avait confié et vous l'avez détruit.

— Qu'est-ce que ça peut vous faire à vous?

— Vous êtes vous-même un fou, monsieur le curé. Vous êtes anormal. Je ferai tout pour qu'on vous enlève votre cure.

— Vraiment?

Alcide se lève lentement, pose son bréviaire sur la table et, se dirigeant vers ses armoires, il demande:

— Voulez-vous partager mon vin, docteur?

— ...

Il sort deux petits verres qu'il remplit de vin de cerise et revient vers le médecin en lui en tendant un.

— Assoyez-vous donc.

Le médecin s'assoit docilement et dévisage d'un air éberlué cet homme aux réactions imprévues. Toutes les injures et les menaces qu'il vient de débiter semblent le laisser indifférent. Il ne peut s'empêcher d'admirer et d'envier le contrôle qu'exerce le curé sur sa propre personne. Pour sa part, Alcide prolonge volontairement le silence entre eux, accentuant l'attaque enflammée et malhabile du médecin près de sa riposte froide et calculée. Non! Ce village, personne ne le lui ravira. Pas même ce médecin aux relations importantes. Ce village, c'est son village. Son village à lui. Son empire auquel il a sacrifié vingt-cinq ans de sa vie. Personne ne le lui ravira. Surtout pas ce médecin aux yeux jaunes qui ne lui fait plus peur après avoir dévoilé si spontanément ses faiblesses si humaines. Pourquoi donc craignait-il qu'il soit un représentant du démon? Après tout son fils n'est que malade et non possédé. C'est lui-même qui l'affirme. Un démon, au contraire, aurait utilisé la peur pour arriver à ses fins. Mais cet homme n'est pas un démon. Il n'a ni tactique ni ruse et se dévoile en criant des injures. Cet homme n'est qu'un père affligé, un père outragé, un père en colère.

Alcide avale une petite gorgée et pose sur Philippe son regard d'acier en répétant:

— Vraiment?

— ...

— Alors, nous le quitterons ensemble ce village, mon cher docteur. Mais buvez, buvez donc.

— Expliquez-vous.

— Vous êtes venu m'anéantir. Soit. Anéantissez-moi et je vous anéantirai à mon tour. Et non seulement vous, mais toute la famille qui dépend de vous. Ce poste que vous avez, cette réputation, cette belle maison, je peux, si je le veux, vous les ravir à volonté. Et je peux aussi ravir le poste d'institutrice à votre fille Mathilde. Et je peux aussi séparer votre femme de vous et je peux aussi aggraver l'état mental de ce pauvre petit bâtard.

— Non. Je ne vous crois pas. Vous n'avez rien à me reprocher. Rien.

— Vous croyez, docteur. Vous êtes venu ici dans le but de me soumettre par mes faiblesses, oubliant stupidement les vôtres. Tut! Tut! Tut! Quel mauvais conquérant vous faites, misérable être de sang! Car vous n'êtes qu'un être de sang, un passionné, un révolté, un emporté. Vous attaquer à moi vous coûtera plus cher que vous ne le croyez, car moi, je ne suis pas un être de sang. Mon sang est stérile et ne coule dans aucun autre corps que le mien. Je suis un être de tête, docteur. Je suis invincible car je n'aime personne... tandis que vous...

Philippe blanchit. D'une voix étranglée, il questionne:

— Quoi moi?

— Vous me faites rire! Quelle tête vous faites là, docteur. Buvez, buvez donc de mon vin. Buvons à notre retraite commune, tiens. A notre destruction! s'exclame Alcide en levant son verre avec enthousiasme.

— Je ne comprends pas.

— Eh bien! Je vous mettrai les points sur les i... quoique je ne sois pas obligé de vous dévoiler mon jeu. Mais puisque vous m'avez jeté toutes vos cartes à la figure, je veux bien vous dévoiler quelques-uns de mes atouts. Vous êtes en colère parce que cet enfant est épileptique et vous en rejetez aussitôt la faute sur moi, inventant que j'ai abusé de lui. Mais ce qui vous met tant en colère, docteur, c'est d'apprendre que votre fils est un malade mental.

Le verre de vin éclate dans la main de Philippe et le blesse. Le sang se mêle au vin et coule sur sa cuisse.

— Il n'est pas mon fils.

— Ne le reniez pas. Je sais qu'il est votre fils depuis bien longtemps. C'est sa mère qui me l'a appris. Pouvez-vous imaginer le tort que peut vous causer cette vérité?

— Je... peux surtout... imaginer toute votre dureté... votre sécheresse... puisque vous saviez, vous saviez...

— Vous vous êtes blessé? s'enquiert Alcide d'une voix doucereuse en offrant son mouchoir.

— Non merci, j'en ai un.

— Comme vous voulez. Il serait préférable que vous retourniez vous soigner chez vous. Pour ce qui est de votre bâtard, je préférerais ne plus l'avoir sous mon toit. Placez-le où vous voulez, sauf chez vous.

— Il vivra avec moi.

— Je dévoilerai tout à votre femme.

— Elle ne vous croira pas.

— Vous croyez? Elle déteste déjà votre bâtard. Elle saura le faire souffrir plus que je ne l'ai su.

— Elle ne pourra pas le détraquer comme vous avez su le faire.

— Personne ne vous croira. Personne ne croira les dires d'un petit sauvage. Car jusqu'à maintenant ce ne sont que les dires d'un petit sauvage et personne n'y portera attention.

— Comme personne ne portera attention aux dires...

Philippe s'arrête.

— Continuez, docteur. Aux dires d'une sauvagesse. Là, vous faites erreur. Vous aurez à convaincre une classe de gens bien différente de celle que j'aurai à convaincre. Un mot de moi et tout le village, demain, raconte vos histoires d'amour avec Marie-Jeanne Sauvageau. N'a-t-il pas suffi d'un mot de moi pour qu'on croie que Sam est le père de l'enfant? Je suis plus fort que vous, docteur, car moi je possède les âmes.

— Ils me croiront à l'évêché.

— Ne les croyez pas si naïfs. Sur quoi appuierez-vous vos affirmations? Sur les divagations de votre fils malade?

Un rire méchant glace Philipppe. Il pose distraitement les débris de vitre sur le coin de la table et se lève. Sans dire un mot, il se retourne et traverse la cuisine sous l'œil moqueur du curé.

— Je possède les âmes, docteur. Les âmes, ricane Alcide. Les âmes et la vôtre aussi. Ha! Ha! Ha! Je vous possède. Je vous possède tous!

Le protégé

Flish! Flish! Flish! Inlassable chuintement des faux dans le foin. Inlassable, rythmé et méthodique mouvement des bras et des dos. Souffles d'hommes qui s'accordent, pas d'hommes qui s'ajustent. Flish! Flish! Flish! Ploiement et chute des gerbes dans un bruit de paille. Progression lente et tenace des faucheurs sous le soleil torride. Victoire assurée de la fauchaison. Volée de sauterelles, fuite des souris, glissement des couleuvres, chant strident des criquets accompagnent la marche laborieuse.

— Wow! Wow! crie Auguste en s'arrêtant pour une pause.

Du bout du champ, il voit venir sa femme longeant la clôture, avec une cruche d'eau bien fraîche.

— Fait chaud. Mon idée qu'on va être bon pour faucher chez vous aussi, m'sieu Gadouas.

— Ouais, faut qu'y fasse beau toute la semaine: j'aime ça engranger sec.

— Va faire beau, craignez pas. Eille! Le protégé, tu t'en viens ben. Pas trop fatigué?

— Non, monsieur, répond aussitôt Clovis, réprimant maladroitement un sourire de fierté.

Fierté non pas due au travail qu'il accomplit sur la ferme d'Auguste mais due à ce nouveau surnom qu'on lui octroie: le protégé. Oui, le protégé du docteur. C'est comme ça qu'on le considère maintenant car c'est le docteur qui l'a placé ici, sur la ferme d'Auguste, afin qu'il se refasse une santé.

— Est-ce qu'y va venir à pêche, dimanche? demande Jérôme en donnant un petit coup de coude à son compagnon rêvassant sur sa faux.

— Qui?

— Tu sais qui, le docteur.

— Peut-être, pourquoi? Tu veux venir avec nous autres?

— C'est moins drôle quand y est là. Y me gêne.

— Il est pas gênant.

— Oh oui! De toute façon si y vient pas, j'aimerais ça, moé, y aller avec toé. Paraît que ça l'a ben mordu l'autre fois.

— Oh oui! Viens donc quand même.

— Non. Mais si y est pas là, m'as y aller après la messe,

parce que moé chus pas chanceux comme toé: faut que j'aille à messe, taquine Jérôme en vérifiant l'affûtement de sa faux.

Clovis sourit à cette remarque et songe jusqu'à quel point sa maladie a régressé depuis les changements apportés par le médecin. La vie au grand air, le travail, la saine alimentation sur la ferme et l'abstention aux cérémonies religieuses ont espacé et minimisé miraculeusement ses crises. Maintenant, il n'éprouve que des absences et des vertiges sans tomber complètement évanoui. Le médecin lui a expliqué qu'il faisait de grands progrès et s'occupe tellement de lui que les gens l'ont baptisé le protégé du docteur. Comme ceci le charme! C'est comme s'il lui appartenait. Le médecin aussi l'appelle ainsi. Dimanche dernier, il a sauté de sa voiture en demandant: « Mais où est mon protégé que j'aille à la pêche? » Mon protégé! Il avait dit MON protégé. Donc, il lui appartenait un peu, d'une manière assez inhabituelle, il est vrai, mais d'une manière sûre. Ce mon avait glissé dans son imagination avec un goût exquis de miel. Il sentait ce mon comme un chaînon doré entre lui et l'homme. Un chaînon maintenant visible au reste de la société. Un chaînon que d'autres percevaient et qui n'était plus le fruit des morbides élucubrations de son enfance. Ce chaînon existait bel et bien. Même qu'il soumettait Jérôme à de petits accès de jalousie.

— Mon idée que je pourrai pas y aller pantoute, songe celui-ci tout haut en crachant sur la pierre à affûter.

— Pourquoi?

— Les foins. Faut engranger avant la pluie.

— Je vais vous aider d'abord.

— Non. Non. Va avec lui. Ça te fait du bien, conclut Jérôme en promenant la pierre sur la lame.

Clovis l'observe, flatté par son attachement évident.

Marguerite, la femme d'Auguste, tend sa cruche à M. Gadouas, au bout de la rangée. Celui-ci y boit d'une manière si avide et dégoûtante que le reste des hommes échappe un soupir de mécontentement. Félix essuie le goulot avant de boire à son tour puis passe la cruche à Victor, et de Victor à Auguste, et d'Auguste à Jérôme, et de Jérôme à Clovis, et de Clovis à M. Turcotte, et de M. Turcotte à M. Tremblay, et de M. Tremblay à... mais où est Firmin? Là, à l'ombre de la charrette. Un brin de foin entre les dents. Le regard rivé à ce travail à accomplir. Impatient à relever le défi du labeur intransigeant.

— Veux-tu de l'eau? lui crie M. Tremblay.

— Si y en reste, répond Firmin sans prendre la peine de détacher les yeux du foin à faucher.

M. Tremblay pose la cruche par terre et dit simplement:

— Y en reste.

Alors, d'un pas lent et résigné, Firmin va se désaltérer.

Son regard tombe haineusement sur le dos cuivré de Clovis qui jase avec le rouquin, et il sent des frissons parcourir son échine sous sa combine de laine. Oui. Ce gars-là est vraiment possédé. Et cette peau foncée qu'il soumet aux rayons ardents du soleil prouve son habitude des flammes éternelles. Le démon habite ce gars-là. Clovis se retourne et pose sur lui ses yeux diaboliques. Firmin recule, baisse les paupières et retourne à sa place, effrayé et glacé d'horreur.

— On dirait que tu y fais peur, chuchote Jérôme dans l'oreille de Clovis.

— Il pense que je suis un démon.

— C'est parce que t'es noir comme le diable, explique Jérôme en collant son bras rousselé près de celui du métis.

— Parce que j'étais malade aussi. J'aime autant lui faire peur.

— Pourquoi?

— Il est bien trop fort et bien trop stupide.

Jérôme approuve d'un hochement sec et admire un bref instant l'allure générale de son ami. Voilà qu'il le dépasse déjà de quelques pouces et que ses jeunes épaules promettent un homme puissant. La teinte cuivrée de sa peau accentue le contour net de ses muscles pectoraux et de ses biceps affermis. Il l'envie bien un peu d'être doté d'un physique si parfait et se résigne à être plus petit, plus chétif et moins beau que l'être de feu qu'est Clovis. Car Clovis brille, Clovis surpasse, Clovis élimine. Tout semble s'éteindre autour de lui, tout semble perdre de l'éclat et de l'importance. Il a connu de tels paroxysmes de joie et de douleur, d'intelligence et de folie, de haine et d'amour, d'amitié et de solitude que la vie simple et bienheureuse qu'il mène lui apparaît un peu fade et ennuyeuse. C'est pourquoi il s'attache si fortement à Clovis et se permet de vivre à travers les tribulations de son ami ce que la vie lui refuse. Clovis devient son héros en quelque sorte. Un héros aux expériences duquel il peut participer en toute sécurité. Un héros qu'il peut aider, soigner, consoler par sa simple présence. Et ce héros daigne bien avoir besoin de lui.

Clovis offre maintenant son visage au soleil et ferme les yeux sous la brûlante caresse.

— Fais pas ça. Tu vas avoir mal à tête, conseille Jérôme.

— Jamais de la vie. C'est bon du soleil. Le docteur l'a dit. Il me semble que ça fait bien longtemps.

— Moé, quand j'me mets la fraise au soleil, je viens plein de taches de son. C'est assez laid!

— Moi, je brunis, c'est pas mieux.

— C'est parce que t'es...

Jérôme s'arrête. Intimidé.

— Un sauvage. Aie pas peur, Jérôme, je ferai pas de crise.

— Parlons pas de ça, veux-tu?

— O.K. Ça fait du bien du soleil.

Du soleil. De la lumière. De la chaleur. Partout dans sa vie, dans son cœur, sur sa peau. Partout du soleil en cascade sur sa sombre existence. Du soleil si fort, si clair, si chaud. Du soleil partout poussant ses rayons énergiques jusque dans son passé pour y évaporer les marais stagnants des mauvaises expériences. Du soleil à boire. A boire, mesdames. C'est du soleil qu'il lui faut. Du soleil à engranger. Là, dans sa peau d'Indien, là, dans sa mémoire, là, dans son âme. De la chaleur, de la présence. Ah! Quel beau moment de sa vie! Quel bel été! Qui donc lui éclipsait l'astre radieux? Quel nuage noir le lui masquait? Car c'était un nuage noir. Noir et oppressant. Noir comme la mort. Dressé entre lui et son soleil avec son ample soutane étendue comme des ailes de chauve-souris. Oui, c'était un nuage noir. Quel vent puissant a su le balayer hors de son existence? Bon débarras, le diable s'en va. Car c'était un diable lui aussi.

Clovis secoue la tête pour éviter des images troublantes et se rappelle vivement les souvenirs de pêche avec le médecin. Quelle joie, quelle paix, quelle assurance il a trouvées auprès de cet homme. Il a non seulement l'impression de guérir mais aussi celle de grandir sous sa protection. C'est vrai qu'avant, il était à l'ombre du presbytère et qu'un plant ne grandit pas à l'ombre. C'est vrai qu'avant, ses racines se desséchaient sur le plancher bien ciré d'Ernestine. C'est vrai qu'avant, Alcide l'écrasait entre l'enfer et la folie. Quel cauchemar!

— Le docteur en a pris une de trois livres au moins, dit alors Clovis pour chasser complètement ces pensées désagréables.

— Ouin?

— Je te dis. Il était content.

— Ça doit. Est-ce qu'y les mange au moins?

— Bien sûr. L'autre fois on a fait un feu et j'en ai cuit dans la glaise.

— Y a-tu aimé ça?

— Oui.

— Tu m'en as jamais cuit à moé dans glaise.

— J'ai jamais eu le temps, Jérôme.

— Je sais. Je sais.

Les hommes reprennent la faux. Marguerite longe la clôture avec sa cruche vide.

Flish! Flish! Flish! refont les lames dans le foin. Il séchera vite. Dans deux jours probablement, l'équipe se rendra sur la terre de M. Gadouas. Ce sera alors la maigre Éloïse qui viendra porter de l'eau. Entre les meules et l'engrangement, la semaine passera vite et dimanche arrivera bientôt. J'aimerais qu'il vienne, pense pour lui-même Clovis en balançant sa faux au rythme des hommes. Oui, il préfère la présence du médecin à celle de Jérôme. Que de mystères cet homme a éclaircis en jasant avec lui. Des mystères de vie et de mort. Des mystères de procréation et de naissance. Que d'ordre il a mis dans ses conceptions erronées. Oh oui! Il souhaite vivement sa venue. Peut-être entendra-t-il encore une fois: « MON protégé »? Peut-être lui fera-t-il cuire la truite dans la glaise.

Flish! Flish! Flish! poursuivent inlassablement les faux dans le foin odorant.

Flish! Flish! Flish! scandent les bras à l'unisson comme si un seul être, doté de nombreuses pattes, accomplissait la tâche. Même rythme, même pas, même but rallient les faucheurs. Qu'importe qu'un d'entre eux ait la peau cuivrée et des cheveux de jais! Qu'importe ses espoirs et sa paix retrouvés! Qu'importe la jalousie notoire de son ami! Qu'importe la peur de Firmin? Qu'importe les manières brusques de Gadouas! Pour le champ, seul compte le passage mortel de la faux qui le laisse rasé, dru et vide.

Être de chair, être de sang

Grande activité à la récente gare de Mont-Laurier. Attroupements familiaux et amicaux le long des rails, autour du voyageur nerveux, vérifiant sans cesse la poche où se trouve le ticket ou suivant anxieusement son périple d'une main à l'autre. Des jeunes filles bien endimanchées se promènent avec leur mère, ouvrant leur ombrelle de dentelle comme dans la grande ville de Montréal. Ces deux poutrelles de métal ne les joignent-elles pas à la civilisation? Leur cœur soupire près du cordon d'acier qui les relie à la ville mère, à la ville tout court, à tout ce qu'elles élaborent en rêve: maisons modernes, robes à la mode, calèche, éclairage au gaz, glacière dernier cri, cuisinière au gaz, théâtre, flâneries au parc Lafontaine, tramways électriques, églises, téléférique du Mont-Royal. Cité doublement merveilleuse qu'elles n'ont jamais visitée et qu'elles imaginent à la tenue chic des voyageurs de commerce et à leurs récits intarissables.

Beaucoup d'étudiants en cette fin d'août. Venus des villages avoisinants, avec leurs habits propres mais anciens, leur famille et leur gros coffre de linge. Derrière la gare, des chevaux fatigués et poussiéreux ramèneront les frères et sœurs plus excités qu'émus par le départ de leur aîné vers les collèges ou couvents.

— Si y voyait son chemin de fer, soliloque un ivrogne en se promenant sur les dormants.

— Faites attention, monsieur, le train arrive, lui crie Clovis.

Le vagabond pose sur lui ses yeux troubles d'alcoolique et, se cambrant dangereusement vers l'arrière, se met en frais de rendre hommage au curé Labelle.

Chou! Chou! avertit le train en roulant lourdement.

Alcide, excédé, saute du quai, empoigne l'homme par le coude et l'entraîne de l'autre côté. Le train passe lentement, le séparant de Clovis et du médecin.

— Merci, m'sieu l'curé; je l'avais pas vu, répète l'ivrogne en s'accrochant désagréablement à la soutane impeccable de son sauveteur.

— Tu ferais mieux d'arrêter de boire, dispute Alcide en se dégageant rudement.

— C'est pas de ma faute, m'sieu l'curé. J'ai perdu ma famille dans rivière. Le canot a versé, m'sieu l'curé. Ma femme pis mes trois gars se sont noyés. Y avait pas de chemin de fer dans le temps.

— Je sais. Je sais. C'est pas une raison pour boire comme tu le fais. Raisonne-toi un peu! gronde Alcide tout en longeant à grandes enjambées le train dans le but de le contourner par l'arrière.

Sa hâte l'humilie. Serait-il à sa façon un être de sang? Que cherche-t-il à recueillir encore de Clovis? Un regard? Un sourire? Un geste de la main? Ou plutôt une certitude de pardon? Sa soutane vole autour de lui. Qu'il est long ce train! Et stupide ce vagabond! Phss! Phss! souffle l'engin. Il a tant de choses encore à dire à Clovis. Tant de choses. Quelles choses? Que le frère Julien l'attendra à la gare Viger pour l'accompagner jusqu'au séminaire de Joliette? Cela fait au moins dix fois qu'il le lui répète. Non. Non. Ce n'est pas les choses à dire qui le poussent mais les gestes à espérer. Qui sait si le petit ne désire pas l'étreindre avant de se séparer de lui? Ou même lui serrer la main? Non, il ne le désire pas. Alcide ralentit son allure. Le petit le déteste. Alcide s'arrête et demeure immobile. (Seigneur Jésus, aidez-moi, priez pour moi, faites qu'il parvienne à me pardonner comme Vous, Vous m'avez pardonné. Je vous rends grâce, Seigneur, d'avoir choisi cet enfant et vous promets de le rendre digne du saint sacerdoce qu'il désire embrasser. Acceptez-le comme mon fils spirituel et daignez m'accorder vos grâces par son entremise. Je fais le sacrifice de ne pas le voir. Je resterai de ce côté. Seigneur. Je ne mérite pas d'être avec eux. Je ne mérite pas encore son pardon.)

Le prêtre enfonce ses poings dans ses poches et, tête basse, se rappelle ces matins où il guettait la sortie de Clovis. A chacun de ces matins, alors que le jeune adolescent fermait la porte de chez Honoré derrière lui et levait vers les fenêtres du presbytère son regard intransigeant, il se permettait de le saluer d'un geste amical. Mais Clovis le fixait un temps avant de lui tourner le dos et de se diriger vers l'école. Ah! Quel gâchis abominable! Quels dégâts il a causés dans l'âme de ce garçon! Quelle destruction il a opéré chez cet être qu'il aime. Qu'il aime? Oui, qu'il aime. Alcide fronce les sourcils. Combien d'années lui a-t-il fallu avant de comprendre qu'il aimait Clovis? Jusqu'où lui a-t-il fallu peiner? Jusqu'ici. Jusqu'à ce quai. Jusqu'à ce miséreux qui a permis au train de se glisser entre eux. Oui. Jusqu'ici pour admettre qu'il est aussi un être de sang. Il enfonce tant ses poings dans ses poches qu'il sent la soutane tirer sur ses épaules. Il lève son visage vers le ciel très bleu et prie tout bas. « Je vous offre, Seigneur, cet enfant. Il deviendra Votre prêtre. »

Perplexe, le robineux revient vers lui. Avec ses cheveux argentés tranchant sur sa peau basanée et ses lèvres qui remuent tristement, le curé a l'air d'une figure d'apôtre en adoration.

— M'sieu l'curé, vous avez le temps, je pense: faites le tour par en arrière.

— Qu'est-ce que vous faites là, vous?

— Ben. Vous étiez pas avec quelqu'un de l'autre bord?

Alcide hésite.

— Non.

— Ah! Pardon. Je pensais. Si vous êtes tu seul comme moé, aussi ben rester icitte. C'est moins dangereux pour les accidents. Si j'avais eu ça dans mon temps, je serais de l'autre bord. P'tête que moé si, j'enverrais mon aîné faire un prêtre.

Clopin-clopant, chancelant et titubant, le robineux s'éloigne. Il ne va nulle part. N'habite nulle part et n'attend personne. Alcide l'accompagne d'un regard charitable. L'image de cet homme ruiné n'est-elle pas l'image de sa propre âme?

— Je t'écrirai, dit le médecin en passant nerveusement son doigt sur le coffre de cèdre fabriqué par Honoré.

— J'aimerais ça.

— Au début, tu vas te sentir un peu perdu. Surtout après l'année que tu viens de passer chez Honoré.

— Est-ce que je vais avoir des crises?

— Non. Non. C'est fini tout ça, mon garçon, rassure Philippe en posant sa main sur l'épaule déjà solide de Clovis.

Involontairement, il sent une vague de fierté déferler sur lui devant le développement spectaculaire de son fils et sa guérison miraculeuse. Car Clovis est grand pour son âge, bien charpenté et harmonieux. Les traits de son visage ont perdu leur allure de jeune ange pour adopter celle d'un jeune guerrier au menton volontaire.

— Comme tu as grandi!

— C'est à cause de Rose-Lilas: elle faisait si bien à manger. Elle va me manquer.

— Oui. Je sais. Et Honoré aussi, sans doute.

— Oui. Ils vont me manquer. Rose-Lilas pleurait. Ça m'a fait beaucoup de peine de les quitter. Vous me donnerez de ses nouvelles, docteur, parce qu'elle ne sait pas écrire, demande Clovis en touchant le coffre à son tour.

Le doux toucher du bois ravive péniblement l'image de Rose-Lilas mordillant ses lèvres pour ne pas pleurer, et celle d'Honoré lissant nerveusement sa moustache. Cela avait été difficile de les quitter et de quitter la petite maison où il avait été tellement comblé et aimé. Heureusement qu'Honoré l'avait aidé une fois de plus en lui rappelant que Gros-Ours et Biche Pensive étaient fiers de lui. Cela lui avait donné le courage d'embrasser les joues mouillées de Rose-Lilas et d'accepter son sac de beignes sans flancher dans sa décision. Pauvre femme! Elle l'avait couvé jusqu'au perron de la maison et le retenait inconsciemment dans ses beaux bras potelés. « Bon, laisse-lé partir, Rose-Lilas. Y va être en retard », grommelait Honoré en se donnant des airs d'insensible.

— J'ai failli leur dire, avoue soudain Clovis en serrant contre lui le sac de beignes.

— Leur dire quoi?

— Ben, la vérité, explique l'adolescent en regardant le médecin droit dans les yeux.

— L'as-tu dit?

— Non.

— Alors, tiens bien ta langue, mon garçon. Toute vérité n'est pas bonne à dire.

— Même à Honoré?

— Oui. C'est un secret entre toi et moi. Juste entre toi et moi, c'est compris?

— Oui, docteur.

Ce secret s'alourdit de plus en plus dans l'âme de Clovis et commence à prendre la teinte d'un péché. L'odieux mensonge par lequel il a réussi à faire payer ses études le scandalise et le déçoit. Pour la centième fois, il se renseigne:

— Y avait pas d'autre moyen, han docteur?

— Non. Pas d'autre. Tu n'es pas le premier à faire ça. Et toi, tu mérites bien qu'on fasse ça pour toi. Lorsque tu auras fini ton cours classique, je trouverai moyen de t'aider pour ta médecine.

Un sourire timide et rêveur erre un instant sur les lèvres de Clovis.

— C'est mieux qu'à Longue-Pointe, constate-t-il alors d'un ton moqueur.

— Pas mal mieux, renchérit Philippe en lui donnant une claque sur l'épaule.

Un nègre s'empare du coffre et le place sur un chariot de métal avec les autres. Clovis voit pendre une étiquette avec le nom d'Hercule Thibodeau et l'aperçoit enfin, larmoyant dans le mouchoir de sa mère. Clovis juge son attitude enfantine. Il bombe légèrement le torse et d'un mouvement sec de la tête ramène la couette de cheveux qui glisse immanquablement sur son front. Cela fait si longtemps qu'il ne s'est senti supérieur à quelqu'un! Cela fait exactement quatorze mois, c'est-à-dire depuis ce matin de juin où il venait pour sonner la cloche de mademoiselle Mathilde. Mais aujourd'hui, tout le chaos qu'a surmonté son âme l'a aguerri et renforcé. Son regard se porte sur le médecin avec une telle confiance, une telle reconnaissance que Philippe se prend à rougir et lui tend aussitôt la main.

— Bonne chance, mon garçon. Bonne chance. Ça ira bien, tu verras.

— Ne vous inquiétez pas, docteur.

« En voiture! En voiture! » Branlement du train. Pshh! Pshh! Pshh!

— Vous aussi, vous allez me manquer, docteur.

— Ça passera vite, tu verras. Dix mois. Ce n'est rien ça, hein?

— C'est presque un an.

Le train part lentement.

— Vite. Tu vas le manquer.

D'un bond agile, l'adolescent se retrouve sur le marche-pied et agite longuement la main. Et longuement l'homme s'attache à cette jeune silhouette qui ne cesse de le saluer. « Bonne chance, mon fils. Bonne chance », souhaite-t-il fermement.

Voilà à nouveau le train qui n'est plus qu'un petit point noir là où les rails semblent se rencontrer. Voilà à nouveau son cœur qui se recroqueville un peu. Mais une présence le distrait de ses pensées et Philippe tourne vivement la tête vers la gauche pour y apercevoir Alcide, fixant ce même point où les rails semblent se rencontrer. Mais les rails ne se rencontrent pas et ne se rencontreront jamais. Seul les espoirs des deux hommes se fondent sur la même tête. D'un côté l'esprit, de l'autre, la chair. D'un côté, le fils spirituel, de l'autre, le fils réel. Et d'un côté comme de l'autre, la ruse fut employée pour arriver aux fins désirées.

Les deux hommes se dévisagent puis s'en retournent à pas lents, l'un vers son presbytère, l'autre vers son cabinet.

Chou! Chou! Le train du Nord perd le nord. Peu à peu, perd le nord! Vers Montréal, la gare Viger et le transport pour Joliette.

Chou! Chou! Le train du Nord file sur ses rails qui ne se rencontreront jamais.

Le bâtard

Sept ans, calcule Clovis, sept ans déjà. Comme c'est beau dehors.

Il regarde attentivement les labours, les rigoles, le grand ciel terne parcouru d'oiseaux migrateurs, l'herbe d'un jaune maladif, les clôtures grises, les fermes, la ligne des montagnes au loin, les glaces noires et rongées sur les eaux.

— La glace va partir bientôt, dit-il à son compagnon.

Celui-ci hausse les épaules et s'enfouit davantage dans sa lecture.

— Lâche ton livre, Hercule; regarde dehors comme c'est beau.

— J'ai dé... déjà vu ça.

— C'est vrai. C'est pas tes premières vacances. Moi, ça fait sept ans. Tu comprends? Sept ans. J'ai l'impression de sortir de prison.

— Si les pè... pères t'entendaient! ajoute Hercule d'un ton offusqué.

Il mouille son index pour tourner une mince petite page de prières qui s'empilera dans le gouffre de l'éternité.

Clovis appuie son front contre la fenêtre et se laisse bercer par le train. Tchiquetac! Tchiquetac! S'il n'aimait pas tant observer la nature, il s'endormirait ainsi, le front sur la vitre froide. Ah! Voilà une petite fille s'amusant avec un chien mouillé. Qu'elle a l'air pauvre! Et triste. Sans doute qu'elle aura mal à la gorge ce soir. Comment la soignerait-il? La médecine! Bon Dieu qu'il a hâte de faire sa médecine! Hâte de retrouver ses amis, hâte de retrouver le village, Honoré, Rose-Lilas et Jérôme, hâte de converser enfin avec l'instigateur de la duperie: le docteur Lafresnière. Hâte de lui raconter vraiment tout ce qu'il ressent et tout ce qu'il redoute. Car comment pouvait-il se confier à travers des lettres qui étaient lues et même corrigées par la direction? Et que pouvait-il apprendre par les lettres décachetées qui lui parvenaient? Rien. Sinon que ceux qu'il connaissait vivaient encore et se portaient bien. Il échappe un gros soupir qui se transforme en buée sur la vitre. Maladroitement, il dessine une fleur. Quelle piètre allure elle a près des fleurs de la porte givrée. Il sourit. Pour lui tout seul. Pour ce petit Indien intrigué.

Sept ans! Dix mois avait dit le médecin. Il n'avait pas calculé que cette gratuité scolaire devait se payer d'une manière ou d'une autre et que les pères avaient décidé de l'engager comme homme à tout faire durant les mois d'été. Cela lui importait peu et même, tout compte fait, le soulageait du fardeau de son mensonge. Fardeau dont il devra se défaire l'année prochaine lors de la prise de rubans. Il mordille sa lèvre, appréhendant déjà ce moment terrible où il devra prononcer, à haute voix, son choix pour une profession libérale devant tous ses supérieurs. Il imagine leur indignation et leur juste colère, les épithètes d'hypocrite et de profiteur sortir de leur bouche et leur regard scandalisé le déshabiller, le fouetter et l'isoler du reste des étudiants. Comme un lépreux. Bon Dieu! Qu'il a hâte d'en parler au docteur Lafresnière. Hâte de se sentir soutenu dans l'épreuve. De se sentir approuvé, encouragé. C'est d'ailleurs pour cette raison qu'il a insisté pour obtenir de vraies vacances, prétextant qu'il ne se sentait pas bien. Il avait besoin de faire le point, de voir d'autres horizons, de se détacher de cette vie routinière et hypnotique, de retrouver la solitude. La vraie sous les grands arbres verts ou près des ruisseaux gazouillants. La vraie solitude engendrant la vraie pensée et non pas cette solitude parmi les multitudes. Cette solitude étouffante et impersonnelle d'étudiant. Quand donc a-t-il été seul au Séminaire? Aux toilettes. Nouveau sourire. Là, il était vraiment seul mais pas pour longtemps car on frappait toujours à la porte. L'un était pressé, l'autre malade, l'autre nauséeux. Donc, il était toujours un parmi les autres. Avec son mensonge, avec sa honte, avec ses chagrins, avec ses joies. Oh! Oui. Ses joies! Il se souvient de sa première lettre. Le directeur la lui avait remise dans son bureau et il avait tenté de la lire durant l'étude du soir. Mais il était si excité à la vue de la signature que les mots dansaient devant ses yeux. Après trois lectures, il a commencé à saisir le sens de l'écrit. Le médecin ne lui disait pas grand-chose: c'était juste une façon de se rappeler à lui. Ah! Ces lettres! Il les avait toutes gardées au fond de son coffre de cèdre et en connaissait aujourd'hui le contenu par cœur pour les avoir lues et relues durant ses heures de congé. Oui. Ses heures de congé car il ne lui restait que des heures entre les messes, les vêpres, les offices, les études, les cours, la lecture au réfectoire des prêtres et les corvées. Que fera-t-il alors de toutes ces journées de vacances?

— Aimes-tu pêcher? demande-t-il à son compagnon.

— Hein?

Froissement de la page de soie qui s'empile dans l'éternité.

Ah oui! Il ira à la pêche, aux framboises, aux foins. Il travaillera le bois avec Honoré et aidera Rose-Lilas dans son jardin. Il se récitera les fables de La Fontaine sous son merisier et nagera tout nu dans l'eau. Oui. Tout nu dans l'eau comme lorsqu'il était jeune. De cette façon il oubliera vite l'horaire rigide implanté dans son corps et son cerveau. Cinq heures vingt! Deling! Deling! Lever. Benedicamus Domino. Toilette du matin. Pot de fer blanc dans la planchette trouée. Silence endormi. Gestes gauches. Rasage imparfait des barbus. Cinq heures quarante: méditation avec le directeur. Six heures et quart: première étude. Sept heures: la messe. Puis déjeuner, cours, récréation, cours, dîner, cours, récréation, cours, récréation, souper, étude du soir, prière du soir. Cinq heures vingt: Deling! Deling! Benedicamus Domino. Dortoir, chapelle, réfectoire, salle d'étude, dortoir, chapelle, réfectoire, salle d'étude, dortoir. Dortoir: longues rangées de lit de fer cernées par les cellules de draps des pères surveillants. Ronflements, rêves, cris, pleurs, rires et grincements de dents animent la nuit froide sous les draps glacés. Insomnie cachée par l'immobilité. Envie retenue le plus longtemps possible.

— Eille! On approche de la ville. Regarde Hercule. Regarde au loin.

— Voyons Clo... Clovis! C'est Mon... Montréal, t'as jamais vu... Montréal?

— Oh! Oui. A l'âge de treize ans. J'en ai vingt aujourd'hui, mon cher Hercule. Et dois-je te rappeler que ce sont mes premières vacances?

— Ah oui! C'est vrai... vrai, monsieur sort de... de pri... prison.

— C'est vrai, vrai.

— Mo... moque-toi pas... pas de moi! riposte Hercule en claquant furieusement son livre.

— Bon. C'est ce qu'il fallait pour t'arracher à tes prières. Que feras-tu au village?

— J'aiderai mon... mon père.

— Aimes-tu ça?

— Non. Toi, que... que feras-tu?

— Je ferai un tas d'affaires! Pêcher, jardiner, me baigner.

— T'es... t'es ma... malade!

— Quoi?

— Toi! Un no... novice?

— Je n'ai pas prononcé de vœux à ce que je sache.

— Ça... ça viendra.

Hercule soupire à son tour devant ce rêve réalisable. Ne fera-t-il pas bientôt partie de la milice sacrée? Lui, le bégayeux, le fils de forgeron, le laborieux. Il s'agite soudain sur son banc puis pose sur Clovis des yeux pleins d'admiration.

— Di... dire que c'est toi qui... qui lisais au ré... réfectoire. Com... comment c'était?

Pour la centième fois, Clovis raconte le déroulement de la lecture au réfectoire des prêtres, pimentant son récit de la gourmandise du père Untel, de l'éructation du père Chose et de l'étouffement du père Machin. Son interlocuteur écoute d'un air ravi et béat, applaudissant presque et hochant vivement de la tête, le pressant à poursuivre quitte à inventer des anecdotes. Cette attitude soumise attire la pitié de Clovis face à ce compagnon qui patauge dans son sillage, tentant vainement d'attirer l'attention de ses supérieurs en prétendant être l'ami du plus brillant séminariste de philo I. Car c'est ce qu'il est devenu. Et c'est ce qu'il a hâte d'annoncer au docteur Lafresnière.

Le train laisse les champs, entre en ville, s'arrête à la gare Viger. Hercule sort aussitôt l'adresse du père Julien de sa poche tandis que Clovis examine tout autour de lui avec des yeux neufs et amusés. Une dame passe et le regarde drôlement. Il lui sourit. Elle répond et détourne la tête avec un charme indescriptible. Hercule pousse rudement Clovis.

— C'est une fa... femme.

— Je vois ça.

— Elle... te... te fait de l'œil.

— A moi?

— T'es plus un... un enfant de... de.... de chœur, mon vieux.

Ma foi, c'est vrai. Il a vingt ans et l'air de plaire aux dames. Elle détourne encore la tête et cligne un œil. Clovis rougit.

— T'as raison. Viens-t'en Hercule.

Il s'éloigne d'un pas souple et rapide de félin. Hercule le suit de ses pas courts, limités par une soutane invisible.

— J'aimerais avoir des sous.

— Pour... pourquoi?

— Pour visiter la ville. Il y a des belles choses ici.

— Es-tu fou? Tu... tu viens juste d'échapper au dan... danger que tu veux te je... jeter dans la gueule du loup!

— Il y a des belles églises: ça coûte rien de les visiter. T'as entendu parler de l'église Notre-Dame?

— Non. Toi?

— Oui. Le docteur m'en a parlé. Paraît que c'est plein de dorures et qu'on a une vue du ciel en haut de l'autel et...

— Non! On va chez... chez le père Ju... Julien. Tout de suite! J'ai pas... pas envie de m'écarter. Vas... vas-y si tu veux.

— O.K., je te suis. On y va chez ton père Julien. Demain, on prendra le train du curé Labelle et on n'aura jamais plus la chance de visiter la ville.

— Ville mau... maudite, cau... cause de péchés! bougonne Hercule.

Clovis le suit, les mains dans les poches, l'œil curieux et assoiffé, cherchant à reconnaître parmi les édifices l'Université

464

de Montréal. Son cœur bat fort. Trop fort. Tant il a peur et envie de la voir.

Le train s'ébranle et quitte la gare Viger. Avec un soupir de soulagement, Judith abandonne l'austère et rigide mère Sainte-Antonia, maintenant silhouette noire et solitaire venue l'accompagner pour la bienséance et le renom du couvent.

Elle appuie la tête sur la banquette, ferme les yeux et prend une grande respiration. Une respiration qu'elle n'a pas osé prendre depuis des semaines et des mois. Sans s'en rendre compte, un sourire danse sur ses jolies lèvres. Qu'il fait bon de quitter le couvent! Surtout en permission spéciale. Et surtout lorsque cette permission spéciale se rapporte aux noces de Léonnie. Les noces de Léonnie. Cela fait si longtemps qu'elle y pense. Qu'elle y rêve. Comme elle craignait de manquer cet événement unique. Car les noces de Léonnie seront un événement unique. Premièrement parce que Léonnie demeure sa sœur préférée, sa confidente, son amie; deuxièmement parce qu'elle épouse un homme qu'elle a toujours aimé, bouleversant encore une fois toutes les conventions établies. Conventions qui exigent que la femme soit plus jeune et soumise. Léonnie, jeune? A vingt-sept ans, cela fait longtemps qu'elle est considérée comme vieille fille. Même elle, qui n'en a que vingt et un, se range déjà dans cette catégorie. Et soumise? Léonnie, soumise? Il y a de quoi faire rire et sourire. Et pourtant, le mariage qu'elle contracte lui apparaît un des mieux équilibrés. En effet, Jérôme a de tout temps présenté les qualités complémentaires à ce caractère de femme unique. De tout temps, il a eu besoin de Léonnie comme elle a eu besoin de lui pour s'affermir et se réaliser. Et voilà qu'ils uniront finalement ces deux vies destinées l'une à l'autre depuis la plus tendre enfance. Cela fait rêver. Et leur projet de ferme d'élevage achève d'é-blouir l'âme romanesque de Judith. En effet, à sa majorité, Léonnie avait demandé que son père lui fasse don d'une jument de travail. Ce qu'elle obtint. Elle fit accoupler la bête et com-mença ainsi son petit élevage, ayant pour résultat actuel cinq juments dont quatre en âge de croisement et trois poulains vendus. Ce troupeau encombrant ne demandait plus qu'une terre à pâturage et une écurie convenable, ce que, de son côté, Jérôme avait obtenu par son travail acharné. Y avait-il eu un arrangement secret entre les deux jeunes gens? Une organi-sation quelconque de leurs existences? C'est ce que prétendent aujourd'hui les mauvaises langues mais Judith croit qu'ils ont simplement suivi les voies dictées par leurs goûts et leurs affinités et que ces voies les ont invariablement menés l'un vers l'autre. Quel beau mariage!

L'arrêt du train lui fait ouvrir les yeux. Elle regarde le quai presque désert du Sault-au-Récollet avec une impatience fébrile. C'est comme si elle ne pouvait plus s'abandonner librement à ses pensées. Une secousse encore et c'est reparti. Où en était-elle donc? Ah! Oui. Ce beau mariage d'amour. Le petit rouquin devenu homme, la grande fille déguingandée devenue femme. Un personnage s'ajoute à ces deux êtres. Comment penser au petit rouquin sans penser à son inséparable compagnon aux yeux noirs? C'est dommage qu'il se soit retiré de la vie des profanes, songe Judith avec nostalgie. Peut-être y aurait-il eu mariage double: Léonnie et Jérôme, Judith et Clovis. Clovis! Ce nom la meurtrit. Elle l'a prononcé tant de fois dans sa jeunesse révoltée. Elle a tant de fois lu et relu les lettres envoyées à son père en espérant y déceler une pensée pour elle. Elle a tant de fois revécu les jeux d'enfants où se mêlaient joie coupable, jouissance inconnue et désirs informes. Elle a tant de fois vidé son cœur de ce nom sur l'épaule forte de Léonnie qui lui répétait doucement: « Il appartient à l'Église; c'est son choix. »

Judith mordille sa lèvre inférieure au souvenir de ce cuisant échec. Clovis ne lui a-t-il pas préféré cette sainte mère l'Église? A l'or de ses cheveux n'a-t-il par préféré l'or du calice? A son image de femme n'a-t-il pas préféré cette image de Vierge pure? Que peut-il rester d'une femme dans le cerveau d'un séminariste? La honte envahit la jeune fille. Elle se sent impudique, souillée, péché et cause de péché, tentation et faiblesse de la chair. Elle se sent punie de tous les crimes par le sang des menstruations et la douleur de l'enfantement. Quel être abject que la femme! Quelle dégradation que d'être femme! Pourquoi est-elle une femme? Pourquoi Léonnie est-elle une femme? Il lui semble qu'elles méritaient d'être des hommes. L'une pour son courage et l'autre pour son désir d'être acceptée de Clovis. Folie! Un peu de sang coule dans sa bouche. Elle mordille sa joue de l'intérieur, en se rappelant les divagations de sa mère. Devenue diabétique, celle-ci passait des heures à soliloquer devant la fenêtre du salon et répétait souvent: « Je n'ai pas pu te donner un garçon. Je t'ai donné rien que des filles. Rien que des filles. Pardonne-moi, rien que des filles. » Et ce rien que des filles, c'était elle, c'était Marie déjà mère de deux enfants, c'était Léonnie, c'était Marguerite, mère de sept enfants, c'était Jeanne, mère de huit enfants, et c'était Mathilde. Mathilde, la stérile, la froide, la logique. Mathilde, toujours au côté de son père, usurpant les droits de la mère en dictant les lignes de conduite à ses sœurs. Lignes fidèlement adoptées par toutes sauf par Léonnie et Judith. De la broderie obligatoire des nappes de noces à la gestation permanente, rien n'avait osé saper son autorité si ce n'est la franche rébellion de Léonnie et la poursuite de ses études à l'école normale. Quelle scène Mathilde avait faite en apprenant que la benjamine se destinait également à l'enseignement et au célibat! Une scène de froids et silencieux reproches, de repliement caractérisé par une distraction vague et un manque d'enthousiasme flagrant. Il avait même fallu que son père lui parle en tête à tête pour la convaincre qu'on ne violait pas ses droits. Malgré tout, elle avait insisté pour poursuivre des études en soins hospitaliers, préférant laisser sa place à sa petite sœur. Générosité tout à fait superflue puisque deux religieuses devaient combler son poste à la nouvelle école du village, tandis qu'on lui laisserait la petite école ouverte dans le rang des Gadouas.

Son père, sachant tout cela, avait quand même cédé aux caprices de son aînée. D'ailleurs, il cédait facilement devant les volontés bien arrêtées de ses filles.

Le souvenir de cet homme ramène un sourire sur les jolies lèvres. Lui au moins, il ne leur fait pas sentir leur infériorité. Il les a toutes traitées comme de petites reines et elles se sont toutes senties de vraies petites reines en sa compagnie. Dommage qu'il y ait eu des femmes pour lui apprendre qu'elle n'était qu'une femme. Des femmes comme sa mère. Comme Mathilde. Comme les religieuses. Comme la sainte mère l'Église.

— Ju... Judith? bégaie une voix timide.

Elle lève les yeux et aperçoit Hercule Thibodeau, debout devant elle, accompagné d'un trop beau jeune homme qu'elle reconnaît. Il lui sourit et ses yeux très noirs brillent de joie.

— Clovis? murmure-t-elle avec une crainte non dissimulée.

— Oui. C'est moi. Je t'ai reconnue quand tu es entrée, tantôt. Mais tu ne nous a pas vus, je pense. Nous étions derrière.

— Non. Je ne vous ai pas vus.

— Est-ce qu'on peut s'asseoir?

— Bien sûr. C'est libre, dit-elle en désignant la place près d'elle.

Clovis la comble aussitôt sous les yeux ahuris d'Hercule. Celui-ci prend place face à son compagnon et sort son livre de prières.

— Vous êtes en vacances? demande Judith sans oser regarder près d'elle.

— Oui. Et toi?

— En congé spécial seulement.

— Ah? On peut savoir pourquoi?

— Léonnie se marie.

— Léonnie! Pas vrai! Quand?

— Demain.

— Avec qui?

— Devine.

— Jérôme?

— Oui.

— J'avais peur que ce soit avec quelqu'un d'autre. Ils se sont toujours aimés ces deux-là.

— Hum! Hum! gronde Hercule en levant les yeux du décompte de ses indulgences.

— Retourne à tes prières, conseille Clovis en rabaissant le chapeau du séminariste.

C'est alors que Judith s'aventure à le regarder. Au même moment, il se retourne vers elle et leurs regards se croisent. Elle retrouve aussitôt l'expression troublante des diamants noirs, les pommettes saillantes et la forme légèrement bridée des yeux. Elle retrouve les longs cils noirs, le nez fin, le menton décidé et les lèvres fermes sur les dents blanches. Une sombre mèche de cheveux barre son front très noble. Lui aussi l'examine. Admiration et plaisir se lisent facilement sur son visage.

— Tu n'as pas changé, dit-il avec un sourire enjôleur.

— Toi non plus, répond-elle en espérant follement que l'intérieur n'ait pas eu à subir de plus radicales transformations que l'extérieur.

Le train s'arrête. Beaucoup de gens descendent. Un nègre se promène sur le quai dans son habit de contrôleur.

— C'est Saint-Jérôme? demande Clovis, curieux.

— Oui.

Il s'étire le cou et se penche un peu vers la fenêtre. Ses épaules pressent Judith. Elle rougit et ressent un chatouillement bizarre dans son ventre.

— Ce sont mes premières vacances, explique Clovis en buvant avidement tout ce que le quai de Saint-Jérôme lui permet de deviner de la ville.

— Ça fait sept ans, répond-elle.

— Oui. Sept ans. Ça fait longtemps. Très longtemps.

Et les yeux surexcités de Clovis se posent à nouveau sur elle, se calment et la réchauffent doucement d'une muette adoration. Elle se presse elle-même contre les épaules pour voir jusqu'où ira le jeu secret des aveux. Il sourit et pousse à son tour.

— Hum! Hum! gronde encore Hercule.

— Quoi?

— C'est pas... pas des bonnes ma... manières, Clo... Clovis. Ta place est ici, en fa... face de ma... mademoiselle.

— Très bien, admet Clovis en se levant et en s'assoyant face à Judith, prenant soin de toucher ses genoux avec les siens.

Elle demeure saisie un court instant par cette audace et, voyant Hercule juger la position plus convenable, deux fossettes se creusent dans ses joues. Un sourire complice grandit sur le visage de Clovis tandis qu'il joue discrètement des genoux sous l'œil vigilant d'Hercule.

Il retrouve cet état bienheureux de ses jeux d'enfant, lorsqu'à l'ombre de son merisier il taquinait amicalement la petite fille aux cheveux dorés. Ses fossettes, son rire étouffé, le balancement de ses tresses lui reviennent vite en mémoire. Que c'était doux! Doux comme le velours d'une pêche et doux comme sa joue.

Elle l'examine curieusement. Il sent son regard l'analyser des pieds à la tête et il ne peut clairement identifier l'expression de Judith qui s'apparente à celle de la femme à la gare Viger. Est-ce de l'admiration? Du désir? Pourquoi son confesseur l'avait-il mis en garde contre le danger de sa propre beauté? Craignait-il qu'une femme puisse le détourner d'une vocation qu'il n'avait pas? Oui, c'est ce que craignaient les pères et c'est contre quoi ils le mettaient souvent en garde: « La femme, occasion de péchés. » Mais lui, ces paroles ne l'avaient ni marqué ni même intéressé; il était trop possédé par son rêve de médecine pour s'attarder à ces tentations hors de sa portée. Les seules femmes qu'il a vues et entrevues durant ses sept dernières années se limitent à la cuisinière, aux femmes de lessive et à quelques vieilles et laides religieuses. C'était tout ce que la réalité lui avait offert. Et lorsqu'il pigeait dans son passé, l'image vague et lointaine de sa mère le désolait plus qu'elle ne le consolait. Subsistaient à peine quelques bribes de cet être cher: les longues tresses, la voix douce, la délicatesse de ses traits, la chaleur de ses mains et la jupe de daim qui frôlait les raquettes. Ensuite, il y avait mademoiselle Mathilde, si belle et si bien, Rose-Lilas, grasse et affectueuse, avec son plateau de beignes, Léonnie, la comique au cœur tendre, et Judith, la merveilleuse créature assise près de lui à la petite école. Et jamais il ne s'était arrêté à penser que cette petite fille mûrissait lentement en une si jolie femme. Il se sent encore un petit garçon près d'elle qui n'est plus une petite fille, et n'a pas la capacité de la regarder de la manière dont elle le regarde. Alors il sourit et pousse encore son genou. Mais elle retire le sien. Désarmé, il attend. Vsh! fait la soie d'une page de prières dans le silence gênant.

— Tu achèves tes études? demande-t-il timidement.

— C'est ma dernière année.

— Après, tu enseigneras au village?

— Pas au village. Dans le rang à Gadouas.

— Tu vas te marier, toi aussi?

— L'enseignement exige le célibat.

— Comme ça, tu n'as pas de cavalier.

— Non, mais j'en ai déjà eu un, ajoute-t-elle pour démontrer qu'elle renonce volontairement au mariage et ne subit pas son célibat parce que personne ne voulait d'elle.

— Est-ce que je le connais?

— Oui. C'était Olivier Levers.

— Ah! fait-il, déçu.

— Il s'est passé tant de choses pendant mon absence, explique-t-il.

En effet, pense Judith en repliant bien soigneusement ses jambes sous la banquette. Quoi donc! Elle se laisserait ouvrir le cœur à nouveau par ce garçon destiné à la prêtrise! Elle tomberait dans le piège des rêves et des espoirs pour se retrouver, quelque temps après, seule, coupable et blessée! Non merci pour elle. La voilà furieuse de constater l'inconscience et la frivolité de Clovis. Pour qui la prend-il donc? Une fille facile, à qui il peut tripoter les genoux pendant ses vacances et qu'il abandonnera pour se réfugier dans les nippes noires de la sainte mère l'Église? Et pour qui se prend-il donc, lui, pour se permettre ainsi le sacrifice de son cœur à elle? Elle le trouve diabolique. Tout simplement diabolique. Qu'elle aimerait le blesser tout à coup. Le gifler. Le punir de l'attachement qu'elle éprouve déjà envers lui. Ah! Si Hercule n'était pas là, elle lui dirait froidement qu'elle a déjà embrassé Olivier Levers. Et sur les lèvres à part ça. Mais Hercule est là. Son regard se porte sur l'homme absorbé dans le petit livre des comptes éternels. « Cent jours, une fois le jour, quand on le récite matin et soir. » Elle remarque son front court, ses sourcils fournis qui se rejoignent sur le nez huileux et grisâtre, les lèvres épaisses qui remuent sans cesse, les doigts carrés et trop forts agrippés au missel, la charpente solide et osseuse d'un laboureur, mal servie par son costume de séminariste. Quel contraste avec le corps harmonieux de son compagnon. Un corps aux muscles souples et équilibrés, capable d'inspirer la puissance, la vitesse et l'agilité. Il est grand temps que je le remette carrément à sa place, pense-t-elle avec un brin de colère.

— Il ne vous reste qu'une année, je crois, avant votre théologie? demande-t-elle volontairement à Hercule d'un ton intéressé.

Flatté, celui-ci ferme aussitôt son livre sur un gain total de trois mille deux cents jours d'indulgences et répond:

— Hélas oui, mademoiselle Lafresnière.

— Vous avez hâte?

— Hâte! Ce n'est pas... pas le mot.

— Votre maman va être fière de vous. Elle va bien?

— Oh oui! Très... très bien. Dans ses lettres, elle ne... he sa lasse pas... pas de me ré... ré... de me répéter sa joie d'avoir un... un prêtre dans la fa... famille.

— Elle a de quoi être fière.

— J'imagine. Vos parents aussi.

Le train ralentit. S'arrête. Sainte-Agathe, lit Clovis sur l'écriteau. Le train repart et lui donne soudain l'impression de reculer. Il regarde de gros nuages gris s'enfuir de lui en écoutant la conversation inutile et polie. Quelques gouttes de pluie zèbrent la vitre poussiéreuse.

— Il va pleuvoir toute la journée, dit-il sans être entendu tant le babillage de ses voisins va bon train.

Il risque un regard sur Judith et demeure vexé par l'intérêt qu'elle porte à Hercule. Depuis quand les nouvelles de Mme Thibodeau la ravissent à ce point? Il retourne au paysage avec cette sensation désagréable de s'enfoncer vers Mont-Laurier.

Saint-Faustin! Ralentissement, arrêt, départ. Impression morbide de régresser. D'être isolé. Rejeté. La conversation sur les familles de ces enfants légitimes creuse un fossé autour de Clovis. N'est-il pas un bâtard et ne retourne-t-il pas vers ce bâtard épileptique? Vers cet enfant du mal, sauvage et possédé? Une pression détestable l'étouffe et émiette la joie si sincère et fragile qu'il ressentait en prenant le train pour son village. Il croyait ces différences absorbées par le temps et souffre, aujourd'hui, de les voir de plus en plus marquantes et omniprésentes. Là-bas, au collège, jamais on ne le traitait de bâtard, de sauvage ou de fou. Pas même Hercule. Surtout pas Hercule qui rampait littéralement à ses pieds, dans ce domaine où il n'était qu'une figure terne, grossière et inapte. Là-bas, au collège, il se sentait supérieur à tous, puisqu'il était premier en tout. Les pères le chérissaient et lui confiaient maints postes enviés. Mais que sera-t-il au village? Qu'est-il déjà au fur et à mesure qu'il s'éloigne du collège?

— Saint-Jovite! s'exclame Judith. Mon père me disait avoir couché ici, chez M. Petit Léonard, lorsqu'il est monté pour la première fois.

— Mon pè... mon père à moi... est mon... monté bien a... avant le vô... le vôtre. Il a fa... fallu passer par... passer par... par Buckingham.

— Il n'y avait pas de chemin de fer dans ce temps-là. Le curé Labelle a vraiment réalisé de grandes choses.

Et son père à lui? Où est-il son père à lui? Qui est-il? Depuis que le médecin lui a expliqué les mystères de la vie, il sait être issu d'un homme et d'une femme. Il sait également que sa mère a porté seule le fardeau d'un péché commis avec un homme. Il sait que cet homme les a abandonnés. Et il retrouve facilement la haine qu'il nourrit envers cet inconnu qu'il accuse de lâcheté. Et cet inconnu, il croit le démasquer en la personne de Sam. Oui. Ce doit être lui son père puisqu'il habitait les bois et venait souvent à la maison. Puisqu'il habite encore leur cabane et se sert de leur carabine. Oui. Ce doit être Sam, son père. Pourquoi n'a-t-il donc pas épousé sa mère? Pourquoi ne lui a-t-il pas épargné cette tare?

Labelle. Il pleut à verse. Clovis s'attarde à l'employé qui

pousse son chariot de bagages. Puis aux gens qui attendent quelqu'un. Et aux gens qui n'attendent personne. Et puis, il pense à lui que personne n'attend. Le train s'ébranle, côtoie des rapides magnifiques. Des crinières blanches de chevaux sous-marins se hérissent dans les vagues noires et percées de pluie.

— Ah! Les jolis rapides! s'exclame encore Judith de sa voix mondaine.

Clovis imagine son énorme grand-père les descendre dans son canot d'écorce et déclare avec brusquerie:

— Mon grand-père les a descendus bien avant la naissance de vos pères.

Un silence glacial suit. La rivière assagie tourne vers la droite, rappelant l'image cruelle de Sam, avironnant férocement sans se retourner pour le saluer sur la berge.

— C'est i... c'est ici qu'il a fait de... de la pri... de la prison au... aussi, réplique Hercule.

— Puis après?

— Il a... avait ba... battu une... une pauvre sœur... sœur.

— J'en connais qui ont torturé un enfant sans jamais faire de prison, han Hercule?

Judith mordille sa lèvre inférieure et sent monter la tension entre les deux hommes. Elle ne sait que faire pour réparer sa faute et comprend qu'elle n'aurait pas dû solliciter si ouvertement Hercule. Elle porte un regard désolé vers Clovis, mais celui-ci, indigné, retourne à sa fenêtre en croisant les bras.

L'Annonciation. Elle ne sait que dire, que faire pour ramener les choses à l'ordre et se contente d'observer discrètement Clovis. De vieux rêves inavoués refont surface. Des rêves de fuite dans les bois avec lui, des rêves de baisers, de touchers à l'abri d'une tente, des rêves de couche commune. Plus elle le regarde, plus elle le retrouve tel qu'il était dans ses souvenirs. Un garçon différent, isolé, presque abandonné. Son cœur souffre à le voir et languit après ce sourire qu'elle a si facilement effacé en octroyant toute son attention à Hercule.

— Papa m'a dit que ta santé était excellente, risque-t-elle maladroitement.

— Je n'ai plus jamais eu de crise, répond-il sans détacher son regard de ce paysage qui s'enfuit de lui.

— Ce n'est pas ce que je voulais dire, bafouille-t-elle, confuse, en baissant les yeux.

Clovis remarque le mouvement nerveux de ses doigts et dit d'un ton conciliant:

— Parle-moi de ton père. Comment va-t-il?

— Ha! Ha! Le p'tit protégé du docteur, ricane Hercule.

— Oui, c'est son protégé et papa en est fier. Très fier, lui déclare Judith hors d'elle-même.

472

Après un haussement d'épaule, Hercule rouvre son missel, se signe et reprend la suite de ses transactions d'outre-tombe.

Judith en profite pour raconter à Clovis toutes les petites nouvelles susceptibles de l'intéresser. Celui-ci ne la quitte plus des yeux. Elle se demande parfois s'il écoute car il lui arrive de ne pas répondre correctement aux questions qu'elle pose. Son regard la brûle, la chavire. Elle entend sa propre voix débiter de plus en plus vite des choses incohérentes afin de cacher le trouble qui s'empare d'elle.

Val-Barrette: arrêt du train. Il ne regarde plus dehors. La locomotive halète comme une grosse bête fatiguée, secoue ses wagons et reprend courageusement la route. Judith étend discrètement ses jambes. Clovis en profite pour presser son genou. Une sensation électrisante traverse ses cuisses et son ventre. Souffle court, il recule précipitamment sur son banc et sent une bouffée de chaleur envahir son visage. De se sentir si rapidement rougir le fait rougir davantage. Il entend cogner son cœur dans sa poitrine. Mon Dieu! Serait-il amoureux? Déjà? Si vite et si sûrement? Oui, l'amour fond sur lui comme une cire chaude, l'amour le brûle et le saisit. L'amour se fige à ses désirs. Et ces désirs d'homme se cristallisent aux rêves du petit garçon amoureux de la petite fille devenue femme.

Un sourire d'une grande beauté illumine les yeux d'azur et lui font comprendre la réciprocité de son sentiment. Vsh! Vsh! font les pages de prières tandis que le train du Nord entre en gare de Mont-Laurier.

— C'est papa.

— Où?

— Là, sous le gros parapluie noir. Pauvre papa! Il doit être transi. Suis-moi, il va être content de te voir.

— Tu crois?

— Si je crois! Ce n'est pas drôle pour lui, son protégé.

Elle le devance. Qu'elle est petite! C'est à peine si elle rejoint son épaule.

— Il pleut à boire debout, dit-il encore sans être entendu par l'impatiente jeune femme.

A peine descendue, il la voit se précipiter sous le gros parapluie noir. La main du médecin presse la taille de la jeune fille. Clovis ne voit plus que cette main, belle, nette et douce. Il la contemple béatement sous la pluie. Alors le parapluie se soulève.

(Qui est donc ce jeune homme sur le quai? se dit Philippe. D'où tient-il cette beauté frappante? Cette noblesse dans le port de la tête et le maintien? Cette harmonie indiscutable de son être entier? D'où tient-il ce mélange envoûtant de force et d'agilité? Cette élégance virile et naturelle qu'il ne connaît à nul autre.) Bien avant toutes ces questions, il avait reconnu les diamants noirs de son fils, avait reconnu Biche Pensive en lui et s'était reconnu dans le menton résolu. Du premier coup d'œil, avant même le premier doute qu'il levait pour se rassurer, il avait reconnu l'être issu de sa passion. « Il sera beau notre enfant », avait-il dit à sa maîtresse. « Beau comme l'amour », se répète-t-il. Voilà que l'homme formé se tient devant lui tandis qu'il cherche naïvement un petit garçon. C'était hier qu'il le portait sur son dos en jouant au cheval. Comme le temps passe.

Philippe contemple son fils devenu homme, partagé entre ce vague sentiment de nostalgie d'avoir perdu son petit garçon et cette fierté bien légitime d'avoir engendré un mâle si parfait.

— Clovis? bredouille-t-il en tendant la main. Clovis, c'est bien toi? Viens! Ne reste pas sous la pluie. Viens mon garçon.

Il le palpe de partout en répétant:

— Mais tu es un homme. Tu es un homme maintenant. Ma foi! tu me dépasses. Tu es plus grand que moi. N'est-ce pas Judith? Tiens mon parapluie, ma fille, je vais me mettre épaule contre épaule. Mais oui, tu me dépasses mon garçon.

Dans son excitation, il s'accroche au bras de Clovis et l'attire contre lui. Une odeur de médicament remue les entrailles du jeune homme.

— Je ne serai jamais plus grand que vous, rectifie celui-ci avec émotion.

Intimidé, le médecin hoche la tête de cette façon dubitative qu'il avait lorsqu'il prenait son pouls. Qu'il fait bon de retrouver son parfum, ses gestes, ses mains!

— Allons dans la voiture. Car tu sais, je me suis acheté une voiture. C'est bien pratique pour les visites. Tu as déjà fait un tour de voiture?

— Non.

— Tu vas aimer ça. Bien pratique, surtout pour les visites. Et confortable. Tiens, assieds-toi derrière.

Le voilà installé. De multiples sensations l'éblouissent; le tambourinement de la pluie sur le toit, la douceur du siège, l'odeur de linge mouillé et de médicament, les vitres balayées par l'averse et cette sensation de bien-être et de statut privilégié. Il regarde partout avec des yeux si admiratifs que le rire de Judith le surprend.

— Pourquoi ris-tu?

— Tu me fais penser à la fois où tu grattais sur la porte du salon: tu as le même air.

— C'est tellement nouveau. A quoi ça sert ça?

— C'est le bras de vitesses.

Clovis s'avance pour mieux comprendre le fonctionnement de la mécanique. C'est alors qu'il aperçoit la trousse magique siégeant sur le banc avant. Fasciné, il la regarde. Philippe remarque son émerveillement et se tourne vers lui, cherchant à rencontrer son regard. « Ça t'intéresse encore », disent ses prunelles éloquentes. Un battement de longs cils noirs lui répond par l'affirmative.

— Vos yeux ont changé de couleur, observe alors Clovis.

— Ah oui?

— Oui.

— Quelle couleur ils sont maintenant?

— Je ne sais pas, ils sont de la couleur du sirop d'érable.

Le médecin rit de bon cœur.

— Je vais chercher vos bagages. Tu as ton coffre, j'imagine?

— Oui.

— Et toi, petite reine?

— Je n'ai rien. C'est juste pour une fin de semaine. Vous savez bien que mes robes de bal sont ici.

— Ce ne sera pas long. Je vais demander à l'employé. Il est là-bas avec son chariot.

Il sort. Moins précipitamment qu'il en avait l'habitude. Clovis le regarde aller d'un pas plus lent, plus fatigué et constate avec tristesse les épaules un peu plus voûtées et les cheveux complètement gris.

— Il a vieilli ton père.

— Oui et il est tellement orgueilleux qu'il ne veut pas porter ses lunettes: il dit que ça le déguise.

— Pas vrai? Je ne savais même pas qu'il devait en porter.

— Il ne les porte que lorsqu'il est acculé au pied du mur. Ah! Pauvre papa! Mais il travaille trop: il aurait besoin d'un confrère.

Clovis s'agite.

— Tu veux réellement faire un prêtre? demande-t-elle à brûle-pourpoint.

— Ne me parle pas de ça, veux-tu Judith?

— J'ai le droit de savoir.

— Pourquoi ça?

— Parce que c'est facile de s'attacher. Je ne veux pas m'attacher, débite-t-elle d'une voix tremblante en jouant de nouveau avec ses doigts.

La voyant soudain si bouleversée, il pose ses mains sur ses épaules, réprimant la tentation de caresser le fin cou blanc surmonté de la soyeuse toison d'or.

— C'est surtout difficile de se détacher, explique-t-il d'une voix qu'il veut sage.

Boing! fait le coffre déposé brutalement par l'employé sur le toit de la voiture.

— Voilà mes enfants. Contact. En première. En avant, marche!

La voiture s'engage vaillamment sur le chemin boueux et

dépasse bientôt la charrette des Thibodeau. Clovis aperçoit la stature disgracieuse d'Hercule et sa mine déconfite.

— Hercule est vert de jalousie. Ha! Ha! Ha! ricane Judith.

Et Clovis ne peut s'empêcher de penser que les femmes sont un peu méchantes.

— Regarde-moé ça, Rose-Lilas. Ça s'appelle la danse des bébites.

— J'trouve ça écœurant son père! Vous avez pas envie de servir ça au monde.

— Certainement, ma fille. Si y en boivent à Montréal, je verrais pas pourquoi qu'on s'en priverait icitte. C'est la grosse mode.

— Ça beau être la mode! Regardez ce que ça l'air! On dirait des yeux de poissons bouillis. C'est ben simple: ça m'écœure.

— T'auras juste à pas en boire. C'est de valeur parce que ça l'a un sapré bon p'tit goût.

— Un goût de quoi? D'abeille, je suppose?

— Non. Un goût de vin aux bébites. Eille! J'en ai fait trois cuvées. Celle-là vois-tu, a sera pas prête avant l'automne.

— Ah! Son père, des fois vous me découragez. A part ded'ça, c'est pas à vous à servir le vin.

— J'le sais. Mais ça me tente. J'peux ben faire ça pour mon p'tit dernier, conclut Honoré en faisant tourner un bocal non identifiable dans ses larges mains rousselées.

Sa fille observe un court instant sa mine émerveillée et le sourire satisfait sous la grosse moustache grise, avant de retourner au saupoudrage de ses beignes.

— J'sais pas si y va mouiller demain, soupire-t-elle.

— Ça va s'éclaircir. De toute façon, y mouillera pas dans grange.

— Tu parles d'une idée: faire ça dans une grange. Pourquoi pas dans une porcherie? J'te dis qu'a n'a des idées c'te Léonnie-là. Dans une grange!

— Fais donc pas d'histoires, fille. C'est une grange neuve. A l'a pas servi encore. Ça sent juste le bon bois. Chus allé à matin. Victor a fini le plancher de danse. Y ont même installé un genre d'estrade pour les musiciens. Mon idée que ça va être des ben belles noces.

— Les tables sont-i dressées pour le manger?

— Ouais! Des belles grandes planches montées sur des tréteaux.

— Ça fait drôle, j'trouve. C'est la première fois que le docteur fait des noces de même. Mon idée qu'y est fauché.

— Y a toujours été fauché. Non, si y fait ça de même, c'est parce que c'est de même que Léonnie le veut.

— C'est drôle comme tout le monde y obéit, à elle.

— Rose-Lilas! Voyons. T'as déjà la face toute rouge. Pense pas de même. Ce qui compte, c'est qu'y soye heureux notre Jérôme, hein?

— Vous devez avoir raison.

— J'ai confiance que ça va être un beau pis un bon mariage, conclut Honoré en s'assoyant lourdement dans sa berceuse.

Le regard vague, il contemple les filets d'eau pendus au toit de sa galerie. Toute sa vie reflue en même temps. Avec toute sa lumière et toutes ses ombres. C'était à la naissance de Florence qu'il pleuvait dru. Oui. Alexinas l'avait averti de la délicatesse d'Émerise. Par contre, à la naissance de Jérôme, c'était l'été indien. C'était féerique et funèbre. Quelle drôle de naissance! Quelle drôle d'indifférence aussi dans son cœur. Une espèce de vengeance injuste envers le bambin. Heureusement que Rose-Lilas avait ouvert au petit son cœur maternel et dévoué.

Maintenant, il la regarde et comprend sa détresse, elle qui fut la mère de Jérôme sans l'être. Aux yeux de qui, demain, aura-t-elle raison de pleurer à la cérémonie? Qui comprendra sa solitude soudaine et sa certitude d'être abandonnée et inutile?

Honoré retourne à ses filets d'eau. Une ombre apparaît dans l'encadrement de la porte.

— Ben voyons! Qui c'est ça? s'interroge-t-il en se levant.

Un toc! toc! poli au carreau embué. Rose-Lilas s'essuie les doigts sur son tablier.

— Clovis! s'exclame Honoré en enfermant le jeune homme dans ses lourds bras vêtus de laine. Clovis! Pour une surprise.

— Je suis content de vous voir, Honoré. Très content. Où est Rose-Lilas?

Elle échappe un cri en l'apercevant, se signe et se met à pleurer.

— Voyons, Rose-Lilas, dit-il doucement en s'approchant, qu'est-ce que t'as?

Le voyant si près d'elle, si beau et étranger, elle cache son visage pour sangloter. Il l'attire contre lui et tapote son épaule d'un geste consolateur.

— Te rappelles-tu quand je suis parti pour le séminaire? (Elle fait signe que oui.) Tu voulais plus me laisser partir. Il m'a fallu beaucoup de courage pour vous quitter. Je pensais pas qu'il m'en faudrait pour revenir. T'es pas contente de me voir?

— C'est pas ça, tu l'sais ben! (Elle se redresse et renifle bruyamment.) Avant, c'était justement moé qui te consolait. Regarde astheure. T'es rendu un homme. Pis Jérôme se marie. J'ai pus de p'tits, achève-t-elle dans un souffle avant de s'enfermer dans sa chambre.

477

Éberlué, Clovis regarde la porte close sur ce mal d'âme.

— A prend ben mal ça, explique Honoré en lui tirant une chaise.

— Je la comprends.

— Oui, toé, avec ce que t'as vécu, j'sais que tu comprends. Ça va y faire du bien quand même de te savoir avec nous autres. Surtout un futur prêtre. T'es comme sacré pour nous autres.

Mal à son aise par cette déclaration sincère, Clovis porte son regard au bocal de vin. Avant même qu'il ne pose la question, Honoré le renseigne:

— C'est du vin de bébites. C'est pour demain. Pas celui-là, parce qu'y est pas prêt, mais j'en ai coulé d'autre à matin.

— Ah.

— C'est la grosse mode à Montréal. C'est même un voyageur de commerce qui m'a donné la recette pis qui m'a vendu la poudre.

— Ah. C'est un peu surprenant comme présentation.

— Wow! T'es rendu que tu parles en grands termes! T'as-ti vu Jérôme?

— Non. Je l'attends. Le docteur m'a dit qu'il coucherait ici.

— Oui. Comme ça, y sait pas que t'es icitte?

— Non.

— On va y faire une surprise d'abord. Va coucher chez l'curé à soir pis arrange-toé avec lui pour servir la messe. Jérôme va être ben touché.

— Je suis d'accord.

— Après, tu viendras aux noces. T'as pas encore faite tes vœux après toute.

— Même que je vais me risquer à boire de votre vin de bébites, promet Clovis en se levant.

Avant de quitter son vieil ami, il demande à voix basse:

— Comment il est?

— Qui?

— Le curé?

— Y est correct. Un peu plus vieux comme tous nous autres.

— Encore sévère?

— Beaucoup moins. Même que les nouveaux colons l'appellent le bon curé.

« C'est Dieu qui vous a inspiré de garder près de vous ce pauvre orphelin. Grâce à vous, malgré ses origines obscures, il pourra se consacrer entièrement à notre Maître tout-puissant », relit Alcide devant sa fenêtre voilée d'eau. Perplexe, il dépose le bulletin reluisant de Clovis et la lettre de louanges sur le petit guéridon et regarde la rue boueuse, encadrée des hauts trottoirs de bois. Des bruits d'ustensiles et de chaudrons lui parviennent de la cuisine. Ernestine s'y démène à cause du visiteur qu'il a annoncé. Mais si elle connaissait l'identité de ce visiteur, elle n'en ferait pas tant. Non. Elle ne ferait rien de spécial pour Clovis et se contenterait de le saluer avec sa froideur habituelle. Et ça, les pères supérieurs ne l'apprécieraient pas. N'ont-ils pas recommandé d'accueillir Clovis comme l'enfant prodigue?

D'un pas égal, le curé se dirige vers sa bergère. Son regard glisse sur l'image du petit Jésus tenant un mouton dans ses bras, et s'arrête à l'escalier qui mène à l'étage supérieur. Jamais l'enfant prodigue ne l'aurait monté comme l'a monté Clovis. D'une façon si animale. Silencieuse et puissante à la fois. Ah! Cette démarche. Cette démarche éveille ses soupçons et l'effraie. On dirait une bête au faîte de son développement physique. Une bête capable de se déplacer sans bruit, de fuir en vitesse ou de se défendre jusqu'à la mort. N'y retrouve-t-il pas la force inégalée de Gros-Ours et la souplesse remarquable de Biche Pensive? Comment son confesseur a-t-il pu ignorer ce comportement inconvenable? Par quoi sont aveuglés les directeurs pour couvrir de louanges un être si douteux? Car Clovis est douteux. Il porte un masque et cache quelque chose. Cela saute aux yeux. A ses yeux du moins. Rien, mais absolument rien dans sa personne n'indique la soumission d'un futur prêtre. Clovis transpire la rébellion. Il porte la tête haute et se permet de regarder droit dans les yeux. Et quel regard il a! Si noir, si mystérieux. Presque dédaigneux à son égard.

Alcide se rend compte qu'il redoute l'homme qui a grimpé les escaliers. Il se rend compte qu'il ne le connaît pas et ne l'accepte pas. Que fait ici cet étranger à l'air hautain? Que revendique-t-il? De quoi l'accuse-t-il? Qu'a-t-il fait de Clovis et du petit Jésus? Il a assassiné le petit Jésus. Oui, il l'a assassiné et l'a remplacé par un homme. Par un homme, pas par un prêtre.

Le curé pivote brusquement sur son talon noir et revient vers la fenêtre. Trois corneilles croassent dans l'air humide. Des gouttes perlent sur la vitre. La pluie a cessé. Des rigoles et des mares d'eau brunâtre s'accumulent. Le prêtre jette un œil furtif sur le bulletin et constate jusqu'à quel point ses confrères sont aveuglés par l'intelligence supérieure de Clovis. Qu'importe après tout? Cette gloire ne rejaillit-elle pas sur lui? Et sur son village? N'est-il pas le bienfaiteur premier? Celui que Dieu a inspiré dans son choix? Et demain, aux yeux du village, ne recueillera-t-il pas tous les mérites lorsque les deux séminaristes serviront la messe? Quel bond considérable de la chapelle de bois rond à la formation religieuse de deux jeunes gens de la place. Il voit d'ici les anciens renseigner les nouveaux colons d'un coup de coude discret: « C'est Hercule Thibodeau, le fils du forgeron; l'autre, c'est le sauvage que notre bon curé a adopté. »

Notre bon curé! Alcide savoure cette phrase et retourne vers sa bergère. Rendu au pied de l'escalier, il tend l'oreille mais ne décèle aucun son parvenant de la chambre de Clovis.

Quel regard terrible il lui a décerné avant de grimper les escaliers! On aurait dit le docteur Lafresnière venu l'accuser d'être un pédéraste. C'était ce même regard d'homme qui défend un petit garçon. Un regard glacé, accusateur, dégoûté. Par ce regard, Clovis lui a rappelé tout le poids du péché qui les lie. Non! Ce n'était pas lui nu dans le jardin, sous l'assaut des insectes. Non! Ce n'était pas lui dans la chambre du garçon. Pas lui mais un être faible, un être épris, un être seul. Pourquoi est-il revenu lui rappeler tout cela? Pourquoi est-il revenu l'amoindrir à ses propres yeux? Quel témoin encombrant et gênant! Témoin de ses faiblesses passées. Témoin renseigné et adulte. Ah! Seigneur. Cela fait huit ans. Presque mois pour mois. C'était en mai, il faisait très chaud et il y avait plus d'insectes. (Seigneur, ne m'avez-vous pas pardonné en choisissant cet enfant afin qu'il Vous consacre sa vie? N'avez-vous pas dit que le chemin qui mène à la sainteté était plein d'embûches?)

Oui, plein d'embûches. Il retourne vers la fenêtre en se répétant: plein d'embûches. Plein d'embûches. Plein d'embûches. Peut-être qu'un jour l'appellera-t-on quand même le saint curé? Car après tout, sa confession est tombée dans l'oreille sourde d'un vieux missionnaire et ni Clovis, ni le docteur Lafresnière ne pourront le diffamer. Ne connaît-il pas lui aussi le péché du médecin? Et Clovis n'est-il pas la preuve vivante de ce péché? Lui qui se croit si fort d'être le témoin du péché d'un prêtre, comment réagira-t-il en apprenant être la preuve du péché du médecin?

Alcide sourit méchamment en reluquant les pignons de la belle maison blanche au bout de la rue. Il se sent soudain des forces nouvelles. Enfin! Il retrouve la griserie qui précède les grandes batailles. Il retrouve cette certitude de vaincre et de soumettre et cette assurance de conquérant qu'il avait perdue il y a huit ans. Il jubile en contemplant son village et élabore son plan d'action. Lorsque Clovis aura prononcé ses vœux définitifs, il lui apprendra qui est son père. Ils seront alors tous au même niveau et devront tous porter le masque face à la société. Le docteur Lafresnière gardera sa position respectable, Clovis deviendra le pupille reconnaissant et zélé tandis qu'il conservera son titre de père spirituel et bienfaiteur.

Il frotte ses mains l'une contre l'autre et se détache avec peine de son poste d'observation pour reprendre ses pas méthodiques vers la bergère. Et personne ne saura jusqu'où et comment j'ai aimé un petit garçon qui ressemblait au petit Jésus, pense-t-il devant l'image de l'Enfant-Dieu avec son mouton. Il n'était pas blond pourtant, et n'avait pas les yeux bleus, observe-t-il naïvement. Et pourtant, je l'ai aimé. Je l'ai tellement aimé et si mal aimé.

Son doigt tremble en caressant la joue de l'image et lui rappelle l'émotion qu'il avait ressentie lorsque l'enfant-roi des bois avait levé sur lui son regard sans peur et sans haine.

Ce regard n'existe plus. Les masques de la société sont levés, pense-t-il tristement en revenant vers le guéridon. Il s'empare de la lettre de louanges, la tourne et la retourne dans ses mains. Quelle belle messe il pourra offrir, demain, à ses paroissiens! Quel beau spectacle aussi du bon curé avec les deux séminaristes issus du village!

Il lève son visage vers la rue principale bordée de maisons et de magasins. Cette rue qui n'était qu'un sentier foulé par les mocassins de Gros-Ours. Il englobe d'un regard fier les toits, les clôtures, les chemins, les jardins et les champs.

La pupille de son œil gris se rapetisse étrangement et sa lèvre inférieure remonte sur sa lèvre supérieure. A son tour, il a l'air d'une bête. D'une bête rapace et intransigeante, surveillant jalousement SON territoire.

C'est comme si c'était hier
Le petit ours noir pris de panique
Dans l'arbre nu et décharné.
Comme si c'était hier
Son appel désespéré
Et son abandon pathétique.

C'est comme si c'était hier
L'homme aux yeux d'or
Versant ses larmes.
Comme si c'était hier
L'abandon des armes
Pour lui livrer son sort.

C'est comme si c'était hier
Le givre fondu par la paume blessée,
Et la peur de l'enfer enracinée.
Comme si c'était hier
Que le gouffre de l'éternité
Sur son âme, avait jeté les dés.

C'est comme si c'était hier
L'ami par le carreau observé,

L'ami par le carreau appelé.
Comme si c'était hier
Les crises de sombres hystéries
Et la peur tenace de la folie.

C'est comme si c'était hier
La surprise, dans la nuit, d'un visiteur
Dont la main provoque des malheurs.
Comme si c'était hier
Le piège de la solitude
Et de la fausse mansuétude.

C'est comme si c'était hier
Les livres épars sur le lit,
Le sac et les espoirs de l'enfant maudit.
Comme si c'était hier
Les pleurs, les cris et les souffrances,
Les désirs de fuite et d'errance.

C'est comme si c'était hier, hier. Seulement hier. L'âme à vif, Clovis ferme les yeux sur la cour d'Honoré. Il s'aperçoit que ses mains tremblent et se demande comment il pourra réussir à dormir dans cette chambre qu'il n'ose même pas reconnaître tant elle n'a pas changé. Dans ce lit surtout, source de tant de mal et d'effroi.

« Jérôme », prononce-t-il tout bas. Avec tristesse, il se rend compte qu'il lui faudra attendre jusqu'à demain avant de revoir son ami.

Honoré s'étire le menton en soufflant bruyamment par le nez. Un rouleau de chair rouge se gonfle par-dessus son col empesé. Indisposé, il le repousse et se tortille dans son carcan du dimanche. C'est ainsi qu'il appelle son bel habit.

— Voyons, son père! chuchote si fort Rose-Lilas que tous les regards se posent sur lui.

Honoré, penaud, se calme et pour se donner contenance lisse sa grosse moustache. Tout près, nerveux et inquiet, Jérôme se retourne au moindre petit bruit, croyant à l'arrivée de la mariée. Encore une fois, Rose-Lilas lui fait de gros yeux et le ramène à l'ordre. Dans son anxiété, il ne remarque pas l'arrivée du curé et de ses servants de messe et se contente de trembler des genoux en espérant l'arrivée de Léonnie. Bon Dieu! Qu'il se sent petit dans ses souliers neufs! Petit et peureux! Tantôt, lorsqu'elle sera près de lui, si sûre et si forte, il sait qu'il ne tremblera plus des genoux.

Après quelques toussotements bruyants du soufflet, l'harmonium de mademoiselle Ernestine lance ses notes irritantes. Léonnie s'avance au bras de son père. Philippe demeure surpris de la sentir si fermement accrochée à lui. Pour la rassurer, il tapote gentiment sa main. Elle le regarde. Il retrouve aussitôt la petite fille disgracieuse, son petit homme adorable de l'enfance. Il lui sourit. Elle aussi. Qu'elle est belle aujourd'hui! Qu'elle est femme! Lui seul voit la petite fille du passé, il le sait. On dirait qu'elle s'excuse d'être devenue femme et d'avoir à se marier.

— Regarde vos servants de messe, lui chuchote-t-il pour la divertir.

En apercevant Clovis, elle ouvre grand la bouche. Amusé, le médecin ajoute:

— Tu vas avaler des mouches.

La voilà enfin près de Jérôme. Ils se regardent du coin de l'œil, se sourient du coin de la bouche et ne respirent qu'avec un coin de poumon.

Honoré croise les bras, les décroise, les met dans son dos, sur le devant, enfonce les mains dans ses poches puis, après un coup d'œil indiscret à l'attitude du médecin, les laisse ballants le long de son énorme torse, encagé dans son veston aux plis cartonnés.

In nomine Patris, et Filii, et Spiritus sancti. Amen. Introibo ad altare Dei, débute Alcide.

Ad Deum qui laetificat juventutem meam, répond Clovis dans un latin impeccable.

Jérôme ouvre alors de grands yeux éberlués en apercevant le servant de messe. La voix et les cheveux très noirs lui apprennent que son ami est revenu. Que son ami sert à la cérémonie de son mariage comme lui il a servi à celle de son baptême. Une joie enfantine le submerge. Un sourire candide grandit sur sa figure. Impatient, il guette le moment où ce servant de messe se retournera vers lui. Finalement, il capte le regard amical et rieur à l'Évangile, alors qu'Alcide, de son ton le plus sentencieux, lit: « En ce temps-là, les pharisiens... »

A la communion, en guise de salutation, Clovis lui donne un petit coup de patène sous le menton. Cela vaut mille poignées de main et exclamations.

Jérôme se détend. La cérémonie perd de sa gravité toute pompeuse. De voir son ami servir la messe avec tant d'aisance et de simplicité le rassure. A chaque fois qu'il le regarde, il semble lui dire: « T'en fais pas, c'est juste une cérémonie comme les autres. » Quelquefois les yeux de Clovis se posent sur Léonnie et une vive satisfaction se peint sur son visage, comme s'il approuvait le choix et bénissait lui-même l'union.

Les anneaux s'échangent calmement, presque joyeusement malgré les reniflements de Rose-Lilas.

Puis les témoins signent les registres. D'un geste large, Honoré sort une loupe de sa poche et appose sa signature en sortant la langue.

— A ton tour, Philippe. Icitte, au beau milieu.

— Ah! Oui. Là?

— Non, icitte. Sors donc tes barnicles, avance Honoré en riant. T'es t'en train de marier ta fille avec le mari de la ligne d'en haut.

Cette remarque divertit le groupe et Philippe, voyant rire tout ce monde autour de lui, consent à sortir de sa poche sa paire de lunettes aux délicates montures dorées.

— Moé, avoir une belle paire de barnicles de même, j'les porterais tout le temps, renchérit Honoré en examinant son vieil ami. Mais j'peux pas porter ma loupe, hein?

Nouveau rire. Sortie émouvante des mariés. Yeux de plus en plus rouges de Rose-Lilas. Notes de plus en plus aigres de l'harmonium.

Le bouquet de la mariée échoue dans les bras de Judith. Qui donc va-t-elle épouser dans l'année, rêvent ses yeux en se posant sur Clovis vêtu de sa soutane.

Les mariés prennent place dans la voiture du médecin. Celui-ci klaxonne. La foule applaudit.

Après avoir vérifié sa cargaison de vin de bébites cachée sous le banc de la charrette de Victor, Honoré se hisse dans sa charrette auprès de Rose-Lilas et suit à bonne distance la petite auto noire qui sautille en klaxonnant. Tous les propriétaires de chevaux, d'ailleurs, laissent s'éloigner l'engin diabolique.

Poings aux hanches, Alcide observe le défilé, souriant avec bonhomie à ses paroissiens.

— Le village se vide, constate-t-il.

— Ben... ben terrible, juge Hercule à sa gauche.

Le curé toise Clovis.

— Toi? Tu ne trouves pas ça terrible?

— Ce sont des noces, monsieur le curé.

— Ils vont boire, danser, chanter.

— Même le Christ est allé aux noces de Cana, monsieur le curé, et n'ayant plus de vin, il a changé l'eau en vin. Le Christ n'aurait pas fait un miracle en vain.

— Tu es rusé comme un renard, accorde le prêtre d'un ton enjoué. Ils vont avoir une belle journée.

— Oui, approuve Clovis.

— J'ai bien envie de faire comme le Christ et d'aller à la grange. Qu'en penses-tu?

— Ce serait une bonne idée. Je peux vous accompagner?

— Bien sûr. Bien sûr. Et toi, Hercule, que fais-tu?

— Oh! Je vais a... aller aller prier mon... monsieur le cu... le curé.

— Très bien. Très bien. L'église est tout à toi, mon fils. Toi, mon Clovis, tu vas atteler ma jument.

— Oui, monsieur le curé.

Le jeune homme descend rapidement et silencieusement les escaliers de bois. Fasciné, Alcide le regarde se déplacer.

— Clovis? interpelle-t-il.

Celui-ci se retourne si vivement qu'une mèche noire glisse sur ses sourcils. Quelle belle bête quand même, pense Alcide.

— Ça t'amuse encore les petits coups de patène?

— C'était juste pour dire bonjour.

— Cela enlève beaucoup de sacré à nos gestes. Ne recommence plus ça. N'oublie pas d'enlever ta soutane: tu pourrais la profaner.

— Oui, monsieur le curé.

— Allez, va. Je t'attends devant le presbytère.

Les dames au milieu, les hommes autour, entraîne Ti-Gin Valiquette en scandant le quadrille des pieds et des mains. Avec Fabien le violoneux, Nésime Bédard, le joueur du ruine-babines et le son aux cuillères, la danse bat son plein.

Yiii Yahou! lancent les danseurs en se réunissant au centre. Voilà le gros Honoré avec Rose-Lilas qui tantôt était avec Clovis. Et voilà Clovis avec Judith qui tantôt était avec Olivier Levers. *Tout le monde balance et tout le monde danse.* Tout le monde? Non. Pas tout le monde. Au fond de la grange, dans le coin le plus ombragé, Firmin, Éloïse et madame Azalée regardent la fête sans oser partager l'exubérance des villageois. Est-ce dû à leurs pauvres habits? Ou à ce sentiment d'infériorité vis-à-vis les autres? Seul Napoléon, le chef incontesté de ce petit groupe, s'est arrogé le droit d'être comme les autres et avec les autres.

Firmin n'en a cure. Il ne sait pas danser, ne sait pas chanter, ne sait pas s'amuser. Il se contente de la présence passive d'Éloïse près de lui et sent vaguement que cette obéissance de la fille confirme ses espoirs de possession future. Oui. Un jour, cette fille sera à lui. Du moins, c'est ce qu'il a décidé l'été dernier en la voyant satisfaire ses besoins derrière des framboisiers. Cette vision l'avait tellement séduit qu'il s'est mis à en rêver pendant des nuits et des nuits. Puis, pendant le jour. Puis, à chaque fois qu'il la voyait.

Alors, une fois qu'ils étaient seuls aux champs, il l'a obligée à recommencer. En la voyant s'accroupir, il a ressenti un malaise indéfinissable. Il s'est assis dans la meule de foin et s'est laissé envahir par une jouissance jusqu'alors inconnue.

Bien sûr, un effet semblable se produisait lorsqu'il voyait les animaux s'accoupler mais jamais encore une femme n'avait provoqué de telles réactions dans son système. Depuis, il l'a souvent obligée à exécuter ce geste si excitant.

Aujourd'hui, elle est près de lui. A l'endroit où il lui a dit de s'asseoir. Elle ne bouge pas, ne parle pas. S'il en a le goût, tantôt, ils iront derrière la remise. Il lui dira de pisser. Et elle obéira. Alors, il se noiera dans des sensations de plus en plus fortes et de plus en plus désirées. Peut-être ira-t-il jusqu'à s'exhiber devant elle. Ou même la toucher malgré la peur que lui inspire M. Gadouas.

Ces pensées perverses le troublent grandement. Il se tourne vers Éloïse. Elle ne parle pas, ne bouge pas mais regarde intensément sur la piste de danse. Quelque chose comme un sourire danse au coin de ses lèvres et ses yeux... ses yeux sont ceux d'une enfant pauvre devant un arbre de Noël. Des yeux rêveurs, éblouis et résignés. Qu'a-t-elle aperçu? Qui regarde-t-elle avec tant de convoitise? Qui regarde-t-elle? Il suit ce regard et découvre Clovis, dansant avec Judith. Oui, c'est lui qu'elle regarde avec des yeux pleins de rêves. C'est lui qu'elle observe depuis tantôt avec un sourire informe.

Une vieille rancœur se réveille dans l'esprit confus de Firmin. Pourquoi ne le regarde-t-elle pas, lui, de cette façon? Pourquoi personne ne le regarde avec des yeux intéressés? Pourquoi personne ne le voit autrement que comme un outil ou une bête de somme? Ne serait-il donc personne pour n'avoir jamais été recherché autrement que pour un travail à accomplir. Un travail à accomplir. Quel travail souhaitait donc Éloïse en rabattant sa jupe avec fureur. « T'es donc niaiseux! C'est toute ce que tu sais faire? » lui avait-elle crié par la tête. Que voulait-elle de plus? Qu'il la touche et se fasse tuer par m'sieu Poléon? Car il lui a dit, m'sieu Poléon: « Si tu y touches, j'te tue. »

Les yeux pleins de rêves le ramènent à un événement antérieur. Un événement si beau, si doux qu'il lui vient des larmes. C'était au magasin général. Il y avait beaucoup de monde. Mam'zelle Mathilde venait d'acheter quelque chose et l'avait croisé en sortant. « Bonjour, Firmin », avait-elle dit en lui souriant. Bonjour, Firmin, sans rien demander. Pas de paquet à porter, pas de bois à fendre ou de cheval à désembourber. Juste un beau bonjour gratuit. Pour lui tout seul. Avec son nom au bout. Comme s'il était vraiment quelqu'un. Et un sourire par-dessus le marché. Un sourire pour lui. Un sourire qui ne demandait rien, n'exigeait rien. Comme s'il était vraiment quelqu'un. Quelqu'un.

Il n'a pas à la chercher dans la foule. Depuis son arrivée, il la sait là, près de son père. Tantôt, c'est avec lui qu'elle a dansé. Curieusement, elle semblait heureuse. Très heureuse. Elle avait, elle aussi, des rêves dans les yeux. Beaucoup de femmes ont des rêves dans les yeux, aujourd'hui. Sauf madame Azalée: elle n'a rien dans les yeux. Elle regarde sans voir. Un peu comme madame docteur. On dirait qu'elles ont les yeux éteints et n'attendent plus rien.

Clovis se dirige à l'extérieur. Firmin se lève et le suit jusque derrière la grange. Où donc a-t-il puisé cette audace pour s'approcher du diable? Trois hommes boivent, accoudés à la charrette de Victor. Celui-ci, assis près des nombreux bocaux de vin, discute vertement avec Clovis.

— T'en as assez eu, toé. Laisses-en aux autres.

— Encore un verre, Victor.

— Non. Non, Clovis. J'peux pas t'en donner d'autre.

— Juste un verre.

— Non. Envoye. Va danser: ça va te dégriser.

— Je suis sûr qu'Honoré veut.

— Ben moé, j'veux pas. D'abord, c'est pas des manières de futur prêtre.

— Ben voyons, même le Christ, aux noces de Cana, a bu du vin.

— Les noces de qui?

— De Cana.

— Tu parles d'un nom! C'était sûrement pas du vin de bébites. Envoye, déguerpis. T'en veux-ti, toé? demande Victor en apercevant Firmin.

— De quoi?

— Du vin.

— M'sieu Poléon veut pas.

— Tu ferais mieux de déguerpir d'abord parce que m'sieu Poléon vient souvent faire son tour.

Insulté, Clovis rouspète:

— Tu lui en donnes à lui!

— C'est pas un malade, lui, rétorque Victor.

— Pourquoi tu dis ça?

— Ben... ben c'est le docteur qui m'a dit de pas trop t'en donner. T'es content là? Envoye, va danser.

Clovis retourne à la grange, remarquant avec surprise son pas chancelant. Serait-il ivre? Il secoue la tête pour chasser le vin. Le paysage tourne comme s'il dansait encore. Va danser: ça va te dégriser, a dit Victor. Oui. Il va aller danser. Il aime bien danser surtout lorsqu'il a Judith comme partenaire. Il aime poser ses mains sur sa taille et se perdre dans ses yeux d'azur. Dans sa hâte de retourner à la plate-forme de danse, il se heurte à une femme. Elle tombe par terre.

— Pardon, je ne vous avais pas vue, s'excuse-t-il en la relevant.

— Tu me reconnais pas?

Il constate tout à coup sa laideur.

— Attends un peu.

Il l'examine plus attentivement.

— Tu es la fille à Gadouas.

— C'est ça. Éloïse ou Loïse tout court. J'ai pas faite d'école longtemps. C'est pour ça que tu me reconnaissais pas.

— T'es déjà venue laver les murs au presbytère.

— Oui. La fois que mam'zelle Ernestine était malade. Tu t'en rappelles?

— Oui.

— Fais-moé danser, supplie-t-elle tout à coup en apercevant Firmin derrière.

Clovis, sentant une présence, se retourne et suggère:

— Demande à Firmin.

— Y est ben trop niaiseux pour danser.

— Mais non, han Firmin?

Silence froid. La fille s'accroche à son bras.

— Envoye donc. T'as faite danser toutes les femmes du village à part moé.

— Bon. Si ça peut te faire plaisir et si Firmin est d'accord.

D'un coup de tête, Firmin accepte et les regarde s'éloigner. Éloïse se pend au bras de Clovis et se colle à lui comme une sangsue.

« C'est l'yâbe, pense Firmin en se remémorant les yeux noirs de Clovis, c'est l'yâbe. Personne s'en rappelle. Moé me rappelle, moé l'a vu le yâbe, l'a vu tomber dans l'église: moé le sais que c'est l'yâbe », marmonne-t-il en retrouvant sa place.

Réalisant l'espace vide entre lui et madame Azalée, il cherche Éloïse et l'observe dans les bras de Clovis. Ils tournent très vite tous les deux et elle rit. Elle rit presque plus fort que la musique. Clovis lui ravira-t-il cette possession comme il lui a ravi l'image? L'a-t-il encore, la belle image? Pourquoi tout échoit à ce fils de chienne, ce moins que rien, ce bâtard de sauvage? Il ne vaut pas plus que lui. Pas plus. Et il a bien plus. Il a de beaux habits, un beau parler, des amis et le don de faire éclore des rêves dans les yeux des femmes. C'est beaucoup à comparer au « Bonjour, Firmin » de mam'zelle Mathilde. « C'est parce que c'est l'yâbe. Y les endort toutes. Moé le sais que c'est l'yâbe. Moé le sais. »

Éloïse revient.

— Chus toute en nage, sa mère, annonce-t-elle fièrement en s'assoyant entre l'indifférence habituelle d'Azalée et la rage de Firmin.

— Viens en arrière de la remise, ordonne celui-ci.

— Non. Ça me tente pas. J'ai pas envie.

Pour la punir, il lui tord un poignet.

— Ayoye! Lâche-moé, maudit niaiseux!

— T'aimes mieux danser avec le yâbe?

— Quel yâbe?

— Tu sais qui j'veux dire.

Il intensifie sa prise. Elle grimace. Soudain, Firmin surprend Clovis en train d'inviter mam'zelle Mathilde à danser. Elle accepte. Non! Il ne veut pas que le diable endorme Mathilde. Il ne veut pas que le fils de chienne la prenne dans ses bras et la fasse tourner en posant sur elle ses yeux de feu. Il ne veut pas qu'il ravisse mam'zelle Mathilde, si sage et réservée près de son père.

En un bond prodigieux, Firmin se retrouve entre eux et ordonne:

— Non, pas elle. Moé veux pas que tu danses avec elle.

— Ôte-toi, Firmin. Va chercher Éloïse et viens avec nous.

— Non. T'as pas d'affaire à danser avec mam'zelle Mathilde. Le sais moé que t'es l'yâbe.

— Voyons! Fais pas de chicane pour rien.

— T'es pas plus que moé. T'es rien qu'un maudit bâtard comme moé. Un enfant d'chienne sauvage!

Dans un geste rapide et précis, Clovis lui assène un coup de poing en pleine figure. Firmin bascule en bas de la plate-forme mais se relève aussitôt.

— Maudit bâtard! hurle-t-il en bavant. Maudit bâtard d'enfant d'chienne sauvage.

Devant sa démence furieuse, Clovis réussit à s'échapper par la grande porte ouverte, mais Firmin se lance dans ses jambes. Ils roulent tous deux dans la boue recouverte de paille. Deux mains puissantes tentent de saisir la gorge de Clovis. Il se rentre le cou. Alors Firmin le cogne contre le sol comme une poupée de chiffon.

Clovis se remplit les mains de boue et la lance à la figure de son assaillant. Surpris, celui-ci lâche prise et le laisse se relever.

— Envoye Firmin! Attrape-lé! Attrape-lé! crient des hommes sortis de la grange.

Firmin l'accroche par la chemise et se met à cogner sur son visage.

— Fesse! Fesse! Fesse, Firmin! Envoye! Manque-lé pas, encouragent les voix.

Un voile rouge glisse devant les yeux de Clovis. Pourtant, il ne sent pas de douleur. Juste un ébranlement et un engourdissement étrange. Ses genoux s'amollissent. Les coups pleuvent. Le village entier savoure son massacre.

— Envoye! Fesse-lé Firmin! Fesse le maudit sauvage!

Ils sont tous contre lui. Tous autant qu'ils sont. Personne

ne le défend. Personne ne fait taire les hommes. Personne ne retient ce poing qui s'abat sur son visage.

Enfin, la brute le lance dans la boue. La fraîcheur de celle-ci le ragaillardit un peu.

— Enfant d'chienne sauvage! invective encore Firmin en le frappant des pieds.

C'est alors que le regard de Clovis tombe sur un fléau appuyé au mur de la grange. Dans sa détresse, il se rue sur lui et réussit à s'en emparer. Le maniant avec adresse, il se met à battre Firmin. Celui-ci tombe à genoux puis à plat ventre. Il ne bouge plus et les coups ont un son mat comme s'il tapait dans une poche de grains.

— Arrête, Clovis. Arrête! crient encore des voix.

C'est ça; tantôt c'était fesse Firmin. Maintenant c'est arrête Clovis. Non messieurs, je n'arrête pas, pense Clovis en s'acharnant de plus belle sur le mastodonte inerte.

Quelqu'un accourt et se penche sur Firmin. Clovis laisse tomber son arme en reconnaissant le médecin.

Un silence épouvantable plane sur l'assemblée. Le groupe se referme sur Clovis. Un groupe haineux, accusateur, vengeur.

Le cœur de Clovis bat si fort qu'il a l'impression qu'il va leur sauter en pleine figure.

— Vous êtes une bande de chiens sales! leur crie-t-il. Des maudits chiens sales!

Le curé s'avance vers lui et le gifle bruyamment.

— Rentre au presbytère! ordonne-t-il.

— Non.

— Est-ce là les manières d'agir d'un futur prêtre?

— Je ne suis pas un futur prêtre, déclare furieusement Clovis.

Aussitôt, il se tourne vers le médecin. La déception qu'il capte dans son regard l'atteint profondément. Si profondément.

Incapable de supporter davantage ces silencieux reproches, Clovis s'enfuit à toutes jambes.

A toutes jambes tremblantes, tombant dans les fossés et les ruisseaux glacés. A toutes jambes chancelantes jusqu'à la cache d'il y a huit ans. Clovis la défonce et trouve une paire de mitaines d'enfant. Une paire maintenant trop petite. C'est tout ce qu'il avait pu mettre de côté pour sa fuite. Il s'essuie le visage avec et regarde la forêt brune et grise, empêtrée des herbes mortes et des détritus de l'année dernière. Sa tête tourne, son estomac chavire. Fesse, Firmin. Fesse, crient encore les voix dans son cerveau. Que faisaient donc Jérôme, Honoré et le médecin pendant que le poing de Firmin s'abattait dans sa figure? Où étaient ces gens qui se prétendent ses amis? Ses nausées s'accentuent. Il s'agenouille, vomit copieusement et se met à grelotter. Il se relève avec difficulté et, tenant ses mitaines, commence à marcher. Il erre dans le paysage indécis et trouble. Il erre entre les arbres doubles et les côtes fuyantes. Avec effroi, il s'aperçoit qu'il ne peut plus distinguer les choses réelles des choses imaginées. Voilà qu'il se heurte aux arbres, s'enfarge dans les roches et pose le pied sur un sol trop loin ou trop près. Que de fois ce sol lui monte en pleine figure et le laisse tout étourdi et gelé! Affaibli, il retrouve malgré tout la force de le repousser et de marcher. Où? Il l'ignore. Il se suit. Il suit où vont ses pieds, tant bien que mal. Ses pieds d'homme ivre et blessé. Ses pieds d'homme exclu de la société.

— Trois côtes fracturées, répète Philippe à M. Gadouas tout en pansant Firmin assis sur la table.

— Maudit enfant d'chienne! Y me l'a tout abîmé le maudit sauvage. Firmin va-ti pouvoir labourer quand même?

— Pas tout de suite. Laissez-lui au moins trois ou quatre jours pour se remettre.

— C'est que ça peut pas attendre, hein Firmin? Penses-tu être capable de faire ta job?

— Oui, m'sieu Poléon, répond docilement la bête de somme.

Navré, le médecin secoue la tête sans dire un mot, sachant très bien que Firmin s'attellera aux manchons de la charrue dès le lundi matin. Il éprouve un puissant sentiment de pitié face à cet être dépourvu et limité.

— Le sais moé que c'est l'yâbe, marmonne l'engagé sans regarder personne.

— Mais non, Firmin. Clovis n'est pas un diable. Il est différent, c'est tout.

— Non. C'est l'yâbe. Me rappelle, moé. Y est tombé dans l'église. Veut pas que l'yâbe touche mam'zelle Mathilde. Rien que son père peut danser avec mam'zelle Mathilde.

— Pourtant, tu as laissé danser Éloïse avec Clovis.

— Ouais.

— Pourquoi pas mam'zelle Mathilde?

— Elle, c'est pas pareil. Une fois, a l'a dit bonjour à Firmin.

— Ah?

— Est fine mam'zelle Mathilde. Moé l'aime beaucoup.

Cette déclaration naïve émeut Philippe. Il regarde l'homme au cerveau d'enfant et sa poitrine se resserre douloureusement. Comment peut-il haïr cet être? Comment peut-il lui en vouloir?

— Es-tu blessé à la main? demande-t-il en découvrant du sang coagulé aux jointures.

— Sais pas, répond Firmin en la lui tendant.

Philippe gratte un peu, fait plier les doigts. Le sang se détache par galettes et dévoile une peau intacte.

— C'est le sang de Clovis, constate Philippe.

— Tant mieux! J'espère que tu l'as pas manqué au moins, rétorque Gadouas en s'adressant à son employé. Envoye, descend ded'là; j'ai pas toute la journée. J'imagine que je vous dois rien, docteur: c'était vos noces après toute, pis votre protégé, conclut-il en poussant Firmin vers la porte de sortie.

Philippe égrène le sang de son fils entre ses doigts et l'inquiétude grandit en lui. Où cache-t-il sa peine et ses blessures? S'enfuira-t-il à tout jamais dans les bois? Où le retrouvera-t-on gelé par la nuit traître du mois de mai? Il le revoit encore en train d'injurier le village entier: « Bande de chiens sales », hurlait-il. Ses yeux lançaient des étincelles dans son visage couvert de sang et de boue. Était-il un chien sale, lui aussi, de s'être penché sur Firmin afin d'empêcher Clovis de commettre un meurtre? Pourquoi ne s'était-il pas signalé lorsque Clovis pendait comme une loque dans la patte de Firmin? Bien sûr, il y avait tous ces hommes qui resserraient le cercle autour d'eux et l'empêchaient de passer. Mais s'il n'avait pas été si saisi, il aurait pu se frayer un passage. Hélas! Il était resté derrière, crucifié par les cris de haine et de rejet: « Fesse, Firmin. Fesse-lé », criaient les colons enragés en brandissant leurs propres poings. Et chaque coup les excitait, les enthousiasmait. Leur procurait une joie malsaine et vengeresse. Le village entier se ruait contre son fils et désirait son anéantissement. Pourquoi?

Philippe s'approche de la fenêtre. La charrette de Gadouas s'ébranle. Assis derrière, les jambes pendantes, Firmin lève un regard plein d'espoir aux fenêtres de la maison et, les voyant désertes, penche misérablement sa tête aux nombreuses questions sans réponses.

Brisée en deux, l'humble croix de bois de Marie-Jeanne Sauvageau. Brisée par quoi? Par quel pied méchant?

Clovis serre les bouts de bois sur sa poitrine et son cœur est affligé devant cette tombe abandonnée et négligée. Il ne se souvenait pas de l'emplacement exact et a cherché un peu entre les autres croix avant de trouver ces débris dans les fardoches. Marie-Jeanne Sauvageau, la squaw, repose à l'extrémité du cimetière, à la frontière de cette forêt qui la reprend indubitablement. Les herbes envahissent son humble concession en territoire blanc et les sapins, tout près, enfoncent leurs racines dans ses restes.

Clovis s'allonge sur le sol et grelotte. « Maman, gémit-il tout bas, t'es pas une chienne sauvage. Je ne te laisserai plus jamais insulter. Plus jamais. »

Et dans son cœur torturé, l'enfance verse ses anciennes larmes et ses meurtrissures mal cicatrisées. La balle de neige sur le visage de Biche Pensive, la chemise déchirée avant d'être cousue, la nuit où sa solitude et son tourment s'exprimaient par le hurlement d'un loup.

Il s'endort. Ou plutôt s'enfonce dans la terre. Vers sa mère. Vers ce corps jadis si chaud contre lequel il se pressait sous les nattes de lièvre. Vers les seins doux au lait tiède et riche, vers le ventre sacré, réceptacle de sa vie.

Il s'endort. Et la nuit recouvre ses épaules de sa couverture de frimas.

Rose-Lilas, ébranlée par cette soirée, se berce devant le poêle. Seul le feu et le roulement des bers animent la cuisine de bois doré.

Elle resserre son châle sur ses épaules et soupire. Qu'il est difficile et nécessaire d'attendre. Attendre. Voilà ce qu'elle a fait depuis la mort de sa mère: attendre. Attendre que son père revienne de la messe de minuit, attendre que la fièvre de Jérôme tombe, attendre que ses frères rapportent de l'argent des chantiers, attendre que la pâte lève, que la viande faisande, que le poêle tire. Tant d'attentes dans sa vie. D'attentes connues. Et cette autre attente en elle, omniprésente et obstinée. Cette vraie attente, cachée sous le rire jovial et le dévouement insensé. L'attente d'un homme. D'un homme à elle, qui reviendrait pour elle. Pour elle toute seule.

T'es une vieille folle, Rose-Lilas. Une vieille folle. Fini le temps des espérances! A trente-six ans on ne se berce plus d'illusions, mais on se berce tout court en attendant que le père revienne. Est-ce bien Honoré qu'elle attend depuis la fin de l'après-midi? Est-ce pour l'attendre sur sa chaise qu'elle s'est empressée de se faire reconduire par le docteur en même temps que Firmin? Est-ce pour cela qu'elle n'a ni faim ni soif?

« Où que t'es, dit-elle encore. Où que t'es pour l'amour? J'le sais que t'as mal. Y t'a frappé en pleine face. Personne faisait rien pour te défendre. Moé, j'ai crié. M'as-tu entendue crier? Ah! Clovis. Reviens. Reste pas dehors. On avait tant d'agrément à danser. » Oui. Tant d'agrément à sentir ses mains douces sur sa taille et à voir ses beaux yeux pleins de joie. Tant d'agrément. C'était la première fois qu'un homme la faisait danser.

Elle soupire encore. « C'était pus pareil après. C'était pus agréable. Son père a vidé son vin dans la boue. Y dit que c'est de sa faute. Jérôme avait l'air bête. Reste pas déhors: tu vas prendre froid. »

Et pour la centième fois depuis son retour à la maison, Rose-Lilas soustrait vingt ans de trente-six. Seize ans de différence. Ça a pas de bon sens.

Alcide, de sa bergère de velours, entend grincer la porte de la cuisine. Des pas prudents frôlent le plancher. Bientôt, il sent une présence au pied de l'escalier.

— Reste ici, ordonne-t-il.

Clovis sursaute au son de cette voix grave, sortie de la noirceur.

— Vous ne dormez pas? questionne-t-il afin de repérer l'emplacement de son interlocuteur.

— Non. Je t'attendais.

— Ah.

— Tu m'as trompé, Clovis. Tu as trompé toute la communauté.

— J'ai perdu la vocation.

— Tu mens.

— Je l'ai perdue.

— Tu mens. Tu ne l'as jamais eue. Tu m'as trompé, Clovis. Tu as menti à toute une communauté de prêtres qui ne désiraient que ton bien et te couvraient de louanges. Quel beau visage à deux faces tu es! Quel profiteur!

— ...

— Tu ne t'en sortiras pas comme ça. Je t'écraserai Clovis. Je suis encore plus fort que toi dans cette société. Apprends que tu n'es plus rien dès à présent. Tu as vu ce que les gens pensent de toi?

— ...

— Tu as entendu? Ils ne veulent pas d'un bâtard. Personne ne veut d'un sale bâtard comme toi. Seule l'Église te donnait ta chance et tu as craché dessus.

— ...

— Ils t'on préféré Firmin.

— ...

— Tu ne dis rien?

— ...

— Cette maison n'est plus ta maison. Je te chasse d'ici. Et je te chasse du village.

— Du village?

— C'est mon village. Je ne veux pas de vermine dans mon village et toi, tu es de la vermine. Je ne veux plus te revoir.

— Si je reste?

Un rire sarcastique glace l'échine de Clovis.

— Je t'écraserai. Sois-en sûr. Maintenant, dévêts-toi.

— Pourquoi?

— Ce linge ne t'appartient pas. Nous le donnerons à quelque jeune homme plus reconnaissant. Dévêts-toi.

— Tout de suite?

— Tout de suite. Tu n'emporteras rien de ce qui nous appartient.

— Je veux mes lettres.

— Ah! Oui? Tes lettres du docteur Lafresnière? Je savais que tu reviendrais pour les reprendre. Je viens de les brûler.

— Vous avez fouillé dans mon coffre!

— MON coffre. Il ne t'appartient plus. Tu nous dois encore beaucoup plus que ça.

— C'est Honoré qui me l'a fait.

— Nous le vendrons. Le compte n'y sera même pas avec toute la nourriture que tu as mangée.

— J'ai travaillé.

— C'est bien peu à comparer à ce que tu nous as volé. Allez, dévêts-toi.

Les bruits de vêtements qui tombent excitent Alcide. Il trépigne d'impatience d'allumer sa chandelle et de s'offrir cette image de Clovis, démasqué, battu et chassé.

— Enlève tout, ordonne-t-il en distinguant la tache blanche du caleçon.

— Même ça?

— Ce n'est pas à toi à ce que je sache.

— Je vous l'enverrai plus tard.

— Je le veux tout de suite.

Alcide allume et demeure étonné par le visage grandement déformé de Clovis. Celui-ci le toise d'un seul œil, l'autre étant bouché par du sang coagulé.

— Enlève tout! ordonne Alcide en se levant et en s'approchant d'un air menaçant.

— Non. Cela vous ferait trop plaisir.

Le prêtre brandit alors son poing et fait mine de frapper. Clovis se protège aussitôt et supplie:

— Non. Non. Ne frappez pas. Non.

Un rire diabolique l'humilie tandis que le curé le fait reculer et plier en mimant une agression. Clovis s'enfarge dans une petite table et s'étale par terre. Le curé le surplombe de toute sa hauteur et pose son pied sur sa poitrine, à la manière des chasseurs avec leur gibier. La chandelle qu'il tient dans sa main creuse des ombres terrifiantes sur son visage et donne à ses yeux une expression démoniaque. Ses dents luisent dans son sourire méchant. Clovis retrouve la peur. Son estomac se contracte.

— Tu penses que c'est ça qui m'intéresse? demande le curé en déplaçant son pied vers le bas-ventre. Tu penses que ça m'intéresse encore avec un vaurien comme toi. J'aimais ta beauté, j'aimais ta pureté et tu n'es ni beau ni pur maintenant. Tu es l'être le plus souillé que je connaisse.

Son talon s'appuie sur le pénis et pèse. L'image de la Vierge écrasant un serpent traverse l'esprit du curé. N'est-ce pas son propre péché qu'il écrase? Sa propre faiblesse? Il s'appuie pesamment jusqu'à ce que Clovis se tortille et grimace.

— Laissez-moi.

— Tu penses que ça m'intéresse? Que ça me ferait plaisir de voir ça.

— Vous me faites mal.

— Hein? Tu penses ça, toi?

— Non. Laissez-moi.

— C'est ça. Va-t'en. Et ne reviens pas.

Avant d'enlever son pied, Alcide s'incline davantage vers sa proie et, avec un immense dédain, crache sur lui.

Clovis déguerpit.

Rendu dehors, il enlève son caleçon et, à tâtons, cherche une pierre. L'ayant trouvée, il l'entoure du sous-vêtement et vise l'ombre immobile d'Alcide à la fenêtre. Le carreau vole en éclats, tout près de la tête du prêtre. Celui-ci ne bouge pas. Seule sa voix grave résonne dans la nuit.

— Je t'écraserai Clovis, je t'écraserai.

« Voyons son père, arrivez! » soliloque Rose-Lilas en brassant les tisons du poêle avant d'enfourner ses quartiers d'érable.

D'un geste machinal, elle se verse une tasse de thé avant de retourner à sa berceuse. C'est qu'elle s'endort et que des idées pas trop catholiques la harcèlent. Elle pense à Jérôme et Léonnie dans leur couche nuptiale. Elle pense à l'acte créateur qu'ils accompliront pour la première fois. Des fourmillements agréables s'éveillent dans son sexe. Ah! Comme la fatigue faiblit la résistance de la femme vierge et seule.

On frappe à la porte. Elle accourt. Ouvre précipitamment. Une tête aux cheveux froids tombe sur son épaule.

— Rose-Lilas. J'ai froid. Rose-Lilas, laisse-moi entrer.

— Clovis! Mon Dieu! T'es tout nu! s'exclame-t-elle en entrevoyant son corps dans la pénombre de la galerie.

— Une couverture... j'ai froid.

— Attends.

Quelques secondes plus tard, elle l'enroule elle-même dans une courtepointe et, le soutenant, l'invite à l'intérieur.

— Viens. Viens t'assire près du poêle. Qu'est-ce que t'as faite de ton linge pour l'amour?

— C'est le curé. Il l'a repris.

L'articulation difficile de Clovis la surprend. Elle jette un regard curieux et échappe un petit cri.

— Doux Jésus! T'es pas reconnaissable. Assis-toé icitte. M'as t'arranger ça.

Elle le guide, l'installe et se penche sur le visage tuméfié. De son doigt, elle tâte l'arcade sourcilière de l'œil gauche.

— Ton œil est enflé en pas pour rire. T'es fendu aussi. Long comme mon pouce, au-dessus du sourcil. Ça fait mal?

— Oui.

Elle poursuit son examen.

— Je pense que t'as le nez cassé avec. As-tu perdu des dents?

— Non.

— T'as les lèvres fendues. Sont ben enflées. Attends. J'vas te laver ça.

Il l'entend s'affairer d'un pas rapide. La chaleur le pénètre peu à peu. Il ferme son œil. Une faiblesse extrême le terrasse tandis que des frissons l'ébranlent encore et le font claquer des dents. Rose-Lilas se place derrière lui. Sur le poêle, à portée de sa main, de l'eau bouillie, des guenilles et du gros savon jaune.

Elle prend sa tête et la dépose doucement sur ses seins mous. Il s'y cale. Avec des gestes délicats, elle nettoie ses plaies.

— Essaye d'ouvrir ton œil.

Il réussit. Aussitôt, elle lui bouche l'autre et l'interroge:

— Vois-tu?

— Oui.

— Bon. C'est juste de l'enflure. Bouge pas. J'ai pas fini.

Elle poursuit sa tâche. Il geint un peu lorsqu'elle emploie le savon. Elle lui caresse les cheveux et le presse gentiment contre sa poitrine.

— Tut! Tut! C'est fini.

Il aime ces démonstrations toutes maternelles et geint au moindre picotement. Qu'il est bien sur les seins de Rose-Lilas! Il retrouve un sentiment de sécurité très ancien et bénéfique.

— Vous vous êtes pas occupés de sa tombe.

— Tut! Tut! Parle pas.

— Maman. Maman.

— Chut! fait-elle en posant son doigt sur les lèvres du jeune homme.

Elle le voit s'endormir contre elle et demeure un long moment à caresser sa tête. Puis son cou et ses épaules. La courtepointe s'entrouvre et laisse voir les pectoraux aux contours bien dessinés. La main de la femme descend vers eux et elle frémit à leur contact.

Il roule la tête.

— Fatigué, murmure-t-il.

— Viens. Viens te coucher. J'vas te passer mon lit pour
à soir. Viens-t'en.

Elle le soulève. Il s'appuie sur elle et lui obéit.

Voilà un homme dans son lit. Avec beaucoup de scrupules,
elle l'a glissé sous les couvertures en fermant les yeux pour ne
pas voir son sexe. Maintenant, il repose paisiblement avec des
compresses froides sur le nez. Elle sait qu'elle n'a qu'à rabattre
la couverture pour le voir dans toute sa nudité, mais elle redoute
cette image inconnue. Tantôt, sur la galerie, elle a deviné une
masse sombre entre ses cuisses et son ventre. Et cette masse
sombre la rebute. Elle ne veut pas la voir clairement dans tous
ses détails.

Elle change les compresses.

— Y t'a ben abîmé mon p'tit Clovis, soupire-t-elle.

Ses mains potelées flattent tendrement ses pectoraux sous
la couverture. Puis les dévoilent. Son doigt passe et repasse sur
la peau douce et sans poils. Une peau d'une texture polie et
d'une teinte ambrée. Une peau d'enfant sur des muscles d'homme.
Doucement, elle se penche et y pose ses lèvres.

Les pas pesants d'Honoré l'arrachent à ses ébauches de
désirs.

Elle le rejoint d'un pas nerveux.

— T'es pas couchée, fille?

— Je vous attendais son père.

— J'ai cherché Clovis. L'ai pas trouvé.

— Y est icitte.

— Où ça?

— Dans ma chambre.

— Y est-i ben amoché?

— Assez.

— J'vas aller le voir.

— Y dort.

— J'le réveillerai pas.

Il revient après quelques instants.

— Penses-tu qu'on ferait mieux d'avertir le docteur?

— Non. Je l'ai toute lavé pis j'y ai mis des compresses.
Je pense qu'on ferait mieux de dormir nous autres aussi.

— Chus mort de fatigue. Quelles noces, hein?

— Ouais!

— Ton frère a faite une crise d'asthme.

— Quand?

— Vers six heures. Y s'en voulait de pas avoir défendu
Clovis.

— Ça c'est faite si vite. Y pouvait pas faire grand-chose
de toute façon. Le Firmin, c'est toute une pièce. Y a pas toute
sa tête à lui. C'est ben difficile de le raisonner quand y est
choqué.

— T'as raison. T'as raison. C'est de valeur quand même, hein? Le monde oublie pas.

— Oublie pas quoi?

— Qu'y l'haïssent Clovis.

— Y l'haïssent, c'est vrai.

Cette phrase déclenche l'admirable mécanisme d'adoption dans le cœur farouche de Rose-Lilas.

— C'est dommage, papa, que vous soyez allé à la basse messe.

— Et pourquoi ça?

— Parce que Léonnie savait conduire l'auto et nous pas.

— Je t'apprendrai cet été pendant tes vacances.

— Promis?

— Promis. Et même, je pourrai te donner une petite leçon tantôt en allant à la gare.

— Ce sera bien commode de savoir conduire, ajoute Judith en vérifiant une dernière fois son chapeau du dimanche.

— Trève de coquetterie, Judith, commente simplement Mathilde en ouvrant la porte givrée qui donne sur la salle d'attente. (Elle prend le bras de sa mère.) Un peu de marche ne nous fera pas de tort.

La jolie porte se referme sur les trois femmes. Philippe soupire et va la rouvrir. « Il faut que la porte soit ouverte. Grande ouverte », dit-il tout haut comme s'il s'expliquait avec quelque personnage invisible. (Grande ouverte pour mon fils. La porte de mon salon. De ma maison. C'est sa maison: il l'habitera.)

Nerveusement, il sort sa montre de poche. (Dans vingt minutes, il sera ici. Il ouvrira cette porte-là, traversera la salle d'attente et je serai assis ici. D'ici, je le verrai et il me verra. Je dirai, entre mon garçon et il entrera. Et là...)

Philippe se laisse tomber sur le fauteuil de satin et s'allume une pipe. Malgré sa nuit d'insomnie, il ne ressent aucune fatigue mais une grande agitation. De temps à autre, son cœur palpite désagréablement lorsqu'il reluque l'endroit où apparaîtra Clovis.

Comment lui annoncera-t-il les projets qu'il a mûris pendant la nuit? Par quelle phrase commencera-t-il? Lui ouvrira-t-il les bras en disant: mon fils? Ou confessera-t-il simplement: je suis ton père? Quelle sera la réaction de Clovis? Mépris? Colère? Joie? Déception? Comme il craint cette réaction! Comme il craint de ne pouvoir le renseigner correctement! Avec les bons mots, les bons gestes, les bons regards. C'est pourtant si simple au fond. Si simple mais si imprévisible. Et c'est devenu urgent d'avouer avant que les choses aillent trop loin entre

Judith et Clovis. Avant que ces regards pleins d'attirance ne deviennent des déclarations amoureuses.

Il mordille son tuyau de pipe sans se rendre compte qu'elle s'est éteinte. Son estomac chavire. Inconsciemment, il regarde encore sa montre et s'affole de voir trotter l'aiguille des secondes. D'ailleurs, il ne voit plus qu'elle qui le pousse, petit à petit, vers sa confession. Vers le dépouillement de toutes ses façades. Vers la nudité crue et décevante de son âme. Vers un homme couvert de sa faute devant son fils. Oui, tantôt, il ne sera ni le docteur Lafresnière ni le bienfaiteur, mais l'amant de Biche Pensive et le père du bâtard. Il sera la cause de toutes les douleurs et de toutes les injustices qui les éclaboussent. Il sera le coupable, le seul responsable.

« Clovis pourra terminer ses études », dit-il encore tout haut pour se donner du courage. (Il portera mon nom: je l'adopterai. Ma femme ne dira rien: elle ne dit plus rien.)

Il tâte le fétiche de la chouette dans sa poche. C'est avec lui qu'il commencera l'histoire de ses amours. Avec lui, la couleur de ses yeux et la beauté saisissante de Biche. Il racontera tout: comment il l'a rencontrée, comment il l'a évitée, comment il l'a aimée. Comment ils se sont aimés. Car ils se sont aimés. Si totalement. Si dangereusement. Philippe plonge dans ses amours lointaines et pourtant si vivantes. Il revoit clairement le canot d'écorce sous les pieds agiles de la jeune Indienne, il la revoit tirer ses filets avec un équilibre incroyable, il la revoit trembler devant lui, la revoit courir, la revoit s'abandonner à ses désirs. Le rossignol chantait; il l'entend encore. Clovis, ce jour-là, prenait forme de vie.

Philippe sursaute en voyant un personnage dans la salle d'attente. Un personnage au visage massacré, pieds nus sur le parquet ciré, vêtu d'une salopette trop courte et d'une chemise trop ample.

— Je ne t'ai pas entendu venir, dit Philippe pour expliquer sa surprise.

— Ah.

— Tu marches silencieusement. Entre. Entre.

Intimidé, le jeune homme pénètre dans le luxueux salon.

— Assieds-toi ici, mon garçon. En face de moi.

Clovis obéit. Le médecin réprime sa compassion en voyant les cercles mauves sous les yeux, les lèvres fendues et les cils collés de l'œil gauche. Il se compose un visage impassible de praticien.

— Tu m'as l'air d'avoir une fracture du nez, commence-t-il.

— Ça se peut.

— On va voir ça.

Il s'approche de son fils pour l'examiner de plus près. Ne

sait-il donc que poser des gestes médicaux pour rejoindre son enfant? Il rage contre lui-même et contre cette gêne insurmontable qui l'étouffe soudain et lui vide la cervelle.

— C'est bien une fracture. Hmm! T'as une méchante coupure au-dessus du sourcil. Tu aurais dû venir hier, je t'aurais fait des points. Rose-Lilas a fait de son mieux mais tu vas rester marqué. Je peux toujours te recouper.

— Non.

— Je te dis: tu auras une vilaine cicatrice.

— C'est pas grave. Le Firmin, lui?

— Tu lui as brisé trois côtes.

— Ah.

— Honoré t'a cherché hier. Où étais-tu donc?

Clovis pose un œil incrédule sur son interlocuteur. Puis il se lève et arpente le salon en touchant avec mille précautions les objets de fantaisie et les meubles cirés. Puis il s'arrête devant la belle porte aux dessins de givre. Son doigt, encore une fois, les gratte. Sans se retourner, il annonce en articulant avec difficulté:

— J'étais avec ma mère... sur sa tombe. J'étais avec la chienne sauvage.

— Ne te blesse pas comme ça, Clovis, conseille Philippe en revenant vers lui. Firmin est un imbécile, tu le sais. Il dit n'importe quoi.

— Il dit ce qu'il entend dire. Êtes-vous allé sur la tombe de ma mère?

— Non. Je ne vais jamais au cimetière.

— Personne n'est allé depuis sept ans. Sa croix est brisée et les framboisiers poussent sur son terrain. Vous l'avez mise au bout... tout près de la forêt... comme si... vous n'en vouliez pas. Les Blancs ne veulent pas des sauvages... Même Honoré n'a pas pris soin de sa tombe. Pourtant ma mère allait souvent porter des fleurs au pied du grand crucifix de sa femme.

— Clovis, je t'en prie, implore le médecin en posant sa main sur son épaule. (Cela lui fait curieux, tout à coup, de lever le bras pour rejoindre cette épaule. C'est qu'il a tant grandi. Jusqu'à le dépasser de quelques pouces.) Tu te fais du mal pour rien. Ne pense plus à ça. Viens t'asseoir.

— Non. J'ai honte... je vous ai déçu. Hier, vous m'avez regardé comme si j'étais un... un sauvage. Vous vous êtes penché sur le Firmin... Tout le monde était pour le Firmin.

— Il avait perdu connaissance. Tu aurais pu le tuer avec ton fléau.

— Je sais... Le monde criait: fesse, Firmin. Pourtant, lui aussi c'est un bâtard... mais il n'est pas sauvage.

— Viens t'asseoir.

— Non. Je suis laid maintenant. Ça me gêne.

Désarmé, Philippe regarde le dos de son fils et réplique sans conviction:

— C'est pas la première fois que je vois des bobos tu sais.

— J'ai d'autres bobos; vous ne pouvez pas les soigner. Ils sont en dedans. J'ai appris plus en un jour qu'en sept ans.

— Qu'as-tu appris?

— Ce que c'était un bâtard.

Le médecin retrouve son fauteuil. Son cœur palpite à nouveau.

— J'ai compris, docteur, que je ne pourrai jamais devenir médecin.

— Voyons.

— Jamais! Parce que je serai toujours un sale bâtard.

— Il y aurait moyen d'arranger ça.

— Non. Il n'y a pas moyen de changer la mentalité d'un village, la mentalité des hommes. Je m'en vais vivre dans le bois: c'est ma place.

— Tu abandonnes tes études?

— Oui.

— Tu ne peux pas faire ça: je t'aiderai.

Clovis se retourne brusquement. Ses couettes noires lui barrent la figure et l'expression courroucée de son œil intimide grandement Philippe.

— Ne comprenez-vous pas ce que je suis? Ce que je serai toujours? Le fils d'une chienne sauvage et d'un écœurant!

— Tais-toi.

— Vous ne voulez pas voir la vérité en face, docteur. Vous me traitez comme un petit garçon qui ne sait pas encore que le monde est méchant. Mais j'ai vu le monde hier. Je l'ai entendu se liguer contre moi et j'ai vu que j'étais seul. Tout seul. Ouvrez-vous les yeux, docteur, et ne vous dépensez plus pour moi: je n'en vaux pas la peine.

— Ce n'est pas vrai. Tu en vaux la peine, réplique faiblement Philippe en cherchant à retrouver l'enfant de l'amour dans cet homme bête et révolté.

— Non! Si j'étais l'enfant de ma mère seule, je considère que j'en vaudrais la peine, mais le sang d'un lâche coule dans mes veines. Qui sait quel espèce d'ivrogne ou de brute m'a enfanté!

Philippe demeure interdit. Il perd son courage, perd ses moyens, perd la face. Presque en bégayant, il demande:

— Comment peux-tu tant détester un homme que tu ne connais même pas.

— Parce que c'est un écœurant et un lâche. Parce qu'il nous a abandonnés. Parce qu'il a laissé porter par ma mère la faute qu'ils ont commise ensemble. Parce qu'il m'a laissé baptiser l'enfant du mal, puis le bâtard, puis l'enfant de chienne.

Parce qu'il n'a jamais posé une seul fleur sur la tombe de ma mère et n'a jamais eu le courage de dire qui il était.

— Le courage?

— Oui, le courage. Il n'a jamais eu le courage de me reconnaître.

— Et, s'il avait ce courage, que ferais-tu?

— Je le maudirais, rugit Clovis en frappant son poing dans sa main. Je le maudirais, répète-t-il en frappant de plus en plus fort.

Abasourdi, Philippe suit les mouvements de ce poing vengeur et impitoyable. La haine qu'exprime son fils le terrasse. Alors, maudis-moi, pense-t-il répliquer sans avoir la force d'ouvrir la bouche.

Clovis remarque son trouble et s'arrête.

— Je vous ai encore déçu, docteur.

Comme pour se faire pardonner, le jeune homme s'accroupit devant la chaise de satin.

— Pardonnez-moi; je ne voulais pas vous offenser, docteur. Je ne pensais pas que ça vous affecterait comme ça. Vous n'êtes pas habitué à la violence. Voyez, je suis un fruit pourri. Il est préférable que je sorte de votre vie. D'ailleurs, je n'aurais jamais dû revenir ici.

— ...

— Dites que vous me pardonnez, je vous en prie.

— Il y a tant de haine en toi, Clovis. Tant de haine. Je ne te reconnais plus, avoue Philippe en appuyant sa nuque contre le dossier.

— Je n'avais plus de haine en revenant ici. Mais eux avaient conservé la leur. Votre voix est déçue, je vous déçois?

— Tu me déprimes.

— Je n'ai pas que de la haine, docteur. Oh non! Si vous saviez combien je vous aime. Et combien je suis triste de vous voir si déprimé. Oubliez ce que je vous ai dit au sujet de mon père. Vous êtes tellement plus pour moi. Autant je le méprise, autant je vous aime.

— Pourquoi m'aimes-tu? Parce que je suis médecin?

— Non. Parce que vous avez toujours été bon. Parce que vos yeux ont pleuré pour moi, il y a de ça quatorze ans. Vous souvenez-vous?

— Oui.

— Je n'oublierai jamais cette larme au bout de mon doigt. Pardonnez-moi, pardonnez ma violence, docteur. Je vous en prie.

— C'est pardonné, Clovis.

Philippe pose sa main sur les cheveux et faiblit davantage au contact de cette soie noire.

— J'ai mal à la tête, docteur.

— Je vais aller te chercher un cachet. Attends ici.

Il se dirige vers son cabinet et va ensuite à la cuisine pomper une tasse d'eau. Il pompe, pompe. Le verre déborde. La pompe n'est plus qu'une tache embrouillée. Et il pompe. Et le verre déborde. Et les larmes mouillent ses joues, ses lèvres, sa langue. Une douleur inimaginable lui broie la poitrine.

Après quelque temps, il cache ses yeux rougis par ses lunettes. Clovis se désole de cette vaine dissimulation et prend ses médicaments.

— Je vous en prie, docteur. Ne rendez pas mon départ plus difficile. Je ne peux pas faire autrement: je suis chassé du village.

— Je sais: Honoré m'a tout raconté. Où comptes-tu aller?

— Je vais retrouver Sam.

— Penses-tu? Il est devenu bien étrange. Je doute qu'il t'accepte.

— Il m'acceptera.

— Pourquoi?

— Parce qu'il me doit trop de choses. Ne craignez rien, il m'acceptera et je ferai la trappe avec lui.

— Alors, c'est vrai, plus de médecine?

— N'insistez pas.

— Fais au moins attention à ne pas prendre d'alcool avec Sam. Ce n'est pas bon pour toi.

— Pourquoi?

— Parce que tu as du sang indien et... et aussi parce que tu as déjà souffert d'épilepsie.

— Très bien, je n'en prendrai plus.

Clovis se lève.

— Attends un peu. Tu ne peux pas partir comme ça, pieds nus. Attends, je reviens.

Quelques minutes plus tard, Philippe lui offre une paire de grandes bottes.

— Ce sont vos bottes d'équitation, reconnaît Clovis en n'osant y toucher.

— Elles sont à toi. Prends-les.

— Je ne les mérite pas.

— Ne fais pas l'enfant. Le sol est gelé encore. Je n'ai pas envie d'avoir à monter jusqu'à la cabane de Sam pour soigner une inflammation de vessie. Mets-les. Je t'ai mis une paire de bas dedans.

Clovis s'exécute et, ravi, se regarde les pieds. Lorsqu'il relève la tête, une chouette aux yeux d'or se balance devant son nez. Il la reconnaît immédiatement.

— Vous me l'avez gardée?

— C'est à toi.

— Vous me l'avez gardée.

— Prends-la.

— Non. J'aimerais... puisque vous me l'avez gardée... j'aimerais que vous me la mettiez au cou.

Philippe obéit en tremblant. Clovis retient ses avant-bras et les étreint.

— Merci, docteur. Je ne vous oublierai jamais. Jamais.

Une larme glisse sous les verres.

— Ne pleurez pas. Je n'en vaux pas la peine.

— Je deviens sensible en vieillissant, je suppose.

— La dernière fois que je vous ai vu pleurer sur moi, vous m'aviez apporté le fétiche de ma mère. C'est curieux comme les faits se répètent.

— Oui, très curieux. Et tu voulais mourir.

— Oui. Je voulais mourir. Aujourd'hui, je suis mort en moi. Le petit garçon sur le lit plein de caca est mort hier.

— Je sais. C'est lui que je ne retrouve plus en toi.

— Les gens l'ont finalement tué. Moi, je suis resté et j'ai dû devenir un homme.

— Je sais cela aussi. Allez, va mon...

Philippe hésite le temps d'une réflexion. Dira-t-il enfin « mon fils »? Avouera-t-il être cet écœurant que Clovis méprise?

— ... mon garçon. Va. Bonne chance.

— Merci. Ne vous tourmentez pas pour moi. Vous ne pouviez faire plus, assure Clovis en effleurant encore une fois le givre artificiel.

Les talons de bois trahissent les pas dans la salle d'attente, la galerie, les escaliers.

Oui, le petit enfant de ses amours est bel et bien mort. Et bel et bien remplacé par ce fruit de la haine et de la vengeance. Son cœur souffre. Son cœur pleure le petit garçon qu'il aimait tant.

Il me déteste, pense Philippe, il me déteste sans le savoir.

Entre la chair d'un rouge foncé et le blanc grisâtre de la peau, glisse le couteau de Sam, à petits coups précis et rapides. Habilement, il découpe les yeux puis termine le contour du museau. La quinzième peau s'enfile sur sa forme de bois et va rejoindre les autres pendues au mur.

Le trappeur s'empare d'un rat musqué et le met sur sa table collante de sang et de sucs. Patiemment, il recommence sa tâche sans être découragé par la trentaine de bêtes qu'il doit encore dépouiller de leur fourrure. Tout à coup, son chien abandonne son repas de carcasses et lève sa tête brune aux oreilles pendantes. Il gronde puis se met à japper. Chut, fait Sam en tendant l'oreille. La bête se tait tandis que son maître se concentre sur les pas qui se dirigent vers eux. Il se lève de sa table, souffle la lampe et décroche sa carabine au-dessus de la porte.

Que lui veulent les hommes? Pourquoi s'approchent-ils de sa cabane? Depuis le temps qu'il ne fait pas affaire avec eux, ils n'ont aucune raison de le visiter. Peut-être viennent-ils voler l'argent qu'il s'est mis de côté ou encore les peaux de sa fructueuse saison. Il attend, les mains serrées sur son arme, ne discernant que ce seul pas d'homme dans la forêt bruyante et peuplée de centaines d'autres vies. Que lui veut cet homme à l'heure de la brunante? Le chien gronde à nouveau et découvre ses dents pointues. Sam lui ouvre la porte et le lance sur l'inconnu. Celui-ci s'arrête devant l'assaut du chien et demeure immobile dans la pénombre, le laissant aboyer férocement autour de lui.

Sam s'avance afin de dévoiler l'identité de son visiteur. Il demeure bouche bée devant un grand jeune homme au visage abîmé. Il reconnaît aussitôt la chevelure spéciale, identique à celle de Biche et de Gros-Ours.

— Small Bear?

Le jeune homme acquiesce en reluquant la carabine et le chien agressif.

— Shut up! Shut up! lance Sam en donnant un coup de pied à son compagnon poilu.

— Small Bear... Small Bear? Small Bear, répète le trappeur.

Ce nom ancien, presque oublié, ressuscite un jeune Algonquin des couches profondes du passé. Un jeune Algonquin, né ici, dans cette cabane. Un jeune Algonquin qui a grandi, qui a joué et pleuré ici.

Clovis observe l'homme devant lui. Un homme hirsute, sale, timide. Une odeur de musc, de sueur et de boucane lui lève le cœur. Cet homme serait-il son père? Pour mieux le voir, il s'avance et ne capte que l'expression fatiguée et triste de ses yeux, le reste du visage étant envahi par une épaisse barbe et des cheveux longs et huileux retenus par un bandeau de cuir.

— Small Bear... Small Bear, répète Sam avec son accent chantant d'Irlandais.

Clovis comprend alors jusqu'à quel point Sam est demeuré l'étranger. Jusqu'à quel point il ne fait pas partie de la société. Jusqu'à quel point il est seul et isolé des Canadiens français catholiques. Il ne le prend pourtant pas en pitié et se rapproche résolument de lui. De son œil demeuré intact, il le pénètre de ce regard de feu et cherche des indices en lui. Il cherche la faille, l'aveu, le geste qui trahira sa paternité. Il cherche la rougeur, le bégaiement, la honte ou la larme qui le dévoilera. Mais Sam garde sur lui des yeux fatigués, pleins d'admiration et de fidélité, et répète sans cesse: « Small Bear. »

Embêté, Clovis se tourne vers la petite cabane et se désole

à la vue de sa modestie, voire sa pauvreté. Dans sa cervelle d'enfant, elle avait atteint des proportions gigantesques et des allures de château. Mais voilà qu'il se retrouve devant une habitation plus que rudimentaire, placardée de nombreuses peaux de castors dans leur cerceau de bois. Surmontant son appréhension, il se dirige vers elle et pousse la porte sur le gouffre noir et nauséabond.

— Wait. I'll put on some light.

Sam le précède et allume la lampe.

Clovis demeure saisi à la vue de tant de misère et de malpropreté. Les peaux accrochées sur tous les murs, les carcasses malodorantes empilées dans un coin et les bêtes mortes allongées sur le sol de terre battue le dégoûtent. Quoi donc? Dans son enfance, sa mère recouvrait toujours le plancher d'une couche parfumée de conifères et s'empressait de fumer la viande et de la conserver dans de jolis contenants d'écorce. Sam laisse tout à l'abandon et à la traîne, et le lit de Biche Pensive a disparu sous des amas de pièges et de chaînes. L'odeur atteint ici son maximum d'intensité. Clovis se demande s'il pourra la supporter lorsque son nez sera guéri et lui offrira toute la gamme des puanteurs existantes.

Il s'approche du lit encombré et se met en frais de le dégager. Sam, honteux, le laisse faire en expliquant maladroitement:

— I'm all alone here. It's dirty, I know...

Ayant terminé, Clovis s'étend sur la couche dégarnie. Intrigué, Sam s'agenouille tout près. Il le voit grelotter et le recouvre de la natte de lièvre démantelée.

— Why? Why Small Bear?

Clovis ouvre l'œil et étudie la physionomie du trappeur. Sam veut savoir pourquoi Clovis a été battu ainsi. Sans dire un mot, celui-ci déboutonne la chemise sur le fétiche. Sam esquisse un sourire douloureux et le touche du bout du doigt.

— I see.

Il hoche la tête et borde Clovis, tout en parlant irlandais. Épuisé, Clovis sombre aussitôt dans un sommeil réparateur. Sam tarde à reprendre son ouvrage interrompu et promène des yeux piteux sur son habitat dégradé. Il éprouve une grande gêne d'avoir été surpris dans sa crasse. Il accroche sa carabine et s'assoit à sa table. Le ronflement de Clovis le surprend. C'est vrai, il y a maintenant un homme avec lui. Un homme qui ne fait pas partie des autres hommes mais qui a été chassé par eux. Un homme qu'il a tenu, enfant, au bout de ses bras, qu'il a fait rire, marcher et manger. Que veut-il? Que cherche-t-il? Qu'attend-il de lui? Combien de temps restera-t-il?

L'assurance et le sans-gêne de Clovis l'inquiètent. Cette façon qu'il a eue de le regarder et de prendre possession du lit de Biche Pensive éveille des doutes sur les intentions pacifiques de l'intrus.

Peut-être désire-t-il le chasser de cette cabane pour s'y installer à sa place? Mais cette fois-ci, Sam ne se laissera pas faire et n'abandonnera pas facilement son royaume. Lorsque Biche vivait, il s'était éclipsé pour elle, et pour elle, il avait vécu dans des caches de terre. Mais depuis qu'elle n'est plus, il habite les murs qui l'ont vu vivre et qui auraient pu abriter leur union.

Elle ne voulait pas de moi, pense-t-il. Il hausse les épaules. Reprend son rat d'eau et découpe minutieusement l'anus. C'est ainsi que Gros-Ours lui a enseigné. Cette pensée lui rappelle un jeune commis un peu fou qui avait échangé une belle carabine pour quelques insuffisantes peaux. Se retrouvant congédié et démuni devant le rideau impitoyable des épinettes, une grosse main chaude s'était posée sur son épaule et l'avait réchauffé à travers l'étoffe. C'était la main de Gros-Ours et c'étaient les pas de Gros-Ours qui l'avaient guidé près des cabanes de castors et des pistes de chat sauvage. Aujourd'hui, le petit-fils de Gros-Ours revient près de lui avec des blessures au visage, et sans doute bien d'autres, invisibles. Comment pourront-ils se comprendre s'ils ne parlent pas la même langue? Comment pourra-t-il savoir ce qu'il semble revendiquer? (T'es un fou Sam. Big Bear ne parlait pas anglais. Tu n'as pas besoin de mots pour comprendre mais juste un peu d'amour.)

Ce mot le martyrise. Ce mot, pensé si ardemment sans jamais avoir été prononcé devant celle qu'il aimait. Ce mot, en lui. Inutile comme une semence sans terre. Ce mot, encore, redéchire les tissus fragiles de son âme. Ce mot refait partie de son vocabulaire. Après quinze années de solitude, il retrouve ce mot et tout ce qu'il comporte de joies, de souffrances et d'abnégation.

Un nouveau ronflement le distrait.

— Christ! jure-t-il en apercevant un trou dans la peau.

Il passe le petit doigt dans la fente avec des yeux ahuris. Une telle maladresse prophétise les changements qu'apportera la venue de Clovis. Bons ou mauvais changements? Il l'ignore. Mais ce dont il est certain, c'est que sa vie ne sera plus comme avant. Moins solitaire, mais aussi moins calme; moins morbide, mais moins facile.

Et nerveusement, reniflant comme un lièvre aux aguets, il poursuit son travail.

Seul avec son cri

— On devrait souffler la lampe, dit Sam sans oser bouger de son banc. *

Small Bear écrit toujours, de cette écriture serrée et régulière. Sur la table, il a épinglé un poumon de rat musqué et l'étudie attentivement.

Sam grogne, se balance un instant et s'essuie le nez du revers de sa manche.

— Belle écriture, dit-il encore en suivant le crayon.

Small Bear lui adresse un sourire furtif. On dirait le rapide passage d'un écureuil. Depuis ce matin, le jeune homme le boude. « C'est mon anniversaire aujourd'hui, lui a-t-il appris au déjeuner. — Pas vrai? — Oui. — Ah oui, je me rappelle que c'était au printemps. — Tu n'as rien de particulier à me dire? — Ben, bon anniversaire. » Que dire d'autre? Qu'attend-il de lui?

Sam avale une gorgée de whisky et la déguste, yeux mi-clos sur l'engourdissement de son être. Son regard trouble retombe sur les mains qui savent écrire et sur le jeune homme qui ressemble à un jeune chef indien avec sa longue chevelure et son nez légèrement busqué. Oui. Il lui fait penser à une gravure qu'il avait admirée dans un livre sur l'Amérique que l'oncle Oliver lui avait montré en Irlande. Il ne manque qu'un panache de plumes à Small Bear et un habit tout décoré comme celui de Gros-Ours lors de son enterrement.

— T'en veux, offre le trappeur avant de boire au goulot.

— Non merci, répond Small Bear en accordant un regard désapprobateur au flacon d'alcool.

Autre gorgée sur l'embarras de Sam. Il retrouve cette nuit où le rejet de Biche le torturait. Où son refus s'enfonçait en lui comme un piquant de hérisson. Que d'hivers depuis! D'hivers tout blancs, tout déserts! Pleins de neige épaisse et silencieuse. Que d'hivers à venir virer près de la folie! A cher-

---

* Lorsque la conversation se déroule entièrement dans une langue autre que le français, nous l'avons reproduite en français pour une meilleure compréhension. (Note de l'éditeur.)

cher des larmes pour écouler cette douleur immense et insaisissable qui baigne son être. Que d'hivers! Que de monologues! Que de whisky!

Le sauront-ils jamais, les hommes? Sauront-ils jusqu'où il a payé son amour impossible? Sauront-ils avec quelle dureté ses sentiments se sont retournés contre lui? Qu'il a reçu autant de cruauté qu'il avait eu de passion? Et lui, Small Bear, le sait-il? Lui qui écrit en l'ignorant et en jugeant son whisky. Lui qui l'a surpris dans sa crasse de solitaire. Lui qui s'est imposé. Lui qui, parfois, le regarde si étrangement. Le sait-il?

— On devrait souffler la lampe, répète Sam. Souffler la lampe sur moi... sur toi... sur ton écriture... belle écriture...

Il somnole en hoquetant. Une autre rasade coule dans ses boyaux. Et le rend plus épais que ces années de neige. Il a l'impression saugrenue d'être un glacier assis à la table d'un jeune chef indien. Et le jeune chef indien ne réussit pas à le réchauffer, encore moins à le fondre. Ne réussit pas à rejoindre son cœur. Le jeune chef indien est trop préoccupé par lui-même. Il écrit sérieusement en se concentrant sur la petite masse rose qui lui livre ses secrets inintéressants. Il se réfugie dans son cahier, et lui dans sa bouteille.

Pourquoi est-il ici avec lui? Pourquoi est-il venu peupler son temps de sa présence embarrassante? Bien sûr, en l'espace d'un an, il lui a apporté beaucoup de choses. Comme le plancher de sapinage, l'entrepôt à fourrure, le fumoir pour préparer le pemmican et tanner les peaux, les paniers d'écorce, l'ail des bois et sa participation efficace, voire surprenante, à la trappe. Bien sûr, il a appris l'anglais et s'est confectionné des vêtements de daim. Financièrement, Small Bear ne nuit pas. Au contraire, il est plus que rentable et pourrait se suffire à lui-même. Alors? Pourquoi reste-t-il près de lui? Que cherche-t-il en lui? Toute la journée, il s'est senti guetté, observé par ces yeux noirs et vifs qu'une cicatrice au-dessus du sourcil gauche rend soupçonneux. Est-ce parce qu'il a eu ses vingt et un ans aujourd'hui? S'attendait-il à une fête? Sam hausse les épaules.

— Bon anniversaire!

Small Bear ne détourne même pas la tête et le trappeur entend le bruit du crayon sur la feuille.

— C'était au printemps, et c'est en automne que j'ai battu cet homme... Tu étais prématuré.

Le crayon s'arrête. Sam se tait. Il se sert encore à boire, Small Bear ferme son cahier.

— Quel homme?

— Ah! Laisse tomber.

— Pourquoi as-tu battu un homme?

— A cause de ta mère. Savais-tu que je l'aimais?

— Oui, Sam. Je me rappelle que tu t'es mis à pleurer quand elle...

Small Bear lorgne la couche de sapinage où sa mère est morte. Il revoit Sam tomber à genoux en disant: « Oh! Lord! Oh! Lord! » Et il revoit Sam pleurer abondamment. Il ne trouve pas encore les mots pour expliquer à celui-ci qu'il ne lui garde pas rancune de l'avoir abandonné, mais désire seulement être reconnu comme son fils, particulièrement en ce jour d'anniversaire où la loi le reconnaît comme homme.

— Je savais que tu l'aimais.

— T'étais un enfant quand elle est morte... un enfant. J'aurais aimé que tu restes avec moi... mais elle n'a pas voulu.

Small Bear tend vers lui un visage intéressé. Sam constate qu'il a perdu son expression d'attente impatiente.

— Elle a signé un papier au prêtre comme quoi tu devais rester avec lui. Tu ne savais pas ça?

— Non.

— Le docteur le savait.

— Ah?

— Il a voulu t'adopter et le prêtre a refusé.

— Pourquoi a-t-elle fait ça?

— Je ne sais pas garçon... mais tu n'es plus un garçon: tu es un homme, conclut Sam en buvant avec une nervosité inconnue.

Small Bear avance sa main sur la sienne et dit avec émotion:

— Je ne savais pas, Sam. Je croyais que tu ne voulais pas de moi. J'espérais toujours que tu viennes me chercher.

Sam tapote sa main et lui sourit avec bonté avant de vider son flacon.

— Je suis soûl. On devrait souffler la lampe.

— Pas tout de suite.

Le trappeur s'affale sur la table. Small Bear le secoue énergiquement.

— Ne dors pas. Parle-moi.

— J'aimais ta mère, même si elle priait tout le temps... Mais moi je sais pourquoi elle priait.

— Pourquoi?

— A cause de toi... à cause de l'homme.

— Quel homme?

— Ton père.

— C'est toi mon père, réplique Small Bear d'un ton convaincu.

Sam se relève et l'analyse longuement. Puis il secoue la tête d'un air navré.

— Non. J'aurais aimé être ton père... mais elle ne m'aimait pas.

Il retombe sur ses avant-bras pour cacher ses larmes. Small Bear le couvre de ses bras et s'appuie contre son dos.

— Oh! Sam! Sam! Ne pleure pas... Pardonne-moi. J'étais persuadé que tu étais mon père.

— Elle ne m'aimait pas, sanglote Sam.

— Aimait-elle mon père? risque Small Bear.

— Non. Il l'a violée... et... je l'ai battu. Je l'ai battu avec ces poings-là.

Sam serre encore ses poings massifs et roule son front sur le cahier comme s'il voulait écraser tout son tourment, ignorant Smalll Bear envahi par une peur de plus en plus troublante. D'une minute à l'autre, il saura orienter sa haine et sa vengeance contre l'inconnu. D'une minute à l'autre, il saura unir, de force, un nom à celui de sa mère.

D'une voix tremblante, il demande:

— Qui as-tu battu?

Sam, complètement ivre, roule toujours la tête en marmonnant:

— Souffle la lampe.

Small Bear souffle la lampe. Un noir total règne dans la cabane. Avant que le trappeur s'endorme, Small Bear redemande:

— Qui as-tu battu?

Avec une inconscience d'homme soûl, la voix lente et triste de Sam murmure:

— Gadouas... Gadouas... Gadouas.

Trois fois comme des coups de fouet dans son visage. La poitrine coupée en trois, le cœur coupé en trois. Small Bear étreint Sam comme s'il pouvait ainsi être issu de lui et non de Gadouas.

— Non, pas lui, je ne veux pas qu'il soit mon père, murmure-t-il entre les pleurs de Sam.

Dehors, au loin, le loup hurle. Small Bear entend sa plainte descendre en lui. Elle exprime tout ce qu'il ressent. Il se détache de Sam et, à tâtons, rejoint sa couchette. Il s'étend sous la peau d'ours et retrouve cette nuit où le loup hurlait son propre chagrin. Sa mère le caressait, le consolait et la douce chaleur qui émanait de ce corps de femme adoucissait ses chagrins d'enfant. Mais maintenant, il est seul. Personne ne pose son doigt là où son cœur se déchire. Maintenant, il a froid même sous l'épaisse fourrure. Personne ne connaît son mal.

Nouveau hurlement. Small Bear tend son âme. Comme le loup, la nuit lui appartient. Comme le loup, il est seul avec son cri.

L'odeur de thé, le pétillement du feu, des bruits d'eau. Sam ouvre des yeux hébétés. Quoi donc? Il a dormi sur la table! Il heurte du pied sa bouteille vide et la regarde, se sentant fautif ou coupable de quelque secret trahi. Aurait-il dévoilé la vérité sur les origines de Small Bear? Toute la vérité?

Le jeune homme s'asperge le visage d'eau selon son habitude. Tantôt, il versera le thé dans les tasses de granit et servira le rat musqué. Ils iront ensuite en silence lever les pièges. Non, rien ne semble avoir changé en ce lendemain d'anniversaire.

Small Bear verse le thé, pose les tasses sur la table. Avant de servir le déjeuner, il enfouit son cahier et son crayon dans un panier d'écorce. Sam écarquille les yeux sur les rares possessions rassemblées près de la porte et balbutie:

— Où t'en vas-tu?

— Je ne sais pas.

Le trappeur sonde son compagnon et demeure déconcerté par son visage bouleversé. Oh! Lord! Aurait-il fait tant de lumière sur l'obscur passé de Small Bear?

— Que vas-tu faire? demande-t-il, inquiet.

— Le tuer.

— Qui?

— Gadouas.

Sam prend sa tête dans ses mains et demeure immobile. Il ne trouve ni réponse ni conseil à formuler et se rend compte de l'énormité de sa bévue. Quelques minutes s'écoulent lentement comme une mélasse froide avant qu'il réunisse ses idées.

— Il n'en vaut pas la peine, Small Bear... Il n'y a qu'un seul moyen d'avoir ta revanche: deviens quelqu'un. Ne leur donne pas l'occasion de te pendre.

Un silence. Sam reluque les bagages et la mine désespérée de Small Bear.

— Penses-tu que ta mère t'approuverait?

— Ma mère, non, mais mon grand-père, oui.

— Non. Big Bear n'était pas si stupide.

— J'ai agi comme un fou de toute façon. Je suis désolé. Je n'avais aucun droit de t'importuner.

La voix contrite du jeune homme touche Sam profondément et lui fait comprendre l'attitude osée, voire effrontée dont il a fait preuve à son égard. Croyant qu'il était son père, il a exigé des reconnaissances tant morales que matérielles. Comment ne pas comprendre sa désillusion? Comment le laisser partir? Comment fermer sur lui les portes de la solitude quand il souffre déjà tant? Pour la première fois depuis bien des années, Sam se rappelle le petit garçon de Biche Pensive. Il se rappelle le poupon qui riait dans ses mains calleuses, il se rappelle les premiers pas, les premiers mots. Puis se rappelle l'enfant dans la fosse et les cris sur la berge. A cette époque il se devait de s'arracher à lui. Cela avait été difficile et ce cri d'enfant abandonné a hanté ses soûleries et ses monologues pendant tellement d'hivers. Aujourd'hui, à travers l'épais silence de Small Bear, il entend son cri de détresse.

— Reste avec moi, Small Bear, s'entend-il demander.

— Je dois tuer cet homme.

— Tu me dois une année avant.

— Comment ça? Quelle année?

— Celle que tu viens de passer avec moi sans aucun droit, rétorque le trappeur avec un sourire rusé.

Le jeune homme interloqué le toise du regard.

— Même si tu sais qui est mon père?

— Tu es de ta mère; tu lui ressembles, tu es comme elle. Je la vois en toi et je vois aussi Big Bear. L'autre est une chose morte... Promets-moi de ne pas le tuer.

Small Bear se concentre sur les paroles que le médecin lui avait dites, alors qu'enfant, il avait tenté de se venger de ses bourreaux: « Les médecins doivent préserver la vie et non songer à la détruire. »

— Je promets, jure-t-il en posant son regard vibrant sur Sam.

— Bien.

— Est-ce que le docteur sait cela?

— Oui. Il est le seul avec moi qui sait cela.

— Et il voulait m'adopter quand même?

— Oui.

Small Bear regrette toute cette belle vie qu'il aurait pu avoir sous le toit du médecin. Il aurait porté son nom et étudié dans ses livres et surtout, il aurait grandi sous sa protection. Il aurait été son fils, son fils adoptif. Personne ne l'aurait insulté, personne ne l'aurait battu. Personne n'aurait abusé de son innocence.

Et jamais il n'aurait appris si brutalement être le fruit d'un viol. Jamais il n'aurait appris avoir été engendré par un acte de mépris et de haine. Jamais il n'aurait appris avoir été conçu par un homme si bête et si bas.

Small Bear frissonne en buvant son thé. Il maudit ce papier par lequel il a été donné pour laver le péché de Gadouas.

— Mangeons, suggère Sam en servant lui-même le rat musqué.

Le jeune homme obéit avec des gestes d'automate et mange sans appétit, parce qu'il faut bien vivre. Il se sent vide. Il se sent mort et se demande s'il peut être plus démoralisé qu'il ne l'est présentement. A-t-il atteint la limite de son désespoir? Jusqu'où s'élargira le gouffre sous ses pieds? Jusqu'où lui faudra-t-il sombrer? Car il sombre. D'année en année meurent en lui les belles choses. D'année en année, il se transforme. Même physiquement. L'autre fois, dans l'eau calme, il a capté son image et ne s'est pas reconnu. Il avait perdu sa beauté paisible et se voyait marqué du sceau de la violence. Son sourcil gauche, toujours relevé par la cicatrice, ajoutait une expression d'incrédulité, presque de méfiance, à ce visage jadis divin que les pères admiraient malgré eux.

Le petit ours est mort dans son arbre, Clovis aussi est mort. Il ne reste qu'un être vide en train de manger à la table de Sam. Cet être porte les cheveux longs et des habits de daim. Comme son ancêtre, un bandeau de cuir traverse son front. A son cou pend un fétiche. Mais cet être n'est personne. Il chausse également de grandes bottes usées. Des bottes qu'il se sent indigne de porter parce qu'il n'est rien. Rien qu'un grand corps de bête superbe au visage combatif. Rien qu'une harmonie parfaite de muscles et d'os sur une âme tourmentée et caco-phonique. Rien qu'une enveloppe amérindienne au contenu de Blanc inaccepté.

— Allons-y, encourage Sam en prenant les pièges pendus à la porte.

Bruits de chaînes et de métal irritent Small Bear comme si les dents d'acier lui étaient destinées. Il se lève et suit. Mettant ses pas dans ceux de l'homme, imaginant des fils invisibles entre leurs pieds.

De temps à autre, il tente de penser. Les paroles de Sam s'ancrent en lui: deviens quelqu'un. Comment peut-il être quel-qu'un s'il ne se sent rien? La médecine? Quelle utopie! Ses études d'anatomie animale lui apparaissent soudain futiles. Tout se découd. Le fil se défile. Il s'attache aux liens invisibles entre ses bottes d'équitation et les vieux mocassins de Sam, de peur de se perdre davantage, de s'enfoncer pour toujours dans ce vide laiteux qu'est son cerveau fatigué.

Il aimerait pourtant réussir quelque chose pour remercier le médecin. Son cœur s'attriste au souvenir de cet homme qui pleurait dans son beau salon. Cet homme qui sait tout.

Il regarde les bottes et suit. D'un pas las. Cette lassitude terrible l'effraie. Il retrouve les sensations déplaisantes qui suivaient ses crises d'épilepsie. Serait-il tombé dans son som-meil, si sommeil il y a eu? Ou tombera-t-il bientôt?

Apeuré, il chancelle à nouveau entre la folie et la raison et s'attache farouchement aux pas de Sam. Ils savent où ils vont.

Oui, ils le savent. Et de plus en plus clairement. Ses pas mèneront aux bêtes, puis aux pièges, puis aux peaux, puis à l'échange et à l'argent.

Cet argent grossira la somme déjà rondelette cachée dans la doublure de son mackina.

Et la somme servira à défrayer les études de Small Bear.

Ainsi calcule le trappeur, abandonnant son rêve insolite d'aller épater l'oncle Oliver, dans son usine de textiles, en échappant un gros rouleau de billets et en le ramassant avec négligence.

Ainsi calcule Sam, pas à pas et peaux à peaux, rendant hommage à Gros-Ours à travers son petit-fils.

Ainsi calcule Sam, pas à pas et peaux à peaux.

Qui-Qui-Hatch*

Qui-Qui-Hatch urine contre la grosse roche à la limite nord de son territoire. Il renifle l'odeur particulière de musc imprégnée dans la mousse, jette un coup d'œil autoritaire autour de lui et longe le lac où s'amuse une famille de loutres. Il ne s'arrête pas à les regarder s'ébattre dans l'eau et calcule le nombre de bêtes: deux grosses, trois petites. Phsiou! Phsiou! soufflent les jeunes loutres inconscientes en émergeant à la surface. Tout à coup: grand silence. Les parents les ont fait plonger. Ils ont compris, eux. Ils ont humé l'odeur de Qui-Qui-Hatch, le glouton.

Arrivé près du grand chêne, Qui-Qui-Hatch l'arrose abondamment de son urine et grimpe jusqu'au sommet. De là, il contemple son territoire. Immense, vierge de toute odeur d'homme et riche de milliers de vies différentes. Les petits yeux ronds de Qui-Qui-Hatch brillent de satisfaction dans leur masque noir. Quel beau territoire il s'est délimité! Jamais il n'en a eu de si complet. Beaucoup de bêtes, pas trop de moustiques, pas de grand froid et le règne absolu. Vraiment absolu. Sans rival et sans même de compagne. Juste à lui. A lui tout seul, la grande étendue et les animaux qui l'habitent. De la souris à l'orignal, il les possède tous et n'a qu'à choisir selon son appétit. Ah! Quel beau territoire!

Le glouton cligne des yeux, surveille un instant la fuite d'un écureuil noir entre les feuilles mouillées sans même penser à le poursuivre. Il n'a pas faim. Ce matin, il s'est payé une biche affaiblie par l'hiver. Elle ne s'est pas débattue quand il lui a sauté sur le cou. Elle savait que Qui-Qui-Hatch venait la prendre. Elle a plié les pattes puis est tombée sous ses griffes et ses crocs. Malgré sa maigreur, il s'est bien rassasié.

Il a caché ce qui restait de viande et a pissé dessus. Aucune bête n'osera y toucher, ni même l'approcher tant l'odeur de Qui-Qui-Hatch les terrifie.

Qui-Qui-Hatch: l'invulnérable. C'est ainsi que l'ont baptisé les Indiens du Grand Nord. L'invulnérable. Comme c'est vrai!

---

* *Qui-Qui-Hatch*: nom amérindien du carcajou, signifiant l'invulnérable.

Le glouton passe sa langue sur ses crocs, étire ses griffes et se hérisse le poil du dos. Il sent ses muscles travailler sous sa peau épaisse. Comme c'est bon! Comme il se sent fort! Hmm! Si fort! Les Indiens le surnomment également le diable des bois, et prétendent qu'il peut communiquer avec l'esprit du mal. Qui-Qui-Hatch ne sait pas ce qu'est l'esprit du mal ni l'esprit du bien. Il ne connaît qu'une chose: son invulnérabilité. Ne court-il pas plus vite que le lièvre? Ne nage-t-il pas mieux que l'ours? Ne grimpe-t-il pas mieux que l'écureuil? Ne ruse-t-il pas plus que le renard? Ne creuse-t-il pas plus que la taupe? En un mot, ne réunit-il pas en lui toutes les qualités des autres animaux?

Qui-Qui-Hatch croit qu'il a été créé pour régner. Pour soumettre toutes les bêtes de son territoire. En les mangeant toutes, il lui semble acquérir toutes leurs caractéristiques. Le carcajou grogne de contentement et bâille longuement. Oui, il est un tout. Il est la réussite animale.

Soudain, son regard tombe sur ses deux orteils amputés. La haine durcit davantage son visage féroce au souvenir des dents de métal qui les ont mordus. Oh! Il était jeune à l'époque. Jeune et insouciant. Une viande alléchante reposait sur la neige et le tentait. Malgré une odeur inconnue, il avait succombé et tendu la patte. Clack! Un bruit sec avait retenti dans l'air glacé tandis qu'une douleur cuisante saisissait ses orteils. Quelques gouttes de sang sur le blanc. L'odeur de fer et d'homme à jamais incrustée dans son cerveau. Et l'obligatoire rotation sur le membre engourdi jusqu'à l'amputation de celui-ci. Il revoit ses orteils dans le piège. Cette partie de lui-même qu'il avait dû arracher pour survivre. Il revoit aussi les traces qu'il laissait derrière lui. Rouges. De la senteur vulnérable du sang. Du sang de Qui-Qui-Hatch. Oui, l'homme avait osé mêler l'odeur du sang à celle de la puissance. L'homme avait réussi à saper son autorité, à minimiser sa grandeur et mettre en doute son invulnérabilité. Mais l'homme, depuis, a payé. Une fois, il en a vu un complètement gelé, sans son feu et sans son toit. Qui-Qui-Hatch lui a mangé le cœur et le foie puis l'a déchiqueté et a pissé dessus. Par la suite, chaque fois qu'il voyait un piège, il le déclenchait en glissant sa patte dessous ou lacérait les malheureuses victimes retenues dans la gueule d'acier. Ah! Qui-Qui-Hatch s'est bien vengé de l'homme. Ce mot le stimule et l'enrage. Ses griffes se tendent. Ses yeux se plissent. La colère qu'engendre la pensée de l'homme lui fait lever les babines. Quel animal vulnérable que l'homme! Vulnérable et lâche. Pourquoi donc ne se soumet-il pas à lui, le maître? Pourquoi le plus faible n'obéit-il pas au plus fort? Que fait l'homme dans leur monde? Pourquoi vient-il dérégler leur mode de vie? De quel droit s'interpose-t-il avec ses armes? Que de lâcheté!

Le carcajou saute en bas de son arbre et se met à tourner en rond avec impatience. Quelquefois, il souhaite retrouver l'odeur défiante de la bête vulnérable. Quelquefois, il souhaite pouvoir la déjouer encore, la décourager, la voler, la tuer et la manger, cette maudite bête qui s'amuse à poser des embûches sur son chemin. Qui empile des carcasses sur son dos, pour ne garder que la peau.

L'absence du coupable l'enrage et laisse retomber en lui sa vengeance.

L'écureuil noir passe avec un gland. Le glouton saute dessus et lui brise les os d'un coup de mâchoire. Le gland roule dans les feuilles brunes du chêne. Qui-Qui-Hatch le regarde s'immobiliser. Cette provision ne sera plus nécessaire. Il a pris la vie de l'écureuil. Elle lui appartenait comme toutes les vies de SON territoire.

Il gronde en souhaitant la venue d'un homme dans son royaume. Sa vie alors lui appartiendrait et Qui-Qui-Hatch régnerait sur lui. Qui-Qui-Hatch le soumettrait par la terreur.

Avant de partir, il pisse sur l'écureuil afin de bien marquer sa supériorité.

Condamnation

— Regarde-lé ben ton Firmin, exige Napoléon en liant les poignets du mastodonte.

« C'est pas mon Firmin », réplique mentalement Éloïse près de la porcherie.

Son père pousse l'engagé vers la charrette à foin, grimpe sur les fourragères et tire sur sa corde. Les bras du géant s'élèvent et se laissent docilement attacher. Un mouvement de mépris agite Éloïse à la vue des muscles imposants maîtrisés par un vieillard maigre difforme. Bon Dieu! Si elle les avait, ces muscles-là, il y a belle lurette qu'elle se serait débarrassé de son père. Ah! Qu'elle aurait aimé être un homme et avoir de la force. Ah! De la force! Rendre les coups. Infliger les mêmes blessures. Quel gaspillage que ce Firmin! Avoir tant de force et si peu d'intelligence pour s'en servir. Elle porte machinalement la main sur son visage blessé et songe à toute la douceur de la violence qu'elle aimerait posséder. A la douceur de la vengeance, à la douceur de la crainte inspirée au vieux dictateur.

La vue des bras puissants façonne peu à peu ses plans. C'est d'eux qu'elle se servira. Elle en fera ses bras. N'est-ce pas ce qu'elle a tenté de faire? S'acheter Firmin par les plaisirs qu'elle lui a offerts. Plaisirs qu'il a multipliés et perfectionnés jusqu'à l'accomplissement de l'acte géniteur. Que de fois ils l'ont consommé dans la grange, la remise, les meules de foin. Que de fois ils ont accompli ces gestes sans jamais s'attacher l'un à l'autre et sans avoir de sentiment. Mais hier soir, son père les a surpris en pleine action. Il l'a propulsée dans les cordes de bois et l'a reconduite à coups de pieds jusqu'à la maison.

— C'est moé l'chef! C'est moé qui décide ça, ma cochonne! Tu me retourneras pas le Firmin.

Il l'a battue devant sa mère. Il l'a battue comme il battait sa mère. A coups de poing, à coups de pied. A coup de tout ce qui lui tombait sous la main. C'était l'enfer sur terre. C'était la prison dont sa mère s'était enfuie par la porte de la folie. Mais Éloïse, dans son cerveau, rendait les coups au lieu de se les infliger à elle-même. Éloïse, à chaque blessure, déchirait l'image de son père jusqu'à ce qu'il n'y ait plus de père mais seulement un ennemi dont elle se débarrasserait un jour.

Le Firmin, lui, s'est caché dans sa remise et n'est sorti qu'au matin pour faire le train. Le père lui a alors annoncé qu'il serait puni après son ouvrage. Le Firmin s'est soumis et le voilà pendu à la charrette, offrant son dos nu et solide à l'exécution de monsieur Poléon.

Le fouet siffle dans l'air humide du matin et claque sur la peau blanche. Les petits cochons d'avril crient bêtement pour les pis de la truie. Le fouet siffle et claque. Et les petits cochons crient toujours bêtement dans le silence de la sentence. Le fouet siffle et claque. Un mince filet rouge coule sur la peau tremblante.

Éloïse songe à ce filet de sang qu'elle espère le long de ses cuisses. Ce mince filet du sang des menstruations qui la délivrera de ses inquiétudes et camouflera ses péchés. Comme ce serait bête d'être tombée enceinte du Firmin! Deux solutions s'offriront alors à elle: épouser l'homme et devenir sa chose pour la vie ou s'enfuir et devenir la chose de tous les hommes. Devenir la guidoune des infirmes, des obsédés, des pauvres, des prisonniers. De toute la racaille dont sa laideur héritera inévitablement.

Le fouet siffle et claque. Les petits cochons crient. Le père s'essouffle. Éloïse se révolte devant la soumission de son frère adoptif. N'a-t-il donc pas de haine? D'orgueil? De rancune?

(M'sieu Poléon l'avait dit, pense Firmin. M'sieu Poléon voulait pas que j'touche à sa fille. Firmin a touché la fille, a fait des affaires avec elle. Beaucoup de fois. Est fine la fille avec Firmin... A se laisse faire des affaires. M'sieu Poléon a raison d'être choqué. Me l'avait dit de pas toucher à sa fille. P'tête m'sieu Poléon va me tuer.)

— Vas-tu le faire encore? demande Gadouas.

— Non, m'sieu Poléon. Non.

Un sourire grimaçant relève les nombreuses rides du vieillard. Éloïse le regarde et le déteste.

— J'te tue pas pour c'te fois-citte, accorde le bourreau en s'arrêtant.

(Moé j'vas te tuer par exemple, songe sa fille.)

— Détache-lé Éloïse, pis lave-lé, ordonne le petit homme en enroulant son fouet autour de son coude.

Éloïse défait les nœuds et lance un regard méchant à son père. Un regard qu'il ne sait ni interpréter, ni même saisir.

— Ma maudite truie! dit-il encore avant de lui tourner le dos, ignorant la condamnation prononcée par sa fille.

Condamnation irrévocable, mûrie de longue date et exécutable dans le plus bref délai possible.

Sans savoir quand, ni comment, Éloïse murmure entre ses dents jaunes: « Faut le tuer... Faut que tu le tues, faut le tuer. »

Sur l'eau

Que c'est doux sur l'eau! A se laisser ballotter, à se laisser dériver, à se laisser vivre avec une ligne à pêche entre les doigts et un hameçon invitant dans le cours de la rivière.

Philippe inspire profondément les odeurs de juin et sourit avec gratitude à la faible brise qui le délivre des mouches. En face de lui, Honoré sue à grosses gouttes sous sa casquette grise. Sa moustache, plus que tout le reste de son visage, se tend vers le fil prometteur, cousu aux vaguelettes. Soudain il réagit, donne un coup sec et sort sa prise en riant. Un beau doré gigote un instant à ses pieds.

— Voyons, Philippe, dit Honoré, t'es-ti dans lune ma parole?

— Je sais pas. Ils ne veulent pas de mon ver.

— Remonte-moé ta ligne.

Le médecin s'exécute.

— Ah! C'est ben ce que je pensais. Tu te fais voler tout rond. Tiens! Regarde-moé ça si y aiment pas ton ver. Y en a pus de ver!

Philippe s'étire.

— T'as raison, j'étais dans la lune.

— A quoi tu pensais?

— A rien. J'étais bien. On est bien, hein?

— Ouais.

— Il fait chaud. Ça sent bon. J'ai menti, je pensais un peu à notre croix.

— Un peu?

— Oui. Je suis content.

— Le p'tit aussi va être content.

— Je l'espère.

Le visage de l'homme s'assombrit.

— Ça fait plus d'un an. Tu crois qu'il s'est débrouillé?

— Pas de doute. Avec son sang indien, t'as pas à t'inquiéter.

— J'ai vraiment essayé de lui dire, Honoré.

— J'sais.

— Les mots restaient dans ma gorge.

— J'sais ça aussi.

— Quand il m'a parlé de la tombe de Biche et de ce qu'il pensait de son père...

— Bon, ça recommence. Pêche plus, pense moins. On a faite une sapré belle croix pour la tombe de la Biche pis on y a arrangé son terrain comme du monde. Même qu'y est plus beau que celui d'Onésime Caron. Y aura rien à dire le p'tit. On a réparé nos négligences.

Philippe empâte à nouveau avec des gestes absents.

— Arrête donc de jongler de même pis pêche.

— Bon. Le prochain c'est pour moi.

— Écoute donc, j'entends du bruit sur l'eau.

— Ce sont les vagues.

— Non, c'est autre chose.

Honoré explore la rivière. Un canot apparaît. Un homme, torse nu, pagaie à la pointe. Cet homme stupéfiant fige les traits d'Honoré dans une expression de béate admiration. Philippe regarde à son tour la fragile embarcation où lui apparaît son fils. Musclé, cuivré, vigoureux. Le vent soulève ses cheveux de jais que retient solidement un bandeau de cuir. A son cou brillent les yeux hypnotiseurs de la chouette. Philippe pense que Gros-Ours serait fier de voir son petit-fils. Clovis se retourne vers Sam et lui indique la présence de la chaloupe. En un rien de temps, ils abordent doucement.

— Ça mord? demande Clovis avec des yeux ravis.

— Moé oui, répond Honoré de sa voix chaude, mais le docteur fait patate. Y a juste pêché un p'tit fouet de brochet. Regarde-moé ça! C'est juste bon pour empâter. Bonyenne! Vous en avez de la fourrure!

— C'est notre deuxième voyage. Sam dit qu'il y en a trois fois plus que l'année passée.

— J'te cré. Vous avez pris ça juste à vous deux?

— Oui.

— T'aimes ça trapper?

— C'est... c'est exigeant.

Clovis risque un regard vers le médecin et se surprend à rougir. Ne sait-il pas de qui il est issu? De quoi il est issu? Et n'a-t-il pas, malgré tout, tenté de l'adopter? Une sensation quasi douloureuse envahit sa poitrine tandis qu'il contemple cet homme qu'il sait aimer depuis toujours. Il désire tout à coup changer de place avec Honoré. Lui laisser sa cargaison et s'asseoir sur le banc, près du médecin, pour lui enseigner comment sentir le poisson.

— Ça mord à votre ligne, dit-il alors.

— Ah oui?

— Sentez-la.

— Ah oui. Ça bouge.

— Donnez un p'tit coup sec.

— Comme ça?

— Rentrez la ligne.

— Oh! Ça tire. C'est gros. Je pense que je te bats Honoré. C'est à ton tour de faire patate.

Avec peine, Philippe réussit à ramener sa prise. Une exclamation de joie jaillit de sa poitrine à la vue du doré.

— Tes poissons ont l'air de ménés à côté du mien.

— T'exagères, réplique Honoré en faisant mine d'être contrarié.

— C'est un beau, tranche Clovis en se penchant pour soupeser le poisson.

Philippe retient la tentation de poser sa main sur la tête soyeuse et admet simplement:

— C'est à toi que je le dois, Clovis.

Celui-ci lève vers lui son visage.. Son nouveau visage. Philippe réagit curieusement et plisse les yeux pour embrouiller le nez busqué et la cicatrice du sourcil gauche. Vainement, il cherche à retrouver l'image du jeune homme sur le quai de la gare mais ne voit qu'un homme au visage de guerrier. Avec un rien de peinture, Clovis aurait l'air d'un jeune chef indien, prêt à bouleverser le monde des Blancs pour faire régner sa justice. Philippe conçoit mal que cet être des bois soit son fils. Il est si différent. Sa peau si cuivrée près de la sienne, ses yeux si noirs, ses cheveux si lourds.

Habillé et coiffé comme un Blanc, on oubliait facilement ses origines; mais aujourd'hui, comment nier le sang de Gros-Ours dans ses veines? Comment oublier le lait de Biche Pensive? Qu'il est beau, pense encore Philippe, qu'il est beau, d'une beauté nouvelle. Une beauté d'homme.

— Qu'est-ce qu'il y a, docteur?

— Rien. Je... je t'avais averti que tu aurais une méchante cicatrice: je la regardais, c'est tout. Il y aurait peut-être moyen de la recouper.

— Ça me déguise tant que ça?

— Non, non.

— T'as l'air d'un dur de même. Pus personne va te barber. Moé, j'la garderais à ta place, conseille Honoré en lissant sa moustache.

— Vous croyez?

— Ben sûr. Regarde-moé donc. Ah! Ça te déguise pas. Pas une miette. Les femmes aiment ça en plus. Moé, je t'aime ben de même. T'as pus l'air d'un enfant de chœur. T'as l'air d'un homme. D'un vrai. (Clovis sourit à ce compliment.) Ça toujours été mon rêve d'avoir des cicatrices. J'sais pas, me semble que ça donne quèque chose à dire. Prends comme toé: le monde qui vont voir ton œil, y vont se poser des questions. Y vont te demander où c'est que tu t'es faite ça? Pis là tu leur racontes que tu t'es battu avec un géant. Ça les impressionne.

Philippe échappe un rire amusé.

— Ris. Ris Philippe Lafresnière. Tu sais que j'ai raison. J'aimerais mauditement mieux avoir des coupures sur les jambes que d'être pris avec les rhumatismes que personne se doute.

— Vos rhumatismes vous font toujours souffrir? interroge Clovis.

— Ouais! Ça paraît-i?

— Non.

— Tiens, tu vois, ça paraît pas pis j'ai l'air d'un chialeux. Quand je bougonne, personne me demande: qu'est-cé que tu t'es faite? Non. Y disent: de quoi cé qu'y a à chialer encore? Tu vois, hein?

— C'est Rose-Lilas qui dit ça?

— Non. Pas tellement elle. C'est une bonne fille.

— Elle va bien?

— Oui, très bien. Je pense qu'a l'aimerait ça te voir.

— J'aime pas trop aller au village à cause du curé.

— Y peut pas te chasser de chez nous quand même.

— On arrêtera peut-être en revenant.

— A serait ben contente.

— Comment va Jérôme?

— Oh! Y est déjà papa. Y a eu une belle p'tite rouquine aux yeux gris.

— Je suis content pour lui. Le reste de la famille va bien?

— Oui, très bien.

Clovis se tourne vers Philippe et s'informe plus timidement:

— Et vous, docteur, ça va?

— Oui. Comme tu vois, je suis en pleine santé et je n'ai pas de cicatrice. Mathilde étudie présentement à Montréal et viendra me seconder vers le mois d'août.

— Elle n'enseigne plus?

— Non. Judith l'a remplacée à la petite école.

— Qu'on a transportée dans le rang des Gadouas, précise Honoré.

— Il n'y a plus d'école au village?

— J'en ai bâti une trois fois plus grande, ajoute fièrement Honoré.

— Eh bien! Le village grandit à ce que je vois. Bon, faut y aller nous autres. Let's go, Sam.

D'un coup d'aviron puissant, le trappeur éloigne le canot de la chaloupe. Il ne sait pas pourquoi il se sent tout à coup amoindri, effacé. Est-ce la rencontre avec le médecin? Jalouse-t-il la réaction évidente de respect et d'admiration qu'il a provoquée chez Small Bear? Il retrouve un état d'âme très ancien. Un état déplaisant, inconfortable, irrespirable.

Il ne cherche pas à cerner le problème et tente par tous les moyens possibles de le fuir. D'une voix plaintive, il se met à chanter de vieilles chansons irlandaises.

Small Bear se retourne et lui sourit. Mais les yeux de Small Bear sont absents. Ses yeux ne sourient pas autant que sa bouche. Ses yeux jonglent à tous ces mots français échangés tantôt. Ses yeux jonglent aux nouvelles apprises. Ses yeux jonglent à l'existence des siens.

Sam s'enfonce dans sa solitude, derrière cet homme qui a retrouvé les siens. Derrière cet homme qui ne l'accompagne que de corps. Sam s'enfonce en chantant les vieilles complaintes de son pays natal, que personne d'autre ne peut comprendre réellement.

— C'est pus un p'tit gars, Philippe. C'est un homme. Y a rien d'un p'tit gars. Si ça te dérange pas, je l'appellerai pus le p'tit. Ça y va pas, conclut Honoré en empâtant.

— Je pense qu'il n'a plus besoin de moi.

— Chus pas prêt à dire ça. Pas prêt. En seulement, c'est pus un p'tit gars d'école. Y a fait la trappe. C'est une école ben rude ça. Bon. Là, faut que j'en attrape un plus gros que le tien, annonce Honoré en secouant son ami d'une tape amicale sur l'épaule.

Le billet d'écorce

Fermée la porte de la petite école. Envolés les enfants sur leurs pieds nus cornés. Judith se retrouve près du pont de billots sous lequel se faufile un ruisseau charmeur. Ses yeux tantôt explorent l'eau, tantôt la forêt, tantôt le chemin. Ces choses, maintenant, lui parlent. Derrière les feuilles, elle devine la présence de Clovis. Elle sait qu'il la voit, qu'il la suit pendant sa marche après les heures de classe.

Il y a une semaine, il s'est manifesté à elle en laissant un bouquet de pissenlits sous le pont. Elle a d'abord cru qu'il venait d'un élève. Mais le lendemain, au même endroit, il y avait une grosse gerbe d'ail des bois et le surlendemain, au même endroit, un beau doré frais; et puis des têtes de violon, du poisson fumé et des fleurs encore. Chaque jour lui apportait une surprise nouvelle. Mais voilà qu'aujourd'hui, la grosse pierre où s'accumulaient les offrandes de l'invisible adorateur demeure déserte et froide comme un tombeau. Clovis serait-il parti? Aurait-il repris le chemin des montagnes? Serait-il retourné à cette forêt possessive? Avant c'était l'Église qui le lui ravissait, maintenant c'est la forêt.

La jeune femme soupire en voyant pleurer l'eau sur les roches rondes. Son cœur encore une fois referme les ailes dorées de l'amour. Le papillon redevient chenille et se tapit dans son affreux cocon.

Judith regarde à nouveau les feuilles. Elle les fouille intensément, les interroge, les supplie presque de s'arracher aux arbres pour démasquer Clovis. Pour lui certifier sa présence ou son absence. Pour lui permettre d'espérer ou de pleurer et la libérer de ce théâtre qu'elle joue pour un public incertain. La libérer de ce visage insouciant qu'elle se compose afin de cacher son désappointement.

Alors apparaît sur les flots rieurs un petit canot rempli de fleurs de fraises sur lesquelles trône un billet d'écorce. Doucement, elle le laisse voguer jusqu'à ses mains ouvertes et le prend avec précaution pour ne pas renverser la cargaison de fleurs. Le ruisseau, maintenant, chante. Ce fil d'eau ne la relie-t-elle pas à Clovis? Pourquoi ne pas le suivre? Pourquoi ne pas le surprendre? Elle fait quelques pas dans sa direction puis se ravise et revient lentement vers le pont en déroulant le billet de ses doigts émus. Peut-être y lira-t-elle un poème ou un je t'aime. Aucune écriture n'apparaît sur l'écorce qu'elle tourne et retourne. Rien. Avant même qu'elle s'attriste, deux grandes mains recouvrent ses épaules et la font sursauter.

— Clovis, échappe-t-elle dans un petit cri en tentant de se retourner.

— Je te dirai ce qu'il y a d'écrit dessus mais avant écoute-moi. Je ne ressemble plus tellement à Clovis.

— C'est toi, je te reconnais.

— Ne te retourne pas; je ne suis plus le Clovis qui touchait tes genoux dans le train. J'ai changé.

— Qui es-tu alors?

— Je ressemble plus à Small Bear.

— Small Bear? Ce petit garçon aux yeux si noirs que Mathilde avait placé près de moi?

— Oui.

— Il avait des mains brunes et il sentait la fumée. Je me souviens. Tu sens la fumée. Laisse-moi voir si tu as les yeux aussi noirs.

— J'ai peur, Judith.

— Peur?

— Oui. Peur de ta réaction.

— J'aimais bien Small Bear.

— Et Small Bear aimait bien la petite fille aux tresses blondes.

— Je me souviens de toi sur la côte dangereuse. Tu avais une allure terrible mais tu ne me faisais pas peur.

Les mains la libèrent. Elle se retourne. L'homme qui lui apparaît la surprend, tant par sa beauté que par son étrangeté. Les cheveux très longs, le bandeau, le fétiche et le torse nu l'indisposent au premier coup d'œil. Clovis serait-il devenu ce bel Indien imposant? Où aurait-il acquis tant de force et tant d'autorité? Elle s'attache aussitôt aux yeux très noirs et aux longs cils, ignorant l'arcade sourcilière blessée et le nez busqué. Peu à peu, Clovis revient habiter ce visage. Elle sourit.

— Tu as les yeux aussi noirs, dit-elle d'un ton léger en chassant un essaim de mouches.

— Et toi, les cheveux aussi blonds.

— Qu'y a-t-il d'écrit sur ton billet?

— Je te le lirai sur l'île. Il n'y a pas de mouches là. Viens.

Il lui prend la main et l'entraîne avec lui en expliquant:

— Il ne faut pas que les gens nous voient ensemble.

Le belle course! Sont-ils des enfants? Sont-ils des adultes? Elle ne le sait plus et jouit de la main qui serre trop fort la sienne. Tantôt, elle se sent en présence d'un bel étranger qui vient de la ravir, tantôt en présence d'un vieil ami. Small Bear rit dans les yeux de l'homme, Clovis songe dans ses silences. Pour elle, il casse les branches sur son chemin et pousse les roches. Quelquefois, il la soulève pour franchir les troncs morts ou lui fait passer les ruisseaux en la tenant dans ses bras. Elle se sent une reine, elle se sent une femme. Rendus près de la rivière, il l'installe dans son canot et se met à pagayer vers l'île.

Les voilà face à face. Elle ose regarder son torse cuivré. C'est la première fois qu'elle voit un homme nu jusqu'à la taille. La première fois qu'elle voit jouer de si beaux muscles à chaque coup d'aviron, la première fois qu'elle voit un ventre d'homme, des bras d'homme et un cou d'homme. Quelque chose dans son propre ventre fourmille et éveille ses désirs. De temps à autre, elle ferme les yeux et rêve qu'il l'emmène loin, très loin, sur sa couche. D'autres fois, elle se remémore le petit garçon qui jouait au médecin avec elle.

Ni l'un ni l'autre ne parle. Le chant fluide de l'aviron se perd dans celui du courant. Pas un moustique ne les indispose. Cœur battant, Clovis la contemple. Sur l'île, il lui fera ses aveux. Seront-ils acceptés? Partagés? Refusés?

Cœur battant, elle presse contre elle le petit canot et son billet vierge. Ce bel étranger, aimé de longue date, la prendra-t-il enfin dans ses bras?

Le canot s'immobilise sur la plage de sable.

— Déjà?

— Oui. Tu aimes ça être en canot?

— Oui. J'aurais aimé que ça soit plus long.

— Je peux te faire faire un tour si tu veux, offre-t-il pour retarder l'échéance.

— Non. Je veux savoir ce qu'il y a d'écrit sur mon billet avant.

— Bon.

Il lui tend la main afin de l'aider à débarquer et s'aperçoit qu'ils tremblent tous les deux.

— C'est frisquet sur ton île, dit-elle en masquant son trouble.

— Mais il n'y a pas de mouches.

— C'est vrai.

Petit silence gênant. Il reprend sa main et l'entraîne vers un cap où deux couches de sapinage attendent. Il rougit soudainement en les apercevant si près l'une de l'autre et explique:

— C'est plus doux avec des branches de sapin.

— Bien sûr.

Elle s'assoit, place sa jupe noire autour d'elle et installe son petit canot de fleurs sur ses cuisses. Clovis s'agenouille près d'elle. Elle lui tend aussitôt le billet.

— Tu as de bons yeux; lis-moi ça, dit-elle d'un ton enjoué.

Il s'empare de l'écorce.

— C'est écrit...

— Attends: tu le tiens à l'envers. Tiens, c'est comme ça qu'il va.

Elle le tourne et le lui remet. Il rit de gêne. Elle aussi. Pourquoi cherche-t-elle toujours à masquer ses émotions par sa gaité? Pourquoi craint-elle tout à coup les aveux de Clovis?

Il se tait devant elle. L'épaisse frange de ses cils ombrage ses pommettes. Il a l'air tout à coup timide et triste. Elle retrouve l'expression particulière de Clovis, cette expression qui a toujours su toucher les cordes sensibles de son être. Elle a envie de le caresser, de le consoler, de le cajoler.

— C'est écrit... c'est écrit...

— Tu parles comme Hercule, ne peut-elle s'empêcher d'observer en pouffant de rire.

Un grand, très grand silence plane comme le long vol gris d'une mouette. Clovis tremble comme une feuille en tentant de lire ces mots invisibles que son cœur a tant de fois dit et redit à celle qu'il aime. Jamais il n'aurait cru Judith si impossible, si difficile à rejoindre. Rira-t-elle encore lorsqu'il lui déclarera son amour? Le tournera-t-elle en ridicule?

Il lève vers elle son regard troublé et troublant, et d'une voix chancelante réussit à prononcer:

— Je t'aime.

Le visage de la jeune femme se transforme. Elle devient sérieuse.

— Moi aussi, je t'aime, lui déclare-t-elle en s'avançant vers lui.

Il la prend aussitôt dans ses bras. Le petit canot roule par terre et déverse ses fleurs sur la roche.

— Judith! Judith! prononce-t-il en défaisant son chignon pour y enfouir son visage.

— Je t'aime, je t'aime.

Il caresse ses cheveux, sa tête. Puis approche son visage et colle sa joue contre la sienne. Leur peau se brûle tandis qu'ils tremblent l'un contre l'autre.

— Il y a longtemps que je t'aime, avoue-t-il.

— Maintenant, je sais que j'ai toujours aimé Small Bear. Je l'ai aimé le jour où il grattait le givre à la porte du salon.

— Tu riais encore.

— Je suis bête; je ris toujours quand ce n'est pas le temps. Pardonne-moi.

— C'est comme ça que je t'aime.

— Le lendemain des noces de Léonnie, j'avais l'air tellement indifférente et pourtant Dieu sait si j'avais le cœur gros.

— Chut! Tais-toi. Écoute, le rossignol chante.

Ils se taisent dans le chant du rossignol. Se caressent les cheveux, les mains, le visage. S'apprivoisent lentement à la promiscuité et à la chaleur de leur corps. Découvrent leur parfum.

— Emmène-moi loin, chuchote Judith.

— Où tu voudras.

— Très loin.

Il la berce sur lui. Sur son cœur follement heureux.

— Dis-moi que tu ne repartiras plus, supplie-t-elle en se faisant toute petite.

— Je reviendrai. Je reviendrai toujours vers toi. Toujours. Je te le jure, promet-il en flattant les cheveux d'or. Tes cheveux sont comme le soleil. Tu es mon soleil. La terre sourit lorsque le soleil apparaît. Tout s'éclaire. Tout se réchauffe. Tout grandit. Avec toi, je prends vie Judith. Avec toi, je renais. J'ai été mort trop longtemps.

Elle embrasse ses mains.

— Je ne te laisserai plus jamais mourir, Clovis.

— Tu es mon soleil... mon soleil.

Il se lève et l'attire plus près de lui. Elle glisse sa joue sur ses bras. Il ceinture sa taille de ses deux mains. Le couchant rosit le ciel.

Clovis élève Judith au bout de ses bras et s'offre l'image des cheveux étincelants sur les nuages colorés.

— Tu es plus belle que le soleil.

Elle rit. D'un vrai rire. Il la ramène contre lui et la tient à sa hauteur. Elle bat des pieds dans le vide puis s'immobilise et devient grave.

— Tu es un homme et moi, une femme. Dépose-moi, Clovis. Nous ne sommes plus des enfants.

— Tu as raison.

Il obéit. Elle se rassoit et remet ses cheveux en ordre. Il la regarde faire, ou plutôt l'admire dans ses moindres mouvements.

— Je vais te pêcher un poisson. Nous mangerons. Après j'irai te reconduire.

— Très bien.

Il s'exécute. Elle l'observe. Réprimant les désirs charnels qui battent en elle. Au loin, le rossignol chante. Comme il chantait à l'anse au doré lorsque Clovis prit forme de vie.

La fille laide

Apercevant un canot dissimulé sur le bord du ruisseau, Éloïse remonte un peu le courant et accoste sa chaloupe sous les vieux cèdres. Sur la pointe des pieds, elle s'avance vers la fumée qui, depuis une semaine, l'intrigue grandement. Elle arrive bientôt à un campement et se tapit dans un buisson pour mieux observer.

Une vision nouvelle, presque infernale, s'offre à elle. Un être, jusqu'ici jamais vu, s'affaire à ses feux sous de longues perches de poissons. Il va et vient dans ses nuages de denses fumées avec une aisance de démon. Ses cheveux trop longs, sa peau trop grillée, son pantalon de daim enfoncé dans des bottes de cavalier et sa poitrine nue la séduisent et l'effraient tout à la fois. Des tambours de guerre battent à ses oreilles. Des cris de guerre. Des danses de guerre. Elle s'imagine ligotée au poteau de torture. A la merci de ce séduisant démon. C'est un sauvage, pense-t-elle, un vrai... comme dans les livres. Pareil, pareil.

Le sauvage s'approche de sa cachette pour ramasser du bois. Elle retient son souffle, scrute ce visage aux traits familliers et finit bientôt par reconnaître Clovis.

Un sourire malicieux étire sa grande bouche. Sa peur s'envole. Comme elle vient pour se dévoiler, quelques branches craquent dans son dos. Elle s'enfonce sous les arbustes.

Mademoiselle Judith apparaît. Belle, légère, heureuse. Elle vole littéralement vers Clovis et se blottit dans ses bras. Il l'enlace, baise partout sa tête et presse sa joue sur la sienne en fermant ses beaux yeux. Il la berce contre lui et promène ses doigts dans ses cheveux.

Couchée sous les branches épineuses, le cou rongé par les mouches, Éloïse subit une incroyable torture. Sous ses yeux se déroule un conte de fée qu'elle n'aura jamais la chance de vivre. Tendresse et amour émanent avec force de ces deux êtres qui se pressent doucement, se caressent les mains et le visage et se parlent à voix basse. Judith s'est assise sur une bûche et Clovis s'est installé à ses pieds. Il lui raconte des choses; elle écoute en passant ses doigts sur sa joue. Il les embrasse un à un.

Un à un, explosent dans le cœur d'Éloïse ses minables

souvenirs d'enfant. La mère battue, le petit bébé rudoyé dans son berceau, les claques, les cris, l'habitude de serrer les dents, les éternelle soirées à attendre une caresse, un bonjour, une main sur sa tête. Le temps long avant de s'endormir sans histoire et sans bonsoir. Le temps long à espérer la visite, à guetter le carreau givré, à se rappeler les chansons d'église. Le temps long à s'ennuyer de l'école. Puis, passé le cap de l'enfance, la certitude d'être laide. D'être repoussante. D'être à part. L'habitude d'être blessée sans en avoir l'air. L'habitude d'être à l'écart des danses, des rires, des amourettes. L'habitude de relever sa jupe pour l'acte géniteur. L'habitude d'obéir, de servir, de donner sans jamais rien recevoir. Sans jamais recevoir autre chose que la nourriture essentielle à la survivance et les nippes nécessaires à la bienséance. Rien d'autre. Sauf une danse, une fois, dans les bras d'un séduisant jeune homme. Danse qu'elle avait demandée et qu'il lui avait accordée. Une danse. Une seule danse à jamais inscrite en elle. Pauvre reflet de charbon qu'elle se fait passer pour un diamant.

Une douleur sourde envahit la fille laide. Devant ses yeux, l'amour grandit et déploie ses splendeurs. L'amour l'aveugle de sa beauté. L'amour l'amoindrit, l'amour l'aplatit, l'amour la torture par la communion intense de deux personnes. Condamnée à la solitude par son sexe et sa laideur, Éloïse souffre en voyant Judith et Clovis n'être plus qu'un. En les voyant se fondre en un tout harmonieux. En les voyant s'unir plus totalement du bout des doigts qu'elle ne l'a jamais été en donnant tout son corps à Firmin. Elle souffre de ce manque en elle qui est plénitude dans le couple. Elle souffre de l'absence de sentiment. L'absence d'un « je t'aime » ou d'un « j't'haïs pas ». Elle souffre de tous les mots d'amour qu'ils se disent et qu'elle n'entendra jamais. Elle souffre de tous les touchers très purs qui n'effleurent que leurs joues et leurs cheveux et qu'elle ne connaîtra jamais. Elle souffre d'être une chose devant ces amoureux qui vibrent de toute leur âme. Elle souffre de leur regard étoilé, de leur respiration émue, de leur gaucherie. Elle souffre de leur sourire timide et de leur rire nerveux.

Éloïse retient ses sanglots dans sa gorge. Elle rampe sur les roches et les racines noueuses jusqu'à ce qu'elle soit hors de vue et s'empresse de rejoindre sa chaloupe.

Pour la première fois de sa vie, elle remarque la bonne odeur du cèdre et appuie sa joue sur l'écorce filandreuse. Elle ferme les yeux et se presse sur l'arbre en imaginant Clovis. Elle l'embrasse en gardant les yeux clos comme elle l'a vu faire. Léger tressaillement dans sa poitrine: souffrance et gonflement de joie inextricablement emmêlés. Elle étreint l'arbre jusqu'à ce que ses flancs maigres souffrent du contact. « Clovis, murmure-t-elle, Clovis. Clovis. Clovis. Aime-moé. Fais-moé la même

chose qu'à elle. A l'a même pas le droit, est maîtresse d'école. »
Elle ouvre les yeux. « C'est vrai, a l'a pas le droit. M'as le
dire au curé. »

Elle saute dans sa chaloupe et commence à ramer avec
ardeur. La sueur trempe bientôt sa chemise à carreaux. En
apercevant la silhouette grotesque de son père sur la berge, elle
ralentit son allure et revient sur ses intentions. (Si je fais ça,
y va s'en aller. J'le verrai pus. J'veux juste qu'y m'aime un
peu. Juste un p'tit peu. J'y demande pas la lune. C'est pas pire
que de me faire danser. Juste être dans ses bras un peu. Comme
elle. Comme elle.)

— D'où c'est que tu viens? questionne Napoléon.

— J'ai faite un tour à pêche.

— T'as rien pris?

— Non. J'ai pas rencontré de bans de poissons.

— T'as-ti vu de la boucane?

— Non.

— Y en a là-bas, au ruisseau.

— P'tête des voyageurs, p'tête m'sieu Turcotte qui brûle
ses souches.

— Ça se peut. Grouille-toé, c'est l'heure du train.

Amoureusement léger, Clovis tourne dans l'eau comme
une loutre joyeuse. Il s'amuse à cueillir des moules dans le
sable limoneux, émerge en faisant de grandes éclaboussures
et replonge se faufiler entre les roches. Sans poids, il tourne
langoureusement, sensuellement dans les flots limpides de la
rivière. Il sent la masse fluide et froide glisser entre ses cheveux
puis le long de son grand corps nu. Il jouit de ce contact total et,
malgré la température basse des profondeurs, il s'aventure de
plus en plus creux, explorant les fonds sous-marins et épiant
les poissons.

Un foulard rouge traverse sa mémoire et lui rappelle
Judith. A la simple résonance de ce nom, les battements de son
cœur s'accélèrent et il refait surface. « Judith, prononce-t-il
en souriant, Judith je t'aime. » Il se laisse flotter sur le dos.
La rivière s'empare de lui et le charrie comme un billot. Où donc
a-t-il appris à nager? Est-ce sa mère qui le lui a enseigné? Il
sourit à nouveau. Curieusement, il sent revivre cette femme
disparue. Il la sent présente dans la tendresse de Judith. Il la
sent liée à elle. Ne sont-elles pas jumelles dans le même amour?
Leurs caresses ne se rejoignent-elles pas sur le même front?
Leurs doigts ne se rejoignent-ils pas dans les mêmes cheveux?
Ce que l'une a fait, l'autre le refait après que les hommes
l'eurent détruit. L'être doux et heureux, issu des entrailles de
Biche Pensive, recommence à vivre sous les mains affectueuses

de Judith. Sans doute est-ce pour cela qu'il n'a plus d'âge devant elle et aime tant se blottir contre ses genoux. C'est contre ses genoux qu'il lui a dévoilé ses origines. Contre ses genoux qu'il lui a parlé de ses ambitions. Contre ses genoux qu'il lui a avoué sa peur du curé. Contre ses genoux qu'il s'est lavé de tous les crimes commis contre lui. Contre ses genoux qu'il a rêvé, espéré et cru en un avenir solide et beau. Contre ses genoux qu'il s'est laissé réchauffer, amadouer, apprivoiser par l'amour. Contre ses genoux qu'il a oublié le mot vengeance.

Le soleil brille à travers les nouveaux feuillages. « Mon petit soleil, murmure-t-il dans le babillage des vagues. Tu me donnes de la force, de la vie, de la chaleur, de la lumière. Sans toi, je suis dans le noir, le froid et la peur. Sans toi, je dépéris. »

Il regarde sur la berge, repère la belle chemise rouge qu'il s'est achetée lors de l'échange des fourrures et nage vers elle, abandonnant la rivière à son cours.

Des tisons rougeoient encore autour des enveloppes de glaise qu'il recouvre de bois. La flamme grandit aussitôt et pétille. Clovis se rapproche des pierres chaudes pour se sécher et se réchauffer. Une sensation de bien-être gagne peu à peu son corps frissonnant. Il peigne ses cheveux avec ses doigts. Quelques gouttes glacées roulent sur son échine et le font trembler. Qu'importe! Il veut être beau et propre pour la dernière rencontre avec Judith. Du moins, la dernière d'ici quinze jours puisque l'année scolaire se termine aujourd'hui et que Judith devra retourner vivre au village, ne revenant à la petite école qu'à toutes les quinzaines pour l'aérer et l'épousseter.

Il est aussi grand temps qu'il rapporte à Sam la provision de poisson fumé et qu'il lui redise son amitié. Il avait l'air si triste lorsqu'ils se sont séparés! Il le revoit encore, sur la berge, qui le regardait aller sans un mot et sans un geste comme s'il le voyait pour la dernière fois. Comme si plus jamais Small Bear ne reviendrait trapper avec lui. Pauvre Sam à qui il ne pouvait avouer que la pêche au doré n'était qu'un prétexte pour revoir Judith. Pauvre Sam à qui il ne pouvait expliquer qu'il répondait d'instinct à l'appel mystérieux et sacré de l'amour, obéissant au besoin essentiel et vital d'être près d'elle.

Cette fois-là, lorsqu'il avironnait et que Sam, impuissant, le regardait s'éloigner, il avait failli répéter la scène cruellement vécue dans son enfance, mais n'en avait pas eu la méchanceté et s'était retourné pour envoyer la main à son compagnon. « I'll be back* », lui avait-il crié alors. Sam avait souri et ses yeux avaient espéré. Ce soir, il sera avec lui.

Clovis regarde encore le soleil. Dans deux heures, Judith viendra le voir. Il a le temps de s'habiller, de manger ses écu-

---

* Je reviendrai.

reuils cuits dans la glaise et de lever le campement. Il s'attriste déjà de cette séparation qui les attend et enfile sa chemise neuve d'un air solennel, puis son pantalon de daim et ses grandes bottes. Elles lui font penser au médecin immédiatement. Comme il aime cet homme! Comme il l'admire! Et surtout comme il le respecte! N'a-t-il pas, avec l'aide d'Honoré, posé une nouvelle croix sur la tombe de sa mère et orné son terrain de fleurs? Comment ne pas vénérer un homme si ouvert? Comment ne pas compter qu'il jugera d'un œil favorable les amours entre lui et sa fille.

Un bruit de pas le fait sursauter. Déjà! Il se retourne et fronce les sourcils en apercevant Éloïse s'élancer vers lui en tendant son visage ingrat. Il recule de quelques pas. Elle se lance dans ses bras et se colle à lui. Il la repousse.

— Mais qu'est-ce qui te prend? T'es folle?

— Fais-moé comme à elle.

— De quoi parles-tu?

— Comme à mam'zelle Judith. Fais-moé la même chose.

— Tu ne sais pas de quoi tu parles.

— Oui, j'le sais. Je vous ai vus ensemble.

— Tu mens.

— Non. C'est pas la première fois que je viens icitte. A te rencontre tous les jours. Je t'ai vu tantôt. T'étais tout nu.

— C'était à toi de pas regarder.

— Pourquoi donc? J'en ai profité. Chus pas folle. T'es ben faite. T'es bel homme. Mam'zelle Judith a t'a-ti vu, elle, tout nu?

— ...

— Je gagerais que non. Est trop sainte nitouche.

Elle se rapproche à nouveau et pousse sa tête dans la chemise. Clovis la prend fermement par les bras et l'éloigne de lui.

— Tu devrais t'en aller chez vous, Éloïse.

— Pas avant que tu me prennes dans tes bras.

— Va-t'en chez vous.

— J'vas le dire à tout le monde d'abord que je vous ai vus.

— Personne va te croire.

— Au contraire, tout le monde va me croire. T'es assez haï dans place.

Clovis adopte une attitude plus calme et, d'un ton persuasif, lui répond:

— T'es pas si méchante que ça dans le fond. Je suis sûr que tu le feras pas.

— T'as raison mais à une condition.

— Laquelle?

— Que tu me le fasses à moé.

— Quoi?

— J'veux que tu m'aimes, que tu m'embrasses, que tu me regardes. C'est pas pire que de me faire danser.

— T'es folle, répète-t-il abasourdi.

— Tu peux même te pratiquer su moé. J'sais y faire. Chus sûre que tu l'as jamais faite toé.

— T'es complètement folle, lui hurle Clovis en la secouant. Réveille-toi, bon Dieu! C'est pas une laideronne comme toi qui va m'acheter. Continue à le donner au Firmin ton cul mais pas à moi. Envoye. Va-t'en!

Il la repousse si rudement qu'elle trébuche par terre. Tout se brise dans le cœur d'Éloïse. Son amour se transforme en haine et donne à son regard une expression venimeuse.

— J'vas te l'aplatir ta maîtresse, jure-t-elle en se relevant.

Il la gifle. La claque meurtrit son cœur, meurtrit son âme. Voilà ce qui échoit à celle qui mendie la tendresse. Sa joue brûle. Du bout des doigts, elle la palpe en ouvrant des yeux lucides sur sa condition. Elle avait tant rêvé brûler cette joue contre celle de Clovis. Avait tant rêvé sentir ses doigts sur sa peau enflammée. Avait tant rêvé pouvoir rêver.

— Je m'excuse, dit-il confus.

— J'te pensais doux.

— C'est de ta faute: tu m'as poussé à bout.

— J'sais ben. C'est toujours de ma faute. Chus bonne rien qu'à ça moé: avoir des claques par la tête. Mais écoute ben ce que m'as te dire. M'as vous avoir. M'as vous avoir pis vous allez me le payer cher. Chus pas si folle que j'en ai l'air. J'vas t'avoir mon maudit bâtard. Tu me connais pas. Personne me connaît. Pas même mon père. Tu vas le regretter, mon câline. Tu vas le regretter, menace-t-elle en s'éloignant.

Clovis regarde sa main. C'est la première fois qu'elle frappe une femme. Aurait-il hérité de la violence de son père? Ce doute l'amène à constater qu'Éloïse est sa demi-sœur. La révolte jaillit en lui. Gadouas et sa fille ne savent-ils que salir et violer la Biche et son fils? Ne sauront-ils que les souiller de leur perversité et de leur bassesse? Depuis combien de temps jouissait-elle de sa nudité? S'il avait été femme, et elle homme, elle l'aurait violé comme son père a violé sa mère.

Clovis regarde à nouveau sa main. Tant pis pour elle. Il va au ruisseau la laver comme si elle était très sale, chassant difficilement l'image d'une femme se débattant sous un homme.

Judith sous son corps. Chaude et frémissante. Souffle précipité du premier baiser sur la bouche. Ses cheveux sur l'oreiller. Défaits en nombreux rayons de soleil. Ses mains accrochées à ses épaules, puis à ses reins. Ses mains qui l'attirent, le retiennent, le pétrissent. Et, tout à coup, en lui, la réaction redoutée. Tout à coup, le malaise et l'engourdissement de son ventre. Tout à coup ses désirs se concrétisent dans l'érection.

Clovis s'arrache des bras de la jeune femme et s'assoit en lui tournant le dos. Il s'entend respirer et baisse lamentablement la tête comme s'il venait de la salir de ses intentions. Deux mains douces se posent alors sur ses épaules tandis que la masse gênante et excitante des seins de Judith touche son dos. Elle se penche et vient mordiller son cou.

— Ne fais pas ça, supplie-t-il.

— Pourquoi?

— C'est dangereux.

— Tu as eu une réaction?

Il ne répond pas et s'accoude sur ses genoux afin de s'éloigner d'elle et de cacher son trouble. Elle suit son déplacement en riant et bientôt une cascade dorée éblouit la mine défaite de Clovis.

— Je sais bien des choses sur le comportement des hommes, lui apprend Judith en passant son index sur le lobe de son oreille.

Clovis frissonne et lève machinalement son épaule pour se débarrasser du chatouillement provocant.

— Léonnie m'a appris bien des choses, poursuit-elle. Tu as une réaction normale.

— Je sais mais c'est dangereux. Peut-être qu'une fois je ne pourrai plus me contrôler.

— Léonnie et Jérôme l'ont fait avant le mariage.

— Nous ne sommes pas Léonnie et Jérôme, rectifie Clovis.

Devinant son impatience, Judith s'assoit sagement et ramène ses cheveux. Il lui entoure les épaules et l'attire contre lui.

— Nous le ferons lorsque nous serons mariés.

— Quand?

— Quand tu voudras.

— Je ne pourrai plus enseigner quand je serai mariée. Qui me fera vivre quand tu seras aux études?

— Ah, oui. Je n'y avais pas songé. Nous nous marierons après mes études alors.

— Six ans! Tu veux que j'attende six ans! Et si au bout de six ans papa refuse de te donner ma main?

— Pourquoi refuserait-il?

— Ah! Clovis! Clovis! se désole-t-elle en caressant doucement son avant-bras.

Il la regarde curieusement. Elle lui sourit, incapable de lui apprendre que son père a déjà dit de lui qu'il était un mauvais parti.

— Pourquoi refuserait-il? répète Clovis. Il m'aime bien.

— Oui.

— Et c'est un homme très large d'esprit. Si en plus je deviens médecin, je suis sûr qu'il acceptera.

— Tu ne le connais pas comme moi je le connais.

— Et toi non plus. Sais-tu qu'il a voulu m'adopter même s'il savait que j'étais le fils de Gadouas?

— Non. Je ne savais pas.

— Une chance qu'il n'a pas pu car nous serions frère et sœur.

Elle rit, puis dit d'un air songeur:

— Je ne veux pas être trop vieille pour avoir des enfants.

— Tu n'auras que vingt-huit ans.

— C'est vieux pour une femme qui n'a pas une grosse santé.

— Avec un mari médecin, tu n'auras rien à craindre.

— Papa est médecin. Cela n'a pas empêché ma mère de faire trois ans de sanatorium et d'être aujourd'hui diabétique.

— C'est vrai. C'est ton père qui a dit que tu n'avais pas une grosse santé?

— Oui.

— Il doit savoir ce qu'il dit.

— Si tu me faisais un enfant, il serait obligé de nous marier et je pourrais vivre à la maison pendant tes études. Ce serait tellement plus simple.

Clovis jette sur elle un œil scandalisé et se lève brusquement en déclarant:

— Je ne ferais jamais cela à ton père. Jamais! Je le respecte trop pour lui forcer la main d'une manière si ignoble.

— Au moins, comme ça, nous serons certains d'être ensemble pour la vie.

— Et je ne pourrai plus le regarder dans les yeux.

— Qu'importe mon père! L'aimes-tu plus que moi?

— Non. Non. Je t'aime, tu le sais. Mais ton père m'a toujours aidé et j'ai un immense respect pour lui. Je suis persuadé qu'il m'accordera ta main.

— Et moi je suis persuadé qu'il vaut mieux l'acculer au pied du mur.

— En faisant un bâtard? réplique Clovis en se promenant furieusement dans la modeste chambre d'institutrice.

— Il ne sera pas bâtard longtemps puisque nous nous marierons.

— On naît bâtard et on le reste toute sa vie. Ne compte pas sur moi pour enfanter un bâtard. Aucun de mes enfants ne sera marqué de ce sceau diffamant.

— Avec le temps, les gens oublient.

— Non, les gens n'oublient pas. Toi, tu oublies par exemple.

Tu oublies ou tu veux oublier ce qui s'est passé le jour des noces de Léonnie.

— Je t'en prie.

— Moi, je n'oublie pas. Les gens non plus n'oublient pas ces choses. Même dans les livres d'histoire on parle de Jean le bâtard ou d'Élisabeth la bâtarde. Des centaines et des centaines d'années après leur mort, ces pauvres illégitimes voient cette épithète traîner derrière leur nom comme un boulet. Oh non! Je ne te ferai pas de bâtard.

— Alors tu iras voir mon père et tu verras bien, conclut Judith en cherchant ses épingles à cheveux sur la courtepointe du lit.

Les ayant trouvées, elle toque un sévère chignon sur sa nuque, se lève prestement et étale, du plat de sa main, les plits du couvre-lit. La sachant blessée et vexée, Clovis revient près d'elle et l'enlace. Elle se dégage et ouvre la trappe qui mène à la classe.

— Ne me touche pas: j'ai du ménage à faire.

— Je peux t'aider?

— C'est pas des ouvrages d'homme.

— Tu viendras près de la rivière après?

— Je verrai.

Elle s'empare d'un chiffon dans un placard et se met à épousseter ses pupitres. Hébété, Clovis s'appuie contre la porte et la regarde faire.

Elle s'avance rapidement, d'un pupitre à l'autre, et bientôt arrive à celui qui les a unis dans leur enfance. Elle le caresse plus qu'elle ne l'époussette et finit par prendre place sur le banc. Aussitôt, Clovis s'installe près d'elle.

— On s'est chicané, reconnaît-elle tristement.

— Hmm! Hmm! répond-il en offrant sa paume.

Elle y pose ses doigts nerveux.

— Ne me juge pas.

— Je ne juge personne.

— Attends cet automne pour voir papa.

— Comme tu veux.

— Je t'aime totalement, Clovis. Je t'aime avec tout ce que je suis. J'irai te rejoindre au bord de la rivière.

— J'attendrai.

— J'ai hâte de t'aimer au vu et au su de tout le monde. J'ai hâte de me promener à ton bras dans la rue. Hâte d'être ta femme. Hâte de te donner des enfants. Nous nous cachons toujours.

— Je sais.

— Mais il faut au moins attendre jusqu'à l'automne, sinon papa dira que c'est un coup de tête et que nous ne nous connaissons pas assez.

— D'accord, à l'automne.

— Va! J'irai te rejoindre. Il ne faut pas qu'on nous surprenne ensemble.

Clovis jongle en laissant les flots lécher ses pieds nus.

L'autre fois, Sam l'a mis en garde contre l'inégalité des classes et lui a affirmé qu'un médecin n'accorderait jamais la main de sa fille à un trappeur, encore moins à un métis et un bâtard, tout généreux et ouvert d'esprit qu'il soit. « She's not for you, she's not for you* », affirmait-il en tapant de la main sur la table. Et il n'y a pas trente minutes, les sous-entendus de Judith ont corroboré ces affirmations qu'il jugeait irréalistes et ont réussi à semer le doute en lui.

Depuis, il jongle, assis près de la rivière qui coule dans son lit de glaise. Il jongle et compte sur ses doigts les rencontres qui lui restent. Seulement deux avant la rentrée des classes. En septembre, il pourra camper quelques jours près du ruisseau, mais il devra vite rejoindre Sam afin de chasser et préparer le pemmican pour la saison de trappe. Il ira voir le médecin en novembre juste avant de partir pour les bois. S'il accepte, Judith et lui travailleront à ramasser le plus d'argent possible. S'il refuse... S'il refuse... Que fera-t-il s'il refuse? Un bâtard?

Clovis secoue la tête et comprend que c'est lui-même qui sera acculé au pied du mur si le médecin refuse. C'est lui-même qui se verra dans l'obligation de trahir ses convictions afin de conserver Judith. C'est lui-même qui sera pris au piège. Au piège de l'amour. Quel appât l'a donc tenté? Les cheveux blonds? Le rire clair? Les genoux consolateurs? Il y a mis son cœur avec toute sa passion et le piège vient de claquer dans le silence doux de ses rêves. Le piège vient de claquer et le retient par une chaîne à celle qu'il aime. Qu'il aime plus que lui-même. Au-delà même de la souffrance du piège et de la chaîne. Il jongle en se laissant lécher les pieds par la rivière. Elle devrait venir lécher son cœur. Devrait l'emporter sur l'eau avec elle pour qu'il n'ait plus à souffrir de l'amour. Mais la rivière n'arrête pas de s'en aller sans lui en effleurant ses orteils de baisers humides.

Un froissement dans les arbustes l'avertit d'une présence. Comme elle tarde à se manifester, il dit tout haut:

— C'est encore toi, Éloïse?

— ...

— Je sais que c'est toi. J'ai l'oreille fine, le nez fin aussi.

— ...

— Tu viens nous épier, encore. J'aime autant t'avertir qu'il

_____

* Elle n'est pas pour toi.

ne se passera rien de plus grave que l'autre fois. Parce que t'étais là l'autre fois aussi.

— ...

— Tu ferais mieux de t'en aller chez vous.

— ...

— Ton père va te chicaner. Il doit pas aimer ça que tu passes ton temps à écornifler. Vous avez pas d'ouvrage avec vos cochons d'élevage?

Il reconnaît alors le pas de Judith dans le sentier et dit encore:

— Très bien Éloïse. Regarde. Regarde bien ce que je lui fais si ça peut t'amuser. Regarde bien car tu ne pourras rien nous reprocher.

— A qui parles-tu donc? chuchote Judith en s'approchant discrètement.

— A Éloïse Gadouas.

— Ta...

— Chut! Elle nous écoute. Elle était là l'autre fois aussi. Tu ne la sens pas?

— Non.

— Ça sent le cochon à plein nez, crie Clovis en offrant sa main à Judith pour la faire monter dans son canot.

Elle comprend aussitôt sa ruse et s'empare même d'un aviron afin de s'éloigner plus rapidement de l'endroit. Avant qu'ils disparaissent derrière une île, une voix rauque porte sur l'eau.

— J'vas vous avoir mes écœurants!

Écœurant, répète l'écho.

Clovis et Judith se retournent en même temps vers l'affreuse fille qui brandit son poing.

— Penses-tu qu'elle peut nous nuire? s'inquiète Judith.

— Non. C'est une folle. Laissons-la faire. Y a pas de danger.

Il hausse les épaules.

— T'as raison, c'est une folle, claironne la voix moqueuse de Judith.

Folle, répète l'écho à Éloïse.

Pour lui tout seul, des étoiles

Azalée se berce près du poêle. Les grognements des porcs et le bruit des assiettes que lave Éloïse la plongent davantage dans son passé. C'est là qu'elle vit et c'est par cela qu'elle survit. Par cette grande terre de son père, plate comme la main. Par cette belle cuisine propre et gaie. Par ses parents, son frère René et toutes ces bonnes choses qu'elle cuisinait pour eux. Par la souvenance du beurre, de la crème, du fromage, des confitures, des œufs, du pain de blé, du sucre, du thé, des conserves de légumes et de viande. Par la souvenance des courtepointes et des tapis tressés. Par la souvenance du four à pain, de l'eau à la pompe et de la glacière. Elle peuple sa pauvre tête de tous ces trésors perdus et parvient ainsi à oublier sa petite cuisine sans tapis, sans pompe et sans glacière.

— Ça, c'était une vraie ferme, échappe-t-elle sans s'en apercevoir.

Son mari se lève brusquement de son banc pour la questionner.

— Où ça?

— Chez nous. C'était une vraie ferme. Une vraie terre.

— Icitte avec c'est une vraie terre. J'ai cinquante cochons d'élevage.

— Icitte? C'est pas une vraie terre. A nous a coûté trop cher.

— Maudite folle.

D'un geste rapide, son mari la frappe. La berceuse bascule. Azalée culbute et se retrouve entre les jambes de Firmin.

Voyant monsieur Poléon retrousser ses manches, le géant s'éclipse.

— Moé m'en va fendre du bois, m'sieu Poléon.

Celui-ci ne répond pas et se rue sur sa victime, qui maintenant rampe sur le plancher plein d'échardes.

— M'as t'en faire des c'est pas une vraie ferme ma maudite folle.

Azalée se ratatine dans le coin à balais. Aussitôt les coups et les injures pleuvent sur elle.

— Maudite truie! Maudite vache! Maudite folle!

Éloïse se faufile à son tour vers la porte et va rejoindre Firmin avant que son père s'en prenne à elle.

Toc! fait la grosse hache dans une bûche d'érable. Les quartiers tombent lourdement par terre. Quelle force incroyable possède le Firmin pour fendre le bois dur qui n'est pas gelé.

Éloïse s'assoit sur une corde et le regarde faire. La voix démentielle de son père leur parvient ainsi que les bruits étouffés des coups et des chutes. Après quelques bûches, elle demande:

— Ça te fait-i de quoi?

— M'sieu Poléon a le droit: c'est à lui, la femme.

— T'as jamais eu idée de la défendre?

— Non. M'sieu Poléon a le droit.

— Quand c'est moé?

— M'sieu Poléon a le droit: t'es la fille à lui.

— Si j'étais ta femme, tu me battrais-ti?

— Rien que si t'es pas fine.

— Je serais toujours fine avec toé. Je ferais tout ce que tu me demanderais.

— T'es pus fine avec moé. Tu veux pus.

Quelques bûches encore. Éloïse jouit des muscles, du cou épais et de l'expression imbécile de Firmin.

— C'est à cause de mon père. Tu sais qu'y veut pas.

— Rien qu'à le faire en cachette.

— Y m'a assez battue l'autre fois. Ça t'a pas fait mal, toé?

— Oui.

— Moé, j'me serais pas laissé faire à ta place. T'aurais pu l'envoyer revoler d'une pichenette.

— M'sieu Poléon l'avait dit de pas toucher à toé.

— T'es donc niaiseux, Firmin. Sais-tu qu'est-cé qu'y va t'arriver?

— Non.

— Tu vas rester un engagé toute ta vie.

— Ça me fait rien.

— Tu pourrais avoir ben plus.

— Comprends pas.

— Ben, si tu me mariais par exemple.

— M'sieu Poléon veut pas.

— J'sais. Y a dit que t'es pas un parti pour moé. Y a dit que t'étais trop fainéant.

— Moé pas fainéant! Moé travaille fort! riposte Firmin en abandonnant sa hache.

Ses yeux luisent soudain d'indignation tandis qu'il avance vers Éloïse. Comprenant qu'elle vient de découvrir une corde sensible, elle continue.

— Y a dit qu'y se débarrasserait de toé parce que t'es bon rien.

— Pas vrai!

— Oui, c'est vrai. Y a dit que tu sais rien faire. Que t'es même pas bon pour égorger les cochons.

— Pas vrai! C'est toujours le Firmin qui égorge les cochons. Toujours le Firmin qui fait la grosse ouvrage. M'sieu Poléon a pas le droit de dire ça.

— Moé, j'le sais que t'es travaillant pis fort. Tu me ferais un bon parti. C'est pour ça que chus venue t'avertir. Parce que m'sieu Poléon y a pensé me marier avec le sauvage.

— Non.

— Oui. Si j'me marie avec lui, la terre va y rester. Parce qu'est à moé, la terre. C'est à moé qu'a va aller à mort de mon père. A moé pis mon mari comme de raison.

— Ça va être le yâbe ton mari.

— Comme ça, t'as envie de te laisser faire?

— Firmin sait pas quoi faire.

— Y a juste une solution: se débarrasser de m'sieu Poléon pour me marier. La terre va être à toé. A toé pis à moé.

— Une terre à moé, rêve Firmin en s'assoyant près d'Éloïse. Aurait-il enfin quelque chose à lui dans sa chienne de vie? Il promène un regard émerveillé sur la porcherie, la grange, l'étable et la terre qu'il a défrichée, labourée, semée, fauchée. Les fruits de son labeur incessant lui apparaissent soudain comme dus et la colère grandit en lui.

— Firmin a tout essouché presque tu seul. C'est pas un fainéant!

— J'sais.

— Firmin y a toujours ben travaillé.

— J'sais.

— M'sieu Poléon y a pas le droit de dire ça.

— J'sais. Y est pas fin, m'sieu Poléon. Y veut même pas que t'ayes du plaisir avec moé. On a rien qu'à s'en débarrasser.

— Y est vieux m'sieu Poléon. Va mourir tu seul.

— Lui! Y va mourir à cent ans. Pas avant. Y en a soixante et dix. Ça fait qu'on va l'endurer trente ans. Dans trente ans, on va être vieux nous autres avec.

— Ouais...

— Faut le tuer.

— Non. Moé pas capable le tuer.

— C'est facile. T'auras juste à l'égorger comme un cochon.

— Non. Moé pas capable. Moé veux pas finir pendu au boutte d'une corde. Non, moé veux pas. Moé veux pas, s'affole Firmin en s'éloignant d'Éloïse.

Dans sa course, il se heurte à son patron.

— Attelle la jument pis va chercher le docteur avec Éloïse, ordonne Gadouas avec rudesse.

Éloïse s'approche de lui et dit d'un ton ironique:

— Vous l'avez-ti tuée, son père? On entend rien.

— A souffle encore. Mêle-toé de tes affaires.

— C'est mes affaires: c'est ma mère.

— T'es mieux de tenir ta langue au village. Tu diras au docteur que ta mère est tombée su le poêle. Va avec le Firmin mais laisse-lé pas parler: y est assez bête celui-là.

Dans un bruit de ferraille, de cuir et de planches secouées, apparaît Firmin dans la vieille charrette juste à temps pour saisir ces dernières paroles.

— Bonjour Firmin, dit Mathilde en prenant place près de lui. (Celui-ci l'admire, bouche bée.) Le docteur est parti accoucher.

Éloïse grimpe derrière et se permet de toucher la belle cape bleue.

— Vous êtes belle de même, mam'zelle Mathilde, complimente-t-elle en tâtant le tissu entre ses doigts sales. Vous êtes-ti garde-malade?

— Oui. J'ai suivi un cours l'année dernière. Comme ça, je peux aider mon père.

— Vous enseignez pus?

— Non. Je laisse ça à Judith. Allons-y. Vous m'avez dit que votre mère était blessée.

— Lâche de la regarder, maudit niaiseux!

Chemin faisant, Firmin se permet de rapides coups d'œil à la fée assise à ses côtés. Il la trouve toujours aussi belle, toujours aussi bonne et quelque chose se gonfle en lui. Quelque chose qui lui fait mal et bien, qui l'enchaîne et le libère. Quelque chose qui n'a ni nom, ni prix.

Arrivés à la ferme, il s'empresse de sauter par terre pour aider mam'zelle Mathilde à descendre. Elle prend appui sur sa main et lui sourit. Le contact de cette peau douce émerveille le mastodonte. Une chaleur électrisante remue ses tripes et le paralyse devant l'infirmière.

— Ousqu'y est le docteur? demande Napoléon de sa voix grinçante.

— Mon père est parti accoucher. Je le remplace pour les premiers soins, explique à nouveau Mathilde, décontenancée par l'attitude hostile du vieillard.

— Retournez-vous-en chez vous d'abord. C'est le docteur que je veux voir.

— Il ne sera probablement pas à son bureau d'ici demain. Si c'est une urgence, je peux aider.

— Ouais! Rentrez d'abord. Est dans chambre à gauche.

Dans la chambre à gauche gît une femme rouée de coups. Une femme laide, à demi folle et à demi morte. Lamentablement, elle roule sa tête sur l'oreiller miteux en geignant comme une enfant.

Le cœur de Mathilde s'étreint dans sa poitrine, tandis qu'elle examine consciencieusement les blessures de sa première patiente. D'après les ecchymoses et les contusions, elle conclut que la femme a été sauvagement battue.

Elle se met à laver les plaies, avec une tendresse infinie. Sa main se veut la main de toutes les autres femmes. Se veut consolation et appui. Azalée pose sur elle des yeux de chienne reconnaissante. Un vague sourire fait couler le sang de sa lèvre inférieure.

— Vous êtes belle... belle comme... une reine. Vous êtes fine... je vous donne ben du trouble.

— Mais non. Je suis là pour ça, voyons. Calmez-vous.

— Chus calme. Je vous ai vue souvent à messe. Vous êtes la fille du docteur.

— Oui, je suis infirmière maintenant.

— Vous parlez pas comme nous autres... mais vous êtes ben fine... vous êtes pas snob pantoute... Le docteur avec y est ben fin... pis beau dans son bel habit, un vrai monsieur, hein?

— Oui.

— Y est fin, lui. Fait pas de mal à personne. Y est si beau, si doux. Y est doux, hein?

— Oui, très doux. Que vous est-il arrivé?

— Poléon m'a battue.

— Pourquoi?

— J'sais pas. Ça doit être parce que chus pas grand-chose.

— Voyons, voyons. On est tous quelqu'un.

— Pas moé. Moé, chus rien. Je vaux rien pis j'pense pus à rien... à part la grande ferme de mon père... c'était une belle grande ferme.

— Où?

— A Saint-Denis. Une belle ferme, j'vous dis. Le voisin arrivait en automne avec une manne de belles pommes. On avait des voisins... on leur parlait sur le bord de la clôture ou ben su le perron d'église. On se racontait des histoires... on se donnait des recettes... C'était plaisant. Icitte, personne nous parle... A part ceux qui veulent faire boucherie c't'automne. Personne vient nous voir nous autres. On est pas du monde. Lui, c'est pas du monde. C'est méchant. Sa fille est pire. Oui. Pire. Mon gars était fin. J'ai déjà eu un p'tit gars.

— Je ne savais pas.

— Un beau p'tit gars... Poléon passait son temps à le bardasser dans son berceau. Ça fait qu'y est mort mon p'tit Jésus.

La voix de la blessée s'étrangle dans sa gorge. Elle tend ses mains usées à Mathilde et s'accroche à son uniforme.

— J'ai hâte de mourir... J'vas retrouver mon p'tit Jésus.

J'ai ben hâte de pus être icitte avec mon mari pis ma fille. J'les haïs. Y me font peur.

— Essayez de dormir maintenant.

— Oui, j'aimerais donc dormir pour de bon, termine Azalée en tournant son visage vers le crucifix.

Elle s'endort bientôt.

Mathilde prend le pouls, vérifie la température et se dirige vers la cuisine en enfilant sa cape. La voix bête de Gadouas l'irrite.

— A va-ti mieux?

— Oui.

— Est assez gauche. J'me demande comment qu'a faite pour se péter la gueule su le poêle.

— Ne me prenez pas pour une imbécile, monsieur Gadouas: c'est vous qui lui avez fait ça.

— Pis après? C'est ma femme.

— Vous n'êtes qu'une brute.

— Ah! Ben! Ma maudite vieille chipie! Tu vas sacrer le camp d'icitte ou j'vas te clouer le bec une fois pour toutes. Pour qui que tu te prends? Viens pas mettre ton nez dans mes affaires, compris? Sacre-moé le camp d'icitte! ordonne le vieux dictateur en indiquant la porte de son bras osseux.

Mathilde obéit et rejoint Firmin sur la galerie. Celui-ci l'interroge d'un regard inquiet avant de l'aider à monter sur la banquette.

— Maudite vieille chipie! vocifère encore Gadouas avec rage tandis que la charrette s'enfonce dans la nuit tiède de septembre.

La nuit sans lune et sans étoiles. Un sanglot étouffé saisit Firmin. Il arrête son cheval et se tourne vers Mathilde. Un second sanglot le bouleverse. Il n'entend que lui à travers le chant des grillons. Que lui dans la noirceur et la tiédeur. Prudemment, il avance ses doigts et rencontre bientôt le bras de la belle fée triste.

— Pas pleurez, mam'zelle Mathilde, supplie-t-il d'une voix tremblotante. Pas pleurez. Y est pas fin m'sieu Poléon.

— ...

— A faite de la peine, m'sieu Poléon. Y est pas fin. Pas pleurez mam'zelle Mathilde. Pas pleurez. Faire de quoi à Firmin quand mam'zelle Mathilde pleure. Faire de la peine à Firmin. Pas pleurez, pas pleurez, supplie le Firmin en serrant avec panique le bras de la femme.

Celle-ci avance à son tour ses mains dans l'obscurité et rencontre les joues rudes et mouillées.

— Vous pleurez, Firmin.

Les larmes redoublent.

548

— Firmin l'aime beaucoup mam'zelle Mathilde. Veut pas voir pleurer.

— Je ne pleure plus, Firmin. C'est fini. Je ne suis plus triste. Voilà. C'est madame Azalée qui m'a fait pleurer. Elle a tant de mal.

— M'sieu Poléon fait souvent mal à elle.

— Essaie de la protéger. Tu es fort toi.

— Oui.

— Protège-la.

— Firmin va la protéger.

— Très bien, reconduis-moi maintenant.

La charrette s'ébranle. La nuit si noire s'éclaire alors de l'amour de Firmin. Un amour à l'état pur. Un amour intégral d'enfant et d'imbécile. Un amour comme il en existe rarement dans le cœur des hommes. Un amour qui n'exige rien, ni même n'attend rien. Un amour à sens unique, large comme un fleuve, attiré comme un large fleuve par la mer. Un amour que rien ne salit, que rien n'altère,que rien ne limite. Un amour toujours neuf. Un amour indulgent, un amour sacré, tenu au chaud dans le cœur d'un homme défavorisé. Tenu au chaud dans ce cœur sans souvenir de tendresse et sans espoir de tendresse. Tenu au chaud et à l'abri dans la cage thoracique d'un géant débile.

Mathilde constate cet amour et quelque chose en elle s'attriste pour celui qui se donne si totalement. Mais elle ne sait pas, Mathilde, tout le bonheur que savoure Firmin d'être près d'elle et d'avoir senti ses doigts sur ses joues rudes. Elle ne sait pas, Mathilde, toute l'émotion qu'éprouve l'homme dans la nuit noire d'être auprès de sa fée. Elle ne sait pas, Mathilde, que Firmin vit un rêve merveilleux. Un rêve qu'il n'a jamais osé rêver: être près d'elle si longtemps. Sur la même banquette.

Lorsqu'elle sera rentrée dans la belle maison blanche, elle oubliera vite cet amour impossible. Mais Firmin, après avoir arrêté sa charrette à la sortie du village, a religieusement posé son visage sur la place encore tiède de Mathilde. Un pauvre sourire niais a dansé sur ses lèvres épaisses, tandis que naissaient pour lui seul des étoiles dorées.

A la ferme, Éloïse l'attendait dans la grange pour le prévenir des intentions malveillantes de son père.

— Faudrait que tu fasses attention à mam'zelle Mathilde: m'sieu Poléon veut la battre.

— Quand?

— Quand que tu seras pas là pour la défendre, voyons!

— Moé, le laissera pas faire: moé va le tuer avant.

— C'est ça, Firmin: t'auras juste à le tuer avant. J'te dirai quand. J'ai une idée.

— M'sieu Poléon touchera pas à mam'zelle Mathilde.
Personne va faire mal à elle. Personne.

— Ben sûr, t'es là pour protéger mam'zelle Mathilde.
T'es comme son soldat à elle. A elle tu seule.

— Oui, Firmin est le soldat à mam'zelle Mathilde. Personne va faire mal à elle. Personne.

— J'ai vu ça comment t'as battu le sauvage. Lui y est un
danger pour mam'zelle Mathilde. Si tu m'écoutes, on va se
débarrasser de m'sieu Poléon pis du sauvage en même temps.

— Oui?

— Oui. En seulement, faut que tu m'écoutes.

— Moé va t'écouter.

— Y t'arrivera rien à part ça. Personne, à part moé, va
le savoir que ça va être toé, le meurtrier. On va faire passer ça
su le dos du sauvage.

— Moé, va t'écouter.

— Pis c'est lui qui va être pendu à ta place. T'aimerais-ti
ça?

— Oui. C'est l'yâbe lui. Moé le sais. Moé m'en rappelle.

— Pus d'yâbe pis pu de m'sieu Poléon. Là mam'zelle
Mathilde va être contente de toé.

— Oui?

— Oui. A va être contente de son soldat.

— Ah oui!

— En seulement faut que tu m'écoutes.

— Moé va t'écouter.

— Parfait.

Le haut territoire

Un feu. Deux hommes. Un chien. Des tas de pièges. Un trou dans la terre. Qui-Qui-Hatch se tapit derrière une butte en retroussant haineusement ses babines. Ses crocs terribles luisent dans l'ombre tandis que ses griffes puissantes grattent dans le sol gelé. Le chien renifle. Il sent le glouton et le glouton sent la peur du chien. Et la peur du chien le dégoûte. Le chien aussi le dégoûte. Pourquoi cet animal fraie-t-il avec les hommes? Pourquoi ne se soumet-il pas à l'autorité de l'Invulnérable? Un des hommes cajole les oreilles du chien. Le traître pousse son museau dans sa main et sa queue frétille joyeusement, stupidement. Un jour, Qui-Qui-Hatch se débarrassera de ce lâche qui gruge les carcasses d'animaux qu'il n'a pas chassés. Un jour, Qui-Qui-Hatch se débarrassera du rebelle qui défie sa loi pour obéir à celle de l'ennemi. Un jour, mais pas aujourd'hui.

Aujourd'hui, il y a cette bête fabuleuse dans son enclos de pierre. Et cette bête-là, Qui-Qui-Hatch la craint. Cette bête-là, quelquefois engendrée par la foudre, dévore des forêts entières. Cette bête-là le supplante et l'homme possède également cette bête-là. Il la fait naître à sa guise. Il la maîtrise. Devant lui, elle danse et tortille ses cheveux rouges. Elle crépite, réchauffe et cuit. Puis s'éteint lorsqu'il le désire avec un gros soupir gris en lui laissant ses cendres et ses os calcinés.

Qui-Qui-Hatch s'enrage: cette bête-là, jamais, ne se soumettra à lui.

Les hommes mangent. En silence. Depuis ce matin Qui-Qui-Hatch les épie. Ah! Quel coup de fouet il a senti lorsque le vent lui a apporté l'odeur défiante de l'homme. Il s'est précipité à leur poursuite et les a découverts à la limite nord, près de la grosse pierre, là où les loutres abondent. Alors il les a suivis et a compris que ces hommes faisaient l'inventaire de ses richesses. Après avoir difficilement creusé un trou dans le flanc de la colline, ils ont engendré le feu et se sont mis à manger.

Il y a un jeune aux yeux vifs, aux gestes souples et rapides et un plus âgé, aux yeux pensifs et aux gestes plus lents mais plus efficaces. Le jeune s'agite. Qui-Qui-Hatch comprend qu'il ignore le danger que lui enseigne son aîné. Oui, Qui-Qui-Hatch

sent la fébrilité du jeune. Il sent son inconscience et son ignorance. Une lueur de satisfaction illumine les yeux sournois du
carcajou tandis qu'il étudie Small Bear.

Small Bear rêve, il est vrai. Il rêve à trop de choses à la fois.
Il rêve à demain, il rêve au quinze novembre, il rêve à l'année
prochaine, il rêve à son mariage. Sa tête déborde de projets et
son enthousiasme se lit aisément sur son visage. Enfin! Sam
lui a cédé le territoire du glouton. Comme il lui a fallu insister,
supplier, exiger avant que le trappeur ne lui accorde sa confiance. Mais à force d'arguments, il a réussi à dissiper ses
inquiétudes et lui a fait comprendre qu'il était en mesure de se
débarrasser du diable des bois. Après, il pourra tirer profit de
ce territoire incroyablement riche et utiliser ce profit pour
commencer ses études de médecine. Il avale goulûment, nerveusement son pemmican sans trop y goûter tant il a hâte de
poser ses pièges.

Cette excitation inquiète Sam et redouble son calme. Il
déguste lentement son dîner et boit à petites gorgées son thé
bouillant. Oui, l'impatience de Small Bear l'inquiète. Ne hume-
t-il pas l'odeur déplaisante du glouton? Ignore-t-il la présence
de la bête qui les guette? Oui. Il l'ignore comme il ignore le
présent et la réalité. Depuis qu'il est amoureux de la fille du
médecin, Small Bear ne vit plus sur terre. Sa pensée vagabonde
toujours et ses yeux ne voient qu'elle, ses oreilles n'entendent
qu'elle, son nez ne sent qu'elle. Partout où il va et quoi qu'il
fasse, il est imprégné de cette femme et ne vit que pour elle.
N'est-ce pas pour elle qu'il a revendiqué ce territoire difficile?
N'est-ce pas pour leur avenir qu'il s'expose à la fureur du
glouton et s'entête à réussir ce que peu de trappeurs ont réussi:
se débarrasser du diable des bois. N'est-ce pas pour elle qu'il
passera un hiver dans le trou morbide qu'ils ont creusé ce
matin? Oui, c'est pour elle. Elle qu'il croit bientôt épouser. Sam
soupire. Tout cela ne présage rien de bon. Bien sûr, il admire
le courage de Small Bear mais blâme son inconscience et sa
naïveté. Comment peut-il croire si fermement qu'un notable
de la place accordera la main de sa fille à un trappeur métis
et bâtard? Comment peut-il planifier si sûrement un avenir si
imprévisible? Sam prévoit le désenchantement de Small Bear
lorsqu'il ira demander la main de Judith. Il prévoit le refus
poli mais catégorique du médecin et le retour désillusionné de
Small Bear. Il l'imagine se terrer dans sa cache qui deviendra
vite le tombeau de ses amours. Il l'imagine dépérir et souffrir
atrocement dans les profondeurs sourdes de la terre. Sam
frissonne en regardant le trou et se promet de venir chercher
Small Bear. Il se promet d'être au rendez-vous d'ici quinze jours
afin de lui éviter toute cette solitude et cette mort lente de
l'âme qu'il a connues lorsque Biche l'a renvoyé. Cette mort sans

fin des papillons joyeux qui virevoltent présentement dans le cœur amoureux de Small Bear. Oui, il sera là dans quinze jours. Il viendra le chercher et pour le consoler lui offrira l'argent nécessaire aux études de médecine. Ils laisseront ce territoire à Qui-Qui-Hatch et trapperont ensemble là où Sam s'installe à huit milles à l'ouest.

A huit milles à l'ouest, pense Small Bear, il ferait mieux de partir. Il sourit à son compagnon puis promène un regard plein d'espoirs autour de lui. Qu'ils en ont vu des pistes, des terriers et des cabanes! Des tas et des tas! Qu'il y en a de la fourrure sur ce territoire! Il n'en revient pas. Judith sera contente d'apprendre cela. Dans quinze jours, il la reverra et rencontrera son père. Lorsqu'ils auront son consentement, ils seront tous deux encouragés à bâtir leur avenir et accepteront plus facilement les sacrifices de la séparation.

Small Bear regarde sa cache. Elle lui apparaît comme le ventre de la terre. Comme l'utérus sombre et tiède d'où germera sa vie. L'utérus généreux où il se roulera en boule, nuit après nuit, et se laissera nourrir de la force et de la patience de la terre. L'utérus où se développeront le futur médecin et le futur mari. Il rêve.

Sam se lève enfin, s'étire et bâille avant de se charger de ses bagages. Lorsqu'il y aura de la neige, il transportera le reste de ses provisions dans la grande traîne. Pour le moment, il les a entreposées dans la cabane de Biche à cinq milles plus au sud.

— N'oublie pas mon whisky, rappelle-t-il amicalement avant de s'éloigner avec son chien dans les bois gris.

Small Bear le regarde aller en pensant à cette recommandation saugrenue. Comment Sam a-t-il pu oublier son whisky avec le reste des provisions.

Le jeune trappeur hausse les épaules et jette de l'eau sur son feu. Phss! agonisent les petites flammes enracinées aux tisons. Phss! avant que monte au ciel leur bouquet d'encens.

Small Bear s'empare des pièges. Le cliquetis des chaînes ravive les souvenirs de Qui-Qui-Hatch. La bête rampe et se rapproche de l'homme jusqu'à ce que l'odeur du feu et du métal l'arrête. La bête observe son ennemi et calcule sa vengeance. La bave dégouline sur son pelage. Qui-Qui-Hatch plisse ses petits yeux rusés et savoure déjà les pièges à déclencher, les peaux à lacérer et même le sang de cet être vulnérable à faire couler sur la neige. Comme son propre sang jadis.

L'homme se retourne et regarde dans sa direction. Qui-Qui-Hatch s'immobilise. Cet homme regarde sans voir, comme si son esprit ne l'habitait pas, comme s'il n'était pas derrière ses yeux pourtant vifs. La perte de cette importante qualité animale réjouit Qui-Qui-Hatch et il jubile lorsqu'il voit l'homme se diriger vers la rivière en oubliant un sac de toile. Qui-Qui-Hatch se presse et vient le renifler. Il contient de la nourriture. D'un coup de patte, il le déchire. Le pemmican s'éparpille sur le sol et Qui-Qui-Hatch, méchamment, urine dessus.

A l'avenir, lorsque cet homme regardera la forêt qu'il ose revendiquer, il aura la décence de le reconnaître. Il arrose ensuite la cache elle-même de son urine pestilentielle, contourne l'emplacement du feu et s'enfonce dans son royaume.

Révélations

Derrière leur prison de cristal, Éloïse et Firmin guettent la lente progression du canot d'écorce entre les galettes de glace que Clovis brise avec sa hache. Ils se taisent tous deux et écoutent les sons longs et surnaturels qui se propagent sous la carapace précoce des berges. Un sourire sournois danse sur les lèvres gercées d'Éloïse tandis que Firmin se laisse impressionner par l'image du sauvage penché à la pointe de son embarcation. Les longs cheveux noirs qui volent à chaque coup, le bandeau, la peau cuivrée et les souffles saccadés de l'effort le plongent dans ses peurs de démon. Heureusement qu'il ne voit pas les yeux si noirs et si brillants. Il se met tout à coup à trembler et ramène ses manches sur ses mains. Pour se réchauffer davantage, il se remémore la tiédeur de la nuit de septembre où il avait reconduit mam'zelle Mathilde. Ce souvenir lui redonne courage et lui donne raison. Oui. Il doit obéir à Éloïse s'il veut se défaire de monsieur Poléon et du sauvage en même temps. Et Éloïse veut qu'il arrache le fétiche mystérieux et une poignée des longs cheveux. C'est tout. Et pourtant, il tremble. Il tremble parce qu'il craint cet homme. Il craint son pouvoir maléfique. Il craint son regard et sa peau brûlée. Il sait qu'il est le diable. Et il craint de s'attaquer ainsi à lui pour l'incriminer. Que fera le diable s'il s'aperçoit qu'on tente de le rouler. Toutes ces appréhensions ne semblent pas troubler Éloïse qui se tapit davantage derrière les arbrisseaux givrés. Firmin l'observe et frémit en décelant la méchante lueur dans l'œil glacé d'Éloïse. C'était une toute autre expression qui brillait dans ce même œil lorsqu'elle regardait danser Clovis. Une expression d'attente et de naïve admiration. Comment et pourquoi a-t-elle changé si radicalement? Aujourd'hui, elle le guette en ricanant comme une bête fauve. Firmin trouve qu'elle ressemble tout à coup à monsieur Poléon et ses frissons redoublent.

— Arrête de trembler de même! lui chuchote-t-elle.
— Firmin à froid.
— Fait pas si froid.
— Fait froid.

— T'es mieux de pas lâcher, t'as compris? C'est notre seule chance. Après, y va s'en retourner dans le bois pis on le reverra pas avant le printemps. T'as compris?

— Oui.

— Tu vas le faire?

— Oui.

Éloïse remarque alors ses vêtements tachés du sang des porcs ainsi que les vêtements de Firmin tout aussi dégoûtants. Quel contraste entre eux et toute la féerie qu'offre le bord de la rivière. Féerie des glaçons et des gouttes suspendus aux branches dans des formes étranges et transparentes. Des vagues pétrifiées dans leur mouvement de ressac, des rochers protégés par une épaisse armure bleuâtre et polie, des herbages enrobés et raidis dont les cheveux libres bruissent sèchement sous l'haleine froide du vent, des cailloux agglutinés dans des masses diamantaires. Des stalactiques et stalagmites aux formes dangereusement effilées ou sensuellement arrondies. Des arcs-en-ciel prisonniers dans le cœur des larmes de glace. Féerie et richesse incalculables. Création inédite de verre soufflé, de verre tordu, de verre étiré, de verre ciselé, de verre poncé, de verre poli, de verre taillé. Éloïse imagine le bris du fragile décor. Imagine ce bruit de vitre s'écroulant au sol. Dès que Clovis halera son canot sur la berge, elle surgira de derrière l'arbrisseau givré. Ding gue ding! sonneront les nombreux glaçons en se décrochant des branches. Ding gue ding! sonneront les larmes de glace au cœur d'arcs-en-ciel. Ding gue ding! les vagues pétrifiées. Ah! Quel contraste marquant et prophétique, jongle la vilaine fille. N'est-ce pas en ce lieu même que ses propres rêveries furent irrémédiablement broyées. Ici, où les amours de Clovis et Judith ont pulvérisé les siennes. Ici, en ce lieu féerique d'où elle surgira dans un bruit navrant de verre éclaté pour leur donner sa réplique finale et fatale.

Clovis touche justement la berge. Aussitôt une masse s'abat sur sa tête et lui tire les cheveux. Sans avoir le temps de se défendre, il sent une brûlure à son cou. Il se retourne et tombe face à face avec le Firmin qui tient une poignée de cheveux et le fétiche dans sa grosse main. Clovis s'avance vers lui et se sent maintenant de taille à l'affronter. Il n'est plus un jeune séminariste mais un trappeur. Sa vie en forêt l'a considérablement renforcé et aguerri. Il sait maintenant être plus souple et plus rapide que Firmin et il sait également être en mesure de déjouer sa force herculéenne mais aveugle. Une seule chose le retient: la possibilité d'arriver dans un état lamentable pour sa demande en mariage.

— Donne-moi mon fétiche! ordonne-t-il en fermant automatiquement ses poings.

— C'est à nous autres astheure. On le garde, répond Éloïse.

— T'as pas le droit de me le voler. Rends-le tout de suite et je ne ferai pas d'histoire.

— C'est mon père qui nous envoye. Y m'a dit qu'y avait à te parler.

— Ton père?

— Ouais.

— C'est lui qui t'a envoyé voler mon fétiche?

— Ouais.

— Pourquoi m'as-tu tiré les cheveux?

— Le Firmin a pas fait exprès. Y essayait d'agripper ton fétiche. C'est toute. T'as juste à venir le chercher à soir. Tu le demanderas à mon père. Y va te le donner. Y m'a dit qu'y voulait être sûr que tu viennes. Comme ça, y est sûr.

— Je vais y aller tout de suite voir ton père.

— On a pas le temps là. On est à tuer des cochons. Y m'a ben dit à soir.

— Très bien. J'irai.

— Arrange-toé pour arriver avant le train. On a pas rien que ça à faire, conclut Éloïse en entraînant Firmin.

Après quelques pas, elle se retourne brusquement et crie:

— Si tu t'en vas voir ta Judith, j'aime autant t'avertir que tu pues la bête puante.

— Va donc chez l'diable, réplique rageusement Clovis en tirant son canot.

Oui, cette odeur de défaite imprégnée dans ses vêtements et ses cheveux le met hors de lui. Voilà déjà deux semaines que le carcajou se joue de lui. Deux semaines qu'il trappe sans succès, se retrouvant devant des pièges déclenchés ou des prises lacérées. Deux semaines d'un dur travail inutile. Deux semaines d'un combat incroyable de ruse et de finesse. Deux semaines à se faire espionner par une bête. Deux semaines à se faire leurrer et manier par une bête. Une simple bête.

Il donne un violent coup de pied et endommage son canot. La colère monte en lui. S'écroulent alors les glaçons jolis et les cages thoraciques des monstres imaginaires de la plage. S'écroulent la bijouterie originale de la rivière et les châteaux cristallins des grenouilles endormies. S'écroulent le conte de fée et l'image même de ses amours si savamment, si patiemment et si merveilleusement œuvrée par dame nature en cet endroit sacré où son cœur a tant frémi devant les yeux d'azur de Judith.

Avec beaucoup de difficulté, Clovis tente de reprendre son sang-froid. Tout lui semble de mauvais augure. Son échec avec le glouton et l'apparition brutale de Gadouas. Que veut ce père ingrat? S'intégrer dans la famille Lafresnière en même temps que son fils jusqu'ici renié? Ou retirer de l'argent pour un silence quelconque? Le projet doit être de taille pour insister de la sorte et garantir le rendez-vous par son fétiche.

Le soleil de midi étincelle sur les miettes. Clovis déguerpit alors au pas de course vers la petite école. A l'heure du dîner Judith a promis d'aller le rejoindre dans la remise à bois. Bien sûr, elle ne pourra pas lui accorder plus de cinq minutes, et en ce court laps de temps il ne pourra pas la mettre au courant des derniers développements de sa trappe. Mais tout ce qu'il désire, c'est de s'assurer de son amour et de trouver dans ses yeux le courage d'aller voir le docteur Lafresnière.

Trois coups sonnent à l'horloge. Un, deux, trois comptent les patients avec un air enchanté.

— Trois heures. C'est donc pratique, commente Mme Thibodeau en tripotant son manchon de martre.

Sa voisine approuve d'un hochement de tête. Alexis Léonard, d'un bref grognement. C'est vrai, elle est bien pratique l'horloge grand-père du médecin. Et bien jolie à part ça. Clovis se souvient de son séjour et des nuits d'insomnie où il comptait les coups. Les sons graves et pourtant séduisants le rassuraient et l'intriguaient tout à la fois. C'est comme s'ils tenaient à lui rappeler où il était pour lui permettre de savourer pleinement son sommeil. Et il savourait ce sommeil léthargique qui l'engourdissait sous les draps propres. Il savourait l'odeur des médicaments flottant dans sa chambre, et cette certitude de s'y retrouver à son éveil.

Mais aujourd'hui, l'odeur qui flotte autour de lui l'indispose grandement. Malgré le bain qu'il a pris dans la cuve d'Honoré, malgré la coupe et le lavage de ses cheveux, malgré l'aération de ses vêtements, il empeste le carcajou. Surtout en ce lieu si propre. A son arrivée, les patients ont plissé le nez et Mme Thibodeau, scandalisée, s'est tassée sur la petite Mme L'Espérance. Que fera le médecin lorsqu'il détectera cette odeur nauséabonde?

Clovis étend ses jambes devant lui et se cale dans sa chaise. Les longues bottes lui redonnent confiance et lui rappellent toute la bonté et la largesse d'esprit du médecin. Pour la millième fois, il élabore son entrée en matière et pour la millième fois en change le texte. Jamais il n'aurait cru être si nerveux et si soucieux. Les doutes de Judith ont éveillé les siens et élargi considérablement le fossé de leurs situations sociales. Depuis qu'il a entendu sonner la belle horloge dans le beau salon, il se voit tel qu'il est: vêtu de peaux et sorti d'une cache humide et infecte. Quelle différence avec les fauteuils de satin et les meubles cirés qui ont vu grandir Judith. Depuis qu'il a entendu sonner la belle horloge dans le beau salon, il se voit tel qu'il est et sera toujours: un bâtard métis issu d'un viol et chassé du village par le curé. Depuis qu'il a entendu sonner la belle horloge dans le beau salon, il sent son odeur de bête dans les émanations envoûtantes des médicaments et voudrait tout à coup être ailleurs. Loin dans le temps et l'espace. Il voudrait tout à coup être rendu à ce soir et déguster les beignes de Rose-Lilas en tête à tête avec Judith. Il voudrait tout à coup être rendu à ce baiser passionné de la séparation. Il voudrait tout à coup être rendu à sa cache et relever le défi du glouton. Il voudrait tout à coup être rendu à sa victoire sur la bête. Mais pour ça... pour ça, il lui faut demander la main de Judith. Il lui faut entrer dans le cabinet, saluer et... Sa pensée bloque soudain. Gadouas aurait-il déjà approché le médecin à ce sujet? La jalouse Éloïse les a sans doute dénoncés, donnant au vieux fou l'espérance de s'unir légalement à la famille Lafresnière par le truchement de sa paternité indésirée et jusqu'à maintenant inavouée. A défaut, l'espérance d'obtenir quelque argent pour son silence.

Mademoiselle Mathilde ouvre la porte du cabinet pour inviter Mme Thibodeau. L'apercevant, elle lui demande:

— Es-tu malade, Clovis?

— Non, mademoiselle. C'est pour un entretien, bafouilla-t-il.

— As-tu pris rendez-vous?

— Non, mademoiselle. Je peux attendre.

— Je t'inscris après M. Léonard: c'est libre. Je vais avertir le docteur.

— Merci, mademoiselle.

Elle disparaît, dans son uniforme impeccable. Après M. Léonard, se répète Clovis. (Après M. Léonard, ce sera mon tour. Mon tour. Mademoiselle Mathilde ouvrira la porte et me fera entrer. Le médecin ne sera pas surpris puisqu'elle l'a averti. Je dirai: ne vous en faites pas pour cette drôle d'odeur... ou non, je dirai: je vous remercie d'avoir arrangé la tombe de ma mère avec Honoré. Non. Je dirai: est-ce que M. Gadouas est venu vous voir? Non. Je lui avouerai tout. Il ne pourra pas refuser. S'il m'avait adopté j'aurais été son fils; aujourd'hui, je lui offre la possibilité de m'avoir comme gendre. Pourquoi refuserait-il? Parce que je n'ai pas d'avenir? Mais j'ai un avenir. Je deviendrai médecin. Je suis capable et il le sait. Je suis même doué.)

— Madame L'Espérance, appelle mademoiselle Mathilde en s'éclipsant devant la plantureuse Mme Thibodeau.

La gorge de Clovis s'étrangle et un malaise général bouleverse son estomac. Son tour approche. Il passe ses doigts nerveux dans sa chevelure pour la remettre en ordre. Heureusement que Rose-Lilas a pu la lui couper. Ainsi, il a moins l'air d'un sauvage et le seul reliquat de sa coiffure ancienne est la marque plus pâle laissée par le bandeau de cuir sur son front. Heureusement aussi qu'il a pu prendre un bain chez Honoré, qui le lui a d'ailleurs conseillé en expliquant: « Tu vas achever les malades de Philippe avec c'te senteur-là. » Malgré tout, il empeste et la sueur qui coule le long de ses côtes ne fait qu'empirer sa gêne.

— Monsieur Léonard, invite la voix pondérée de Mathilde.

Mme L'Espérance ajuste son petit chapeau noir devant la glace, lève son petit menton pointu et, à petits pas, fait un grand détour devant Clovis en pinçant ses petites narines.

Se voyant seul, Clovis se lève et va vers la glace. L'image qu'elle lui renvoie ne le satisfait pas et il désire soudainement s'enfuir. Il se retourne alors vers la porte givrée et y pose son doigt. Que de fois Judith lui a-t-elle raconté comme elle a aimé le jeune Small Bear émerveillé devant le givre intérieur! L'homme ferme les yeux pour se rappeler ceux de la femme aimée.

La porte du cabinet s'ouvre.

— Clovis, invite mademoiselle Mathilde.

Il la suit sur ses jambes tremblantes en essuyant ses paumes mouillées sur son pantalon.

Le beau sourire paternel du médecin l'accueille.

— Assieds-toi, suggère celui-ci en indiquant le fauteuil devant son bureau.

Clovis obéit et observe les gestes de mademoiselle Mathilde rangeant de petits flacons dans l'armoire vitrée.

— Laisse-nous, Mathilde, demande le médecin devant l'embarras de Clovis.

— Bien père. Vous m'appellerez.

La femme disparaît.

— Alors, mon garçon, qu'est-ce que je peux faire pour toi?

— Beaucoup... je suis venu vous demander...

Clovis se tait puis sourit maladroitement à l'homme qui le regarde avec un vif intérêt. Il prend une grande respiration et débite d'un seul trait:

— Je suis venu vous demander la main de Judith.

Les traits du médecin se figent alors dans une expression d'incroyable mécontentement.

— Répète.

— La main de votre fille Judith. Je... je l'aime.

— Et elle?

— Elle m'aime.

— Depuis quand cela dure-t-il?

— Depuis le mois de juin dernier.

— En cachette?

— Oui, docteur. Je... je voulais venir avant mais nous avions peur.

— Peur de quoi?

— D'un refus.

— Je refuse aussi.

Clovis baisse la tête et ne trouve rien à répliquer. Un long silence désunit les deux hommes.

— Pourquoi? questionne Clovis d'une voix blanche.

— Parce que tu n'es pas un homme pour Judith. Elle est de santé fragile et ne pourra pas te suivre dans tes trappes ni t'attendre seule à la maison. De plus, elle n'a pas été habituée à ce genre de vie.

— Je serai médecin. Je ramasse mon argent pour payer mes études.

— Ton argent? Dans combien d'années pourras-tu commencer tes études?

— Je ne sais pas. J'avais pensé à l'année prochaine. Sam m'a légué un des territoires les plus riches, et si je me défais du glouton qui l'habite, je pourrai faire beaucoup d'argent.

— Le glouton?

— Oui. Le glouton. C'est lui que vous sentez sur moi.

— Et Judith supporte ça?

— Oui, docteur.

— Ça me surprend: elle a les poumons si fragiles. Elle est comme sa mère. Non, Clovis, elle n'est pas une femme pour toi.

— Vous m'avez tellement encouragé à devenir médecin, pourquoi ne m'aideriez-vous pas présentement?

— Je peux t'aider si tu veux. Je peux te prêter ce qu'il te faut d'argent et même te faire entrer à l'Université de Montréal. Mais je ne peux pas t'accorder la main de ma fille. Je suis désolé.

Clovis se lève, penaud, et risque un regard vers le médecin qui fait mine de ranger ses papiers.

— Elle n'est pas pour toi... je suis désolé.

Quatre coups sonnent à la belle horloge du beau salon et fouettent l'orgueil de Clovis. D'une voix mal contenue, il accuse:

— Vous mentez. Vous mentez mal, docteur.

— Comment ça?

— Ce n'est pas à cause de sa santé ni à cause de mes études à venir que vous refusez mais c'est à cause de moi. A cause de ce que je suis: un bâtard. Vous ne voulez pas de ça dans votre belle famille. Vous ne voulez pas salir le nom de Judith en l'unissant au mien.

— Calme-toi, Clovis.

— Calme-toi, Clovis, c'est facile à dire ça, docteur! Mais

j'aime votre fille et je la marierai quand même, que vous le vouliez ou non.

Le médecin se lève subitement et l'affronte.

— Tu n'oserais pas faire ça! Je t'interdis de revoir Judith! ordonne-t-il en serrant les mâchoires.

Une veine se gonfle sur sa tempe.

— Je la verrai et je lui ferai un enfant.

La gifle retentit dans le cabinet. Clovis plisse les yeux et demeure immobile.

— Petit salaud! condamne le médecin, hors de lui. Je t'interdis, tu m'entends, je t'interdis de la revoir, poursuit-il en saisissant Clovis par ses vêtements et en le secouant.

— Je sais pourquoi. Je sais tout. Vous ne voulez pas de moi parce que je suis le fils de Gadouas. Parce que je suis né d'un viol. Sam m'a tout raconté.

— Non! Ce n'est pas ça. Ce n'est pas pour ça!

— Oui, c'est parce que je suis le fils de Gadouas, répète Clovis en tentant de se dégager.

— Non! Non! hurle alors Philippe, fou de rage.

— Oui. Parce que je suis le fils de Gadouas!

— Non! Parce que tu es le mien! trahit le médecin dans sa colère. (Il se tait aussitôt et reste accroché aux vêtements de son fils.) Le mien, s'accuse-t-il en appuyant son front contre l'épaule de Clovis. Je suis ton père.

Philippe n'ose plus regarder son enfant et demeure pendu à ses vêtements, la tête contre son épaule. L'aveu, extirpé de son âme, le laisse étourdi et muet. Résigné, il attend la condamnation. Il attend les injures et les coups. Mais rien ne se produit. Alors il lève la tête et rencontre la mine horrifiée et déçue de Clovis.

— Pas vous?

— Oui, moi.

— Non, pas vous, nie Clovis.

Mais le médecin certifie encore:

— Oui, moi.

Son père! L'homme! Lui! Celui... Celui-là, celui qui a violé, sali, déshonoré, abandonné, délaissé sa mère. Son père? Lui? Cet homme qu'il aime et respecte? Lui, cet homme qu'il vénère. Son père! Celui... Celui qui a souillé la femme, l'amour, l'enfant et la famille. Celui qui a menti, accusé, blâmé. Son père. Celui-là qui est coupable... Son père, l'écœurant et le lâche. Lui... le médecin si aimé. Lui, devant lui, accroché à lui avec tout le poids de sa faute. Le poids de cette faute qui l'entraîne vers le néant... vers la douleur dans la main et le vertige impressionnant. Lui, accroché aux vêtements de peaux. Si lourd, trop lourd de cette vérité inacceptable. Inconciliable à ce qu'il ressent. La douleur dans la main, précédant la chute redoutée. La douleur comme une promesse de délivrance. La chute comme une évasion du monde pourri. Une crevaison des façades bien-séantes. Une indiscipline dans l'ordre établi. La crise: vision imagée du chaos qui l'habite. Version physique de ses images mentales. Vapeurs chaudes et bourdonnements d'oreilles épaississent le mur entre lui et le monde. Entre lui et ce père pendu à ses vêtements.

— Non, Clovis. Non. Ne me fais pas ça, supplie Philippe en le voyant pâlir.

Mais avant même qu'il ait le temps de le retenir, le jeune trappeur tombe par terre en renversant le fauteuil qui brise l'armoire vitrée. Philippe se précipite vers lui et insère son mouchoir entre les dents serrées. Le corps du malade se raidit puis s'agite en convulsions saccadées. Philippe détourne la tête, incapable de regarder ce visage d'homme aux yeux révulsés et aux commissures pleines d'écume.

Mathilde accourt, détache les vêtements et prend Clovis en charge. Lorsqu'il revient à lui, elle essuie sa bouche et retire le mouchoir déchiré.

— Voilà, c'est fini, lui dit-elle doucement en le voyant poser sur elle un regard hébété.

Philippe se penche pour l'aider à se relever. Le voyant si près de lui, Clovis le repousse violemment en criant:

— Non! Pas vous! Pas vous!

Le médecin, déséquilibré, tombe par terre. Rassemblant ses forces, Clovis réussit à se sauver en chancelant.

— Quel sauvage! s'indigne Mathilde en aidant son père.

— Non. Ce n'est pas lui le sauvage, reconnaît Philippe en observant, par sa fenêtre, la silhouette affolée de Clovis qui s'enfuit à toutes jambes sur la rue principale du village.

Essoufflé et vacillant, Clovis pénètre dans la cour de Gadouas où un cochon achève de se faire griller. Près du feu de paille, il aperçoit le maître des lieux discutant avec M. Tur-cotte. La brunante donne à la scène un aspect sinistre. Clovis fixe d'un air dégoûté ce cœur de lumière où gît la bête morte et les reflets machiavéliques sur la figure simiesque de Gadouas.

— Qu'est-cé que tu fais icitte, toé? lui demande celui-ci.

— Vous voulez me voir?

— Pantoute. J'ai pas affaire à toé. J'ai assez d'ouvrage de même. Envoye, sacre le camp!

— Donnez-moi mon fétiche et je partirai.

— Quel fétiche? Qu'est-cé que tu veux que j'fasse avec ça?

— Rendez-le-moi!

— Y est fou, glisse Napoléon à M. Turcotte.

— Rendez-moi mon fétiche, insiste Clovis.

— Va-t'en, maudit sauvage. Tu viendras pas faire la loi icitte. Envoye, va-t'en!

Clovis accroche alors le vieillard par le cou et presse ses pouces sur la pomme d'Adam.

— Donnez-moi mon fétiche!

Gadouas râle et plie les genoux en faisant toutes sortes de mimiques pour obtenir l'aide de son voisin. Celui-ci saisit les avant-bras de Clovis:

— Tu ferais mieux de partir, toé. T'as pas honte de t'attaquer à un p'tit vieux. Lâche-lé ou je t'assomme.

Clovis obéit.

— Maudit vieux sale! Je t'aurai bien un jour, jure-t-il en abandonnant le cou plissé de Gadouas.

Couché en rond dans son abri de sapinage, Clovis ferme les yeux et s'immobilise devant le feu. Malgré la chaleur intense, il sent le froid l'envahir. Un froid intérieur. Comme si son âme se couvrait de frimas et d'étoiles mortes.

Affaibli par sa crise d'épilepsie, déçu et désespéré, il ferme les yeux sur des images de viol. Il voit sa mère se débattre sous le docteur Lafresnière. Il voit les gestes brusques, l'assaut injuste du membre viril, la déchirure de l'hymen. Il entend les cris de sa mère. Des cris perdus, inutiles. Elle roule la tête pour éviter un baiser et casse ses ongles dans l'habit noir. L'homme la frappe. L'homme la déchire de ses désirs malsains, l'homme la salit. Puis cet homme la ramène à Sam et accuse Gadouas. Cet homme se lave les mains, la soigne et, pour se déculpabiliser, offre d'adopter l'enfant de son crime. Voilà pourquoi sa mère a préféré le confier au curé. Pour éviter qu'il ne grandisse près de l'homme qui l'a déshonorée aux yeux du village. Par quelle ironie du sort s'était-il attaché si solidement au médecin? Par quelle ironie du sort cet homme a-t-il représenté tous ses idéaux et ses espoirs? Par quelle ironie du sort a-t-il rêvé de lui? A-t-il compté ses pas? Respiré son parfum? Reconnu sa voix? Attendu sa venue? Imité ses gestes? Espéré ses lettres et respecté ses volontés?

— Pas vous! Pas vous, répète Clovis.

Par fidélité à sa mère et à lui-même, il se doit de détester l'odeur de médicaments qui l'a toujours grisé. Il imagine les yeux étincelants et se doit de détester ces yeux qui ont illuminé et réchauffé son enfance. Il voit les mains brutales et se doit de les haïr, si belles soient-elles.

Il sent encore le médecin pendu à ses vêtements et entend sonner le glas de ses amours: « Je suis ton père. » Le choc immédiat dans son cerveau: Judith est sa demi-sœur. Il ne doit plus l'aimer. Désespéré, il écoute le chant restreint de la rivière.

Elle se taira bientôt et coulera sous l'épaisse carapace avec ses drames et ses choses mortes. Quand aura-t-il une carapace, lui? Pourra-t-il guérir de cette plaie nouvelle? Parviendra-t-il à ne plus aimer Judith et à détester son père? Ne plus aimer Judith. Cette obligation jette la mort dans son âme. Ne plus aimer celle qu'il aime tant. Se l'arracher du cœur et remplacer la douce fleur par l'épine de la haine. Arracher de ses yeux les yeux d'azur. Arracher de ses mains la blonde tignasse, arracher de sa bouche la bouche vermeille, arracher de son ventre les désirs de procréation et de prolongement, arracher de sa joue la joue de pêche. Arracher de ses rêves la présence indispensable de Judith. Comment vivre sans elle?

L'homme se recroqueville davantage et ne bouge plus. Le vent du sud se lève, secoue l'abri et tord les flammes dans leur ceinture de pierres. Accroché dans les branches d'un pin solitaire, le canot défoncé agite ses écorces déchirées.

Clovis imagine la détresse de Judith dans la petite école. Il l'imagine aller et venir entre les pupitres et guetter anxieusement la lisière du bois où il n'est pas apparu et n'apparaîtra plus. Son père lui avouera-t-il son péché? Aura-t-il au moins la décence d'expliquer son refus ou s'en tiendra-t-il à la facile explication du « il n'est pas pour toi »?

— Maman. Maman, gémit Clovis en adoptant la forme du fœtus comme s'il pouvait réhabiter l'univers clos et sécurisant du ventre de sa mère. Viens me chercher. Viens me chercher.

Le vent, de nouveau, agite l'abri. Clovis pense qu'il va neiger demain. Oui, demain la première neige purifiera le sol massacré de l'automne et le couvrira de son linceul. Lui, il sera mort. Bien mort. Et loin de cette haine qu'il se doit de vouer au docteur Lafresnière. Loin de cette mission de vengeance qu'il se doit d'assumer à l'égard de sa mère et loin de cet amour qu'il se doit d'assassiner. Il sera bien puisqu'il ne sera plus. Et il ne sera plus puisqu'il n'aurait jamais dû être.

Il tâte une coupure à son cou et regrette le fétiche. Son vol lui rappelle la bêtise des hommes et le non-sens de la vie. De sa vie surtout.

— Small Bear.

Il rejette toutes les images d'hommes. Images impures et souillées par leurs pensées. Il rejette le curé, le docteur, Gadouas, Firmin, Éloïse. Il rejette les églises et les écoles, il rejette les maisons et les lits. Tout ce qui habite maintenant son cerveau dépressif est l'image d'un petit ours blessé qui se roule en boule dans l'abri de neige. Un très gros ours ronfle bruyamment près de lui, tandis qu'une biche élégante dort sous un sapin. Tout près passe à la course le lièvre craintif. Sautille et galope autour de la biche endormie pour attirer son attention. Mais rien ne bouge et rien ne bruit sous la première neige et le petit lièvre s'en retourne dans son terrier, les narines frémissantes.

— Sam, souffle Clovis avant de pénétrer dans l'univers mouvant du demi-sommeil.

Un ciel sombre pèse sur la terre gelée. Mélancolique, la rivière roucoule en crochetant de petites vagues bouclées autour des masses de glace molle. Le vent du sud passe encore, humide et doux. Clovis vérifie son canot accroché aux branches pour la saison d'hiver. La déchirure de la pointe lui paraît moins sérieuse qu'il ne l'avait cru, hier, lors de la traversée. Avec un peu d'écorce et de gomme d'épinette, il pourra la réparer au printemps. Cette pensée du printemps n'éveille ni chaleur ni espérance ni vision de floraison. Le printemps sera la saison du rat musqué, puis de l'échange. Jamais il ne reviendra vivre chez les hommes. Jamais plus il ne traversera la rivière pour rejoindre Judith au campement d'été.

Ah! Que tombe vite la neige sur la berge opposée. Que tombe vite la neige sur les miettes de son amour. Que tombe vite la neige sur cette souche où s'assoyait Judith. Que tombe vite la neige sur les longues perches à doré. Que tombe vite la neige sur le sable où, un jour, elle a posé son joli pied nu. Clovis regarde le ciel gonflé, pendu au-dessus de lui comme une grosse couverture de laine grise prête à fendre. Encore une fois, il contemple la berge opposée et remarque le chenal qu'il a dû se tailler en revenant de chez Gadouas. Ceci lui rappelle son fétiche volé qu'il se promet de récupérer un jour. Mais pour le moment, il doit se remettre en route avec ses provisions, car Sam l'attend à la cache. Après un dernier coup d'œil à son feu éteint et à l'abri de sapinage, il se charge d'un lourd sac à dos et emprunte le sentier qui mènera d'abord à la cabane de sa mère pour récupérer le whisky de Sam. Curieusement, il a hâte de retrouver cet homme, hâte de retrouver son silence et sa loyauté. Hâte de retrouver ces yeux tristes et fidèles. Sam. Quel homme! Homme qu'on croirait volontiers bête au premier regard. Homme exclu des hommes, ayant perdu sa nature d'être sociable et gagné celle d'être véritable. Homme aux odeurs animales mais aux principes nobles. Homme hirsute au cœur de chevalier. Homme qui a su aimer et respecter la Biche. Homme qui encore noie son chagrin dans l'alcool. Homme qui l'aime encore et la respecte à travers son fils.

Clovis presse le pas, fuyant la société, le village et la plage.

Légèrement essoufflé, Honoré s'assoit sur une roche et scrute les bois environnants. Depuis ce matin, il suit la piste d'un gros chevreuil.

— P'tite misère, dit-il en s'essuyant le front avec son mouchoir à carreaux.

Soudain, il discerne un mouvement derrière le sapinage et lève le chien de son fusil. Il épaule et mire la tache brune qui progresse vers lui. A sa grande surprise, il voit apparaître un homme et dépose aussitôt son arme.

— Clovis! s'exclame-t-il. Bonyenne! J'ai failli te prendre pour un chevreuil. J'ai failli tirer.

— Vous auriez dû.

— Voyons donc! Qu'est-cé qui va pas? Tu m'as l'air tout à l'envers.

Clovis jette un regard désespéré au vieil homme sans trouver les mots pour exprimer son tourment.

— On t'a attendu toute la soirée hier. Rose-Lilas t'avait faite une provision de beignes.

— Je m'excuse... je n'y ai plus pensé hier soir.

— Ça pas marché avec Philippe? T'allais y demander de l'argent pour finir tes études?

— Non... pas tout à fait.

— Ah! Si tu veux pas le dire, t'as ben en belle. C'est pas de mes affaires. En seulement, j'sais que Philippe a pas coutume de te refuser.

— Hier, il a refusé.

— Ah!

— Je lui ai demandé la main de sa fille.

— P'tite misère, échappe Honoré en écarquillant ses yeux verts. La petite Judith?

— Oui.

— Mon Dieu! Mon Dieu! Pauvre p'tit gars! Tu peux pas savoir: Philippe y peut pas t'accorder ça.

— Vous le saviez? Vous saviez qu'il était mon père! s'exclame Clovis.

Décontenancé, Honoré hésite un instant avant d'admettre:

— Oui, j'le savais.

— Mais comment pouvez-vous être son ami? Comment pouvez-vous aimer un homme comme lui?

— Tu y en veux?

— Oui. J'y en veux à mort. Jamais je lui pardonnerai d'avoir violé ma mère. Jamais! Et j'admets pas que vous soyez son ami. Vous êtes tous pareils. Vous êtes tous contre moi.

— Mais t'es fou. Y l'a pas violée. Y s'aimaient ces deux-là. Ta mère était folle de lui, pis lui y l'aimait plus que sa femme. Où t'es t'allé chercher ça qu'y l'a violée?

— Ben... Sam m'a raconté qu'un jour, il l'a ramenée sur son cheval et qu'elle avait été violée. Le docteur a prétendu que c'était Gadouas. Sept mois plus tard, je naissais prématurément.

— T'es malade. T'es pas né d'avance. Quand Gadouas a

violé ta mère, a l'était déjà enceinte de Philippe, déclare Honoré d'un ton offusqué.

Clovis s'agenouille alors devant lui et pose ses mains sur les siennes.

— Vous me le jurez, Honoré?

— Oui. J'te le jure sur la tombe d'Émerise.

— Il l'aimait?

— Oui. Y l'aimait. Toé si, y t'aime, continue Honoré en posant sa grosse patte sur la tête de Clovis.

— Parlez-moi de lui. Racontez-moi tout ce que vous savez.

— Ça va être long.

— Accordez-moi ça. J'étais si malheureux et si déçu. Il a toujours été mon idole. Hier, tout s'est écroulé. J'ai pensé qu'il avait violé ma mère. Je devais oublier Judith et je devais le détester. Maintenant, au moins, je peux encore l'aimer. Je peux continuer à l'aimer. Racontez-moi, Honoré. Je vous en prie, termine Clovis en se dégageant de son sac à dos et en s'assoyant devant l'ami de son père.

Le voyant si assoiffé et si affecté, Honoré s'accoude sur ses genoux et relate l'histoire des amours secrètes de Philippe. Avec pudeur, voire avec gêne, il dévoile la soûlerie dans la grange, le sang sur le couvercle du cercueil et la souffrance incroyable de Philippe. Clovis boit ses paroles et son visage sensible exprime sa gratitude et son soulagement. Quelquefois ses yeux sourient, luisent de larmes ou rêvent en imaginant sa mère s'abandonner dans les bras du médecin, tout comme Judith s'abandonnait dans les siens. Des faits anciens se relient dans son cerveau. L'homme à l'odeur nouvelle qui lui donnait du pain près du ruisseau était son père et le nom que sa mère prononçait dans ses délires était celui de son amant. Elle l'aimait et l'appelait en roulant sa tête bouillante. Philippe! Philippe! Il se rappelle. Pourquoi alors avait-elle accordé la garde de leur enfant au curé? Il le demande. Honoré hausse les épaules.

— Philippe a jamais accepté ça. Y a tout faite pour te garder. Comment qu'y te l'a appris?

— Ça s'est mal passé, Honoré. Je... j'ai fait une crise en l'apprenant et je l'ai bousculé.

— Comment ça?

— Il a voulu m'aider et je l'ai repoussé. Il est tombé par terre... il avait l'air si défait.

Clovis cache son visage en secouant la tête.

— Y a essayé de te le dire quand t'as battu le Firmin.

— Il avait pleuré cette fois-là.

— Y m'a raconté. Y a perdu son courage quand t'as parlé de l'écœurant.

— Je ne savais pas que c'était lui. En arrivant parmi les

Blancs, j'ai appris à détester mon père et je me suis pris d'affection pour lui sans savoir qui il était. J'ai aimé et j'ai détesté le même homme. Je lui ai même dit que je l'aimais autant que je détestais mon père.

— Y me l'a dit. Ça y a fait un choc. Y pensait te perdre en avouant qu'y était ton père. Y t'aurait-i perdu?

— Je ne sais pas. Hier, il m'avait perdu et moi j'avais tout perdu. Aujourd'hui, je le regagne, grâce à vous. Aujourd'hui je suis fier d'être issu de lui. Et fier d'être issu d'un acte d'amour. Dites-le-lui, je vous en prie. Rassurez-le. Dites-lui que je regrette de l'avoir bousculé. Dites-lui, dites-lui que je lui pardonne.

— J'y dirai, Clovis. Sois sans crainte.

— Dites-lui aussi que je viendrai le voir au printemps.

— O.K.

Clovis se lève d'un bond tant il se sent léger.

— Il neige, remarque-t-il tout à coup en recueillant des flocons dans sa main.

— Ouais! répond Honoré en se levant à son tour et en frottant son derrière. Maudites hémorroïdes! J'aurais pas dû m'assire su une roche. A me paraissait pas froide tantôt mais ça fait ben une bonne heure qu'on jase.

— Tant que ça! Ça m'a paru court.

— Y approche huit heures et demie mon p'tit snorro.

Le vieil homme s'étire et sourit avec bonhomie.

— Bon. Chus mieux d'y aller si j'veux pogner mon chevreuil. Y va y avoir des belles pistes avec c'te neige-là. Après-midi, j'irai voir ton père pour y expliquer.

— Mon père, reprend Clovis avec une étrange expression de rêve et d'incrédulité. (L'expression d'un esclave qui apprend qu'il est le fils du roi.) C'est un mot que je n'ai jamais dit, avoue-t-il en baissant l'épaisse frange de ses cils.

— Tu y diras au printemps.

— Je sais pas si j'en aurai le courage.

— Le courage? Comprends pas. En tout cas, t'en as le droit.

— Le courage de prendre le droit, d'abord. Lui il m'appelle mon garçon.

— Tu y diras un jour. Quand tu te sentiras son fils pour de vrai. Ça va venir. Pis ben plus vite que tu penses.

— Merci, Honoré. C'est la providence qui vous a mis sur ma route. Je suis content maintenant que vous n'ayez pas tiré.

— Fais une bonne saison pis tâche de te débarrasser du glouton. Mais fais attention à toé: c'est une bête rusée.

— Je sais. J'en viendrai à bout. Il le faut si je veux devenir médecin.

— Oui, pis dépêche-toé à le devenir pour aider ton père.

— Oui, murmure Clovis intimidé à nouveau par le mot père.

Il reprend ses bagages et d'un pas lunatique se dirige vers la cabane de sa mère. Il sait d'avance qu'il s'assoira sur sa couche et imaginera les jeux d'amour et sa naissance. Il imaginera la joie vulnérable de leurs rendez-vous clandestins, imaginera leurs baisers et leurs caresses. Imaginera leurs péchés.

Il revivra cet amour défendu entre les murs qui l'ont vu s'épanouir. Il revivra l'amour de son père et de sa mère. De Philippe Lafresnière et de Biche Pensive. Il se rappellera comme elle était belle et comme il devait être beau. Il se rappellera sa voix à elle et ses yeux à lui. Plus dorés et envoûtants. Il s'imaginera sa peau à lui, si pâle, couchée sur sa peau à elle, si bronzée. Et les amours de ses parents se confondront aux siennes et atténueront sa douleur. Il se consolera de ne pouvoir aimer la fille à l'idée que sa mère a aimé le père jusqu'aux portes de l'enfer.

— Firmin a préparé les cochons à Boisclair. Quand cé qu'y arrive lui? demande Éloïse à sa mère.

Le silence coutumier de la folle lui répond. Éloïse achève son thé, puis ajoute:

— Écoutez donc, sa mère, j'pense que le p'tit braille. Allez donc voir dans votre chambre.

Aussitôt, la femme se lève et d'un pas mal assuré se dirige vers le poupon chimérique. Éloïse en profite pour éloigner la berceuse de la fenêtre et sort dehors. Toc! Toc! Toc! font les quartiers d'érable que range son père le long de la clôture. Elle le toise et sourit haineusement en rejoignant Firmin dans l'écurie.

— Qu'est-cé que t'as à trembler?

— C'est à matin?

— Oui. Tu suite. Notre affaire a marché. Hier, le sauvage est venu faire du trouble. Tout le monde va penser que c'est lui. T'as juste à m'écouter.

— Va faire mal à m'sieu Poléon?

— C't'à ton goût, Firmin. Aimes-tu mieux qu'y fasse mal à mam'zelle Mathilde? Moé, c'est pour toé que je fais ça. Mais si ça te fait rien qu'y a batte comme y bat ma'm Azalée, dis-lé tu suite.

— Oh non! Veux pas m'sieu Poléon batte mam'zelle Mathilde.

— Bon ben grouille-toé. Prends le couteau à boucherie pis va dans le port à cochons. Tu feras semblant de mettre la truie. M'as l'amener là.

Ils sortent tous deux de l'écurie. Firmin s'arrête et, d'un regard émerveillé, contemple la première neige et les flocons qui dégringolent du ciel. Il sourit, renverse la tête et ouvre grand sa bouche pour les avaler.

— Beau, s'exclame-t-il.

— Arrête donc de niaiser pis va-t'en dans le port. Vite, commande Éloïse en lui donnant un coup de coude dans les côtes.

Le mastodonte obéit et se rend sur les lieux du crime en admirant le spectacle joyeux de cette chute de cristaux étoilés qui déjà ont effacé le tas de fumier et les labours déchirés. Toute blanche, toute propre est la terre. Toute belle et douce sous les pas. Firmin déambule dans le décor fabuleux, la bouche grande ouverte, les yeux ravis, les mains tendues vers le ciel et sa joie enfantine ne s'efface qu'à la vue de la boue que les porcs ont remuée de leurs groins gourmands.

— Son père! Son père! crie Éloïse en rejoignant le vieillard près de la clôture.

— Quoi cé que tu veux?

— Le Firmin est en train d'mettre la truie.

— T'es jalouse?

— Non.

— Laisse-lé faire d'abord. Ça ne changera rien au goût de la viande.

Déconcertée par cette attitude imprévue, Éloïse cherche un autre moyen de l'attirer derrière la porcherie et ajoute aussitôt:

— C'est parce que j'ai vu les Boisclair qui s'en viennent su le chemin. Y aimeront p'tête pas ça.

— Déjà! Y m'avaient dit vers dix heures.

— Sont d'avance, faut croire.

Furieux, Napoléon dégringole la côte, sa fille à ses trousses. Voyant l'engagé chevaucher la truie, il lui décoche un formidable coup de pied dans les testicules. Firmin s'écrase en geignant.

— Pogne-lé, pogne-lé, lui dicte Éloïse.

Oubliant sa douleur, Firmin se rue sur Poléon et s'empare facilement de sa maigre carcasse.

— Traîne-lé jusqu'au bord de la rivière, ordonne Éloïse.

— Lâchez-moé. Lâchez-moé! Qu'est-cé que vous faites?

Firmin lui écrase la bouche d'une main et le traîne près de la rivière. Le vieux se débat.

— Couche-lé à terre pour l'égorger. Envoye.

L'engagé appuie son genou sur la cage thoracique et sent ployer les os sous son poids. Il sort le couteau de sa poche et, en évitant le regard affolé et suppliant de sa victime, il enfonce la lame dans la gorge et sectionne la carotide.

— Sainte-Vierge... aidez-moé, prie-t-il en pesant de plus en plus sur la petite poitrine.

Napoléon se débat et râle. Vainement, il bat des poings et des pieds, incapable de se défaire de ce genoux qui le crucifie au sol. Il voit sa fille méchante près de lui, voit son sang gagner la neige et voit le Firmin, les yeux clos, qui remue les lèvres dans son étrange prière d'assassin.

— Azalée! Azalée! appelle le vieux en s'agrippant aux vêtements souillés.

Viendra-t-elle le sauver, cette femme qu'il a perdue? Entendra-t-elle son cri de détresse et y répondra-t-elle?

— Azalée! Azalée!

Ne doit-elle pas lui obéir en tout?

— Azalée. Azalée!

Son cri n'est plus qu'une suite de sons incompréhensibles. Ses membres s'ankylosent, vidés qu'ils sont de leur sang. Éloïse lui ouvre les doigts et insère un objet dans sa main. Il l'étreint, s'agrippe à lui comme à quelque talisman qui pourrait lui redonner vie. Mais sa vie s'écoule de ses veines. Sa vie tache la neige. Yeux ouverts, il ne voit plus rien, n'entend plus rien et râle faiblement. Égorgé comme un cochon, pense-t-il, comme un cochon.

— Va-t'en au bord de la rivière pis lance le couteau dans l'eau. Envoye, grouille.

— A faite mal... a faite mal.

— Regarde-lé pas pis obéis.

Firmin s'exécute.

— Reviens-t'en, astheure.

A pas d'automate, le géant revient en détournant la tête.

— Parfait! Parfait! T'as ben faite ça, félicite Éloïse en le secouant. Y a pus de danger astheure. Pus de danger pour ta mam'zelle Mathilde.

Firmin remonte la côte sans s'occuper d'elle et, s'appuyant le front contre la porcherie, se met à vomir. Elle le rejoint, inquiète.

— Tu vas dire comme moé. T'étais à faire le train. T'as entendu crier pis là, t'as vu le sauvage dans son canot qui se sauvait. Compris? Répète! Répète!

— Sainte-Vierge, aidez-moé. Aidez-moé, Sainte-Vierge.

— Répète.

— Firmin a vu l'yâbe en canot. Non! Le yâbe va venir chercher Firmin pour l'envoyer en enfer. Non! Firmin a pas vu l'yâbe. A pas vu.

— Oui, tu l'as vu, maudit niaiseux. Tu l'as vu. C'est lui. C'est lui qui a tué m'sieu Poléon.

— M'sieu Poléon mort?

— T'es t'en train de perdre la boule. Va-t'en donc dans l'écurie pis laisse-moé faire.

— M'sieu Poléon pourra pus me chicaner. Pourra pus faire mal à mam'zelle Mathilde?

— Non. Y pourra pus.

— Éloïse va être fine avec moé?

— Oui, ben fine, Firmin. Ben fine. Mam'zelle Mathilde va être ben contente. Tout à coup qu'a te donnerait une image.

— Une image?

— Oui. Une belle image. Pour toé tu seul. En seulement, y faut pas que tu te trompes. T'as juste à dire comme moé. T'as entendu crier pis t'as vu le sauvage qui se sauvait en canot.

— A entendu crier pis a vu le sauvage se sauver en canot.

— Va-t'en à l'écurie astheure. C'est fini. J'vas aller dire à ma'm Azalée que le sauvage a tué son mari.

La tête basse, les mains tachées, Firmin se traîne les pieds.

— Lave-toé les mains, commande alors Éloïse.

— Oui.

Firmin s'empare d'une poignée de neige et se frotte les doigts.

Adoptant un air bouleversé, Éloïse se précipite dans la cuisine où sa mère berce un tas de chiffons.

— C'est épouvantable, sa mère! Le sauvage vient de tuer pôpa.

— Shut! Ton frère dort. Y était trempe, mon p'tit gars.

— Pôpa est mort.

— C'est pas moé qui va le pleurer, hein? C'est pas nous autres qui va le pleurer, hein mon p'tit gars? Dodo, l'enfant do, l'enfant dormira bientôt, chante la femme en endormant son bébé.

Malgré les cinq pouces de neige, l'auto du médecin roule rapidement vers la ferme des Gadouas. A ses côtés, Éloïse pleurniche en répétant inlassablement:

— C'est épouvantable, docteur. Mon père, mon pauvre père. Le curé m'a dit de venir vous chercher. C'est épouvantable. Y l'a égorgé comme un cochon, maudit sauvage!

— Tu l'as vu?

— Je l'ai vu se sauver sur la rivière. Firmin aussi. C'est un fou, un possédé, un meurtrier. Ah! Faites vite: tout à coup que mon père serait encore vivant.

Bouleversé, Philippe appuie sur l'accélérateur. Il serre davantage ses mains tremblantes sur le volant et tente de se concentrer. Mais ses pensées virevoltent dans sa tête comme autant de flocons aliénés. Il pense à la crise d'épilepsie de Clovis, pense à l'altération possible de ses facultés mentales et à la silhouette affolée dans la rue principale du village. Clovis aurait-il transposé la haine qu'il vouait à son père sur Napoléon

Gadouas? Aurait-il puni ce dernier d'avoir involontairement déformé la vérité? Son fils serait-il capable d'égorger un vieillard, tout misérable qu'il soit?

L'auto pénètre dans la cour où une vingtaine de personnes se groupent autour de l'imposante stature du curé. D'un pas grave, celui-ci s'avance et ouvre la portière en disant:

— Derrière la porcherie, près de la rivière.

Philippe descend avec sa trousse. Les colons, en silence, l'observent et l'accompagnent de leurs regards terrorisés.

Philippe entend ses pas, entend son cœur, entend chaque grain de neige toucher ses épaules. Sa main étreint la poignée de sa trousse. Le voilà près de la porcherie où deux bêtes grotesques se roulent dans la boue.

Philippe regarde la rivière. La rivière de ses amours et des amours de Clovis. Il devine l'anse au doré dans le détour. Il avance. Incapable de détacher son regard de l'eau noire coulant entre les berges immaculées. Et incapable de poser son regard sur la forme insolite vers laquelle il se dirige.

Philippe s'arrête. Le voilà devant le cadavre. Il lui faut l'examiner, constater la mort et remplir son rapport de médecin coroner. Il lui faut détacher ses yeux de cette rivière et regarder, à son tour, la vérité en face. Il espère une crise cardiaque, un évanouissement, un malaise quelconque qui le soustrairait à la macabre vision. Mais, lentement, il baisse les yeux vers le visage de Gadouas, pétrifié dans une expression d'horreur indescriptible. La bouche édentée, grande ouverte, et les petits yeux traqués l'ébranlent. Philippe s'agenouille, pose ses pouces sur les paupières ridées et les ferme sur les pupilles glauques. Il manque de s'évanouir en voyant la gorge béante et l'imposante masse sombre sous le mince voile blanc. L'horreur du crime le paralyse. Il ferme les yeux, attend un instant puis se dicte la marche à suivre: constater la mort, l'heure approximative du décès et la cause du décès. A tâtons, il s'empare d'un bras pour vérifier la raideur cadavérique. La main vient s'abattre mollement sur sa cuisse. Il la déplace et sent un objet au creux de celle-ci. Son regard se pose sur cet objet. Alors, le monde entier s'engloutit à la vue du fétiche de Clovis. Il échappe un cri, bondit sur ses jambes et remonte la côte en courant.

Le curé l'attend et le glace de ses yeux autoritaires.

— Il est mort? demande-t-il.

— Oui.

— Quand?

— Depuis une heure à peu près.

— Comment?

— Saigné.

Un murmure parmi les voisins.

— Vous avez vu le fétiche? questionne encore le curé.

574

— Oui... j'ai vu, répond Philippe en se dirigeant vers sa voiture.

— C'est bien lui, certifie le curé. J'avais raison de vouloir l'excommunier.

— Je l'ai vu, hier, rajoute M. Turcotte. Y est venu icitte pour le menacer. Y l'a pris par le cou pis y a essayé de l'égorger devant moé.

Philippe entend les accusations et les témoignages portés contre son fils sans pouvoir le défendre. Il se sent faible et tremble. Un homme vient le soutenir par le coude pour l'aider à rejoindre sa voiture en expliquant:

— C'est pas beau à voir. Moé, j'ai pas vu, assoyez-vous, docteur. Prenez ça aisé. C'est fini. Vous avez juste à faire votre rapport. Nous autres, on va s'occuper du sauvage... On va le retrouver. Le curé sait où. Y va finir au bout d'une corde, je vous le garantis.

Philippe appuie son front contre le volant.

— Vous sentez-vous mieux?

— Oui.

— Rentrez chez vous. On va s'occuper du reste.

— Où allez-vous l'emmener?

— A prison de Mont-Laurier. On va l'attacher pis on va l'emmener là. Y vont le juger. Ça peut pas être quelqu'un d'autre. Boisclair a dit qu'y a vu son pendentif pis ses maudits grands cheveux sales dans main de Gadouas.

— Vous m'avertirez quand vous le retrouverez.

— Si vous voulez.

Philippe démarre son moteur et prend de grandes respirations pour se calmer. L'homme va rejoindre ses voisins. Une phrase alors s'isole dans la mémoire de Philippe: « Y a vu son pendentif pis ses maudits grands cheveux sales... » Hier, Clovis avait les cheveux courts.

Philippe saute hors de sa voiture, dégringole la pente en courant et se rue vers Gadouas. Et là, il aperçoit une grande mèche de cheveux noirs dans le poing crispé. Hier, Clovis avait les cheveux courts. Il se souvient de la marque pâle sur son front, laissée par le bandeau de cuir. Un étau libère le cœur de Philippe. Fébrilement, il vérifie les empreintes suspectes. Il nettoie avec précaution l'une d'elle et constate que ce sont des empreintes de souliers de bœuf. Hier, Clovis portait les longues bottes à talons. Ce n'est donc pas lui qui est venu égorger Gadouas ce matin. C'est quelqu'un d'autre. Quelqu'un qui cherche à l'incriminer.

— Merci, mon Dieu. Merci.

L'innocence de Clovis le ragaillardit. Il interpelle les gens qui organisent les recherches.

— Attendez! Attendez!

Il les rejoint et s'adresse au curé.

— Ce n'est pas lui. Clovis est innocent. J'ai la preuve.

— Vous cherchez encore à le protéger, docteur? Vous ne voulez vraiment pas admettre ce qu'il est vraiment. Un malade mental. Un fou. Un possédé, réplique le curé d'une voix tonitruante.

— C'est l'yâbe. A vu le yâbe sur la rivière. C'est l'yâbe, hurle Firmin.

— Je l'ai vu hier traverser le village en courant comme un fou. C'est un fou! renchérit M. Thibodeau d'un ton convaincant.

— Hier, y a failli étrangler Gadouas devant moé. C'est moé qui y a dit de s'en aller. Avoir su, je serais resté, répète à nouveau M. Turcotte, échauffé.

— Écoutez, écoutez-moi, supplie Philippe. Comment était-il, hier? Souvenez-vous de ses cheveux.

— Ses cheveux? Sont dans main de Gadouas ses cheveux. Pauvre vieux, y a dû se débattre.

— Non. Il avait les cheveux courts, hier, explique le médecin en se promenant d'un homme à l'autre pour tâcher de les convaincre.

Mais ceux-ci observent et adoptent fidèlement les réactions du curé qui clôt le plaidoyer par ces phrases:

— Ça suffit, docteur. Nous ne sommes pas des enfants d'école. Admettez donc que votre protégé n'est qu'un possédé du démon et laissez-nous tranquille avec vos inventions de cheveux courts. Tant qu'il est en liberté, d'autres innocents risquent de subir le même sort. Vous avez fait votre ouvrage: laissez-nous faire le nôtre. Allez, vous autres! Allez chercher vos fusils et rejoignez-moi au pont.

Les hommes acquiescent et commencent à se disperser.

— Ne prenez pas de fusils, supplie Philippe, ne prenez pas de fusils... Il pourrait arriver un accident. Je vous en prie. Il n'est pas armé.

D'un à l'autre, il fait la même demande qui se voit refusée. Il se retrouve bientôt face à face avec le curé. Un sourire sardonique erre sur les lèvres de l'ecclésiaste.

— Vous faites tout ça pour rien, docteur. Et je sais pourquoi vous inventez tout ça.

— Je ne l'invente pas. C'est vrai. Pourquoi ne voulez-vous pas me croire?

— Parce que cet enfant est l'enfant du mal. Je l'ai toujours soupçonné d'être un assassin en puissance. Tout petit, il me défiait et ses yeux sont ceux de Satan lui-même.

— Vous croyez vraiment ce que vous dites?

— Bien sûr, docteur. Je crois vraiment que votre fils a fait ça, conclut Alcide en indiquant le cadavre près de la rivière.

— J'ai d'autres témoins. Il y avait des patients, hier. Ils ont vu ses cheveux. Attendez de les entendre. Il y avait ma fille aussi. Je ne suis pas le seul à l'avoir vu. Je vous en prie, ne prenez pas de fusils.

— Nous sommes en danger.Je regrette.

— Alors, vous risquez de tuer un innocent.

— Je ne crois pas à son innocence.

— Parce que vous ne voulez pas y croire. Parce que vous voulez avoir raison.

— J'ai raison, tranche Alcide en écartant le médecin sur son passage.

En un rien de temps, la cour se vide. Ne restent que le cadavre, les deux porcs condamnés et Philippe dans l'étourdissant silence de l'abandon. Il retourne vers sa voiture en marche, s'installe au volant puis jette un dernier coup d'œil à la cabane de Gadouas. Une silhouette, derrière le givre, l'intrigue. Il éteint son moteur et se dirige vers la maison. Il frappe.

— Entrez, répond une voix fatiguée.

Il entre et aperçoit Azalée se berçant devant la fenêtre.

— Ah! Docteur! s'exclame-t-elle d'un ton réjoui. Venez. Venez voir mon bébé.

Il s'approche et se penche sur le tas de chiffons comme s'il y voyait vraiment un poupon.

— C'est un beau bébé, complimente-t-il.

La femme lève vers lui son visage ravagé et lui sourit tristement. La pitié emplit le cœur de Philippe et, d'un geste très doux, il caresse la chevelure rêche de la folle.

— Mon beau docteur... vous êtes doux... vous êtes beau. Vous le saviez, vous, vous le saviez qu'y était beau mon p'tit gars.

— Oui, très beau.

— Y m'aurait défendu... pis à messe... j'me serais tenue à son bras.

— Bien sûr.

— Éloïse me pense plus folle que chus. Vous avec. J'sais ben qu'y est mort, docteur... mais j'aime me rappeler. Ça me fait du bien.

— Bien sûr.

— Vous avez les yeux tristes. Vous avez-ti perdu un p'tit gars vous aussi?

Philippe cesse le mouvement de sa main et s'accroupit devant la femme. Son regard rencontre les yeux d'un bleu délavé qui le rendent conscient que quelque chose, en cet instant précis, l'unit à cet être.

— Vous pouvez peut-être m'aider, demande-t-il.

— Je demanderais pas mieux... parce que vous avez toujours

été gentil avec moé... A toutes les noces de vos filles, vous nous avez invités... comme si on était du monde... Pourtant, on était pas du monde... Même que le Firmin a faite de la bataille avec le sauvage.

— C'est oublié ça. Depuis combien de temps êtes-vous devant la fenêtre?

— Depuis toujours... Loïse a déplacé ma chaise tantôt en me faisant accroire que le p'tit braillait. Je l'ai pas contredite en rapport qu'a me fait peur, mais quand qu'est sortie, j'ai remis ma chaise à sa place. D'icitte, j'vois la rivière, j'vois toute.

— Qu'avez-vous vu?

— J'ai vu Loïse venir quérir son père. Le vieux fou est parti en courant derrière la porcherie... Pas longtemps après, j'ai vu le Firmin s'avancer au bord de l'eau pour lancer quèque chose au milieu de la rivière. Là, Loïse est venue me dire que le sauvage avait tué Poléon.

— Avez-vous vu le sauvage sur la rivière?

— Non. Pantoute. C'est pas le sauvage qui a faite ça.

— C'est qui?

— Loïse pis Firmin.

— Pourriez-vous raconter tout cela au curé?

— Ça donnerait rien, docteur. Vous savez ben: chus une folle. C'est vrai, chus folle... mais chus pas aveugle... pis ce que j'ai vu, je l'ai vu. Le curé, y écoute rien qu'Éloïse.

— Venez avec moi. Il ne faut pas qu'Éloïse sache ça. Elle pourrait vous faire du mal.

— A me tuerait. Elle pis son père, c'est toute ce qu'y sont capables de faire: tuer. Où j'irais avec vous?

— Chez nous. J'ai besoin de votre témoignage. Venez avec moi.

Philippe se lève. La femme l'imite et dit:

— Espérez-moé. J'vas aller chercher mon châle.

Philippe en profite pour prendre place sur la berceuse et remarque qu'en se penchant légèrement, il aperçoit le cadavre sur la neige. Azalée a-t-elle vu plus qu'elle ne le prétend?

— J'peux vous le dire à vous... j'ai toute vu... mais ça, j'peux pas le dire, en rapport que j'y ai pas porté secours.

— Je comprends.

— Quoi cé que vous comprenez?

— Que vous n'ayez pas porté secours. Venez.

Il lui offre son bras. Elle hésite un long moment, promenant un regard indécis entre ce bras tendu et le bébé de chiffons serré contre son cœur. Puis elle fronce les sourcils, secoue la tête et demande:

— J'aurais l'air moins folle si j'le laissais icitte, hein?

— Les gens vous croiront plus.

— Pis avec vous, j'ai juste à en parler... vous l'avez vu,

vous. C'est vous qui l'avez accouché. J'ai pas besoin de mes guenilles pour me rappeler.

Avec un sourire naïf, elle abandonne son enfant, pose son bras sur celui du médecin et appuie sa joue sur le manteau de drap.

— C'est de la belle étoffe, commente-t-elle en fermant les yeux.

Elle le suit, heureuse et incrédule. S'imaginant aller au bal, s'imaginant être madame docteur, s'imaginant être au bras de son fils. Philippe lui ouvre la portière, nettoie rapidement les vitres de la voiture et prend place près d'elle.

— C'est la première fois que je monte en machine.

— Avez-vous peur?

— Pantoute. A côté d'un tombereau, j'vous dis que c'est plaisant. Parce qu'on est montés en tombereau... J'ai faite une fausse couche dans grange à Turcotte... Y m'a battue... j'pensais à vous... j'aurais aimé avoir de l'aide... C'est pas de votre faute: vous saviez pas.

— Ne pensez plus à ça. Il vous reste encore de belles années à vivre.

— Vivre? Oh non! J'veux pus. Chus trop fatiguée. J'veux juste vous faire plaisir... vous rendre ce service, docteur.

Il démarre la voiture et, chemin faisant, observe la femme qui, pour la première fois de sa vie, se voit considérée comme une femme. Il observe son sourire si craintif et ses yeux si rêveurs. Il observe le maintien de dame qu'elle adopte et sa tête qu'elle porte dignement. De temps à autre leurs regards se croisent et il lui sourit, sachant qu'elle voit en lui un père, un prince charmant et un fils. Et ce bonheur, fragile comme grain de neige, beau comme grain de neige et pur comme grain de neige. Ce bonheur, menacé de fondre instantanément dans la main des brutes, ce bonheur éphémère embellit miraculeusement Azalée et l'arrache à sa folie suicidaire.

— Pas de piste, rumine Alcide en foulant la neige vierge.

— Par où qu'y est passé? s'enquiert M. Turcotte.

Le curé arrête sa meute. Il parcourt d'un œil scrutateur la forêt complice, puis dit d'une voix d'outre-tombe:

— C'est le fils du diable.

Les hommes se lancent des regards apeurés.

— Quoi cé qu'on fait m'sieu l'curé?

— On va à la cabane de la sauvagesse. Il y est sûrement.

— On vous suit, m'sieu l'curé.

Doigts nerveux sur les chiens de leurs fusils, les paroissiens se remettent en route, suivant docilement l'homme à la haute stature dont la mante funèbre bat derrière lui comme de grandes ailes de corbeau.

De nouveau sa piste, jubile Qui-Qui-Hatch en reniflant l'empreinte des bottes dans la neige. Ah! De nouveau sa piste, jouit-il en trottant allégrement dans les traces de Clovis. Il n'a pas encore compris. Ce territoire m'appartient et les bêtes m'appartiennent. Je le chasserai ou l'éliminerai. Ah! Voilà son odeur. Ouach! Puanteur d'homme. Tu me lèves le cœur.

Le glouton saute silencieusement sur la grosse roche et s'écrase au passage de Clovis. Celui-ci déambule sans l'apercevoir, ni même le sentir. Qui-Qui-Hatch s'indigne. Quoi donc! Cet homme passe devant lui sans remarquer sa présence. Cet homme l'ignore, lui, Qui-Qui-Hatch l'invulnérable. Lui! Le maître puissant de la forêt. Le glouton découvre ses dents, étire ses griffes et, avec agilité, bondit sur une souche pour la déchiqueter. Ah! Défaire l'homme aussi facilement qu'il défait la souche. Il reprend sa poursuite sournoise, bavant de rage dans les pistes fraîches de son ennemi.

Clovis peine sous les lourds sacs de provisions qu'il a ramassés à la cabane pour Sam. Il grimpe difficilement la haute montagne qu'un ruisseau joyeux dégringole sur des roches moussues. La sueur coule sur ses tempes et entre ses omoplates. Les grains de neige fondent en touchant son front. De temps à autre, il en ramasse une pleine poignée et la passe sur son visage pour se rafraîchir. Il ne s'arrêtera qu'au sommet pour boire dans le ruisseau. Qu'au sommet, là où le vent du sud murmure dans les pins. Qu'au sommet, si loin des hommes, dans le haut territoire du carcajou. Qu'au sommet où l'attend le tombeau de ses amours dans les entrailles de la terre. Qu'au sommet.

Il monte et hisse ce poids sur son dos. Les muscles de ses mollets et de ses cuisses se tendent de plus en plus. Et de plus en plus, il force, acceptant la curieuse impression d'être écrasé sous ce monument d'échec et de faiblesse humaine qu'est sa vie.

— Ah! Voilà sa piste. Suivons-la, ordonne Alcide en croisant les empreintes d'Honoré.

— Elles ont l'air de s'en aller au village, m'sieu l'curé. On laisse faire la cabane?

— Oui, dépêchons-nous. Il peut tuer d'autres personnes, rappelle l'ecclésiaste en ramenant sa lèvre inférieure sur sa lèvre supérieure.

(T'as pas le droit. C'est mon village. Je t'en ai chassé. Tu ne toucheras pas à mes ouailles, fils de Satan! jongle-t-il en pressant le pas. Tu ne toucheras pas à mes ouailles, fils de Satan. C'est lui qui m'a inspiré à la mort de ta mère. Prends-moi, suppliait-il dans tes beaux yeux. Regarde comme je ressemble à Jésus, prends-moi. Et je t'ai pris... Je t'ai même aimé. Ah! Satan! Satan! Avec ton père, tu m'as trompé pendant sept ans. Quelle ruse! Tu as trompé tout un séminaire avec ta belle figure. Avec ta belle figure, avec ton beau corps, tu m'as détourné de la sainteté. Tu as ébranlé ma foi. Ah! Satan! Je n'ai pas de fusil, mais j'ai ma foi. Oui, je l'ai. Tu n'as pas réussi à me la ravir et tu ne réussiras pas. Je t'écraserai avec elle. Qui vas-tu tuer au village? Moi? C'est moi que tu vas tuer? Je suis derrière toi, pauvre imbécile. C'est moi qui t'écraserai, moi seul, confirme à haute voix Alcide sans s'en apercevoir.)

— Quoi cé m'sieu l'curé?

— Rien.

— J'ai compris que vous étiez tu seul: on est tous avec vous, m'sieu l'curé.

— Je l'apprécie. Nous sommes tous ensemble et nous vaincrons.

Enthousiasmés, les villageois se rassemblent autour de leur chef, captant les ondes électrisantes et stimulantes qui émanent de lui. Galvanisés par son autorité et sa puissance d'action, ils oublient peu à peu leur peur pour se griser de leur mission.

— Soldats du Christ, en avant! entraîne Alcide d'un geste énergique, renforçant en eux le sentiment d'appartenance à une armée d'élus.

Les mains alors se pressent plus sur la crosse du fusil que sur le chien et quelques-uns brandissent leur arme en répétant:

— En avant!

En avant, il faut aller en avant de lui, calcule Qui-Qui-Hatch en se faufilant derrière une touffe de jeunes cèdres. En avant de lui. Ses petits yeux luisent dans leur masque noir. Là, dans le gros chêne: son sentier passe dessous. Dans le gros chêne.

A pas rapides, il contourne une petite butte et devance l'homme pour se rendre à l'arbre et y grimper.

Clovis progresse lentement vers ce sommet béni. Passé le gros chêne, l'angle de la montagne s'adoucit avant d'offrir le plateau du haut territoire. Soudain, un grognement le glace. Il lève la tête et aperçoit Qui-Qui-Hatch sur la première branche du chêne. Clovis fige devant la bête sortie des enfers. Jamais il ne l'aurait crue si laide et si terrifiante. Arc-boutée, accrochée de ses griffes menaçantes à l'écorce, grondant et fouettant l'air de sa queue, la bête lui crache sa haine. L'odeur pestilentielle déclenche l'odeur de peur chez l'homme. Qui-Qui-Hatch s'en délecte et dévoile davantage sa gueule dangereuse. Clovis recule en glissant lentement sa main vers son couteau. L'imminence d'un combat lui semble inévitable. Dans un cri terrible, la bête s'élance et s'abat sur lui. Débalancé par son fardeau, Clovis tombe à la renverse et se protège la figure de son avant-bras gauche, tout en cherchant son arme de la main droite. Les crocs plantés dans la chair de son bras paralysent rapidement celui-ci. La bête plonge ses yeux dans les siens. En grondant, elle tourne avec le bras puis se met à le secouer violemment. La douleur engendrée lève le cœur de Clovis. Il tente un assaut avec son couteau et érafle les flancs du carcajou. Qui-Qui-Hatch abandonne alors le bras et se décide à lui sauter à la gorge. Il savoure déjà les battements du sang sur sa langue et s'élance. A nouveau, le bras s'interpose entre lui et la gorge de l'homme. Un objet s'enfonce dans sa cage thoracique et se retire. L'homme roule sur lui. Une seconde trouée de l'objet dans son corps. Du sang remplit la bouche de Qui-Qui-Hatch. Furieux, il appuie ses pattes arrière contre les flancs de l'homme et, tendant ses griffes puissantes, lui déchire le vêtement et la peau. L'homme échappe un cri et enfonce encore son objet dans ses poumons. Des bulles crèvent dans la bouche de Qui-Qui-Hatch. Il va mourir, il le sait. Rassemblant toute son énergie animale, il appuie à nouveau ses pattes arrière contre les flancs saignants et les laboure avec satisfaction. Nouveau cri d'agonie. L'objet s'enfonce encore et y reste. Qui-Qui-Hatch serre les mâchoires dans la viande du bras. Un craquement d'os rend victorieuses les bulles de son sang éclatant dans ses narines.

De la neige. Comme confettis de mariée. De la neige. Comme confettis de mariée sur son visage, sur son corps déchiré, sur les odeurs d'homme et de bête emmêlées. De la neige si blanche. Sortie du ciel si gris.

Toc! Toc! Toc! fait le pic-bois noir et blanc dans le tronc mort du merisier. Toc! Toc! Toc! fait encore son cœur sous la neige.

Passe le corbeau dans un froissement d'ailes. Passe dans la neige. Lui tout noir. Passe dans les confettis de mariée, lui tout noir.

Toc! Toc! Toc! encore le pic-bois noir et blanc dans le tronc mort d'un merisier. Toc! Toc! Toc! travaille ardemment la petite bête marquée d'une goutte de sang. Pica la tête rouge, disait son grand-père à sa mère et sa mère à lui quand il était petit.

Qu'était la légende de Pica la tête rouge? Toc! Toc! Toc! fait encore le cœur. Qu'était la légende de sa mère et son grand-père? La légende du pic-bois noir et blanc, teinté d'une goutte de sang. C'était Michabou, oui, Michabou, le Grand Lièvre. Il avait vengé son grand-père qui cherchait son épouse dans la lune. Il avait vengé son grand-père en tuant Plume-de-Perle et le sang de Plume-de-Perle avait marqué la tête de Pica. Toc! Toc! Toc! fait la petite tête ornée du sang de la vengeance. Toc! Toc! Toc! encore le cœur. Toc! Toc! Toc! encore le pic-bois noir et blanc. Noir et blanc. Peau pâle sur peau foncée. Son père et sa mère. Le sang de la vengeance sur son crâne. A l'âge de six ans. Lors de la torture.

Passe le corbeau dans un froissement d'ailes sinistre. Passe dans la neige, lui, tout noir. Passe dans les confettis de mariée. Lui, tout noir.

Ticque! Ticque! Ticque! chantent les confettis en le touchant. Ticque! Ticque! Ticque! sortis d'un ciel sans soleil.

Froissement d'ailes de corbeau. Quand viendra-t-il manger son cœur? Le tenir dans ses serres et le déchiqueter de son bec dur. Quand atterrira-t-il sur sa poitrine éventrée pour la dévorer.

Froissement d'ailes de corbeau. La serge noire et humide sur sa figure. Serge qui l'étouffe et l'aveugle. Ailes de corbeau. Passent dans la neige blanche de la mariée.

Toc! Toc! Toc! Au loin, travaille le pic-bois noir et blanc, si loin. De plus en plus loin. Ticque! Ticque! Ticque! chantent les confettis. Vive la mariée! Vive la mariée! Tu es mon soleil. Filtre doré sur sa vie noire et blanche. Sa vie noire et blanche tachée du sang de la vengeance. Quelle vengeance encore? De qui? De quoi? Pourquoi? Pour qui?

Ticque! Ticque! Ticque! chante la neige. Fish! les ailes macabres. Fish! les ailes macabres au-dessus de lui. Fish! les ailes macabres au-dessus de son visage.

Odeur d'homme, de bête et de tant de sang. Odeur grisante des médicaments dans le souvenir d'un enfant. Souvenir d'un cheval-homme entre les jambes de l'enfant. D'un cheval-homme fougueux, emporté hors de la réalité. Hors de la réalité avec le cheval-homme. S'accrocher à lui. Se souder à lui. S'évader. S'évader de ce monde. Se souder à lui. Se serrer sur lui. Être de lui. Être de lui. De son corps. De son sang. De son sperme. Être de lui. De son ventre lié à celui de sa mère. De sa peau blanche sur la peau sombre. Être de lui.

Fish! Fish! les ailes.

— Small Bear! hurle Sam en l'apercevant sous le chêne.
— Froid, balbutie Clovis.

Un liquide brûlant sur sa langue.

— Bois du whisky.

La tête ornée de sang soulevée par des mains chaudes. Chatouillement d'une barbe sur son front. Odeur de sueur et de fumée.

— Sam, gémit Clovis.

— Je t'emmène chez le docteur. Ne sois pas inquiet.

Clovis tourne la tête vers son bras.

— Ne regarde pas, conseille Sam en le dégageant de la gueule du carcajou et en fabriquant une écharpe rudimentaire avec son foulard.

— Peux-tu marcher?

— Je vais essayer.

— Pourquoi tu n'as pas la traîne avec toi?

Pas la force de répondre. Clovis s'accroche à Sam et réussit à se lever. Sa tête tourne. Sam le soutient solidement. Alors commence le pénible calvaire de la descente vers le village. Sans un mot, sans une plainte, Clovis se laisse aider. Sans un mot, sans une plainte, il avance courageusement malgré les douleurs, le froid et la peur. Peut-être mourra-t-il avant d'atteindre son père. Peut-être se videra-t-il de son sang à mi-chemin. Peut-être ne pourra-t-il jamais lui dire papa. Ce n'est plus son cœur qui bat mais ce mot. Ce n'est plus son sang qui le maintient en vie mais la pensée de communier à cet homme dont il est issu.

Toc! Toc! Toc! fait le pic-bois noir et blanc dans le tronc d'un merisier mort.

Panique générale. Terreur dans les yeux. L'angélus sonne, exhortant les gens à la prière. Le fils de Satan ne rôde-t-il pas dans les environs? Vite, venez prier. Venez. Ne laissez personne à la maison. Sauvez-vous dans l'église. Elle seule est votre salut, rappelle la folle cloche.

Bientôt, les gens se massent sur le perron et se racontent les faits. M. Turcotte explique que les pistes reviennent au village.

— Y est icitte en quèque part... sur qui qu'y va sauter astheure?

Les portes de l'église s'ouvrent. Les gens s'engouffrent précipitamment.

Demeurée seule sur le perron, Judith meurt d'angoisse. Qu'est-ce qui a poussé Clovis vers ce répugnant parricide? Comment un être qu'elle a nourri de tant d'amour peut-il contenir tant de haine brutale? Elle vacille en entendant le murmure des prières. *Je vous salue Marie, pleine de grâces...* Ces gens ne supplient-ils pas le ciel de les protéger de celui qui l'a tenue si tendrement dans ses bras?

D'un pas tremblant, elle se dirige vers la demeure familiale. La neige tourbillonne devant elle, lui rappelant les cris joyeux des enfants à la récréation. Cris joyeux de la première neige, des premières pistes, des premiers flocons recueillis sur la langue. Lui rappelant également l'apparition inattendue du curé à la tête d'un groupe d'hommes armés. « Retournez les enfants dans leur foyer: le sauvage rôde. Il a tué Gadouas et tuera encore. Éloïse prétend qu'il peut venir par ici. » Cris de joie transformés aussitôt en cris d'épouvante. Puis, silence vertigineux de la cour de récréation où grince encore une balançoire au-dessus de la neige piétinée. Fermeture de l'école. Retour au village rempli d'espoirs à chaque détour. Arrêt émouvant sur le pont de billots. Souhait informulé que Clovis lui revienne. Que Clovis la retrouve avant que les hommes ne le trouvent. Que Clovis lui explique. Qu'il pose sur ses genoux sa tête tourmentée en implorant son pardon. Qu'il cherche miséricorde et réconfort près d'elle. Désir ardent de le revoir, de le consoler, de le rassurer.

L'attelage de Léonnie devant la porte de la belle maison blanche lui fait presser le pas. Léonnie est là. Là, dans la maison. Judith court vers sa sœur, vers sa confidente, vers sa consolatrice. Elle sait trouver auprès de cette femme une compréhension totale que ni sa mère, ni même la Vierge Marie ne saurait lui procurer. La porte s'ouvre lorsqu'elle monte les trois marches de la galerie. C'est Léonnie. Judith se précipite dans ses bras et éclate en sanglots. La voilà au salon, incapable de retenir ses larmes et répétant:

— Je l'aime, je l'aime.

Une main très chaude se pose sur elle et la presse fermement. Elle connaît cette main et enfouit son visage dans le rude mackina de Léonnie.

— Ressaisis-toi, lui conseille son père.

Judith tente de dégager son épaule de l'emprise paternelle.

— Ressaisis-toi, ordonne-t-il en voulant la tourner vers lui.

Alors, brusquement, elle fait volte-face et le dévisage.

— Pourquoi avez-vous refusé? C'est de votre faute. C'est vous. C'est vous qui l'avez poussé au meurtre de son père. Il vous croyait différent, mais vous êtes comme les autres. Vous êtes tous pareils. Vous êtes tous contre lui, accuse-t-elle d'un ton hystérique.

Philippe s'attriste devant sa petite reine blessée. Devant les yeux d'azur pleins de larmes et le joli minois bouleversé.

— Il n'a pas tué. J'ai la preuve, explique-t-il avec assurance en montrant Mme Gadouas installée devant le foyer.

Judith alors consent à écouter.

— La preuve?

— Oui.

— Elle?

— Oui.

— Mais elle est folle.

— Ils ont beaucoup d'autres preuves, ajoute Léonnie en remettant la chevelure de Judith en ordre.

— Il n'a pas tué?

— Non, certifie la grande sœur.

— Merci, mon Dieu. Merci.

Un silence.

— Qu'allons-nous faire? demande soudain Judith. Où est-il?

— Honoré l'a rencontré ce matin; il montait vers les hauts territoires. Jérôme ira le chercher cette nuit. Ce sont les pistes d'Honoré que le curé a suivies. C'est pour ça qu'ils sont de retour au village. Le mieux c'est de prouver son innocence en démasquant les vrais coupables.

— Qui sont?

— Éloïse et Firmin.

— La vache! s'exclame Judith en se levant précipitamment. La maudite vache! Je vais aller lui dire ma façon de penser. Maudite hypocrite! Je l'ai vue rentrer dans l'église avec des airs de sainte. Maudite hypocrite! Elle s'est même offerte à Clovis. Elle voulait Clovis.

— Que dis-tu! interroge le médecin.

— Oui. Elle le voulait.

— Alors ça explique tout: elle était jalouse.

— Oui. Très jalouse. Je vais lui arracher les yeux, conclut la jeune femme en se dirigeant vers la porte givrée.

Son père l'arrête doucement par le coude:

— Reste ici, ma fille. Tu gâcherais tout.

— A votre place je ne parlerais pas de gâchis. Laissez-moi.

— Je vais t'expliquer.

— Expliquer! Vous n'avez rien à expliquer. Vous l'avez refusé, un point c'est tout.

— Viens, je t'en prie Judith. Viens.

Il l'attire vers son cabinet. Elle lui obéit, réprimant sa révolte.

Philippe ferme la porte capitonnée. Judith encore une fois, lui tourne le dos et regarde la vitre brisée de l'armoire à médicaments. D'une voix désintéressée, elle observe:

— Vous avez brisé votre armoire.

— Ce n'est pas moi qui l'ai brisée, c'est lui.

— Lui? Comment?

586

— Il a fait une crise.

— Oh non! Non.

— Oui.

Elle cache son visage dans ses mains. Des spasmes douloureux l'ébranlent. Philippe s'approche d'elle et l'entoure de ses bras. Elle se tourne vers lui et se réfugie dans son veston comme une petite fille.

— Papa, papa, gémit-elle.

— Ma petite reine. Ma pauvre petite Judith. Pourquoi vous êtes-vous aimés en cachette? Si tu me l'avais dit, je vous aurais épargné tant de douleur.

— Oh! Papa! Je l'aime. Je l'ai toujours aimé. Je l'aime, papa.

— Je sais.

Il la berce en frottant son dos. Sa légèreté et sa fragilité le surprennent et il pense involontairement au sentiment que devait éprouver Clovis en la tenant dans ses bras. Judith essuie ses joues dans son habit et étreint l'étoffe de ses poings minuscules. Ces poings qui tantôt voulaient arracher les yeux d'Éloïse. Ces pauvres petits poings sans force. Il pose sa main sur l'un d'eux et, le voyant glacé, l'enveloppe tendrement. Il a l'impression de tenir un petit moineau blessé. Et l'impression obsédante et soudaine que Judith lui échappera bientôt. Qu'elle s'envolera de ses mains aimantes sans qu'il ne puisse rien faire.

— Pardonne-moi Judith.

— ...

— Je te dirai la vraie raison pour laquelle je me suis opposé à votre mariage. Mais promets-moi de me pardonner avant.

— Je ne peux pas.

— Je t'en prie. Promets-moi.

— Clovis vous a-t-il pardonné, lui?

— Pas sur le coup.

— Je ne comprends pas.

— Honoré lui a fourni les explications manquantes ce matin et il semble qu'il se soit réconcilié.

— C'est un mou. Il vous a tellement en admiration. Vous êtes son dieu.

— Et je ne suis pas ton dieu?

— Non. Vous êtes mon père. Clovis est mon dieu.

Cela dit, elle trouve la force de se détacher de lui et s'assoit posément sur le bureau. Mal à l'aise, Philippe se dirige vers la fenêtre et observe la rue principale, déserte. Il y a une vingtaine d'années, par la même fenêtre, il regardait cette même rue où s'éloignait la femme qu'il aimait avec, dans son ventre, le fœtus qu'il avait proposé d'éliminer. Et hier, sur la même rue, il voyait la silhouette affolée de son fils le fuir à toute allure.

Verra-t-il, tantôt, Judith suivre leurs pas?

D'une voix qu'il ne se connaît pas, il débute sa confession:

— Tu aimes Clovis envers et contre tous, n'est-ce pas?

— Oui.

— Alors, tu me pardonneras. Tu me pardonneras parce que j'ai beaucoup aimé envers et contre tous. Tu as ton dieu et j'ai eu ma déesse...

Sam s'arrête devant le pont. Épuisé.

— Ce ne sera plus long Small Bear. Je vois l'église.

Un gémissement lui répond. Le blessé roule sa tête et Sam sent la joue froide et imberbe de Clovis contre la sienne. Le passé ressurgit. Il y a bien des années, Gros-Ours gisait dans la traîne, devant cette même rivière. Le printemps rendait la traversée dangereuse et les hommes du village avaient dû haler une chaloupe à force de bras sur les glaces mouvantes. Et les hommes avaient exprimé leur mécontentement et leur peu d'intérêt aux souffrances de l'Indien. Seul Honoré avait eu de la compassion pour l'être différent, sorti des bois. C'est peut-être à partir de ce moment que Sam s'est mentalement dissocié des hommes. De ces hommes du village. Ces hommes qui forment un ensemble homogène de pensées et de réactions. Ces hommes qui rejettent, éloignent ou ignorent tout ce qui diffère, tout ce qui pertube, tout ce qui varie. Ces hommes qui avaient redouté Gros-Ours, rejeté Biche Pensive et maltraité Small Bear. Small Bear.

— Ce ne sera plus long maintenant, répète Sam en serrant contre lui le corps déchiré de Clovis.

Une plainte l'émeut. Il sent sa main dans une masse gluante et froide de caillots et de chair. Il ne peut faire autrement: le flanc gauche du jeune homme n'est plus qu'une bouillie inimaginable.

— Viens.

Lente et douloureuse progression. A nouveau, Sam communie à la souffrance d'un autre homme. La cuisse labourée et dégoulinante devient la sienne, le flanc déchiqueté devient le sien. Et ce bras brisé devient le sien. Il connaît le coût de chaque pas et de chaque effort. Il connaît la peur du sang perdu et de l'isolement. La peur de mourir en chemin. La peur d'être abandonné. Quelquefois, Clovis s'accroche à lui de sa main droite et l'appelle comme s'il était loin, très loin au bout du monde. Alors Sam le serre sur lui et lui parle pour le rassurer. Il le serre tant contre lui qu'il sent le froid du corps blessé envahir le sien. Ce froid qu'on n'ose comparer à celui des pierres tombales et qui sème la panique dans les pensées.

Voilà qu'il arrive devant l'église. Des gens en sortent.

Sam leur fait signe de la main afin d'avoir leur aide. Les gens s'approchent.

— Ce ne sera plus long... ce ne sera plus long Small Bear.

Les villageois les entourent. Les femmes sortent leur chapelet et se mettent à prier.

Je vous salue Marie, pleine de grâces...

Le groupe se resserre lentement sur eux. Personne ne fait mine de les aider. Sam fait un pas puis s'arrête devant une barrière de visages durs.

Je vous salue Marie, pleine de grâces...

Le groupe se resserre. Se referme sur eux. Sam recule et bute sur un homme.

Je vous salue Marie, pleine de grâces...

Ces hommes laisseront-ils mourir Small Bear dans leur cercle de prière? Sam le tient solidement contre lui pour l'empêcher de glisser par terre. Lentement, il fait le tour de chaque visage et constate sur chacun d'eux la même satisfaction à voir le blessé dans cet état lamentable.

Un homme finalement brise le cercle. Un homme costaud au visage ouvert et compréhensif. C'est Honoré.

— Qu'est-cé qui est arrivé? Mon Dieu! Vite, Jérôme, aide-moé.

Ils forment une civière de leurs bras et hissent aisément Clovis, soulageant Sam de son fardeau. Une grosse femme rousse presse son foulard sur le flanc ouvert et précède le cortège en écartant les gens de sa main potelée.

— Tassez-vous donc! Voyez pas qu'y est blessé. Envoye! Tassez-vous.

Les gens lui obéissent et le cortège s'engage sur la rue principale.

Elle ne s'est pas enfuie. Ni par la rue, ni par des cris, ni par des larmes. Elle est là, appuyée contre son dos, le retenant prisonnier dans ses bras délicats. Lorsqu'il parle, il sait qu'elle entend sa voix à travers sa poitrine, et lorsqu'elle parle, il sent la vibration de la sienne dans sa poitrine. Il la sent comme une onde d'eau qui viendrait submerger son cœur. Il la sent comme une onde d'air qui ferait écho à ses paroles.

— Avec elle, j'ai connu le désir. Elle était belle et simple et si vivante. Elle était différente. Si ce n'avait été de moi, rien de ceci ne serait arrivé.

— Si ce n'avait été de lui, un grand malheur nous serait arrivé. Je voulais un enfant.

— Nous avons eu, nous, notre enfant de l'amour. Le monde s'est dépêché de le baptiser l'enfant du mal. Et le monde s'est dépêché de le salir, de le blesser, de l'humilier. Je l'ai vu grandir dans la forêt, si beau, si vigoureux. Puis je l'ai vu se faire maltraiter par les hommes. Et j'ai souffert. J'ai tant souffert de voir l'enfant de l'amour devenir la proie de la haine.

— Il est beau et vigoureux. Jamais je ne l'oublierai.

— Je n'ai jamais oublié sa mère. Je me rappelle même que le rossignol chantait.

— Il chantait aussi pour nous.

— C'était près de la rivière. Elle était en canot et pêchait du doré.

— Il était en canot et fumait du doré. Il m'a promenée sur la rivière. Son torse nu m'émouvait.

— Elle était belle et timide. Elle tremblait contre moi.

— Il ne savait comment me dire je t'aime et se contentait de caresser sa joue sur la mienne.

— Le rossignol chantait donc pour vous deux?

— Oui.

— J'ai entendu le chant du rossignol. Et j'ai compris qu'il me disait que j'aurais grand bien et grand mal. Mais j'ai voulu ce grand bien et ce grand mal. J'étais jeune, j'étais fort. Aujourd'hui, je ne suis pas en mesure d'affronter ce grand mal qui s'adresse à toi par ma faute. Je ne suis qu'en mesure de le comprendre. De le comprendre, ma fille et de m'excuser.

— Vous n'auriez rien pu faire. J'ai toujours aimé Clovis. Je l'ai aimé dès le premier jour. Il était émerveillé par les portes givrées de notre salon.

— Dès ce jour-là?

— Oui. A l'école, je cherchais ses yeux si noirs. Je cherchais sa présence. Qu'auriez-vous pu faire contre mes secrètes passions?

— Rien. Et je ne peux rien faire aujourd'hui. Quel gâchis! Quel gâchis!

— Clovis a gagné un père. C'est une grande consolation. Moi, j'ai perdu celui que j'aime et je n'ai rien gagné.

— Et moi je vous ai blessés tous les deux.

— Il croyait être le fruit de la haine et de la bêtise et je ne comprenais pas qu'il puisse être si beau et si pur. Pourtant, lorsque le curé a annoncé qu'il avait tué, je l'ai cru. Maintenant, j'ai honte de cela.

— Et c'est au curé qu'elle a confié notre enfant. Pourquoi? Pourquoi?

— Oui, pourquoi? Pourquoi vous l'avoir arraché? Rien de ce que nous vivons aujourd'hui ne serait arrivé si Clovis avait vécu parmi nous. Il aurait été mon frère tout simplement.

— Et jamais je ne l'aurais vu s'enfuir comme un possédé en apprenant la vérité.

Nouveau regard porté sur la rue. Un groupe s'avance,

précédé de Rose-Lilas qui fraie un passage. Derrière elle, Sam suit, la tête basse, les gestes las.

— Clovis! s'exclame Philippe en apercevant l'être ensanglanté entre les bras d'Honoré et de Jérôme.

— Qu'est-ce qu'ils lui ont fait, papa? panique Judith en l'étranglant de ses bras.

— Je ne sais pas.

Une balle de neige vient alors s'abattre sur le visage de Clovis. Puis une autre. Philippe ferme ses poings.

— Non, pas cette fois-ci! décide-t-il en se dégageant de Judith.

— Où allez-vous, papa?

— Je vais charger mon fusil.

Cris, balles de neige et *Je vous salue Marie* assaillent le cerveau délirant de Clovis. Il regrette le toc-toc-toc de Pica, le pic-bois noir et blanc, regrette la danse insouciante des confettis de mariée sur ses joues moites et regrette même le passage sinistre du corbeau. Cris, balles de neige et *Je vous salue Marie* lui donnent la nausée et l'étourdissent. Il ouvre les yeux et voit la belle maison blanche, derrière les visages haineux. Et la belle maison blanche lui sourit. Et la belle maison blanche l'invite. Peut-être l'horloge de la maison sonnera-t-elle des coups pour lui lorsqu'il expirera. Nouvelles balles de neige, cris amplifiés, *Je vous salue Marie* plus rapides. Il ferme les yeux. Tout s'assombrit. Les gens se referment encore. Se resserrent pour l'étouffer avant qu'il ne rejoigne son père.

— Arrêtez-le! Arrêtez-le! ordonne le curé.

Les gens obéissent. Le cortège s'arrête. Venue d'il ne sait où, Éloïse saute sur lui et le secoue en beuglant:

— Assassin! Assassin!

Les gens répètent. Les gens hurlent. Jérôme éloigne la fille laide et le tient davantage contre lui pour le protéger de l'assaut des balles de neige. Des cris de femmes.

— Assassin! Assassin! injurient les gens.

Rose-Lilas pousse Éloïse par terre puis la traîne par les cheveux. Un colon s'attaque à Sam, un autre à Honoré, un autre à Jérôme.

Clovis dégringole. Le voilà au pied des gens. Il rampe. Un homme le toise. Clovis lève vers lui sa tête et frémit devant son regard d'acier. L'homme immobile le guette. L'expression de ses yeux ressemble à celle de Qui-Qui-Hatch lorsqu'il tournait avec son bras dans la gueule. Clovis comprend que ni l'un ni l'autre ne l'accepte sur son territoire. Il comprend également qu'il n'a plus la force de livrer un combat.

Retentit soudain un coup de feu, suivi d'un imposant silence. Les gens arrêtent de se battre et regardent, d'un air ébahi, le médecin venir vers eux. Sur la galerie de la grande maison blanche, Léonnie tient le .12 à deux coups encore fumant tandis que Judith s'accroche à la rampe avec effroi.

Il avance, son père. Si beau en cet instant même, avec ses poings fermés et ses avant-bras durcis par la colère. Il avance de ce pas énergique et martial qu'il avait au temps de sa jeunesse. Il avance, son père. Si beau en cet instant même avec ses cheveux gris désordonnés sur son front et ses yeux redevenus étincelants comme une pointe de lame. Il n'a plus d'âge, son père, plus de profession, plus de réputation. C'est un homme. Un bel homme.

— Nous devons l'emmener en prison. Rentrez chez vous docteur, commande Alcide en s'avançant vers Clovis.

— Laissez-le: c'est un blessé.

— C'est plus que ça, n'est-ce pas docteur. Moi, je sais que c'est plus que ça pour vous. Rentrez donc chez vous si vous voulez qu'on continue à vous respecter. Il y a des médecins à Mont-Laurier aussi. Ils s'occuperont de lui.

— Il n'est pas en état de voyager. Il reste ici.

— Emparez-vous de lui! commande Alcide à ses paroissiens.

— Laissez-le! Laissez-moi mon fils! riposte Philippe en assenant un formidable coup de poing dans la figure d'Alcide.

Celui-ci s'écroule. Tous s'immobilisent.

Il avance, son père, si beau en cet instant même. Il se penche, son père. Il vient le chercher. Du sable fin s'égrène dans les oreilles de Clovis. Un voile noir obscurcit sa vision. Des mains le palpent, l'examinent, tentent d'arrêter l'hémorragie de sa cuisse. Froid, le sang imbibé à ses vêtements. Froid et précieux, hors de lui. Lointaines les mains sur sa peau étrangère. Cette peau à la frontière de ce qui lui reste de vie. Lointaine, la belle main sur son front insensible. La belle main, tantôt nouée en un poing pour le défendre. Pour le défendre, lui, le petit garçon. Il est un petit garçon. Son papa est là. Son papa l'a défendu. Son papa l'a reconnu devant tout le monde. Son papa s'inquiète. Hier, le tour de cheval sur ses épaules. S'épaissit le front entre lui et la belle main.

— Clovis.

Dans la neige boueuse gît l'enfant de l'amour. Pour la première fois depuis longtemps, la paix envahit ses traits et donne à son visage une beauté angélique. Agenouillé près de lui, Philippe le contemple en caressant les cheveux de soie saupoudrés de neige. Tristement, son regard glisse sur la chair ouverte et les os brisés. Avec quelle méchanceté s'est-on acharné sur lui? Qui l'a déchiqueté ainsi?

— The wolverine, explique Sam.

Le glouton. Le carcajou. Le diable des bois. La bête immonde s'est ruée sur son fils pour le déchirer comme un morceau de papier. Philippe fixe le curé qui secoue sa soutane. Cette bête-là lui a déchiré l'âme, songe-t-il.

Le père glisse ses bras sous le corps inerte.

— Je vais vous aider, offre Jérôme.

— Je suis capable tout seul.

Philippe se lève avec son enfant.

Quelle différence entre ce corps et celui du petit garçon au crâne brisé? Les années n'auront-elles qu'alourdi son fardeau, lui laissant l'effroyable impression d'impuissance à retenir dans ses bras solides cette vie massacrée. Clovis s'alourdit, glisse et coule comme une bouillie informe de souffrances. Philippe le retient, bande ses muscles, force ses reins, tire sur ses bras. Il fait un pas, deux pas. Revient lentement vers sa demeure en levant haut la tête.

Les gens s'écartent et baissent les yeux sur son passage. Pourquoi baissent-ils les yeux? Est-ce la honte de ce qu'ils ont été, ou la honte de ce qu'il a vécu avec une femme? Il les analyse un à un. Un à un les fait rougir et reculer. A chacun d'eux, il peut associer une maladie ou une blessure pour laquelle il s'est dévoué sans rémunération. A chacun d'eux, il peut accorder une nuit de veille ou de présence réconfortante. A chacun d'eux, il s'est donné sans mesure. Et chacun d'eux, un à un, s'écarte sur son passage.

Alcide demeure sidéré. Philippe s'arrête devant lui, le dévisage et dit simplement:

— Vous êtes pire que le diable des bois, monsieur le curé.

— C'est pas lui! C'est pas le sauvage! Y a rien faite! lance une voix convaincue.

Les regards se tournent aussitôt vers Azalée qui court vers le groupe légèrement dispersé. Mathilde suit derrière elle, désemparée et vexée de l'avoir laissée filer de la maison.

La pauvre femme croise le médecin. D'un geste plein de compassion, elle écarte les cheveux du front de Clovis. « Perdez-lé pas » chuchote-t-elle avant de s'adresser à la foule.

— C'est pas le sauvage. J'ai toute vu, moé. J'étais assise devant la fenêtre.

Apercevant sa fille, elle la pointe de son bras veineux.

— C'est elle qui a tué Poléon.

— Croyez-la pas: c'est une folle! réplique Éloïse.

— Non. Chus pas folle. Chus juste... fatiguée. Je fais juste semblant de l'être pour pas me faire écœurer. Je t'ai vue venir quérir ton père qui cordait le bois. Tu l'as emmené derrière la porcherie.

— Vous êtes folle. Personne vous croit.

Alcide, jusqu'ici silencieux, pose sur Éloïse son regard perçant. Il a bien vu les cheveux courts de Clovis et les longues bottes et a bien compris qu'il s'est fait avoir par l'être présumé faible et stupide qu'est la fille Éloïse. Humilié et enragé de s'être laissé berner par elle, il se retient difficilement en s'avançant tout près pour la condamner.

— C'est toi ma chienne. C'est toi qui as tué! vocifère-t-il entre ses dents.

— Non. C'est pas moé: c'est le Firmin. Je l'ai vu.

Un cri de panique épouvante les gens. Firmin se détache du groupe et s'enfuit à toutes jambes. Le village entier le poursuit. Seule Mathilde hésite une seconde à les suivre en constatant l'absence de son père déjà retourné à son cabinet, mais un besoin irrésistible l'attire vers la berge où les gens s'entassent.

Et ces gens crient maintenant contre Firmin accroché à l'extérieur du pont couvert. Un Firmin désespéré, indécis au-dessus des rapides.

Mathilde s'engage sur le pont et le rejoint.

— Viens Firmin, dit-elle doucement.

— Mam'zelle Mathilde. Mam'zelle Mathilde, s'affole l'homme en pressant son visage rugueux dans les ouvertures en forme de losange.

Mathilde pose ses mains sur les doigts cramponnés et répète:

— Reviens. Ils ne te feront pas de mal.

— Moé voulais pas que m'sieu Poléon fasse mal. Pas de danger mam'zelle Mathilde. M'sieu Poléon fera pas mal à mam'zelle Mathilde... Firmin a tué m'sieu Poléon. Firmin est un bon soldat à mam'zelle Mathilde.

— Oui Firmin. Reviens maintenant. Ne reste pas là.

— Moé a peur d'être pendu. Moé veux pas être pendu.

— Reviens. Ils ne te feront pas mal. Je suis là.

— Moé vous aime mam'zelle Mathilde. Moé va laisser personne vous faire mal.

— Fais-moi plaisir, veux-tu?

— Oui.

— Reviens.

— Oui.

Les doigts de Firmin changent d'ouverture, s'agrippent à de nouveaux points et progressent vers la berge.

— Viens pas, maudit niaiseux: y vont te pendre!

— Non. Mam'zelle Mathilde a dit non.

— Niaiseux! hurle Éloïse, on t'attend pour te pendre. Pour te pendre.

— Non. Non. Moé veux pas. Moé est un bon soldat.

— Ne l'écoute pas, Firmin, chuchote Mathilde dans l'ouverture. Laisse-la faire. Fais-moi confiance.

— Le monde va me faire mal. Le monde va me faire mal, mam'zelle Mathilde.

— Non. Viens.

— Niaiseux! Viens-t'en qu'on te pende. Qu'on te pende, renchérit Éloïse sur la berge.

Le géant s'arrête, chancelle au-dessus du gouffre.

— Firmin, fais-moi confiance, supplie Mathilde en insérant sa main dans l'ouverture.

Les cheveux emmêlés du mastodonte viennent alors se glisser sous ses doigts. L'homme gémit son nom avec tristesse, avec regret, avec un amour infini et indéfinissable. Il avance bientôt son visage tout près des doigts et y frôle sa joue, puis ses lèvres, puis ses paupières.

— Moé vous aime mam'zelle Mathilde.

— Reviens Firmin.

— Le monde va me faire mal, mam'zelle Mathilde, conclut l'homme en levant sur elle des yeux tendres et désolés.

Firmin se détache du pont et se laisse tomber dans les rapides. Un grand ploush, les cris de la foule et un grand silence.

Quelques personnes ont prétendu apercevoir Firmin glisser sous la glace neuve en regardant vers le pont. D'autres prétendent qu'il est tombé si creux qu'on ne l'a jamais vu remonter. Toujours est-il qu'il est disparu dans les bouillons noirs brodés d'écume blanche et que les gens se sont dispersés sur la berge. Toujours est-il qu'on s'est emparé d'Éloïse pour la mener à la prison de Mont-Laurier. Toujours est-il que Mathilde est rentrée chez elle bouleversée et chagrinée, conservant encore sur ses doigts soignés l'empreinte d'un amour impossible et démesuré; et dans son âme, ce dernier regard de l'imbécile craignant la folie des hommes sensés.

Pouls faible et lent. Température à la baisse. Philippe considère le corps de son fils et frémit à la vue des pansements. Il sait trop ce qu'il y a dessous. Il connaît trop l'aspect saisissant des plaies suturées et de la fracture réduite. Il connaît trop les dangers auxquels est exposé ce corps déchiré et recousu. Danger d'infection, de rage, de tétanos, de gangrène. S'il n'était pas médecin mais seulement un père, il serait un peu rassuré de le voir lavé, pansé, réparé et encore vivant après l'opération. S'il n'était pas père mais seulement médecin, il serait satisfait des soins donnés. Mais il est père et il est médecin, et à cause de cela, il se sent épuisé et désemparé. C'est comme s'il avait fouillé sa propre chair, ligaturé ses propres artères, replacé ses propres os et recousu sa propre peau. C'est comme s'il avait tenu deux rôles opposés: celui du blessé et celui du médecin.

Mathilde va et vient dans le cabinet. Elle range les flacons, stérilise les instruments, entasse les compresses rougies dans le panier. Qu'il y en a! Comme il a perdu du sang!

Philippe pose sa main sur le visage livide de Clovis.

— Prépare une transfusion, s'entend-il ordonner à sa fille.

— Mais ça peut le tuer, objecte-t-elle. Une transfusion directe peut le tuer. Quel sang allons-nous prendre?

— Celui de son père.

— Sam est déjà soûl.

— Prépare les seringues et la canule. Vite. Laisse Sam où il est. Je n'ai pas besoin de lui.

Sans perdre une seconde, Philippe stérilise son avant-bras et celui de Clovis.

— Mais qu'est-ce que vous faites?

— Je me prépare pour une transfusion directe. Allez, vas-y.

— Vous? Pourquoi vous?

— N'as-tu pas compris que je suis son père? Allez. Dépêche-toi. Ne le laisse pas mourir sous mes yeux.

— Vous ne pouvez pas faire ça.

— Oui, je le peux. Obéis Mathilde.

Elle s'exécute. Pique adroitement une seringue dans l'artère brachiale du blessé, installe la canule puis pique dans l'artère brachiale de son père et la relie à la canule. Aussitôt le sang apparaît et relie les deux hommes. Dégoûtée, Mathilde s'éloigne de la table, incapable de détacher ses yeux de ce filet de sang si intime et si précieux. Incapable de détacher ses yeux du sang de son père pénétrant le corps d'un autre homme. La scène lui paraît scandaleuse, voire abjecte. L'acte d'amour, poussé jusqu'à la limite, la révolte ainsi que la façon frappante dont elle vient de connaître l'adultère de l'homme qu'elle admire. De le voir se donner ainsi la répugne. C'est comme si elle venait de le surprendre dans le lit de la Biche. Pire même. Puisque ce sang que Clovis accapare lui apparaît comme le don absolu, supérieur en tout à celui du sperme. Puisque ce sang devient le symbole même de la trahison et la preuve incontestée du péché de la chair.

— Arrêtez ça, supplie-t-elle sans détacher les yeux du filet si intime et si précieux. Arrêtez ça.

— Viens le surveiller, réplique le médecin d'un ton caté-gorique en voyant frissonner Clovis.

— Je veux qu'il rejette votre sang. Ce n'est pas pour lui ce sang-là. Regardez-le. Il étouffe. Vous gaspillez votre sang. Il étouffe, papa.

— C'est une bonne réaction au contraire.

— Non. Je veux qu'il rejette votre sang. Vous m'entendez?

— Tu dis des bêtises.

— Vous avez été avec elle... avec sa mère. Vous avez fait

ça avec elle. Vous... Vous... Vous me dégoûtez! Vous me dégoûtez. Pourquoi avez-vous fait ça avec elle? Hein? Parce que
maman ne vous avait donné que des filles? Que des filles? C'est
un gars que vous vouliez, hein? Un gars. Bien, vous l'avez
votre gars. Occupez-vous-en.

— Tais-toi.

— Vous me dégoûtez. Je vous ai aimé pendant tant d'années. Je vous ai sacrifié ma jeunesse. Je vous ai sacrifié mes
amours. Je vous ai tout sacrifié parce que je vous aimais et
vous admirais. Mais aujourd'hui, vous me dégoûtez. Vous
entendez? Vous me dégoûtez.

Elle sort du cabinet en claquant la porte. Philippe demeure
seul et observe le tube entre lui et Clovis. Il sent couler sa vie
goutte à goutte. De son cœur à ce cœur, de ses veines à ces
veines. Sa vie coule et engendre celle de son fils. Goutte à
goutte, sa vie coule avec toutes ses fautes et son immense
attachement, avec toute sa tristesse et son refoulement. Goutte
à goutte, sa vie coule et engendre celle de Clovis au détriment
de la sienne. Au risque de la sienne. Le voilà étourdi: il a donné
trop de sang. D'une main habile, il arrache les seringues,
désinfecte à nouveau les avant-bras. La canule tombe par terre,
le flacon d'alcool aussi. Il grelotte. La porte s'ouvre. Mathilde
pénètre avec Honoré.

— J'ai entendu un bruit, qu'est-ce qui se passe?

Mathilde constate son état de faiblesse.

— Vous lui avez trop donné. C'est dégoûtant.

Lui, dégoûtant? Parce qu'il a trop donné? Où est la limite
du don envers la chair de sa chair? La femme d'Honoré, à la
naissance de Jérôme, a-t-elle seulement imaginé une limite
quelconque? N'a-t-elle pas donné sa vie en donnant vie? Pourquoi ne le ferait-il pas à son tour? Pourquoi n'emprunterait-il
pas ce privilège du don de la vie réservé aux femmes? Une
douleur terrible empoigne le cœur de Philippe. Il s'écrase sur
Clovis. La douleur se propage à la nuque, au thorax, à la main
gauche. Une sueur froide le recouvre. Il entend Honoré s'énerver
mais ne peut lui répondre. Son ami le soulève, l'arrache à la
poitrine de son fils où recommence à battre le cœur.

Philippe ne peut ni respirer ni répondre. Il sent sa vie
le quitter. Mathilde se penche sur lui, défait son col, échappe
une larme sur son visage. Elle l'aime, Mathilde. Il le sait. Mais
il n'accepte pas qu'elle l'ait traité de dégoûtant. Philippe ferme
les yeux. Dans son esprit danse un frêle canot d'écorce sur des
vagues dorées. Biche tire ses filets avec force et adresse. Son
profil se découpe. Il se sent tout mal à la regarder.

— C'est son cœur, entend il dire par sa fille.

— Y est-i mort? s'inquiète Honoré.

— Non.

Ah! Le fidèle et nécessaire ami. Comment le quitter si brutalement? Pourquoi lui faire tant de peine?

Philippe tente de lui parler et s'entend gémir. Épuisé, il se laisse tomber dans le lit du « p'tit hôpital ». Se laisse descendre tout au fond du temps. Au fond de sa vie.

Au nom du père et du fils

Sur le ciel rosé d'avoir trop neigé se dressent les flèches pointues des têtes d'épinettes. Dans l'ombre bleue de la fin du jour veillent les tombes sur le sol immaculé. Un grand Christ de bois gris capte sur son visage douloureux les dernières lueurs d'une vague clarté. A ses pieds, une tache noire s'affaisse. Dans la tache, un homme angoissé se morfond, la joue appuyée sur la croix. Un homme angoissé se noie dans tout le noir de sa soutane.

(Je leur remets leurs péchés. Tous leurs péchés. Je leur remets à tous. Pardonnez-moi, Seigneur, car j'ai gardé pour mon profit tous leurs péchés. Oui, j'ai gardé pour mon profit tous leurs péchés. Sauf tantôt. Tantôt, j'ai absous pour la première fois. Pour la première fois, Seigneur, j'ai absous, moi, un prêtre de soixante-huit ans. J'ai absous pour la première fois. Ils étaient là, le père et le fils. L'un près de l'autre. Aussi immobiles et dangereusement paisibles. On aurait dit qu'ils dormaient. J'ai oint leurs yeux, leurs narines, leurs oreilles, leurs bouches, leurs mains et leurs pieds avec les saintes huiles. Et j'ai absous leurs péchés. Moi, si indigne. Moi qui ai péché contre Dieu et contre les hommes. Moi, le vrai coupable, le vrai pécheur. Moi, la bête du désert. Car je suis un désert, Seigneur. Aucune goutte d'amour ne m'habite. Je ne sais pas aimer, Seigneur. Apprenez-moi à aimer. Que ressent-on lorsqu'on aime? Est-ce cette sensation bizarre d'étouffement que j'ai connue au baptême de Clovis? Était-ce de l'amour ce malaise qui me serrait le cœur et faisait trembler mes doigts? Hélas, après l'avoir baptisé à votre doctrine d'amour, je lui ai enseigné la mienne: celle de la haine. J'ai posé sur lui ma main dure et sèche. Je l'ai traîné dans mon propre désert. Comme si en le soustrayant à toute forme d'amour, j'éliminais en moi ce besoin et cette soif d'aimer et d'être aimé. Ah! Seigneur! Que de fois j'ai jalousé Philippe de l'attachement que le petit éprouvait à son égard. Que de fois j'ai jalousé le regard plein d'admiration et de chaleur qu'il lui dédiait. Quand les yeux de Clovis se posaient sur moi, toutes les portes se fermaient entre nous. Je sentais sa haine et il sentait ma colère. Et je me plaisais à le blesser, à l'anéantir, lui qui ne voulait pas m'aimer. Je m'habituais à le dominer, à le posséder. Oui, à le posséder. D'abord par la brutalité, puis par l'impureté. Je voulais le posséder entièrement... je jouissais de gouverner son corps et ne voyais pas que son âme me glissait entre les doigts. Que les portes se multipliaient et qu'il tentait de s'enfuir de mon désert. Qu'il tentait de s'enfuir de ce monstre du désert que je suis. Tantôt, mes doigts ont tremblé en lui donnant l'extrême-onction. Je pensais à son baptême. A ce regard sans haine, sans mensonge, sans peur et sans gloire levé vers moi. Ce regard maintenant menacé de figer sous les paupières.

Philippe a raison: je suis pire que le diable des bois. Il ne porte pas de soutane, lui. Il hait férocement et ouvertement. Moi, j'ai haï sous le couvert de l'amour. J'ai enseigné la haine avec tes mots d'amour. Je t'ai trahi pour quelques miettes de puissance. Je t'ai trahi pour posséder ce village, en ton nom. J'ai même usé de Toi pour blesser, pour écraser. J'ai fait sonner la cloche du dimanche pour fomenter la haine. J'ai même rejeté cette croix de bois où Honoré t'a sculpté avec toute la force de sa foi. Je l'ai rejetée dans le but de l'humilier et de l'éliminer. Je l'ai rejetée pour soustraire de ma vue l'expression de ton visage.)

Alcide lève les yeux vers le crucifié. Que de tristesse sur le front! Que de douleur sous les paupières closes si semblables à celles de Clovis! Et que de solitude et de doute sur les lèvres entrouvertes. *Eloi! Eloi! Lamma sabachtani?* Mon Dieu! Mon Dieu! Pourquoi m'as-tu abandonné? semblent-elles dire.

(Oui, je Vous ai abandonné. Je Vous ai abandonné pour quelques miettes de puissance. Aujourd'hui, je vois ce que je suis. Je vois qui je suis. Et je me déteste. Je déteste mon désert. Mais ce désert, Seigneur, je ne l'ai pas désiré vraiment. J'y ai été condamné par la prêtrise. Jamais je n'aurais cru qu'un prêtre pouvait être un homme si seul. Car je suis seul, Seigneur. Terriblement seul dans ce désert de formules que j'ose appeler prières. Je suis seul parmi mes paroissiens. Depuis mon entrée au collège, personne ne m'a serré dans ses bras, personne ne m'a tapé amicalement l'épaule, personne ne m'a manifesté de marques de sympathie ou d'amitié. Tout ce que je récolte c'est un respect alimenté par la peur. Depuis mon entrée au collège, je suis seul. Retranché des hommes et de la vie normale. Retranché des tendresses humaines. A l'abri de toute fraternité. Depuis mon entrée au collège, je piétine tous les amours avec un petit *a* afin de me consacrer à l'amour avec un grand *A*. Quelle illusion! Quel raisonnement insensé que de vouloir créer un oasis sans recueillir de gouttes d'eau. Ah! Seigneur, pourquoi m'avez-vous abandonné dans mon désert? Car j'ai été abandonné, moi aussi. *Eloi! Eloi! Lamma sabachtani?*

Je veux aimer. Apprends-moi à aimer comme Philippe aime son fils. Ah! Philippe. J'aimerais lui ressembler. J'aimerais que, comme lui, mon cœur éclate dans ma poitrine. Les gens du village lui ont pardonné. Les gens se sont écartés sur son passage. Les gens lui ont pardonné parce qu'il a beaucoup aimé. Beaucoup aidé. Il a avoué son péché devant tous et m'a frappé. Je suis tombé par terre. Personne ne m'a relevé. Personne ne m'a défendu. Personne ne m'aime. C'est juste puisque je dicte, puisque je régis mais n'aime pas. Philippe, lui, les a aimés. Avec leurs poux, avec leurs plaies, avec leur pus, avec leur misère et leur pauvreté. Il a aimé toutes ces femmes en couches, tous ces bébés naissants et tous ces agonisants. Il a donné son temps et sa science. Il a aimé et parce qu'il a aimé, on lui a pardonné. Et parce qu'il a aimé, le village entier prie pour lui sans que je l'aie ordonné. Guérissez-le, Seigneur. Guérissez cet homme qui a tant guéri ses frères. Guérissez ce père qui vient de recevoir son fils. Et guérissez ce fils que je n'ai su aimer. Guérissez Clovis, mon Clovis. Guérissez-les afin qu'ils me pardonnent. Guérissez-les afin que je me confesse de ma tricherie devant eux. Afin qu'ils apprennent que la femme qui les unit ne les a pas trahis. Qu'ils apprennent que dans ses délires, le nom de Philippe était associé à celui de Clovis. « Clovis avec Philippe », disait-elle. Clovis avec Philippe. Ne permettez pas que Clovis et Philippe se réunissent dans la mort. Ce serait trop injuste. Ce serait aggraver ma faute. Et me laisser avec elle le reste de ma vie. Ne permettez pas qu'ils se réunissent dans la mort comme Vous avez rejoint votre Père tout-puissant par la mort. Laissez-les vivre ensemble. Laissez Clovis prononcer ce mot qu'il n'a jamais prononcé de sa vie. Laissez-le au moins dire *papa* à celui dont il est issu. Et laissez Philippe entendre ce mot de la bouche de son fils. Ah! Seigneur, guérissez-les. Ne les rappelez pas à Vous. Ils ont déjà tant souffert. Par ma faute, par ma faute, par ma très grande faute. J'ai péché contre Dieu et contre ces hommes.

Tout ce village réuni autour du clocher pour haïr. Tout ce village injuriant un blessé. Tout ce village accusant un innocent et l'assaillant de balles de neige. Tout ce village sous mes ordres. Échauffé par mon exemple. Aveuglé par ma haine. Tout ce village contre un seul homme déchiré par une bête. Maintenant que je revois la scène, elle me fait penser à votre chemin de croix. Vous alliez vers votre Père qui est tout amour. La haine et la bêtise des hommes vous encerclaient. Et les cris et les injures étouffaient vos plaintes tandis que les coups augmentaient vos souffrances. Et votre sang coulait. Clovis aussi marchait vers l'amour de son père. Les gens l'injuriaient et l'assaillaient de toute part. Et son sang coulait. Comme

Simon de Cyrène, Honoré est venu l'aider et comme sainte Véronique, Rose-Lilas a essuyé ses blessures et frayé un chemin. Comme saint Pierre, Sam s'est battu. Et moi, comme le grand-prêtre, j'ai condamné un innocent. Comme le grand-prêtre, j'ai joui à le voir ramper et craindre mon autorité. Et comme le grand-prêtre, je le savais innocent en voyant ses cheveux courts et les grandes bottes de cuir. Par orgueil devant mes paroissiens, je n'ai pas voulu reculer. Même pas voulu admettre qu'une fille comme Éloïse ait pu me berner. Voyez, Seigneur, comme je suis loin de l'amour. Loin de ces paroles que j'ai enseignées sans jamais les comprendre. Voyez mon désert. Rien n'y pousse et tout y meurt. Mais ne les laissez pas mourir. J'ai besoin d'eux. J'ai besoin de me confesser à eux, de m'humilier et de me dépouiller devant eux. J'ai besoin de retrouver un homme en moi. Un homme faible et méchant. J'ai besoin de dévoiler cet homme en moi devant d'autres hommes. J'ai besoin de leur pardon. J'ai besoin de faire pénitence, Seigneur, je suis indigne de vous regarder et même de vous prier, mais dites seulement une parole et mon âme sera guérie.)

L'homme appuie son front sur le bois. (Je ne suis pas digne de vous prier, pas digne de toucher la sainte hostie, pas digne de porter la soutane, pas digne de baptiser, de bénir, d'absoudre. Je ne suis même pas digne d'être un chrétien car je n'ai rien compris à votre enseignement. C'est pour cela que tout est petit en moi. Tout est minime. Tout est laid. Je me croyais le premier et j'étais le dernier. Je me croyais un saint homme et j'étais un pécheur. Je me croyais un juste et j'étais un bourreau. Ayez pitié de moi, Seigneur, ne m'abandonnez pas. Aidez-moi. Vous qui tantôt avez éclairé mon âme de la lumière de votre vérité. Vous qui tantôt m'avez dévoilé à moi-même sans masque et sans excuse. Aidez-moi. Apprenez-moi à aimer.)

L'homme se signe. « Au nom du Père et du Fils... » Il s'arrête. Joint ses mains et les élève au-dessus de sa tête. Ses doigts tremblent tant il les noue fortement. (Seigneur, j'ose vous demander la guérison de ces deux hommes. Et j'ose vous avouer que j'aime ces deux hommes. Que j'aime particulièrement Clovis et que je n'ai pu souffrir de le voir à l'agonie. Que je ne sais pas de quelle façon je l'aime. Je ne sais plus si c'est mal ou bien mais je l'aime et le veux en vie. Je l'aime et veux lui procurer un peu de bonheur. Je l'aime et veux lui laisser cette joie qu'il aura d'avoir retrouvé son père. Je l'aime et veux qu'il vive. Je l'aime et veux qu'il me pardonne. Je l'aime et veux que ses beaux yeux apprennent à se poser sur moi et à m'ouvrir leurs portes.)

Les genoux engourdis par la neige, Alcide tremble des pieds à la tête. Sa voix s'étrangle. Des sanglots explosent dans sa gorge. Bientôt un torrent de larmes inonde son visage tandis qu'il croise ses doigts tremblants.

« J'ose vous le demander, Seigneur, au nom du père et du fils... »

Le napperon défilé

Philippe s'agite, roule la tête sur l'oreiller et marmonne des choses incompréhensibles. Aussitôt Mathilde se penche sur lui mais se retient de lui caresser le front et les cheveux. Elle se redresse plutôt sur sa chaise et reprend son napperon crocheté en jetant de furtifs coups d'œil à sa mère. Si elle n'était pas là, à veiller elle aussi, elle sait qu'elle aurait caressé le menton et la bouche de son père, à la manière de Firmin qui se frôlait sur ses doigts avant de sauter dans les rapides. L'âme chavirée, elle aspire et expire difficilement, incapable de se débarrasser de ce poids sur son cœur, de cette oppression tenace qui l'habite depuis la tragique transfusion de sang. Les événements d'hier refont surface et noient sa pensée tout aussi sûrement que les eaux ont noyé le grand corps de Firmin. Comme lui, elle glisse sous une glace et s'enfonce dans ces ténèbres obscures et collantes, qui s'agglutinent aux moindres recoins de son enfance et la retiennent prisonnière de leurs souvenirs obsédants. Prisonnière des nuits de rêve où l'homme se penchait vers elle. Où l'homme la frôlait de sa joue râpeuse et déposait sur son cou ses lèvres chaudes. Des nuits de rêves inavouables et inacceptables qui se heurtent soudain à la réalité intransigeante. Son père se vautrant dans le péché de la chair. Son père engendrant un bâtard métis. Son père à elle. Si... Si quoi? Si inégalable. Si unique pour elle. Si près d'être un dieu à ses yeux. D'être son dieu. Oh oui! Il était près d'être son dieu et sans doute l'était-il devenu par la force des choses. Par cette communion intense, muette et silencieuse de leur dévouement commun envers les malades. Par ce lien invisible des mêmes aspirations soudain brisé par le lien du sang de l'adultère. Le sang de l'adultère. Trait d'union rouge entre Clovis et son père. Rouge comme la honte. Rouge comme le sang des menstruations. Rouge comme la virginité perdue. Mathilde ferme les yeux, échappe un point de crochet. Le fil se perd dans le dessin fragile et compliqué. Elle le retrace, le saisit, le refait en fronçant les sourcils.

— Tu devrais aller te coucher, dit alors sa mère d'une voix égale.

— Mais non, maman. Je ne suis pas fatiguée. Allez vous coucher, vous.

— Non. Ma place est ici, près de mon mari. Va te coucher, toi, tu es toute pâle.

— Je suis infirmière. N'ayez donc aucune crainte. Je vous avertirai si son état empire.

— Non. Tu ne prendras pas ma place. Pas cette fois-ci. Je veux qu'il me voie près de lui à son réveil.

— Comment pouvez-vous dire cela après tout ce qu'il vous a fait?

— Nous a fait, tu veux dire.

— Je ne comprends pas.

— Oui, tu comprends. Tu comprends mais tu ne comprends pas que moi j'aie compris quelque chose, termine Amanda en sortant son chapelet de cristal de son étui.

Elle baise la croix et remue les lèvres. Mathilde l'observe un instant avant de se pencher sur son ouvrage et de retrouver ce trait d'union rouge qui la bouleverse tant. Pourquoi ce NOUS? Sa mère se doute-t-elle du solide et dangereux sentiment qu'elle a envers son père? Se doute-t-elle de l'inceste inconscient qu'elle ne cesse de repousser et de combattre? Se doute-t-elle des rêves incontrôlables et refoulés de l'adultère mental? Oui. Elle s'en doute. Pire: elle le sait. Par quel cheminement de sa pensée en est-elle arrivée à cette conclusion, elle si malade et si absente? Mathilde sent une bouffée de chaleur lui monter au visage. Le rouge de la honte l'envahit devant la femme trompée. Devant sa mère trompée. Pour se donner contenance, elle crochète habilement et rapidement. Les points se forment, se nouent et s'enchaînent, masquant les remords et les troubles de son âme. Masquant la perfidie de la maîtresse morale qu'elle est et son malaise d'avoir été cocufiée par une sauvagesse.

— Je ne lui pardonnerai jamais, jure-t-elle.

— Quoi?

— D'avoir fait ça avec elle. Avec une sauvagesse.

— Une putain des bois.

— Depuis quand le savez-vous?

— Depuis qu'Honoré a ramené le petit, blessé. Tu m'as dit qu'il a blanchi et qu'il n'a pas su quoi faire.

— Oui. Je me souviens très bien. Il est resté saisi.

— Il le croyait mort, son fils.

— Son fils. Ne dites pas ça.

— C'est la vérité pourtant.

— Taisez-vous.

— Je me suis tue assez longtemps. Aujourd'hui, je parle.

— Vous parlez pour me blesser encore. Pour me rappeler que je ne suis qu'une fille.

— C'est vrai; je n'ai eu que des filles.

— Rien que des filles, disiez-vous. Rien que des filles. Comme si nous n'étions rien. Rien de valable. Rien de désirable à ses yeux.

— Il désirait un fils et elle lui en a donné un.

— Et vous nous avez fait sentir coupables d'être des filles, mais c'est vous, vous qui étiez coupable d'avoir engendré des femelles. Rien que des femelles.

— Oui, je me sentais coupable et amoindrie. Sa famille aussi me le faisait sentir.

— Et parce que vous vous sentiez fautive, vous avez accepté sa trahison en silence. C'est uniquement pour ça que vous vous êtes tue pendant si longtemps.

— Oui, c'est pour ça et pour autre chose aussi. Mais pour ça... je me suis tue. Chacune de vos naissances a été une déception et chacune de vos menstruations, une malédiction. J'espérais follement qu'une d'entre vous ne se soumette pas au cycle des femmes. Qu'elle échappe au sceau de l'esclavage.

— Le sceau de l'esclavage, répète lunatiquement Mathilde en revoyant ce trait de sang au fond de ses sous-vêtements.

Le sang de ses premières menstruations. Quelle crainte l'avait alors envahie dans son ignorance! Crainte d'être gravement malade et gêne insurmontable d'en parler à son père. Elle s'était réfugiée dans les toilettes et y passait le plus clair de son temps à pleurer. Ses petites sœurs jouaient dans la cour et l'appelaient pour qu'elle fasse tourner la corde. Alors, elle a trouvé moyen de panser sa blessure et les a retrouvées. Le lendemain, sa mère, en découvrant une tache dans son lit, l'a renseignée sur les mystères de la vie. Le monde pervers des adultes l'a dégoûtée ainsi que l'acte souillant de la procréation et le membre audacieux de l'homme. Elle chassait vainement l'image de son père, affublé d'un organe si arrogant et inconcevable. D'un organe qui lui assurait d'emblée la suprématie, contrairement au sceau de l'esclavage qui la rabaissait à ses propres yeux. Le sceau de l'esclavage. Oui. Le sceau marquant, diffamant, traumatisant qui rassemblait en un groupe résigné et retranché, les couventines soumises aux règles sévères et inviolables du monde féminin.

Une maille file entre les doigts glacés de Mathilde, tandis que son regard tombe sur le corps de son père et se fixe sur l'entre-jambes. Inévitablement, son imagination redessine l'organe tel qu'elle l'a vu dans les livres médicaux. Un souvenir éclate soudain comme des bulles de noyé. Son père avait dévêtu Clovis lorsqu'il faisait trop de fièvre: elle avait détourné la tête pour ne pas le voir et son père lui avait dit: « Ce n'est qu'un petit garçon. » Mais même chez un petit garçon, elle n'avait pas voulu voir de peur d'être désillusionnée. Et pour son père, elle ne voulait pas voir non plus et se réfugiait dans des rêves de baisers, de caresses et d'enlacements qui excluaient le membre mâle et la déculpabilisaient de la séduction exercée sur elle. Séduction du mouvement prenant de l'homme qui se penche au-dessus d'elle, qui lui offre la proximité de son visage, de sa bouche, de son cou, de ses épaules. Qui lui offre la tiédeur de son souffle, la chaleur de son corps et l'exclusivité de son parfum. Séduction des mains qui cajolent la chevelure et de la voix douce. Se peut-il qu'une femme autre que sa mère ait connu une intimité plus grande? Qu'une femme ait attiré en elle toute la passion de son père?

Mathilde ne crochète plus et pense à la Biche. Elle ne sait quel visage lui donner et le façonne semblable à celui de Clovis. Elle la voit étendue et se sent en elle comme si elle l'habitait. Son père se penche, l'embrasse et la couvre de tout son corps. Il est chaud, le corps, il est fort, il est beau. Une chose dure pénètre entre ses jambes.

— Jamais je ne lui pardonnerai, répète-t-elle en jetant son napperon défilé par terre.

— Ressaisis-toi, ma fille.

— Nous faire ça!

— Tu vois, tu es trop fatiguée. Va te reposer.

— Non. Je veux rester. Ma place est ici, près de lui.

— Non. Cette place-là n'est pas la tienne mais celle que tu m'as prise, rectifie Amanda.

Celle que tu m'as prise, jongle-t-elle en se rappelant l'infiltration insidieuse de Mathilde entre elle et Philippe. Infiltration d'abord inoffensive de la petite fille amoureuse de son papa, puis infiltration agaçante de la jeune fille fascinée par son père, suivie de l'infiltration menaçante de la vieille fille sacrifiée à son père.

D'une façon presque imperceptible, Mathilde lui a volé sa place auprès de Philippe, puis auprès de ses filles en devenant la compagne de travail et la mère autoritaire. D'elle, venaient les décisions importantes au sujet de l'avenir de ses sœurs et de la bonne marche du bureau. D'elle, dépendait l'atmosphère générale de la maison. S'opposait-elle à un projet qu'elle employait tous les moyens connus pour arriver à ses fins: persuasion, bouderie, colère, silence obstiné. Se levait-elle du bon pied que tout le monde s'en voyait ravi et de bonne humeur. Elle régnait sans en avoir l'air, dictait d'un ton charitable, exigeait d'une voix douce. La place qu'elle avait prise se gonflait d'importance et éclipsait tous les autres membres, particulièrement elle, la mère, qui se retrouvait seule au salon à tourner ses vieilles idées dans sa tête. Seule à se rappeler qu'il lui a toujours manqué quelque chose au bon moment et à se demander ce qui lui manquait à l'instant présent. Seule à essayer d'être ce qu'elle n'était pas tout en refusant ce qu'elle était: une petite pâtissière, une petite fille amoureuse d'un prince charmant. Amanda soupire et, longuement, examine l'homme étendu devant elle. Il lui semble incompatible avec elle. Pourtant, dans l'esprit des gens, il est son mari. Mais dans son esprit à elle, il est devenu un étranger. Un bel étranger pour qui son cœur palpite encore et pour qui son front se plisse d'inquiétude. A-t-il toujours été ce bel étranger? Elle retourne dans sa jeunesse, à la fenêtre où s'inscrivait le mot « boulangerie » et d'où elle guettait l'arrivée ponctuelle d'un jeune étudiant en médecine. Aussitôt qu'il tournait le coin de la rue, elle sentait son estomac s'effondrer comme une pâte de pain qu'on dégonfle. Elle se précipitait au comptoir pour le servir et se noyait d'extase à l'admirer. Il lui parlait, la taquinait, l'enjôlait lentement et sûrement. Un jour, il l'invita pour le bal des finissants. Il lui manquait une robe et des souliers. C'est sûr, il lui a toujours manqué quelque chose au bon moment. Alors, il l'a invitée pour une promenade au Mont-Royal. C'était merveilleux d'être à son bras. D'être vue en sa présence et de l'écouter parler de sa vocation. C'était comme un rêve. Et le rêve se prolongea et le prince charmant devint assidu. Un beau dimanche, au Mont-Royal, il devint entreprenant et elle eut peur de l'homme qui séjournait dans son prince. Elle connut son premier dégoût pour l'acte perpétré derrière le buisson. Et l'homme dans son prince charmant lui devint étranger. Comment pouvait-il en être autrement? Elle n'était qu'une petite fille devant un homme. Une petite fille avec des rêves de petite fille, des questions de petite fille et des peurs de petite fille. Une petite fille paniquée par le désir osé de l'homme. Éprise et malprise entre ses bras affectueux. Malprise et soumise à sa volonté indiscutable. Soumise et prise par son organe tabou. Prise et démise du piédestal de sa virginité. Comment pouvait-il en être autrement? Elle n'était qu'une petite fille qui ne voulait pas devenir mauvaise fille ou fille facile ou fille de vie ou fille de rue, et qui n'envisageait pas qu'elle pouvait devenir femme. Et, de petite fille qu'elle était, le mariage en fit une bonne épouse et une mère chrétienne, lui refusant l'accès à sa condition de femme et lui imposant l'acte d'amour comme un devoir obligatoire et désagréable, éternellement menacé de sombrer dans le plus vil des péchés.

Voilà pourquoi Philippe lui était étranger. Voilà pourquoi il s'était uni à une femme. Une vraie femme. Parce qu'il était un homme. Un vrai homme.

D'un doigt discret, Amanda caresse le menton de son mari.

— Ils ont le même menton, dit-elle.

— Clovis ne lui ressemble pas du tout. Il ressemble à sa mère.

— Ils ont les mêmes mains aussi. Oui. Hier, j'ai vu les

mains de Clovis lorsque le curé les a ointes. Ils ont les mêmes mains.

— C'est faux. Ils ne se ressemblent pas du tout.

— Et quelque chose aussi dans le front.

— Je ne vous comprends pas.

— Et ils ont le même caractère, le même goût de la médecine. C'est bizarre tout de même.

— Moi aussi je l'ai le goût de la médecine. Moi aussi j'ai le caractère de mon père. Il me l'a dit.

— Tu es jalouse, Mathilde. Jalouse de ton... demi-frère.

— Et vous, vous acceptez le bâtard de votre mari.

— Oh non! Je ne l'accepte pas. Mais je le vois tel qu'il est. Je ne veux plus me cacher la vérité. Je l'ai fait trop longtemps et c'est peut-être pour ça qu'il m'a toujours manqué quelque chose. Ce quelque chose c'est moi-même qui me le cachais.

Vous êtes fatiguée, vous dites n'importe quoi.

— Non. Au contraire. Bien des choses s'éclairent pour moi en ce moment.

— Moi, j'espère encore qu'il rejette son sang.

— Alors, tu désires la mort de Clovis?

— Oui, affirme Mathilde en croisant les bras.

— Moi pas. C'est Philippe qui mourrait un peu avec lui. Et je sais que Philippe ne serait plus pareil.

— Son bâtard ne serait plus dans nos jambes. Quand je pense qu'il me l'avait fait adopter! Comme il nous a trompées. Comme il nous a trompées!

Mathilde serre les mâchoires et rage de sentir couler des larmes sur ses joues empourprées.

— Pourquoi retiens-tu ton chagrin?

— Je n'ai pas de chagrin... juste de la colère. Je...

— Tu aimes ton père, tu l'aimes peut-être trop. Tu l'as trop admiré je crois. Moi aussi, je l'ai trop admiré. Je l'ai mis très au-dessus de moi. Très loin de moi aussi. Je ne voulais pas voir qu'il était un homme et il avait besoin d'être reconnu comme homme.

— Il n'était qu'un homme. Rien qu'un homme ordinaire. Pour moi, il était un dieu.

— Et tu étais sa petite fille. Tu étais à lui et il était à toi.

— Mais vous, vous étiez sa femme.

— Je n'ai jamais été une femme. Une femme bien, oui. Une femme froide, oui. Mais une vraie femme, non. J'ai toujours eu peur d'être une femme.

— Moi aussi.

— Toujours eu peur devant la réalité d'un homme.

— Moi aussi.

— Toujours eu peur de mes propres désirs.

— Moi aussi.

— Toujours refoulé mes désirs.

— Moi aussi.

— Et elle, elle était une femme. Elle, elle a risqué sa vie éternelle pour lui. L'aimait-elle plus que moi?

— Plus que nous?

Mathilde se lève et ramasse son crochetage. D'une main indifférente, elle le défile, revoyant soudain Firmin tirer nerveusement sur sa manche de laine au fond de la classe. Quel grand niais il était! Mais quel regard! Quel regard attachant il lui a dédié avant de mourir! Lui au moins il l'aimait vraiment, et son amour était aussi grand que son cerveau était petit.

— A quoi penses-tu?

— A Firmin. Peut-on aimer sans induire nos corps en tentation?

— Sans doute.

— Je crois qu'il m'aimait, lui.

— Ce grand niaiseux?

— Oui, ce grand niaiseux. J'aurais aimé pouvoir aimer comme lui. Personne ici n'a aimé si totalement. Ni papa, ni vous, ni Judith, ni Clovis, ni moi. Il y a tant de barrières, de conventions, de péchés, de masques entre nous et l'amour.

— C'est vrai; des péchés, des masques, des conventions. Il y a eu tout ça entre moi et Philippe. Tout ça et une somme considérable d'ignorance.

— Ignorance?

— Oui, je m'ignorais. J'avais peur de me connaître. J'avais peur de plonger dans mon rôle de femme. J'avais peur de mon corps. Peur de son corps. J'avais peur de commettre des péchés.

— Le péché a toujours noirci l'amour... même l'amour d'une petite fille. Vous avez raison; je suis fatiguée. Prévenez-moi si son état empire. Je serai dans ma chambre.

— Très bien. Passerais-tu voir Judith?

— Judith? Léonnie est avec elle. Elle n'a pas besoin de moi.

— Oh! Tu as tout défilé ton napperon.

Mathilde laisse tomber le bout de son fil par terre, hausse les épaules et se retire.

Amanda s'agenouille sur le crochetage défilé et y plonge ses doigts avec mélancolie. Elle ne sait donner forme au sentiment qui la ronge et conçoit le fil emmêlé comme la vie de sa fille. Une vie si officiellement bien réussie, bien menée, bien exécutée. Une vie rangée, exemplaire, froide. Suivant scrupuleusement le patron imposé par des générations de femmes traumatisées et soudain défait en un instant. Soudain à l'image réelle de l'âme enchevêtrée de Mathilde.

Amanda recueille l'énorme nœud et le pose sur la chaise

de sa fille. Puis elle s'assoit sur le bord du lit et caresse le visage de son mari.

Encore, elle se sent une petite fille près de lui et le considère comme un vieux roi. Sa main erre dans la chevelure argent. Il ouvre les yeux. Elle retire ses doigts avec gêne. L'homme pose sur elle son regard fatigué. Elle rougit de s'être laissée surprendre à caresser la tête de l'étranger. Il sourit faiblement.

— Amanda, souffle-t-il.

— Je suis là.

— Tu le savais, hein?

— Oui.

— Tu n'as jamais rien dit.

— Non.

— Pourquoi?

— J'avais mes torts, moi aussi.

— M'as-tu pardonné?

— En cet instant même, je te pardonne.

Il sourit à nouveau.

— Nous avons été loin l'un de l'autre.

— Très loin... et trop longtemps.

Il cherche ses doigts. Elle les lui offre. Il les pose sur son cœur malade.

— Tu ressembles à ma petite pâtissière. Il y a longtemps que je ne l'ai vue. Je m'ennuyais d'elle.

— Et moi, je m'ennuyais de l'étudiant en médecine qui passait chaque jour chercher du pain chaud.

— Vous reste-t-il du pain, gentille demoiselle?

— Oui, monsieur.

— J'en voudrais un. Un seul pour revenir demain.

Le rire juvénile d'Amanda la surprend elle-même tandis qu'elle goûte au bon souvenir, à l'odeur de pain chaud.

— J'aime ton rire, complimente Philippe en soulevant sa tête.

— Que fais-tu?

— Je me lève.

— Ne t'inquiète pas. Rose-Lilas et Sam veillent sur ton fils. Ne t'inquiète pas pour lui et reprends tes forces.

Il hésite. Elle pousse gentiment sur son front.

— Il va bien.

— Tu dis ça pour me rassurer. Peut-être même qu'il est mort. Dis-moi, est-il vivant?

— Il est vivant.

— Fais-moi venir Mathilde. Je veux qu'elle me dise son pouls et sa température.

— Elle ne le sait pas. Elle ne s'occupe pas de lui. Je vais te chercher Rose-Lilas.

— C'est ça. Va la chercher.

Amanda tente de retirer ses doigts mais l'homme les serre. L'homme glisse sa main le long de son bras et l'attire vers lui. Elle se laisse aller vers son visage, vers sa bouche. Elle ferme les yeux. Les bras du vieux roi l'enlacent, le prince charmant renaît. Refleurit sur sa bouche stérile le tendre baiser de l'amour ressuscité. Plus rien ne manque à la petite pâtissière.

Je ne te laisserai plus mourir

Enfant de l'amour aux yeux ténébreux,
Pur comme l'eau des sources vives
Et beau comme un cerf orgueilleux,
Je ne te laisserai plus mourir,
Ni souffrir, ni dépérir
Et ferai l'impossible pour que tu vives.

Glisse le doigt de Judith sur le visage de Clovis. Visage immobile et froid comme la pierre des statues mortuaires. Statues paisibles des rois de la Grèce ancienne, des Celtes ou des Francs. Sur quel royaume règne le jeune homme agonisant? La vie bat-elle encore sous le masque serein de la mort? Sous les paupières closes et la bouche muette? Quelle allure princière il a! Est-ce pour cela que son père l'a baptisé Clovis, le nom d'un jeune roi? Un jeune roi, tantôt à l'allure guerrière d'un chef de tribu, tantôt noble et racé comme un lord.

Quelles contradictions se confrontent et se fondent dans le même homme! Contradictions qui se rehaussent mutuellement et le rendent tellement attachant. Mélange de sang indien et de sang blanc, de haine et d'amour, de servitude et de puissance. Tour à tour Clovis a été l'un et l'autre, tantôt sauvage, tantôt éduqué, tantôt haineux, tantôt amoureux, tantôt l'esclave et tantôt l'homme libre. Et, tour à tour, les nombreuses facettes de Clovis l'ont fascinée, envoûtée, enchaînée. A chacune d'elle, elle a trouvé le sentiment correspondant dans son âme comme si elle possédait tout ce dont Clovis avait besoin. Et elle le possédait. Elle lui répondait parfaitement par le sang commun de leur père. Ce sang audacieux, passionné et vif. Enclin à bouleverser l'ordre établi par la société pour y installer ses propres lois. En elle, Clovis voyait sa propre image, ses propres réactions, semblables à celles de Philippe. En elle, Clovis se mirait. S'enivrait. Se renforçait. Il prenait conscience du don total et risqué qu'ils faisaient tous deux à l'amour.

Voilà pourquoi ils s'aimaient au-delà de toute logique, de toute convenance et de toute douleur. Aussi follement, aussi ardemment que Philippe et la Biche. Acceptant les larmes, les outrages, les défenses, les secrets et les séparations en échange d'une tendresse profonde et d'une union inséparable.

Inséparables. Voilà ce qu'ils étaient devenus. Inséparables comme des jumeaux. Se complétant à merveille. L'un répondant à l'autre. L'un comprenant l'autre sans un surplus de paroles. Des jumeaux d'âme. Issus de la même matrice mentale et alimentés d'un même sang.

Jamais, elle le sait, elle ne parviendra à oublier Clovis. Jamais un autre homme ne pourra l'effacer en elle. Il y est trop ancré et depuis trop longtemps. Seul un Dieu...

Oui, seul un Dieu réussirait à remplir son âme de sa présence. A effacer l'inceste involontaire et à pardonner les désirs charnels qui l'ont assaillie.

Judith se penche vers Clovis. Doucement, elle frôle sa joue sur la sienne si douce. Puis elle embrasse son front, ses paupières, son nez et s'attarde longuement sur sa bouche. Des larmes roulent sur leurs lèvres unies. Pour la dernière fois, elle les goûte, les presse et se les attache.

« Je ne te laisserai plus mourir », chuchote-t-elle à l'oreille du moribond.

Elle se relève, ajuste sa capeline et glisse le petit canot d'écorce dessous. Vivement, elle essuie ses yeux et ouvre la porte donnant sur la cuisine. Sam et Rose-Lilas, sans un mot, reprennent leur poste. L'un à sa droite, l'autre à sa gauche. Elle quitte la belle maison blanche pour gagner le pont couvert.

Je ne te laisserai plus mourir,
Mon amour et mon frère.
Mon amant et mon sang.

Pour toi, je fais le sacrifice
De ma jeunesse et de ma tendresse.
Pour toi, je porterai le silice.
Serai moniale et sans richesse.
Pour toi, je formulerai des prières
Sur les dalles froides de mes nuits
Et supplierai l'astre qui luit
De t'arracher à tes fantômes d'hier.

Mon amour et mon frère.
Mon amant et mon sang.

Pour moi, je fais pénitence
Et devant Dieu me repens
D'avoir désiré avec tant d'insistance

L'amour de mon frère et amant.
Pour moi, je fais abstinence
Des splendeurs et des douceurs
Et veux effacer la souvenance
De toutes nos belles heures.

Mon amant et mon sang.
Pour nous je m'efface, pour nous je m'isole.
Pour nous, me retire et me tais.
Pour nous se termine le songe mauvais,
L'amour condamnable et l'aventure folle.
Pour nous, j'accepte le prix
De notre séparation ici-bas.

Dieu de miséricorde et Dieu d'amour,
Je bois jusqu'à la lie
Le calice du sang fraternel
Et vous offre ma vie
En échange de la sienne qui chancelle.
Prenez mon cœur, coupez mes cheveux.
Revêtez-moi de la bure et acceptez les vœux
D'obéissance, de pauvreté et de chasteté
Qui feront de moi l'humble servante cloîtrée.
Acceptez que je me retire de ce monde,
De ma famille et de mon propre corps.
Acceptez que pour guérir ce chagrin qui m'inonde,
Je crache sur la puissance, le vice et le vil or.

Dieu de miséricorde et d'amour
Qui de sang et d'esprit nous avez pétris
Et qui dans l'argile a insufflé la vie
Pardonnez l'erreur de l'esprit
Qui désire le sang interdit
Et la faiblesse du sang
Devant le désir inconscient.

Vous qui, par amour dans l'Esprit-Saint,
Avez livré votre chair en sacrifice,
Acceptez que se joignent mes mains
Et que se résigne ma chair à ce calice.

Je ne te laisserai plus mourir,
Mon amour et mon frère.
Mon amant et mon sang.

Par l'ouverture losangée du pont couvert, Judith laisse tomber le petit canot dans les noirs rapides. Longtemps elle le regarde danser, appuyé contre la glace, et résister à la force du courant comme s'il retardait l'échéance de sa fin. Puis, surgit la grosse vague lourdement décorée d'écume. Surgit la grosse vague sombre et aveugle sur le petit canot. Il vacille, se couche sur le côté. La cargaison imaginaire de fleurs de fraises s'écoule dans l'eau glacée. Des fonds marins, arrive le tourbillon aspirant. Aveugle lui aussi, emporté et rapide. Il tourne diaboliquement. Vite. Si vite. Comme une danse dans les bras de Clovis aux noces de Léonnie. La pointe de l'embarcation pique, se laisse entraîner dans le tourbillon et finit par sombrer totalement. Clovis ne plongera pas à la recherche du foulard rouge. Personne ne soustraira l'objet symbolique de leurs amours aux rapides voraces.

Le regard de la jeune femme escalade la côte dangereuse où un petit métis défiait le monde des Blancs sur son toboggan. Elle le revoit, jambes écartées, tuque renversée sur le derrière de la tête, sa couette noire lui barrant le front, calculer d'un œil lucide le risque de sa descente et ses chances de réussite. Elle le sent encore la saisir sous l'eau et l'entraîner vers l'air et la lumière. Et il est là, encore, près d'elle, à regarder la vie par le filtre doré de ses cheveux, lui répétant naïvement et inlassablement: « Tu es mon soleil, ne me laisse plus mourir. »

Et elle lui répond toujours:« Je ne te laisserai plus mourir. » Et elle sacrifie sa soyeuse toison dorée pour qu'à nouveau, une couette noire et rebelle vienne s'insurger sur le front têtu de celui qu'elle aime.

Rose-Lilas et Sam

Le ronflement étouffé de Sam attire l'attention de Rose-Lilas. Elle dépose son tricot sur ses genoux et observe l'homme endormi en face d'elle. Voilà déjà trois jours qu'il veille au chevet de Clovis. Trois jours qu'il lui accorde sa fidèle amitié et ses soins compétents. Oui, compétents, car grâce à un onguent de gomme d'épinette, il a pu combattre l'infection des plaies et contrôler la fièvre alarmante de Clovis. Jamais Rose-Lilas n'aurait soupçonné de telles connaissances et une telle capacité d'abnégation chez un être qu'elle croyait asocial et renfermé.

Elle le regarde et quelque chose en elle vibre doucement. Ses yeux contemplent la longue barbe et les longs cheveux. Elle trouve que Sam ressemble à une image de son livre de prières. Oui. Il ressemble à saint Jean-Baptiste: l'ascète du désert. Oui. Il lui ressemble beaucoup. Avec ses manières rudes, ses silences têtus et son accoutumance à la solitude. Rose-Lilas regarde les mains râpeuses aux doigts courts et forts et le physique robuste du trappeur. Et ce quelque chose en elle vibre de plus en plus. Elle aimerait que Sam ouvre les yeux et la regarde encore comme il l'a fait hier. Oui, hier, leurs regards se sont croisés. Il a des yeux noisette. Des yeux doux et chauds. Des yeux qui lui plaisent. Cette constatation rend la vieille fille toute drôle. Elle veut reprendre son tricot mais le laisse là, sur ses genoux, et préfère étudier cet homme qui l'impressionne grandement. N'a-t-il pas vécu complètement seul pendant des années et des années? Complètement seul. Dans les bois. Elle, au moins, elle a son père, ses frères, ses sœurs et son poêle. Mais lui? Pourquoi et pour qui vivait-il? Comment vivait-il? Si cela s'appelle vivre que d'être ainsi livré à soi-même. Peut-être attendait-il le retour de Clovis. Peut-être est-ce cet espoir qui l'a soutenu. Car on voit bien que Clovis lui est précieux. Juste à sa façon de le soigner, de le veiller et même de s'être lavé, peigné et vêtu de neuf comme l'a conseillé madame docteur. Oui, cet homme l'impressionne.

Elle veut reprendre son tricot mais elle reste là, sans bouger, à apprivoiser cette image du saint Jean-Baptiste. Image attrayante et déroutante tout à la fois, désirable et inquiétante.

Image qui se colle à elle, qui s'insère dans ses pensées et s'installe définitivement entre le passé et l'avenir. Image présente. Trop présente. Vers laquelle elle retourne invariablement en délaissant la reproduction de ses mailles de laine.

Elle veut reprendre son tricot mais elle reste là, sans bouger, à espérer l'occasion qui croisera à nouveau leurs regards. Hier, Clovis a gémi un peu. Elle et Sam se sont penchés vers lui au même moment et leurs fronts se sont heurtés au-dessus du lit. Ils ont ri de leur maladresse, ont rougi et se sont accordé un beau regard, face à face. Un regard de tendresse, d'inquiétude et de reconnaissance comme en ont les parents au chevet de leur enfant menacé.

Elle veut reprendre son tricot mais elle reste là, sans bouger, à méditer sur le lien tangible et fragile que représente Clovis entre elle et Sam. Un lien que seuls les enfants savent créer entre deux êtres. Rose-Lilas se penche vers lui et ramène le drap sous son menton. Il ne bouge pas, ne réagit pas. Même lorsqu'elle le peigne avec ses doigts.

— How is he doing?... Comment va lui? demande la voix ensommeillée de Sam.

Rose-Lilas sursaute puis reprend son tricot.

— Pareil, soupire-t-elle.

Après trois rangs, elle demande:

— Voulez-vous du thé?

— Yes, please, répond-il timidement.

Elle se dirige vers la cuisine. Il la suit des yeux puis s'attarde au chausson accroché aux aiguilles. Il le prend dans ses mains et vérifie le travail minutieux. Rose-Lilas revient.

— Nice, commente-t-il. Very nice... beau.

Rose-Lilas rit de bon cœur et lui dit comme en s'excusant:

— Si vous saviez comme c'est facile.

Il lui remet son travail. Elle rougit, n'osant lui avouer qu'elle aimerait bien lui donner les bas qu'elle tricote. Mais elle ne sait comment lui dire. Ni quand lui donner. Et poursuit sa tâche comme si de rien n'était. « Je les cacherai dans son sac », décide-t-elle silencieusement.

De son côté, Sam sirote son thé, glissant de temps à autre un regard intéressé vers la grosse femme rousse. Il aime la regarder. Se laisser hypnotiser par le mouvement régulier de ses doigts roses, se laisser attirer par les chairs invitantes des bras potelés et des seins généreux. Il pense même parfois qu'il serait bon de dormir contre elle. De se coller à sa peau chaude et d'entendre sa voix amicale dans son oreille. Est-ce parce qu'il est fatigué que de telles pensées naissent en lui? Il ne se reconnaît plus, ne reconnaît plus ses réactions ni même son visage dans le miroir. Et encore moins ses rêves. Tantôt, il rêvait que Rose-Lilas habitait sa cabane au fin fond des bois et la remplissait de son rire jovial. Le soir, il se hâtait pour revenir près d'elle, manger près d'elle et la regarder tricoter. Pourquoi, tout à coup, acceptait-il cette femme dans son univers clos et stérile? Comment réussissait-elle à l'arracher à l'aigre souvenir de son amour à sens unique? Quel point commun avait-elle donc avec Biche Pensive? Aucun si ce n'est l'attachement maternel envers Clovis. Ah! S'ils s'étaient rencontrés avant! Pourquoi penser cela? Probablement que rien ne se serait produit. Il ne l'aurait même pas remarquée tant il était obsédé par Biche Pensive. Et tant il espérait naïvement qu'elle éprouve un petit penchant pour lui. Mais maintenant, il est persuadé n'avoir pas eu cette minime place dans le cœur de Biche puisque le médecin la prenait toute. Oui, c'est lui qui prenait toute la place. Et c'est lui qui s'est servi du pauvre petit amoureux éconduit pour en faire son instrument de vengeance et son bouclier devant les médisances des villageois. C'est lui qui l'a induit en erreur et leurré effrontément. C'est lui l'homme que Biche aimait passionnément. Lui, le dieu aux yeux d'or qu'elle idolâtrait. Lui qui prenait toute la place et le renvoyait dans son bourbier.

La rancœur envahit le cœur de Sam. Pour se calmer, il regarde Rose-Lilas. Elle lui fait penser à du bon pain de ménage, à de la laine, à du sucre. Il la regarde tricoter avec une patience et une ardeur admirables. Les pointes d'aiguilles brillent d'usure dans l'ivoire de la laine. Et Sam se laisse hypnotiser, se laisse gagner encore une fois par les doigts habiles et travaillants, et par le visage serein, attachant, généreux et candide de la femme rousse. Il espère lui aussi qu'un événement fortuit lui fasse rencontrer à nouveau les yeux verts et affectueux de Rose-Lilas. Peut-être réussira-t-il à exprimer tout ce qu'il ressent à son égard. Ah! Si Clovis pouvait le traduire. Sa mauvaise connaissance de la langue française paralyse ses projets et le confine dans des rêveries inconséquentes. Ah! Il faut que Clovis guérisse pour le traduire.

Le grincement de la porte du cabinet fait sursauter Sam. Un homme pénètre. Un homme qu'il reconnaît et ne connaît plus. Sam se lève d'un bond nerveux et s'interpose entre l'intrus et le lit de Clovis.

L'homme pose sur lui des yeux las. Des yeux sans éclat. Ses cheveux gris et désordonnés tombent sur son front ridé et sa barbe naissante, presque blanche, le vieillit davantage. Il porte une chemise blanche aux manches retroussées et serre ses doigts sur sa trousse.

Sam regarde cet homme et l'accuse silencieusement de lui avoir volé Biche, de lui avoir menti et de s'être servi de lui.

L'homme baisse la tête. Coupable.

— Pardonne-moi Sam. Forgive me, dit-il simplement sans oser lever les yeux vers le trappeur.

Sam s'écarte et le laisse voir son fils. La douleur qu'il lit sur les traits de Philippe l'émeut et il le laisse s'approcher de Clovis. Le laisse s'asseoir et sortir son stéthoscope. Il comprend tout à coup que ce n'est qu'à travers les gestes d'un médecin qu'il a pu approcher son enfant et qu'il a été puni au-delà de son crime. Lui, au moins, il a recueilli les premiers rires et les premiers pas.

Il fait signe à Rose-Lilas. Elle lui obéit. Range son tricot dans un sac de papier brun. Elle le suit jusqu'à la salle d'attente où ils s'habillent en silence. Nerveusement. Mal à l'aise de se retrouver ensemble sans prétexte et malheureux de n'en avoir plus d'autre à utiliser.

L'un et l'autre hésitent à ouvrir la porte sur la rue principale où ils devront se séparer. Alors Sam s'empare du sac de papier brun oublié sur une chaise.

— Don't forget...

Un rire de gêne secoue les épaules de Rose-Lilas, elle qui l'avait oublié volontairement. Elle tend la main. Sam retient intentionnellement ses doigts. Leurs regards se rencontrent. Battent les cœurs. S'accélère le rythme respiratoire. Rougissent les joues.

Un sourire complice leur donne de l'audace. Saint Jean-Baptiste plonge dans les eaux vertes et limpides des yeux de Rose-Lilas tandis qu'elle cueille les noisettes appétissantes de son regard loyal.

Lorsqu'ils ouvriront la porte sur la rue principale, ils ne se sépareront pas. Sam lui offrira son bras. Rose-Lilas l'acceptera. Ignorant que ce geste les mènera jusqu'à la publication des bans en juillet de la même année. Et que leur union non orthodoxe s'avérera des plus solides et des plus heureuses de la paroisse.

Au nom du père

(Si tu quittais ce monde, je te comprendrais. Je comprendrais l'usure de ton cœur, l'usure de tes nerfs. Je comprendrais que tu veuilles quitter un monde qui t'a rejeté dès ta naissance. Avant même ta naissance, pour être franc, car tu fus rejeté dans les os de ton grand-père et dans ceux de ta mère. Et moi, j'ai voulu t'avorter. J'ai voulu t'éviter d'être ce que tu as été. J'ai voulu m'éviter aussi tout cet attachement et ces chagrins secrets.

Oui, si tu quittais ce monde, je te comprendrais. Moi-même, j'ai failli le quitter. J'étais bien, je peux te le dire, j'étais bien à l'article de la mort. Ni souffrance, ni remords. Juste une paix, un silence, un bout d'éternité sur mes blessures. Un repos d'âme et de corps. J'étais bien à l'article de la mort. Mais je me suis réveillé et le monde autour de moi avait un peu changé. J'ai retrouvé une petite pâtissière que j'avais perdue depuis longtemps et Alcide s'est confessé à moi. Et c'est pour ça qu'il faut que tu te réveilles, mon fils. Pour connaître enfin la vérité, toute la vérité. Depuis que je la connais, tout s'éclaire en moi, tout s'ordonne. Je retrouve Biche et je retrouve le cours normal de nos amours qu'Alcide avait faussé par un odieux mensonge. Oui, je retrouve le cours normal de nos amours. Et il faut que tu connaisses cette vérité, toi aussi, car elle adoucira le départ de Biche Pensive et redonnera à son image sa dimension réelle. La vérité te soulagera et te rapprochera davantage de moi comme ta mère l'a toujours souhaité. Comme elle en a formulé le désir avant de mourir.

Il m'a été si doux d'apprendre qu'elle désirait que tu vives avec moi, ton père. Qu'elle désirait pour nous le même toit et la même table. Tant de fois, tant de nuits, j'ai tourné mon pourquoi dans ma tête. Quand je te voyais, à l'église, au presbytère ou à l'école, je tournais ce pourquoi en moi. Et ce pourquoi me labourait sans jamais laisser de semence. Pourquoi l'a-t-elle confié au curé? Pourquoi pas à moi? Parce qu'elle ne m'aimait plus ou voulait me punir de l'avoir rendue fille-mère? Ou parce qu'elle croyait que le ciel lui pardonnerait plus aisément ses fautes? Tour à tour je l'ai considérée frivole, rancunière, égoïste, injuste et déloyale. Et, peu à peu, j'en étais venu à me considérer comme un de ces papillons nocturnes qui se brûlent les ailes à la flamme. Et je me brûlais en te sachant loin de moi, à la merci de ce monde qui n'était pas prêt à t'accepter. Je me brûlais en voyant tes yeux si souvent désespérés. Et ce que je croyais être une belle histoire d'amour, bien souvent, se voyait noirci et déformé par la trahison pour ne devenir qu'un rapport sexuel inconvenant. Un péché aux yeux de l'Église et du village. Et toi, tu perdais ton titre d'enfant de l'amour et devenais mon bâtard. La preuve irréfutable de ma faiblesse et de mes bas instincts. Tu devenais l'enfant du mal conçu dans le péché. Et le rossignol ne chantait plus. Tu étais présent sur terre par ma faute, par ma faute, par ma très grande faute. Et je confondais mes élans paternels en des redevances obligatoires. Je me disais: je lui dois bien ça. Après tout, c'est de ma faute.

Mais aujourd'hui, la rivière reprend son lit. Biche reprend sa place dans mon cœur. Aujourd'hui, tout s'éclaire et tout s'ordonne. Le passé comme l'avenir. Aujourd'hui, tu es et resteras toujours l'enfant de l'amour. Et le rossignol chantait.

Aujourd'hui, je ne doute ni de son amour, ni du tien. Et c'est pour ça qu'il faut que tu te réveilles, mon fils.

C'est pour ça qu'il faut que tu reviennes vers ce monde et lui laisses la chance de se justifier et de s'amender. Il faut que tu connaisses la vérité. Bien sûr, des choses encore te feront mal comme elles me font mal.)

Philippe s'empare de la main de Clovis et la porte à ses lèvres. Il la baise puis appuie ses yeux dessus et laisse couler ses larmes. Il glisse sa joue sur les doigts froids et poursuit ses pensées.

(Judith entre au cloître. Elle se retire du monde pour te permettre d'y entrer. Elle m'a dit qu'ainsi elle pourrait consacrer sa vie à Dieu et prier pour nous. Elle m'a dit t'avoir tellement aimé qu'une liaison avec un autre homme deviendrait une déloyauté envers cet homme, et qu'il lui faut se rapprocher de Dieu afin d'être délivrée de sa passion envers toi. Elle habite chez Léonnie maintenant. Mathilde aussi m'a quitté. Hier, elle est partie avec sa valise en me saluant froidement. Ça m'a fait mal. Je me souvenais de la petite fille qui s'était réfugiée dans mes bras en me disant: « Je vous aime tant. » C'est regrettable parce qu'elle m'aime encore et se fait souffrir. Elle m'aime mais ne me pardonne pas de l'avoir trompée. Pourtant, ce n'est pas elle que j'ai trompée mais elle avait établi une exclusivité dans sa tête. Elle se dévouait et se vouait à moi. Rien qu'à moi. A l'avenir, elle se consacrera à aider les malades mentaux. En souvenir de Firmin sans doute. Je ne sais pas si elle va revenir un jour. Ne me quitte pas toi aussi.)

Philippe étreint la main inerte puis la compare à la sienne.

Leur ressemblance le comble de bonheur. Même paume, mêmes doigts, mêmes ongles.

(Ne me quitte pas toi aussi. Reste avec moi. Te rappelles-tu lorsque tu as été torturé, tu m'as demandé: « Rester avec moé, Philippe »? J'avais dormi avec toi. Aujourd'hui, c'est moi qui te le demande: reste avec moi.)

Les doigts du médecin tâtent le pouls faible et lent. Il hoche la tête puis regarde le visage amaigri du blessé, constatant avec surprise que les traits de l'homme ne lui cachent pas le petit garçon aux yeux noirs. Il sent que malgré sa taille, son physique, son âge et ses capacités intellectuelles, Clovis est demeuré un petit garçon. Il sent chez lui un immense besoin d'être protégé et adopté. Un immense besoin d'être rattaché à quelqu'un et d'être aimé de lui. Un immense besoin d'être sous la tutelle de son père. Et ce besoin, Philippe sait être en mesure de le satisfaire maintenant. Déjà, ce matin, il a débuté les démarches en vue de l'adopter légalement et de lui donner son nom. Mais cette adoption officielle n'est qu'une goutte dans le fleuve d'amour dont il veut inonder son fils. Il se rapproche de lui, gardant toujours entre ses mains cette main si semblable à la sienne.

(Clovis, c'est le nom d'un roi. Et tu as l'air d'un jeune roi qui a perdu tous les combats de son père. Un roi détrôné avant même d'avoir porté la couronne. Tu as l'air d'un jeune roi et d'un jeune indien. Tu as l'air d'un petit garçon. De mon petit garçon. Il était comme toi, mon petit garçon. Il avait des cheveux comme de la soie et une peau cuivrée. Imberbe et douce comme la tienne. Il avait des yeux merveilleux et des cils très longs, épais et recourbés comme les tiens. Il avait des sourcils bien dessinés. Toi, tu relèves continuellement ton sourcil gauche comme si tu doutais. Il avait un nez droit. Toi, tu as le nez brisé. Il avait un corps harmonieux. Toi, tu es tout déchiré.

Ils t'ont fait mal, les hommes. Je le vois sur ton visage. Ils t'ont fait mal. Et ils t'ont fait encore plus mal. Je le sais. Ils ont voulu te briser, t'essoucher, t'anéantir. Ce que cette bête a fait à ton corps n'est que la faible image de ce que les hommes ont fait à ton âme. Ce que cet homme a fait à ton âme. Il était dans mon bureau tantôt. Il voulait te voir. J'ai refusé. Il n'a pas objecté. Il est tombé à genoux et s'est confessé à moi. J'avais envie de le battre et de le consoler à la fois. J'avais envie de le chasser et de rester près de lui. J'avais envie d'entendre sa confession et d'ignorer ses malheurs. Mais il pleurait. Il pleurait tant. Jamais je ne l'ai vu pleurer. Lui aussi se retire de notre vie. Il abandonne sa cure et fait une demande pour les missions du Manitoba. J'avais du mal à le reconnaître. La bête en lui est morte. Oui, la bête en lui est morte. Il ne reste qu'un homme lucide et repentant.

Comme il en a fallu du sang pour payer la vérité! Ton sang, le mien, celui de Gadouas, celui de Firmin et celui du carcajou. Le prix de nos vérités nous étrangle.

Tantôt, cet homme à genoux m'a dit: « Que ce sang retombe sur moi. Tout ce sang. »

Est-ce toi qui as tué la bête? Oui, tu as tué la bête au détriment de ton propre équilibre. Tu as tué la bête et elle t'a déchiré. Te voilà immobile. Hors de ce monde et pourtant présent. Ni mort ni vivant. Dans un néant paisible.

Tu es loin de moi tout en étant si près. Comme lorsque tu étais dans le ventre de ta mère. Loin de moi et pourtant si près. Est-elle près de toi dans ton néant? Te détacheras-tu d'elle pour me revenir? Ne t'attarde pas chez les fantômes, mon fils. Laisse-moi couper ce cordon qui te relie si aisément à l'éternité. Laisse-moi, encore une fois, assister au miracle de tes longs cils qui se lèvent sur tes diamants noirs. Laisse-moi t'offrir un monde meilleur. Faisons comme si tu me naissais encore une fois. Reviens-moi, mon fils que je n'ai vu ni grandir, ni vieillir. Reviens-moi avec ce cœur de petit garçon que je rêve d'accueillir. Je sais que tu n'es pas encore cet homme que ton corps représente. Mais je te guiderai jusqu'à lui. Jusqu'au médecin que tu rêves d'être et que tu seras. Et cette main, si belle et si semblable à la mienne, un jour, saura soigner et guérir. Un jour, saura panser les plaies de notre société. Et peut-être même arracher les masques et les façades.

Reviens-moi, mon fils. Reste avec moi. Laisse-moi te guider vers l'homme que tu dois être.)

Philippe plonge ses doigts dans la chevelure soyeuse. Il a l'impression de caresser Biche et de caresser l'enfant du baptême qui vomissait sur le perron de l'église. Les deux êtres se lient, s'unissent, se confondent. Biche, son fils et cette main si semblable à la sienne.

Au nom du fils

Des sons graves, solennels et réguliers le rejoignent au fond de sa tête. Là où tout le sable fin s'est égrené. Doung! Doung! fait la sentence du temps. Immuable, incontestable et éternelle. Doung! Doung! Son crâne se gonfle de ce martèlement musical et sérieux. Son âme se remplit de secondes et d'éternité. Il s'enfonce dans l'univers nébuleux, noir et vide. Doung! Doung! entend-il encore comme une voix cherchant à le rejoindre dans l'espace incommensurable, comme un phare l'orientant sur la mer immense, comme une île de roches dans les sables mouvants. Il s'accroche à ce son qui le pousse hors des ténèbres. Une lueur blanche dans son cerveau. Il flotte dans une ouate insensible. Une espèce de gros nuage doux. Doung! sonne encore l'horloge du salon avant de retomber dans son silence d'une heure. Car c'était l'horloge du salon. Il l'a reconnue. Un bruit de chaise que l'on pousse contre le plancher et des voix assourdies le situent. Il est dans le « p'tit hôpital ». Dans le lit du « p'tit hôpital ». Au cœur de la lueur blanche que reflètent les murs immaculés. Que fait-il ici? Ah! Oui. Il y avait la rue, les *Je vous salue Marie*, les balles de neige, Pica le pic-bois noir et blanc et le monstre sur le chêne. Ah! Oui. Le monstre qui tournait avec son bras dans la gueule. L'a-t-il encore son bras? Tentative de mouvement: douleur aiguë. Oui. Son père le lui a sauvé.

Son père l'a reconnu devant tous et l'a défendu. Il a levé son poing pour lui. A-t-il rêvé tout cela? Ou le rêve-t-il? Peut-être a-t-il trépassé tout bêtement sous le chêne sans que rien de tout cela ne se soit réellement produit. Il inspire profondément et gémit aussitôt. Il sent sa peau se tendre et fendre sur ses côtes comme si elle était trop petite pour son corps. Le mal engendré par cette respiration profonde se transmet aux muscles, aux os, aux organes. Toute sa poitrine se remplit d'une vague de douleur et lui donne envie de vomir. Il bouge les pieds. Même réaction dans sa jambe gauche qu'il sent plus petite qu'une jambe d'enfant. Il s'immobilise. Respire faiblement. Tente de s'enfoncer à nouveau dans les songes indolores. Une voix assourdie le rejoint, le tire de ce milieu aquatique.

Il reconnaît cette voix derrière le mur. C'est celle de son père. De son père. Nouveau soupir. Nouveau martyre. Est-il en train de muer? De changer de peau? Celle-ci se tend sur lui, brûle et se déchire au moindre mouvement. Est-ce là le prix de la rançon pour avoir droit à cette chambre, à cette voix et à ce père venu le chercher dans la rue? Il a déjà subi tant de mues! Pourquoi une autre? Pourquoi lui? Toujours lui.

D'enfant des bois, il s'est transformé en garçon de presbytère, puis en collégien, puis en séminariste et de nouveau en homme des bois. Qu'exige-t-on de lui à présent? Il ne bouge plus, respire à peine, ferme les yeux pour retrouver la pénombre sécurisante. Il se sent comme une chenille dans son cocon. A l'étroit dans son propre corps. Inconfortable et condamné à poursuivre la métamorphose. Et comme la chenille, il ignore ce que la vie lui prépare. Il ignore les ailes dorées et le charmant duvet et se résigne, malgré lui, à subir une seconde naissance. A se soustraire du monde pour lui revenir sous une autre forme. Sous un autre visage, un autre nom.

Seule la voix de son père le relie vaguement au lieu et au temps. Il s'attache à elle et l'écoute avec attention. Elle le retient près du précipice vers lequel il veut sombrer. Quelquefois, il se sent un petit garçon et retrouve ses émotions d'alors, lorsqu'il vibrait à chaque pas et à chaque mot de l'homme. Dans son cerveau brille la poignée de porte. Quand tournera-t-elle avec son cœur? Là! Elle tourne. Oui, elle tourne. C'est son cœur qui tourne. Son père a mis la main sur son cœur et l'a tourné. Voilà ce qui a provoqué cette douleur d'âme qui gagne ses os. Clic... grincement de porte. Une présence. Oui. Une présence. C'est lui. Un poids sur le bord du lit. Il glisse vers une cuisse chaude. Et entend une respiration découragée. Une main sur son front. De la même température. Si près de ses pensées et si présente. La main coule dans ses cheveux, aimante et triste jusqu'au bout des doigts.

Des gestes qu'il devine, le drap enlevé qui le fait frissonner. Et là, tout à coup, sur son cœur, la masse froide du stéthoscope magique. Le grand sorcier captera-t-il l'affolement de son cœur?

Clovis ouvre les yeux. Une tache d'argent se précise et lui découvre les cheveux de son père. Des cheveux rebelles, incapables de maîtriser une couette indisciplinée sur le front soucieux. Le cœur de Clovis bat si vite et si fort qu'il a l'impression qu'il va crever sa peau. L'homme alors pose son regard de miel sur lui. Un sourire illumine aussitôt son visage.

— Clovis, dit-il d'une voix soulagée et accueillante en caressant sa tête.

Clovis regarde son père, incapable de formuler ce mot qu'il rêve de lui dire. Sa gorge se bloque, sa bouche se dessèche. Tout son passé se bouscule derrière ce mot-clé jamais prononcé.

Derrière cette charnière usée sur laquelle, tour à tour, ses fantasmes et ses rêves ont tourné, sur laquelle l'amour et la haine ont joué ainsi que la vengeance et la reconnaissance. Ce mot sur lequel toute sa vie s'est échafaudée si maladroitement.

Ce mot bat dans sa poitrine submergée de douleur, dans ses tempes, dans ses mains qu'il désire unir à ces autres mains sans pouvoir les bouger, dans ses oreilles et dans sa tête. Ce mot bat en lui et le secoue. Ce mot grandit dans sa gorge muette. Il suffoque. Fierté, peur, gêne, émotion se lient et forment un barrage incompréhensible. Ah! Comment dire à cet homme qu'il l'aime et le vénère? Comment lui dire qu'il est fier d'être de lui? De lui.

Clovis se met à trembler. Il ferme les yeux. Son père remonte la couverture de laine. Clovis la sent piquer sur son menton.

— Tu as froid, constate l'homme en reprenant sa place près de lui.

Un long tremblement lui répond et provoque d'atroces souffrances dans le corps massacré de Clovis. Encore une fois, il désire se soustraire à l'épreuve. Glisser dans l'inconscience et le néant. Le sable fin commence à s'égrener à nouveau dans ses oreilles et la main se glace sur son front. Tantôt, elle était si présente, si près de cueillir ses pensées. Cette perte le pousse à ouvrir les yeux et à accepter cette nouvelle naissance. Il rencontre les prunelles humides d'un homme merveilleux, penché sur lui. Cet homme, c'est son père.

Alors le mot jaillit de lui comme un alléluia, comme un appel de détresse, comme un adieu et comme un souhait de bienvenue. Ce mot jaillit de sa bouche, de sa tête, de son cœur, des profondeurs insondables de son enfance et des tourments de son adolescence. Ce mot jaillit de lui, à la fois balbutiement et locution claire. Ce mot jaillit de son âme de petit garçon et se traduit par sa bouche d'homme.

Ce mot, il l'entend naître sur ses lèvres gercées. Il l'entend naître dans ses oreilles où le sable ne s'égrène plus. Il chante, ce mot, et le soulage. Et il le répète à l'homme merveilleux penché sur lui.

— Papa.

TABLE DES MATIÈRES

FRANCINE OUELLETTE
par elle-même

Je suis née le 11 mars 1947 à Montréal, d'une mère allemande et d'un père québécois natif de Mont-Laurier. Mon enfance a été nourrie des histoires de deux petits villages: l'un dans la douce Bavière et l'autre dans le rude pays de la colonisation des Hautes-Laurentides. Enfant silencieuse et sauvage, l'école a été un enfer pour moi jusqu'au jour où, en sixième année, j'ai rencontré une amie qui aimait lire mes écritures. Ce fut ma première lectrice, et mon premier roman, je le lui présentai à raison de quatre ou cinq pages par semaine. J'avais 12 ans.

Sans jamais cesser d'écrire pour ma lectrice, j'ai entrepris mes études secondaires chez les Dames de la Congrégation où mon professeur de littérature m'encouragea fortement à devenir écrivain. Comme il n'y a pas d'école d'écrivains proprement dite, je m'inscrivis à l'École des Beaux-Arts de Montréal en vue de devenir professeur d'arts plastiques. Ce que je devins effectivement à la polyvalente Saint-Joseph de Mont-Laurier. Je revins donc habiter la ville natale de mon père.

J'ai enseigné durant cinq années tout en continuant d'écrire et de sculpter. Comme je n'aimais pas faire la discipline à coeur de jour, je finis par donner ma démission. Je me tournai alors vers l'aviation. Dès lors, ma vie aventureuse débuta. Je rencontrai mon compagnon de vie, qui était pilote de brousse, et le suivis partout avec notre enfant. De Mont-Laurier à Schefferville et de Schefferville à Mont-Laurier, nous fîmes le voyage plusieurs fois. Chasseurs, Indiens, pilotes, animaux ont alimenté mes contes de l'époque. Comme je poursuivais mes études de pilote, on m'offrit la possibilité d'être copilote sur un *Otter DHC 3* avec mon mari pour la compagnie Airgava. J'acceptai et connus des moments très exaltants.

Après trois années de pérégrinations, je me fixai près du grand lac des Iles et me mis à écrire plus assidûment. Passionnée d'histoire, j'entrepris des recherches sur les débuts de ma région et, surtout, j'écoutai parler les vieilles gens. Tranquillement, à travers mes recherches, germa le roman *Au nom du père et du fils*.

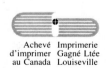

Achevé   Imprimerie
d'imprimer Gagné Ltée
au Canada Louiseville